DERECHO DEL TRABAJO Y NUEVAS TECNOLOGÍAS

ESTUDIOS EN HOMENAJE AL PROFESOR FRANCISCO PÉREZ DE LOS COBOS ORIHUEL

(En su 25º Aniversario como catedrático
de Derecho del Trabajo)

DERECHO DEL TRABAJO Y NUEVAS TECNOLOGÍAS

ESTUDIOS EN HOMENAJE AL PROFESOR FRANCISCO PÉREZ DE LOS COBOS ORIHUEL
(En su 25º aniversario como catedrático de Derecho del Trabajo)

COORDINADORES

ERIK MONREAL BRINGSVAERD

XAVIER THIBAULT ARANDA

ÁNGEL JURADO SEGOVIA

Parte de los estudios incluidos en esta obra se enmarcan en la ejecución del Proyecto I+D+i:
"El impacto de la digitalización en las relaciones de trabajo: retos y oportunidades"
(Ref.: PID2019-104287RB-I00, Universidad Complutense de Madrid; Investigadores Principales:
Francisco Pérez de los Cobos Orihuel y Nuria García Piñeiro).

tirant lo blanch

Valencia, 2020

© TIRANT LO BLANCH
EDITA: TIRANT LO BLANCH
C/ Artes Gráficas, 14 - 46010 - Valencia
TELFS.: 96/361 00 48 - 50
FAX: 96/369 41 51
Email: tlb@tirant.com
www.tirant.com
Librería virtual: www.tirant.es
DEPÓSITO LEGAL: V-1030-2020
ISBN: 978-84-1355-152-4
MAQUETA: Innovatext

Si tiene alguna queja o sugerencia, envíenos un mail a: *atencioncliente@tirant.com*. En caso de no ser atendida su
sugerencia, por favor, lea en *www.tirant.net/index.php/empresa/politicas-de-empresa* nuestro Procedimiento de quejas.

Responsabilidad Social Corporativa: *http://www.tirant.net/Docs/RSCTirant.pdf*

Autores:

Raquel Aguilera Izquierdo

Ángel Blasco Pellicer

María del Mar Crespí Ferriol

Rosario Cristóbal Roncero

Emilio de Castro Marín

Nuria de Nieves Nieto

Joaquín García Murcia

Nuria García Piñeiro

Juan Carlos García Quiñones

Amparo García Rubio

Juan Gil Plana

José María Goerlich Peset

Ángel Jurado Segovia

Jesús Lahera Forteza

Mónica Llano Sánchez

Magdalena Llompart Bennàssar

Mercedes López Balaguer

Erik Monreal Bringsvaerd

Alfredo Montoya Melgar

Sira Pérez Agulla

Francisco Ramos Moragues

Remedios Roqueta Buj

Tomás Sala Franco

Yolanda Sánchez-Urán Azaña

Eduardo Enrique Taléns Visconti

Margarita Tarabini-Castellani Aznar

Carmen Tatay Puchades

Xavier Thibault Aranda

Índice

III. PLATAFORMAS DIGITALES Y RELACIÓN LABORAL: DELIMITACIÓN Y RÉGIMEN JURÍDICO

María Amparo García Rubio

IV. POLÍTICA DE EMPLEO Y NUEVAS TECNOLOGÍAS

Nuria P. García Piñeiro

V. PODER DE DIRECCIÓN Y VIDEOVIGILANCIA LABORAL
Alfredo Montoya Melgar

VI. JURISPRUDENCIA SOBRE CONTROL EMPRESARIAL DE LA ACTIVIDAD DEL TRABAJADOR MEDIANTE INSTRUMENTOS TECNOLÓGICOS
Ángel Blasco Pellicer

VII. EL DERECHO A LA INTIMIDAD FRENTE A LA VIDEOVIGILANCIA EN EL ÁMBITO LABORAL

Remedios Roqueta Buj

VIII. REDES SOCIALES DEL TRABAJADOR, PROTECCIÓN DE DATOS Y ACCESO AL EMPLEO

Margarita Tarabini-Castellani Aznar

IX. EL DERECHO A LA PROTECCIÓN DE LOS DATOS PERSONALES EN EL MARCO DE LA RELACIÓN DE TRABAJO

Nuria de Nieves Nieto

X. LA BASE JURÍDICA DEL TRATAMIENTO DE DATOS PERSONALES EN EL ÁMBITO LABORAL

Xavier Thibault Aranda

XI. DERECHO A LA INTIMIDAD Y A LA PROTECCIÓN DE DATOS Y LICITUD DE LA PRUEBA EN EL PROCESO LABORAL*
Mercedes López Balaguer y Francisco Ramos Moragues

XII. EL TELETRABAJO EN LA ERA DIGITAL
Sira Pérez Agulla

XIII. EL CONTROL DE LA ACTIVIDAD LABORAL
DEL TELETRABAJADOR

EMILIO DE CASTRO

XIV. TRATAMIENTO CONVENCIONAL DEL TELETRABAJO
EN ESPAÑA

MÓNICA LLANO SÁNCHEZ

XV. TELETRABAJO, CONCILIACIÓN Y GÉNERO
Carmen Tatay Puchades

XVI. NUEVAS TECNOLOGÍAS Y TIEMPO DE TRABAJO
Rosario Cristóbal Roncero

XX. EL DESPIDO POR FALTA DE ADAPTACIÓN
A LAS MODIFICACIONES TECNOLÓGICAS

Magdalena Llompart Bennàssar

XXI. RÉGIMEN JURÍDICO DE LAS CREACIONES
E INVENCIONES TECNOLÓGICAS DE LOS TRABAJADORES

Eduardo Enrique Taléns Visconti

XXII. EL DEBER DE SECRETO PROFESIONAL DEL TRABAJADOR EN EL CONTEXTO DE LAS NUEVAS TECNOLOGÍAS

Juan Carlos García Quiñones

XXIII. LA FALTA DE ADAPTACIÓN DE LOS REPRESENTANTES DE LOS TRABAJADORES A LA REALIDAD EMPRESARIAL Y DIGITAL DEL SIGLO XXI: PROPUESTA DE REFORMA

Jesús Lahera Forteza

XXIV. NUEVAS TECNOLOGÍAS Y RELACIONES COLECTIVAS DE TRABAJO: LAS PLATAFORMAS DIGITALES

Juan Gil Plana

XXV. EL ESQUIROLAJE TECNOLÓGICO

Tomás Sala Franco

XXVI. DIGITALIZACIÓN Y ROBÓTICA:
CUESTIONES A DEBATE EN MATERIA DE SEGURIDAD SOCIAL

Raquel Aguilera Izquierdo

XXVII. NUEVAS TECNOLOGÍAS Y CONTROL PÚBLICO
DEL FRAUDE EN LA INCAPACIDAD TEMPORAL

María del Mar Crespí Ferriol

PRÓLOGO

Nunca he sabido hacer un prólogo; ni siquiera sé para qué sirve un prólogo. Sin embargo, sí que sé lo que queda por decir en este libro, que pretende ser un homenaje a la ya larga –lo siento, querido amigo– e interesante vida profesional de Francisco Pérez de los Cobos.

Este es un libro que pretende ser fruto de la inteligencia de sus autores pero que, sobre todo, es producto del corazón de unos compañeros y discípulos, todos ellos amigos, que consideran ampliamente justificado este sencillo homenaje.

Pérez de los Cobos, además de un amplio y fructífero trabajo universitario, como docente e investigador, ha realizado una rica actividad profesional en lo jurídico que le ha llevado a ser Magistrado del Tribunal Constitucional y a ejercer durante cinco años la Presidencia del mismo. Verdaderamente es consolador para los iuslaboralistas, tan denostados y menospreciados en otros tiempos, el hecho de que en los cuarenta años de vida del Tribunal Constitucional hayan sido tres, entre siete, Catedráticos de Derecho del Trabajo (Miguel Rodríguez Piñero, María Emilia Casas Baamonde y Francisco Pérez de los Cobos) Presidentes del mismo.

Iniciada su vida universitaria como Profesor en la Facultad de Derecho de la Universidad de Valencia, con compañeros tan queridos para él como Ignacio Albiol, Juan Manuel Ramírez, Luis Miguel Camps, Juan López Gandía, Francisco Blat, José María Goerlich y yo mismo, donde realizó su primera Tesis Doctoral –la segunda tesis doctoral la presentaría en la Universidad de Bologna–, ganó la Cátedra de la Universidad de las Islas Baleares, donde convivió con Remedios Roqueta, Xavier Thibault, Erik José Monreal y Magdalena Llompart, pasando más tarde a la Universidad Autónoma de Barcelona, teniendo como colaboradores a Margarita Tarabini-Castellani y Ángel Jurado, reclamándose todos ellos discípulos y amigos del homenajeado; y recalando finalmente en la Universidad Complutense, donde se encuentra actualmente. En todas estas Universidades ha dejado grandes amigos, compañeros y discípulos, que le respetan como jurista y maestro y le aprecian.

Por otra parte, el presente libro, referido a temas bien diversos aunque todos ellos consecuencia de la introducción de las nuevas tecnologías en las organizaciones productivas empresariales, tiene todo el sentido del mundo al haber elegido como *leit motif* del mismo *"la incidencia de las nuevas tecnologías en el Derecho de Trabajo"*, por cuanto Francisco Pérez de los Cobos fue uno de los primeros investigadores que puso el punto de mira en estas materias. Su inicial trabajo sobre *"Nuevas Tecnologías y relación individual de trabajo"* (1990), fue seguido de otros trabajos en esta línea de investigación, sólo o en colaboración: *"El teletrabajo en España. Perspectiva jurídico laboral"* (2001); *"Teletrabajo y Seguridad Social"* (2003); *"La subordinación jurídica frente a la innovación tecnológica"* (2005); *"La subordinazione tecnologica nella giurisprudenza spagnola"* (2005); *"El uso sindical de los medios informáticos en la empresa"* (2009); *"Internet en el trabajo"* (2012); *"Nuevas tecnologías y relaciones laborales"* (2013); *"El control empresarial sobre las comunicaciones electrónicas del trabajador criterios convergentes de la jurisprudencia del Tribunal Constitucional y del Tribunal Europeo de Derechos Humanos"* (2017); *"El derecho al respeto de la vida privada. Los retos digitales: una perspectiva de derecho comparado"* (2018); o *"El trabajo en plataformas digitales"* (2018).

En todo caso, han sido muchos y variados los temas abordados en su extensa investigación jurídica, en las múltiples conferencias impartidas y en sus estancias en Universidades extranjeras (Bruselas, Bolonia, París, Milán o México), entre los que destacan su preocupación por la negociación colectiva, el derecho de huelga, el derecho social comunitario, las reformas laborales, los grupos de empresa, la descentralización productiva, la contratación laboral, la modificación sustancial de las condiciones de trabajo, la negociación colectiva, la prevención de riesgos y, lógicamente, los problemas de constitucionalidad de los derechos laborales.

En su actividad en el Tribunal Constitucional, coincidente su estancia con una época ciertamente difícil para la sociedad española, la de la gran crisis económica de 2008-2016, teniendo que enfrentarse a temas ciertamente difíciles y enojosos, se apreció siempre el sustrato liberal que le caracteriza.

Pero Pérez de los Cobos (o Paco) es más que todo esto, porque siempre ha cultivado múltiples intereses más allá del Derecho: lector empedernido y autor de diversos ensayos literarios y de creación: *"Chesterton o la lucidez de los cuentos de hadas"* (Revista Clarín, Año XVIII, núm. 104, Marzo-Abril 2013); *"A la sombra del pequeño filósofo"* (Revista Clarín, Año XX, núm. 118, Julio-Agosto 2015); o el libro Parva Memoria, Tirant Lo Blanch, 2006. Todos ellos constituyen la evidencia del fino e inteligente sentido del humor de un gran observador de la realidad, carácter, este último que también muestran sus artículos en diversos medios de comunicación.

La tenacidad y perspicacia con la que ha buscado en libros, escritores, primeras ediciones o, en su tiempo, en discos, cantantes o piezas particulares, ha sido la misma con la que ha buscado los temas sobre los que investigar, atento a las circunstancias y abierto también a lo que ofrece la realidad.

Querido Paco. Tus compañeros y discípulos te envían entre líneas con este Libro, y en este prólogo con mi firma, un gran abrazo de amistad y de sincero reconocimiento y admiración por tu rica y provechosa actividad profesional, que sin duda continúa, y por esa vida que has compartido estos años con todos nosotros.

Tomás Sala Franco
Catedrático Emérito de Derecho del Trabajo
y de la Seguridad Social de la Universidad de Valencia.
Estudio General

I. CAMBIO TECNOLÓGICO, FUTURO DEL TRABAJO Y ADAPTACIÓN DEL MARCO REGULATORIO

Joaquín García Murcia
Catedrático de Derecho del Trabajo y Seguridad Social
Universidad Complutense de Madrid

SUMARIO: 1. EL PROGRESO TÉCNICO COMO CONSTANTE SOCIAL Y COMO FACTOR DE TRANSFORMACIÓN DEL DERECHO. 2. NUEVAS TECNOLOGÍAS Y SISTEMA PRODUCTIVO: UNA RELACIÓN DE INTERCAMBIO Y MUTUA DEPENDENCIA. 3. EL MERCADO DE TRABAJO EN LA ERA TECNOLÓGICA. 4. PERSPECTIVAS DE EMPLEO Y FUTURO DEL TRABAJO. 5. EL EMPRESARIO Y LAS NUEVAS TECNOLOGÍAS: MAYORES FACULTADES PERO TAMBIÉN NUEVAS OBLIGACIONES Y NUEVOS RIESGOS. 6. DERECHOS DEL TRABAJADOR Y CONDICIONES DE TRABAJO EN EL ENTORNO DE LAS NUEVAS TECNOLOGÍAS. 7. NUEVAS TECNOLOGÍAS Y RELACIONES COLECTIVAS DE TRABAJO. 8. LA RECEPCIÓN DE LAS NUEVAS TECNOLOGÍAS EN EL ORDENAMIENTO LABORAL. 9. BREVE ORIENTACIÓN BIBLIOGRÁFICA.

> "…día llegará en que la Naturaleza sea sacrificada a la tecnología…
> La tecnocracia no casa con eso de los principios éticos, los bienes
> de la cultura humanista y la vida de los sentimientos…"
>
> (Miguel Delibes, El sentido del progreso desde mi obra, 1975)

1. EL PROGRESO TÉCNICO COMO CONSTANTE SOCIAL Y COMO FACTOR DE TRANSFORMACIÓN DEL DERECHO

Las palabras de Miguel Delibes van cargadas de razón. Probablemente cobren cada vez más sentido, y es muy posible, además, que en estos primeros compases del siglo XXI pueda captarse mejor su significado que en el momento en que fueron escritas. Sin embargo, no es previsible que la sociedad esté dispuesta a renunciar al avance de la técnica, ni que pueda hacerlo. Es algo consustancial a nuestra posición en el mundo. Es difícil pronosticar si los seres humanos progresan en valores y principios o si con el paso de los años, y en comparación con épocas pasadas, van perdiendo enteros en esos delicados terrenos del espíritu. Pero sí puede afirmarse que a lo largo de los siglos han buscado con ahínco un mayor grado de bienestar para su entorno, así como una mejora constante de sus condiciones vitales. El instinto de curiosidad, el afán de superación y la capacidad de innovación han formado parte en efecto de los rasgos más característicos de la humanidad, y afortunadamente siguen figurando entre sus cualidades más arraigadas y genuinas. Todo parece estar diseñado y preparado, en verdad, para el progreso en el campo de la ciencia y la tecnología, con independencia de cómo evolucionen aquellos otros planos de la moral y la conciencia.

Es evidente, en cualquier caso, que los avances técnicos y científicos causan un gran impacto tanto en la vida de las personas como en la propia organización social. En realidad, no es nada nuevo. Si bien se mira, la historia de la civilización humana es una sucesión de logros de ese tipo y de esfuerzos por incorporarlos a nuestras pautas de funcionamiento mediante los pertinentes ajustes. Siempre han aparecido nuevas tecnologías, y siempre ha sido necesario buscarles una respuesta social apropiada. Estamos, pues, ante un escenario bastante familiar. Lo que ocurre es que el volumen de novedades es incomparablemente mayor en la actualidad que en épocas pasadas, y que la magnitud de sus efectos difícilmente admite parangón. Es cierto que el grado de presencia de los ingenios o adelantos tecnológicos que llegó a ser concebido por la literatura fantástica o por algunas corrientes del séptimo arte desde mediados del siglo pasado no forma parte aún de nuestras vivencias reales, pese al tiempo transcurrido. Pero tal vez nos estemos acercando a esos productos de la imaginación a ritmos acelerados. La llamada revolución tecnológica, o revolución 4.0 en terminología más especializada, ha supuesto cambios de inusitado calibre, tanto por su intensidad como por su generalizada repercusión en la sociedad. Es un movimiento de tanta potencia y con tal poder de expansión que apenas deja margen para evaluar sus efectos de forma cabal y consecuente, y mucho menos para programar y preparar respuestas apropiadas. Fijémonos, por ejemplo, en las tremendas expectativas de la física cuántica, por situarnos en los últimos bordes del progreso científico. No se trata ya de un mero peldaño en el desarrollo de la técnica sino más bien de la consolidación de una trayectoria de signo ascendente que continuamente encuentra nuevos motivos para su imparable escalada y que pronto avanzará a velocidades de vértigo. Como alguien ha aventurado, el futuro ya es cosa del pasado.

Desde luego, ni es sencillo describir el proceso ni parece estar en nuestras manos adivinar lo que pueda depararnos el futuro, ni siquiera a corto plazo. Es verdad que podemos hacer conjeturas sobre lo que se nos avecina, ya sea en la línea de aquella ficción literaria y cinematográfica, ya sea por otros posibles derroteros. También es cierto que desde los correspondientes sectores de la ciencia se nos viene avisando oportunamente de las nuevas fronteras del conocimiento y de sus correspondientes dilemas e interrogantes. Pero ya no se trata de la creación y puesta en circulación de nuevas máquinas o nuevos ingenios, incluidos los denominados robots, androides, avatares o criaturas de esa especie. Tampoco podemos pararnos en los sorprendentes adelantos que desde hace algunas décadas se han venido operando en el campo de la informática, la electrónica o la domótica, ni siquiera en los sofisticados sistemas de comunicación y control que desde la irrupción de esas nuevas técnicas empezaron a implantarse y practicarse en muchos ámbitos de la producción o de la vida cotidiana. Se trata más bien de un salto cualitativo en la capacidad humana de inventiva y descubrimiento, con todo lo que eso puede entrañar en términos de desarrollo o crecimiento. Hoy en día, la alusión a las nuevas tecnologías remite sobre todo a operaciones del intelecto en las que el hombre y el dispositivo técnico se apoyan mutuamente en una interminable secuencia de avance y alimentación recíproca. Cada vez se hace más evidente que la mente de las personas, y su innata e indeclinable disposición a la especulación y el ensayo, es el verdadero motor de los cambios, al mismo tiempo que su mayor germen de inquietud. Entre otras razones, por su asombrosa capacidad para aliarse con sus propias creaciones en este proceso incesante de innovación. Acaso sea esa curiosa combinación entre mente humana e ingenio técnico el principal soporte, y el mejor exponente, de eso que llamamos "inteligencia artificial". El lema podría ser perfectamente "pienso luego creo", con todas sus consecuencias.

Naturalmente, esa clase de progreso lleva consigo una transformación de la sociedad que, aunque no deje de materializarse de forma progresiva y escalonada, acabará afectando a todas sus estructuras. Un cambio que, por otra parte, no tiene visos de limitarse a los ámbitos sociales aparentemente más propensos a los avances técnicos, como es el caso de la información y las comunicaciones, o como suele ocurrir también en los sectores de la producción industrial y la distribución comercial. Se está haciendo notar, para ser más exactos, en todas las esferas abiertas a la presencia o la intervención humana. Contémplese, por ejemplo, la actual configuración de los sectores de ocio, diversión y entretenimiento, o los nuevos usos en materia de consumo y práctica del deporte, y compárense con lo que sucedía en tiempos aún bastante recientes. Repárese asimismo en el ámbito de las relaciones personales, sobre todo en el seno de aquellos grupos que, por razones familiares, amistosas o corporativas, funcionan de forma más compacta o más estrecha. Échese un vistazo al interior de la vivienda o de otros lugares de estancia y convivencia. Mírese también hacia la cultura, cada vez más moldeada y condicionada por la nueva tecnología tanto en sus creaciones como en sus modos de expresión o sus géneros preferidos. Lo mismo podría decirse del lenguaje y de los nuevos signos de conversación y comunicación entre las personas. Todo cambia, y no precisamente para seguir igual. La revolución tecnológica de nuestros días implica, a la postre, no sólo nuevos métodos de producción, sino también nuevas formas de organización social, nuevos estilos de relación personal y nuevas actitudes ante los retos de cada día. Influye tanto en la organización general de la sociedad como en la conformación del ser humano en particular, y, más concretamente, en sus hábitos, sus ritmos, sus opciones y elecciones, sus posibilidades de realización y sus estrategias o respuestas ante los reclamos que le llegan del exterior. A fin de cuentas significa una nueva concepción y configuración de la vida. De ahí que a veces se hable del "internet de las cosas", o de la smart city, para poner de relieve, seguramente, el generalizado e inabarcable impacto de toda esa revolución en el desenvolvimiento cotidiano de las personas y en su entorno vital y ciudadano.

Y es así, entre otros motivos, porque las nuevas tecnologías, además de acompañarnos en nuestro quehacer profesional o doméstico mediante los consabidos instrumentos o ingenios técnicos, proporcionan información en cantidades ingentes, facilitan la comunicación hasta extremos difíciles de imaginar y abren posibilidades de acceso de incalculables dimensiones a toda suerte de espacios, bienes y servicios. Seguramente es razonable que ante ese panorama se hagan las pertinentes llamadas al "orden natural" de las cosas, y que se tome conciencia de que no todo lo que aporta la nueva tecnología es positivo, ni para la sociedad en su conjunto ni para sus miembros en particular. Es fácil apreciar sus muchas ventajas y facilidades, pero también hay que estar alerta respecto de otros aspectos menos satisfactorios o más preocupantes, entre ellos un mayor riesgo de exposición, aislamiento y vulnerabilidad de la persona y un más alto grado de precariedad e incertidumbre en la organización de nuestras vidas. Permite la adquisición de nuevas habilidades y competencias, pero es muy posible que afecte negativamente a los saberes más clásicos e incluso a los más elementales y, en general, a la cultura humanista de la que el académico nos hablaba. Da a los seres humanos nuevas posibilidades de organizar y sustentar su vida, pero con evidentes peligros para su esfera de intimidad y autodeterminación, y puede que con algún lastre para su crecimiento en el terreno de la ética y los sentimientos. Descarga ráfagas de solidaridad, pero fomenta el individualismo. Administra éxitos y momentos de triunfo, pero también fracasos y depresiones. No se trata de dar la espalda a las nuevas tecnologías, pero sí parece conveniente estar avisado sobre sus efectos en nuestras pautas de reflexión, organización y actuación. Tampoco cabe desdeñar, por cierto, el grado de autonomía que pudieran alcanzar los propios ingenios técnicos, con las consiguientes interferencias en la vida de las personas. No es casualidad que en este contexto de progresiva invasión de dispositivos tecnológicos no sólo se hagan votos por el perfeccionamiento humano, sino también por la "humanidad de las máquinas".

Si los avances técnicos tienen ese impacto en la organización social y en el espacio vital del ser humano no puede extrañar tampoco que abran nuevos retos para el Derecho. Es muy probable, además, que todos estemos de acuerdo en que la sociedad tecnológica demanda nuevas reglas para las relaciones entre personas, sobre todo en determinadas parcelas de la realidad social. El problema surge más bien a la hora de identificar necesidades y sugerir o seleccionar opciones de regulación. Es difícil decantarse, por lo pronto, entre una intervención preliminar o previsora, destinada a moldear y preparar a la sociedad ante futuros y previsibles acontecimientos, o una mera respuesta legal ante los problemas ya advertidos o experimentados. Mayores complicaciones pueden presentarse aún en el momento de precisar el contenido y alcance de la norma. No hace falta hablar, en fin, de las dificultades que entraña la construcción de reglas sensatas de comportamiento para un dominio tan alejado de los saberes puramente jurídicos. Es evidente, de cualquier modo, que el Derecho tiene que afrontar el creciente espacio que el progreso tecnológico viene ocupando. Piénsese en los avances de la biología y en sus consecuencias desde el punto de vista vital, familiar o social, en los múltiples medios de captación, acumulación y difusión de la imagen y otros datos personales, en los crecientes medios de acceso y manejo de información de carácter comercial o empresarial, en los usos posibles o apropiados de la ingente documentación que hoy en día se registra sobre las personas y las cosas, en los nuevos riesgos para la intimidad y el honor, en las nuevas formas de colaboración o conjunción de esfuerzos para un determinado fin social o productivo, en la puesta en marcha de actividades de producción, comercio y trabajo a través de plataformas digitales, en las posibilidades de conformación y uso de redes sociales, en las nuevas fronteras de los derechos de propiedad en una economía basada en datos y algoritmos, en la progresiva irrupción de actos de ciberdelincuencia o contaminación informativa, o, por citar tan sólo algunos ejemplos, en los nuevos contornos de la responsabilidad por daños en un mundo robotizado.

Es de tener en cuenta, por otra parte, que la ausencia de una intervención normativa de carácter abstracto y general por parte del legislador tendrá que ser colmada, como de hecho ha venido sucediendo, por la labor jurisdiccional propia de jueces y tribunales, que por naturaleza está destinada al caso concreto y, que, por ello mismo, suele presentar mayores limitaciones e insuficiencias desde el punto de vista de la ordenación de la

realidad social de referencia. Naturalmente, tampoco cabe dar por sentado que la intervención legal dé cumplida respuesta a todos los problemas,
ni que evite por sí misma las divergencias y controversias. Pero en buena
lógica debería ser cuando menos la punta de lanza para la renovación del
ordenamiento jurídico a la vista de las exigencias que progresivamente va
imponiendo el desarrollo tecnológico. En honor a la verdad, hay que reconocer que el legislador no ha sido del todo refractario a estos nuevos
desafíos y que, pese a las dificultades que ello entraña desde el punto de
vista de su planificación política y su elaboración técnica, desde hace algún
tiempo viene dando a tal efecto pasos de indudable relevancia. También
hay que valorar, por supuesto, el esfuerzo que de forma recurrente han debido hacer los tribunales en las últimas décadas para dar respuesta puntual
y razonable a muchos de los problemas planteados por la nueva tecnología
en un contexto normativo caracterizado por la escasez y en muchos casos
por la apatía del legislador. Pero no cabe duda de que la situación actual
sigue estando lejos de ser del todo satisfactoria.

2. NUEVAS TECNOLOGÍAS Y SISTEMA PRODUCTIVO: UNA RELACIÓN DE INTERCAMBIO Y MUTUA DEPENDENCIA

Ya hemos dicho que el impacto de la revolución tecnológica moderna
va mucho más allá de esa parcela social, pero seguramente sigue siendo
el sistema productivo su detonante más inmediato y, al mismo tiempo, su
más importante campo de experimentación. Es evidente, por decirlo desde otra perspectiva, que los avances técnicos y científicos tienen siempre
conexiones y consecuencias, más o menos pronunciadas, para el sistema
productivo. Estamos, si bien se mira, ante una relación de intercambio mutuo y de doble sentido: por un lado, el sistema productivo demanda constantemente innovaciones y mejoras de carácter técnico o tecnológico, de
las que depende no sólo su expansión sino también, muchas veces, su propia supervivencia, pero, por otro lado, los avances en esos campos obligan
al sistema de producción a la pertinente adaptación de sus mimbres o elementos, como también es fácil de constatar. En realidad, en el trasfondo de
todo ello se encuentra el llamado sistema de necesidades, que condiciona
el funcionamiento del sistema de producción, que impulsa la innovación
técnica y científica, y que, como viene mostrando perfectamente la experiencia, se va conformando y actualizando bajo la influencia de una y otra
variable. Podría decirse, por consiguiente, que cuanto más alto sea el nivel

de desarrollo tecnológico mayores serán las posibilidades de producción de bienes y servicios, mayores serán las necesidades de uso y consumo de las personas, y mayores serán, en definitiva, los requerimientos de ajuste y renovación para el sistema social en su conjunto. Del mismo modo, cuanto más crezca el sistema de necesidades y el propio sistema productivo mayor será, a todas luces, el crecimiento del saber técnico o tecnológico. Son, si bien se mira, movimientos en espiral, alrededor de un eje común, de los diversos ingredientes que intervienen en el proceso de organización y evolución del sistema económico y de la sociedad en su conjunto.

La progresión del conocimiento y de la técnica influye tanto en la composición y la estructura funcional del sistema productivo, como en sus modos y pautas de funcionamiento. Desde esa primera perspectiva estructural, la tecnología es por lo pronto el germen o la base de lanzamiento de nuevos sectores económicos y productivos, tanto en el campo de la pura investigación como en el terreno de la fabricación y de las actividades complementarias, como la asistencia técnica, la reparación o el mantenimiento. Además, potencia el valor de productos ya conocidos, como es el caso de los datos personales. Todas estas vertientes pueden desenvolverse además con fines diversos y aplicaciones muy diferentes, desde el propio desarrollo científico y tecnológico hasta la puesta a disposición de nuevos ingenios o instrumentos para las más variadas facetas de la vida. Piénsese, por poner algún ejemplo, en el sector del juego o el entretenimiento, en el que la nueva tecnología no es sólo la fuente de nuevos soportes para operaciones ya conocidas o practicadas, sino también, y en mayor medida aún, el origen de nuevos escenarios para el despliegue de las correspondientes apetencias, aplicaciones o habilidades humanas. La realidad virtual no es ya un complemento o una simple mejora de lo existente con anterioridad sino un nuevo plano para la actividad de las personas y para la satisfacción de sus necesidades, con su propia configuración y sus reglas específicas.

Pero la tecnología también actúa como una especie de proveedor o servidor para los restantes sectores del sistema económico y productivo. Es muy probable que no exista ya ningún sector de actividad en el que no se haya dejado notar la huella del avance tecnológico. No hace falta ir para comprobarlo al célebre sector de la información y las comunicaciones, en el que tal vez se haya producido la mayor influencia, o cuando menos la más patente y operativa, de los nuevos dispositivos de matriz electrónica o informática. Tampoco es necesario concentrar la mirada en los sectores de comercialización, distribución o transporte de bienes y servicios, siempre propensos a la absorción de innovaciones tecnológicas. Ni siquiera es preciso acudir a sectores de la producción industrial caracterizados desde sus primeras manifestaciones por su receptividad hacia toda clase de ingenios y artilugios mecanizados, como es el caso de la automoción, la manufactura o la confección textil. El influjo de la nueva tecnología va mucho más allá, en efecto. Pensemos, por ejemplo, en sus enormes aportaciones a los procesos productivos de sectores más primarios o elementales, como el agrícola, el pesquero, el de minería o el de la construcción.

Podrían distinguirse, por otra parte, diversos momentos o estadios en el impacto de los avances tecnológicos dentro de cada uno de esos ámbitos o sectores del sistema productivo. Básicamente cabría diferenciar entre dos grandes fases o escalas de aplicación: por un lado, la fase básica o de producción en su sentido más estricto (extracción, cultivo, fabricación, elaboración o preparación, según los distintos sectores y tipos de actividad), y, por otro, la fase de envío, remisión o reparto de los correspondientes productos y servicios a sus usuarios o destinatarios, que se sitúa en un nivel derivado o complementario y que comprende a su vez diferentes actividades y operaciones (información, difusión, contratación o prestación efectiva del servicio al cliente, consumidor o usuario). Las nuevas tecnologías afectan a todos esos compartimentos de los diversos sectores del sistema productivo y, como es fácil de entender, proporcionan para todos ellos nuevos medios y dispositivos, nuevos métodos y procedimientos, y nuevos cauces de información y comunicación entre los interesados. Incrementan y optimizan, por así decirlo, tanto las posibilidades de explotación y producción como los medios y canales de contacto, venta y puesta a disposición de productos y servicios.

También es fácil de apreciar el efecto de las nuevas tecnologías en las pautas y fórmulas de organización de las actividades productivas por parte de sus impulsores o promotores, esto es, por parte de quienes se ponen al frente de una empresa. Quizá la muestra más palpable de ese influjo en los últimos tiempos pueda encontrarse en la denominada economía colaborativa y, en particular, en las así llamadas "plataformas digitales", que pueden tener objetivos diversos y aplicaciones muy variadas en el conjunto de la organización social, pero que en su dimensión más pertinente en este contexto se construyen en esencia sobre tres presupuestos básicos: en primer lugar, una iniciativa con fines económicos, productivos o empresariales, o cuando menos, con algún sustrato susceptible de valoración económica o de aplicación en el mercado; en segundo lugar, la puesta en contacto de personas interesadas en la acometida o realización de las correspondientes actividades; en tercer lugar, la apertura de un canal de comunicación entre esa base organizativa y las personas que desean participar o disfrutar de sus servicios (que a veces, curiosamente, se configuran en condiciones bastante próximas a un fin cooperativo), y, por último, una vía de comunicación entre el centro gestor de la plataforma y quienes se alistan o son objeto de reclutamiento para la prestación efectiva del correspondiente servicio. Es claramente un producto de la nueva tecnología, o una fórmula empresarial de puro soporte tecnológico, si se quiere ver así. Una experiencia que, dicho sea de paso, ha dado motivos para hablar de una nueva fase dentro del sistema capitalista de producción ("capitalismo de plataformas"), y de una nueva forma de planificar y configurar las correspondientes operaciones productivas (la conocida como gig economy).

Es evidente, desde luego, que las nuevas tecnologías han dado una nueva dimensión a la empresa. No sólo porque en muchos casos descansa sobre un entramado puramente virtual, sino también porque aprovecha las aportaciones tecnológicas para la consecución de sus fines productivos. Nos estamos refiriendo en este caso a las empresas que no se construyen sobre bases digitales pero que se sirven de manera intensa o apreciable de los avances y medios tecnológicos. La noción de "empresa tecnológica" no es sólo aplicable a la que fabrica o distribuye tecnología, sino también a la que opera con productos tecnológicos o de aplicación tecnológica, como es el caso de las empresas que recopilan, clasifican y sirven datos a otras. Como es fácil de entender, la nueva tecnología proporciona mayor capacidad de especialización a los agentes productivos, y, en consecuencia, abre mayores opciones para la organización de los procesos productivos, sobre todo cuando revisten una cierta complejidad. Permiten, por decirlo más claro, un mayor grado de fragmentación de las correspondientes operaciones productivas y un nivel más desarrollado de articulación entre distintas unidades empresariales para llevarlas a efecto. Las nuevas tecnologías no son evidentemente ni la causa ni la única variable que puede provocar o incidir en el uso de esa clase de fórmulas subcontratación para el desarrollo de actividades empresariales, pero es indudable que contribuyen tanto a la emergencia de empresas cada vez más especializadas como a la viabilidad técnica de las decisiones de descentralización o externalización de parcelas y fases productivas desde una empresa "principal" a empresas colaboradoras o auxiliares. Entre otras razones, porque también ofrecen mayores oportunidades de participación a distancia en el proceso productivo de referencia (y, por ello mismo, mayores posibilidades de colaboración de profesionales autónomos o independientes en la actividad productiva de una determinada empresa, dicho sea de paso).

En definitiva, es muy probable que el considerable aumento de los negocios de subcontratación entre empresas registrado en los últimos años tenga su mejor explicación, al menos en una porción muy significativa, en los avances de la tecnología. Pero no se trata tan sólo de la articulación de diversas empresas con fines productivos. Se trata también del incremento constante de la oferta de servicios auxiliares de contenido tecnológico por parte de empresas cada vez más especializadas. El "internet de las cosas" ha irrumpido con fuerza en la organización de la empresa, con la consiguiente apertura de nuevos escenarios de intercambio y acoplamiento entre distintos agentes productivos. Hoy en día, y como efecto de la tecnología, la contratación de empresas auxiliares o colaboradoras parece tener una de sus principales pistas de desarrollo en el sector de los servicios "interempresariales", esto es, servicios prestados por una empresa a otra para satisfacer sus necesidades técnicas u organizativas de orden interno. Obviamente, seguirán siendo objeto de contratación muchos de los servicios tradicionales, como la limpieza o la seguridad, a los que también va llegando por cierto la nueva tecnología. Pero el catálogo de servicios ofrecidos al mercado por empresas especializadas no tiene ya parangón con el de tiempos precedentes. Unas veces, por la propia dinámica del desarrollo tecnológico, y otras muchas, conviene decirlo, a causa de la imposición legal a las empresas de obligaciones de supervisión, anotación o registro que con naturalidad abren puertas no sólo a la tecnología y al avance tecnológico, sino también a la puesta en marcha de empresas especializadas en las correspondientes tareas de diseño, instalación o gestión.

Tampoco es difícil percibir la presencia de la tecnología en la determinación del espacio de referencia para la implantación o el desarrollo de las actividades productivas, que ha pasado a medirse a escala supranacional y muchas veces planetaria. De nuevo estamos ante un fenómeno que responde a causas de diverso orden pero en el que las nuevas tecnologías ocupan un lugar de notable protagonismo. Y de nuevo nos encontramos ante usos o aplicaciones del progreso técnico con resultados de muy distinta consideración desde el plano de las ventajas, los inconvenientes y las percepciones sociales o personales. Los procesos de globalización pueden reforzar desde luego el anclaje y las posibilidades de supervivencia de las organizaciones productivas, con los consiguientes beneficios para la sociedad del entorno, pero también pueden entrañar, naturalmente, mayores riesgos de deslocalización o pérdida de instalaciones productivas, con el pertinente impacto en las poblaciones que tradicionalmente han ocupado posiciones de mayor relieve en los procesos productivos, esto es, para quienes se ubican en las zonas del planeta más aventajadas desde el punto de vista económico. En todo caso, parece oportuno recordar que la globalización, impulsada en gran medida por los correspondientes soportes tecnológicos, puede dar oportunidades de desarrollo a las zonas del planeta históricamente menos favorecidas. Más aún: puede ser un buen cauce para que también lleguen a esos otros ámbitos los catálogos de derechos y los niveles de condiciones de empleo que consideramos acordes con la dignidad de la persona. Por ello, no debería ser objeto de reproche el mero hecho de que las nuevas tecnologías cumplan un papel relevante en esa especie de reajuste en la distribución internacional de los procesos productivos y de progresiva parificación de los estándares sociales.

Con todo, es posible que el cambio de mayor profundidad a medio o largo plazo resultante del progreso tecnológico se registre en el terreno de las oportunidades, aunque su materialización práctica se desarrolle de forma más discreta y su percepción resulte algo más costosa. Bien mirado, las nuevas tecnologías dan al ser humano mayor número de cartas u opciones a la hora de planificar y emprender su futuro. En otros momentos históricos, incluso tras la revolución industrial, podía dar la sensación de que los grupos sociales se conformaban como compartimentos estancos que se reproducían de unas generaciones a otras, no sólo en sus pautas de vida sino también en su posición relativa dentro de la estructura de la sociedad y del sistema productivo. Quien llegaba a la vida en el seno de una familia capitalista tenía todas las opciones para seguir perteneciendo a esas mismas clases adineradas (salvo fracasos estrepitosos o decisiones estratégicas de cambio de rumbo), el descendiente de obrero o artesano no solía tener más expectativas que seguir practicando el oficio de sus antecesores dentro del correspondiente estrato social, y quienes se criaban entre las clases más menesterosas apenas podían vislumbrar escaños para su promoción a niveles más altos o desahogados. Es cierto que ese esquema de organización social ha venido registrando transformaciones desde hace bastante tiempo, a veces muy profundas. Pero la aceleración propia de las nuevas tecnologías también parece haberse infiltrado en ese vector de la sociedad. Con la aportación de la tecnología y, en particular, con la inestimable ayuda de los inmensos canales de información, comunicación y formación existentes en la actualidad, se abre ante las personas un mayor elenco de opciones o posibilidades de elección. Por lo pronto, es más factible el acceso al sistema productivo como emprendedor o dueño de un negocio propio, o la puesta en marcha de iniciativas de colaboración; también es más asequible el acceso a la cualificación necesaria para dar respuesta a las legítimas expectativas de colocación y promoción profesional en el terreno del trabajo asalariado.

3. EL MERCADO DE TRABAJO EN LA ERA TECNOLÓGICA

Con esas últimas reflexiones entramos de modo natural en un espacio estrechamente ligado al sistema productivo pero dedicado de manera más precisa al despliegue de la faceta profesional de las personas. Nos referimos al mercado de trabajo, ese lugar no necesariamente geográfico –menos aún en la actualidad– en el que concurren las personas que viven o necesitan vivir de su trabajo con vistas a la obtención de un empleo. En principio, las nuevas tecnologías no tienen por qué afectar a la configuración de dicho mercado, que sigue construyéndose sobre sus tres elementos clásicos: la oferta de empleo (por parte de quienes necesitan trabajo), la oferta de trabajo (por parte de quienes buscan empleo) y el encuentro entre quienes son promotores o portadores de unas y otras. Pero no cabe duda de que las nuevas tecnologías también dejan sentir sus efectos sobre este específico lugar de intercambio, cuando menos por tres razones: por sus aportaciones y ventajas desde el punto de vista de la información y la comunicación, por sus efectos sobre la clase y el contenido del empleo disponible, y por sus requerimientos de formación y preparación profesional para quienes, por uno u otro motivo, optan por vivir de su trabajo.

Es evidente, por lo pronto, que los actuales medios de información y comunicación, unidos a la expansión de los procesos productivos a partir de las nuevas posibilidades técnicas, y a la progresiva exigencia de especialización profesional, llevan camino de diseñar un mercado de trabajo a escala universal o "global", en unas condiciones que le hacen apto no sólo para ofrecer empleos a lo largo y ancho del planeta sino también para reaccionar o contestar a esas demandas desde cualquier ubicación geográfica. Es obvio que las tradiciones y ciertos usos culturales, unidos a los instrumentos elementales de comunicación del ser humano, como la lengua materna, pueden actuar aún como elementos de restricción o entorpecimiento para esa dimensión potencialmente universal de los mercados de trabajo, pero también es cierto que las nuevas tecnologías han ido contribuyendo asimismo a la superación de esas posibles interferencias. De hecho, cada vez son más parecidas las pautas culturales de los distintos países y cada vez se camina más, particularmente, hacia una lingua franca o de uso común, que por cierto está cada vez más afectada por los usos de lenguaje y los signos comunicativos que impone o promueve la nueva tecnología. En verdad, nunca pudo hablarse con tanta propiedad como hoy en día del mercado de trabajo como espacio virtual de concurrencia y encuentro de ofertas y demandas de empleo. Si en otros momentos históricos los mercados de trabajo dejaron de ser locales o comarcales, con el empuje tecnológico y todo lo que ello implica, tienen visos de superar las ya estrechas fronteras nacionales.

Esas facilidades de información y de puesta en contacto de ofertas y demandas de empleo pueden trasladarse, por otra parte, a todos y cada uno de los compartimentos territoriales, sectoriales o profesionales de los que se compone el mercado de trabajo. Es indiscutible que con los medios existentes en la actualidad, fruto de los correspondientes adelantos técnicos, se agrandan las posibilidades de transmisión y recepción de ofertas y demandas de empleo a todos los niveles, y que, en esas mismas proporciones, se amplía la capacidad de difusión de ofertas de empleo, al mismo tiempo que se enriquecen y diversifican las opciones de los demandantes de empleo en relación con los puestos de trabajo disponibles. La nueva tecnología es campo abonado, por lo demás, para la multiplicación de los soportes o canales de intermediación entre quienes ofrecen y demandan empleo, y para la diversificación de los existentes. Es la que ha dado paso, por ejemplo, a la creación de plataformas dirigidas a ese fin o aptas para cumplir esos objetivos, y es la que ha incrementado de forma inimaginable las posibilidades de presencia o emergencia de nuevos agentes dedicados a la puesta en contacto de ofertas y demandas, desde el momento en que tales actividades pueden desarrollarse simplemente, o principalmente, a través de medios electrónicos. Ni que decir tiene, por otra parte, que para las oficinas clásicas de colocación la nueva tecnología, al mismo tiempo que ha proporcionado ventajas, ha provocado nuevas exigencias de organización y funcionamiento.

Las nuevas tecnologías han influido además en el perfil y el contenido de las ofertas y demandas de empleo. Como es fácil de comprender, el ingrediente tecnológico tiene cada vez más importancia en la fisonomía del empleo, hasta el punto de que hoy en día, y se supone que cada vez en mayor medida, muchos cometidos profesionales son de composición o configuración netamente tecnológica, en el sentido de que se dedican al desarrollo, la aplicación o la expansión de tecnología o de operaciones de base tecnológica. Parecidas consideraciones podrían aplicarse a las ofertas de trabajo, que proceden cada vez en mayor medida de personas cualificadas en ese terreno o interesadas en ese tipo de dedicación profesional. A poco que se reflexione sobre ello, puede llegarse a la conclusión, en consecuencia, de que el mercado de trabajo está experimentando una progresiva e imparable reorientación hacia actividades de contenido tecnológico. Desde esa perspectiva técnica o cualitativa, que viene muy condicionada por la propia índole de los procesos productivos, y a la postre por aquel sistema de necesidades al que con anterioridad hicimos referencia, podría decirse asimismo que el mercado de trabajo de alguna forma se va perfilando en sus contornos profesionales a través de una curiosa línea de evolución en la que paradójicamente se van conjuntando crecientes exigencias de especialización por una parte y progresivas tendencias a la homogeneidad por otra, en la misma medida en que el ingrediente tecnológico va cobrando protagonismo y hegemonía a costa de la paulatina desaparición de otras cualificaciones o habilidades más clásicas o tradicionales. Los linderos del mercado de trabajo, por decirlo de otro modo, se van estrechando y concentrando progresivamente hacia las profesiones tecnológicas o con alguna carga de tecnología.

Tampoco es difícil hacerse cargo de que esas tendencias del mercado de trabajo acentúa la importancia de la formación y cualificación profesional, no sólo por la demanda directa de los procesos y agentes productivos, sino también por el mayor grado de competencia que lleva aparejada la globalización tecnológica. Es claro que la preparación con vistas al empleo constituye ante todo una cuestión de índole personal, pero bien mirado es también un desafío para los sistemas de educación y formación profesional y para todos aquellos agentes o responsables que tienen algún grado de participación o implicación en los mismos, desde los poderes públicos a los interlocutores sociales. Hay que reconocer que no es fácil saber a ciencia cierta hasta qué punto o en qué dirección deben ajustarse tales sistemas, pero es seguro que una sociedad presidida por los avances constantes y cada vez más rápidos e inmediatos en el terreno de la tecnología, con su consiguiente traducción en las actividades productivas y en los correspondientes requerimientos de la sociedad, requiere también la ayuda de un sistema formativo ágil y flexible que permita a las personas tomar las medidas necesarias para estar prevenidas y preparadas ante esos nuevos desafíos. Como decimos, es posible que nadie sepa con certeza cómo se debe organizar un sistema formativo con esos fines y ese grado de efectividad, y es muy probable que las propias exigencias estructurales de un sistema formativo consolidado y maduro actúen en algún caso como una especie de freno para un sistema que por definición ha de estar abierto a una continua adaptación. Pero parece claro que el sistema de formación debe configurarse y gestionarse con suficiente grado de flexibilidad para que sea capaz de responder en cada momento a las cambiantes necesidades del mercado y a las progresivas innovaciones técnicas. A la velocidad de los cambios ha de hacerse frente con nuevos ritmos en la renovación del conocimiento; al creciente proceso de "innomatización" hay que responder con planes de recualificación continua.

La nueva tecnología puede entrañar, en fin, otras muchas consecuencias desde el punto de vista del mercado de trabajo. Una de ellas puede ser el riesgo de marginación, segregación y en su caso exclusión, en mayor medida que en otros estadios del desarrollo social y económico, de quienes no se muestren capaces de adaptarse al cambio tecnológico, tanto por el lado de las organizaciones productivas, o de los potenciales emprendedores, como por el lado de quienes tienen que vivir de su trabajo. En buena lógica todos los miembros de la sociedad deberían tener la oportunidad de acceder a la formación pertinente, con vistas a su inserción o participación en el sistema productivo. En ese presupuesto radica seguramente la puesta en circulación de los llamados "derechos digitales". Pero el incremento de las exigencias de cualificación en el terreno tecnológico también puede significar, en la proporción equivalente, la emergencia de nuevos guetos de población desfavorecida o de inferior categoría social, por sus dificultades de acceso o actualización a esos nuevos saberes. Como siempre, ese riesgo será mayor cuanto más alto sea el grado de vulnerabilidad o debilidad de las personas, ya sea por su origen, ya sea por su formación básica, ya sea por sus condiciones económicas. Con ello se abre, como es fácil de imaginar, un nuevo espacio y un nuevo reto para la política social.

Una segunda consecuencia de este impacto de las nuevas tecnologías en el mercado de trabajo puede advertirse seguramente en la relación entre las dos formas básicas de trabajo en nuestras sociedades, esto es, entre el trabajo asalariado y el trabajo autónomo. La nueva tecnología puede entrañar, si bien se mira, un mayor grado de porosidad y de intercomunicación entre esos dos tipos o modelos clásicos de participación de las personas en el sistema productivo de nuestros días. Por un lado, parecen incrementarse las situaciones en las que resulta difícil trazar una línea nítida de distinción entre una y otra forma de trabajo, como está poniendo de relieve, sobre todo, la experiencia de las plataformas digitales, desde el momento en que despliegan su actividad en unas condiciones que no permiten ver con claridad la clase de relación jurídica que debe o puede existir entre quienes realizan prestaciones de trabajo y quien se sitúa al frente de la correspondiente iniciativa productiva o el correspondiente negocio de base. Por otro lado, la nueva tecnología permite un trasiego más fácil desde una a otra forma de trabajo, no sólo por parte de quienes acumulan suficiente experiencia a partir de la correspondiente práctica profesional, sino también por parte de quienes están dispuestos a conocer y utilizar esos nuevos medios con el fin de procurarse mayores expectativas de promoción o enriquecimiento profesional. El dominio de la nueva tecnología implica con toda seguridad una gran exigencia, pero el acceso a ese tipo de saberes probablemente esté más abierto que nunca.

El impacto de las nuevas tecnologías en el mercado de trabajo se refleja, por último, en la manera de efectuar o desplegar los denominados "actos de empleo" por parte de los sujetos competentes o interesados. Nos referimos, en esencia, a los actos o decisiones de quienes desarrollan algún papel en el mercado de trabajo y que tienen alguna clase de incidencia en el empleo o en las personas que viven de su empleo. Son actos que pueden tener muy distinto alcance y contenido, que pueden provenir de diferentes sujetos y que pueden adoptarse y desplegarse en espacios variados, incluso en el denominado "mercado interno de trabajo". Son, en definitiva, actos de selección, reclutamiento, colocación o contratación trabajadores, actos de gestión de recursos humanos en el seno de la empresa, actos de concesión o denegación de ayudas de fomento del empleo, actos de reconocimiento o denegación de prestaciones o subsidios de desempleo, o, en fin, actos de control de la correcta aplicación de la legislación laboral y de empleo. Es evidente que la tecnología ha tenido una incidencia decisiva en los medios y procedimientos que pueden o deben seguirse a todos esos efectos. De nuevo, el soporte electrónico o informático se ha ido imponiendo en un terreno en el que la facilidad e inmediatez de la información y la comunicación son valores prioritarios.

4. PERSPECTIVAS DE EMPLEO Y FUTURO DEL TRABAJO

No se descubre nada al decir que gran parte de la inquietud generada por las nuevas tecnologías se proyecta sobre el empleo, o, por decirlo mejor, sobre las disponibilidades y oportunidades de empleo. Es muy frecuente, en efecto, que el progreso técnico genere la sensación de pérdida de puestos de trabajo y de posibilidades de ganarse la vida mediante esa forma de participación en el sistema económico y productivo. La primera reacción que suelen producir los adelantos tecnológicos desde ese punto de vista no parece ser otra, si atendemos a las declaraciones u opiniones más habituales, que la de temor, estupor o cuando menos cautela y prevención. En ese sentido, la irrupción de la nueva tecnología en las condiciones que hoy en día conocemos ha venido a reproducir en buena medida el escenario de los primeros tiempos de la revolución industrial y de la progresión del denominado "maquinismo", por utilizar la terminología propia de la época. En aquellos tiempos, como se recordará, ciertas corrientes de pensamiento social y muchas de las estrategias de las organizaciones obreras y sindicales tuvieron como objetivo principal la lucha contra los nuevos ingenios y, en su manifestación más extrema, la destrucción de las máquinas, bajo el entendimiento de que restaban oportunidades de empleo a las personas necesitadas de esa fuente de ingresos. ¿Qué podemos decir de los avances técnicos de los tiempos actuales, mucho más profundos e incisivos que los de cualquier otro periodo de la historia de la humanidad?

Es evidente que el desarrollo de la técnica supone tanto la desaparición o pérdida de virtualidad de buena parte de las aplicaciones hasta ese momento típicas del trabajo humano como la actualización, revisión o reconfiguración de muchas otras. Pero no se trata sólo de que se incrementen las hipótesis o posibilidades reales de sustitución directa del hombre por la máquina, ni de una amenaza exclusiva para trabajos manuales o repetitivos. La innovación tecnológica también implica cambios en los procesos productivos que a medio o largo plazo repercuten en todo tipo de tareas y en todos los estratos profesionales, incluidos los de alta cualificación. Eso significa, por lo pronto, que se suprimen puestos de trabajo donde anteriormente los había, que quienes ocupaban determinados puestos de trabajo pueden verse necesitados de procesos más o menos intensos de recualificación o readaptación, y que como consecuencia de todo ello pueden reducirse o comprimirse las oportunidades de empleo. Sin embargo no es claro en absoluto que los avances tecnológicos y, en particular, el progresivo protagonismo de la robótica en el desarrollo de los procesos productivos, conlleve de modo irreparable o ineludible una disminución en términos globales de las disponibilidades y oportunidades de encontrar un empleo o de vivir del propio trabajo. Tal vez suceda lo contrario: la historia de los procesos económicos y productivos atestigua que los adelantos técnicos no sólo producen pérdidas o reducciones sino también nuevas exigencias de aportación de trabajo personal, entre otras razones por la emergencia de nuevas necesidades sociales y nuevas orientaciones o nuevas líneas de desarrollo en el sistema productivo. Para bien o para mal, no parece que el progreso tecnológico sea por sí solo capaz de confirmar ni las profecías de signo un tanto negativo relativas al fin del trabajo, ni las aspiraciones más bien utópicas de una sociedad en la que pudiera tener sentido la reivindicación, no ya del derecho al trabajo, sino del "derecho a la pereza". Tampoco hay motivos para perder la fe en el ser humano, que siempre podrá ofrecer, cabe suponer, más recursos que la máquina.

Es verdad, en todo caso, que la nueva tecnología tiene efectos considerables en el terreno del empleo y, más exactamente, en el terreno de las perspectivas o expectativas de empleo. Como hemos dicho, el impacto no puede resumirse en una pérdida de oportunidades de empleo, puesto que se traduce, más bien, en un proceso de más acelerada transformación de los empleos disponibles y en una inevitable exigencia de mayor esfuerzo y capacidad de disposición de las personas que viven de su trabajo con vistas a su preparación y mejor acomodación a la nueva realidad económica y productiva. Se trata de un esfuerzo de acoplamiento y adaptación a la nueva realidad que conduce ineludiblemente a un nuevo uso, más constante y sistemático, de los procesos de formación o actualización profesional, y que también demanda, por decirlo así, un radical cambio de mentalidad acerca de las ocupaciones disponibles. A diferencia de lo que parecía ser moneda corriente hasta no hace mucho tiempo, el ritmo vertiginoso de los avances técnicos está llevando consigo, como es fácil de apreciar, un cambio ininterrumpido en la clase y esencia del empleo. La fuente de preocupación y el reto de mentalización y preparación de las personas no parece que deba concentrarse por lo tanto en un eventual escenario de desaparición de las oportunidades de empleo, sino que más bien debiera girar en torno a la idea de renovación o reconfiguración continua del empleo en los tiempos venideros. Con cierta razón se ha dicho que hoy en día el ser humano es "un viajero hacia un nuevo mundo laboral", o un migrante en el mapa del empleo, algo que por lo demás, puede afectar tanto a quienes optan por un trabajo por cuenta de otro como a quienes se empeñen más bien por emplearse en un negocio propio.

Acabamos de decir que la nueva tecnología puede afectar, y viene afectando de hecho, al contenido del empleo, que se presume cada vez más técnico y especializado. Pero también afecta a otros muchos de sus aspectos básicos, principalmente a los que se refieren a su consistencia, a sus coordenadas temporales y a su localización. Por lo pronto, es muy aventurado en la actualidad dar por sentada la estabilidad o continuidad en el empleo, en tanto que tampoco hay seguridad de supervivencia para las iniciativas productivas que le proporcionan sustento. Es cada vez más habitual, por otra parte, que se busque el mayor ajuste posible entre la clase o fisonomía del empleo y las disponibilidades reales de la empresa, cada vez más condicionadas por el avance tecnológico. De ahí que vayan cobrando cada vez más protagonismo los vínculos contractuales con mayor capacidad de adaptación a la correspondiente necesidad productiva (trabajo a tiempo parcial, trabajo a demanda, trabajo bajo proyecto), que se vaya difuminando la línea de demarcación de los tiempos de trabajo respecto de los tiempos de descanso, y que sea cada vez más pronunciada la flexibilidad en los horarios o en los tiempos de ejecución de las correspondientes tareas. Es razonable pronosticar, por otra parte, el crecimiento progresivo de las formas de trabajo que se sustentan en conexiones telemáticas, como el trabajo a distancia. Por supuesto, ni todas las organizaciones o unidades productivas acusan el mismo nivel de impacto de las nuevas tecnologías, ni todos los trabajos entrañan por naturaleza el uso de nuevas tecnologías o son susceptibles de aplicaciones de tipo tecnológico. Pero no dejan de ser tendencias cada vez más apreciables y pronunciadas en una organización social y económica, de amplia matriz tecnológica, que ya pertenece a nuestro presente.

5. EL EMPRESARIO Y LAS NUEVAS TECNOLOGÍAS: MAYORES FACULTADES PERO TAMBIÉN NUEVAS OBLIGACIONES Y NUEVOS RIESGOS

Si causa impacto en el sistema productivo, es lógico que la nueva tecnología también lleve consigo efectos tangibles en el tejido empresarial, tanto en los estadios previos o preparatorios de puesta en marcha de iniciativas empresariales como en el interior de las empresas, particularmente en lo que se refiere a su organización y sus pautas de funcionamiento. Es evidente, como de nuevo se encarga de poner de relieve la experiencia, que tanto el sujeto emprendedor (con vistas al despliegue efectivo de sus ideas, iniciativas y proyectos) como quien ya asume la condición de empresario (con vistas a la dirección y gestión de su empresa), han de operar hoy en día en un contexto muy dependiente de la renovación tecnológica. Aunque también les imponga exigencias de nuevo cuño, es patente que la tecnología les depara incomparables ventajas respecto de épocas precedentes, ya sea en forma de opciones y posibilidades de actuación, ya sea en los métodos y medios de producción, ya sea, en fin, en lo que atañe a los soportes disponibles para las operaciones de marketing o difusión de productos y servicios. Ya tuvimos ocasión de referirnos a todo ello al hablar de la amplitud actual de los mercados y los espacios de producción, o de las disponibilidades existentes para la planificación y organización de los negocios, en parte por las mayores facilidades de articulación de procesos productivos mediante la colaboración entre empresas, y en parte por los márgenes de flexibilidad y adaptabilidad que proporcionan los dispositivos de matriz electrónica o informática. Tampoco hay que olvidarse de la trascendencia que desde la perspectiva del "espíritu empresarial", y de sus expectativas de realización o traducción práctica, tiene sin duda alguna la apertura de nuevos ámbitos de actividad o, por decirlo de manera más directa, la emergencia de sectores puramente tecnológicos. No cabe duda, en definitiva, de que la nueva tecnología favorece la iniciativa empresarial. La expansión de las denominadas start-ups es un buen ejemplo de ello, entre otros muchos posibles.

Pero tal vez valga la pena centrar nuestra atención en estos momentos en aquellas facetas de la empresa más estrechamente relacionadas con la prestación de trabajo y, en un plano más puramente empresarial, con la gestión de recursos humanos. Seguramente la primera sensación que despiertan las nuevas tecnologías en ese terreno sea la de fortalecimiento del denominado poder empresarial, básicamente por dos razones. De un lado, por la monumental capacidad de obtención y acumulación de datos de tipo personal y profesional que brinda la tecnología moderna, que permite

un conocimiento más completo de las personas con vistas a la adopción
de las pertinentes decisiones de interés para la empresa. Piénsese en los
procesos de selección de candidatos para la conformación de la plantilla
de trabajadores o para ocupar un determinado puesto de trabajo. Piénsese
también en las tareas de clasificación profesional y en las hipótesis de movilidad funcional o promoción profesional. Piénsese, en fin, en la valoración
del rendimiento o en la comprobación de aptitudes con fines de mejora de
la productividad, de revisión de los sistemas de trabajo o de reajuste o reestructuración de la plantilla. Como resultado de las nuevas tecnologías el
empresario y quienes ejercen funciones directivas por su delegación cuentan en la actualidad con medios y procedimientos especialmente capaces
y fiables a todos esos efectos, tanto para la búsqueda y obtención de información como para llevar a cabo los procesos de decisión correspondientes.
Por lo que parece, la ciencia de los algoritmos está llamada a tener un
creciente protagonismo en todos estos terrenos de la gestión empresarial.

El poder del empresario se ve fortalecido además en su faceta de poder
de organización del trabajo. Las nuevas tecnologías añaden continuamente mayores posibilidades y opciones para la adopción de medidas en relación con el método o sistema de producción, con el lugar de prestación
de servicios y con los tiempos y horarios de trabajo. En términos generales
podría decirse sin temor que en todos estos aspectos las nuevas tecnologías aportan sobre todo mayores dosis de flexibilidad y mayor capacidad
de adaptación a nuevas circunstancias Es verdad que la organización del
trabajo siempre estará condicionada, desde su raíz, por otras muchas variables, especialmente por las características del proceso productivo y por las
demandas del mercado. Pero dentro de esas coordenadas es también fácil
de suponer que los actuales medios técnicos, y más aún los que progresivamente se vayan poniendo en circulación, proporcionan mayores márgenes
para la toma de decisiones en ese terreno. Más concretamente, abren un
mayor abanico de posibilidades con vistas a la determinación del sistema
de trabajo más apropiado o pertinente (por tiempo o por resultado), a la
fijación del lugar de trabajo (que muchas veces tan sólo requiere la existencia de terminales informáticos), o a la delimitación de los tiempos de dedicación al trabajo (que paulatinamente va cobrando fluidez y perdiendo sus
rígidos contornos tradicionales).

Los poderes del empresario aumentan también en el campo específico
de la supervisión y el control. Quizá radique aquí, por cierto, el impacto
más perceptible de la nueva tecnología en lo que se refiere a la relación
laboral, y sin duda se encuentra aquí el punto más sensible y con mayor
potencial de controversia en toda esta problemática. Son prácticamente

infinitas ya las facilidades que proporcionan los adelantos técnicos para las tareas de seguimiento y comprobación de la prestación de trabajo, tanto cuando ésta se realiza en el interior de las instalaciones empresariales (a través de aparatos de captación y grabación de imagen y sonido), como cuando ha de desarrollarse en el exterior de la empresa, incluso cuando la actividad laboral se desarrolla mediante el desplazamiento del trabajador de unos lugares a otros (con el uso de instrumentos de geolocalización o similares). Todos estos potentes medios técnicos permiten desde luego el registro de los tiempos de entrada y salida, o de comienzo y cese de la prestación de servicios, y también hacen posible una verificación y anotación continuada del ritmo de ejecución del trabajo. Muchas veces ni siquiera es necesario un medio específico de control, pues basta la existencia de conexión electrónica entre la empresa y los dispositivos utilizados por el trabajador para obtener los datos pertinentes.

Pero la nueva tecnología no sólo es ventaja para la empresa. Genera también obligaciones y riesgos, y plantea nuevos retos para quienes participan en el mercado de bienes y servicios con la condición de empresarios. La primera exigencia desde este punto de vista, al menos en un orden de prioridades humanas, es la de cuidado y protección de la persona del trabajador, una exigencia que, por lo demás, y en buena lógica, debe proyectarse sobre planos y aspectos del trabajo muy variados. Téngase en cuenta, por lo pronto, que la nueva tecnología puede implicar la emergencia de nuevos riesgos para la seguridad y salud del trabajador, o incrementar algunos de los ya existentes; baste con recordar a tal efecto el riesgo de exposición a pantallas de ordenador o medios técnicos similares, o, según percepciones más recientes, el riesgo de acoso o trato desconsiderado en el entorno o medio ambiente laboral a través de dispositivos o redes digitales. Pero también debe repararse en que, más allá de ese tipo de incidencias, el uso de la nueva tecnología por parte de las empresas puede entrañar asimismo mayores probabilidades de afectación a bienes centrales de la persona, como la intimidad o la vida privada. No sólo por la acción de aquellos potentes instrumentos de supervisión y control de la actividad laboral, que son capaces de registrar con precisión tanto la imagen como el comportamiento del trabajador, sino también por la posibilidad de obtener datos relativos al círculo más íntimo de la persona, como su estado de salud, sus opciones ideológicas e incluso sus preferencias vitales. La adecuada preservación de los derechos del trabajador, y en particular su dignidad como persona, se alza así como el principal deber empresarial en el contexto de la nueva tecnología.

De ello, por supuesto, derivan costes y obligaciones más concretas para la empresa. Es muy probable, o más probable que nunca, que el empresario requiera asistencia y asesoramiento, tanto en el terreno estrictamente técnico como en el plano jurídico, para afrontar estos nuevos escenarios y poder cumplimentar debidamente esas exigencias. Pero en cualquier caso, todo empresario está afectado hoy en día, a resultas a fin de cuentas de la nueva tecnología, por un cuantioso acervo de deberes instrumentales, ya sea en relación con sus trabajadores, ya sea en relación con los representantes de los trabajadores, ya sea, incluso, en relación con determinadas instancias. El más inmediato de ellos, y tal vez también uno de los más determinantes para el buen ejercicio del poder empresarial, es el deber de información. Piénsese en la instalación de cámaras de captación de imagen y sonido con fines de vigilancia, o en la utilización de instrumentos de localización geográfica, o incluso en las condiciones de uso de determinados medios de trabajo, como los ordenadores u otro tipo de soportes informáticos. Piénsese, asimismo, en los deberes que derivan del derecho a la protección de datos personales, o en los que forman parte de determinadas medidas de vigilancia de la salud que pueden adoptarse en el seno de la empresa. Por lo demás, a los estrictos deberes de información se une en ocasiones la obligación empresarial de proceder al registro y la comunicación de los datos pertinentes, especialmente en relación con determinadas instancias públicas.

Verdaderamente, el deber de información a los interesados se ha convertido, a tenor de la jurisprudencia y de la subsiguiente respuesta legal, en factor clave hoy en día para la validez y legitimación de gran número de decisiones empresariales de organización del trabajo y gestión de sus recursos humanos. Pero se trata de un deber que no siempre está construido legalmente con la debida precisión, y que en ocasiones suscita problemas de articulación o compatibilidad entre diversos planos o focos de intereses, como ha ocurrido en más de un caso a propósito de la observancia por parte del empresario de las competencias de información de los representantes de los trabajadores respecto de cuestiones que pueden afectar a derechos del trabajador. Todo ello, naturalmente, dificulta la gestión empresarial, pero además pone de relieve que las cargas del empresario no radican tan sólo en el seguimiento de los correspondientes mandatos legales o convencionales, ni se traducen exclusivamente en costes de contenido patrimonial. La experiencia se ha encargado de demostrar con cierta frecuencia que la imposición de deberes de esa clase, que se justifica desde luego por la búsqueda de un grado mayor de transparencia y previsibilidad en el desarrollo de la relación de trabajo, puede abrir no obstante un escenario de incertidumbre para el empresario acerca de su alcance o radio de acción, o, en su caso, acerca de las consecuencias de su inobservancia o deficiente cumplimentación. Son, a fin de cuentas, problemas de interpretación y aplicación de índole esencialmente jurídica pero que tienen su sustrato en última instancia en la progresiva invasión de los modernos medios tecnológicos y que no hacen más que reflejar las dificultades que se alzan habitualmente para proporcionarles un encaje adecuado en el contexto del ejercicio legítimo de los poderes empresariales.

La implantación de nuevas tecnologías en los centros y lugares de trabajo, y particularmente el uso de tecnologías de la información y la comunicación, puede ser el germen asimismo de nuevos riesgos para la empresa, ya sea para su imagen, ya sea, directamente, para su patrimonio. Es obvio que los soportes de base electrónica o informática facilitan la transmisión o difusión no ya de opiniones sobre la empresa, sino también de datos relativos a su patrimonio o su funcionamiento que pueden ser de carácter secreto, confidencial o reservado. Es fácil hacerse cargo también de que los avances tecnológicos puestos por la empresa a disposición de sus trabajadores para la correspondiente prestación de servicios sean utilizados para fines personales, que pueden ser lícitos o ilícitos en abstracto, y que podrían tener una u otra consideración desde el plano de la ética o la moral, pero que en cualquier caso quedan extramuros de su cometido en la empresa. Se trata, si queremos hacerlo más tangible, del riesgo de que el trabajador hurte tiempo de trabajo para su interés personal, o de que aproveche medios ajenos para la satisfacción de compromisos o necesidades personales. Esa clase de riesgos siempre ha existido en el contexto de la empresa y de la relación de trabajo, pero es obvio que se incrementa de modo muy notable con las mayores posibilidades de la tecnología.

Cabe hablar, finalmente, de nuevos retos para la empresa en el contexto de las nuevas tecnologías. En primer lugar ha de hacerse referencia, seguramente, al reto de adaptación constante a los progresivos avances tecnológicos en lo que se refiere a métodos, procedimientos y medios de producción, por el riesgo de obsolescencia que de forma tan ostensible genera la velocidad actual de los adelantos técnicos. En segundo lugar quizá debería citarse el reto de la competitividad, en tanto que la empresa ha de operar en un entorno en el que las nuevas tecnologías parecen impulsar sin descanso o bien la emergencia de nuevos agentes competidores, o bien la tendencia de los operadores existentes a la creación de situaciones de dominio o monopolio. Un tercer reto, en fin, tiene que ver con la conformación, dimensión o distribución funcional de la plantilla de trabajadores, que, como consecuencia ineludible del progresivo empuje de las nuevas tecnologías, se ve expuesta en dosis hasta ahora desconocidas a la necesidad de ajustes y acomodaciones, tanto en el número de sus componentes como en lo que se refiere a su clasificación, formación y grado de adaptación. No en vano se ha hablado a veces de la necesidad de extender la idea de reconversión industrial a los procesos de reestructuración empresarial y sectorial que puede provocar el avance de la tecnología.

6. DERECHOS DEL TRABAJADOR Y CONDICIONES DE TRABAJO EN EL ENTORNO DE LAS NUEVAS TECNOLOGÍAS

¿Qué pueden suponer la nueva tecnología para quienes viven de su trabajo? En términos generales, la población trabajadora puede verse afectada por los cambios del sistema productivo, por la reconfiguración de los empleos, por la expansión de los mercados de trabajo y por las necesidades de formación permanente. También puede encontrar mayores incentivos y facilidades para la realización de su trabajo, no sólo porque el progreso de la tecnología contribuye a reducir su grado de esfuerzo o penosidad, sino también porque los adelantos técnicos suelen permitir un mayor y mejor rendimiento en términos comparativos. Estos efectos beneficiosos probablemente se puedan notar en la generalidad de los trabajos, pero también cabe suponer que se dejen sentir en mayores proporciones en aquellos sectores de actividad que tradicionalmente han exigido mayor grado de sacrificio para el trabajo humano, como el campo, la minería, la pesca marítima o la construcción. En todo caso, es indudable que los ingenios e instrumentos que van lanzando al mercado las innovaciones tecnológicas entrañan siempre mejoras funcionales en la correspondiente prestación de trabajo, sin perjuicio de que a veces se puedan medir en términos de mayor confort o menor agresividad, y otras veces hayan de medirse en términos de eficiencia u operatividad. Piénsese en el trabajo de oficina, o en general en los trabajos de gestión administrativa, por poner algunos ejemplos de actividades carentes del grado de sacrificio o peligrosidad que cabe presumir en aquellos otros citados con anterioridad.

Como se ha dejado ver, esas consecuencias pueden registrarse o constatarse en cualquier tipo de prestación de trabajo personal, con independencia de que se desarrolle por cuenta propia y en régimen de autonomía o de que, por el contrario, se realice para un empresario en condiciones de subordinación. Pero, ¿qué efectos particulares puede producir la nueva tecnología para el trabajador asalariado, además de ese tipo de repercusiones más generales? ¿Qué consecuencias pueden imputarse a las nuevas tecnologías para quienes prestan servicios en el contexto de la relación laboral, por decirlo de otra manera? Pues bien, como ya dijimos a propósito del empleador, cabe afirmar también aquí que el impacto de las nuevas tecnologías también ofrece una doble faz para este lado de los trabajadores. Una cara amable o ventajosa y una cara hosca y más antipática, por decirlo así. Dejemos ahora a un lado las ventajas que pueda encontrar hoy en día quien busca un empleo para acceder a la información existente sobre ofertas de puestos de trabajo, para difundir sus cualidades profesionales y para entablar contacto o comunicación con los agentes de colocación o directamente con las empresas, sobre las que ya tuvimos ocasión de pronunciarnos. Prescindamos también, para no incurrir en reiteraciones baldías, de los retos que plantea el avance tecnológico para el que ofrece sus servicios al mercado de trabajo desde el punto de vista de su preparación profesional y de la actualización de sus conocimientos. ¿En qué medida, o en qué aspectos del trabajo, pueden afectarle las innovaciones de la tecnología?

Quizá sea pertinente concentrar nuestras consideraciones en tres apartados, que abren otras tantas perspectivas de reflexión. El primero de ellos puede comprender todo aquello que se refiera a las condiciones de realización del trabajo y, en especial, a la delimitación temporal de la prestación de servicios. Obviamente, la nueva tecnología no determina por sí misma ni la duración ni la distribución de la jornada de trabajo, ni incide de forma directa en el tipo de jornada o de horario laboral. Pero también parece claro que puede influir en la adopción de decisiones sobre esos distintos aspectos de la prestación de servicios y que puede dar origen a situaciones desconocidas. Por lo pronto, la nueva tecnología puede conceder a los trabajadores mayor grado de autonomía en la organización o determinación de sus tiempos de trabajo, y puede darles más posibilidades, por lo tanto, de compatibilización del trabajo con otro tipo de ocupaciones o aspiraciones personales. Puede abrir, en particular, mayores márgenes para la dedicación a tareas de responsabilidad familiar, especialmente si ello se combina con la flexibilidad que también otorga la tecnología digital para decidir el lugar de trabajo. Probablemente estos efectos puedan calificarse de beneficiosos, pero también es cierto que los modernos medios tecnológicos pueden generar nuevas ataduras y servidumbres en la realización del trabajo asalariado. Piénsese sobre todo en la conexión del trabajador con las instancias de dirección y decisión de la empresa a través de medios digitales, que pueden ser tan simples como una mera terminal telefónica. No hace falta extenderse ahora sobre la problemática que suscitan los ordenadores "todo en uno para el ocio y el trabajo", ni sobre los derechos que han empezado a reconocerse con vistas a una adecuada protección del trabajador. Basta con llamar la atención sobre ese nuevo tipo de preocupaciones y sobre las nuevas tendencias legales y jurisprudenciales que se han ido generando a su alrededor.

El segundo punto de reflexión puede ubicarse en el contexto de la seguridad y salud en el trabajo y, en términos más generales, en lo que suele conocerse como entorno o medio ambiente laboral. En buena lógica la nueva tecnología, en cualesquiera de sus manifestaciones o aplicaciones (en forma de dispositivos o instrumentos técnicos, o sencillamente como conocimiento científico), debería servir para prestar al trabajador una mejor cobertura frente a los riesgos del trabajo. La biología, la medicina, la ergonomía y, en general, las ciencias que por uno u otro motivo pudieran ligarse a la seguridad y salud de las personas, proporcionan hoy en día medios de enorme capacidad y potencia para planificar la prevención, para eliminar elementos tóxicos, penosos o peligrosos, y para procurar la protección efectiva de los trabajadores. En ese terreno, seguro que hemos ganado. Pero, como ya dijimos, los aparatos y dispositivos de nueva generación también son fuente de nuevos riesgos en el trabajo. Además, no deja de ser preocupante el entorno laboral a que da lugar la nueva tecnología, que en muchos casos parece no dar tregua en la dedicación al trabajo y que puede provocar, por consiguiente, situaciones de sobreesfuerzo, episodios de estrés, alteraciones de ritmo o dolencias neurológicas quizá en mucho mayor grado que en los tiempos pretéritos. En determinadas condiciones también puede que genere un ambiente más propicio a la rivalidad y la competencia exacerbada, y, consiguientemente, a conductas de hostilidad, de cierta agresividad, de exclusión o, como se viene insistiendo últimamente, de ciberacoso.

No pueden olvidarse, en fin, las consecuencias de la nueva tecnología para el acervo de derechos y deberes del trabajador en el contexto de su relación laboral. Ya hicimos alusión al incremento de los riesgos de afectación o lesión de los derechos del trabajador como persona, y especialmente de su intimidad y su vida privada. La principal raíz de esos nuevos peligros se encuentra, como es fácil de adivinar, en los potentes medios que la nueva tecnología pone en manos del empresario para supervisar y controlar la ejecución del trabajo y, en general, para captar y tratar información de carácter personal y profesional. Es cierto que el sistema legal e institucional va haciéndose cargo progresivamente de esa nueva realidad, aunque sea a pasos lentos y no siempre contundentes, y que va proporcionando al trabajador recursos e instrumentos de variada índole para precaverse y protegerse a tales efectos. Hay que tener en cuenta, además, que los medios de representación y acción colectiva de los trabajadores están llamados a cumplir un papel muy determinante en este sentido. Pero también es evidente que el ritmo de avance de la tecnología suele superar con creces la capacidad de previsión y respuesta, con el consiguiente riesgo de apertura de nuevas zonas de penumbra.

Conviene reparar, por otro lado, en que los avances en el campo de la tecnología pueden afectar asimismo a la tabla de obligaciones laborales o profesionales del trabajador. En parte, porque con el progreso tecnológico se viene ensanchando también el radio de acción de los deberes de confidencialidad o sigilo, que tienen que proyectarse sobre un cúmulo de información y documentación que supera en términos muy notables los niveles precedentes, tanto en cantidad como en sofisticación. Y en parte, porque la implantación en la empresa de determinados dispositivos derivados de las nuevas tecnologías exige a su vez la observancia por parte de quien los usa de nuevas o más explícitas pautas de comportamiento, con mayores dosis, seguramente, de discreción, respeto y autocontención. La cada vez más frecuente apelación a reglas internas o códigos de conducta en este contexto seguramente responde a ese nuevo orden de cuestiones ligadas a la relación de trabajo.

7. NUEVAS TECNOLOGÍAS Y RELACIONES COLECTIVAS DE TRABAJO

Aunque su proyección laboral más directa e inmediata tenga lugar seguramente en el contexto del contrato de trabajo y en el ámbito de ejercicio de los poderes empresariales, las nuevas tecnologías también causan efectos apreciables en el plano colectivo de las relaciones de trabajo, prácticamente en todas sus vertientes o facetas. Empecemos por la organización con fines de promoción y defensa de intereses profesionales. Es indudable, en primer término, que los cambios introducidos por las nuevas tecnologías en el sistema de producción y en el mercado de trabajo afectan, por decirlo así, al espíritu sindical o de actuación conjunta en torno a unos objetivos comunes. De un lado, las iniciativas de creación de sindicatos y de adhesión a los mismos pueden chocar con una población trabajadora más diversa en su perfil profesional, menos compacta desde el punto de vista de identificación de sus intereses y más inclinada, principalmente por el entorno y por las condiciones de realización del trabajo, al aislamiento que a la confluencia. De otro lado, el sindicato tradicional ha de abordar ahora una realidad laboral y profesional para la que seguramente no estuvo preparado, ya sea por la singularidad de quienes participan en la economía de matriz tecnológica, ya sea por las condiciones en que se presta el correspondiente trabajo. Tal vez el ejemplo más claro de todo ello lo ofrezcan de nuevo las plataformas digitales. Es verdad que ya se conocen experiencias de organización sindical en estos nuevos sectores, y que las organizaciones sindicales clásicas vienen mostrando atención a estos nuevos fenómenos desde hace bastante tiempo. También es cierto que la nueva tecnología facilita el contacto con fines de asociación, al mismo tiempo que permite acumular mayor información sobre la situación existente, sobre su particular problemática y sobre las opiniones o reivindicaciones al uso. Pero no dejamos de estar ante uno de los retos más interesantes desde la perspectiva del sistema de relaciones laborales.

Dentro aún del terreno sindical, es obvio asimismo que las nuevas tecnologías también influyen en el desarrollo de la actividad sindical, desde distintos puntos de vista. Quizá el impacto más inmediato tenga que ver con la actividad de información y comunicación de los sindicatos con sus afiliados y con los trabajadores en general, para cuya práctica las nuevas tecnologías proporcionan evidentemente muchas más facilidades y opciones que los medios tradicionales. Es obvio que los medios electrónicos de comunicación, desde el simple correo a las llamadas redes sociales, facilitan mucho las cosas en ese sentido. Desde luego, los sindicatos pueden dotarse de este tipo de medios, como efectivamente vienen haciendo. Pero la cuestión ha venido alcanzando, como se sabe, algo más de complejidad. En el ámbito interno de la organización sindical todo puede quedar reducido a un problema de costes o de posibilidades técnicas. Más controvertida es, lógicamente, la implicación de las empresas en estos terrenos. ¿Pueden las representaciones sindicales exigir a la empresa la implantación y el mantenimiento de una red interna de comunicación a estos efectos, como si de un tablón de anuncios se tratara? ¿Pueden utilizar los medios de comunicación digital disponible en la empresa con fines productivos? Como se sabe, contamos ya con alguna respuesta jurisprudencial a estos nuevos interrogantes, aunque tal vez se encuentre aún en sus primeros niveles de elaboración y a la espera de mayores precisiones por parte de los propios tribunales o de las pertinentes fuentes de regulación, particularmente de la negociación colectiva. Es importante, en todo caso, la toma de conciencia sobre estas nuevas facetas y fronteras de la acción sindical en un mundo presidido por las nuevas tecnologías.

Algunas de las reflexiones que se han hecho a propósito de la organización sindical valen también para los típicos instrumentos de representación de los trabajadores en la empresa, como es el caso, en el sistema español, de la denominada representación unitaria. Como en el caso de la sindicación, la fragmentación profesional y la dispersión que desde el punto de vista geográfico o locativo parece formar parte de las actividades propias de la economía digital pueden ser un lastre, o cuando menos una limitación considerable, para la constitución de ese tipo de instancias representativas. De modo similar, las facilidades que para la comunicación y la transmisión de información brindan actualmente la tecnología conceden indudables ventajas pero al mismo tiempo abren nuevas incógnitas acerca de los medios que la empresa debe poner a disposición de esos representantes para el desarrollo de sus funciones. Por lo demás, también es fácil advertir que las nuevas tecnologías suscitan nuevos frentes y nuevos dilemas en determinadas esferas de actividad de las representaciones unitarias de los trabajadores en la empresa, sobre todo a propósito de sus competencias de información y consulta. Repárese a tal efecto en los deberes de información impuestos al empresario a propósito del uso de determinados dispositivos de trabajo o de control del trabajo, y a los ya aludidos en los problemas de articulación entre las competencias de información de dichos representantes y los derechos individuales a la protección de datos personales que se vienen registrando desde hace algún tiempo.

La negociación colectiva también puede acusar el impacto de la nueva tecnología. Estamos, una vez más, ante un escenario en el que se entrecruzan mayores facilidades y posibilidades con nuevas exigencias y dificultades. En lo que se refiere estrictamente a los nuevos sectores de composición tecnológica, las mayores sombras probablemente se adviertan en el plano de determinación de las unidades de negociación y de identificación de los sujetos legitimados para promover y llevar a cabo el proceso negociador. Pero desde una perspectiva un poco más general el desafío de mayor envergadura seguramente tiene que ver con la dinámica de la negociación, con los productos resultantes de los procesos negociadores y con el contenido de los acuerdos y convenios colectivos. Es evidente que la negociación colectiva no puede sustraerse ya a la presencia de las nuevas tecnologías, entre otras razones porque ha recibido más de una llamada en ese sentido desde la propia legislación, porque la acción interpretativa de los tribunales ha conducido en muchos casos a esa fuente de regulación o porque en bastantes ocasiones se muestra poco menos que inevitable su apertura hacia nuevos ámbitos materiales y funcionales, como ha ocurrido ya en relación con determinados tipos de trabajo, como el de reparto. También vale la pena poner de manifiesto que la problemática suscitada por las nuevas tecnologías en el seno de las empresas parece requerir ritmos de negociación de mayor frecuencia y agilidad y procesos más flexibles capaces de desembocar en pactos o compromisos de variada configuración. Como es natural, todas estas reflexiones parten del presupuesto de que nuestro sistema de negociación colectiva confiere el mayor protagonismo al convenio colectivo comúnmente denominado estatutario, pero en buena lógica la idea de flexibilidad también debe remitir a un campo de juego en el que la negociación colectiva pueda discurrir con plena naturalidad por cauces de menor exigencia formal y procedimental. No debe olvidarse tampoco la apertura de nuevos espacios de actividad negociadora para el trabajo autónomo, no siempre desconectados de la negociación colectiva puramente laboral.

Algún tipo de reflexión merece, en fin, la acción de conflicto colectivo y singularmente la huelga. Más allá de las ventajas y dificultades que puedan ofrecer las nuevas tecnologías para toda iniciativa de organización o acción colectiva (más facilidades para el contacto o la transmisión de propuestas por un lado, más barreras para la identificación y conjunción de intereses por otro), el ejercicio del derecho de huelga se ha visto afectado sobre todo por lo que se viene conociendo, con equívoca expresión, como "esquirolaje tecnológico", esto es, por la posibilidad de que se mantenga la actividad de la empresa con ayuda de medios tecnológicos, aun cuando cesen las prestaciones personales de trabajo. Como es fácil de imaginar, no todos los procesos productivos permiten una decisión empresarial de ese tipo, pero a veces es viable por la existencia de los medios técnicos pertinentes. Lógicamente, es una práctica que plantea dudas interpretativas de cierto calibre, que en definitiva giran en torno al grado de impacto que una huelga puede provocar en el círculo de las facultades empresariales de organización y dirección del trabajo y que tampoco podemos abordar a fondo en estos momentos. Baste esta nuda referencia como ejemplo de los retos que también en esta parcela del sistema de relaciones laborales pueden generar las nuevas tecnologías, como los viene provocando, dicho sea de paso, el proceso de fragmentación y descentralización de actividades productivas al que con anterioridad hicimos referencia.

8. LA RECEPCIÓN DE LAS NUEVAS TECNOLOGÍAS EN EL ORDENAMIENTO LABORAL

Como dijimos al principio, la revolución tecnológica y la economía digital plantean nuevos desafíos al ordenamiento jurídico y particularmente al ordenamiento jurídico laboral. No parece que requieran un cambio de estructura de lo que conocemos como Derecho del Trabajo, ni es presumible que se vayan a remover o trastocar los principios sustentadores y los fines más típicos de ese sector del sistema legal e institucional. También es verdad que no todos los efectos del progreso tecnológico en el terreno del empleo demandan propiamente una intervención de sentido estrictamente jurídico, como es el caso, por poner alguna muestra de ello, de la eventual destrucción de puestos de trabajo, de la reconfiguración del universo de las profesiones o de las nuevas necesidades de formación, cuestiones todas ellas para las que pueden ser más aptas las acciones de política social o, simplemente, de política económica. Pero es evidente que muchas de las situaciones provocadas por la transformación de la ciencia y de la técnica generan necesidades de regulación que con anterioridad no se habían manifestado o que no lo habían hecho con la misma intensidad o crudeza. ¿Qué datos pueden exigirse con ocasión de la colocación del trabajador o en el contexto de las relaciones de trabajo y qué uso puede darse a los mismos? ¿Qué clase de medidas puede adoptar el empresario? ¿Qué tipo de instrumentos puede utilizar el responsable de la empresa para el control de la actividad laboral? ¿Qué requisitos ha de observar para ello? ¿Qué calificación merece la prestación de servicios en el ámbito de las plataformas digitales o, en general, en el seno de iniciativas de producción pertenecientes a la denominada "economía colaborativa"? ¿Qué alcance subjetivo y funcional debe procurar en los tiempos actuales el Derecho del Trabajo? Son algunos ejemplos de ese nuevo panorama en el que cada vez se antoja más inevitable la acción del legislador.

También tuvimos ocasión de decir que ante la falta de reflejos del legislador la respuesta jurídica a muchos de esos problemas había empezado a fluir desde las instancias judiciales. De hecho, hoy en día contamos afortunadamente con un cuerpo de jurisprudencia que, pese a sus ineludibles limitaciones desde el punto de vista material, y pese a sus divergencias internas y sus ocasionales cambios de ritmo, atesora capacidad suficiente como para orientar con fundamento la solución a la mayor parte de las controversias o disputas interpretativas que en estos terrenos vienen aflorando desde hace algún tiempo. Como se entenderá fácilmente, no es propósito de estas breves reflexiones navegar a toda vela por ese acervo jurisprudencial, que en este contexto se menciona tan sólo con la finalidad de poner de relieve que la lentitud del legislador, que a veces ha sido más bien inoperancia o falta de criterio, no ha entrañado exactamente falta de previsión o cobertura por parte del ordenamiento jurídico, sin perjuicio de que la acción judicial carezca, como es obvio, del carácter abstracto y general y de la dosis "política" de programación que en buena lógica, y a la vista del contexto social y económico, debe tener la acción legislativa. De todas formas, tampoco se puede decir que el legislador haya sido insensible a las necesidades de regulación derivadas de la nueva tecnología, ni que se haya mostrado por completo refractario a la intervención. Si bien se mira, muchos de los episodios de reforma de la legislación laboral registrados en las últimas décadas se han hecho cargo también del impacto tecnológico, aunque haya sido de manera discreta o encubierta. Es evidente que la introducción en nuestro sistema del despido por causas objetivas, allá por los años setenta del siglo pasado, responde a esas nuevas exigencias de la realidad social y económica. Es claro asimismo que la apelación a causas "técnicas, organizativas y de producción" como base justificativa de determinadas decisiones de gestión empresarial de recursos humanos entraña en buena medida la recepción de esa clase de preocupaciones. Cabe decir, además, que el legislador ya ha empezado a dar algunos pasos más conscientes y deliberados en esa nueva línea de regulación, aunque por el momento se trate más que nada de una intervención un tanto incidental y asistemática.

Probablemente pueda decirse así de todos los países de nuestro entorno, en los que las novedades normativas dirigidas específicamente a esta problemática parecen tener en efecto esas mismas características de respuesta parcial o de intervención selectiva, sin perjuicio de su variable extensión material. Tal puede ser el caso de la conocida legislación francesa de 2016 sobre el trabajo en plataformas digitales y el derecho a la desconexión, o de la reforma del Statuto dei Lavoratori de Italia con fines de ordenar expresamente las facultades empresariales de videovigilancia. En España se ha tardado un poco más en dar pasos en esa dirección, y cuando se ha hecho se han utilizado además cauces un poco más indirectos. Desde luego, ha faltado, y sigue faltando aún, un planteamiento general de necesidades y de posibles respuestas, como pone de relieve, por ejemplo, la permanencia poco menos que en su estado original de los artículos 18 y 81 del Estatuto de los Trabajadores (dedicados, respectivamente, a la realización de registros en la persona del trabajador y al reconocimiento de derechos de uso de local y tablón de anuncios a favor de los representantes de los trabajadores). Pero tampoco ha reaccionado la legislación laboral propiamente dicha, sino que se ha empezado a intervenir a través de un ariete normativo de más amplia proyección en el sistema jurídico, dedicado primordialmente a la protección de datos personales. Como es perfectamente sabido, ha sido la Ley Orgánica 3/2018, de 5 de diciembre, la disposición legal que hasta el momento ha representado el mayor avance del ordenamiento laboral español en la recepción y regulación de los efectos de la nueva tecnología en el ámbito de las relaciones de trabajo, un cauce normativo externo y paralelo a la legislación laboral, aunque conectado a la misma de forma explícita a través de una pieza de contacto inserta en el Estatuto de los Trabajadores y, más concretamente, en su nuevo artículo 20 bis.

La LO 3/2018 supone, en todo caso, una primera respuesta legal a dos de los frentes abiertos, o en su caso amplificados, por la nueva tecnología en ese terreno laboral: de un lado, el del tratamiento de datos personales; de otro, el de utilización de determinados dispositivos de base electrónica o informática en los centros de trabajo. En el primero de esos apartados la LO 3/2018 apenas proporciona cláusulas de específica dimensión laboral, aunque muchas de sus previsiones tienen en cuenta la particularidad que desde esa perspectiva pueden ofrecer las relaciones de trabajo, o determinadas parcelas de la realidad social que pueden tener algún grado mayor de conexión con el trabajo, como la seguridad social. El segundo apartado, en cambio, contiene una regulación relativamente detallada de aplicación directa al contrato de trabajo, con un fin combinado de habilitación del empresario para la adopción de determinadas decisiones de control de la actividad laboral mediante el uso de dispositivos de nueva tecnología, y de protección de los derechos del trabajador que pudieran quedar más expuestos o afectados en ese contexto, especialmente el de intimidad (artículos 87 a 91).

Dejando al margen este segundo bloque de regulación, que se despliega bajo el rótulo general de "garantía de los derechos digitales" y que por su fisonomía tal vez haya que calificar de innovación española más que como desarrollo de las correspondientes previsiones o habilitaciones comunitarias, la Ley 3/2018 actúa evidentemente como complemento de la regulación previamente elaborada en el seno de la Unión Europea, que en el terreno de la protección de datos personales cuenta sin discusión con un haber normativo de mérito y valor indiscutibles, que se inició con la Directiva 95/46/CE y que ha tenido continuidad con el Reglamento 2016/679, acompañado por cierto por un abundante acervo de disposiciones normativas de carácter sectorial o más especializado, a veces en forma de directiva y otras veces en forma de reglamento. Las instituciones de la Unión Europea, por lo demás, han venido mostrando un encomiable y más directo interés por algunos otros aspectos de la revolución tecnológica en el ámbito del empleo y, por lo general, se vienen haciendo cargo de ese nuevo factor de incidencia en las relaciones de trabajo a la hora de completar o renovar el correspondiente arsenal normativo.

Eso es lo que cabe apreciar, bien es verdad que de manera aún muy incipiente, en la Directiva 2019/1152 sobre condiciones laborales transparentes y previsibles o en la Directiva 2019/1937 sobre protección de las personas que informen sobre infracciones del Derecho de la Unión. También es perceptible en la Resolución del Parlamento Europeo de 4 de julio de 2017 sobre condiciones laborales y empleo precario, en la Decisión 2019/540 de la Comisión por la que se registra una propuesta de iniciativa ciudadana NewRightsNow para reforzar los derechos de los trabajadores "uberizados", y en el acuerdo de la Eurocámara de 16 de abril de 2019 sobre derechos mínimos para trabajadores en plataformas digitales como UBER, Glovo o Deliveroo. Ni que decir tiene que la preocupación de la Unión Europea está muy presente ya en la ordenación jurídica de los sectores económicos y empresariales de mayor presencia tecnológica, como es el caso de la Directiva 2016/1148 sobre seguridad de las redes y sistemas de información (traspuesta a nuestro ordenamiento por RDL 12/2018), la Directiva 2019/790 sobre derechos de autor y derechos afines en el mercado único digital, o la Resolución del Parlamento Europeo de 15 de junio de 2017 sobre plataformas en línea y mercado único digital.

No hace mucho Francisco Pérez de los Cobos advirtió que "el marco de incertidumbre institucional y legal de la primera hora sigue manteniéndose", y que "el legislador laboral español sigue poco menos que ignorando la informática y dejando en manos de los jueces resolver los problemas que su utilización en la empresa suscita". La afirmación, indiscutible, responde de modo fiel a la situación que hemos estado viviendo. Pero también es verdad que las cosas empiezan a cambiar, aunque sea por impulso de la Unión Europea o, dicho sea con el correspondiente reconocimiento, por la acción orientadora e influyente de la Organización Internacional del Trabajo, que con ocasión de su centenario, y en el contexto de otras muchas iniciativas sobre el futuro del trabajo, tomó nota de muchos de estos problemas y procedió, en particular, a la aprobación del Convenio número 190 sobre violencia y acoso en el trabajo, acompañado de la Recomendación número 206 sobre el mismo tema. Habría que rastrear también las aportaciones de los convenios colectivos y, en términos más generales, el papel que puede y debe asumir la negociación colectiva en todo este escenario. Algo, pues, se ha venido avanzando, tanto en el plano estrictamente normativo como en el campo de la actividad administrativa y jurisdiccional, o en el terreno de la política social y de empleo. Hoy en día, en efecto, los soportes electrónicos de información y comunicación son ya moneda corriente en los servicios públicos de empleo, en la Inspección de Trabajo, en las entidades gestoras del sistema de seguridad social o en los procesos desarrollados ante la jurisdicción social. La preparación en competencias digitales ha pasado a formar parte, asimismo, de las acciones de formación profesional ocupacional. Es razonable pensar que aún queda camino por recorrer, pero la maquinaria legal e institucional parece estar en fase de despegue.

9. BREVE ORIENTACIÓN BIBLIOGRÁFICA

La reseña bibliográfica sobre la irrupción y el impacto de las nuevas tecnologías en el ámbito de las relaciones de trabajo debe comenzar desde luego con la obra pionera de F. Pérez de los Cobos Orihuel que con el título de *Nuevas tecnologías y relación de trabajo* fue publicada en 1990 por la editorial Tirant lo Blanch en la ciudad de Valencia. A ella se fueron sumando progresivamente otros muchos estudios en forma de monografía individual o de obra colectiva, entre los que para una primera aproximación del lector cabe reseñar los siguientes: J. B. Thibault Aranda, *El teletrabajo*, CES, Madrid, 2000; A.V. Sempere Navarro y C. San Martín Mazzucconi (dir.) *Nuevas tecnologías y Relaciones Laborales*, Aranzadi, 2002; M.R. Alarcón Caracuel y R. Esteban Legarreta, *Nuevas tecnologías de la información y la comunicación y Derecho del Trabajo*, Bomarzo, 2004; C. San Martín Mazzucconi (dir.), *Tecnologías de la información y la comunicación en las relaciones de trabajo: nuevas dimensiones del conflicto jurídico*, Editorial Eolas, León, 2014; S. Rodríguez Escanciano, Poder de control empresarial, sistemas tecnológicos y derechos fundamentales de los trabajadores, Tirant lo Blanch, Valencia, 2015; L. Mella Méndez, *Trabajo a distancia y teletrabajo*, Thomson/Aranzadi, 2015; M.E. Cuadros Garrido, *Trabajadores tecnológicos y empresas digitales*, Aranzadi, 2018, I. Iglesias Álvarez, Los procesos de selección en la era digital, FC Editorial, 2019, o L. Aragüez Valenzuela, *Relación laboral "digitalizada": colaboración y control en un contexto tecnológico*, Thomson/Aranzadi, 2019. Algunas de estas obras ya contienen referencias al fenómeno moderno de las plataformas digitales, a las que se dedican de forma más directa o específica los estudios de A. Todolí Signes, *El trabajo en la era de la economía colaborativa*, Tirant lo Blanch, Valencia, 2016; M. Rodríguez-Piñero Royo y M. Hernández Bejarano (dir.), *Economía colaborativa y trabajo en plataforma: realidades y desafíos*, Bomarzo, 2017, y F. Pérez de los Cobos Orihuel (dir.), *El trabajo en plataformas digitales. Análisis sobre su situación jurídica y regulación futura*, CISS/WoltersKluwer, Madrid, 2018 y G.García González y M.Regina Redinha (dir.), *Relaciones contractuales en la economía colaborativa y en la sociedad digital*, Dykinson, Madrid, 2019. Una aproximación más concentrada en determinados efectos de las nuevas tecnologías para la salud de los trabajadores puede efectuarse a través del libro de C Molina Navarrete, *El ciberacoso en el trabajo*, la Ley/WoltersKluwer, Madrid, 2019, o M. López Arranz, *Violencias de género en el nuevo mercado tecnológico del trabajo*, Thomson/Aranzadi, 2019, y una visión un poco más amplia de la proyección jurídica de los avances tecnológicos, más allá del ámbito estrictamente laboral, puede encontrarse en Y. Sánchez-Urán Azaña y M.A. Grau Ruíz (dir.), *Nuevas tecnologías y Derecho*, Juruá, 2019. Sobre el futuro del trabajo a la vista de este proceso de desarrollo tecnológico y de otros factores concurrentes pueden consultarse las obras de J.R. Mercader Uguina, *El futuro del trabajo en la era de la digitalización y la robótica*, Tirant lo Blanch, 2017; AAVV, *El futuro del trabajo que queremos*. Conferencia Nacional Tripartita. Iniciativa del Centenario de la OIT (1919-2019), Vol. 2, 2017; AAVV (Proyecto Technos), *Robótica y su impacto en los recursos humanos y en el marco regulatorio de las relaciones laborales*, y *El impacto de las tecnologías disruptivas en la gestión de los Recursos Humanos y en el marco regulatorio de las Relaciones Laborales*, La Ley/Wolters-Kluwer, Madrid, 2018, M.E. Casas Baamonde y C. de la Torre García (dir.), *El futuro del trabajo en España: impacto de las nuevas tendencias*, La Ley/WoltersKluwer, Madrid, 2019, y F.Pérez García, *Cambios tecnológicos, trabajo y actividad empresarial*, CES, Madrid, 2020. Para el análisis particular de la regulación proporcionada por la LO 3/2018 sobre derechos digitales, en conjunción con su entorno jurisprudencial, pueden utilizarse, junto a muchas de las referencias anteriores y posteriores, los libros de C.H. Preciado Doménech, *Los derechos digitales de las personas trabajadoras*, Thomson/Aranzadi, 2019, y S. Rodríguez Escanciano, *Derechos laborales digitales: garantías e interrogantes*, Thomson/Aranzadi, 2019. También es de interés en todo este contexto, por razones comprensibles, la bibliografía sobre protección de datos personales en la relación laboral, que en sus primeras fases cuenta por ejemplo con las aportaciones de M.B. Cardona Rubert, *Informática y contrato de trabajo (introducción a la Ley Orgánica 5/1992, de 29 de octubre, de regulación del tratamiento automatizado de los datos de carácter personal)*, Tirant lo Blanch, Valencia, 1999, y A. Desdentado Bonete y A.B. Muñoz Ruiz, *Control informático, videovigilancia y protección de datos en el trabajo*, Lex Nova, 2012, pp. 79 y ss., y que tras la aprobación de la legislación nacional vigente se ha visto enriquecida con los estudios de J.L. Goñi Seín, *La nueva regulación europea y española de protección de datos y su aplicación en el ámbito de la empresa*, Bomarzo, Albacete, 2018; J.R. Mercader Uguina, *Protección de datos en las relaciones laborales*, Claves Prácticas Francis Lefebvre, Madrid, 2018; J. Baz Rodríguez, *Privacidad y protección de datos de los trabajadores en el entorno digital*, Bosch/WoltersKluwer, Madrid, 2019; A.M. Orellana Cano, *El derecho a la protección de datos personales como garantía de la privacidad de los trabajadores*, Aranzadi, 2019, y J.M.Serrano García, *La protección de datos y la regulación de las tecnologías en la negociación colectiva y la jurisprudencia*, Bomarzo, 2019. Como era previsible, son innumerables a estas alturas las contribuciones sobre el impacto de la nueva tecnología en el ámbito del empleo con formato de artículo de revista, capítulo en el que puede bastar, para esta breve reseña, con la cita del trabajo de F. Pérez de los Cobos sobre "Poderes del empresario y derechos digitales del trabajador", publicado en Trabajo y Derecho, núm. 59 (2019), y con la mención de las colaboraciones aportadas por el correspondiente elenco de autores al número extraordinario de 2019 la Revista de Trabajo y Seguridad Social (CEF) bajo el título general de *"La transformación digital y su repercusión en el trabajo"*, al número 54 (2019) de la Revista General de Derecho del Trabajo y Seguridad Social (Editoriall Iustel), dedicado específicamente a la protección de datos, el derecho de intimidad y la garantía de derechos digitales en el empleo público, y al número 117 (2019) de la revista Documentación Laboral, sobre "El futuro del trabajo que queremos: un debate global". Del papel que en todo este terreno puede asumir la negociación colectiva se ocupan en particular los artículos de A. P. Baylos Grau, "Los derechos digitales y la negociación colectiva", Diario La Ley 7 de enero de 2019, y M. Sepúlveda Gómez, "Negociación colectiva y derechos digitales en el empleo público", en el ya citado número 54 de la RGDTSS. Para una eventual mirada al panorama comparado pueden consultarse, siquiera sea como primera orientación, los estudios reunidos bajo el título de *Protection of Employees' Personal Information and Privacy*, (dir. R. Blanpain, R. Nakakubo y H. Araki y publicados en el Bulletin of Comparative Labour Relations, (núm. 88, Wolters Kluwer, 2014), los que componen un número monográfico de la revista CLL&PJ Comparative Labor Law and Policy Journal del año 2018 (Núm.2, Vol. 39), y los aportados por M. Barbera, G. Smorto, S. Deakin, C. Markou y J. Cruz Villalón al Giornale di Diritto del lavoro e di Relazioni Industriali, vol.158, núm.2 (2018) con el título general de "Impresa, lavoro e non lavoro nell´economia digitale", y buena parte del contenido del número 144 (2019) de la Revista del Ministerio de Trabajo, Migraciones y Seguridad Social (serie Seguridad Social). Entre los abundantes informes y documentos sobre el tema pueden mencionarse los siguientes: Instituto Europeo de la Igualdad de Género, L*a ciberviolencia contra mujeres y niñas*, 2017; Mckinsey Global Institute, *Un futuro que funciona: automatización, empleo y productividad*, 2017; Servicio de Estudios de la Confederación UGT, *El trabajo en las plataformas digitales de reparto* (coord. L. Pérez Capitán), Madrid, 2019; Comité Económico y Social Europeo, *"Plan coordinado sobre la inteligencia artificial"* (DOUE 18/10/2019); Comité Económico y Social Europeo, *"La tecnología de cadena de bloques y de registros distribuidos: una infraestructura ideal para la economía social"* (DOUE 18/10/2019); Consejo y de los Representantes de los Gobiernos de los Estados, *"El trabajo digital en el ámbito de la juventud"* (DOUE 10/12/2019), y Ministerio de Ciencia, Innovación y Universidades, Estrategia Española de I+D+I en Inteligencia Artificial, 2019, Comité Europeo de las Regiones, *Una Europa digital para todos: promover soluciones inteligentes e integradoras sobre el terreno* (DOUE 5 febrero 2020), Comité Económico y Social, *La tecnología de cadena de bloques y el mercado único de la UE* (DOUE 11 febrero 2020), y Comisión Europea, *White Paper on Artificial In-*

teligence (19 febrero 2020). En fin, es muy probable que la mejor manera de hacerse cargo de lo que supone la nueva tecnología para la vida de las personas y la organización de la sociedad sea el seguimiento de la información puntualmente proporcionada por los medios sociales de comunicación, muchos de ellos ya digitales, acerca de los acontecimientos de cada día, así como las crónicas de las denominadas "ferias tecnológicas", como la que tiene lugar en Las Vegas. Pero también puede ser útil la consulta de bibliografía procedente de las ciencias sociales y económicas o de otros campos cercanos en los que la tarea del profesional se centra en la observación y el análisis de la realidad circundante. Un buen compendio sobre el avance tecnológico y su impacto en el empleo puede encontrarse en R. Baldwin, *La convulsión globótica. Globalización, robótica y el futuro del trabajo*, Bosch, Barcelona, 2019, y también son útiles las aportaciones de J. Rifkin, E*l fin del trabajo. Nuevas tecnologías contra puestos de trabajo: el nacimiento de una nueva era*, Paidós, 2003, o de M. Castells, *La era de la información*, Alianza 2005, para una primera etapa, y de los ensayos de A. Oppneheimer, *El futuro del trabajo y los trabajos del futuro*, Debate, 2019, A. Naschi, Muster: *Theorie der digitalen Gesellschaft*, Hardcover/C.H.Beck, 2019, Guardiola, *El ojo y la navaja*, Arcadia, 2019, M. Peirano, *El enemigo conoce el sistema*, Debate, 2019, J. Bridle, *La nueva edad oscura*, Debate, 2020, o A. Wiener, *Uncanny Valley*, MCD, 2020, para el periodo más cercano a la preparación de estas líneas, a sabiendas de que tales referencias tan sólo pueden verse como una pequeña y apresurada muestra, en términos muy aproximativos, de un flujo de información de proporciones inabarcables y en buena medida inaccesible para un jurista. Sepa el lector, por lo demás, que la noción de literatura fantástica o ciencia ficción no se reduce a los escenarios futuristas cargados de tecnología, como bien nos muestra Kinsley Amis en *El Universo de la ciencia ficción*, Ciencia Nueva, Madrid, 1966.

II. NUEVAS TECNOLOGÍAS Y NUEVAS FORMAS DE TRABAJO. EL DEBATE SOBRE LA LABORALIDAD EN EL CONTEXTO INTERNACIONAL Y EUROPEO

Mª Yolanda Sánchez-Urán Azaña

Catedrática de Derecho del Trabajo y de la Seguridad Social, UCM

1. INTRODUCCIÓN

En una mirada retrospectiva confrontada con la realidad actual socio-económica, se vuelve con más intensidad, por la complejidad del cambio, a pensar sobre los rasgos definitorios, estructurales, del sistema de relaciones laborales y sobre el dinamismo adaptativo y "flexibilidad" del Derecho del Trabajo.

El entrecruzamiento o interacción de los factores extrajurídicos, en especial los tecnológicos, con el trabajo no adopta en todos los momentos o épocas la misma configuración. Y en la actualidad se identifica con la drástica reducción de los costes de transacción que se derivan de los avances tecnológicos "disruptivos".

Estos avances que condicionan el trabajo y la evolución adaptativa a la realidad social y económica que define nuestra disciplina jurídica, se han proyectado sobre los que cupo entender como trabajos atípicos y hoy se definen como "nuevas formas de empleo", respecto de las que surge permanentemente la cuestión relativa a si se ha normalizado la atipicidad del trabajo y con ella el replanteamiento de los límites de expansión selectiva de su centro de imputación (subjetivo y objetivo).

Desde la afirmación del Prof. BAYÓN CHACÓN sobre que la "protección legislativa de los que viven de su trabajo no es un problema jurídico estático y resuelto para siempre o para largos años, sino un fenómeno dinámico y vivo" [1], hoy no se ofrece por nuestra doctrina y por doctrina foránea una respuesta única en torno a los límites de esa línea evolutiva y, en lo que ahora interesa, a los niveles básicos de tutela protectora. Porque en el fondo sigue latente la clásica tensión entre las dos fuerzas contradictorias, unificación y fragmentación, que también en la actualidad (o más aún en la actualidad) se hallan en un equilibrio inestable.

Con el trasfondo siempre de la adaptación del Derecho del Trabajo a los requerimientos del sistema productivo y económico, a la estructura productiva y a los profundos cambios proyectados en una mutación profunda de la realidad del trabajo, la aludida tendencia tiene dos perspectivas:

Una, relacionada con los rasgos identificadores del ámbito de aplicación del Derecho del Trabajo, de modo que se permita atraer a los nuevos trabajos a la laboralidad y a los trabajadores hacia su concepción como asalariados. Lo que podría denominarse tendencia natural o fisiológica del ordenamiento laboral en respuesta a la diversidad y tendencia a la diferenciación como características del Derecho del Trabajo.

Y otra, relacionada con las técnicas utilizadas por la política jurídica, que nunca se ha encaminado a la homogeneidad de las relaciones laborales porque nunca se concibió el Derecho del Trabajo como un Derecho unitario, único e indivisible. De modo que la evolución es justificación permanente de la diversidad de tutelas o de contenidos protectores o en fin de la diversificación de los regímenes jurídicos.

Es así como desde hace ya tiempo el "estándar" ha dejado de ser el tipo ideal de trabajo, y el Derecho del Trabajo ha debido ir acomodándose o adaptándose para dar respuesta a esa nueva realidad del mercado de trabajo, definiendo la garantía y contenido de tutela que debiera proporcionarse a estos nuevos tipos o nuevas formas de empleo con equilibrio necesario entre universalidad/diversidad (entre proteger a todos y al mismo nivel y expandir su protección selectivamente). De ahí que también ahora el Derecho del Trabajo –el del nuevo tiempo del Empleo No Estándar en la era de la digitalización– debe responder a la imputación "clásica" de que "es enemigo del empleo al haber endurecido en exceso las relaciones de

---

[1]   BAYÓN CHACÓN, G.: "El ámbito de aplicación personal de las normas del Derecho del Trabajo", *RPS*, núm.71, 1966.

trabajo"[2] (lo que cabría hoy entender como antieconomicidad de la aplicación en bloque del Derecho del Trabajo) y, por consiguiente, buscar la regulación flexible que favorezca la creación de empleo sin degradar los derechos de los trabajadores. Lo que podríamos definir como equilibrio entre la flexibilidad buscada por los empresarios y la protección (la seguridad) requerida por los trabajadores (y no solo la indeterminación de la denominada "seguridad en el empleo"), debiendo proveer de las reglas que permitan tratar de forma diferente (pero no arbitraria o irrazonable) lo que es diferente o presenta rasgos que objetivamente lo hacen distinto –no otro sentido tiene la igualdad constitucional en la ley–.

Se debe, entonces, reflexionar, desde nuestra "idea particular" (propia y nacional) del Derecho del Trabajo sobre el modo en que conceptos ya establecidos deben adaptarse a las nuevas realidades evitando lecturas monistas o unitarias del contrato de trabajo y ponderando el uso de un principio, el de igualdad, unido al valor de la dignidad humana, que incluso ha comenzado ya a denominarse como "teoría de los derechos humanos", que pudiera conducir a sobredimensionamiento de los mínimos irreductibles (derechos sociales en términos amplios, laborales y de protección social) que cupiera aplicar a todos los que prestan trabajo, y no sólo a los que desde la perspectiva técnico-jurídica nacional cabe definir como trabajadores asalariados.

De modo que en torno a muchas de esas actividades nuevas originadas por la tecnología, en especial el trabajo en/a través de plataformas digitales, se plantea si y cómo el centro de imputación subjetiva del Derecho del Trabajo permite o no integrarlas en su ámbito protector. Pero con la duda de si las relaciones atípicas deben encontrar acomodo en el núcleo esencial (y amplio) protector del Derecho del Trabajo o de si éste debe concebirse como una regulación protectora mínima en la que quedarían integrados con diferente nivel de protección aquellas actividades profesionales realizadas para otro que no encajan en la definición de prestación de servicios típica o estándar asalariada.

¿Cómo solucionar ésta que se anuncia como paradoja del Derecho del Trabajo, un Derecho protector que permite la flexibilidad de la regulación como medida de seguridad en el empleo y se desborda aparentemente

---

[2]   ALONSO OLEA, M.: "Los contratos de trabajo atípicos y la adaptación del Derecho del Trabajo a la Crisis económica y al cambio tecnológico", en DÁVALOS, J. (Coord.): *Cuestiones Laborales en Homenaje al Maestro M.V.Russomano*, UNAM, 1988, p..125

sin límites hacia la precariedad, menos protección y menos seguridad, por tanto, para los trabajadores?

La respuesta es muy heterogénea en el contexto global. Desde la que incluye cambios en las categorías definitorias, ampliando la ley el concepto de trabajador (con fundamento más en la dependencia económica) de modo que se excluya a menos trabajadores de la categoría protegida básica o estándar (sin introducir cambios en el contenido de la protección). Pasando por aquellas que introducen diferencias en el contenido protector, en algunos casos con un debilitamiento de los derechos de los trabajadores estándar (nivelación a la baja) y en otros a través del establecimiento de un derecho legal a un tratamiento equivalente o proporcional para los atípicos. O en fin, las técnicas legales que estimulan mecanismos alternativos de intervención, entre otros, política activa del mercado de trabajo, derecho fiscal, derecho de la seguridad social y negociación colectiva.

La preocupación y las posibles soluciones trascienden las fronteras nacionales de cada uno de los ordenamientos jurídicos laborales, que presentan rasgos diferenciadores desde una perspectiva comparada con la utilización, como hemos indicado, de fórmulas variadas y heterogéneas. Desde hace unos años, y también en la actualidad, la cuestión se instala en el contexto europeo, con interés suscitado ya hace tiempo en las instituciones de la UE y entre la doctrina laboralista europea, provocado por las no exactamente coincidentes respuestas en sus respectivos ordenamientos jurídicos. Para alcanzar también el contexto internacional, con preocupación de la OIT. En ambos casos, comunitario e internacional, en el intento de buscar elementos convergentes y propuestas entre las que se han definido como "ideas particulares" del Derecho del Trabajo, que pudieran materializarse a y desde esos niveles para dotar de cierta uniformidad al cada vez más heterogéneo panorama legal nacional pero, paradójicamente, un mercado más globalizado e internacional.

2. TECNOLOGÍA DIGITAL Y NUEVAS FORMAS DE EMPLEO

2.1. Informes y predicciones sobre el "trabajo del futuro"

Hoy nos desbordan los informes, estudios, predicciones de instituciones públicas y privadas en torno a la tecnología digital y su proyección sobre el que se dice "trabajo del futuro".

Las cuestiones actuales no difieren de las del pasado: ¿Cuál es el futuro del trabajo en un mundo que se transforma constantemente por la innovación tecnológica?; ¿Qué significa este constante proceso de innovación para los trabajadores y sus puestos de trabajo?; ante la transformación de competencias asociadas, ¿Cuáles serán la que se vuelven obsoletas y cuáles serán indispensables a partir de ahora?. Preguntas que sin una respuesta inequívoca afloran en cada etapa nueva de inflexión tecnológica, porque hay un vínculo ambivalente entre ésta la tecnología y el empleo.

Y el debate trasciende desde el específico de las Plataformas Digitales (o de la Economía de Plataformas) –aunque se considera un referente concreto para analizar algunas de las que se presentan como tendencias del mercado de trabajo y se utiliza como prueba de laboratorio para constatar el impacto del progreso tecnológico digital sobre la calidad del empleo– al más general de la Economía Digital. Y en torno a ella sobre los retos actuales y futuros de un mundo del trabajo en rápida evolución por el impacto de la tecnología. Debate a todos los niveles territoriales y preocupación por todos los operadores jurídicos, sociales y económicos, en los que se urge afrontar el cambio que el progreso tecnológico está produciendo en el mercado de trabajo y en las formas de empleo típicas o tradicionales o atípicas o no estándares.

En el Informe de la OCDE, *Policy Responses to New Forms of Work3, se* preguntaba a los países por lo que entendían bajo la expresión "nuevas formas de empleo" en el contexto de la digitalización, confrontándolas respecto de los "contratos de empleo estándar". Las respuestas más citadas por los países fueron el empleo autónomo, expresando al respecto el problema derivado de la calificación o distinción entre el Falso y el Real o genuino trabajo autónomo. El trabajo en plataformas, conectado al anterior porque esta prestación de servicios es solo una parte de la tendencia general hacia la utilización del trabajo autónomo. Seguidos muy de cerca por el trabajo parcial y el trabajo temporal, respecto de los que se plantearon como cuestiones la precariedad económica, la seguridad de los ingresos y las condiciones de trabajo. Muchos países citaron también los contratos de horas variables y el trabajo casual.

De modo que en esos informes se presentan las nuevas formas de empleo vinculadas o ligadas a las transformaciones digitales con especial atención a la confluencia entre la cuestión atemporal (fronteras de laborali-

---

[3]   http://www.oecd.org/employment/policy-responses-to-new-forms-of-work-0763f1b7-en.htm.
Véase también el informe *The Future of Work, Employment Outlook 2019;* puede consultarse en https://www.oecd.org/employment/Employment-Outlook-2019-Highlight-EN.pdf

dad[4]) y la irrupción de las plataformas digitales. Es habitual también que se relacione con el ámbito de protección ofrecido por las normas laborales a quienes se considera trabajador asalariado; y que se proyecte sobre la necesidad de protección de quienes en el ámbito del respectivo ordenamiento jurídico nacional cabe definir como trabajador no asalariado o autónomo cuando éste trabaja en régimen de alteridad.

Al margen de las otras formas de empleo no estándar (tales como el trabajo a tiempo parcial, el de duración determinada o a través de agencias de trabajo temporal [5] –respecto de los que también cabría plantear su adecuación al realidad social y económica actual e incluso la necesidad de intervención legislativa a nivel del Derecho de la UE–), centremos nuestra atención en la que ya se conoce como "platformización" del mercado laboral a nivel global sólo sea porque progresivamente están creciendo los trabajos con soporte técnico o digital en proporción relativamente amplia en los países[6]; porque cada vez adquieren mayor relevancia a medida que más trabajadores dependen de las plataformas como su principal fuente de ingresos (FORDE[7]; BERG[8]); y en fin, porque el negocio de la plataforma permite la creación de una forma no estándar de trabajo, calificada como "una forma de externalización extrema que podría llevar [...] en última instancia a más erosión de los derechos y beneficios de los trabajadores" [9].

Es por tanto inevitable que la definición del trabajo en plataformas como trabajo no estándar (instalado en la zona gris) y la clasificación binaria entre trabajador por cuenta ajena y trabajador autónomo aboque a las instituciones político-legislativas a nivel nacional, UE e internacional a

---

[4]   Así lo anticipaba PÉREZ DE LOS COBOS ORIHUEL, FRANCISCO: *Nuevas tecnologías y relación individual de trabajo*; Tirant lo Blanch, Valencia, 1990, pp.34 y 37.

[5]   Sobre la regulación nacional de estas formas de empleo atípicas en varios países de la UE, vid. WAAS, B. and VAS VOSS, G.H. (Eds): *Restatement of Labour Law in Europe*, Vol II, Hart Publishing, , Oxford, 2019

[6]   Véase en relación con las Plataformas Digitales y el número de Platform Workers estimados, el Informe OCDE: *Measuring Platform Mediated Workers*, Núm.282, 2019. Puede consultarse en file:///G:/Mi%20unidad/Tecnología%20y%20Derecho%20 del%20Trabajo/iNFORMES%20Y%20ESTUDIOS/OCDE%20MEASURING-PLAT-FORM-MEDIATED-WORKERS.pdf

[7]   FORDE, C. et al.*: The Social Protection of Workers in the Platform Economy*, Directorate General For Internal Policies, European Parliament, 2017, Brussels.

[8]   BERG, J.: "Income Security in the On-Demand Economy: Findings and Policy Lessons from a Survey of Crowdworkers" in *Comp. Lab. L. & Pol'y J.*, 37(3), 2016, pp. 543-576.

[9]   CHERRY, M. A. : "Virtual work and invisible labor" in CRAIN,M., POSTER, W. and CHERRY, M. (Eds.), *Invisible Labor: Hidden Work in the Contemporary World*, Oakland, CA, 2016 pp. 71-86

explorar las opciones posibles de respuesta a este fenómeno, así como a todos los nuevos acuerdos de trabajo posibilitados por los avances tecnológicos.

Las propuestas legislativas a nivel nacional no son, como veremos, exactamente coincidentes y tampoco se ha podido abordar a nivel de la UE una regulación específica por razones varias, incluidas las económicas y políticas (difícil consenso entre los países), sin olvidar las técnico-jurídicas. Recuérdese a estos efectos la introducción de categorías intermedias en el estatus de trabajador (*worker*); el desarrollo de nuevos "test" judiciales en la jurisprudencia de indicios; los límites al autoempleo y reclamaciones de los considerados falsos-autónomos; así como los informes nacionales al respecto para buscar clarificar la situación (entre otros Taylor Review, 2017, UK[10]).

Al margen ahora de la propuesta a nivel UE, a la que se dedicará atención inmediata en este estudio, se aprecia una mayor dificultad en los sistemas de gobernanza internacional, instituciones y derecho a ese nivel, con una tendencia acusada hacia la desregulación o el soft law. En este sentido la OIT parece decidida a mirar de manera autocrítica a su propias actividades y métodos para alcanzar los objetivos de la Declaración de la OIT sobre los Derechos Sociales y las Libertades Fundamentales, 2008; se hace cada vez más hincapié en los instrumentos de soft law, como por ejemplo, los Principios Rectores de las Naciones Unidas sobre las Empresas y los Derechos Humanos (a menudo conocidos como "los Principios Ruggie"), (ONU, 2011). Los Objetivos de Desarrollo Sostenible (ODS) y su 'seguimiento' parece ir en contra de estos presiones desreguladoras, lo que indica la determinación de ofrecer un marco de gobernanza internacional que pone las preocupaciones sobre el trabajo junto con las demandas económicas en las relaciones entre los Estados y entre las empresas multinacionales y las empresas financieras transfronterizas[11].

---

[10]   WOOD, J.: "The Taylor Review: understanding the gig economy, dependency and the complexities of control", *New Technology, Work and Employment*, Vol.34, N.2, 2019, p. 111-115. Aunque en este apartado no se ha avanzado sustancialmente, según informan en https://theword.iuslaboris.com/hrlaw/insights/what-is-to-come-for-uk-employment-law-under-the-new-conservative-government?utm_source=linkedin&utm_medium=social_post&utm_campaign=What%20is%20to%20come%20for%20UK%20employment%20law%20under%20the%20new%20Conservative%20government%3F

[11]   Como se ha expresado " lo que está claro es que la capacidad para crear alternativas (o incluso una reforma de la política macroeconómica) es un requisito clave para la formulación de políticas nacionales y locales eficaces", MEDLAND, L. and others: "The future of work? A call for de recognition of continuities in challenges for concep-

En su informe sobre "Trabajar para un futuro más prometedor"[12], publicado el pasado 22 de enero de 2019, presenta un programa centrado en las personas para el futuro del trabajo, en torno a tres objetivos concretos: inversión en capacidades de las personas, en las instituciones del trabajo y en el trabajo decente y sostenible. En relación con el segundo objetivo, el de invertir en las instituciones del trabajo, se presta atención al concreto de utilización de la tecnología para potenciar el trabajo decente y "bajo control humano", ya que , se vuelve a insistir, el trabajo no es una mercancía y el trabajador no es un robot, poniendo de manifiesto que "La realización del potencial de la tecnología en el futuro del trabajo depende de decisiones fundamentales en relación con la concepción del trabajo, que podrían implicar debates en profundidad entre trabajadores y directivos para el «diseño» de los puestos de trabajo". El informe aboga por el establecimiento de un sistema de gobernanza internacional de las plataformas digitales de trabajo que "establezca y exija que las plataformas (y sus clientes) respeten ciertos derechos y protecciones".

Expresa el documento:

> "Al mismo tiempo, la tecnología digital crea nuevos retos para la aplicación efectiva de las protecciones laborales. Las plataformas digitales de trabajo (también llamadas plataformas de microtareas) proporcionan nuevas fuentes de ingresos a muchos trabajadores en diferentes partes del mundo, pero la dispersión inherente a ese tipo de trabajo en múltiples jurisdicciones internacionales dificulta el control del cumplimiento de las legislaciones laborales aplicables. El trabajo a veces está mal remunerado, a menudo por debajo de los salarios mínimos vigentes, y no existen mecanismos oficiales para hacer frente al trato injusto[13]. Como esperamos que esta forma de trabajo se expanda en el futuro, recomendamos el desarrollo de un *sistema de gobernanza internacional de las plataformas digitales de trabajo que establezca y exija que las plataformas (y sus clientes) respeten ciertos derechos y protecciones mínimos*".

---

tualising work and its regulation", *Law Research Paper Series*, 2019, University of Bristol; puede consultarse en https://www.bristol.ac.uk/media-library/sites/law/documents/Jan19%20research%20paper%201%20Medland%20et%20al%20merged_final.pdf

[12] Puede consultarse en https://www.ilo.org/wcmsp5/groups/public/—dgreports/—cabinet/documents/publication/wcms_662442.pdf

[13] Conforme al Informe de BERG, J., FURRER, M., HARMON, E., RANI, U. and SILBERMAN, M.S.: *Digital labour platforms and the future of work: Towards decent work in the online world* (Ginebra, OIT, 2018 . Resumen ejecutivo en español titulado *Las plataformas digitales y el futuro del trabajo. Cómo fomentar el trabajo decente en el mundo digita*l, disponible en https://www.ilo.org/wcmsp5/groups/public/—dgreports/—dcomm/—publ/documents/publication/wcms_645887.pdf

La propuesta al respecto de la organización internacional, en el contexto de lo que denomina "responsabilidad de la OIT", se concreta en recomendar a la propia institución que preste especial atención a la universalidad de su mandato. Esto implica, dice el Informe, "aumentar el alcance de sus actividades para incluir a quienes, históricamente, han permanecido excluidos de la justicia social y del trabajo decente, en concreto los trabajadores informales. Asimismo, entraña tomar medidas innovadoras para dar respuesta a las situaciones cada vez más variadas en las que se realiza el trabajo, en particular al fenómeno emergente del trabajo digital a través de la economía de plataformas. Consideramos que la garantía laboral universal es una herramienta adecuada para afrontar estos desafíos y recomendamos que la OIT preste atención con urgencia a los medios de ponerla en práctica".

¿Qué entiende por garantía laboral universal la organización internacional? Conforme se lee en pp.12, 39 y ss: "Todos los trabajadores, con independencia de su acuerdo contractual o situación laboral, deberían disfrutar de derechos fundamentales del trabajo, un «salario vital adecuado» (Constitución de la OIT, 1919), límites máximos respecto a las horas de trabajo y protección en relación con la seguridad y la salud en el trabajo. Los convenios colectivos o la legislación pueden aumentar este piso de protección social. Esta propuesta contribuye también a que se reconozca la seguridad y la salud en el trabajo como uno de los principios y derechos fundamentales del trabajo".

2.2. *Platform Work y concepto de trabajador*

Tanto a nivel interno en los diferentes países, de la UE y extracomunitarios, como a nivel del Derecho de la UE se debate si el Derecho Social puede adaptarse (ampliarse) a las nuevas formas de empleo como mecanismo o vía de extensión del nivel de protección que se dice es necesario para algunos de los trabajadores autónomos –aunque no quepa concebirlos como trabajadores asalariados y sin que haya que modificar el concepto de trabajador sujeto del Derecho del Trabajo–. O si hay que abandonar definitivamente la distinción binaria trabajo asalariado-trabajo autónomo y avanzar hacia la que se conoce como "relación personal de trabajo" (idea, como se sabe, planteada por Freedland[14], con fundamento en la que se

---

[14] FREEDLAND, M.: "From the Contract of Employment to the Personal Work Nexus", 2016, *Industrial Law Journal* 35.

conoce en el contexto anglosajón como *purposive approach*). En este sentido, no son pocas las voces en la doctrina comparada que en la actualidad
proponen una redefinición "global" del ámbito de aplicación del Derecho
del Trabajo, aunque los conceptos nacionales de trabajador (asalariado)
tienden a estar conformados por referencia a un núcleo relativamente común de criterios y de indicadores o indicios[15], que giran principalmente
en torno al rasgo de subordinación o control en la prestación de servicios
remunerados.

El ámbito de aplicación personal del Derecho laboral quedaría confor-
mado por cualquier persona que fuera contratada por otra para prestar
personalmente un trabajo, a menos que esa persona *estuviera operando genuinamente un negocio por su propia cuenta*.[16] La idea se aparta de la que se dice
visión tradicional, la de la división binaria, definida por referencia a los
conceptos de subordinación y control. Contrapuesta la idea de negocio
frente a la de trabajo personal, quedaría solo al margen del Derecho del
Trabajo (entendido en sentido amplio como que incluye de trabajo individual y colectivo, pero también de igualdad de empleo), el trabajo que *no
es predominantemente o prevalentemente personal, y es principalmente (a diferencia
de ocasionalmente o excepcionalmente) proporcionado por medio de dependientes o
sustitutos o cuando quien realiza el trabajo es dueño de un importante capital –en
forma de tecnología o activos– siendo éste esencial para realizar el servicio*. Volveremos sobre esta cuestión infra apartado 3 y 4.

¿Es ésta la respuesta nacional que se atisba en los Países de la UE o la
respuesta legal existente en el país de origen del autor proponente, Gran
Bretaña?. O, incluso ¿es la respuesta que se atisba en la UE cuando la Pre-
sidenta de la Comisión Europea insta a fortalecer la dimensión social de la
UE y avanzar hacia la Economía Europea Social del Mercado Único?. ¿Es la
que mejor permite solucionar el problema del estatus jurídico del trabajo
en plataformas?. La respuesta nacional no es exactamente coincidente a la
Economía de plataformas digitales[17] en una perspectiva de análisis compa-

---

Posteriormente FREEDLAND, M. and COUNTOURIS, N.L.: *The Legal Construction of
Personal Work Relations*, 2011, Oxford.

[15]   Véase WAAS, B. and HEERMA van VOSS, G. (Eds): *Restatement of Labour Law in Europe*,
Vol.I, The Concept of Employee; Hart Publishing, Oxford, 2017

[16]   COUNTOURIS, N, and DE STEFANO, V.: *New Trade Union Strategies for News Forms
of Employment*; 2019, ETUC, Bruselas, puede consultarse en https://www.etuc.org/si-
tes/default/files/publication/file/2019-04/2019_new%20trade%20union%20strate-
gies%20for%20new%20forms%20of%20employment_0.pdf, p.65.

[17]   Sobre la situación nacional, con aporte de análisis comparado de varios países (Austria, Bélgica, España, EEUU, Francia, Italia, Países Bajos, Rumania, Reino Unido, Sui-

rado entre países. Y todo indica que, pese a los intentos de la OIT de una gobernanza internacional sobre el trabajo en la era digital, también en el trabajo por cuenta propia[18], no cabe apreciar una estrategia global de enfoque debido en `primer lugar a la heterogeneidad de las plataformas y las diversas modalidades en que el trabajo en plataformas se realiza[19].

De ahí que en el último informe de Eurofound, *Platform work: Maximising the potential while safeguarding standars?*[20], 2019, en el contexto de análisis de cinco tipos de plataformas (tres de trabajo off-line/on-location; dos de trabajo on-line), se exprese, de nuevo, la dificultad de dar respuesta única (*on-size-fits-all approach*). Y sobre la cuestión más debatida, la del estatus de empleo de los trabajadores de plataformas, promueve la solución siguiente:

> ..."policymakers might consider instituting a default classification as employee or self-employed based on the typology of platform work. It would then rest with the platforms to provide justification for a different employment status on the basis of their individual business model and the mechanisms by which it operates".

Se anunciaba no hace mucho tiempo atrás que el enfoque en el seno de la UE se orientaba a fortalecer gradualmente y aclarar el concepto comunitario de "trabajador" a través de la adopción de nuevos instrumentos normativos, Directivas y Recomendaciones[21]. Pero la realidad normativa, como se verá en el epígrafe siguiente, se ha impuesto a estas propuestas

---

za) vid. DAUGAREILH, I, DEGRYSE, C. et POCHET, P. (Dtores): *Économie de plateforme et droit social : enjeux prospectifs et approche juridique comparative* –ETUI, Working Paper 2019.10; puede consultarse en file:///C:/Users/user/Downloads/WP-2019.10-FR-v8-WEB.pdf

[18] Argumentos sobre normas de remuneración mínima también para los autónomos, en DAVIDOV, G.: ''The Status of Uber Drivers: A Purposive Approach''. *Spanish Labour Law and Employment Relations Journal*, 2017, Vol. 6. No.1–2, pp: 6–15. GROSHEIDE, E. and BERENBERG, M.: ''Minimum Fees for the Self-Employed: A European Response to the 'Uber-ized' Economy?.'' *The Columbia Journal of European Law*, 2016, Vol. 22, No.2, pp: 193-236.

[19] Vid. MEXI, M.: *Social Dialogue and the Governance of the Digital Platform Economy: Understanding Challenges, Shaping Opportunities* Background paper for discussion at the ILO-AICESIS-CES Romania International Conference (Bucharest, 10–11 October 2019). Puede consultarse en https://www.ilo.org/wcmsp5/groups/public/—ed_dialogue/—dialogue/documents/meetingdocument/wcms_723431.pdf

[20] Puede consultarse en https://www.eurofound.europa.eu/sites/default/files/ef_publication/field_ef_document/ef19045en.pdf

[21] En este sentido se pronunciaban COUNTOURIS, N and DE STEFANO, V.: *New Trade Union Strategies...cit.*, p.16 .

doctrinales de expansión o ampliación del concepto, con una solución final mucho más contenida.

Algunos de los principales problemas y discusiones (tales como el estatus de empleo y las condiciones de trabajo en las distintas formas de empleo, incluido en los documentos más actuales el trabajo en plataformas) se han tratado por la Comisión Europea en la Estrategia sobre un Mercado Digital [22]; por la Comisión y el Parlamento en la Agenda Europea para la Economía Colaborativa[23]; y en el Pilar Europeo de Derechos Sociales, aprobado conjuntamente por el Parlamento Europeo, el Consejo y la Comisión el 17 de noviembre de 2017. La relevancia del tema está ampliamente justificada ya que este fenómeno emergente personifica los efectos de las tendencias concomitantes que remodelan el mercado laboral, incluyendo la reestructuración, la externalización, la descentralización y el trabajo por cuenta propia y terciario. Para decirlo sin rodeos, el significado del trabajo de plataforma –cuyas proporciones exactas siguen siendo objeto de controversia– va mucho más allá de su relevancia actual como fuente de empleo[24]. Y como ha expresado Ichino[25], la respuesta a las necesidades legales y sociales y a los problemas que plantean las plataformas de mediación laboral no es restringir este tipo de trabajo. El desafío más apremiante para el Derecho del Trabajo hoy en día no es cómo rediseñarlo para incluir nuevas formas de trabajo sino en cómo crear derechos para los trabajadores en su 'transición del viejo al nuevo trabajo".

---

[22] COMUNICACIÓN DE LA COMISIÓN AL PARLAMENTO EUROPEO, AL CONSEJO, AL COMITÉ ECONÓMICO Y SOCIAL EUROPEO Y AL COMITÉ DE LAS REGIONES relativa a la revisión intermedia de la aplicación de la Estrategia para el Mercado Único Digital Un mercado único digital conectado para todos COM/2017/0228 final. Puede consultarse en https://eur-lex.europa.eu/legal-content/ES/TXT/HTML/?uri=CELEX:52017DC0228&from=ES

[23] Resolución del Parlamento Europeo, de 15 de junio de 2017, sobre una Agenda Europea para la economía colaborativa ; puede consultarse en http://www.europarl.europa.eu/doceo/document/TA-8-2017-0271_ES.html

[24] ALOISI, A.: *Negotiating the digital transformation of work: non-standard workers' voice, collective rights and mobilisation practices in the platform economy*; EUI Working Papers, NWP 2019/03. Puede consultarse en https://papers.ssrn.com/sol3/papers.cfm?abstract_id=3404990

[25] ICHINO, P.: "A new labour law for platform workers and umbrella companies", en WASS. B., PAVLOU, V. and GRAMANO, E. (Eds): *Work Organisation, Labour & Globalisation, Digital Economy and the Law*, 2018, Vol.12, Núm.2, pp.12-22

3. DERECHO DE LA UE. TRABAJO EN PLATAFORMAS Y CONCEPTO COMUNITARIO DE TRABAJADOR

Hace ya más de una década, el Libro verde de la Comisión Europea, *Modernizando el Derecho del trabajo para alcanzar los retos del SXXI*[26], decía:

La aparición de distintas formas de trabajo atípicas difumina las fronteras entre el Derecho laboral y el Derecho mercantil. La distinción binaria tradicional entre trabajador por cuenta «ajena» y trabajador por cuenta propia ya no refleja fielmente la realidad económica y social del trabajo. Pueden surgir diferencias sobre la condición jurídica de una relación laboral cuando está oculta o si surgen verdaderas dificultades de ajuste entre unas nuevas modalidades de trabajo dinámicas y la relación laboral tradicional.

Y continuaba:

La noción de «trabajo económicamente dependiente» abarca situaciones que se hallan entre las nociones claramente definidas de trabajo por cuenta ajena y por cuenta propia. Esta categoría de trabajadores carece de contrato de trabajo. No depende de la legislación laboral, dado que ocupa una «zona gris» entre el Derecho laboral y el Derecho mercantil. Aunque son oficialmente «trabajadores por cuenta propia», estos trabajadores dependen económicamente de un solo empresario o cliente/empleador para la obtención de sus ingresos. Este fenómeno debería diferenciarse claramente de la falsa utilización, de forma deliberada, de la calificación de trabajo por cuenta propia.[27] Algunos Estados miembros ya han adoptado

---

[26] Puede consultarse en http://www.europarl.europa.eu/meetdocs/2004_2009/documents/com/com_com(2006)0708_/com_com(2006)0708_es.pdf

[27] En torno al "falso autónomo", el CESE proponía no hace mucho tiempo profundizar en la presunción del contrato de trabajo " si se cumplen al menos cinco de los siguientes criterios respecto de la persona que lleva a cabo el trabajo: (a) esta persona depende de una única persona a la que presta servicios en una proporción que asciende a como mínimo el 75 % de sus ingresos durante un período de un año; (b) esta persona depende de la persona a la que presta el servicio para determinar qué trabajo debe realizarse y dónde y cómo debe llevarse a cabo; (c) esta persona realiza el trabajo utilizando equipamiento, herramientas o materiales proporcionados por la persona a la que presta el servicio; (d) esta persona está sujeta a un horario o a períodos laborales mínimos fijados por la persona a la que presta el servicio; (e) esta persona no puede subcontratar a otras personas para que la substituyan en la prestación; (f) esta persona está integrada en la estructura del proceso de producción, la organización del trabajo o la jerarquía de la empresa u organización; (g) la actividad de esta persona es un elemento esencial en la organización y consecución de los objetivos de la persona a la que presta el servicio, y (h) esta persona lleva a cabo tareas similares a las de los empleados

medidas legislativas para proteger la situación jurídica de los trabajadores por cuenta propia económicamente dependientes y vulnerables.

Desde entonces, ¿ha cambiado y en qué sentido el concepto de trabajador en el Derecho de la UE?; ¿hay una tendencia generalizada al respecto?; ¿qué aporta en este sentido el TJUE?.

Hasta la fecha no se ha afrontado la modificación profunda de las Directivas sobre Trabajo Atípico, esto es, la Directiva sobre trabajo de duración determinada, Directiva sobre trabajo a tiempo parcial y Directiva sobre Agencias de Trabajo Temporal. De modo que en la actualidad el referente normativo es la Directiva 2019/1152, relativa a unas condiciones laborales transparentes y previsibles, mucho más ambiciosa que su predecesora, la Directiva 91/533/CEE, porque, si bien desarrolla la obligación de informar sobre las condiciones de trabajo, también incluye en su parte segunda aspectos esenciales relativos a la prestación de trabajo; entre ellos, período de prueba, pluriempleo, asignación de tareas, cambio de contrato, derecho a la formación profesional.

Esta Directiva es fruto de la iniciativa europea sobre el Pilar Europeo de Derechos Sociales (en concreto en relación con los principios 5º[28] y 7º[29]).

---

o, en caso de que el trabajo se externalice, a las que llevaban a cabo los empleados con anterioridad.". Dictamen del Comité Económico y Social Europeo sobre el «Uso abusivo del estatuto de trabajador autónomo» (Dictamen de iniciativa), 2013/C 161/03, DOUE de 6 de junio de 2013.

[28] Capítulo II, principio núm.5: "Con independencia del tipo y la duración de la relación laboral, los trabajadores tienen derecho a un trato justo y equitativo en materia de condiciones de trabajo, acceso a la protección social y formación. Debe fomentarse la transición hacia formas de empleo por tiempo indefinido. De conformidad con la legislación y los convenios colectivos, debe garantizarse la flexibilidad necesaria para que los empresarios puedan adaptarse con rapidez a los cambios en el contexto económico. Deben promoverse formas innovadoras de trabajo que garanticen condiciones de trabajo de calidad. Deben fomentarse el espíritu empresarial y el trabajo por cuenta propia y facilitarse la movilidad profesional. Deben evitarse las relaciones laborales que den lugar a unas condiciones de trabajo precarias, en particular prohibiendo la utilización abusiva de contratos atípicos. Los periodos de prueba deben tener una duración razonable".

[29] Capítulo II, principio núm.7.7: "Información sobre las condiciones de trabajo y la protección en caso de despido. Los trabajadores tienen derecho a ser informados por escrito al comienzo del empleo sobre sus derechos y obligaciones derivados de la relación laboral, incluso en periodo de prueba. Antes de proceder a un despido, los trabajadores tienen derecho a ser informados de los motivos de este y a que se les conceda un plazo razonable de preaviso. Tienen derecho a acceder a una resolución de litigios efectiva e imparcial y, en caso de despido injustificado, tienen derecho a reparación, incluida una indemnización adecuada".

Y permite de nuevo afrontar el análisis del concepto comunitario de trabajador, en particular, el de plataformas digitales, testando al respecto los recientes debates sobre su estatus jurídico a nivel de la UE.

Conviene brevemente recordar el contexto en el que surge esta Directiva, tendente a la extensión del ámbito de protección del Derecho del Trabajo en un proceso acelerado de transformación digital, tal y como explica el Grupo de Alto Nivel de la UE en su Informe sobre el "Impacto de la transformación digital en los mercados laborales de la UE" [30] con un enfoque inclusivo y equitativo.

Ante las dos posibilidades abiertas, redefinir el concepto de trabajador o introducir una categoría intermedia, se propuso inicialmente por la Comisión Europea adoptar un concepto de trabajador, definiendo un ámbito de aplicación personal relativamente amplio. Se presentaba como una iniciativa pionera porque por primera vez en el Derecho Social de la UE se proponía "codificar" el concepto asumido por el TJUE a lo largo de estos años, de modo que podía entenderse como afianzamiento de la tendencia comunitaria desde la fragmentación normativa hacia el incremento de la "universalidad" (limitada) propuesta progresivamente por el TJUE[31] sobre la "idea de necesidad de protección inherente a la norma a aplicar en cada caso"[32].

La propuesta fue fuertemente contestada por los Estados miembros tras el dictamen motivado del Parlamento sueco en el que se afirmaba que el Proyecto no cumplía con el principio de subsidiariedad. Y tampoco ahorraron críticas los interlocutores sociales, aunque en sentido diverso unos respecto de otros.

Los empresarios europeos se declararon "fuertemente opuestos a la introducción de una definición de trabajador a nivel de la UE" (...) Los Estados miembros deben conservar la responsabilidad de la decisión política de definir quién es empleado y quién es autónomo", de acuerdo con las no exactamente coincidentes medidas nacionales entre los diferentes Estados (Business Europe 2018[33]).

---

[30]   file:///C:/Users/user/Downloads/FinalReportHLGontheImpactoftheDigitalTransformationonEULabourMarkets.pdf

[31]   Últimamente, COUNTOURIS, N.: "The Concept of 'Worker' in European Labour Law: Fragmentation, Autonomy and Scope", *Industrial Law Journal*, Vol. 47, Núm.2, July 2018

[32]   MOLINA NAVARRETE, C.: *El nuevo Estatuto de los Trabajadores a la luz de la jurisprudencia comunitaria*; Wolters Kluwer, Madrid, 2017, p.119

[33]   Business Europe (2018) Commission's proposal for a Directive on transparent and predictable working conditions, BusinessEurope's views, 26 febrero 2018. Puede con-

Por otro lado, y en sentido contrario, se manifestó la Confederación Europea de Sindicatos porque en su opinión cerraba la puerta a la línea argumental para interpretar el concepto de "trabajador" en un sentido expansivo y para sustituir, en su caso, la falta de subordinación con argumentos económicos, en especial, el factor de vulnerabilidad económica en que pueden encontrarse trabajadores que pueden ser asimilados al concepto de trabajador basado más en la dependencia económica[34].

Tal y como se preveía entonces, y pese al Informe del Parlamento Europeo de 15 de noviembre de 2018, que incorporaba dos preceptos uno sobre el principio de primacía de los hechos y otro sobre la presunción de existencia del contrato de trabajo,[35] la propuesta sufrió importantes modi-

---

sultarse en https://www.businesseurope.eu/sites/buseur/files/media/position_papers/social/2018-02-26_businesseurope_position_draft_directive_transparent_predictable_working_conditions.pdf.

Se recuerda en relación con las prácticas nacionales, en relación con la jurisprudencia -se dice amplia y extensiva- del TJUE, que: " The definition used so far by the ECJ in concrete cases is broad and extensive. It fails to adequately address the complex nature of the issue of who is an employee and who is self-employed. National definitions used for the purpose of the application of labour law or social security provisions are more precise. For example, in Austria, subjection to personal instructions is only one of six elements of personal dependency (in addition to integration in the company organization, compliance with regulations, control subjectivity, disciplinary responsibility and personal duty to work), which in turn is a prerequisite for the existence of an employment relationship. In Belgium, the intention of the parties has to be taken into consideration in any assessment. In Ireland, the legal tests developed over time take account of factors such as control, mutuality of obligation, level of enterprise or entrepreneurship and integration into the business. The definition proposed by the Commission fails to address many of these factors. National definitions sometimes vary between sectors, branches of law (social security & labour law) and collective agreements, and this is considered useful in order to adapt to different work organisation practices. National definitions are adjusted when needed, including by case law, to the new developments on the labor markets. As developments and practices differ between countries (e.g. the ways casual work is organised including the existence of e.g. voucher work, zero hours contract), introducing a "one size fits all" forever EU definition would not be agile and therefore harmful for the creation of well-functioning labour markets and social security systems adapted to future developments"

34 file:///C:/Users/user/Downloads/C_2017_6121_F1_OTHER_AUTONOMOUS_ACT_EN_V6_P1_947404.pdf

35 El informe del Parlamento Europeo de 15 de noviembre de 2018 incorporaba dos preceptos que, en gran medida, recuerdan los conflictos y soluciones judiciales contradictorias en muchos de los países de la Unión Europea en torno al supuesto del trabajo en plataformas digitales y su calificación jurídica. En efecto, el Parlamento propuso introducir el art.14 bis (con la rúbrica "Primacía de los hechos"), y disponía que "La determinación de la existencia de una relación laboral (*employment relationship* en el texto en inglés) se guiará por los hechos relativos a la ejecución real del trabajo y no

ficaciones en el Consejo, seriamente socavada la intención de la Comisión de salvaguardar un ámbito de aplicación personal uniforme que impidiera a los Estados miembros soslayar la definición de trabajador a estos efectos.

Lo que ahora queda de aquella propuesta pasa a ser un mero considerando, el 8, y una definición del ámbito personal de aplicación en los términos siguientes, art.1º.2:

> "*un contrato de trabajo o una relación laboral tal como se define en la ley, los convenios colectivos o la práctica en vigor en cada Estado miembro, teniendo en cuenta la jurisprudencia del Tribunal de Justicia*".

De la Jurisprudencia del TJUE, que da cuenta brevemente el considerando 8 de la Directiva[36], desarrollada inicialmente en el contexto de la libertad de circulación de los trabajadores (art.45 TFUE) destacan los rasgos o elementos básicos de la definición comunitaria de trabajador (worker),

---

por el modo en que las partes describen la relación". Y el art.17 bis, que expresaba que "La carga de la prueba de la ausencia de una relación laboral recaerá en la persona física o jurídica que se identifique como empleador". Este último ha desaparecido en la versión definitiva oficial de la Directiva; y el art. 14 bis ha quedado incorporado al Considerando 8, vid.infra.

[36] Dice el Considerando 8: "En su jurisprudencia, el Tribunal de Justicia de la Unión Europea (en lo sucesivo, «Tribunal de Justicia») ha establecido criterios para determinar el estatus de un trabajador. La interpretación que el Tribunal de Justicia hace de esos criterios debe tenerse en cuenta en la aplicación de la presente Directiva. *Siempre que cumplan esos criterios*, los trabajadores domésticos, los trabajadores a demanda, los trabajadores intermitentes, los trabajadores retribuidos mediante vales, los trabajadores de las plataformas en línea, los trabajadores en prácticas y los aprendices pueden estar incluidos en el ámbito de aplicación de esta Directiva. *Los trabajadores que realmente sean por cuenta propia no deben incluirse en el ámbito de aplicación de la presente Directiva ya que no cumplen estos criterios*. El abuso de la condición de trabajador por cuenta propia conforme lo define la legislación nacional, ya sea a escala nacional o en situaciones transfronterizas, es una forma de trabajo falsamente declarado que se asocia a menudo con el trabajo no declarado. El falso trabajo por cuenta propia se produce cuando una persona es declarada como trabajador por cuenta propia aun cuando se cumplen las condiciones propias de una relación laboral, con el fin de evitar determinadas obligaciones jurídicas o fiscales. Estos trabajadores deben entrar en el ámbito de aplicación de la presente Directiva. *La determinación de la existencia de una relación laboral debe guiarse por los hechos relativos al trabajo que realmente se desempeña, y no por la descripción de las partes de la relación*". (la negrita y cursiva nuestras). Se citan las sentencias del TJUE siguientes: 3 de julio de 1986, Deborah Lawrie-Blum/Land Baden-Württemberg, C-66/85; de 14 de octubre de 2010, Union Syndicale Solidaires Isère/Premier ministre y otros, C-428/09; de 9 de julio de 2015, Ender Balkaya/Kiesel Abbruch- und Recycling Technik GmbH, C-229/14; de 4 de diciembre de 2014, FNV Kunsten Informatie en Media/Staat der Nederlanden, C-413/13; y de 17 de noviembre de 2016, Betriebsrat der Ruhrlandklinik gGmbH/Ruhrlandklinik gGmbH, C-216/15, ECLI:EU:C:2016:883.

que, conforme a la Directiva, se han de tener en cuenta en su implementación.

Recordemos que el concepto autónomo, comunitario, de trabajador conforme a la Jurisprudencia del TJUE es el que conocemos como "test Lawriew Blum", que adelantó las que serán señas de identidad en esta materia[37]: 1) El fundamento: la libre circulación de los trabajadores es uno de los principios fundamentales de la Comunidad. 2) La consecuencia: el concepto de trabajador a estos efectos debe tener una interpretación uniforme, comunitaria y autónoma respecto de la formulada por las legislaciones nacionales. 3) La razón: se impide que los Estados Miembros modifiquen a su voluntad el concepto y, en consecuencia, eliminen la protección prevista por el TFUE a estas personas. 4) El concepto: se basa en un criterio objetivo de definición de la relación laboral (*employment relationship* en la versión inglesa) en torno a "los derechos y deberes" de los sujetos (obligaciones recíprocas o "mutuality of obligations", en la orientación doctrinal anglosajona) y se define como la realización por una persona, "*durante un cierto tiempo, en favor de otra y bajo la dirección de ésta, ciertas prestaciones, por las cuales percibe una remuneración*". 5) El test-trabajador: gira en torno a los tres criterios acumulativos (dependencia, remuneración y "actividad económica") que el TJUE considera necesarios para que haya relación laboral, diferenciando desde entonces a los que son trabajadores a efectos del Derecho de la UE de quienes son genuinos trabajadores por cuenta propia (self-employed).

Realización de una actividad económica, es decir, trabajo genuino y efectivo y no puramente marginal u ocasional. Conforme a la Jurisprudencia del TJUE que "la actividad perseguida sea genuina y efectiva, con exclusión de actividades en una escala tan pequeña que se considere puramente marginal y auxiliar" (Asunto 53/81) y sobre todo, la referencia a trabajo realizado bajo dependencia personal, subordinación o también denominada dependencia organizacional.

Una de las cuestiones actuales más debatidas es la posibilidad de una interpretación extensiva o amplia, o digámoslo sin rodeos, sobre si el TJUE avanzará hacia un concepto de dependencia económica, tal y como se plantea por un sector de la doctrina en el contexto de la UE; todo sea porque en el texto definitivo de la Directiva ha desaparecido la enmienda del Par-

---

[37]   Véase al respecto, SÁNCHEZ-URÁN AZAÑA, Y.: "concepto de trabajador", en García Murcia, J (Dtor): *Condiciones de Empleo y Relaciones Laborales en el Derecho de la Unión Europea*, Thomson-Reuters Aranzadi, 2017, pp45 y ss

lamento Europeo tendente a introducir en el inicial concepto propuesto por la Comisión la expresión en caso de "dependencia o de subordinación entre ambas".

EL TJUE no ha utilizado factores económicos para ampliar el ámbito de aplicación de las normas de la UE desde la subordinación personal hacia la dependencia económica; cuestión que solo en el ámbito del derecho de la competencia se ha aplicado. Y aunque la doctrina ha explorado las posibilidades de que la interpretación del TJUE pueda ir más allá del enfoque de un concepto restringido de trabajador hacia la valoración de factores económicos[38], la realidad, hasta la fecha, no permite atisbar un cambio sustancial en su doctrina. Elementos económicos, generalmente la referencia a una "real y actividad genuina", sólo entran en juego en el contexto de la exclusión potencial de personas que trabajan en una relación de subordinación personal desde el ámbito de aplicación de las disposiciones relativas a los trabajadores.

De ahí que se plantee la posibilidad de que el TJUE explore otras posibilidades, más allá del punto de partida sobre el concepto de trabajador tal y como lo recoge el art.45 TFUE que ahora no se estima adecuado para el desarrollo de un sistema autónomo europeo de concepto de trabajador para ser aplicado al campo más típico del derecho laboral, es decir respecto de normas de protección de personas que trabajan con una autonomía real limitada debido a sus restricciones económicas[39].

Pongamos un ejemplo. En fechas recientes se ha preguntado directamente al TJUE si la relación laboral para que lo sea, debe ser subordinada y la respuesta ha sido positiva. En la sentencia de 11 de abril de 2019, Asunto C-603/2017, cuestión prejudicial planteada por el Tribunal Supremo del Reino Unido, se expresa que la relación laboral presupone la existencia de un nexo de subordinación (o dependencia personal u organizativa) de apreciación en cada caso concreto en función del conjunto de los hechos y circunstancias que caracterizan a las relaciones existentes entre las partes[40]. Se reitera el concepto comunitario pretoriano de trabajador, "según criterios objetivos ... atendiendo a los derechos y los deberes de las personas interesadas", y reafirma el criterio o rasgo sustancial de distinción, definido como estar bajo la dirección de la persona en favor de la que se realiza la

---

[38] Éste es el estudio de RISAK, M. Y DURINGER, T.: *The concept of 'worker' in EU law. Status quo and potential for change*, Report 140, ETUI, 2018.

[39] RISAK, M. and DURINGER, T.: *The concept...cit.*, p.46

[40] Recordando, entre otros asunto, la sentencia de 11 de noviembre de 2010, C-232/09, Asunto Danosa; o la sentencia C-.47/14, Asunto Holterman Ferho.

prestación de servicios. Expresión que concreta el rasgo estructural de la dependencia personal o subordinación como requisito esencial de la relación laboral. Dicho de otra forma, el TJUE se reafirma en la concepción técnico-jurídica de dependencia, que no estima superada y menos sustituida por una concepción más económica, con tendencia finalista atendiendo al criterio sociológico y económico de la vulnerabilidad del sujeto que presta servicios para otro. Cierra la puerta, parece, a aquella línea alternativa de argumentación que interpretara extensivamente el concepto de trabajador sustituyendo el nexo de subordinación por el de dependencia económica[41] o matización del criterio de dependencia más allá del control estricto por la "dirección o supervisión"[42].

Ese requisito deriva de los hechos y circunstancias relevantes en el caso concreto (test o sistema de indicios) y se manifiesta o define a partir del doble criterio control-dirección por quien recibe la prestación, el empresario, que dispone de un poder contractual de organización. El análisis conjunto de diferentes resoluciones del TJUE nos aproxima a los significados de esos criterios; entre ellos: que la persona esté bajo la dirección y supervisión de la otra parte; que la persona para la que realiza el trabajo determine los servicios que ha de prestar y su tiempo de trabajo; que el trabajador no tenga libertad para elegir sus propias horas de trabajo, su lugar de trabajo y el contenido del mismo; que la persona para la que se presta la actividad supervise y evalúe permanentemente las actividades del que las presta; si la persona no participa en los riesgos comerciales del empresario y si está integrada en la empresa durante el período de la relación laboral.

Recuerda el Abogado General en sus Conclusiones, apartado 43, trayendo a colación doctrina del TJUE, en referencia conjunta a sentencias sobre Libre circulación (Asuntos *Lawrie Blum, Allonby*, entre otros) y de armonización en materia de política social (Asunto *Sindicatul Familia Constata*, C-147/17), que el sometimiento a la dirección de otra persona consiste en que éste impone no sólo las prestaciones que debe desarrollar, sino sobre todo la forma en que debe hacerlo y cuyas instrucciones y normas internas debe respetar. "De modo que para determinar la existencia (o ausencia) de

---

[41]   Aunque se hable al respecto de "posibilidades para el cambio", RISAK, M. and DURINGER, T.: *The concept of worker...*, op.ult.cit.

[42]   De modo que pudieran quedar incluidas en el concepto comunitario de trabajador algunas nociones nacionales de relaciones laborales "cuasi-subordinadas". Pero manifiesta que es una cuestión abierta hasta qué punto el TJUE puede estar dispuesto a incluir en el concepto de la UE de "trabajador" a los trabajadores autónomos nacionales que dependan económicamente de un cliente o usuario principal. COUNTOURIS, N. and DE STEFANO, V.: *New Trade Union Strategies...*, cit.

dicha relación de subordinación procede centrarse en la autonomía y flexibilidad del trabajador para elegir el horario, el lugar y modo de desarrollar las tareas y/o en la supervisión y control que el empresario ejerce sobre la forma en que el trabajador desempeña sus funciones".

Atendiendo al concepto de comunitario de trabajador, no modificado por la Directiva 2019/1152, y al contexto del Derecho Social de la UE, centremos nuestra atención en varias cuestiones relacionadas con los trabajadores de plataformas.

1) ¿Es la Directiva 2019/1152 la respuesta legal comunitaria a esta forma de empleo (en concreto en relación con las plataformas que prestan el servicio subyacente[43])?

Es cierto que, entre otras posibles consideraciones, se advierte por un sector de la doctrina que, cuando no hay un mínimo de predictibilidad del trabajo, el trabajador puede rehusar el acuerdo de trabajo sin consecuencias. Lo que a sensu contrario quiere decir, según esta orientación doctrinal, que es compatible con el concepto de trabajador (por cuenta ajena, se entiende) que no haya un mínimo de predictibilidad en el trabajo.

La Directiva no es la respuesta legal comunitaria a esta forma de empleo. Ni hay una aplicación automática de la misma a los trabajadores en plataformas. Porque para que estos trabajadores puedan disfrutar de los derechos (incluido el derecho del trabajador a rehusar el acuerdo de trabajo, art. 10) deben ser reclasificados de falso trabajo por cuenta propia cuando en el caso concreto cumplan, de conformidad con la regla de la

---

[43] No, por tanto, aquellas que sólo son intermediarias. De nuevo, la distinción entre un tipo de plataformas y otras y la respuesta actual del TJUE en la sentencia de 19 de diciembre de 2019 (asunto C-390/18), en relación con la plataformas de alojamiento Airbnb. Puede consultarse en http://curia.europa.eu/juris/liste.jsf?language=es&jur=C%2CT%2CF&num=C-390/18. A diferencia de lo que sucedió en el caso Uber, en el caso de Airbnb, el servicio de intermediación que presta no forma parte integrante de un servicio global cuyo elemento principal sea un servicio al que corresponda otra calificación jurídica. En el caso de Airbnb, *su actividad es perfectamente disociable de la transacción inmobiliaria de alojamiento* que la plataforma no presta. Airbnb no ejerce una influencia decisiva en las condiciones de prestación de los servicios de alojamiento a los que está vinculado su servicio de intermediación. La plataforma no determina o limita el importe del alquiler solicitado por los arrendadores que utilizan su plataforma. A lo sumo, pone a su disposición una herramienta opcional de estimación del precio de su arrendamiento en función de los precios medios del mercado en dicha plataforma, dejando a los arrendadores la responsabilidad de fijar el precio del arrendamiento. Tampoco selecciona los arrendadores ni los arrendatarios, ni establece condiciones de calidad de los inmuebles.

primacía de los hechos, con los criterios que determinan el estatus de trabajador conforme a la jurisprudencia descrita; lo que cabe indicar tanto
para un tipo de trabajadores en plataformas (los que realizan bajo demanda trabajos off line) como para los trabajadores colectivos (crowdworkers)
que realizan tareas únicamente en línea (piénsese en el trabajo a través de
Amazon Mechanical Turk, Upwork, Click worker).

La Directiva no califica al trabajo en plataformas como trabajo por cuenta ajena ni dice que el trabajador en plataformas deba ser considerado, a
los efectos de la aplicación de esta directiva, trabajador en sentido "comunitario". Se le aplicarán las previsiones de esta directiva si logra alcanzar el
concepto de trabajador en los términos previstos en las normas nacionales,
de acuerdo con la jurisprudencia del TJUE. Sólo en este caso, quedarán
protegidos contra patrones de trabajo impredecibles o imprevisibles (total o parcialmente), que mejorarán la transparencia de sus trabajos, en
relación con la garantía de información y con la garantía del derecho al
rechazo que prevé el art.10 de la norma comunitaria.

No debe olvidarse que la única mención expresa a esta forma de empleo
aparece en el Cdo 8°, junto a otras modalidades no típicas de la prestación,
pero no hay opción expresa por su calificación ni conjunto de disposiciones para ordenarla De modo que, entre otros, la obligación de informar cuando el patrón de trabajo es total o principalmente imprevisible
(Art.4°.2.m) y el denominado "derecho al rechazo" (art.10), se especifica
para quien es trabajador, no para quien no es.

Y debe recordarse que en relación con esas nuevas formas de empleo,
lo que cabe aplicar también para el trabajo en plataformas, se expresa que
la clasificación falsa de un trabajador por cuenta propia en virtud de la
legislación nacional no impide que la persona sea un trabajador en virtud
de la legislación de la UE (lo que recuerda a la STJUE de 4 de diciembre
de 2014, Asunto C-413/13 *FNV* Kunsten). Esto es, conforme a esta última
resolución, si su independencia es sólo ficticia y disimula lo que a todos los
efectos es una relación laboral (párrafo 35).

Aún cuando en la norma comunitaria se opta por la distinción binaria,
y no aporta concepto legal de trabajador por cuenta ajena/trabajador autónomo, también a estos efectos (los de aplicación de la Directiva comunitaria concreta) habrá que estar la doctrina del TJUE sobre el "falso autónomo", descrito como aquél "que realiza para un empleador, en virtud de
un contrato de obras o de servicios, la misma actividad que los trabajadores
asalariados de ese empleador, [...], es decir, ... que se encuentran en una
situación comparable a la de esos trabajadores".

Y resultan ilustrativos los pasajes siguientes de la citada sentencia cuando dispone:

> "Por lo que se refiere al asunto principal, procede recordar que, según jurisprudencia reiterada, por una parte, un prestador de servicios puede perder su condición de operador económico independiente, y por tanto de empresa, cuando no determina de forma autónoma su comportamiento en el mercado sino que depende completamente de su comitente por el hecho de que no soporta ninguno de los riesgos financieros y comerciales resultantes de la actividad de éste y opera como auxiliar integrado en la empresa del mismo …". Parágrafo 33

> "De ello se deduce que el estatuto de «trabajador» a efectos del Derecho de la Unión no se ve afectado por el hecho de que una persona sea contratada como prestadora autónoma de servicios con arreglo al Derecho nacional, sea por motivos tributarios, administrativos o burocráticos, siempre que actúe bajo la dirección del empresario, en particular por lo que se refiere a su libertad para determinar su horario, su lugar de trabajo y el contenido del mismo…, que no participe en los riesgos comerciales de dicho empresario… y que esté integrada en la empresa durante el período de la relación laboral y, de este modo, forme con ella una unidad económica". Parágrafo 36.

2) El concepto de "realización personal de trabajo" y su expresión en el trabajo en plataformas. En particular la aplicación de la Directiva 2003/88 sobre tiempo de trabajo.

Recuérdese que la Comunicación Interpretativa de la Comisión Europea sobre la Directiva 2003/88/CE relativa a determinados aspectos de la ordenación del tiempo de trabajo, afirma que:

> "lo que resulta determinante para la aplicabilidad de la Directiva sobre el tiempo de trabajo no es el estatuto de la persona en virtud del Derecho nacional. Por el contrario, su aplicabilidad dependerá de si la persona interesada se considera «trabajador» (*worker*) con arreglo a la definición de trabajador de la jurisprudencia de la UE"[44].

---

[44]　DOU C 165/1, de 24 de mayo de 2017. Sigue diciendo la Comunicación: "Esto, a su vez, significa que determinadas personas calificadas como «trabajadores autónomos» en virtud del Derecho nacional podrían, no obstante, ser consideradas «trabajadores» por el Tribunal de Justicia a efectos de la aplicación de la Directiva sobre el tiempo de trabajo. De hecho, el Tribunal ha precisado que «la calificación de "prestador autónomo" con arreglo al Derecho nacional no excluye que la misma persona deba ser calificada de trabajador por cuenta ajena o de trabajador a efectos del Derecho de la Unión si su independencia solo es ficticia y disimula lo que a todos los efectos es una relación laboral» . El Tribunal apuntó a los elementos siguientes como posibles indicadores de la cualificación del «trabajador»: si la persona actúa bajo la dirección

En torno a un elemento o rasgo sobre el que gira el debate en relación con el concepto de trabajador en el Derecho derivado de la UE y, en particular, sobre las opciones legislativas en torno al trabajo en plataforma, en concreto al significado de "prestación personal de trabajo"[45], se ha planteado el encaje en el ámbito de aplicación de esta Directiva, y en "su" concepto de trabajador, la actividad o prestación de servicios que no sea exclusiva o personal.

Debe advertirse al respecto que alguna de las propuestas doctrinales en torno a la ampliación o extensión del concepto de trabajador, también en el ámbito de la UE[46], aportaban como uno de los criterios orientadores de la dependencia económica (como elemento o rasgo básico de la amplia-ción del concepto comunitario de trabajador a efectos de aplicación de las Directivas sobre política social) el de que los servicios sean realizados "en persona": "the right to use substitutes is limited or does not make sen-se economically". Basándose literalmente en la Recomendación del CESE cuando indicaba que los servicios se prestan en persona; el derecho a utili-zar sustitutos está limitado o no tiene sentido económicamente.

En torno a esta cuestión (aunque no es exclusiva del trabajo en platafor-mas) gira uno los elementos o factores respecto de los que tribunales y op-ciones de política legislativa configuran la naturaleza de la actividad (véase, por ejemplo, infra la reforma legal en Italia); y respecto de un supuesto con-creto de trabajo en plataformas digitales (de reparto) y en torno al concep-to nacional de "worker", se ha planteado una cuestión prejudicial al TJUE (Asunto C-692/19) por el Watford Employment Tribunal (Reino Unido) el 19 de septiembre de 2019 en el caso B / Yodel Delivery Network Ltd[47].

---

de su empresario, en particular por lo que se refiere a su libertad para determinar su horario, su lugar de trabajo y el contenido del mismo, si la persona no participa en los riesgos comerciales del empresario y si está integrada en la empresa durante el perío-do de la relación laboral…"

[45] Vid. DI STEFANO, V. and ALOISI, A.: *European Legal Framework of Digital Labour Plat-foms*, European Comision, 2018, doi:10.2760/78590, JRC112243, pp. 27-28, en lo que refiere al concepto de "trabajo personal".

[46] Vid. RISAK, M. and DURINGER, T.: *The concept of "worker"*…, cit., p. 46

[47] Sobre este proceso judicial en Gran Bretaña, y argumentos del Tribunal para presentar la cuestión prejudicial, puede consultarse en http://employmentlawbulletins.com/wp-con-tent/uploads/2019/09/Reference-for-a-Preliminary-Ruling-final-1.pdf. La pregunta se planteó durante la consideración del tribunal de la situación laboral de un servicio de men-sajería de paquetería de Yodel. El individuo usa su propio vehículo y teléfono móvil, no usa uniforme ni marca en su vehículo y no lleva ninguna forma de identificación provista por la compañía, pero sí usa un dispositivo de escaneo portátil de marca provisto por Yodel. No está obligado a realizar las entregas personalmente, pero se le permite utilizar un sub-contratista para realizar todo o parte del servicio que está contratado para proporcionar.

Son varias las preguntas planteadas[48], que trascienden más allá de la primera y sustancial siguiente: si el hecho de que un individuo tenga el derecho de contratar "sustitutos" para realizar todo o parte de su trabajo significa que no puede ser considerado un trabajador (worker) bajo la le-

---

También se le permite entregar paquetes para otras empresas, incluso al mismo tiempo que trabaja para Yodel, por ejemplo, llevar paquetes para múltiples empresas de paquetería en su camioneta.

Cuando comenzó a trabajar en 2017, firmó un contrato que declaraba expresamente que se trataba de un contratista independientes (independent contractor) por cuenta propia y no empleados (employee) o trabajadores (worker).

[48] - En particular, se pregunta:

2.1) ¿El hecho de que una persona esté autorizada para recurrir a subcontratistas o "sustitutos" para ejecutar total o parcialmente las actividades o servicios a que esté obligada significa que dicha persona no puede ser considerada un trabajador a efectos de la Directiva 2003/88/CE, ya sea:

2.1.1) con carácter absoluto (por ser el derecho de sustitución incompatible con la condición de trabajador), o

2.1.2) solo en relación con el período durante el cual ejerza el derecho de sustitución (de modo que debe ser considerada como trabajador en los períodos durante los cuales ejecute personalmente las actividades o servicios)?

2.2) ¿Es relevante para el reconocimiento de la condición de trabajador a efectos de la Directiva 2003/88/CE el hecho de que el demandante concreto no haya hecho uso de su derecho de subcontratación o sustitución, mientras que otros contratados en condiciones sustancialmente idénticas sí lo han hecho?

2.3) ¿Es relevante para el reconocimiento de la condición de trabajador a efectos de la Directiva 2003/88/CE que otras entidades, entre ellas sociedades de responsabilidad limitada y sociedades de personas de responsabilidad limitada, estén contratadas en condiciones sustancialmente idénticas a las del demandante concreto?

3. ¿Es relevante para el reconocimiento de la condición de trabajador a efectos de la Directiva 2003/88/CE que el presunto empleador no esté obligado a ofrecer trabajo al demandante concreto, es decir, que le ofrezca trabajo "cuando precise" de sus servicios, o que el demandante concreto no esté obligado a aceptarlo, es decir, que la actividad esté "siempre sujeta al derecho incondicional del mensajero a aceptar o no el trabajo ofrecido"?

4. ¿Es relevante para el reconocimiento de la condición de trabajador a efectos de la Directiva 2003/88/CE que el demandante concreto no esté obligado a trabajar exclusivamente para el presunto empleador, sino que pueda prestar servicios similares simultáneamente a terceros, aunque sean competidores directos del presunto empleador?

5. ¿Es relevante para el reconocimiento de la condición de trabajador a efectos de la Directiva 2003/88/CE el hecho de que el demandante concreto no haya hecho uso de su derecho a prestar servicios similares a terceros, mientras que otros contratados en condiciones sustancialmente idénticas sí lo han hecho?

6. ¿Cómo debe calcularse el tiempo de trabajo a efectos del artículo 2, apartado 1, de la Directiva 2003/88/CE en una situación en que el demandante concreto no está obligado a trabajar un número fijo de horas, sino que puede decidir por sí mismo sus horas de trabajo dentro de un cierto margen, como por ejemplo desde las 7.30 hasta las 21.00? En particular, ¿cómo debe calcularse el tiempo de trabajo cuando:

gislación británica, esto es, pasaría a ser considerado independent contractor. En concreto: ¿La Directiva 2003/88/CE excluye las disposiciones de la legislación nacional que requieren que un individuo se comprometa a realizar todo el trabajo o los servicios que se le requieren, 'personalmente' para entrar en el ámbito de aplicación de la Directiva?.

La trascendencia, como se aprecia en las preguntas formuladas, va más allá del tiempo de trabajo, y es el planteamiento global sobre la figura del worker y su aplicación al trabajo en plataformas digitales de reparto.

Recuérdese que la Directiva se traspuso en Reino Unido a través de la Working Time Regulations 1998 (WTR), y así como la Directiva no incluye definición del término "worker", el art.2° de la norma nacional dispone que:

> 'In these Regulations "worker"… means an individual who has entered into or works under (or, where the employment has ceased, worked under)– 1. (a) a contract of employment, or 2. (b) any other contract, whether express or implied and (if it is express) whether oral or in writing, whereby the individual undertakes to do or *perform personally* any work or services for another party to the contract whose status is not by virtue of the contract that 9 of a client or customer of any profession or business undertaking carried on by the individual; and any reference to a worker's contract shall be construed accordingly.'

Si, según la norma británica, se requiere que una persona con estatus de trabajador (worker) "se comprometa a realizar personalmente cualquier trabajo o servicio" para la organización, para el Tribunal nacional proponente de la cuestión prejudicial, el derecho a realizar servicios para varios clientes diferentes es incompatible con este estado según la ley del Reino Unido.

El tribunal dice: "La ley del Reino Unido se centra en los derechos y obligaciones contractuales del supuesto trabajador y empleador. Además, en ausencia de una obligación contractual de proporcionar 'servicio de forma personal', un individuo no puede considerarse trabajador. Dicho de otra manera, un derecho general y sin restricciones a subcontratar el desempeño del trabajo o los servicios, incluso si no es ejercido por un reclamante en particular, no es compatible con el estatus de trabajador (worker)".

La cuestión prejudicial intenta poner coto a la interpretación no exactamente coincidente sobre el rasgo de "desarrollo personal" entre los tri-

---

6.1) el interesado no está obligado a trabajar exclusivamente para el presunto empleador durante dichas horas, o determinadas actividades realizadas durante ellas (por ejemplo, la conducción) pueden beneficiar tanto al presunto empleador como a un tercero;
6.2) se concede al trabajador un amplio margen de discrecionalidad en cuanto a la forma

bunales británicos, respecto de la que señalábamos que tienen ante sí "el reto nada fácil de valorar, como si fuera una cuestión de grado o de nivel, la facultad de sustitución de quien ha sido contratado para prestar el servicio para que pueda afirmarse o, por el contrario, negarse en el caso concreto el carácter intuitu personae –desarrollo personal o personal perfomance–"[49].

4. RESPUESTA LEGAL AL TRABAJO EN PLATAFORMAS EN OTROS PAÍSES

4.1. *Países de la Unión Europea*

Comentábamos más arriba las diferentes soluciones de política legislativa que acababan de ser adoptadas en países de la Unión Europea. Hagamos referencia a dos de ellas, Francia e Italia, que tienen como elemento común que no modifican el concepto de dependencia o subordinación pero se extiende a estos trabajadores derechos en el ámbito del trabajo y de la protección social.

Estas opciones legislativas que en cierto modo exteriorizan una visión de un capitalismo de plataforma que promueve el autoempleo en referencia a la nueva economía digital no excluye, y de hecho admite expresamente, que las crecientes necesidades de protección contractual y asistencial, hasta ahora confinadas a la esfera del trabajo subordinado, se extiendan al au-

---

[49] SÁNCHEZ-URÁN AZAÑA, Y.: "El trabajo en plataformas ante los tribunales: un análisis comparado", en PÉREZ DE LOS COBOS ORIHUEL, F. (Dtor): *El trabajo en plataformas digitales*, Wolters Kluwer, 2018, p. 76-77. Corregidas pruebas de este estudio, se ha publicado el Auto del TJUE de 22 de abril de 2020, C - 692/19, que resuelve la cuestión prejudicial planteada. Indica en su fallo el TJUE que "La Directiva 2003/88/CE del Parlamento Europeo y del Consejo, de 4 de noviembre de 2003, relativa a determinados aspectos de la organización del tiempo de trabajo debe interpretarse en el sentido de que excluye a una persona contratada por su posible empleador en virtud de un acuerdo de servicios que estipula que es autónomo. -contratista independiente empleado de ser clasificado como 'trabajador' para los fines de esa directiva, donde esa persona tiene discreción: utilizar subcontratistas o sustitutos para realizar el servicio que se ha comprometido a proporcionar; aceptar o no aceptar las diversas tareas ofrecidas por su supuesto empleador, o establecer unilateralmente el número máximo de esas tareas; para proporcionar sus servicios a cualquier tercero, incluidos los competidores directos del empleador putativo, y fijar sus propias horas de "trabajo" dentro de ciertos parámetros y adaptar su tiempo a su conveniencia personal más que a los intereses del posible empleador, siempre que, en primer lugar, la independencia de esa persona no parezca ficticia y, en segundo lugar, no es posible establecer la existencia de una relación de subordinación entre esa persona y su supuesto empleador. Sin embargo, corresponde al tribunal remitente, teniendo en cuenta todos los factores relevantes relacionados con esa persona y con la actividad económica que realiza, clasificar la situación profesional de esa persona en virtud de la Directiva 2003/88".

toempleo, buscando una sabia dosis entre "universalismo" y "selectividad" de la protección también para quienes quepa calificar como trabajadores autónomos en régimen de subordinación jurídica imperfecta.

El debate que ahora trasciende tras la adopción de medidas legales al respecto es la búsqueda de equilibrio para afrontar "adecuadamente" la naturaleza de la actividad real realizada por los trabajadores de plataformas, esto es, si centrarse en el papel de las herramientas digitales a la hora de organizar, controlar y disciplinar a la plantilla o por el contrario en la discontinuidad y la flexibilidad del modo de trabajar.

4.1.1. ITALIA. Los cambios legales tras la sentencia Foodora[50]

Las modificaciones legales en 2019, tras los casos judiciales previos, se han producido en dos fases, con la finalidad de articular una respuesta legal en el sistema legal italiano que ha optado por la distinción binaria,

---

[50] Sentencia de la Corte di Appello de Torino 26/2019, de 11 de enero de 2019, publicada el 4 de febrero de 2019 (puede consultarse file:///C:/Users/user/Google%20Drive/ Tecnolog%C3%ADa%20y%20Derecho%20del%20Trabajo/Tribunales%20otros%20 pa%C3%ADses%20platform%20economy/Italia/appellofoodora%20(1).pdf)
Sólo en parte anula la sentencia de primera instancia (que había excluido la aplicación del art.2ª del D. de 2015 y declarada la relación como co.co.co), reconociendo al repartidor el derecho a percibir el salario fijado en el Contrato colectivo del sector de la logística y transporte de mercancías; pero en ningún caso establece que se trate de un contrato de trabajo o prestación de servicios asalariada. Sino, bien distinto, interpreta a estos efectos el precepto supra citado, afirmando que se ha de proteger a los trabajadores autónomos en determinadas circunstancias. La duda que se planteaba antes de conocer el fundamento de la sentencia, era, según indicaba la doctrina laboralista italiana, si se habría dado paso decisivo en la creación de una subcategoría de trabajador autónomo, el hetero-organizado con tutela o protección "laboral". Y la sentencia lo confirma sin ambages; asumiendo un criterio "clásico" de subordinación y declarando que en el caso concreto no hay indicios de tal (del poder de gestión y disciplinario del empleador, se entiende) y que el "nomen iuris" acordado por las partes, a efectos de la calificación de la relación jurídica, es pertinente (aunque no decisivo), desestima la pretensión principal de los demandantes (esto es, su calificación como trabajadores subordinados). Sobre el asunto "Foodora", pueden leerse varios comentarios de la doctrina italiana. Entre otros, véanse los siguientes: CARABELLI, U. y SPINELLI, C.:" La Corte d'Appello di Torino ribalta il verdetto di primo grado: i riders sono collaboratori etero-organizzati", *RGL*, 2019; DE LUCA TAMAJO, R.: La sentenza della Corte d'Appello Torino sul caso Foodora. Ai confini tra autonomia e subordinazione, *LDE*, 2019, n. 1; NOVELLA, M.: "Il rider non è lavoratore subordinato, ma è tutelato come se lo fosse", *LLI*, 2019, n. 5. ALOISI, A.: "With great power comes virtual freedom. A review of the fist Italian case holding that (food-delivery) platform workers are not employees", puede consultarse en file:///C:/Users/user/Downloads/With_great_power_comes_virtual_freedom_A.pdf

entre trabajo asalariado (lavoratore subordinato)[51] y trabajo autónomo (lavoratore autónomo)[52].

Hace más de 45 años el legislador italiano introdujo un supuesto de autoempleo que fue erróneamente considerado como una categoría intermedia. La Ley Nº 533 de 1973 modificó el párrafo 3 del artículo 409 del Código de Procedimiento Civil por la que se declaraba aplicable la legislación relativa a la solución de conflictos laborales a agentes comerciales y a todos las `relaciones contractuales que impliquen una ejecución continua de trabajo, principalmente de carácter personal, aunque no en posición de subordinación (*collaborazione coordinata e continuativa*, la llamada Co.Co.Co.).

En 2015 se introduce el art.2 por el D.Legislat.81/2015 (Job Act), que, bajo la rúbrica *Collaborazioni organizzate dal committente*, extiende la protección "laboral" a quienes prestan un trabajo *exclusivamente personal* y continuado en el que la forma de ejecución está organizada por el comitente, incluso en lo que se refiere al lugar y al tiempo de trabajo[53]. La disposición no implica la recalificación de la relación, que preserva la naturaleza autónoma deseada por las partes, sino solo la aplicación de la disciplina de mayor protección propia del trabajo subordinado.

En 2017 se modifica el art.409 del C.p.c. para referirse a la colaboración coordinada y continuada (co.co.co.) genuina, entendida por tal la de colaboradores que organizan su trabajo de forma autónoma pero de conformidad con el acuerdo de coordinación que hayan aceptado mutuamente las partes. "La collaborazione si intende coordinata quando, nel rispetto delle modalità di coordinamento stabilite di comune accordo dalle parti, il collaboratore organizza autonomamente l'attività lavorativa".

---

[51] Art. 2094 DEL Codigo Civil, define el trabajador subordinado como "una persona obligada, a cambio de una remuneración, a cooperar en la empresa mediante la prestación de servicios físicos o trabajo intelectual, bajo la dirección del empresario". De modo que el rasgo o elemento clave de la definición es la sujeción personal del trabajador a las órdenes, poder organizativo y poder disciplinario del empleador.

[52] Art. 2222 del Código Civil define el contrato de servicios ("contratto d'opera") en virtud del cual, un trabajador autónomo realiza trabajo o servicios a cambio de una remuneración, principalmente a través de su propio esfuerzo y en la ausencia de una relación de subordinación con respecto al principal".

[53] Disponía el citado precepto: "A far data dal 1° gennaio 2016, si applica la disciplina del rapporto di lavoro subordinato anche ai rapporti di collaborazione che si concretano in prestazioni di lavoro esclusivamente personali, continuative e le cui modalità di esecuzione sono organizzate dal committente anche con riferimento ai tempi e al luogo di lavoro".

Parece oportuno recordar que el artículo 2 del Decreto Legislativo 81/2015 ha sido objeto de innumerables análisis doctrinales[54], con acusada discusión entre los autores italianos. Esto se debe a que el primer párrafo del mismo puede tener un fuerte impacto en la relación de colaboración establecida, si ésta se caracteriza por los elementos a los que se refiere la prestación (continuidad, prestación del trabajo "exclusivamente" personal y hetero-organización del servicio).

Se resume afirmando que, en la colaboración hay que distinguir, si el desempeño del trabajo es organizado por el cliente o principal (*collaborazione etero-organizzata*), el colaborador debe ser tratado como un empleado (trabajador asalariado); si por el contrario el trabajo se organiza de forma autónoma, aunque en coordinación con el cliente (*collaborazione coordinata*), la actividad queda fuera del ámbito de la legislación laboral. Esto es, la collaborazioni organizzate dal committente exige prestación ejercida bajo el poder de organización de éste, de modo que el committente interviene en los métodos de ejecución del servicio, así como en el momento y lugar de ejercicio de la actividad; y el co.co.co., en el que la coordinación del servicio no puede interferir su condición de trabajo por cuenta propia y por tanto, se realiza con plena autonomía en la organización del trabajo[55].

En este contexto se produce la intervención legislativa sobre plataformas digitales en 2019[56], ampliando e integrando algunas disposiciones de la Job Act, en particular, en su artículo 2º.

---

[54]　Un análisis de las diferentes opciones interpretativas en DIAMANTI, R.: "Il lavoro etero-organizzato e le collaborazioni coordinate e continuative", *Diritto delle Relazioni Industriali*, n. 1/2018, p. 105 y ss. Un sector de la doctrina interpretaba el art.2 Job Act como norma encaminada a extender la disciplina de la relación de trabajo por cuenta ajena a las relaciones de trabajo por cuenta propia, que se mantienen separadas en el plano sistemático y calificativo, al tiempo que son asimiladas por el legislador a la subordinación en el nivel del tratamiento regulador, debido a la existencia de una "hetero-organización": PERULLI, A.: "I lavoratori delle piattaforme e le collaborazioni etero-organizzate dal cliente: una nuova frontiera regolativa per la Gig Economy", *Labor*, 2019, fasc. 3, 313 ss.

[55]　Véase al respecto, PERULLI, A.: "Il Jobs Act del lavoro autónomo e agile: come cambiano i concetti di subordinazione e autonomia nel diritto del lavoro", WP CSDLE "Massimo D'Antona, IT, 341-2017. Puede consultarse en http://csdle.lex.unict.it/Archive/WP/WP%20CSDLE%20 M%20DANTONA/WP%20CSDLE%20M%20DANTONA-IT/20171020-085836_perulli_341-2017itpdf.pdf; también FIORILLO, L.: "Un diritto del lavoro per il lavoro che cambia: primi spunti di reflessione", WP CSDLE "Massimo D'Antona" IT, 368-2018, puede consultarse en http://csdle.lex.unict.it/Archive/WP/WP%20CSDLE%20M%20DANTONA/ WP%20CSDLE%20M%20DANTONA-IT/20180711-084944_Fiorillo_n368-2018itpdf.pdf

[56]　Sobre la reforma vid., entre otros, MARTINO, V.: "La riforma delle collaborazioni etero-organizzate e le nuove tutele per i riders"; Rev. *Lavoro Diritti Europa* 2019/3, puede consultarse en https://www.lavorodirittieuropa.it/images/vincenzo_martino_riders.pdf.

La primera fase, la de septiembre de 2019, a través del Decreto-legge 3 settembre 2019, n. 101 « Disposizioni urgenti per la tutela del lavoro e per la risoluzione di crisi aziendali», sin modificar el concepto de colaboración hetero-organizada, declaraba que la disposición normativa del art.2º.1 de la Job Act, 2015, *collaborazione etero-organizzata, se aplicaba también* "cuando los métodos de ejecución del servicio se organizan a través de plataformas, incluidas las digitales". De modo que el trabajo en plataformas digitales que se concreta en una colaboración exclusivamente personal, continua y organizada por el cliente, también en relación con el tiempo y el lugar de trabajo, pueden tener reconocido un sistema de protección similar al de los empleados, solo sujeto a las excepciones permitidas para la negociación colectiva.

La reforma también interviene en un ámbito más restringido, diseñando (con la introducción de un nuevo Capítulo V-bis en el cuerpo de este último decreto) una disciplina específica, de naturaleza residual y (en parte) complementaria, a favor de los "trabajadores independientes que realizan actividades de entrega de bienes en nombre de terceros, en áreas urbanas y con la ayuda de velocípedos o motocicletas, también a través de plataformas digitales". Deja fuera el transporte de pasajeros, y bajo la rúbrica "Protección del trabajo a través de plataformas digitales, se define a estos efectos plataforma digital: los programas y procedimientos informáticos de las empresas que, independientemente del lugar de establecimiento, organizan la entrega de bienes, fijan el precio y determinan la forma de prestación del servicio". Sin embargo, el decreto no contiene ninguna definición de plataforma no digital: en el informe explicativo de la medida se menciona, a este respecto, sólo el ejemplo de un "sistema de encaminamiento de las llamadas telefónicas", pero la cuestión sigue siendo, como mínimo, oscura, especialmente en lo que se refiere al trazado de los límites entre lo que es una plataforma no digital y lo que no lo es.

El centro de gravedad de este nuevo marco regulatorio es, sin duda, la disposición contenida en el artículo 47-quater, añadido al decreto legislativo no. 81/2015 sobre el tema de la compensación (justa). Se prevé que los convenios colectivos celebrados por los sindicatos y las organizaciones de empleadores que son comparativamente más representativos a nivel nacional pueden definir criterios para determinar la remuneración general. Solo en ausencia de la estipulación de estos contratos, los trabajadores a los que se hace referen-

---

BARBIERI, M.: "Della subordinazione dei ciclofattorini"; *Labour and Law Issues,* 2019, Vol.5, n.2; puede consultarse en file:///G:/Mi%20unidad/Tecnolog%C3%ADa%20 y%20Derecho%20del%20Trabajo/Doctrina%20otros%20pa%C3%ADses%20Platform/Italia,%202019%20Barbieri.pdf

cia en el artículo 47-bis, no serán pagados pieza por pieza, esto es, por entrega realizada, sino que tendrán derecho a una remuneración mínima por hora, de acuerdo con el contrato colectivo nacional de sectores similares o equivalentes. Otros comentaristas han señalado que esta medida, destinada a proteger los ingresos del rider, corre el riesgo, por el contrario, de hacer más precarias las condiciones de trabajo, ya caracterizadas por la discontinuidad del rendimiento. De hecho, la tarifa horaria está sujeta a la "condición de que, por cada hora de trabajo, el trabajador acepte al menos una llamada" (art. 47-bis, apartado 3, último plazo), por lo que los operadores de plataformas digitales, con el fin de eludir los límites de la ley, podrían contratar a más trabajadores, reduciendo así el número de entregas horarias de cada uno.

La regla más significativa, sin embargo, es la contenida en el Art. 47-ter, que, aunque limitada a un tema específico (Cobertura del seguro obligatorio contra accidentes de trabajo y enfermedades profesionales), por primera vez parece abrir un nuevo horizonte a la regulación del trabajo, traduciendo claramente en términos reglamentarios la idea, cultivada desde hace mucho tiempo pero nunca realizada, de la protección universal más allá de la cualificación de la relación en uno u otro sentido: "1. El derecho a la seguridad social y a la salud en el trabajo. Los empleados a los que se refiere este capítulo, independientemente de la calificación jurídica de la relación con la empresa propietaria de la plataforma digital, están sujetos a un seguro obligatorio contra accidentes de trabajo y enfermedades profesionales".

La fase segunda de modificación legislativa es la Ley de Conversión del D-L 101/2019; L. 2 novembre 2019, n. 128. Conversione in legge, con modificazioni, del decreto-legge 3 settembre 2019, n. 101, recante disposizioni urgenti per la tutela del lavoro e per la risoluzione di crisi aziendali.

Mantiene el ámbito de tutela e introduce dos modificaciones muy importantes en el párrafo primero del art.2º de la Job Act, respecto de la colaboración hetero-organizada, que se aplica "*anche* qualora le modalità di esecuzione della prestazione siano organizzate mediante piattaforme *anche* digital" (en el texto de septiembre se decía." Le disposizioni di cui al presente comma si applicano anche ai lavoratori delle piattaforma digitali"), con la redacción definitiva siguiente:

> "A far data dal 1º gennaio 2016, si applica la disciplina del rapporto di lavoro subordinato anche ai rapporti di collaborazione che si concretano in prestazioni di lavoro *prevalentemente personali,* continuative e le cui modalità di esecuzione sono organizzate dal committente".

Comparando el texto en la versión de septiembre con el definitivo, resulta que:

1) El desempeño o la prestación de trabajo se dice ahora que será prevalente o principalmente (no exclusivamente) personal.

Exclusivamente habría que entenderlo en el sentido que el trabajador no proporciona recursos materiales (como PC, equipos, teléfono inteligente, etc.) ni hace uso de otros colaboradores.

Intervención muy significativa debido a su alcance sistemático, en especial en relación con el debate doctrinal suscitado en torno al art.2° Job Act. Esto es, entre quienes afirmaron que el art.2 Job Act era de naturaleza ampliadora de la subordinación; aquellos que la consideraron como regla aparente y no modificativa; y aquellos que, por el contrario, que consideraron el artículo 2 como una norma que extiende las protecciones del empleo a una nueva categoría de colaboración autónoma, es decir, de una norma de extensión de la tutela hacia las zonas grises que gravitan entre la subordinación y la autonomía[57].

Desde esta perspectiva, parece que la norma afianza esta última posición porque, de conformidad con un sector de la doctrina italiana[58], *la naturaleza predominantemente personal del servicio* es completamente incompatible con la subordinación (sobre la base del artículo 2094 del Código Civil Italiano, es un trabajador asalariado el que se obliga a colaborar prestando "su" propio

---

[57]   En este sentido se pronuncia la Corte di Cassazione, Sentencia 1663/2020, de 24 de enero, resolviendo recurso contra la Sentencia de la Corte de Apelación de Turín (Asunto Foodora) de 4 de febrero de 2019. En particular los apartados 25 y 27 de la sentencia: "In una prospettiva così delimitata non ha decisivo senso interrogarsi sul se tali forme di collaborazione, così connotate e di volta in volta offerte dalla realtà economica in rapida e costante evoluzione, siano collocabili nel campo della subordinazione ovvero dell'autonomia, perché ciò che conta è che per esse, in una terra di mezzo dai confini labili, l'ordinamento ha statuito espressamente l'applicazione delle norme sul lavoro subordinato, disegnando una norma di disciplina" (apdo25). "Si tratta di una scelta di politica legislativa volta ad assicurare al lavoratore la stessa protezione di cui gode il lavoro subordinato, in coerenza con l'approccio generale della riforma, al fine di tutelare prestatori evidentemente ritenuti in condizione di "debolezza" economica, operanti in una "zona grigia" tra autonomia e subordinazione, ma considerati meritevoli comunque di una tutela omogenea. L'intento protettivo del legislatore appare confermato dalla recente novella cui si è fatto cenno, la quale va certamente nel senso di rendere più facile l'applicazione della disciplina del lavoro subordinato, stabilendo la sufficienza – per l'applicabilità della norma – di prestazioni "prevalentemente" e non più "esclusivamente" personali, menzionando esplicitamente il lavoro svolto attraverso piattaforme Digitali e, quanto all'elemento della "etero-organizzazione", eliminando le parole "anche con riferimento ai tempi e al luogo di lavoro", così mostrando chiaramente l'intento di incoraggiare interpretazioni non restrittive di tale nozione" (Apdo 27).

[58]   PERULLI, A.: *L'attività in prevalenza personale esclude la subordinazione dei co.co.org.* (Il sole 24 Ore, 15 de noviembre de 2019).

trabajo[59]), mientras que la *prevalente personalidad del trabajo* está prevista tanto en la modalidad general de trabajo autónomo (artículo 2222 del Código Civil) como en la de colaboración coordinada y continuada, co.co.co (artículo 409, número 3, del Código de Procedimiento Civil). Un servicio que no sea totalmente "personal" entra en el ámbito del trabajo autónomo (art.2222 Código civil), ausente de subordinación, y por tanto incompatible con la relación laboral, descrita en el art.2094 Código Civil (actividad exclusiva y personal). Pero sin duda, no es tan fácil identificar los límites dentro de los cuales es posible considerar predominantemente personal un servicio prestado con la ayuda de una organización propia y distinta de la del cliente[60].

2) Se deroga la expresión "anche con riferemento ai tempi e al luogo di lavoro" (también con referencia al tiempo y al lugar del trabajo).

De modo que la hetero-organización de la prestación ya no se refiere necesariamente al tiempo y lugar del trabajo, sino solo a la forma en que se lleva a cabo la actividad. El segundo cambio, cuyo impacto operativo es mucho mayor que el primero, es la eliminación de la referencia al tiempo y al lugar de trabajo como un elemento calificador de la heteroorganización del desempeño laboral.

Supresión que facilita la no fácil distinción entre el trabajo hetero-organizado y el trabajo subordinado.

Hay, por tanto, una línea divisoria complicada entre el art. 2 y las disposiciones del art. 2094 del Código Civil italiano, que consiste en que "mientras que en la típica subordinación la objetivación de la fuerza de trabajo permite al acreedor ejercer un poder de intervención constante sobre las modalidades organizativas intrínsecas del comportamiento debido, afectando al objeto de la obligación y al proceso instrumental que mejor permite la consecución del resultado útil al acreedor, en el servicio "organizado por el cliente" el alcance de la acción de la autoridad es completamente

---

[59]   Recuérdese, supra, la cuestión prejudicial planteada sobre esta cuestión al TJUE.
[60]   Sobre la diferencia entre " personalità exclusiva" e "personalità prevalente", véase O. RAZZOLINI, O.: "*Jobs Act degli autonomi e lavoro esclusivamente personale*", en FIO-RILLO, L, y PERULLI, A. (Dtores): *Il jobs act del lavoro autonomo*, Giappichelli, To-rino, 2018, p.24: «deve ritenersi prestatore d'opera (lavoratore autonomo), ma non anche piccolo imprenditore, colui che svolga un'opera o un servizio nell'altrui interesse senza avvalersi di alcuna forma di organizzazione ma esclusivamente del proprio lavoro». Véase, tesis opuesta en Gionata Golo Cavallini: IL «NUOVO» LAVORO AUTONOMO QUALIFICAZIONE E TUTELE DOPO IL D.LGS. N. 81/2015 E LA L. N. 81/2017 DIRITTO DEL LAVORO IUS/07, https://air.unimi.it/retrieve/hand-le/2434/615459/1143901/phd_unimi_R11294.pdf

impersonal, no está justificado en órdenes o directivas, sino que concierne a las modalidades organizativas extrínsecas del servicio y a su ejecución"[61].

En el trabajo subordinado el poder de dirección del empresario normalmente también concierne al tiempo y al lugar de ejecución de prestación. Dicho de otra forma, y respecto de una de las cuestiones más discutidas sobre el trabajo en plataformas (también en España), la intervención legal permite que la relación de trabajo de los trabajadores en plataformas digitales de reparto se incardine en la colaboración hetero-organizada (por tanto, autónomos pero con ampliación de la tutela como si fuera un trabajo subordinado) cuando éstos elijan libremente la ubicación temporal del servicio dentro de las franjas horarias indicadas por el cliente y no estén obligados a seguir una ruta o camino predeterminado. Y ello frente a la versión primera que podría conducir a excluir de esta última área a los sujetos que eligen libremente la ubicación temporal del servicio dentro de los intervalos de tiempo indicados por el cliente y no están obligados a seguir un camino predeterminado.

De modo que la eliminación del "espacio" y del "tiempo" de la prestación hace que los trabajadores puedan determinar de forma autónoma el dónde y el cuándo de su prestación, siempre que el cliente organice, desde otra perspectiva, la actividad del prestador del sentido. Lo que ha expresado la jurisprudencia italiana en el sentido de que la hetero-organización proviene, no tanto de que el cliente determine el lugar y el tiempo del servicios, sino del hecho de que:

> «*el servicio se rige por las reglas de la organización del "cliente" en cuyo contexto de producción el prestador del servicio está completamente insertado, o que el prestador del servicio no tiene márgenes apreciables de autonomía organizacional*»[62].

Resultan muy ilustrativas, a nuestro juicio, las consideraciones que a la regulación legal por la doctrina italiana. En concreto, P. Ichino (véase en https://www.pietroichino.it/?p=54161#more-54161) dice que la norma es equivocada y que permanece anclada a patrones y cultura del trabajo del siglo pasado, es decir, al contexto de la segunda y tercera revolución industrial; pero los trabajadores de plataforma pertenecen al siglo XXI, al contexto de la cuarta revolución industrial. Aplicar a esta forma de organización del trabajo las técnicas de protección nacidas para el trabajo en las grandes plantas industriales del siglo XX equivale a poner esta nueva

---

[61] PERULLI, A.: "Il Job Act del lavoro autónomo e agile….", cit.,
[62] Trib. Roma 8 settembre 2016, n. 7323, est. Conte (y otras sucesivas, 8 maggio 2017, n. 4219; 5 marzo 2018, n. 1645; 12 marzo 2018, n. 1841)

forma de organización del trabajo fuera de la ley. Y concluye: "La verdadera protección de las personas que se dedican a esta actividad y que tienen como objetivo mejorar su nivel de ingresos no puede ser la imposición de un nivel mínimo más alto que la productividad laboral".

4.1.2. FRANCIA. Trabajador independiente más responsabilidad social de las empresas

La Loi d'Orientation des Mobilités (LOM), adoptada por la Asamblea Nacional el 17 de septiembre de 2019, tras su consideración por el senado, se ha publicado como LOI n° 2019-1428 du 24 décembre 2019 en el Diario Oficial de la República Francesa[63]; Título III, capítulo II, que regula la incentivación de las innovaciones en la materia, Sección 3, *Réguler les nouvelles formes de mobilité et renforcer la responsabilité sociale des plateformes de mise en relation par voie électronique,*, que modifica varios artículos del Código de transportes y del Código de trabajo; la Ley núm. 2016-1088, de 8 de agosto de 2016, sobre el trabajo, la modernización del diálogo social y la garantía de los itinerarios profesionales (cuyo art. 40 modificó el art.L. 7342-1-2-3-4-5-6 del Código de Trabajo), en la que se incorporaron las nuevas disposiciones incorporadas por la Ley n° 2018-771 de 5 de septiembre de 2018, para la libertad de elegir el futuro profesional (art. 40 bis, que modificó sustancialmente el art. L. 7342-1 del Código de Trabajo en relación con el contenido de la Carta que la Plataforma debe entregar al trabajador[64]. Esta última norma, la de 2018, fue

---

[63]   https://www.legifrance.gouv.fr/affichTexte.do;jsessionid=A8BB185BE6174BBFF9CE-5CB9F7F28642.tplgfr33s_3?cidTexte=JORFTEXT000039666574&categorieLien=id

[64]   Es importante recordar que este precepto dispone: …" la plataforma puede establecer una carta que determine las condiciones y procedimientos para el ejercicio de su responsabilidad social, definiendo sus derechos y obligaciones, así como los de los trabajadores con los que se relaciona. Esta carta, específica en particular:"1° Las condiciones en las que se desarrolla la actividad profesional de los trabajadores con los que se relaciona la plataforma, en particular las normas según las cuales se ponen en relación con sus usuarios. Estas normas garantizan que la relación entre los trabajadores y la plataforma no sea exclusiva y que los trabajadores puedan utilizar libremente la plataforma; "2° Las modalidades destinadas a permitir a los trabajadores obtener un precio decente por sus servicios;"3° Los métodos para desarrollar las competencias profesionales y asegurar las carreras profesionales; "4°) Medidas destinadas en particular a: "a) Mejorar las condiciones de trabajo;"b) prevenir los riesgos profesionales a los que puedan estar expuestos los trabajadores a causa de su actividad, como, en particular, los daños causados a terceros; "5° Las modalidades de intercambio de información y diálogo entre la plataforma y los trabajadores sobre las condiciones de ejercicio de su actividad profesional; "6°) la forma en que se informa a los trabajadores de cualquier

recurrida ante el Consejo Constitucional[65], cuya decisión se ha publicado el pasado 20 de diciembre de 2019[66].

Teniendo en cuenta que las nuevas disposiciones solo se aplicarían a las plataformas (i) que actúan en el sector del transporte con conductor y (ii) la entrega de mercancías por medio de un vehículo de dos o tres ruedas, motorizado o no (Artículo L. 1326-1 del Código de Transporte modificado), se incluye ahora la resolución del Consejo Constitucional, dispone ahora la LOM, art.44, en el art. L. 7342-9 del Código de Trabajo que

> *"En el momento de su aprobación, el establecimiento de la carta [Disposiciones declaradas no conformes con la Constitución por la decisión del Consejo Constitucional n° 2019-794 DC de 20 de diciembre de 2019] no puede caracterizar la existencia de un vínculo de subordinación jurídica entre la plataforma y los empleados".*

Lo que quiere decir que, a diferencia del texto originario, en el que se decía que el trabajador de plataforma no podía invocar la existencia de esa carta y "el respeto de los compromisos asumidos por la plataforma", para reclamar el estatus de trabajador por cuenta ajena, queda expedita la reclamación judicial para que los tribunales laborales determinen si en el supuesto concreto hay o no relación laboral subordinada. Lo que significa que no hay una garantía legal hacia las plataformas de evitar el riesgo de "reclasificación".

A estos efectos, es significativa la Decisión del Consejo Constitucional, apartados 23 a 29, en la que se recuerda que la disposición impugnada

---

cambio relativo a las condiciones en las que ejercen su actividad profesional; "7° La calidad de servicio esperada en cada plataforma y las circunstancias que puedan suponer una ruptura de las relaciones comerciales entre la plataforma y el trabajador, así como las garantías de que éste goza en este caso; "8° Las garantías complementarias de protección social negociadas por la plataforma y de las que pueden beneficiarse los trabajadores, en particular para cubrir el riesgo de muerte, los riesgos que afecten a la integridad física de la persona o estén vinculados a la maternidad, los riesgos de incapacidad laboral o invalidez, los riesgos de incapacidad, así como la concesión de prestaciones en forma de pensiones de jubilación, subsidios o primas de jubilación o de fin de carrera. "La carta se publica en la página web de la plataforma y se adjunta a los contratos o condiciones generales de uso que la vinculan a los trabajadores. Y concluía el precepto: "El establecimiento de la carta y el respeto de los compromisos asumidos por la plataforma en las materias enumeradas en los puntos 1° a 8° no pueden caracterizar la existencia de un vínculo de subordinación jurídica entre la plataforma y los trabajadores. "La autoridad administrativa decidirá sobre cualquier solicitud de evaluación de la conformidad del contenido de la carta con este título, formulada por la plataforma en las condiciones fijadas por decreto"».

[65] Sobre el recurso, véase ROJO TORRECILLA, E.: http://www.eduardorojotorrecilla.es/2019/12/la-regulacion-contractual-de-los.html?m=1

[66] https://www.conseil-constitutionnel.fr/decision/2019/2019794DC.htm

tenía por objeto impedir la reclasificación hacia la existencia de una rela-ción jurídica de subordinación cuando ésta se basa en el cumplimiento de los compromisos de la plataforma en las materias enumeradas en el art. L.7342 del Código de Trabajo y la carta ha sido aprobada.

Según lo dispuesto ahora en Código de Trabajo (vid. nota a pie 62) la carta puede referirse a derechos y obligaciones susceptibles de constituir indicios de una relación de subordinación del empleado en la plataforma (entre ellos, "la calidad del servicio que se espera, los métodos de control por parte de la plataforma de la actividad y su desempeño y las circunstan-cias que pueden llevar a una ruptura de las relaciones comerciales entre la plataforma y el trabajador"); de modo que, según el Consejo Constitucio-nal, si bien, en principio, los empleados en relación con una plataforma que ha elaborado una carta ejercen su actividad de forma independiente en el contexto de la relación comercial establecida con ella, corresponde al tribunal, de conformidad con el Código del Trabajo, reclasificar dicha relación como contrato de trabajo cuando en realidad se caracteriza por la existencia de una relación jurídica de subordinación.

Lo que quiere decir que el establecimiento de la Carta no privará a los trabajadores de la plataforma de la posibilidad de revertir la presunción, simple, de los trabajadores no asalariados y, por lo tanto, de ver su relación calificada como trabajadores asalariados. si se cumplen los criterios del vín-culo de subordinación: poder de dirección, control y sanción.

4.2. *Reforma legal extracomunitaria. La no asunción del "dependent con-tractor" por la LEY CALIFORNIA, conocida como AB5*

La Assembly Bill No. 5, aprobada el 18 de septiembre de 2019, modifica el Codigo de Trabajo y el Código de Seguro de Desempleo.

En breve, opta por la distinción binaria, employee- indepedent contractor (no introduce una categoría intermedia la de dependent contractor[67], similar

---

[67]   Sobre las diferentes propuestas doctrinales en EEUU respecto de esta tercera catego-ría, y con carácter general una visión crítica de esta categoría híbrida, planteando sus dificultades, y con propuesta final hacia una intervención legislativa que establezca la presunción por defecto del status de empleado, véase CHERRY, M.A. and ALOISI, , A.: "Dependent Contractors' in the Gig Economy: A Comparative Approach", *Legal Studies Research Paper Series*, St.Louis University, No. 2016-15. Puede consultarse en file:///G:/ Mi%20unidad/Tecnolog%C3%ADa%20y%20Derecho%20del%20Trabajo/Depen-dent_Contractors_in_the_Gig_Econom.pdf

a worker en UK). De nuevo, por tanto, refleja la dificultad del blanco-negro, del todo o nada, puesto que como se ha planteado por autores es difícil convencer de que lo mejor o más beneficioso para ambas partes sea la clasificación binaria mientras que, por el contrario, una clasificación intermedia entre empleados y contratistas independientes puede conducir a mejores resultados cuando las empresas mantienen el control de algunas acciones y sus trabajadores controlan otras, tal y como ocurre en muchas plataformas en línea[68].

Norma pensada especialmente para la gig economy, en especial, para el platform work (en cualesquiera de sus modalidades), incluye muchísimas excepciones, y se basa en la recepción legal del Test ABC de la Corte Suprema de California en el caso Dynamex. Para la excepciones, sigue aplicando el Test Borello (multifactor test, con prevalencia o relevancia del factor del "control").

Recuérdese que el Caso Dynamex es la Decisión de la Corte Suprema de California de 30 de abril de 2018, emitida en el asunto Dynamex Operations West, Inc. v. Superior Court of Los Angeles, introduce una presunción de trabajador asalariado (employee) a efectos de la legislación sobre salarios y beneficios de desempleo. Se afirmó entonces que una persona que proporcione trabajo o servicios a cambio de una remuneración se considerará un empleado (employee) y no un contratista independiente (independent contractor), a menos que la entidad contratante demuestre que se cumplen todas las siguientes condiciones (prueba ABC):

(A) *La persona está libre del control y dirección de la entidad contratante en relación con la ejecución de la obra.*

(B) *La persona realiza un trabajo que está fuera del curso normal del negocio de la entidad contratante.*

(C) *La persona se dedica habitualmente a un comercio, ocupación o negocio establecido de manera independiente de la misma naturaleza que el que participa en el trabajo realizado.*

La norma introduce una sección nueva en el Código Laboral, 2750-3, y en el Código de Desempleo, 606.5, asumiendo literalmente los términos supra de la decisión del tribunal. Pero también es muy importante aclarar que incluye numerosas excepciones legales, respecto de las que a efectos de deter-

---

[68] Al respecto, HAGIU, A. and WRIGHT, J.: *The status of workers and platforms in the sharing economy*, J Econ Manage Strat. 2019;28:97–108; puede consultarse en https://onlinelibrary.wiley.com/doi/epdf/10.1111/jems.12299?shared_access_token=A8hc0Amy69YYwTdROBXmxIta6bR2k8jH0KrdpFOxC64weLgc-X4UQsO50qtM5lThP-qHoewA1glN7ROAkXqLC7BJYOLJYJ_C9_3xJHDE3A7owjRrdRUrAHz6P1msC-sQ-33jKWMFbo33EJkY-EbF-fFCXizeTNWoDf0icLTauS64%3D

minar el status de empleo de la persona concreta (employee o independent contractor) se regirá por el test de la prueba previsto en S. G. Borello & Sons, Inc. v. Department of Industrial Relations (1989) 48 Cal.3d 341.

¿Qué quiere expresar el *Test Borello*, previsto desde 1989?. Téngase en cuenta que las excepciones en la ley son muchas, todas ellas sometidas a dicho test, entre otros, agentes de seguros con licencia, ciertos profesionales de la salud con licencia, corredores de valores registrados o asesores de inversión, vendedores directos, licenciatarios de bienes raíces, pescadores comerciales, trabajadores que prestan servicios de peluquería o cosmetología con licencia, y otros que realizan trabajos bajo un contrato de servicios profesionales, con otra entidad comercial o de conformidad con un subcontrato en la industria de la construcción. Para estos casos exceptuados la ley establece los factores que se han de tener en cuenta para considerar que el trabajador es un employee (trabajador asalariado) en el caso concreto (seis o siete factores según los casos).

Brevemente sobre una de las condiciones del Test ABC, el primero A, relativo a la ausencia de control y dirección de la entidad contratante. "Control y dirección" que, como se ha expresado, tiene muchas dimensiones, de modo que el espectro de modelos de negocios intermedios es muy amplio, entre el de mercado puro –con el menor control posible sobre la forma en que los trabajadores realizan las transacciones con los clientes– y el de empleo puro con control total sobre los trabajadores. Se aventuraba al respecto que las empresas probablemente replantearían el modelo de negocio y se eliminarán muchos modelos de negocio intermedios, con diferentes grados intermedios de control que podrían ser más eficientes en la práctica. De modo que, en la actualidad, y contrariamente a lo que se preveía con la regulación legal, se ha planteado de nuevo la opción del dependent contractor; se ejemplifica al respecto que la asunción de mayor control sobre la forma en que los trabajadores interactúan con los clientes implicará una mayor restricción en turnos de trabajo específicos, exigencia de un número mínimo de horas para esa plataforma y en áreas geográficas más limitadas. En concreto, en relación con las plataformas de transporte (para las que realmente está pensada la Ley californiana) se plantea si la reclasificación no implicará una restricción para que puedan trabajar en plataformas de la competencia. Sin olvidar que ya hay alguna respuesta de plataformas a la Ley AB5[69],reiterando la propuesta de dependent contractor; se dice que exigir

---

[69]   Uber's secret project to bolster its case against AB5, California's gig-worker law; puede consultarse en https://www.washingtonpost.com/technology/2020/01/06/ubers-secret-project-bolster-its-case-against-ab-californias-gig-worker-law/

un salario mínimo basado en las horas que un trabajador está disponible en la plataforma casi con toda seguridad empujaría a cada empresa a exigir que los trabajadores cumplan un número mínimo de horas en su plataforma y que no trabajen para rivales durante estos "turnos".

5. REFLEXIONES FINALES

El debate sobre los retos actuales y futuros de un mundo del trabajo en rápida evolución tecnológica y la búsqueda de un consenso en el planteamiento de soluciones está abierto desde hace tiempo.

La OCDE (Policy Responses to New Forms of Work; The Future of Work) y la OIT (Trabajar para un futuro más prometedor) han presentado informes en los que urgen afrontar el cambio que el progreso tecnológico está produciendo en el mercado de trabajo y en las formas de empleo "tradicionales" o "típicas".

La digitalización de la economía implica, ante todo, una profunda reconsideración del trabajo, de su organización, de su sentido social y de su regulación jurídica. De ahí que estos estudios destaquen las que se estiman cuestiones de interés común en torno a la economía digital, o más concretamente, en relación con la Economía de Plataformas Digitales. Se utiliza como una de las manifestaciones más vistosas de las tendencias del mercado de trabajo y se proyecta como ensayo de laboratorio para constatar el impacto del progreso tecnológico en la calidad del empleo.

Pero el planteamiento y las posibles soluciones están muy condicionados por la posición de partida, ideológica incluso, sobre la dialéctica entre el trabajo y la tecnología, sobre la tecnología y su impacto en el empleo y, en particular, sobre las plataformas digitales. Se perciben sesgadamente como meros instrumentos para cambiar la forma de ofrecer servicios en el mercado y de organizar el trabajo negando, sin prueba empírica alguna, que creen nuevos sectores productivos o nuevas ocupaciones. Con este sesgo se suelen presentar como meras transformadoras de ocupaciones y empleos existentes e incluso se afirma con cierta laxitud que en el fondo hay un fin de elusión de obligaciones fiscales y de contribución social.

El debate público –del que se han hecho eco los medios de comunicación– sobre el trabajo en plataformas digitales se ha presentado como "blanco-negro", con interés por enfrentar "todo y nada". Entre, se afirma, la garantía total de derechos laborales y la más absoluta desprotección, calificando en general al trabajo desarrollado para un tipo de plataformas (en especial para las que ofrecen trabajo tradicional off line) como precario.

Debe explicarse que los casos judiciales en nuestro país acerca de la calificación de los trabajadores de plataformas dan respuesta a los conflictos concretos planteados y se resuelven interpretando y aplicando las reglas que existen en nuestra legislación. Pocos problemas en el Derecho, decía allá por 1944, el juez Wiley Blount Rutledge, de la Corte Suprema de EEUU, "han planteado tantos conflictos y diversidad de interpretaciones que los casos en los que hay que fijar la frontera entre la relación laboral y un acuerdo al margen de la relación empresario-trabajador asalariado".

No es, por tanto, patológico que se haya acentuado el debate ante una realidad empresarial-tecnológica nueva. Y urge un consenso entre todos los actores implicados, por supuesto empresarios y trabajadores, y sus respectivas organizaciones, para plantear una solución equilibrada y justa a quien corresponde adoptar la decisión de política legislativa.

Los sectores económicos tradicionales de servicios off line buscan que haya reglas comunes para evitar la competencia desleal y piden no estar en desventaja respecto de sus competidores. Los sectores económicos como la hostelería, en especial, restauración, han encontrado un aliado perfecto en las plataformas digitales de reparto para aumentar sus posibilidades de mercado, en especial, las PYMEs. Los emprendedores digitales han conseguido irrumpir en la economía con nuevos modelos de negocio. E incluso, nos recuerda uno de los informes de la OCDE, hay países que encuentran posibilidades en la economía de plataformas digitales para sus parados.

No hay que demonizar a las plataformas digitales y al trabajo generado a través de las mismas. Muchos países han reconocido sus ventajas en términos de flexibilidad y autonomía para los trabajadores; de capacidad para proporcionar una fuente adicional de ingresos; de oportunidades para el autoempleo e, incluso, de su contribución al crecimiento económico. Pero también se presentan dificultades. Oportunidades y retos o dificultades que deben ponerse en la balanza para buscar soluciones equilibradas, no cortoplacistas, sino válidas para perdurar a largo plazo.

No se puede responder de forma apresurada a una realidad compleja y heterogénea. Una regulación excesivamente restrictiva puede frenar indebidamente la actividad empresarial y la innovación; pero, por el contrario, una extremadamente flexible puede correr el riesgo de provocar "brechas" de protección o de garantía de aquellas que se vislumbran como condiciones "sociales" mínimas a modo de un suelo básico. La seguridad y salud en el empleo, una retribución mínima, acceso al sistema de seguridad social, desarrollo general de las carreras profesionales, no discriminación algorítmica y derechos colectivos, entre otras.

Ante esos retos se ha de responder a la cuestión siguiente: ¿es necesario crear una tercera categoría, entre asalariados y autónomos, la de trabajadores en plataformas?. Y si la respuesta fuera positiva, ¿bajo qué premisas y con qué reglas?

Estamos al tanto de las soluciones adoptadas en otros países, de signo no exactamente coincidente; también de las cuestiones actuales planteadas en el contexto del Derecho Social de la Unión Europea. Y conocemos iniciativas voluntarias que algunas plataformas han adoptado individualmente o de forma acordada con los sindicatos. Confluye en las de los países de la Unión Europea, Italia ahora y en Francia, un común denominador: no se modifica el rasgo estructural de la dependencia o de la subordinación; no se califican como trabajadores asalariados, pero se reconocen ciertos derechos "sociales" a un tipo de estos trabajadores (no a todo trabajo realizado a través de plataformas).

En gran medida, estas opciones legislativas exteriorizan una visión del capitalismo de plataforma que promueve el autoempleo pero no excluyen, todo lo contrario, que la protección y garantía de condiciones de trabajo básicas y prestaciones sociales vinculadas al trabajo subordinado se extiendan a quienes son considerados trabajadores no asalariados o autónomos. Con todas sus imperfecciones, aciertos o errores, estas soluciones creativas intentan afrontar la realidad con una dosis equilibrada entre universalismo y selectividad de la protección de aquéllos a los que en el terreno de la calificación jurídica cabe entender como trabajadores autónomos pero que realizan su prestación de servicios organizados por el cliente.

Más que abrazar, de manera casi ideológica, una visión del trabajo a través de plataformas digitales como necesariamente subordinado, conviene instar a una valoración más articulada y atenta a verificar, sin prejuicios, los vínculos entre tecnología y trabajo, resaltando las nuevas oportunidades de crecimiento que ofrecen. Lo que se exige entonces es que, a través de un objetivo de gran angular, se diseñe una regulación con criterios razonables y justos.

No es la validez de las categorías tradicionales la que está en cuestión; ni se trata de verificar su idoneidad para resolver los problemas de calificación jurídica de la prestación de servicios en el marco de las plataformas digitales. Se trata de racionalizar los efectos que en términos de regulación derivan de la calificación.

Cuando se proyecta la realidad, heterogénea y compleja, del trabajo realizado a través de plataformas digitales en el sistema "binario" de calificación (trabajador asalariado/trabajador autónomo), hay un discurso que parece haber calado en la opinión pública alentando por quienes, a modo de filibusteros (en términos parlamentarios), pretenden convencer de que el sistema es inadecuado. Se proclama entonces la "obsolescencia" programada de las categorías tradicionales (como si fueran "algo" que ha pasado o ha de pasar a dejar de utilizarse), y se adopta una reacción defensiva. Reacción que consiste en proclamar a modo de discurso de larga duración que solo cabe afrontar la situación a través de una relectura del trabajo asalariado estándar. Y culmina en la propuesta de técnicas diversas que en el fondo o bien tienen como objetivo la recalificación de estos trabajadores como asalariados (subordinados); o bien se pide flexibilizar el significado de la dependencia o subordinación a través de mensajes intencionales o teleológicos que se basan en consideraciones económicas, tales como la dependencia económica.

Cuando las formas de trabajo a través de plataformas no pueden reducirse a un esquema unitario, esta hipotética solución regulatoria uniforme y expansiva del trabajo asalariado estándar para todo "trabajo en plataformas" quedará condenada al fracaso o solo a una victoria pírrica cortoplacista.

Si el fenómeno del trabajo en plataformas digitales es complejo y muy variado, y va más allá, desde luego, del que se ha denominado "modelo de repartidor de pizzas"; si en muchas ocasiones este tipo de trabajo es intermitente, discontinuo y aleatorio; no continuo, sino marginal o accesorio, requiere pensar en un estatuto mínimo de integración a través de una técnica de extensión de ciertos derechos y protecciones para un tipo de estos trabajadores que respondan a unas características determinadas de continuidad, personalidad… de la prestación de servicios. Lo que a la postre puede tener un alcance más amplio y duradero, sostenible y equilibrado que la de corto plazo representada por la recalificación de estas relaciones de trabajo como relaciones de trabajo asalariadas. Se trata, en definitiva, de reivindicar la importancia de una economía socialmente sostenible y responsable apoyada por la tecnología que beneficie a todas las partes implicadas.

BIBLIOGRAFÍA

ALOISI, A.:

— *Negotiating the digital transformation of work: non-standard workers' voice, collective rights and mobilisation practices in the platform economy*; EUI Working Papers, NWP 2019/03. Puede consultarse en https://papers.ssrn.com/sol3/papers.cfm?abstract_id=3404990

— "With great power comes virtual freedom. A review of the fist Italian case holding that (food-delivery) platform workers are not employees", puede consultarse en file:///C:/Users/user/Downloads/With_great_power_comes_virtual_freedom_A.pdf

ALONSO OLEA, M.: "Los contratos de trabajo atípicos y la adaptación del Derecho del Trabajo a la Crisis económica y al cambio tecnológico", en DÁVALOS, J. (Coord.): *Cuestiones Laborales en Homenaje al Maestro M.V.Russomano*, UNAM, 1988, p..125.

BARBIERI, M.: "Della subordinazione dei ciclofattorini"; *Labour and Law Issues*, 2019, Vol.5, n.2; puede consultarse en file:///G:/Mi%20unidad/Tecnolog%-C3%ADa%20y%20Derecho%20del%20Trabajo/Doctrina%20otros%20pa%-C3%ADses%20Platform/Italia,%202019%20Barbieri.pdf

BAYÓN CHACÓN, G.: "El ámbito de aplicación personal de las normas del Derecho del Trabajo", *RPS*, núm.71, 1966

BERG, J.: "Income Security in the On-Demand Economy: Findings and Policy Lessons from a Survey of Crowdworkers" in *Comp. Lab. L. & Pol'y J.*, 37(3), 2016, pp. 543-576.

BERG, J., FURRER, M., HARMON, E., RANI,U., and SILBERMAN, M.S.: *Digital labour platforms and the future of work: Towards decent work in the online world* (Ginebra, OIT, 2018). Resumen ejecutivo en español titulado *Las plataformas digitales y el futuro del trabajo. Cómo fomentar el trabajo decente en el mundo digital*, disponible en https://www.ilo.org/wcmsp5/groups/public/—dgreports/—dcomm/—publ/documents/publication/wcms_645887.pdf

BINI, S.: "Para-subordinación y autonomía. El Derecho del Trabajo italiano en transformación", Revista *Temas Laborales*, núm.136/2017.

BUSINESS EUROPE: Commission's proposal for a Directive on transparent and predictable working conditions, BusinessEurope's views, 26 febrero 2018. Puede consultarse en https://www.businesseurope.eu/sites/buseur/files/media/position_papers/social/2018-02-26_businesseurope_position_draft_directive_transparent_predictable_working_conditions.pdf

CARABELLI, U y SPINELLI, C.: : La Corte d'Appello di Torino ribalta il verdetto di primo grado: i riders sono collaboratori etero-organizzati, *RGL*, 2019

CHERRY, M. A. : "Virtual work and invisible labor" in CRAIN,M., POSTER, W. and CHERRY, M. (Eds.), *Invisible Labor: Hidden Work in the Contemporary World*, Oakland, CA, 2016 pp. 71-86

CHERRY, M.A. and ALOISI, , A.: "Dependent Contractors' in the Gig Economy: A Comparative Approach", *Legal Studies Research Paper Series*, St.Louis University, No. 2016-15. Puede consultarse en file:///G:/Mi%20unidad/Tecnolog%-C3%ADa%20y%20Derecho%20del%20Trabajo/Dependent_Contractors_in_the_Gig_Econom.pdf

COMISIÓN EUROPEA:

— Comunicación "Modernizando el Derecho del Trabajo para alcanzar los retos del SXXI", http://www.europarl.europa.eu/meetdocs/2004_2009/documents/com/com_com(2006)0708_/com_com(2006)0708_es.pdf

— Revisión intermedia de la aplicación de la Estrategia para el Mercado Único Digital Un mercado único digital conectado para todos COM/2017/0228 final. Puede consultarse en https://eur-lex.europa.eu/legal-content/ES/TXT/HTML/?uri=CELEX:52017DC0228&from=ES

COMITÉ ECONÓMICO Y SOCIAL EUROPEO: Dictamen sobre el «Uso abusivo del estatuto de trabajador autónomo» (Dictamen de iniciativa), 2013/C 161/03, DOUE de 6 de junio de 2013.

COUNTOURIS, N.: "The Concept of 'Worker' in European Labour Law: Fragmentation, Autonomy and Scope", *Industrial Law Journal*, Vol. 47, Núm.2, July 2018

COUNTOURIS, N, and DE STEFANO, V.: *New Trade Union Strategies for News Forms of Employment*; 2019, ETUC, Bruselas, puede consultarse en https://www.etuc.org/sites/default/files/publication/file/2019-04/2019_new%20trade%20union%20strategies%20for%20new%20forms%20of%20employment_0.pdf

DAUGAREILH, I., DEGRYSE, C. et POCHET, P. (Dtres): *Économie de plateforme et droit social : enjeux prospectifs et approche juridique comparative* —ETUI, Working Paper 2019.10; puede consultarse en file:///C:/Users/user/Downloads/WP-2019.10-FR-v8-WEB.pdf

DAVIDOV, G.: ''The Status of Uber Drivers: A Purposive Approach''. *Spanish Labour Law and Employment Relations Journal*, 2017, Vol. 6. No.1–2, pp: 6–15.

DE LUCA TAMAJO, R.: La sentenza della Corte d'Appello Torino sul caso Foodora. Ai confini tra autonomia e subordinazione, LDE, 2019, n. 1

DI STEFANO, V. and ALOISI, A.: *European Legal Framework of Digital Labour Platfoms*, European Comision, 2018, doi:10.2760/78590, JRC112243

DIAMANTI, R.: "Il lavoro etero-organizzato e le collaborazioni coordinate e continuative", *Diritto delle Relazioni Industriali*, n. 1/2018.

EUROFOUND: *Platform work: Maximising the potential while safeguarding standars?*, 2019, https://www.eurofound.europa.eu/sites/default/files/ef_publication/field_ef_document/ef19045en.pdf

FIORILLO, L.: "Un diritto del lavoro per il lavoro che cambia: primi spunti di reflessione", WP CSDLE "Massimo D'Antona" IT, 368-2018, puede consultarse en http://csdle.lex.unict.it/Archive/WP/WP%20CSDLE%20M%20DANTONA/WP%20CSDLE%20M%20DANTONA-IT/20180711-084944_Fiorillo_n368-2018itpdf.pdf

FORDE, C. et al.: *The Social Protection of Workers in the Platform Economy*, Directorate General For Internal Policies, European Parliament, 2017, Brussels.

GROSHEIDE, E. and BARENBERG, M.: ''Minimum Fees for the Self-Employed: A European Response to the 'Uber-ized' Economy?." *The Columbia Journal of European Law*, 2016, Vol. 22, No.2, pp: 193-236.

HAGIU, A. and WRIGHT, J.: *The status of workers and platforms in the sharing economy*, J Econ Manage Strat. 2019;28:97–108; puede consultarse en https://onlinelibrary.wiley.

com/doi/epdf/10.1111/jems.12299?shared_access_token=A8hc0Amy69YYwT-dROBXmxIta6bR2k8jH0KrdpFOxC64weLgc-X4UQsO50qtM5lThPqHoewA1gl-N7ROAkXqLC7BJYOLJYJ_C9_3xJHDE3A7owjRrdRUrAHz6P1msC-sQ33jKWMF-bo33EJkY-EbF–fFCXizeTNWoDf0icLTauS64%3D (última visita octubre 2019)

ICHINO, P.: "A new labour law for platform workers and umbrella companies", en WASS. B., PAVLOU, V. and GRAMANO, E. (Eds): *Work Organisation, Labour & Globalisation, Digital Economy and the Law*, 2018, Vol.12, Núm.2, pp.12-22

FREEDLAND, M.: "From the Contract of Employment to the Personal Work Nexus", 2016, *Industrial Law Journal* 35.

FREEDLAND, M. and COUNTOURIS, N.L.: *The legal construction of personal work relations*, 2011, Oxford.

MARTINO, V.: "La riforma delle collaborazioni etero-organizzate e le nuove tutele per i riders"; Rev. *Lavoro Diritti Europa* 2019/3, puede consultarse en https://www.lavorodirittieuropa.it/images/vincenzo_martino_riders.pdf.

MEDLAND, L. and Others: "The future of work? A call for de recognition of continuities in challenges for conceptualising work and its regulation", Law Research Paper Series, 2019, University of Bristol; puede consultarse en https://www.bristol.ac.uk/media-library/sites/law/documents/Jan19%20research%20paper%201%20Medland%20et%20al%20merged_final.pdf

MEXI, M.: Social Dialogue and the Governance of the Digital Platform Economy: Understanding Challenges, Shaping Opportunities Background paper for discussion at the ILO-AICESIS-CES Romania International Conference (Bucharest, 10–11 October 2019). Puede consultarse en https://www.ilo.org/wcmsp5/groups/public/—ed_dialogue/—dialogue/documents/meetingdocument/wcms_723431.pdf

NOVELLA, M.: Il rider non è lavoratore subordinato, ma è tutelato come se lo fosse, *LLI*,núm.5, 2019.

OCDE:

— *Policy Responses to New Forms ok Work,* http://www.oecd.org/employment/policy-responses-to-new-forms-of-work-0763f1b7-en.htm.

— *The Future of Work, Employment Outlook 2019,* https://abdigm.meb.gov.tr/meb_iys_dosyalar/2019_06/13160416_OECD_EMPLOYMENT_OUTLOOK_2019.pdf

— *Measuring Platform Mediated Workers,* Núm.282, 2019. file:///G:/Mi%20unidad/Tecnología%20y%20Derecho%20del%20Trabajo/iNFORMES%20Y%20ESTUDIOS/OCDE%20MEASURING-PLATFORM-MEDIATED-WORKERS.pdf

OIT: *Trabajar para un futuro más prometedor,* https://www.ilo.org/wcmsp5/groups/public/—dgreports/—cabinet/documents/publication/wcms_662442.pd

PARLAMENTO EUROPEO: Resolución del Parlamento Europeo, de 15 de junio de 2017, sobre una Agenda Europea para la economía colaborativa ; puede consultarse en http://www.europarl.europa.eu/doceo/document/TA-8-2017-0271_ES.html

PERULLI, A.:

"Il Jobs Act del lavoro autónomo e agile: come cambiano i concetti di subordinazione e autonomía nel diritto del lavoro", WP CSDLE "Massimo D'Antona, IT, 341-2017. http://csdle.lex.unict.it/Archive/WP/WP%20CSDLE%20M%20 DANTONA/WP%20CSDLE%20M%20DANTONA-IT/20171020-085836_perulli_341-2017itpdf.pdf;

"I lavoratori delle piattaforme e le collaborazioni etero-organizzate dal cliente: una nuova frontiera regolativa per la Gig Economy", *Labor*, 2019, fasc. 3, 313 ss.

L'attività in prevalenza personale esclude la subordinazione dei co.co.org. (Il sole 24 Ore, 15 de noviembre de 2019

PIETROGIOVANNI, V.: "Redefining the Boundaries of Labour Law: Is 'Double Alienness' a Useful Concept for Classifying Employees in Times of Fractal Work?, en BLACKHAM, A., KULMANN, M. and ZBYSZEWSKA, A.: Theorising Labour Law in a Changing World; Hart, Oxford, 2019

RISAK, M. Y DURINGER, T.: The concept of 'worker' in EU Law Status quo and potential for change, ETUI, Report 140, 2019

ROJO TORRECILLA, E. : http://www.eduardorojotorrecilla.es/2019/12/la-regulacion-contractual-de-los.html?m=1

SÁNCHEZ-URÁN AZAÑA, Y.:

— "Concepto de trabajador", en García Murcia, J (Dtor): *Condiciones de Empleo y Relaciones Laborales en el Derecho de la Unión Europea*, Thomson-Reuters Aranzadi, 2017.

— "El trabajo en plataformas ante los tribunales: un análisis comparado", en PÉREZ DE LOS COBOS ORIHUEL, F. (Dtor): *El trabajo en plataformas digitales*; Wolters Kluwer, 2018, p. 76-77.

WAAS, B. and VAS VOSS, G.H. (Eds):

— *Restatement of Labour Law in Europe*, Vol.I, The Concept of Employee; Hart Publishing, Oxford, 2017

— *Restatement of Labour Law in Europe*, Vol II, Hart Publishing, , Oxford, 2019.

WOOD, J.: "The Taylor Review: understanding the gig economy, dependency and the complexities of control", *New Technology, Work and Employment*, Vol.34, N.2, 2019, p. 111-115.

III. PLATAFORMAS DIGITALES Y RELACIÓN LABORAL: DELIMITACIÓN Y RÉGIMEN JURÍDICO

María Amparo García Rubio
Profesora Titular de Universidad
Departamento de Derecho del Trabajo y de la Seguridad Social
Universitat de València

1. EL TRABAJO EN PLATAFORMAS: RETOS PARA EL DERECHO DEL TRABAJO

La irrupción de las plataformas digitales como instrumentos de conexión entre la demanda y la oferta de servicios ha generado importantes interrogantes en el ámbito del Derecho del Trabajo. Tales interrogantes han surgido del particular modo de organización del llamado "trabajo en plataformas", que, a los efectos de este estudio y siguiendo un informe de Eurofound de 2018, puede definirse como una forma de empleo en que una plataforma en línea posibilita que eventuales clientes accedan a organizaciones o individuos para, a cambio de una contraprestación, obtener servicios que generalmente se presentan como tareas individualizadas que se realizan bajo demanda[1].

---

[1]   Eurofound (2018), *Employment and working conditions of selected types of platform work*, Publications Office of the European Union, Luxembourg, p. 9.

a) En el plano individual, la principal controversia suscitada por este modelo de trabajo se ha generado en torno a la naturaleza jurídica de la relación establecida entre la plataforma y el trabajador que presta el servicio. Pero a su vez, la resolución de esta cuestión ha ido abriendo otros interrogantes como la propia calificación de la plataforma digital o la determinación de las condiciones de trabajo y protección social a aplicar a los prestadores de servicios.

Hasta el momento, los conflictos surgidos en la práctica se han presentado mayoritariamente en relación con aquellas plataformas que ofrecen servicios de transporte. Ahora bien, es obvio que las controversias en el ámbito del Derecho del Trabajo se extienden con carácter común a otras muchas plataformas mediante las que se ofertan servicios correspondientes a cualesquiera otras actividades, tanto si se prestan *on line* (*v.gr.* traducciones, procesamiento de datos,…), como si requieren una ejecución física en un lugar determinado (*v.gr.* enseñanza, reparaciones, cuidados y trabajo doméstico, salud y belleza, etc)[2].

En línea con la definición del "trabajo en plataformas" antes referida, cierto es que, desde la perspectiva laboralista, las controversias mencionadas se centran en cualesquiera de esas plataformas cuando proporcionen servicios "retribuidos" para el prestador, pues tal requisito –el del carácter remunerado– resulta necesario tanto en el trabajo asalariado como en el trabajo autónomo (art. 1.1 ET y art. 1.1 Ley 20/2007 [LETA]). Desde este enfoque, por tanto, quedan fuera del debate aquellas plataformas mediante las que se facilitan servicios que no son remunerados y en las que, como mucho, el prestador se limita a percibir una compensación por los gastos ocasionados por la actividad, pues en tal caso no existe en principio relación laboral[3]. Ahora bien, ello es así en teoría, dado que, en la práctica, es sabido que pueden surgir dudas de distinta índole –*v.gr.* la calificación de la ausencia de retribución, la delimitación entre compensación de gastos y beneficio, o el valor de determinadas percepciones en especie–. A este

---

[2]   Así, por ejemplo, la controversia sobre la naturaleza jurídica de los prestadores de servicios se ha suscitado también respecto a la plataforma Joyners, dedicada a ofertar servicios de cuidado de personas, y respecto a la que la Inspección de Trabajo ha extendido acta de liquidación por considerar que los cuidadores no son trabajadores autónomos, sino trabajadores vinculados con la plataforma mediante relación laboral; *vid.* BELTRÁN DE HEREDIA RUIZ, I., "Nueva intervención de la Inspección de Trabajo en los servicios de la economía de las plataformas: el caso Joyners", 26-5-2018, en http://ignasibeltran.com/2018/05/26/nueva-intervencion-de-la-inspeccion-de-trabajo-en-los-servicios-de-la-economia-de-las-plataformas-el-caso-joyners/ [Consulta: 2-9-2019].

[3]   En general, STS de 7 de noviembre de 2017, Rec. 3573/2015.

último respecto, en particular, la controversia puede plantearse en ciertas plataformas que facilitan la conexión entre prestadores de determinados servicios y beneficiarios que, como contrapartida, ofrecen alojamiento y manutención[4], contraprestación esta que, por lo general, los tribunales consideran compatible con la apreciación de relación laboral (art. 26 ET)[5], sin perjuicio de que alguna de dichas situaciones pudiera ser reconducida al supuesto del art. 2.2 RD 1620/2011, por el que se regula la relación laboral de carácter especial del servicio del hogar familiar.

Con todo, en tanto característica común al trabajo autónomo y asalariado, es obvio que el carácter retribuido de la actividad realizada por el trabajador no basta por sí solo para apreciar la existencia de una relación laboral. Además, aun cuando concurrieran las notas de un contrato de trabajo, el empresario no sería necesariamente la plataforma digital, pues, en función de las circunstancias, también podrían asumir tal condición bien el cliente solicitante de la prestación o bien, en su caso, una tercera empresa que ofertara o realizara sus servicios a través de la plataforma y a la que estuviera vinculado el trabajador. Deben, pues, concretarse los presupuestos, relativos tanto a la plataforma como a la prestación del trabajador, que han de considerarse claves para en cada caso determinar su calificación y el alcance exacto de su relación.

b) Puede verse, por tanto, que en el trabajo en plataformas son varias las incógnitas a despejar y las variables a tener en cuenta en su resolución. Sin duda, de todo ello se ha ocupado profusamente la doctrina científica en los últimos años[6]. No obstante, se trata de un tema que continúa abierto y al que paulatinamente se van adicionando nuevos elementos a considerar.

---

[4] *Vid.* GINÉS I FABRELLAS, A. y GÁLVEZ DURÁN, S., "Sharing economy vs uber economy y las fronteras del Derecho del Trabajo: la (des)protección de los trabajadores en el nuevo entorno digital", *InDret*, 2016, n° 1, pp. 30-37, en relación con *Workaway*.

[5] Entre otras, SSTSJ de Castilla-La Mancha de 19 de junio de 2008, Rec. 1092/2007; Cataluña de 25 de noviembre de 2016, Rec. 5489/2016.

[6] Personalmente, he tenido ocasión de examinar el tema en diversos estudios: GARCÍA RUBIO, M.A., "La prestación de servicios a través de plataformas digitales: ¿nuevas cuestiones y soluciones jurídicas desde la perspectiva del derecho del trabajo?", en AAVV (Coord. LÓPEZ BALAGUER, M.), *Descentralización productiva y transformación del derecho del trabajo*, Valencia, 2018, Tirant lo Blanch, pp. 189-215; también, "El empleo y la relación laboral en el nuevo horizonte tecnológico: una visión transversal sobre los efectos de la digitalización", *Teoría & Derecho*, 2018, n° 23, pp. 44-68; asimismo, "Portales digitales de empleo y agencias de colocación: Puntos de intersección y de indefinición normativa", *Derecho de las relaciones laborales*, 2019, n° 7, pp. 668-681; o finalmente, GOERLICH PESET, J.M. y GARCÍA RUBIO, M.A., "Indicios de autonomía y de laboralidad en los servicios de los trabajadores en plataforma", en AAVV (Dir.

Algunos de ellos se ubican en la esfera normativa y de regulación convencional, a veces con decisiones aprobadas como la Directiva (UE) 2019/1152, y las más de las veces en forma de mera propuesta, pues desde diversas instancias se reclama la intervención legislativa, aun cuando con pretensiones y contenidos no siempre coincidentes. De hecho, la Comisión mundial sobre el futuro del trabajo, constituida a iniciativa de la OIT, ha afirmado que "debería establecerse un sistema de gobernanza internacional de las plataformas digitales del trabajo que exija a estas plataformas (y a sus clientes) que respeten determinados derechos y protecciones mínimas"[7]. También diferentes documentos de la Unión Europea reclaman a los Estados Miembros que evalúen la necesidad de adaptar sus ordenamientos jurídicos ante la implantación y desarrollo del trabajo en plataformas[8]; y, asimismo, a nivel interno, distintas iniciativas en el Congreso de los Diputados dan muestra del interés parlamentario por estudiar la cuestión,

---

PÉREZ DE LOS COBOS, F.), *El trabajo en plataformas digitales. Análisis sobre su situación jurídica y regulación futura*, Madrid, 2018, Wolters Kluwer, pp. 37-63. En estos estudios se hace mención a un buen número de análisis doctrinales sobre la materia, a los que se unen los que aquí se citan.

[7]　　*Vid.* su informe, *Trabajar para un futuro más prometedor*, OIT, Ginebra, 2019, pp. 13 y 46.

[8]　　Ya en la Comunicación de la Comisión Europea sobre *Una Agenda Europea para la economía colaborativa*, COM[2016] 356 final, se indicaba que "los Estados miembros deberían: - evaluar la adecuación de su normativa nacional en materia de empleo, considerando las diferentes necesidades de los trabajadores por cuenta propia y ajena en el mundo digital, así como la naturaleza innovadora de los modelos de empresa colaborativa". También en la Resolución del Parlamento Europeo, de 15 de junio de 2017, relativa a la citada Agenda Europea para la economía colaborativa (2017/2003(INI)), se "pide a los Estados miembros que, en colaboración con los interlocutores sociales y otras partes interesadas pertinentes, evalúen de forma proactiva y con una lógica de anticipación la necesidad de modernizar la legislación en vigor, en particular los sistemas de seguridad social, con el fin de adaptarlos a los avances tecnológicos al tiempo que se garantiza la protección de los trabajadores". A esto último se refiere también la Resolución del Parlamento Europeo, de 15 de junio de 2017, sobre las plataformas en línea y el mercado único digital (2016/2276(INI), que asimismo solicita a los Estados miembros "que, en su caso, desarrollen nuevos mecanismos de protección para garantizar una cobertura adecuada de los trabajadores de las plataformas en línea, así como la no discriminación y la igualdad de género, y que compartan las mejores prácticas a escala europea". Más recientemente, cabe mencionar la Decisión (UE) 2019/540 de la Comisión, de 26 de marzo de 2019, mediante la que queda registrada la propuesta de iniciativa ciudadana titulada «#NewRightsNow – Reforzar los derechos de los trabajadores "uberizados"». Asimismo, la Resolución del Parlamento Europeo, de 10 de octubre de 2019, sobre empleo y políticas sociales en la zona del euro, "pide una iniciativa coordinada de la Unión para garantizar que los trabajadores de plataformas tengan acceso a protección social y se garanticen todos sus derechos sociales y laborales independientemente de su situación laboral, y que se amplíe a esos trabajadores la cobertura de los convenios colectivos".

aunque por el momento nuestro legislador no ha proporcionado resultados normativos en este terreno[9].

Asimismo, también en la esfera aplicativa de la práctica administrativa y judicial se ha ido incrementando la acción inspectora y de reclamación individual, y en consecuencia, cada vez es mayor el número de resoluciones y pronunciamientos que abordan el trabajo en plataformas[10]. Ahora bien, como más adelante se verá, las aproximaciones judiciales hasta ahora existentes, en su mayoría de instancia, no siempre ofrecen soluciones unívocas sobre el tema.

Esta realidad, que afecta a un número de trabajadores considerable[11], justifica el interés por acometer una nueva aproximación a las controversias mencionadas. Por ello, en el análisis que sigue se pretende exponer y valorar el actual estado de la cuestión, con especial atención a esos componentes de más reciente aparición en escena, al objeto de preguntarnos si realmente es necesaria la intervención legislativa y, en su caso, con qué alcance, y de este modo, tratar de contribuir al proceso de reflexión abierto en torno a la temática expuesta.

---

9   En este sentido cabe citar la aprobación de la Proposición no de Ley sobre "la definición de las modificaciones normativas necesarias para adecuar las relaciones económico-laborales entre individuos y empresas en el marco de las plataformas digitales", presentada por el Grupo Mixto (BOCG, Congreso de los Diputados, serie D, núm. 277, de 29/12/2017); también la aprobación de la Moción consecuencia de interpelación urgente del Grupo Parlamentario Socialista, "sobre las medidas que piensa adoptar el Gobierno para asegurar unas condiciones de trabajo dignas y de calidad en la economía digital" (BOCG, Congreso de los Diputados, serie D, núm. 308, de 1/3/2018); o finalmente, la respuesta del Gobierno dada a una pregunta escrita sobre el trabajo en plataformas, en la que refleja su posición de que esta materia no debe dejarse exclusivamente a la jurisdicción social, sino que debe abordarse desde el punto de vista legal (BOCG, Congreso de los Diputados, serie D, núm. 27, de 23/7/2019).

10 En el ámbito administrativo, téngase en cuenta el Plan Director por un Trabajo Digno 2018-2019-2020, aprobado por Acuerdo del Consejo de Ministros (Resolución de 27-7-2018, de la Subsecretaría), que entre otras medidas alude a la "realización de una campaña de inspección específica sobre plataformas".

11 De acuerdo con la encuesta realizada, el Informe "Huella Digital: La plataformización del trabajo en Europa. Ficha informativa de España", de la Unidad de Servicios Estadísticos y Consultoría (SSCU), Universidad de Hertfordshire, de 29 de marzo de 2019, indica que, en España, el 17 % de los ciudadanos realizan trabajos a través de las plataformas al menos una vez a la semana; en https://s1.fundacionfelipegonzalez. org/wp-content/uploads/2019/04/Huella_digital_Espan%CC%83a_2019-04_F-1.pdf [Consulta: 23-9-2019].

2. LA DIVERSIDAD DE APROXIMACIONES Y PROPUESTAS RESPECTO A LA CALIFICACIÓN DEL TRABAJO EN PLATAFORMAS

Igual que en su momento sucediera con avances tecnológicos precedentes, ya se ha avanzado que la aparición del trabajo en plataforma ha generado un intenso debate –nacional e internacional– respecto a la calificación del vínculo entre la plataforma y el trabajador, y en definitiva, respecto a si el trabajo a demanda en que se basa encuentra cobertura en los rasgos de la relación laboral. Cierto es que, en último término, lo relevante para los trabajadores es el régimen jurídico a aplicar. Pero, hoy por hoy, tal encuadramiento previo resulta fundamental, no por un afán de catalogación formal, sino porque la calificación de la relación constituye paso necesario para concretar ese haz de derechos del trabajador, e íntimamente ligado, determinar a quién atribuir su coste y responsabilidad. Pues bien, hasta el momento, las aproximaciones realizadas a la cuestión han sido muy diversas.

a) Así, la reflexión abierta a propósito del trabajo en plataforma ha llevado a algunos autores a proponer una revisión de los conceptos de trabajador por cuenta propia y ajena[12]. Incluso, algunas voces han reavivado la postura favorable a reformular el ámbito de aplicación del Derecho del Trabajo por la vía de sustituir la actual nota de dependencia jurídica por la de dependencia económica o carencia de poder negociador o estructura empresarial propia[13]. Asimismo, desde algunos sectores se ha apostado por la regulación de figuras intermedias entre el trabajador asalariado y el autónomo[14].

---

[12]   Entre otros, *vid.* las reflexiones de MERCADER UGUINA, J.R., "Los TRADES en las plataformas digitales", en AAVV (Dir. PÉREZ DE LOS COBOS, F.), *El trabajo en plataformas digitales. Análisis sobre su situación jurídica y regulación futura*, Madrid, 2018, Wolters Kluwer, p. 109.

[13]   *Vid.* las consideraciones realizadas por TODOLÍ SIGNES, A., *El trabajo en la era de la economía colaborativa*, Valencia, 2017, Tirant lo Blanch, TOL6.082.961 y TOL6.082.962; y "Plataformas digitales y concepto de trabajador: una propuesta de interpretación finalista", *Lan Harremanak*, 2019, n° 41; o GINÉS I FABRELLAS, A., "Diez retos del trabajo en plataformas digitales para el ordenamiento jurídico-laboral español", *Revista de Trabajo y Seguridad Social.* CEF, 2018, n° 425-426, p. 109. Con una formulación distinta, pero igual finalidad tuitiva, *vid.* RODRÍGUEZ FERNÁNDEZ, M.L., "Calificación jurídica de la relación que une a los prestadores de servicios con las plataformas digitales", en AAVV (Dir. RODRÍGUEZ FERNÁNDEZ, M.L.), *Plataformas digitales y mercado de trabajo*, Madrid, 2019, Ministerio de Trabajo, Migraciones y Seguridad Social, pp. 85-87: esta autora propone crear un catálogo común de derechos mínimos para cualquier trabajador, sea dependiente o autónomo.

[14]   *Vid.* HARRIS, S.D. y A.B. KRUEGER (2015): «A Proposal for Modernizing Labor Laws for Twenty-First-Century Work: The 'Independent Worker'», *The Hamilton Project*, Discussion Paper 2015-10.

b) Desde otro enfoque, también se ha defendido que sea el legislador el que, mediante previsión normativa específica, facilite el encuadramiento del trabajo en plataforma en alguno de estos dos modelos de trabajo, si bien para unos debe integrarse –o al menos presumirse su integración– en el ámbito de las relaciones laborales[15], y en cambio, para otros, la acción legislativa debería moverse en la esfera del trabajo autónomo.

En este último sentido cabe citar la propuesta de la Asociación Española de la Economía Digital de 2019, sobre la que después se volverá, y que propone "una reforma de la normativa laboral de tal forma que la naturaleza de la relación jurídica entre las plataformas digitales y los usuarios proveedores de servicios adopte de forma constitutiva la naturaleza contractual mercantil (trabajo autónomo)"[16]. Pese a estos términos, la propuesta señala que ese reconocimiento legal como autónomo se producirá siempre que, además de su no exclusividad y la aportación por su parte de los instrumentos o herramientas fundamentales para el desempeño de la prestación, el trabajador disponga de "autonomía", entendida esta como la posibilidad del prestador de "escoger libremente, la forma, su horario y los días en los que se quiere trabajar, sin penalizaciones". Pues bien, así definida –si incluso parte de la libertad para decidir la forma en que trabajar–, parece que habría de ponerse en cuestión el carácter *constitutivo* de la naturaleza declarada, y paralelamente, parece que poco aportaría esta propuesta normativa en el terreno de la calificación dado que los criterios de delimitación que maneja se mueven dentro de los actuales márgenes de definición del trabajo autónomo que se vienen aplicando tanto a nivel normativo como jurisprudencial.

---

[15]   *Vid.* European Trade Union Confederation (ETUC), "Resolution on tackling new digital challenges to the world of labour, in particular crowdwork" (2017), que para el trabajo en plataforma propone una presunción en favor del estatuto de trabajador laboral, salvo que se pruebe su carácter de autónomo genuino; en https://www.etuc.org/en/document/etuc-resolution-tackling-new-digital-challenges-world-labour-particular-crowdwork. Asimismo, *vid.* Business and Human Rights Resource Centre, "El futuro del trabajo: Litigando las nuevas relaciones laborales. Informe anual sobre rendición de cuentas empresarial. Marzo de 2019", en que también se afirma que "los legisladores de todo el mundo deben velar por que sus propuestas legislativas adopten la presunción en favor del estatus de empleado y se otorgue a los trabajadores 'gig' los mismos derechos y protección que a quienes son empleados": en https://www.business-humanrights.org/sites/default/files/documents/ES_%20CLA%20AB%20 2019_SPANISH_0.pdf [Consulta: 20-9-2019].

[16]   Asociación Española de la Economía Digital (adigital): "Propuesta normativa en materia de trabajo en plataformas digitales", 2019, en https://www.adigital.org/media/propuesta-regulatoria-plataformas-digitales.pdf [Consulta 9-9-2019].

c) En cualquier caso, finalmente, desde otra posición –en la que me ubico– se ha considerado que la calificación del trabajo en plataforma no exige revisar las fronteras del Derecho del Trabajo ni los criterios hasta ahora utilizados para delimitar el trabajo asalariado y autónomo[17].

En efecto, a mi juicio, los parámetros normativos actualmente vigentes, junto a las pautas jurisprudenciales seguidas para su aplicación, permiten dar solución a los conflictos de calificación de la prestación de servicios surgidos en el ámbito de las plataformas, de modo que, en función de las circunstancias, tal prestación podrá ser considerada bien como laboral o bien como autónoma. A este respecto resulta de interés recordar que, en el marco de la Unión Europea, los conceptos de trabajador por cuenta ajena y por cuenta propia manejados por el TJUE se definen en términos similares a los del ordenamiento español, siendo la nota de subordinación clave principal en la diferenciación[18]. Además, diversos documentos comunitarios parten de esa posible dualidad en cuanto al modo o categoría bajo la que puede desarrollarse el trabajo en plataformas[19]; de hecho, la propia Directiva (UE) 2019/1152 del Parlamento Europeo y del Consejo, de 20 de junio de 2019, relativa a unas condiciones laborales transparentes y previsibles en la Unión Europea, contempla la posibilidad de que las notas de laboralidad se reúnan por los trabajadores de las plataformas en línea y que, cuando así sea, estos queden dentro de su ámbito de aplicación –limitado a las relaciones laborales–, de ahí que pueda inferirse que la ausencia de tales rasgos podría situar estas prestaciones en el ámbito del trabajo por cuenta propia y, en consecuencia, fuera de la esfera de la Directiva (considerando 8).

---

17   Al respecto ya me he pronunciado en GARCÍA RUBIO, M.A., "La prestación…", cit., pp. 195-196; GOERLICH PESET, J.M. y GARCÍA RUBIO, M.A., "Indicios…", cit., p. 50. *Vid.* asimismo las consideraciones realizadas por CAVAS MARTÍNEZ, F., "Las prestaciones de servicios a través de las plataformas informáticas de consumo colaborativo: un nuevo desafío para el derecho del trabajo", *Revista de Trabajo y Seguridad Social*, CEF, 2017, nº 406, p. 53; CRUZ VILLALÓN, J., "El concepto de trabajador subordinado frente a las nuevas formas de empleo", *Revista de Derecho Social*, 2018, nº 83, pp. 14, 20-32; GONZÁLEZ ORTEGA, "Trabajo asalariado y trabajo autónomo en las actividades profesionales a través de las plataformas informáticas", *Temas Laborales*, 2017, nº 138, pp. 114-115, 122.

18   Por todas, STJUE 26-2-2019, C-581/17.

19   Claramente, la Resolución del Parlamento Europeo, de 15 de junio de 2017, sobre una Agenda Europea para la economía colaborativa (2017/2003(INI)), que "afirma que todos los trabajadores de la economía colaborativa son, o bien trabajadores por cuenta ajena o bien trabajadores por cuenta propia, según la primacía de los hechos, y que se les debe clasificar en consecuencia".

Como luego se verá, un aspecto diferente será el de reivindicar la acción normativa en el terreno de las labores de intermediación que se limitan a realizar algunas plataformas (*infra*, 3.1), e igualmente, cuestión distinta será la de plantearnos posibles reformas legislativas respecto al correspondiente régimen jurídico a aplicar a cada categoría de trabajador (*infra*, 5). Pero, en el estricto terreno de la calificación de la prestación de servicios, considero que las dificultades que plantea el trabajo en plataforma pueden encontrar respuesta en la regulación vigente y sus métodos de aplicación, sin que, a mi juicio, sea necesario intentar salvar tales dificultades mediante la búsqueda de soluciones normativas *ad hoc*, que al margen de la valoración que merezca su contenido específico, ya con carácter general cabe presumir como problemáticas, de un lado, porque la heterogenidad de las plataformas digitales hace complicado, si no imposible, un tratamiento normativo único o de fácil delimitación en cuanto a su ámbito de aplicación, y de otro también, por la dificultad de justificar una regulación específica para las plataformas cuando, en su caso, otras empresas distintas pudieran también servirse de similares sistemas de trabajo a demanda.

A mi modo de ver, en realidad, pese a la envoltura de innovación tecnológica en que se presenta, el conflicto de calificación del trabajo en plataforma coincide, en esencia, con el que en épocas pasadas se ha venido suscitando en otras muchas empresas tradicionales, y de hecho, conforme más adelante se verá, respecto a ellas es posible encontrar precedentes judiciales en que nuestros tribunales han tenido que dar respuesta a aspectos controvertidos similares o muy próximos. Es por todo ello que, en mi opinión, las dificultades que, sin duda, presenta el trabajo en plataforma en orden a determinar su naturaleza jurídica pueden afrontarse mediante los actuales criterios de calificación; y en cualquier caso, hoy día, a ellos debemos estar a tenor de la normativa vigente.

d) Si procedemos, por tanto, con arreglo a estos presupuestos, para declarar que el trabajador mantiene una relación laboral con la plataforma digital mediante la que presta sus servicios será necesario constatar, cuando menos, la concurrencia de dos premisas: la primera, que la plataforma puede ostentar la condición de empresario laboral respecto al trabajador, lo que necesariamente requiere que dicha plataforma actúe como auténtica proveedora del servicio y no como mera entidad de conexión entre cliente y prestador del servicio; y la segunda, que, además, en la prestación de servicios realizada para la plataforma proveedora estén presentes todos los rasgos de laboralidad requeridos por el art. 1.1 ET y que permiten descartar la existencia de un trabajo autónomo.

El análisis de estas dos premisas será, pues, el que determine el curso de los siguientes epígrafes y el que, en último término, permita reflexionar sobre el régimen jurídico a aplicar a las plataformas digitales y al trabajo que a través de ellas se genera. No es difícil advertir, en cualquier caso, que dada la ya comentada diversidad de funcionamiento de las distintas plataformas, la valoración de una y otra variable conducirá a conclusiones diversas en función de las circunstancias concurrentes en cada supuesto.

3. LA CALIFICACIÓN DE LA PLATAFORMA

Conforme a lo dicho, el primer paso para desentrañar los interrogantes que las plataformas digitales plantean desde la perspectiva del Derecho del Trabajo es el de concretar la propia calificación que cada una de ellas merece. Atribuir a una plataforma digital la condición de mera entidad de interconexión o de verdadera proveedora del servicio resulta fundamental a efectos de determinar la aplicación de un régimen jurídico u otro.

3.1. La plataforma como instrumento de conexión

En el supuesto de que la plataforma ofrezca únicamente un servicio de la sociedad de la información mediante el que se limite a intermediar o posibilitar el contacto entre demandantes y oferentes del servicio, la conclusión a la que habrá de llegarse es que, en tal caso, la plataforma no es la que provee y organiza el servicio y, por tanto, no es posible apreciar que entre dicha entidad y el trabajador exista un vínculo contractual de prestación de servicios, ni civil como autónomo ni laboral como trabajador asalariado. En tal situación, los interrogantes desde la perspectiva del Derecho del Trabajo se desplazan a otros terrenos.

a) Por un lado, por lo que se refiere al trabajador, seguirá siendo interesante plantearse la naturaleza jurídica de su prestación de servicios, que, descartada su vinculación con la plataforma, obligará a calificar la relación generada bien directamente con el demandante del servicio o bien, en su caso, con una tercera empresa que oferte su actividad a través de la plataforma y a la que se encuentre vinculado. Tal calificación requerirá ajustarse a los criterios que respectivamente establecen el art. 1 LETA y el art. 1 ET para definir al trabajador autónomo y al trabajador laboral.

b) Por otro lado, con relación a la plataforma digital, la cuestión que puede suscitarse es si la labor de conexión que realiza entre demandantes y oferentes de servicios da lugar a que dicha entidad deba quedar sujeta a la calificación de agencia de colocación y a la aplicación del correspondiente régimen jurídico, máxime teniendo en cuenta que, conforme a la legislación vigente, hoy día se admite tal condición aun cuando se realice la actividad mediante la exclusiva utilización de medios electrónicos (arts. 31 a 35 RDLeg. 3/2015 y RD 1796/2010).

Conforme a dicha normativa, para que la actividad de la plataforma diera lugar a su consideración como agencia de colocación en los términos en que actualmente son reguladas en nuestro ordenamiento, habrían de concurrir determinadas premisas. De una parte, de acuerdo con la interpretación más extendida, sería necesario que la conexión realizada entre cliente y trabajador lo fuera para la constitución de una relación laboral. De otra parte, se requiere además que esa labor de puesta en contacto merezca la calificación de "intermediación laboral", entendida esta como aquella que tiene como finalidad proporcionar a los trabajadores un empleo "adecuado a sus características" y facilitar a los empleadores las personas trabajadoras "más apropiadas a sus requerimientos y necesidades", de ahí que deban valorar "los perfiles, aptitudes, conocimientos y cualificación profesionales de las personas trabajadoras que requieran sus servicios para la búsqueda de empleo y los requerimientos y características de los puestos de trabajo ofertados" (art. 31.1 RDLeg. 3/2015 y art. 2.1 RD 1796/2010).

Desde la óptica específica de la legislación en materia de empleo, tales premisas dejan prácticamente en situación de anomia tanto a plataformas que intermedian en prestaciones de trabajo autónomo como a aquellas que, pese a propiciar el contacto entre demandantes y oferentes de servicios, no llegan a realizar la referida labor de "casación", previa valoración de las respectivas necesidades y características para encontrar la vinculación más idónea. Con todo, es evidente que muchas de estas plataformas realizan actividades con claros paralelismos con las agencias de colocación, sin que en la práctica resulte siempre fácil su delimitación conceptual, y sin que la normativa vigente contemple específicos mecanismos de control sobre ellas, siendo incluso más que dudosa la posibilidad de someter algunas de sus conductas a la acción sancionadora de la LISOS aun cuando incurran en vulneraciones de derechos de los trabajadores –*v.gr.* sus arts. 15.5 y 16.1.c), respecto a la solicitud de datos personales o la publicación de ofertas de empleo ilegales o discriminatorias–.

Se observa así que la normativa vigente –o la ausencia de ella– hace que, respecto a estas plataformas que en principio no encuentran cabida en el actual concepto legal de agencia de colocación, se generen importantes

zonas de inseguridad jurídica y de riesgo para los derechos de los trabajadores. Es por ello que, conforme a una larga reivindicación doctrinal, hay
que seguir insistiendo en la necesaria intervención legislativa en la materia,
a fin de clarificar el régimen jurídico a aplicar a aquellas entidades dedicadas a labores de colocación o de búsqueda de empleo, incluido el trabajo
autónomo[20].

3.2. La plataforma como proveedora de servicios

Para el supuesto contrario de que la plataforma no se limite a ser un
mero instrumento técnico de conexión entre partes, sino que adicionalmente actúe como auténtica proveedora o prestadora del servicio que se
oferta al mercado (transporte, enseñanza, reparaciones,…), en tal caso sí
será posible apreciar que existe un vínculo contractual de prestación de
servicios entre la plataforma y el trabajador que ejecuta dichos servicios.
Será entonces, por tanto, cuando habrá que dilucidar la naturaleza jurídica
de esa relación de trabajo, pues, a mi juicio, y pese a no resultar pacífico[21],
constatar la condición de la plataforma como proveedora del servicio constituye requisito imprescindible, pero no suficiente, para declarar la laboralidad de su vínculo con el trabajador.

Tal calificación resultará obviamente posible, pero, como en cualquier
otra empresa, *a priori* nada excluye que la provisión del servicio por la plataforma se instrumente mediante fenómenos de descentralización productiva, que pueden concretarse en contratas con otras empresas[22], pero
también en el recurso al trabajo autónomo[23]. En consecuencia, cuando
la plataforma decida prestar o proveer el servicio mediante trabajadores
individuales quedará abierta la posibilidad jurídica de que estos sean asa-

---

[20]   Para mayor detalle y extensión sobre estas cuestiones me remito a GARCÍA RUBIO,
       M.A., "Portales…", cit. *Vid.* asimismo, CRUZ VILLALÓN, J., "Las transformaciones de
       las relaciones laborales ante la digitalización de la economía", *Temas Laborales*, 2017, n°
       138, pp. 40-41.

[21]   *Vid.* la posición –ya expresada en el propio título– de GINÉS I FABRELLAS, A.,
       "Crowdsourcing: una modalidad jurídicamente inviable de externalización productiva
       en el nuevo entorno digital", *Anuario IET de trabajo y relaciones laborales. Presente y futuro
       del trabajo*, 2018, vol. 5.

[22]   Con relación al transporte de viajeros, *vid. infra*, 4. En el ámbito del reparto de comida
       a domicilio, *vid.* por ejemplo, https://www.eldiario.es/economia/empresario-repar-
       tiendo-Just-Eat-contentos_0_858465063.html [Consulta 20-9-2019].

[23]   En general, y con apoyo en el derecho a la libertad de empresa, *vid.*, por ejemplo, STS
       de 3 de noviembre de 2014, Rec. 739/2013; o STSJ de C. Valenciana de 28 de noviem-
       bre de 2017, Rec. 2429/2017.

lariados o autónomos, debiendo determinarse en cada caso la calificación que corresponde, por más que, ciertamente, la línea de separación pueda llegar a ser muy fina[24].

3.3. Criterios delimitadores en la calificación de la plataforma

Lo anterior muestra la relevancia de determinar si la plataforma es mera entidad de conexión o es la auténtica proveedora de los servicios en cuestión, pues sólo en este último caso cabrá apreciar que entre aquella y el trabajador individual que los desarrolla existe un contrato de prestación de servicios, respecto al que habrá que determinar su naturaleza jurídica – laboral o civil–. Ahora bien, en la práctica, el problema reside en delimitar cuándo estamos ante uno y otro tipo de plataforma.

a) Aunque a los efectos relativos a los requisitos de acceso al mercado, la cuestión ha sido abordada por la Comisión Europea en su Comunicación *Una Agenda Europea para la economía colaborativa* (2016), cuyas consideraciones se han visto después reflejadas en algunas resoluciones judiciales.

En esta Comunicación, la Comisión Europea ya advirtió que la calificación de la plataforma como intermediaria o proveedora del servicio sub-

---

[24] Al respecto, *vid.* CRUZ VILLALÓN, J., "Las transformaciones…", cit., pp. 39-44; CALVO GALLEGO, F.J., "Uberpop como servicio de la sociedad de la información o como empresa de transporte: su importancia para y desde el Derecho del Trabajo", en AAVV (Dir. RODRÍGUEZ-PIÑERO ROYO, M.C. y HERNÁNDEZ BEJARANO, M.), *Economía colaborativa y trabajo en plataforma: realidades y desafíos*, Albacete, 2017, Bomarzo, pp. 360-362; GOERLICH PESET, J.M. y GARCÍA RUBIO, M.A., "Indicios…", cit., pp. 43-46; CÁMARA BOTÍA, A., "La prestación de servicios en plataformas digitales: ¿trabajo dependiente o autónomo?", *Revista Española de Derecho del Trabajo*, 2019, nº 222, BIB 2019\7752, p. 8. Por su parte, son significativas las Conclusiones del Abogado General en el asunto C-434/15 planteado en el TJUE, en las que vino a manifestar que la consideración de Uber como plataforma proveedora del servicio de transporte "no significa que los conductores de Uber deban necesariamente ser considerados trabajadores suyos. Esta sociedad puede perfectamente realizar sus prestaciones recurriendo a trabajadores autónomos, que actúen en su nombre en calidad de subcontratistas". En la legislación comparada, la alternativa se ha evidenciado, por ejemplo, en Portugal a través de su Lei nº 45/2018, sobre "Regime jurídico da atividade de transporte individual e remunerado de passageiros em veículos descaracterizados a partir de plataforma eletrónica", que, aunque declara aplicable el art. 12 de su Código do Trabalho –que establece una presunción de laboralidad cuando concurren determinadas circunstancias–, alude a la doble posibilidad de que se trate de un "conductor vinculado por contrato de trabajo" o de un "conductor independiente" (art. 10 en relación con art. 1). Respecto a la vinculación entre plataformas y trabajo autónomo en otros países, *vid. infra*, 5.2.

yacente debía adoptarse "caso por caso" en atención al nivel de control o influencia que la plataforma ejerciera sobre el prestador del servicio. A tal efecto, señaló algunos criterios indiciarios para facilitar la delimitación. Como "criterios clave" que actúan como "indicios claros" de que la plataforma es la proveedora del servicio por ejercer un control o influencia significativos sobre el prestador del servicio, la Comisión señaló los siguientes: que la plataforma fije el precio final a pagar por el beneficiario del servicio; que la plataforma establezca otras condiciones contractuales clave en la relación con el usuario (p.ej. instrucciones obligatorias sobre la prestación del servicio); y que la plataforma posea los activos clave para prestar dicho servicio. A otro nivel, la Comisión añadió otros criterios que también podrían indicar que la plataforma ejerce un gran nivel de control o influencia sobre la prestación del servicio subyacente: en concreto, que la plataforma sufrague los gastos y asuma todos los riesgos de la prestación del servicio, o asimismo, que mantenga una relación laboral con la persona que ejecuta el servicio. En cambio, la Comisión consideró que, por sí mismo, no constituye prueba de influencia o control significativos el hecho de que la plataforma efectúe ciertas actividades auxiliares como "modalidades de pago, cobertura de seguro, servicios postventa" o "la oferta de mecanismos de evaluación o calificación" a realizar por los usuarios. En cualquier caso insiste en que "cuanto más gestionan y organizan las plataformas colaborativas la selección de los proveedores de los servicios subyacentes y la manera en que se prestan dichos servicios –por ejemplo, verificando y gestionando directamente la calidad de los servicios–, más evidente resulta que la plataforma colaborativa puede tener que ser considerada también ella misma como proveedora de los servicios".

Aunque más tarde una Resolución del Parlamento europeo de junio de 2017 ha advertido sobre la "falta de seguridad" en la distinción y ha instado a la Comisión a que proporcione orientaciones adicionales, lo cierto es que, sin perjuicio de otros matices o complementos, no parece haber duda sobre el valor delimitador del criterio de la "influencia o control significativos" sobre la prestación del servicio. De hecho, este es el criterio al que se atiende en posteriores resoluciones judiciales que han debido abordar la calificación de la plataforma digital. Significativamente, es el caso de las SSTJUE de 20 de diciembre de 2017, C-434/15 y de 10 de abril de 2018, C-320/16, en las que se consideró que Uber constituía una plataforma que, más allá de la intermediación, era proveedora de un servicio de transporte en la medida en que ejercía "una influencia decisiva" sobre las condiciones de las prestaciones efectuadas por los conductores, lo que se constataba a través de circunstancias tales como que esta entidad fijaba el precio máximo de la carrera y ejercía cierto control sobre la calidad de los vehículos, así como sobre la idoneidad y comportamiento de los conductores hasta, en su caso, llegar a su exclusión. Similar criterio se ha seguido en la esfera judicial interna, no solo respecto a Uber[25], sino también en relación con otras plataformas, respecto a las que se han dictado sentencias que, en línea con lo apuntado por la Comisión, han confirmado que, mientras no se aprecie un control significativo sobre los aspectos esenciales de la actividad desarrollada, la plataforma puede mantener su condición de mera entidad de intermediación aun cuando realice ciertos servicios complementarios como los de gestión del pago, suscripción de un seguro, publicación de valoraciones de usuarios, o comprobación de que los prestadores que ofertan sus servicios reúnen los requisitos legales o de idoneidad para ello[26]. En buena medida, en esta última dirección apuntan, por cierto, las Conclusiones del Abogado General presentadas el 30-4-2019 en relación con un nuevo asunto suscitado ante el TJUE –el asunto C-390/18, sobre Airbnb Ireland–, respecto al que a fecha de cierre de este trabajo todavía no existe sentencia.

b) Señalados estos criterios de delimitación aportados por la Comisión Europea y aplicados por los órganos judiciales, desde la perspectiva laboralista parece necesaria, no obstante, una advertencia. Como se ha visto, estos criterios toman como indicativo clave el control o influencia significativos que la plataforma ejerce sobre la prestación del servicio y la persona que la lleva a cabo. De este modo, tal como se formulan, se trata de indicios que en gran medida coinciden con los tradicionalmente utilizados para determinar las notas de dependencia y ajenidad en la relación laboral. Por ello, pudiera llegarse a la, a mi juicio, errónea conclusión de que la calificación de una plataforma como proveedora del servicio conduce automáticamente a calificar la prestación de trabajo como laboral. Ya antes he dicho que,

---

[25]   SSTS, S. Contencioso-administrativo, de 24 de enero de 2018, Rec. 1277/2017; de 25 de enero de 2018, Rec. 313/2016.

[26]   SJCA nº 11 Barcelona de 29 de noviembre de 2016, Proc. 43/2015-C, respecto a Airbnb; SAP Cuenca de 8 de mayo de 2018, Rec. 56/2018, respecto a la plataforma de Yumping Adventure S.L.; o SAP Madrid de 18 de febrero de 2019, Rec. 1485/2017, que confirma la SJM nº 2 Madrid de 2 de febrero de 2017, autos nº 343/2015, respecto a Blablacar. Previamente, en la jurisdicción social y con relación a empresas tradicionales, ya se había apuntado que asumir la gestión del pago y la posterior transmisión al prestador de la cantidad pertinente no impedía la consideración de una entidad como mera intermediaria, sin alcanzar la condición de empresario laboral: SSTSJ de Murcia de 23 de febrero de 2009, Rec. 90/2009, y de 24 de marzo de 2009, Rec. 192/2009, y Cantabria de 25 de noviembre de 2014, Rec. 694/2014 –todas ellas respecto a la intermediación entre alumnos y profesores que imparten clases particulares–.

a mi modo de ver, ello no es así y que la plataforma proveedora puede decidir ofrecer el servicio al mercado con trabajadores propios, pero también externos.

Es por ello que convendría distinguir ambos planos: por un lado, el de la calificación de la plataforma –como intermediaria o como proveedora–, y por otro, el de la calificación de la prestación de servicios –como laboral o no–; consiguientemente, también habría que perfilar y diferenciar sus respectivos criterios de delimitación. El hecho de que presenten zonas de intersección –si no hay plataforma proveedora, no existe con ella un vínculo contractual de prestación de servicios–, no significa que estemos ante nociones plenamente coincidentes –ese vínculo contractual con la plataforma proveedora puede ser laboral o no–. Por tal razón, sin desconocer la conexión e implicaciones entre ambos elementos, quizá pudiera valorarse que, en el terreno de calificación de la plataforma en que ahora nos encontramos, antes de atender al control sobre el trabajador, cabría mirar al control o influencia que la plataforma ejerce sobre el servicio ofertado al mercado –esto es, a su nivel de participación en la determinación de las condiciones en que la actividad se ofrece a los usuarios (características o contenidos del servicio, precio, tiempo de realización, etc)–. A partir de ahí, si su protagonismo en esa determinación del servicio ofrecido conduce a considerarla como plataforma proveedora será entonces cuando habría de valorarse su control sobre los trabajadores a fin de determinar si esa actividad ofertada la lleva o no a cabo con trabajadores en régimen de laboralidad.

4. LA CALIFICACIÓN DE LA PRESTACIÓN DE SERVICIOS

En ese segundo plano –el de la calificación de la prestación de servicios–, la respuesta ha de buscarse en los preceptos que delimitan el trabajo asalariado y el trabajo autónomo (art. 1 ET y art. 1 LETA).

a) De entrada, dentro de esta normativa, es necesario tener en cuenta las exclusiones de laboralidad legalmente establecidas, en particular, las que se establecen o interpretan judicialmente como de carácter constitutivo. De manera especial, por su vinculación con uno de los servicios que más controversias genera en el trabajo en plataforma, ha de prestarse atención al tenor del art. 1.3.g) ET, que, en los términos que allí se indican, excluye del ámbito laboral la actividad de las personas prestadoras del servicio de transporte al amparo de autorizaciones administrativas de las que sean titulares y que se realice, mediante el correspondiente precio, con vehículos comerciales de servicio público cuya propiedad o poder directo de disposición ostenten. Como es sabido, esta exclusión de laboralidad alcanza al transporte de mercancías realizado con vehículos que, en atención a su masa máxima autorizada, requieran la llamada "tarjeta de transporte" de la que sea titular el trabajador excluido. Pero además, si bien la cuestión puede ser controvertida y la escasa doctrina judicial existente al respecto no resulta pacífica, a mi juicio no cabe descartar que la letra del precepto también dé cabida a excluir a los trabajadores que realizan el transporte de personas cuando sean titulares de la autorización administrativa que asimismo se requiere legalmente para este tipo de actividad[27].

Quizá esta posible lectura sea una de las razones que explica que en el momento actual se haya acallado o al menos sosegado el debate que inicialmente se suscitó respecto a plataformas dedicadas al transporte de viajeros cuando en un principio basaron su modelo de negocio en la prestación del servicio mediante conductores a los que no se exigía la conocida licencia VTC –esto es, la autorización administrativa para ejercer la actividad de arrendamiento de vehículos de turismo con conductor–. Actualmente, ese modelo ha cambiado en España y para la prestación del servicio es

---

[27]   Prueba de que no es claro que el art. 1.3.g) ET se refiera únicamente al transporte de mercancías es el hecho de que, con ocasión de la tramitación de la Ley 6/2017, de 24 de octubre, de Reformas Urgentes del Trabajo Autónomo, se presentaron enmiendas para modificar dicho precepto, con el propósito de precisar que su objeto era el transporte de mercancías y de este modo posibilitar que el transporte de viajeros en las plataformas digitales quedara abierto al resultado del test de laboralidad: Enmiendas en el Congreso nº 19 del Grupo Parlamentario Confederal de Unidos Podemos-En Comú Podem-En Marea, nº 108 del Grupo Parlamentario Socialista; y Enmiendas en el Senado, respectivamente, nº 30 y nº 38, así como nº 58 del Grupo Parlamentario Mixto (BOCG, Congreso de los Diputados, Serie B, nº 56-4, de 27-3-2017 y BOCG, Senado, nº 144 de 15-9- 2017). Finalmente, tales enmiendas no prosperaron y el legislador optó por mantener el tenor del art. 1.3.g) ET, que no explicita el tipo de transporte –mercancías o viajeros– al que se refiere. En los tribunales, lo cierto es que, por lo general, la exclusión prevista en el art. 1.3.g) ET se ha venido aplicando al transporte de mercancías (STC 227/1998, de 26 de noviembre; SSTS de 23 de noviembre de 1998, Rec. 923/1998; de 28 de marzo de 2011, Rec. 40/2010; de 18 de mayo de 2018, Rec. 3513/2016). No obstante, son pocas las ocasiones en que los órganos judiciales han tenido que resolver expresamente si tal exclusión alcanza al transporte de personas, y cuando así ha ocurrido, la respuesta no ha sido unánime: así, las SSTSJ de Murcia de 10 de julio de 1995, Rec. 700/1995; La Rioja de 13 de febrero de 2001, Rec. 10/2001, sí aplican el art. 1.3.g) ET al transporte de viajeros; en cambio, en contra, STSJ de Cataluña de 14 de enero de 2011, Rec. 4638/2010. Con relación a la necesidad legal de autorización administrativa en el transporte de mercancías y viajeros en los términos que allí se indican, *vid.* arts. 42, 98 y 99 Ley 16/1987, de Ordenación de los Transportes Terrestres; y arts. 33 y ss RD 1211/1990.

necesario contar con la licencia VTC[28]. Por ello, de acogerse la comentada interpretación no restrictiva del art. 1.3.g) ET, en los casos en que una plataforma proveedora concierta el contrato de prestación de servicios con conductores individuales que aportan su vehículo y son titulares de la licencia VTC, la conclusión sería que estos trabajadores habrían de ser considerados automáticamente como autónomos por mandato directo de la ley (D.A 11ª LETA) –ello, se insiste, en atención a la estricta literalidad del precepto, sin entrar en valoraciones a la opción legislativa–.

En paralelo, una segunda razón que explicaría que el debate sobre la naturaleza del vínculo con estas plataformas de transporte de viajeros se haya aquietado es que, ahora, la prestación de servicios también se concierta, en gran medida, con terceras empresas titulares de flotas de vehículos y licencias VTC, que son las que a su vez contratan a los trabajadores. En este escenario, el vínculo de trabajo se establece entre esa tercera empresa y el trabajador no titular de licencia VTC, que, de hecho, en la práctica, ya suelen formalizar su relación como contrato de trabajo. Por ello, desde la óptica laboralista, la atención en estos casos posiblemente acabe centrándose más en el entramado de relaciones establecido entre las distintas entidades implicadas, y en particular, en la delimitación de facultades empresariales entre plataforma y empresa contratante del trabajador a fin de valorar posibles riesgos de cesión ilegal de mano de obra.

b) En atención a lo dicho, los verdaderos problemas de calificación contractual se presentan, por tanto, en los otros muchos supuestos en que la prestación de servicios se concierta entre una plataforma proveedora y un trabajador individual sin que jueguen exclusiones constitutivas de laboralidad –incluidas, obviamente, las prestaciones de transporte no sujeto a autorización administrativa–. Para estos supuestos se hace necesario indagar si la prestación del servicio reúne o no las notas de laboralidad exigidas por el art. 1.1 ET –esto es, no sólo el carácter voluntario, personal y retribuido, sino además, sus verdaderos rasgos distintivos de ser un trabajo desarrollado en régimen de dependencia y ajenidad–.

---

[28]   Vid https://www.uber.com/es/es-es/drive/requirements/ y https://www.uber.com/es/es-es/drive/vehicle-solutions/fleet-partners/ ; o https://help.cabify.com/hc/es/articles/115000817889–C%C3%B3mo-puedo-conducir-con-Cabify- y https://cabify.com/spain/terms, en que se afirma que "CABIFY manifiesta y garantiza que: Está constituida como agencia de viajes y... Tiene suscritos y en vigor los contratos de prestación de servicios con las empresas de transporte en las ciudades en las que actualmente opera, exigiendo contractualmente a dichas empresas que sean titulares de las preceptivas licencias administrativas ("Licencias VTC")..." [Consulta: 2-9-2019].

4.1. El método de calificación

Es de sobra conocido que muchas de las dificultades de calificación contractual a que nos enfrentamos surgen precisamente de que esas dos notas necesarias y propias de la relación laboral –la dependencia y la ajenidad– constituyen conceptos abstractos, que además progresivamente se han visto sometidos en su definición y en su aplicación judicial a un proceso de flexibilización que ha facilitado extender la tutela del Derecho del Trabajo a nuevas realidades productivas, pero que, a su vez, como contrapartida, ha llevado a difuminar en la práctica las teóricas fronteras entre el trabajo asalariado y el trabajo autónomo. En ese proceso, para dar respuesta casuística a la naturaleza jurídica de cada relación contractual, los tribunales se han servido de una serie de criterios de calificación consolidados, entre los que se encuentra la aplicación de un sistema de indicios de las notas de dependencia y ajenidad, cuya configuración en cuanto a los datos indiciarios a valorar se ha concebido como abierta a fin de adaptarse a los progresivos cambios en que el trabajo se desarrolla.

Este método de calificación no es, sin duda, perfecto, y cierto es que arrastra a zonas de inseguridad jurídica, sobre todo, en supuestos en que, como ocurre en muchas plataformas, la prestación del servicio presenta características que unas veces apuntan al trabajo asalariado y otras al trabajo autónomo. No obstante, probablemente ese sea el peaje a pagar por contar con una definición normativa del contrato de trabajo que, precisamente, por la abstracción de sus notas distintivas, permite amoldarse a la evolución de los procesos productivos sin ser esclava de la necesidad de continuas –y quizá problemáticas– reformas[29]. En este contexto, la operatividad y equilibrio del sistema se hace recaer en el buen hacer de los órganos judiciales, a través de decisiones que, aunque necesariamente discrecionales, resulten fundadas en la valoración conjunta de las circunstancias del caso, siempre con el límite de que, pese al carácter etéreo o indeterminado de las notas de dependencia y ajenidad, la flexibilidad en su interpretación no llegue a su desvirtuación y a la pérdida de su valor definitorio y distintivo de la relación laboral frente al trabajo autónomo[30].

---

[29]   *Vid.* la reflexión de GARCÍA QUIÑONES, J.C., "Economía colaborativa y 'dodecafonismo judicial': El caso Glovo", *Derecho de las Relaciones Laborales*, 2019, nº 1, EDC 2019/501376, p. 13.

[30]   Sobre estos riesgos, *vid.* SÁNCHEZ-URÁN AZAÑA, M.Y., "Las fronteras del contrato de trabajo y sistema de indicios de laboralidad", *Revista del Ministerio de Trabajo, Migraciones y Seguridad Social*, 2019, nº 143 (consultado en https://eprints.ucm.es/56475/1/Concepto%20de%20trabajador.pdf); en especial, pp. 29 y 34.

Sin sobrepasar este límite, considero que, igual que se ha venido haciendo con otros avances tecnológicos previos, la calificación del trabajo en plataforma no exige una redefinición de las notas de laboralidad –como ya he dicho–, sino que puede afrontarse mediante una lectura adaptativa y actualizada de los posibles indicios en que se exteriorizan. En realidad, una parte del camino ya está hecha, pues, como antes he comentado, muchas de las circunstancias conflictivas que presenta el trabajo en plataforma a efectos de calificación contractual ya han sido objeto de consideración por nuestros tribunales en el marco de las empresas tradicionales.

De hecho, como a continuación se verá, este modo de afrontar la calificación, basado en los precedentes y la adaptación del sistema de indicios, es el que se está viendo reflejado en las primeras resoluciones judiciales que han tenido que enjuiciar la naturaleza jurídica de la relación contractual entre plataforma digital y trabajador.

4.2. Los criterios judiciales de calificación contractual en el trabajo en plataforma

Esas sentencias hasta ahora dictadas constituyen un buen punto de partida para, a partir de una visión conjunta de todas ellas, reflexionar sobre la aplicación de los criterios judiciales de calificación contractual en el trabajo en plataforma. Ahora bien, no es mi intención en estas líneas ni realizar un análisis individualizado de cada una de las sentencias, ni hacer un repaso teórico-práctico exhaustivo de tales criterios[31], sino, más bien, aproximarme a ellos a través de una exposición general con fines valorativos.

4.2.1. Los pronunciamientos judiciales en la materia

Hecha la anterior aclaración, ha de señalarse que, hasta el momento, todas esas resoluciones judiciales se refieren a plataformas dedicadas al reparto de mercancías, y en su mayoría, han sido dictadas en instancia, aunque empiezan a aparecer algunas sentencias de suplicación. Respecto al sentido de la calificación final –relación laboral o trabajo autónomo–, las soluciones que se alcanzan en unas y otras resoluciones no son siempre coincidentes, si bien parece necesario señalar que, al margen de diferencias en la apreciación judicial –que las hay–, a veces las circunstancias

---

[31]   Para un análisis más detallado en esta línea me remito a lo dicho en GOERLICH PESET, J.M. y GARCÍA RUBIO, M.A., "Indicios...", cit., pp. 46-61.

fácticas analizadas no son exactamente idénticas en todos los casos –entre otras razones, por las diferencias en la organización de cada plataforma y porque, incluso, la misma plataforma, en el intento de alejarse de los indicadores de laboralidad, ha ido progresivamente cambiando su modo de actuar respecto al trabajador, al menos en la configuración formal del contrato–[32].

a) De entrada, resulta de interés destacar que, por lo general, las sentencias referidas entran directamente a examinar la concurrencia de las notas de laboralidad en el caso, sin antes analizar de forma autónoma el carácter de la plataforma como mera intermediadora o como proveedora del servicio; y aunque alguna vez aluden a la jurisprudencia comunitaria sobre el tema, no siempre queda clara la distinción de planos a la que antes se hacía diferencia –calificación de la plataforma y calificación de la prestación–.

b) En su análisis, y por lo general, estas sentencias tienen presente el criterio jurisprudencial consolidado de la irrelevancia a efectos de calificación tanto del *nomen iuris* atribuido por las partes al contrato, como de ciertos datos formales concurrentes –*v.gr.* alta en un determinado régimen de Seguridad Social, abono de determinados impuestos, etc–. Por tanto, la pauta común en la práctica de que la relación entre la plataforma y el trabajador se formalice a través de un contrato civil o mercantil de arrendamiento de servicios y que el trabajador esté afiliado al RETA no impide la calificación judicial como relación laboral. Cierto es que alguna de las resoluciones toma como punto de partida la voluntad de las par-

---

[32]   Respecto a Take eat easy, SJS nº 11 Barcelona de 29 de mayo de 2018, Proc. 652/2016, con declaración de relación laboral. Con relación a Deliveroo, reconociendo el carácter laboral del vínculo, SSJS nº 6 Valencia de 1 de junio de 2018, Proc. 633/2017; nº 31 Barcelona de 11 de junio de 2019, Proc. 662/2017; nº 5 Valencia de 10 de junio de 2019, Proc. 371/2018; nº 19 Madrid de 22 de julio de 2019, Proc. 510/2018. Respecto a Glovo, con declaración de vínculo laboral, STSJ de Asturias de 25 de julio de 2019, Rec. 1143/2019 –que confirma la SJS nº 1 Gijón de 20 de febrero de 2019, Proc. 724/2018–; STSJ de Madrid, Pleno, de 27 de noviembre de 2019 –que revoca la SJS nº 17 Madrid de 11 de enero de 2019, Proc. 418/2018–; SSJS nº 33 Madrid de 11 de febrero de 2019, Proc. 1214/2018; nº 1 Madrid de 3 de abril de 2019, Proc. 944/2018, y de 4 de abril de 2019, Proc. 946/2018 y Proc. 947/2018; y dando por buena la concertación de un contrato como trabajador autónomo o como autónomo económicamente dependiente, STSJ de Madrid de 19 de septiembre de 2019, Rec. 195/2019 –que, compartiendo los argumentos de su FD 5º, confirma la SJS nº 39 Madrid de 3 de septiembre de 2018, Proc. 1353/2017, pero con el voto particular de un magistrado, y debiendo tenerse en cuenta la posterior sentencia dictada en Pleno antes citada–; SSJS nº 24 Barcelona de 21 de mayo de 2019, Proc. 143/2018 y de 29 de mayo de 2019, Proc. 144/2018; nº 1 Salamanca de 14 de junio de 2019, Proc. 133/2019.

tes de elegir dicho contrato, acabando por aceptar tal naturaleza, pero ello lo hace por considerar que no se ha probado una realidad material distinta[33]. Al fin y al cabo, no solo en nuestra jurisprudencia interna, sino también desde instancias internacionales se requiere calificar el contrato en atención a la realidad de los hechos, con independencia de las disposiciones formales dadas por las partes (Recomendación n° 198 OIT, sobre la relación de trabajo, apartado II.9; o Directiva UE 2019/1152, considerando 8). Ahora bien, siendo esto indiscutido, el conflicto se plantea en el terreno de la carga de la prueba, cuestión sobre la que más adelante se volverá (*infra*, 4.2.2).

c) Desde estos presupuestos, las sentencias han valorado los hechos de cada supuesto, dando por indiscutida la voluntariedad de la prestación, su carácter retribuido y el carácter personal del trabajo –a este último respecto se aprecia que, aun en los casos en que el contrato admitía subcontratar el servicio, ello requería la autorización de la plataforma o constituía una cláusula que no se había hecho efectiva en la práctica, al margen de que, conforme a la jurisprudencia, sustituciones del trabajador de carácter esporádico o excepcional no excluirían, en su caso, el carácter laboral de la relación[34]–.

Como resulta lógico, la controversia en estas sentencias se ha planteado a la hora de valorar la concurrencia de las notas distintivas de dependencia y ajenidad.

d) Como resultado de esa valoración, las resoluciones judiciales que han negado la existencia de relación laboral y han admitido el contrato como trabajador autónomo o como autónomo económicamente dependiente (TRADE) han fundado su respuesta en los siguientes argumentos.

Por un lado, han negado la dependencia del trabajador respecto a la plataforma por considerar que aquél seguía criterios organizativos propios en atención a que se han entendido acreditadas circunstancias como las que siguen: la libertad del trabajador para elegir la jornada y la franja horaria en la que trabajar, así como los días de descanso, sin necesidad de

---

[33]   SJS n° 39 Madrid de 3 de septiembre de 2018, Proc. 1353/2017, confirmada por STSJ de Madrid de 19 de septiembre de 2019, Rec. 195/2019 –frente al criterio habitual, en su declaración del trabajador como autónomo, esta última también destaca su afiliación al RETA–.

[34]   SSTS de 25 de enero de 2000, Rec. 582/1999; de 9 de diciembre de 2004, Rec. 5319/2003; de 20 de enero de 2015, Rec. 587/2014; de 16 de noviembre de 2017, Rec. 2806/2015.

justificar las ausencias; la facultad del trabajador para rechazar pedidos sin que la negativa conlleve penalización; la libertad del trabajador para elegir la ruta a seguir o, en algún caso, la no asignación de un área determinada; la inexistencia de pacto de exclusividad; el seguimiento de instrucciones dadas por el cliente final y no por la plataforma, considerando que resulta compatible con la condición de TRADE tanto la fijación de las tarifas por aquella como la utilización de la app facilitada; la falta de control por la plataforma, pues no se considera utilizado con tal finalidad ni el sistema de puntuación –se entiende sólo como instrumento para regular la preferencia de acceso a pedidos, a modo de premio o incentivo, no de sanción–, ni tampoco la sujeción al sistema de geolocalización –se estima que sólo se acredita su uso como medio para contabilizar el kilometraje para su posterior abono–; o asimismo, se parte igualmente de la inexistencia de poder disciplinario de la plataforma sobre el trabajador, pues a tal efecto no se estima relevante ni la facultad de desistimiento contractual en caso de que no se realizaran servicios, ni tampoco la inclusión de un único supuesto de sanción –en concreto, una rebaja en la puntuación para el caso de, sin causa justificada, no estar operativo en la franja horaria reservada–.

Por otro lado, se descarta también la presencia de la nota de ajenidad con apoyo en constataciones como las que siguen: existencia de una retribución variable, totalmente dependiente del número de recados realizados; la asunción de los riesgos por parte del trabajador, pues responde tanto del buen fin del servicio –sólo cobra si lo termina a satisfacción de los clientes–, como de los daños o pérdidas que pudieran sufrir los productos durante el transporte; o igualmente, se entiende que las principales herramientas de trabajo (moto/bicicleta y teléfono móvil) son propiedad del trabajador, añadiéndose en ocasiones que es éste quien asume los gastos.

e) Por el contrario, otras sentencias han estimado que el vínculo de la plataforma y el trabajador constituye una relación laboral con apoyo en las siguientes consideraciones.

De un lado, se ha apreciado la concurrencia de la nota de dependencia en atención a datos como los que siguen: entre otros, existencia de franjas horarias predeterminadas por la plataforma, sin libertad de fijación para el trabajador, bien porque la posibilidad de elección de horario dependía de la posición ocupada de acuerdo con un ranking de puntuaciones preestablecido o bien porque las preferencias mostradas por el trabajador debían contar con la aceptación final de la entidad que era la que en último término atribuía los períodos de trabajo[35]; falta de libertad para rechazar pedidos, pues la negativa comportaba penalizaciones o incluso la extinción del contrato; impartición por la plataforma de cursos de formación y organización y ejecución del trabajo conforme a las instrucciones y condiciones establecidas por aquella (*v.gr.* asignación de zona, fijación de tiempos y pautas de comportamiento, fijación de normas de seguridad e higiene…); publicidad del logo de la plataforma en la vestimenta o accesorios del trabajador; control por la plataforma del trabajador a través de la información registrada en la aplicación y del sistema de geolocalización, que además se utiliza para asignar los servicios entre los repartidores; o sujeción del trabajador a un régimen disciplinario, bien por haberse pactado en contrato distintas causas de resolución contractual con paralelismo con los motivos de despido, o bien por haber tipificado la plataforma faltas que conllevan penalizaciones por incumplimientos de las directrices dadas por la empresa.

De otro lado, se ha considerado también presente el rasgo de ajenidad en atención a circunstancias como las que siguen: entre otras, fijación del precio del servicio por la plataforma, que es la que retribuye al trabajador con independencia del pago por el cliente, siendo esta también la que fija una cuantía remuneratoria por cada servicio realizado, y además, en algunos casos con garantía de percepción de unas cantidades mínimas con independencia de la prestación del servicio; relación de la plataforma –y no del trabajador– con los restaurantes adheridos y los clientes, siendo dicha entidad la que los elige y fija las condiciones con todos ellos y la que efectuaba el cobro del servicio, de modo que el trabajador no interviene en las decisiones comerciales; consideración de que es la plataforma la que hace suya la utilidad patrimonial y, asimismo, que es ella –y no el trabajador– la que asume los riesgos del negocio, respondiendo frente a proveedores y clientes –el trabajador tiene derecho al cobro aunque el pedido se haya cancelado o el cliente no se halle en la dirección de entrega, y además se interpreta que la responsabilidad del trabajador por los daños causados a los productos transportados viene impuesta por la empresa y, en cualquier caso, se limita a los supuestos de negligencia–; en su caso, asunción por la plataforma de una póliza de seguros que cubre amplios riesgos para los repartidores; o finalmente, carencia por parte del trabajador de una organización empresarial, sin que pueda considerarse como tal la mera propiedad de herramientas como la bicicleta y el

---

[35] En algunas sentencias se declara la laboralidad del vínculo aunque se parta de la libertad del trabajador en cuanto a tiempo de trabajo y aceptación de encargos: p.ej. SJS n° 33 Madrid de 11 de febrero de 2019, Proc. 1214/2018.

móvil, y destacando, por el contrario, que los elementos esenciales de producción son la marca y la aplicación informática de las que es titular la plataforma.

4.2.2. Un análisis valorativo de las pautas de calificación en el trabajo en plataforma

Como se ha visto, las sentencias comentadas llegan a conclusiones diversas, pero también es cierto que en su fundamentación se basan en la descripción de dos modelos de trabajo con presupuestos diferentes. Como antes se ha advertido, las circunstancias fácticas de las que se parte como probadas en las diversas resoluciones no son siempre coincidentes, no solo cuando se trata de plataformas distintas o de una misma plataforma con diferentes y sucesivas estrategias contractuales, sino incluso en litigios que tienen en común la suscripción de contratos similares. Ahora bien, es verdad que a ello se une que, ante algunos elementos comunes, el valor jurídico otorgado por los órganos judiciales también difiere (*v.gr.* la eficacia dada a la aportación del vehículo, o al sistema de puntuaciones y las cláusulas sobre responsabilidad del trabajador por el deterioro de los productos). En cualquier caso, más allá de las soluciones dadas a estos supuestos concretos, interesa realizar algunas consideraciones de alcance más general, con proyección sobre cualquier plataforma, no sólo las de transporte.

a) De entrada, creo necesario efectuar un apunte procesal. Antes se ha comentado que, en su valoración, alguna de las resoluciones analizadas toma como punto de partida la voluntad de las partes de formalizar un contrato civil como trabajador autónomo, dando por buena el órgano judicial tal calificación por considerar que no se ha acreditado una realidad material que desdiga tal naturaleza. Entre los comentaristas se ha advertido que tales sentencias parecen partir de una presunción *iuris tantum* de no laboralidad a destruir por el trabajador[36]. Tal planteamiento enlazaría a su vez con la posición doctrinal que aboga por una revalorización de la

---

[36] *Vid.* TODOLÍ SIGNES, A., "Comentario a la Sentencia sobre los riders de GLOVO: ¿existe una presunción de "extralaboralidad"?", 19-9-2018, en https://adriantodoli.com/2018/09/19/comentario-a-la-sentencia-sobre-los-riders-de-glovo-existe-una-presuncion-de-extralaboralidad/, y "El TSJ de Madrid confirma Sentencia declarando a un rider verdadero AUTÓNOMO", 7-10-2019, en https://adriantodoli.com/2019/10/07/el-tsj-de-madrid-confirma-sentencia-declarando-a-un-rider-verdadero-autonomo/ [Consulta: 10-10-2019]; CÁMARA BOTÍA, A., "La prestación...", cit., p. 16.

voluntad contractual en la calificación del contrato en atención a que, actualmente, nuestro ordenamiento no establece una auténtica presunción legal de laboralidad a aplicar en situaciones dudosas o controvertidas[37].

Ciertamente, aunque algunos pronunciamientos judiciales así lo han seguido aplicando[38], en realidad ya dijo el Tribunal Supremo que la operatividad de la presunción a que alude el art. 8.1 ET requiere constatar que la prestación ha sido realizada "con sometimiento a las notas que identifican el contrato de trabajo"[39], habiendo señalado asimismo que tales elementos deben ser probados por quien alega la existencia del contrato de trabajo –esto es, normalmente el trabajador– (art. 217 LEC)[40], de ahí también que en sede judicial se haya remarcado la pérdida de eficacia de tal presunción[41]. En la actual legislación, por tanto, en materia de calificación contractual no se contempla una efectiva presunción, pero ni en un sentido ni en otro. En el ámbito político ha habido iniciativas para reformar la normativa en favor de establecer una verdadera presunción *iuris tantum* de laboralidad; no obstante, al margen de que la propuesta se ha formulado para un supuesto concreto –y no con carácter general para toda prestación de servicios–, por el momento no ha encontrado plasmación legislativa[42].

---

[37]   *Vid*. MERCADER UGUINA, J.R., "Los TRADES…", cit., p. 115. Por su parte, un análisis técnico del art. 8.1 ET puede verse en RODRÍGUEZ-PIÑERO ROYO, M.C., *La presunción de existencia del contrato de trabajo*, Madrid, 1995, Civitas, pp. 129 y ss.

[38]   *V.gr*. SSTSJ de Castilla y León/Burgos de 26 de febrero de 2009, Rec. 28/2009; Cataluña de 2 de febrero de 2018, Rec. 6192/2017.

[39]   STS de 25 de marzo de 1991.

[40]   SSTS de 23 de enero de 1990; de 26 de febrero de 1990; de 5 de marzo de 1990.

[41]   *V.gr*. SSTSJ Cataluña de 26 de abril de 2002, Rec. 7338/2001; de 5 de marzo de 2019, Rec. 33/2019; Madrid de 22 de diciembre de 2011, Rec. 4079/2011; de 28 de mayo de 2018, Rec. 93/2018; Galicia de 21 de diciembre de 2016, Rec. 3756/2016; de 22 de mayo de 2018, Rec. 35/2018. Por su parte, de "tenue presunción de laboralidad" hablan algunos pronunciamientos del Tribunal Supremo (SSTS de 7 de noviembre de 2017, Rec. 3573/2015; de 8 de febrero de 2018, Rec. 3389/2015); y asimismo, este órgano judicial ha rechazado la alegación de que "los casos de dudosa calificación deban ser resueltos recurriendo a la referida presunción de laboralidad de la prestación de servicios" (STS de 3 de abril de 1992).

[42]   En concreto, como medida para combatir los falsos autónomos, el "Acuerdo de Presupuestos Generales del Estado 2019: presupuestos para un Estado Social", alcanzado por el Gobierno y Unidos Podemos-En común Podem-En Marea, hacía referencia al establecimiento por ley de "la presunción de que, salvo prueba en contrario, se considerarán relaciones laborales por cuenta ajena las prestaciones de servicios en las que los ingresos obtenidos por los trabajadores y las trabajadoras procedan de un único cliente o empleador".

En cualquier caso, con relación al vigente tenor del art. 8.1 ET, en un punto tan importante convendría una mayor unificación en el criterio judicial seguido, pues incluso en pronunciamientos del Tribunal Supremo se aprecian afirmaciones que no siempre caminan en la misma línea[43].

b) Ya con relación a aspectos sustantivos, a la vista de algunas afirmaciones de las sentencias parece oportuno volver a insistir en la idea de que la calificación de una plataforma como proveedora del servicio subyacente no conlleva necesariamente la calificación como laboral de la prestación realizada por el trabajador. El papel protagonista de la plataforma en la relación comercial con clientes y usuarios finales, plasmada en datos como que sea ella la que proceda a la elección de estos, la que fije las características del servicio, la que determine y gestione su precio, o el propio hecho de que la prestación se realice bajo la imagen de su marca, son todas ellas circunstancias que permiten dar cuenta de la condición de dicha entidad como proveedora del servicio, pero, como en cualquier otra actividad empresarial, esta puede ser prestada con personal propio o mediante estrategias de externalización, sea a través de empresas con trabajadores o a través de trabajadores autónomos. Las limitaciones a efectos de calificación de las teorías de la ajenidad en los frutos y en el mercado resultan conocidas[44], de ahí que, a mi juicio, en los supuestos analizados, hechos como los señalados no tienen capacidad distintiva suficiente para determinar la naturaleza de la relación en un sentido o en otro.

A mi modo de ver, algo parecido pasa respecto a la relevancia que como dato indicativo de laboralidad atribuyen algunas sentencias al hecho de que la plataforma sea la propietaria de la aplicación informática mediante la que, como medio esencial, se desarrolla la prestación. Ciertamente, la importancia de esta infraestructura tecnológica en el modelo de negocio analizado resulta indudable, pero no parece que su titularidad haya de considerarse necesariamente determinante en la calificación contractual dado que este elemento está presente en toda plataforma digital, con independencia de que sea intermediaria o proveedora, o en este último caso, con independencia de que la prestación se realice mediante personal propio o externo. Cuestión distinta es que las funciones desplegadas por cada aplicación informática puedan ser relevantes a efectos de que su titular –la plataforma– pueda realizar acciones de dirección y control sobre el

---

[43]   *Vid.* SSTS de 4 de febrero de 1984; de 3 de mayo de 2005, Rec. 2606/2004.

[44]   *Vid.* OJEDA AVILÉS, A., "Ajenidad, dependencia o control: la causa del contrato", *Tribuna Social*, 2007, nº 195, pp. 14-19; y CRUZ VILLALÓN, J., "El concepto…", cit., pp. 26, 32-33.

trabajador, lo que, en su caso, nos situaría en el terreno de la nota de dependencia, como más abajo se verá. Pero desde la estricta perspectiva de la ajenidad en la titularidad de la organización empresarial parece que, a efectos distintivos, no habría que detenerse en el hecho de que la plataforma es la titular del instrumento de interconexión, sino que además habría que mirar a quién aporta los medios principales para ejecutar el servicio subyacente en sí mismo considerado, en los casos en que aquellos resulten necesarios. Ahora bien, cierto es que, en esta valoración, necesariamente habría que tener en cuenta el consolidado criterio jurisprudencial –del que es máximo exponente la conocida sentencia de los "mensajeros"[45]– de que, como bien recuerdan algunas de las resoluciones comentadas respecto al vehículo o el móvil, si otros indicios avalan la naturaleza laboral de la relación, tal laboralidad no quedará excluida cuando el trabajador aporte herramientas o medios de producción propios que tengan carácter auxiliar o secundario de su actividad personal o que carezcan de entidad económica suficiente para convertir al prestador de servicios en titular de una explotación empresarial.

c) A la vista de las consideraciones anteriores, la clave para determinar la naturaleza del vínculo ha de situarse en las condiciones que rigen la relación de prestación de servicios entre la plataforma y el trabajador. Pero sabemos que, en este plano, la solución no resulta sencilla pues la normativa y la flexibilización jurisprudencial han ido menguando el valor distintivo de algunos elementos e indicios.

d) Así, si seguimos examinando la nota de ajenidad, en concreto, la que se predica de los riesgos, de un lado ha de observarse que la existencia de una retribución no fija, establecida por unidad de obra, es compatible tanto con el trabajo autónomo como con el trabajo asalariado (art. 26 ET); y lo mismo cabe pensar respecto al reconocimiento de garantías en el abono de la retribución ante situaciones de impago de los usuarios de la plataforma (art. 10 LETA). De otro lado, como alguna de las sentencias analizadas apunta[46], la responsabilidad por daños del trabajador por actos de negligencia va ligada al trabajo autónomo, pero en determinados supuestos tampoco es extraña a la relación laboral[47].

---

[45] STS nº 263 de 26 de febrero de 1986; o *vid.* también STS de 31 de marzo de 1997, Rec. 3555/1996.

[46] STSJ de Asturias de 25 de julio de 2019, Rec. 1143/2019.

[47] *Vid.* SSTS de 14 de noviembre de 2007, Rec. 4726/2006 –requiere "que la culpa o negligencia del trabajador sea grave, cualificada o de entidad suficiente"–; de 30 de noviembre de 2011, Rec. 887/2011.

e) En esta tesitura, la apreciación o no del rasgo de dependencia incrementa su papel protagonista en la calificación. Pero en esta esfera tampoco es fácil la delimitación, pues, de acuerdo con nuestra jurisprudencia, la ausencia de algunos indicios clásicos de esa nota no elimina la laboralidad de una relación.

Por centrarnos en los aspectos más vinculados a las peculiaridades del trabajo en plataforma, es sabido que constituye un criterio judicial asentado el de considerar que la inexistencia de jornada y horario fijo es compatible con la declaración de relación laboral[48] –idea que, como luego se verá, confirma la Directiva (UE) 2019/1152–. Y a la inversa, no está de más recordar que la propia legislación hace compatible la condición de TRADE con la existencia de una jornada máxima y una distribución del tiempo de trabajo predeterminadas (cfr. art. 14 LETA).

Por su parte, tampoco la brevedad de los servicios o su carácter puntual se han entendido como circunstancias impeditivas de la calificación del vínculo como laboral[49]. Además, en el caso de las plataformas, es frecuente la concertación de contratos prolongados o incluso indefinidos con los trabajadores.

Asimismo, si bien es habitual el criterio judicial de que la libertad del prestador para aceptar o no los servicios asignados es síntoma del trabajo autónomo[50], no faltan tampoco otras resoluciones –algunas del Tribunal Supremo y de carácter reciente–, en que la concesión al prestador de esa facultad de aceptar o rechazar encargos no ha sido obstáculo para declarar la laboralidad del vínculo si así deriva de la ponderación conjunta de las circunstancias concurrentes[51]. Desde esta perspectiva cabe pensar que, en ausencia de previo contrato formalizado, la decisión de aceptar o no un encargo puede situarse en la fase de consentimiento de una relación con-

---

[48]   SSTS nº 728 de 8 de abril de 1981; nº 676 de 6 de mayo de 1986, nº 1.530 de 9 de octubre de 1988; de 21 de junio de 2011, Rec. 2355/2010.

[49]   STS de 23 de abril de 1965; SSTSJ de Andalucía/Sevilla de 23 de mayo de 2003, Rec. 1178/2003; País Vasco de 26 de octubre de 2010, Rec. 1791/2010; I. Balears de 16 de diciembre de 2016, Rec. 325 /2016; y en la jurisdicción contencioso-administrativa, STS de 4 de diciembre de 1967; Murcia de 29 de enero de 2016, Rec. 174/2015.

[50]   SSTSJ de Madrid de 13 de octubre de 2017, Rec. 653/2017; Andalucía/Sevilla de 26 de abril de 2018, Rec. 2095/2017; Cantabria de 26 de abril de 2019, Rec. 237/2019.

[51]   SSTS de 27 de mayo de 1992, Rec. 1421/1991; de 9 de diciembre de 2010, Rec. 1874/2009; de 17 de mayo de 2012, Rec. 871/2011; de 16 de noviembre de 2017, Rec. 2806/2015; SSTSJ de C. Valenciana de 14 de julio de 2009, Rec. 3338/2008; I. Canarias/Las Palmas de 15 de julio de 2015, Rec. 543/2015; STJCE de 26 de febrero de 1992, asunto Raulin.

tractual –o varias sucesivas–, sin que la aceptación por sí sola predetermine su naturaleza jurídica ya que esta dependerá del modo en que se ejecute el servicio[52]; en otro caso, tal facultad de aceptación puede formar parte de los acuerdos alcanzados entre las partes contractuales, y de cualquier modo, en cada supuesto habrá que valorar el alcance real de la eventual proclamación formal de libertad de conexión y de aceptación de los servicios asignados, pues si la decisión del trabajador de no activación o rechazo del encargo da lugar a penalizaciones –en especial, reducción de trabajos atribuidos o extinción del vínculo– habrá que concluir que esa teórica libertad no existe[53].

f) En consecuencia, llegados a este punto, a menudo la calificación de la relación en el trabajo en plataforma habrá de determinarse en atención a aquellos indicios de dependencia que miran directamente a la ordenación del trabajo, su vigilancia y el ejercicio del poder disciplinario. Con todo, aquí la línea de delimitación también presenta dificultades, a cuya superación contribuyen algunos criterios jurisprudenciales.

Conforme a ellos, el trabajo autónomo sería compatible con el hecho de que la plataforma proveedora diera ciertas instrucciones generales, sobre todo dirigidas a la concreción del objeto del contrato –de hecho, en el caso del TRADE expresamente se admiten "indicaciones técnicas" (art. 11.2.d] LETA)–. Pero la fijación por su parte de directrices detalladas y minuciosas que, más allá de lo dicho, estén dirigidas a organizar y determinar el modo de realizar el trabajo –*v.gr.* indicación de rutas a seguir, criterios de atención a los clientes,...– podría actuar como claro indicio de laboralidad, sin que, a mi juicio, sea obstáculo para ello el hecho de que tales instrucciones o la propia retribución aparezcan como pactadas en el contrato cuando, como ocurre normalmente, se trate de contratos tipo elaborados de forma unilateral por la plataforma, que cuentan con la mera adhesión del trabajador[54].

Por su parte, el control sobre el resultado acordado y la facultad de resolución contractual en caso de incumplimiento tampoco resultan extraños

---

[52]   Al respecto, *vid.* BELTRÁN DE HEREDIA RUIZ, I., "Economía de las plataformas (platform economy) y contrato de trabajo", 2018, pp. 45-50, en www.iuslabor.org/wp-content/plugins/download-monitor/download.php?id=386 [Consulta: 12-9-2019]. Asimismo, *vid.* SSTS de 16 de julio de 2010, Rec. 3391/2009; de 9 de diciembre de 2010, Rec. 1874/2009.

[53]   Sobre este riesgo, STS de 16 de noviembre de 2017, Rec. 2806/2015.

[54]   *Vid.*, en general, SSTS de 8 de octubre de 1992, rec 2754/1991; de 10 de julio de 2000, Rec. 4121/1999; de 17 de junio de 2010, Rec. 3847/2009; o SSTSJ de Cataluña 5-10-2009, Rec. 4154/2009; Navarra de 18 de enero de 2013, Rec. 476/2012.

al trabajo autónomo (art. 1124 CC y, respecto al TRADE, art. 15 LETA). Pero cuando más allá de ello, la vigilancia de la plataforma –realizada por cualesquiera vías, incluida la geolocalización o la monitorización informática– recae sobre el desarrollo de la prestación y el específico modo de llevarla a cabo, y de ello derivan penalizaciones para el trabajador –no solo la extinción contractual, sino otras como, por ejemplo, la reducción de trabajos asignados–, en tal caso estaríamos asimismo ante circunstancias indiciarias de la existencia de relación laboral[55].

g) En definitiva, estas consideraciones dan muestra de la conocida dificultad de la calificación contractual de las prestaciones de servicios, dificultad de la que desde luego no escapa el trabajo en plataformas, respecto al que, además, no puede ofrecerse una respuesta única, pues, como ha quedado constatado, en función de las condiciones establecidas en cada caso, dicho trabajo puede organizarse a través de modelos distintos, unos más fáciles de ubicar en el ámbito de la relación laboral y otros en el de trabajo autónomo. En cada supuesto, a la vista de sus respectivas circunstancias, los órganos judiciales habrán de ponderar los indicios de autonomía y laboralidad existentes y, tras una valoración conjunta, habrán de determinar la calificación del vínculo en atención a la "mayor fuerza" que alcancen unos y otros[56]. En esa labor, ya se ha visto que, como en épocas precedentes, los tribunales están tratando de ajustar la aplicación del sistema de indicios a las características del trabajo en plataforma, al objeto de determinar si tales características pueden reconducirse a las notas de dependencia y ajenidad que conjuntamente son requeridas para apreciar la existencia de relación laboral. Como ya antes expresé, el límite en esta valoración judicial estará en no desvirtuar la esencia distintiva de estas notas con el fin de albergar bajo la tutela del Derecho del Trabajo realidades que no reúnan tales rasgos y cuya protección, en puridad, no habría de llegar por la vía de forzar encuadramientos y desnaturalizar las categorías de trabajo existentes, sino,

---

[55]   En general, por su paralelismo con el supuesto analizado, *vid.* STS de 10 de julio de 2000, Rec. 4121/1999, que entre los rasgos de trabajo dependiente incluye que "el trabajo del perito es coordinado por un jefe de inspección de la compañía, que supervisa y controla su actuación técnica, con tal fin el servicio técnico de la recurrente visita dos o tres veces al año los talleres concertados para comprobar la calidad del servicio, las posibles quejas de los clientes y la actuación del perito... y la recurrente controla informáticamente el resultado de las peritaciones realizadas en conjunto por cada perito, comprobando posibles desviaciones y asignando mayor número de talleres y peritaciones a los que realizan el trabajo a su mayor satisfacción". Por su parte, no admitiendo la laboralidad de la relación por, entre otras razones, no apreciar tal control empresarial, STS de 3 de noviembre de 2014, Rec. 739/2013.

[56]   Por todas, STS de 8 de febrero de 2018, Rec. 3389/2015.

en su caso, por la de modificar la normativa que regula su régimen jurídico, cuestión esta sobre la que se razonará en el siguiente epígrafe[57].

5. EL RÉGIMEN JURÍDICO DEL TRABAJO EN PLATAFORMA

Una vez constatado que, en función de las circunstancias del caso, el vínculo contractual entre plataforma proveedora y trabajador tanto puede encuadrarse en el trabajo asalariado como en el trabajo autónomo, el siguiente paso en este análisis será el de reflexionar sobre el régimen jurídico a aplicar en cada una de estas categorías, y en particular, habremos de preguntarnos sobre la necesidad o procedencia de introducir cambios normativos en cada una de ellas.

5.1. El trabajo en plataforma en régimen de laboralidad

Cuando el modelo de prestación de servicios en la plataforma reúna las notas de ajenidad y dependencia en los términos vistos de modo que la vinculación con el trabajador se articule a través de un contrato de trabajo, tal calificación conllevará la plena aplicación de la legislación laboral y la sujeción, en su caso, a la negociación colectiva que por razón de su actividad resulte aplicable. Por su referencia expresa, a este último respecto ha de hacerse mención a que, en el sector de la hostelería, el Acuerdo Laboral de ámbito estatal ha incluido en su ámbito de aplicación el servicio de reparto de comidas y bebidas "por encargo de otra empresa, incluidas las plataformas digitales o a través de las mismas"[58] –cuestión distinta, a mi juicio, es que, en este caso concreto, tal inclusión resulte válida y realmente aplicable a las plataformas en atención a la legitimación de las partes negociadoras, pues, conforme tiene establecido la jurisprudencia, su libertad para fijar el ámbito de aplicación de los convenios está limitada por "la representatividad que ostentaren las partes intervinientes en la negociación", por lo que en dicho ámbito de aplicación "sólo pueden estar comprendi-

---

57   *Vid.* CRUZ VILLALÓN, J., "El concepto…", cit., pp. 30-33; SÁNCHEZ-URÁN AZAÑA, M.Y., "Las fronteras…", cit., p. 34.

58   Arts. 4 y 14, conforme a la redacción dada por los Acuerdos de modificación y prórroga del V Acuerdo Laboral de ámbito estatal para el sector de hostelería (Resolución de 19-3-2019), suscritos desde la parte empresarial por Confederación Empresarial de Hostelería de España y Confederación Española de Hoteles y Alojamientos Turísticos. La previsión se ha reiterado en algunos convenios provinciales de hostelería como el de Segovia (Resolución de 9 de septiembre 2019).

dos quienes, formal o institucionalmente, estuvieron representados por las partes intervinientes en la negociación del convenio"[59]–.

a) En cualquier caso, la sujeción a la normativa laboral conlleva adecuarse a sus exigencias: entre otras, las salariales –habría de respetarse el SMI–, las referidas a las modalidades contractuales –en tanto actividad ordinaria y habitual, no cabría cubrir los encargos mediante sucesivos contratos de trabajo para obra o servicio determinado[60]–, y evidentemente también se hace necesario respetar las reglas legales en materia de tiempo de trabajo –por tanto, dentro de la máxima establecida, habría de predeterminarse la jornada ordinaria a realizar, así como su distribución en los términos previstos en los preceptos legales correspondientes (cfr. arts. 12.4.a] y 34 ET, y art. 2.2.f] RD 1659/1998)–. Por tanto, en el marco de la relación laboral, en la actualidad resulta imposible encontrar encaje legal a un sistema, como el que ha venido siendo frecuente en las plataformas digitales, en el que los trabajos habituales de la empresa –y su consiguiente retribución– se atribuyen bajo demanda de los clientes, sin que el trabajador tenga prefijada la jornada a efectuar o, en su caso, su horario y distribución.

Esta falta de ajuste entre las exigencias de la legislación laboral y la práctica frecuente de muchas plataformas ha dado lugar a propuestas de modificación normativa dirigidas a que ese modelo de trabajo a demanda típico de estas entidades logre acomodo legal dentro del Derecho del Trabajo. Muchas de estas propuestas han abogado por el establecimiento de un régimen específico para el trabajo en plataforma, ya sea mediante la introducción de medidas concretas[61], o ya sea incluso a través de la creación

---

[59] Por todas, SSTS de 21 de diciembre de 2010, Rec. 208/2009; de 21 de abril de 2015, Rec. 91/2014. Obsérvese que algunas de las sentencias sobre calificación del trabajo en plataforma aplican el convenio de transporte (SSJS n° 1 Madrid de 3 de abril de 2019, Proc. 944/2018, y de 4 de abril de 2019, Proc. 946/2018 y Proc. 947/2018).

[60] Por todas, STS de 15 de julio de 2009, Rec. 3787/2008; SSTSJ de Cataluña de 20 de mayo de 1999, Rec. 859/1999, y de 13 de abril de 2007, Rec. 8541/2006; Asturias de 16 febrero de 2001, Rec. 2118/2000; País Vasco de 31 de marzo de 2015, Rec. 393/2015.

[61] *Vid.* LÓPEZ BALAGUER, M., "Los «riders» de Deliveroo son trabajadores", *Revista Española de Derecho del Trabajo*, 2018, n° 213, quien, con relación al contrato de trabajo a tiempo parcial, propone una modificación del art. 12.3 ET, a fin de incluir "la previsión de la gestión del tiempo de trabajo por parte del trabajador en el trabajo a través de plataformas digitales", de forma que "la delimitación del número de horas ordinarias de trabajo y su distribución se dejase en manos del trabajador que vendría obligado a comunicar a la plataforma la distribución regular o irregular del tiempo de trabajo en que estará a su disposición para atender los servicios que se requieran. Esta comunicación se realizaría siempre con plazo de preaviso y adaptándose a las recomendaciones de la plataforma".

legal de una relación laboral especial de trabajadores que prestan servicios a través de plataformas virtuales, al objeto de adaptar la normativa a las especialidades de su modelo de negocio[62].

En mi opinión, sin embargo, propuestas de este tipo habrían de ser miradas con cautela. Parece necesario tener presente que el sistema de trabajo a demanda no sólo puede instrumentarse a través de estas entidades tecnológicas. Es evidente –y el pasado es buen reflejo– que la fórmula de asignar trabajos al ritmo de la entrada de encargos o pedidos ante multitud de potenciales prestadores esperando ser elegidos y sin una jornada garantizada constituye un modelo de trabajo perfectamente trasladable a cualquier empresa, con independencia de los medios técnicos o no con que se instrumente. Por tal razón, entiendo que las exigencias del principio de igualdad y la prohibición de competencia desleal imponen serios obstáculos a cualquier iniciativa normativa basada en el establecimiento de un régimen jurídico "ad hoc" y exclusivo para las plataformas digitales, que apartándose de la legislación común aplicable a las demás empresas, les permitiera un modelo de trabajo a demanda negado al resto[63].

b) Cabría entonces preguntarse sobre la procedencia de modificar la legislación laboral común para, con carácter general, extender tal sistema de trabajo a demanda a cualquier empresa y, de esta forma, establecer un mecanismo similar a los conocidos como "contratos de cero horas", que, sin un mínimo de jornada garantizado, sólo comporte prestar servicios y abonar la retribución cuando la empresa requiera al trabajador y éste lo acepte.

En ocasiones anteriores ya he mostrado mi postura contraria a un planteamiento en tal sentido[64]. Ya en 2017, el Parlamento Europeo señaló que una propuesta de Directiva marco sobre unas condiciones de trabajo dignas habría de establecer límites con respecto al trabajo bajo demanda ("trabajo a la carta"), y en concreto, indicaba que no se deberían permitir contratos de cero horas, dada la extrema inseguridad que implican[65]. Pues bien, más recientemente, la Directiva (UE) 2019/1152 del Parlamento Eu-

---

[62]   Vid. TODOLÍ SIGNES, A., El trabajo…, TOL6.082.961, cit. Vid. asimismo, CAVAS MARTÍNEZ, F., "Las prestaciones…", cit., pp. 53-55, que además alude a un posible sistema especial de Seguridad Social.

[63]   Sobre estas cuestiones ya razoné más ampliamente en GARCÍA RUBIO, M.A., "La prestación…", cit., pp. 208-211. Poniendo también en cuestión la necesidad de crear una relación laboral especial, BELTRÁN DE HEREDIA RUIZ, I., "Economía…", cit., pp. 4-5, 75-77.

[64]   GARCÍA RUBIO, M.A., "La prestación…", cit., pp. 211-213.

[65]   Resolución del Parlamento Europeo, de 19 de enero de 2017, sobre un pilar europeo de derechos sociales (2016/2095(INI)); y reiterando su opinión sobre la prevención

ropeo y del Consejo, relativa a unas condiciones laborales transparentes y previsibles en la Unión Europea, ha vuelto a mostrar el recelo con que las instituciones comunitarias miran a esta modalidad contractual y al trabajo a demanda en general, a los que se intenta desvirtuar y restar presencia por distintas vías: de un lado, mediante la decisión de aplicar dicha Directiva a toda relación laboral en que no se haya predeterminado una cantidad de trabajo remunerado garantizada, con independencia del número de horas que trabajen realmente, y por tanto, sin jugar la excepción de exclusión admitida para el resto de contratos de trabajo (art. 1 y considerando 12); de otro lado, mediante la exigencia de que cuando el patrón de trabajo sea total o mayoritariamente imprevisible, el trabajador cuente con determinadas garantías –entre ellas, la realización del trabajo en horas y días de referencia predeterminados, y la comunicación empresarial de la tarea asignada con un preaviso razonable– (arts. 4.2.m] y 10, y considerandos 21, 30-34); y finalmente, mediante el establecimiento de una obligación para los Estados que autoricen los contratos a demanda o similares, consistente en adoptar medidas para evitar prácticas abusivas, citando entre las posibles la de introducir limitaciones en su uso o duración, o la de prever una presunción refutable de la existencia de un contrato de trabajo con una cantidad mínima de horas pagadas en atención a la media de horas trabajadas (art. 11 y considerando 35). Es más, al hilo de la cláusula de no regresión establecida en su art. 20, la propia Directiva –cuyo plazo de transposición finaliza el 1 de agosto de 2022– señala expresamente que su aplicación no puede utilizarse para reducir los derechos existentes establecidos y, en particular, "no debe servir de base para la introducción de contratos de cero horas u otros contratos de trabajo similares" (considerando 47).

c) En el entorno de la OIT, también la ya citada Comisión Mundial sobre el futuro del trabajo, en su informe "Trabajar para un futuro más prometedor" (2019), camina en esta dirección, al incluir entre sus propuestas la de proceder a la ordenación del tiempo de trabajo con fórmulas que permitan una flexibilidad bidireccional –no sólo para el empresario sino también para el trabajador–, pero considerando a su vez que resulta urgente garantizar la dignidad de las personas que trabajan "por llamada", por lo que recomienda la adopción de "medidas de reglamentación apropiadas que establezcan un número mínimo de horas garantizadas y previsibles"[66]. Además, a lo anterior añade que "se deberían adoptar otras medidas para

---

de los contratos de cero horas, Resolución del Parlamento Europeo, de 4 de julio de 2017, sobre las condiciones laborales y el empleo precario (2016/2221(INI)).

[66]   *Vid.* pp. 13 y 41-42 del citado informe, publicado por la OIT en 2019.

compensar el horario variable con una prima por un trabajo que no está garantizado y una remuneración por tiempo de espera para compensar los periodos en los que los trabajadores por hora están «de guardia»". Ideas similares se han reiterado, a modo de "consejos" en la "Guía para establecer una ordenación del tiempo de trabajo equilibrada", publicada también por la OIT en 2019[67]. A su vez, la última recomendación citada entronca con la previsión incluida en el art. 4.2.m) de la ya mencionada Directiva (UE) 2019/1152, que al referirse a los supuestos en que el patrón de trabajo es total o mayoritariamente imprevisible –como ocurre en los contratos a demanda– alude al deber del empresario de informar al trabajador sobre "la cantidad de horas pagadas garantizadas y la remuneración del trabajo realizado fuera de las horas garantizadas".

Estos documentos apuntarían, pues, a la posibilidad de que, sin llegar al extremo de los contratos de cero horas sin jornada mínima asegurada, pudieran contemplarse fórmulas de trabajo a demanda en las que el trabajador sí tuviera un mínimo de horas de trabajo garantizadas y, además, contara con otros derechos dirigidos a favorecer la previsibilidad de su trabajo –necesariamente, los ya comentados que establece la Directiva en sus arts. 4.2.m] y 10–, pudiendo a su vez adicionarse otras garantías en materia retributiva encaminadas a compensar su calendario variable o los tiempos de espera. Aun así se trataría de fórmulas que la Directiva mira con prevención, pues, como se ha dicho, respecto a los contratos de trabajo a demanda o similares, los Estados deberían establecer medidas efectivas para evitar prácticas abusivas, si bien, a la vista de las que ejemplifica –en concreto, la referida presunción (art. 11.b])–, posiblemente cabría considerar incluida entre tales medidas la de formalizar desde el inicio un contrato de trabajo con una jornada mínima garantizada.

d) En cualquier caso, estas ideas podrían en principio servir de suelo mínimo desde el que reflexionar sobre posibles iniciativas de modificación de nuestra legislación laboral ante los nuevos retos abiertos por la digitalización y el incremento de la fragmentación de tareas que aquella comporta en los procesos productivos del conjunto de empresas. En esa reflexión, la cláusula de no regresión establecida en la Directiva (UE) 2019/1152 sólo constituiría una restricción relativa en el margen de valoración, en atención a los efectos limitados que la jurisprudencia comunitaria concede a este tipo de cláusulas[68]. Ahora bien, en su caso, cabría mesurar bien

---

[67]   P. 22.
[68]   Por ejemplo, STJUE (Tribunal General) de 4 de diciembre de 2018, asunto T-518/16, que, con relación a similar cláusula establecida en el art. 23 de la Directiva 2003/88,

el alcance de la posible revisión normativa y su incidencia en el nivel de tutela de los trabajadores, pues no dejaría de ser paradójico que los modos de producción afectados por la digitalización pudieran encuadrarse en el ámbito del Derecho del Trabajo, pero simultáneamente tal inclusión llevara a rebajar su grado de protección, apreciación esta que, como luego se indica, no significa ignorar el carácter dinámico de la normativa laboral ni negar la consiguiente posibilidad de incorporar ciertos ajustes.

Como ya se ha visto, es cierto que nuestra legislación laboral vigente no da cobertura a un modelo de trabajo, como el que ha sido habitual en las plataformas, que al menos en teoría parte de la libertad total de ambos contratantes –empresarios y trabajadores– para elegir el tiempo y la cantidad de trabajo ofrecido y prestado. No obstante, sin llegar a ese extremo de flexibilidad, nuestro ordenamiento ya ofrece posibilidades para acercarse a ese sistema.

Pensemos que la determinación de la jornada conlleva la existencia de un tiempo de trabajo garantizado. Pero, potencialmente, ese tiempo puede ser muy reducido dado que no existe una jornada legal mínima. A partir de ese tiempo pactado, la normativa concede al empresario posibilidades de distribución irregular y de ampliación del tiempo de trabajo pactado para tratar de ajustarse a las necesidades, aun cuando deba respetar ciertas garantías de certeza en cuanto al momento de prestación de servicios (arts. 34.2, 35 y 12.5 ET). Por su parte, desde la perspectiva del trabajador y la atención a sus circunstancias personales, los márgenes de determinación del tiempo de trabajo son reducidos, pero, con todo, ha de tenerse en cuenta el papel esencial que juega su voluntad en la fijación de la jornada ordinaria comprometida y en las posibilidades empresariales de amplia-

---

afirmó que "de ello se desprende que una regresión de la protección reconocida a los trabajadores en el ámbito de la ordenación del tiempo de trabajo no está como tal prohibida por la Directiva 2003/88, sino que para estar comprendida en el ámbito de la prohibición impuesta por el artículo 23 de esta, dicha regresión debe, por una parte, estar ligada a la «aplicación» de la Directiva y, por otra parte, afectar al «nivel general de protección» de los trabajadores de que se trate (véase, por analogía, la sentencia de 23 de abril de 2009, Angelidaki y otros, C-378/07 a C-380/07, EU:C:2009:250, apartado 126). 81. Más concretamente, el requisito relativo a la «aplicación» de la Directiva 2003/88 comprende cualquier medida nacional de transposición destinada a garantizar que el objetivo perseguido por esta pueda alcanzarse. En cambio, una normativa no puede considerarse contraria al artículo 23 de la Directiva 2003/88 si la regresión que supone no guarda relación alguna con su aplicación, es decir, en otros términos, si la medida regresiva está justificada no por la necesidad de una transposición, sino por la de promover otro objetivo (véase, por analogía, la sentencia de 23 de abril de 2009, Angelidaki y otros, C-378/07 a C-380/07, EU:C:2009:250, apartados 131 a 133)".

ción, al margen de que, al menos teóricamente, nada impide que, más allá de los permisos legal o convencionalmente reconocidos, la autonomía de las partes amplíe las posibilidades del trabajador para, por decisión propia, no realizar la totalidad de horas acordadas –por las causas, en el volumen y con el preaviso que se estipulara–, a modo de permiso no retribuido, pero tampoco sancionable (cfr. arts. 45.1.a] y b] ET).

Quizá, por tanto, las líneas básicas desde las que afrontar los nuevos procesos productivos ya estén esbozadas en la legislación laboral vigente, aunque puedan requerir de correcciones o complementos en aras de seguir buscando fórmulas de conjugar los intereses organizativos de las empresas y los intereses personales de los trabajadores, sobre todo en cuanto a sus posibilidades de elección de horarios. No cabe, pues, descartar ajustes normativos que profundicen en esas necesidades de adaptación de los tiempos de trabajo de empresarios y trabajadores, y es muy probable que, una vez más, el punto de mira haya de ponerse sobre el contrato de trabajo a tiempo parcial y su regulación de las horas complementarias, con un enfoque bidireccional a las necesidades de ambas partes, siempre con pleno respeto a las garantías de previsibilidad mínima del trabajo requeridas por la Directiva (UE) 2019/1152, y valorando también posibles compensaciones en el régimen retributivo en atención a los tiempos de puesta a disposición sin servicios realizados.

En el caso de las plataformas, desde el punto de vista estrictamente organizativo, contar con trabajadores laborales con jornadas mínimas garantizadas y bolsas de horas de trabajo adicionales y voluntarias a realizar con preaviso y dentro de franjas de tiempo predeterminadas no habría de ser algo tan distinto a lo que ha venido siendo su práctica habitual, teniendo en cuenta además que las propias habilidades de los programas informáticos y el número de trabajadores potencialmente disponibles contribuyen a sortear eventuales complejidades en la gestión empresarial. En el plano económico, es evidente que la recepción de un servicio en régimen de dependencia y ajenidad traslada al empresario los costes salariales por el trabajo efectivo y los períodos de puesta a disposición, junto a los correspondientes costes de Seguridad Social (arts. 26 y 30 ET; o p.ej., art. 8 RD 1561/1995).

En todo caso, cualquier modificación normativa que se quiera introducir en materia de contratación laboral y tiempo de trabajo debería velar por que las medidas de flexibilidad que se incorporaran en favor de empresarios o trabajadores contaran siempre con unos mínimos razonables de seguridad y certeza para la contraparte, en esa permanente búsqueda de equilibrio entre la satisfacción de las necesidades empresariales y la garantía de un empleo digno y de calidad.

5.2. *El trabajo en plataforma en régimen de autonomía*

El modelo alternativo al anterior es que la prestación de servicios para la plataforma proveedora se realice como trabajador autónomo, ya sea por imperativo legal (art. 1.3 ET) o ya sea porque las circunstancias del caso muestren que el trabajo retribuido se realiza por cuenta propia, con independencia, y además, de forma habitual (art. 1 LETA). En tal caso, el régimen jurídico a aplicar será el dispuesto en su Ley reguladora 20/2007, que a su vez entre las fuentes de dicho régimen profesional menciona, por lo que ahora interesa, al contrato entre las partes y a la normativa común relativa a la contratación civil y mercantil (art. 3 LETA).

a) Dentro de esta regulación, ha de tenerse en cuenta la posibilidad de que el trabajador reúna las características para ser considerado como autónomo económicamente dependiente cuando realice su actividad para la plataforma de forma predominante y perciba de ella al menos el 75% de sus ingresos por rendimientos de trabajo y de actividades económicas o profesionales (art. 11 LETA). Tal condición requiere sujetarse a las especialidades previstas en la ley para estos TRADE, y entre otras, a la exigencia de que, ya sea en el contrato individual o ya sea mediante acuerdo de interés profesional, habrá de determinarse "el régimen de descanso semanal y el correspondiente a los festivos, la cuantía máxima de la jornada de actividad y, en el caso de que la misma se compute por mes o año, su distribución semanal" (art. 14 Ley 20/2007 y arts. 4.2.d] y 6.2 RD 197/2009). Por tanto, pese a contemplarse en la ley la posibilidad de ampliar voluntariamente el tiempo de trabajo acordado hasta ciertos máximos, es evidente que la sujeción a la normativa reguladora de los TRADE tampoco permite una libertad absoluta a las partes para determinar y gestionar el tiempo de trabajo prestado para las plataformas.

Ello no ha sido óbice para que, en la comentada sucesión de estrategias contractuales para situar el trabajo en plataforma en el ámbito del trabajo autónomo, algunas de estas plataformas han optado por vincularse a los trabajadores a través de la formalización de estos contratos de TRADE. Por lo visto en las sentencias en que se ha enjuiciado tal calificación, en algunos de ellos se fija su jornada en 40 horas semanales –a veces con distribución de "8 a 00h"–, y en otros simplemente se indica que la jornada del TRADE "tendrá la duración que considere oportuna en virtud de su capacidad autoorganizativa". También se ha firmado algún Acuerdo de Interés Profesional para los TRADES, como el suscrito con Deliveroo, en el que se ha dispuesto que, con carácter general, la jornada no será superior a 10 horas diarias, ni 40 semanales. En cualquier caso, al asumir la condición de cliente, cabe entender, a mi juicio, que tanto la suscripción de estos contratos como del Acuerdo suponen la admisión por parte de la plataforma de su condición de proveedora del servicio, que es prestado a través de los TRADE.

b) Respecto a cualquiera de estas manifestaciones –autónomo ordinario o TRADE–, la irrupción de las plataformas digitales ha reavivado la cuestión de si procede efectuar modificaciones en su régimen jurídico, habiéndose formulado distintas propuestas en tal sentido. Algunas de ellas se han presentado como medidas específicas para el trabajo en plataforma, al modo en que ya se ha hecho en algún otro país de nuestro entorno cercano. Es el caso de la legislación francesa, que, con relación a los trabajadores independientes que realizan sus servicios a través de plataformas electrónicas que determinan las características de la prestación del servicio y su precio, ha impuesto a dichas plataformas ciertas medidas de responsabilidad social: en concreto, junto al reconocimiento de ciertos derechos de acción colectiva frente a las indicadas plataformas, se ha dispuesto que, cuando los trabajadores independientes alcancen un determinado volumen de negocios en la plataforma, esta no solo deberá asumir ciertos costes en materia de formación profesional, sino que también habrá de hacerse cargo de la cotización por la cobertura del riesgo de accidentes de trabajo conforme a los términos fijados en la normativa reguladora[69]. Más recientemente también ha sido el caso de Italia, que por un lado ha dispuesto que la tutela del "trabajo subordinado" correspondiente a su figura de "collaborazioni organizzate dal committente" también es aplicable cuando el modo de ejecución de las prestaciones de servicio se organiza mediante plataformas digitales, y por otro, ha previsto algunas medidas específicas de protección en favor de los "trabajadores autónomos" que, a través de una plataforma digital que determina el precio y modo de ejecución del servicio, realizan para otros el servicio de entrega de bienes en un entorno urbano y mediante bicicletas o determinados vehículos a motor: pues bien, para esta última situación de trabajadores autónomos, la normativa italiana contempla ciertas previsiones en su favor, entre las que se incluyen algunas garantías en

---

[69]   Titre IV, livre III de la septième partie du Code du travail, en redacción dada por la Loi nº 2016-1088, 8 août 2016; y Decret nº 2017-774, 4 mai 2017. En cuanto al citado volumen de negocios en la plataforma se aludía a "d'affaires égal ou supérieur à 13 % du plafond annuel de la sécurité sociale" (5. 268,12 € en 2019).

materia retributiva y no penalización por el rechazo de servicios, e igualmente se reconoce, a cargo de "il committente che utilizza la piattaforma", la sujeción de estos trabajadores a la cobertura del seguro obligatorio contra accidentes de trabajo y enfermedades profesionales, así como el cumplimiento de la normativa en materia de prevención de riesgos[70].

Pese a que por el momento no han encontrado reflejo normativo, a nivel interno también se han formulado planteamientos para dotar al trabajo autónomo en plataforma de una regulación específica. Algunas de estas ideas se han centrado en el ámbito de la protección social, y así, las características de la prestación en las plataformas digitales –desarrollo de tareas sin predeterminación de días y horas– han llevado a proponer la posibilidad de crear, dentro del régimen de autónomos, un sistema especial de Seguridad Social para los prestadores de servicios a través de dichas plataformas[71]. Algunas otras propuestas se han dirigido a la creación de la figura del "TRADE digital"[72].

En esta última dirección se mueve la ya mencionada propuesta de la Asociación Española de la Economía Digital de 2019, que, junto a la calificación, también ha planteado la introducción de mejoras en el régimen del TRADE para aquellos trabajadores que muestren mayor dedicación a las plataformas. A este respecto se baraja bien disminuir el umbral de dependencia económica o bien utilizar un criterio de volumen de dedicación asociada a una plataforma para poder optar a este régimen reformado –en sentido similar, alguna voz doctrinal ha propuesto que, siendo el cliente una plataforma, la determinación del TRADE se rebaje del 75 al 50% de sus ingresos–[73]. En cuanto a las coberturas adicionales que tal condición conllevaría, la citada Asociación alude a la posibilidad de incorporar los siguientes beneficios: compromiso de que la interrupción de la actividad por el profesional

---

[70]   Testo del decreto-legge 3 settembre 2019, n. 101, coordinato con la legge di conversione 2 novembre 2019, n. 128, recante: «Disposizioni urgenti per la tutela del lavoro e per la risoluzione di crisi aziendali».

[71]   *Vid.* HERNÁNDEZ BEJARANO, M., "El apoyo europeo al modelo de economía colaborativa: algunas cuestiones y propuestas para afrontar una regulación laboral y de seguridad social", *Revista Española de Derecho del Trabajo*, 2016, n° 192, BIB 2016\85594, pp. 15-16.

[72]   A este término se aludía en el documento de la Federación Nacional de Trabajadores Autónomos-ATA titulado "35 propuestas 2019: Seguir avanzando en el trabajo autónomo", en https://ata.es/wp-content/uploads/2019/03/35-MEDIDAS-PARA-LOS-AUT%C3%93NOMOS-EN-2019-completo-2.pdf [Consulta 20-9-2019]. Con todo, *vid.* https://www.lainformacion.com/economia-negocios-y-finanzas/ata-autonomos-retira-propuesta-trade-digital-riders/6513070/ [Consulta: 23-9-2019].

[73]   MERCADER UGUINA, J.R., "Los TRADES…", cit., p. 112.

no afectará a su capacidad para trabajar con las plataformas; formación y capacitación profesional; concreción de la indemnización a percibir por el profesional en caso de extinción unilateral del contrato por la plataforma, siempre que se establezca un tiempo mínimo de prestación de trabajo; provisión de un kit de seguridad y de seguros de accidentes y coberturas de responsabilidad; o beneficios y descuentos en los servicios y bienes ofrecidos por terceras empresas. Esta propuesta, no obstante, no cuenta con el beneplácito de todas las organizaciones de trabajadores autónomos[74].

Finalmente, junto a las anteriores, en el marco comunitario cabe señalar que, a través de la Decisión (UE) 2019/540 de la Comisión, de 26 de marzo de 2019, ha quedado registrada la propuesta de iniciativa ciudadana titulada «#NewRightsNow – Reforzar los derechos de los trabajadores "uberizados"», que entre sus principales objetivos persigue que "las plataformas digitales tengan la obligación de abonar unos ingresos mínimos garantizados a los trabajadores 'por cuenta propia' que trabajan para ellos habitualmente". En una línea próxima, también a nivel doctrinal se ha propuesto que, principalmente en el ámbito de la OIT o de la UE a través de una Directiva específica, se elabore un catálogo común de derechos que establezca un mínimo de protección para todos los trabajadores de plataformas, con independencia de que sean laborales o autónomos: entre otros derechos, se incluye el reconocimiento de un salario mínimo y de una protección social en que no siempre sea el autónomo el que soporte la carga de todas las cotizaciones sociales[75].

En mi opinión, en términos generales, estas propuestas que postulan un régimen específico para el trabajo autónomo en plataformas plantean un problema similar al ya comentado respecto a la regulación laboral, aunque soy consciente de que probablemente, en uno y otro caso, tal postura suponga ir a contracorriente de lo que finalmente el futuro acabe por deparar a la vista de todas las iniciativas comentadas. Pese a todo, parto de la idea de que las circunstancias materiales que caracterizan dicha prestación de servicios –competencias de determinación ejercidas por el cliente, in-

---

[74] Respecto a la opinión de la Unión de Profesionales y Trabajadores Autónomos de España (UPTA), *vid.* https://utac.es/las-plataformas-digitales-estan-destrozando-la-figura-del-trabajador-autonomo-economicamente-dependiente/ ; http://www.diariosigloxxi.com/texto-s/mostrar/332314/upta-preparara-informe-juridico-oponerse-autonomo-digital-propone-patronal-plataformas [Consulta 12-9-2019].

[75] *Vid.* las reflexiones de MELLA MÉNDEZ, L., "Los derechos laborales y de protección social de los prestadores de servicios mediante plataformas digitales", en AAVV (Dir. RODRÍGUEZ FERNÁNDEZ, M.L.), *Plataformas digitales y mercado de trabajo.* Madrid, 2019, Ministerio de Trabajo, Migraciones y Seguridad Social, pp. 92-122.

certidumbre de la prestación, …– pueden estar presentes en otros ámbitos de trabajo autónomo distintos al desarrollado en el marco de las plataformas digitales, por lo que también aquí considero que, ante una misma realidad sustancial, no resulta fácil admitir que el instrumento de gestión –de uno u otro alcance tecnológico– acabe actuando como criterio justificativo de diferencias de trato de este alcance; y ello, no sólo desde la perspectiva de los trabajadores en cuanto al nivel de derechos, sino también desde la óptica de las empresas en atención, en este caso, a la posible imposición a las plataformas de cargas adicionales a las del resto de clientes tradicionales con los que los trabajadores autónomos pudieran relacionarse de forma análoga. Ahora bien, lo dicho desde luego no significa ni negar la necesidad de que la legislación aplicable a los trabajadores autónomos, en general, deba ser objeto de revisión, ni restar valor a algunas de las pautas comentadas de cara a esa eventual modificación.

c) Precisamente, el debate sobre el trabajo en plataforma ha servido para reactivar esa reivindicación, dirigida a mejorar las condiciones de empleo y de protección social de los trabajadores autónomos en su conjunto. No es momento aquí de detenerse en el alcance de las posibles modificaciones a introducir, pues el tema requeriría un estudio amplio y detenido, que excede de las pretensiones de este trabajo. No obstante, sí parece oportuno apuntar al menos algunas de las cuestiones sobre las que cabría reflexionar, sobre todo, aquellas que pueden hacerse especialmente sensibles en un contexto en que la digitalización puede expandir la división de los procesos productivos en microtareas, con las consecuencias que ello puede tener en cuanto a continuidad y retribución en el trabajo.

Una de esas cuestiones a repensar desde esta perspectiva es la de la protección social, en relación con la actual configuración del régimen especial de trabajadores autónomos de la Seguridad Social: por un lado, por la controversia y consecuencias que comporta la nota de habitualidad exigida como requisito del concepto de trabajador autónomo y de su acceso a dicha protección[76]; por otro lado, por la conveniencia, a mi juicio, de seguir implementando medidas que contribuyan a una mejor adecuación de las obligaciones de cotización a la realidad y fluctuación del volumen de actividad e ingresos de los trabajadores autónomos –pauta esta ahora incluida en una Recomendación del Consejo de la UE[77]–; y por último, en relación

---

[76] La necesidad de proceder a su estudio ya se reflejó en la D.A. 4ª Ley 6/2017, de 24 de octubre, de Reformas Urgentes del Trabajo Autónomo.

[77] Recomendación del Consejo relativa al acceso a la protección social para los trabajadores por cuenta ajena y los trabajadores por cuenta propia, que insta a los Esta-

con las anteriores, sigue pendiente la figura del trabajador autónomo a tiempo parcial y su correspondiente sistema de cotización (arts. 1.1, 24 y 25.4 LETA), figura de no fácil concreción y cuya aplicación efectiva, de hecho, se ha ido posponiendo de forma sucesiva por el legislador[78]. Asimismo, por lo que se refiere específicamente a los TRADE, probablemente es buen momento para, a partir de los comentarios que suscitó su introducción y la evolución seguida, replantearnos el régimen jurídico de esta categoría, a efectos de corregir aquellos aspectos que resulten insuficientes o disfuncionales, y en su caso, incrementar sus niveles de tutela, sobre todo en aquellas relaciones en que, por sus características, la debilidad contractual o económica del trabajador autónomo pueda ser más acusada –algo que, insisto, puede ocurrir respecto a cualquier tipo de cliente, sea o no plataforma digital–[79].

BIBLIOGRAFÍA

BELTRÁN DE HEREDIA RUIZ, I., "Economía de las plataformas (platform economy) y contrato de trabajo", 2018, en www.iuslabor.org/wp-content/plugins/download-monitor/download.php?id=386

BELTRÁN DE HEREDIA RUIZ, I., "Nueva intervención de la Inspección de Trabajo en los servicios de la economía de las plataformas: el caso Joyners", 26-5-2018, en http://ignasibeltran.com/2018/05/26/nueva-intervencion-de-la-inspeccion-de-trabajo-en-los-servicios-de-la-economia-de-las-plataformas-el-caso-joyners/

CALVO GALLEGO, F.J., "Uberpop como servicio de la sociedad de la información o como empresa de transporte: su importancia para y desde el Derecho del Trabajo", en AAVV (Dir. RODRÍGUEZ-PIÑERO ROYO, M.C. y HERNÁNDEZ BEJARANO, M.), *Economía colaborativa y trabajo en plataforma: realidades y desafíos*, Albacete, 2017, Bomarzo.

---

dos miembros a que garanticen "que el cálculo de las cotizaciones y los derechos de protección social de los trabajadores por cuenta propia se basen en una evaluación objetiva y transparente de su base de ingresos, lo que incluye tener en cuenta las fluctuaciones de sus ingresos, y reflejen sus ingresos reales".

[78]   Cfr. D.A. 2ª RD-Ley 28/2018, de 28 de diciembre. Sobre esta problemática, *vid.* TODOLÍ SIGNES, A., "El trabajo…", cit., TOL6.082.960; MERCADER UGUINA, J.R., "El nuevo modelo de trabajo autónomo en la prestación de servicios a través de plataformas digitales", *Diario La Ley* nº 9, 11 de julio de 2017, pp. 11-12; y "Los TRADES…", cit., pp. 114-115; GOERLICH PESET, J.M., "Digitalización, robotización y protección social", *Teoría & Derecho*, 2018, nº 23, pp. 118-121.

[79]   Algunas propuestas de reforma respecto a los TRADE pueden verse en CRUZ VILLALÓN, J., "Las transformaciones…", cit., pp. 44-45, y "El concepto…", cit., pp. 41-44.

CÁMARA BOTÍA, A., "La prestación de servicios en plataformas digitales: ¿trabajo dependiente o autónomo?", *Revista Española de Derecho del Trabajo*, 2019, nº 222, BIB 2019\7752.

CAVAS MARTÍNEZ, F.,"Las prestaciones de servicios a través de las plataformas informáticas de consumo colaborativo: un nuevo desafío para el derecho del trabajo", *Revista de Trabajo y Seguridad Social*, CEF, 2017, nº 406.

CRUZ VILLALÓN, J., "Las transformaciones de las relaciones laborales ante la digitalización de la economía", *Temas Laborales*, 2017, nº 138.

CRUZ VILLALÓN, J., "El concepto de trabajador subordinado frente a las nuevas formas de empleo", *Revista de Derecho Social*, 2018, nº 83.

GARCÍA QUIÑONES, J.C., "Economía colaborativa y 'dodecafonismo judicial': El caso Glovo", *Derecho de las Relaciones Laborales*, 2019, nº 1, EDC 2019/501376.

GARCÍA RUBIO, M.A., "La prestación de servicios a través de plataformas digitales: ¿nuevas cuestiones y soluciones jurídicas desde la perspectiva del derecho del trabajo?", en AAVV (Coord. LÓPEZ BALAGUER, M.), *Descentralización productiva y transformación del derecho del trabajo*, Valencia, 2018, Tirant lo Blanch.

GARCÍA RUBIO, M.A., "El empleo y la relación laboral en el nuevo horizonte tecnológico: una visión transversal sobre los efectos de la digitalización", *Teoría & Derecho*, 2018, nº 23.

GARCÍA RUBIO, M.A., "Portales digitales de empleo y agencias de colocación: Puntos de intersección y de indefinición normativa", *Derecho de las relaciones laborales*, 2019, nº 7.

GINÉS I FABRELLAS, A., "Crowdsourcing: una modalidad jurídicamente inviable de externalización productiva en el nuevo entorno digital", *Anuario IET de trabajo y relaciones laborales. Presente y futuro del trabajo*, 2018, vol. 5.

GINÉS I FABRELLAS, A., "Diez retos del trabajo en plataformas digitales para el ordenamiento jurídico-laboral español", *Revista de Trabajo y Seguridad Social. CEF*, 2018, nº 425-426.

GINÉS I FABRELLAS, A. y GÁLVEZ DURÁN, S., "Sharing economy vs uber economy y las fronteras del Derecho del Trabajo: la (des)protección de los trabajadores en el nuevo entorno digital", *InDret*, 2016, nº 1.

GOERLICH PESET, J.M., "Digitalización, robotización y protección social", *Teoría & Derecho*, 2018, nº 23.

GOERLICH PESET, J.M. y GARCÍA RUBIO, M.A., "Indicios de autonomía y de laboralidad en los servicios de los trabajadores en plataforma", en AAVV (Dir. PÉREZ DE LOS COBOS, F.), *El trabajo en plataformas digitales. Análisis sobre su situación jurídica y regulación futura*, Madrid, 2018, Wolters Kluwer.

GONZÁLEZ ORTEGA, "Trabajo asalariado y trabajo autónomo en las actividades profesionales a través de las plataformas informáticas", *Temas Laborales*, 2017, n° 138.

HARRIS, S.D. y A.B. KRUEGER (2015): «A Proposal for Modernizing Labor Laws for Twenty-First-Century Work: The 'Independent Worker'», *The Hamilton Project*, Discussion Paper 2015-10.

HERNÁNDEZ BEJARANO, M., "El apoyo europeo al modelo de economía colaborativa: algunas cuestiones y propuestas para afrontar una regulación laboral y de seguridad social", *Revista Española de Derecho del Trabajo*, 2016, n° 192, BIB 2016\85594.

LÓPEZ BALAGUER, M., "Los «riders» de Deliveroo son trabajadores", *Revista Española de Derecho del Trabajo*, 2018, n° 213.

MELLA MÉNDEZ, L., "Los derechos laborales y de protección social de los prestadores de servicios mediante plataformas digitales", en AAVV (Dir. RODRÍGUEZ FERNÁNDEZ, M.L.), *Plataformas digitales y mercado de trabajo*, Madrid, 2019, Ministerio de Trabajo, Migraciones y Seguridad Social.

MERCADER UGUINA, J.R., "El nuevo modelo de trabajo autónomo en la prestación de servicios a través de plataformas digitales", *Diario La Ley* n° 9, 11 de julio de 2017.

MERCADER UGUINA, J.R., "Los TRADES en las plataformas digitales", en AAVV (Dir. PÉREZ DE LOS COBOS, F.), *El trabajo en plataformas digitales. Análisis sobre su situación jurídica y regulación futura*, Madrid, 2018, Wolters Kluwer.

OJEDA AVILÉS, A., "Ajenidad, dependencia o control: la causa del contrato", *Tribuna Social*, 2007, n° 195.

RODRÍGUEZ FERNÁNDEZ, M.L., "Calificación jurídica de la relación que une a los prestadores de servicios con las plataformas digitales", en AAVV (Dir. RODRÍGUEZ FERNÁNDEZ, M.L.), *Plataformas digitales y mercado de trabajo*, Madrid, 2019, Ministerio de Trabajo, Migraciones y Seguridad Social.

RODRÍGUEZ-PIÑERO ROYO, M.C., *La presunción de existencia del contrato de trabajo*, Madrid, 1995, Civitas.

SÁNCHEZ-URÁN AZAÑA, M.Y., "Las fronteras del contrato de trabajo y sistema de indicios de laboralidad", *Revista del Ministerio de Trabajo, Migraciones y Seguridad Social*, 2019, n° 143, en https://eprints.ucm.es/56475/1/Concepto%20de%20 trabajador.pdf

TODOLÍ SIGNES, A., *El trabajo en la era de la economía colaborativa*, Valencia, 2017, Tirant lo Blanch, TOL6.082.960, TOL6.082.961 y TOL6.082.962.

TODOLÍ SIGNES, A., "Comentario a la Sentencia sobre los riders de GLOVO: ¿existe una presunción de "extralaboralidad"?", 19-9-2018, en https://adriantodoli.com/2018/09/19/comentario-a-la-sentencia-sobre-los-riders-de-glovo-existe-una-presuncion-de-extralaboralidad/ .

TODOLÍ SIGNES, A., "Plataformas digitales y concepto de trabajador: una propuesta de interpretación finalista", *Lan Harremanak*, 2019, nº 41.

TODOLÍ SIGNES, A., "El TSJ de Madrid confirma Sentencia declarando a un rider verdadero AUTÓNOMO", 7-10-2019, en https://adriantodoli.com/2019/10/07/el-tsj-de-madrid-confirma-sentencia-declarando-a-un-rider-verdadero-autonomo/

IV. POLÍTICA DE EMPLEO Y NUEVAS TECNOLOGÍAS

Nuria P. García Piñeiro

*Profesora Titular Derecho del Trabajo
y de la Seguridad Social, Facultad de Derecho, UCM*

SUMARIO: 1. INTRODUCCIÓN. 2. LOS INSTRUMENTOS JURÍDICOS SOBRE POLÍTICA DE EMPLEO Y NUEVAS TECNOLOGÍAS. 2.1. Los instrumentos internacionales. 2.1.1. La Recomendación de la OIT núm. 169 sobre política de empleo. 2.1.2. La Declaración del Centenario de la OIT. 2.2. Los instrumentos europeos. 2.2.1. La Estrategia Europa 2020. 2.3. Los instrumentos nacionales. 2.3.1. La Ley de Empleo. 2.3.2. La Estrategia Española de Activación para el Empleo. 4. LA INCIDENCIA DE LAS NUEVAS TECNOLOGÍAS EN LOS OBJETIVOS E INSTRUMENTOS DE LA POLÍTICA DE EMPLEO. 3.1. La formación profesional para el empleo y nuevas tecnologías. 4. PROPUESTA DE MEDIDAS DE POLÍTICA DE EMPLEO EN UN CONTEXTO TECNOLÓGICO. 5. CONCLUSIONES. BIBLIOGRAFÍA

1. INTRODUCCIÓN

A principios de los años 90 del pasado siglo el profesor Pérez de los Cobos Orihuel fue pionero en España a la hora de abordar las repercusiones de la introducción de las nuevas tecnologías en la relación individual de trabajo, y sostenía que la relación individual era el "terreno en el que las líneas de cambio *parecían* manifestarse con mayor claridad que el de las relaciones colectivas"[1]. Después de 30 años la incidencia de las nuevas tecnologías en el actual Derecho del Trabajo exige y permite abordar sus repercusiones en una amplia pluralidad de relaciones jurídicas: en la relación individual, en las relaciones colectivas, en las relaciones de seguridad social, en las relaciones de prevención de riesgos laborales, y en las relaciones de empleo[2]. El presente capítulo aborda las nuevas tecnologías

---

[1] PÉREZ DE LOS COBOS ORIHUEL, F., *Nuevas Tecnologías y Relación de Trabajo*, Tirant lo Blanch, Valencia, 1990, pág. 15.

[2] MONTOYA MELGAR, A., sigue enmarcando las relaciones de empleo dentro de las relaciones jurídicas reguladas por el Derecho del Trabajo, *Derecho del Trabajo*, 40ª ed., Tecnos, Madrid, 2019, pág. 38. MARTÍN VALVERDE, A./RODRÍGUEZ-SAÑUDO GUTIERREZ, F./GARCÍA MURCIA, J., mantienen una posición más avanzada al sostener que en la actualidad las dimensiones y las características normativas de los institutos ju-

y la política de empleo, en una obra colectiva dedicada al impacto de las nuevas tecnologías en el Derecho del Trabajo, con ocasión del homenaje que un nutrido grupo de laboralistas rinden al profesor Pérez de los Cobos con ocasión del 25 aniversario de su cátedra.

Las nuevas tecnologías se ceñían en los años 90 del pasado siglo a las Tecnologías de la Información y la Comunicación (denominadas TIC), pero a día de hoy las TIC se ven acompañadas de múltiples avances tecnológicos en la era de la digitalización (informática en la nube, big data, aplicaciones móviles, geolocalización, internet de las cosas, robotización) que están produciendo profundos cambios en el Derecho del Trabajo, y por ende en el ámbito del empleo y del mercado de trabajo[3].

Sin necesidad de abrazar posturas tecno-pesimistas, que auguran la pérdida de empleo sin precedentes, ni posturas tecno-optimistas, que preconizan la creación de puestos de trabajo también sin precedentes, de lo que no cabe ninguna duda es que las nuevas tecnologías están cambiando a escala global la manera de trabajar y las formas de empleo, llegando a hablarse de "trabajo virtual"[4], "nativo digital", "inmigrante digital", o "intermediación laboral virtual".

Dejando al margen la importancia cuantitativa del impacto de las nuevas tecnologías en el empleo, las transformaciones en el empleo están siendo muy acusadas desde el punto de vista cualitativo, sobre todo en el ámbito de la organización del trabajo en la empresa y de la cualificación y

---

rídicos laborales que regulan las relaciones de empleo permite la consideración de los mismos bajo la rúbrica de "Derecho del empleo", *Derecho del Trabajo*, 28ª ed., Tecnos, Madrid 2019, pág. 51. En este sentido, SALA FRANCO, T., anticipaba la posibilidad de considerar el Derecho del Empleo como una rama autónoma del Derecho del Trabajo, y al respecto señalaba que "podría pensarse en un Derecho del empleo como rama del Derecho del Trabajo con personalidad propia, aunque claramente interrelacionado con éste último", "Datos para una caracterización material del Derecho del Trabajo", Cuadernos de Derecho del Trabajo, núm. 0, 1974, pág. 10

[3]   Sobre las repercusiones de la nueva revolución tecnológica en el ámbito de las relaciones laborales y de empleo, véase, GOERLICH PESET, J.M. "¿Repensar el derecho del trabajo? Cambios tecnológicos y empleo", Gaceta Sindical, núm. 27, 2016, págs. 173-190; MERCADER UGUINA, J.R., *El futuro del trabajo en la era de la digitalización y la robótica*, Tirant lo Blanch, Valencia 2017; AA.VV., *Tecnologías de la información y comunicación en las relaciones de trabajo: nuevas dimensiones del conflicto jurídico*, (dir.: C. San Martín Mazzucconi), Eolas, León, 2014; ÁLVAREZ CUESTA, H., *El futuro del trabajo vs. el trabajo del futuro*, Colex, 2017.

[4]   Véase, VALENDUC, G./VENDRAMIN, P., "Le travail virtuel: nouvelles formes de travail et d'emploi dans economie digitale", Fondation Travai-Universite, mars, 2016, citado por CEDROLA SPREMOLLA, G., op. cit.

formación de los trabajadores[5]. Todos estos cambios han exigido y siguen exigiendo a los protagonistas de las relaciones laborales, y de manera especial a los poderes públicos, implementar medidas de acompañamiento en el ámbito del Derecho del Trabajo, y de forma señalada en el ámbito del empleo.

El mundo del trabajo está en plena transformación, y las nuevas tecnologías se han convertido en una de las principales características del futuro del trabajo. Al respecto puede compartirse la afirmación de que "futuro y técnica *son* realidades indisolubles", pero con la salvedad de que la gran diferencia de la actual revolución tecnológica con las que le precedieron es la velocidad de los cambios y la velocidad con que afectan a la realidad social y económica[6].

Las nuevas tecnologías están transformando el mercado de trabajo y del empleo, ya que surgen nuevos empleos y profesiones que exigen el dominio de las mismas. Los trabajadores y las empresas deben aprovechar al máximo las oportunidades que les brindan las nuevas tecnologías, y los poderes públicos deben abordarlas para evitar los efectos negativos e indeseados, y para aprovechar los retos y las oportunidades que ofrecen.

Las nuevas tecnologías son un elemento determinante para la mejora de la competitividad, la productividad, el crecimiento económico y de empleo, además afectan a todos los sectores de la economía e influyen cada vez más en las condiciones de trabajo y empleo de más trabajadores. Las consecuencias de la introducción de las nuevas tecnologías en las condiciones de trabajo y empleo son complicadas y de largo alcance, y *a priori* resulta difícil instrumentar las políticas de empleo adecuadas. El trabajo pretende responder a los múltiples interrogantes que plantean las nuevas tecnologías en el ámbito de la política de empleo, y al respecto puede avanzarse ya que existe un consenso generalizado en la relevancia de la formación para hacer frente al reto de las nuevas tecnologías[7].

---

[5]   Sobre la sociedad de la información y los cambios en el empleo, véase, MIEDES UGARTE, B., "Sociedad de la información y exclusión socio-laboral: una reflexión en torno a los efectos de las NTIC en el campo de la inserción socio-económica", Trabajo: Revista iberoamericana de relaciones laborales, núm. 10, 2001, (ejemplar dedicado a Políticas de Empleo), págs. 193-195.

[6]   MERCADER UGUINA, J.R., El futuro del trabajo en la era de la digitalización y la robótica, Tirant lo Blanch, Valencia 2017, pág. 19 y sigs.

[7]   Por todos, el Informe sobre el Empleo en el Mundo 2001. La vida en el trabajo en la economía de la información, OIT, Ginebra 2001, señala que "el acceso a las tecnologías y la garantía de que los trabajadores adquieran la formación y las destrezas

2. LOS INSTRUMENTOS JURÍDICOS SOBRE POLÍTICA DE EMPLEO Y NUEVAS TECNOLOGÍAS

Los instrumentos jurídicos de política de empleo en cualquiera de los niveles –mundial, europeo y nacional– llevan dando desde hace tiempo respuesta a las nuevas tecnologías, regulando la realidad social del empleo en momentos de continuo y progresivo avance tecnológico.

2.1. Los instrumentos internacionales

La Organización Internacional del Trabajo ha mostrado desde sus inicios una preocupación por normar la realidad social del empleo, y en el mismo año de su creación se aprobó el Convenio núm. 2 sobre el desempleo. Otros convenios posteriores se encargan de regular el servicio de empleo (Convenio núm. 88 de 1948), y las agencias retribuidas de colocación (Convenio núm. 96 de 1949).

En 1964 el Convenio núm.122 regula de manera monográfica la política de empleo, y en lo que atañe a las tecnologías omite toda referencia a las mismas. No obstante, ese mismo año la propia Recomendación núm. 122 sobre política de empleo hace referencia a las tecnologías a la hora de establecer que deberían elaborarse y aplicarse medidas para evitar la aparición y la extensión del desempleo o del subempleo causado por cambios estructurales, entre otros, las nuevas técnicas de producción. A su vez, la citada Recomendación señala, que el doble objetivo de las medidas de adaptación a los cambios estructurales debería ser el de obtener las mayores ventajas del progreso económico y tecnológico[8].

2.1.1. La Recomendación de la OIT núm. 169 sobre política de empleo

Veinte años después la Recomendación de la OIT núm. 169 sobre política de empleo (disposiciones complementarias) de 1984 otorga una especial importancia a las tecnologías, y reconoce a las políticas tecnológicas

---

necesarias para utilizarlas constituyen los objetivos fundamentales que los países han de considerar al formular sus políticas", véase, https://www.ilo.org.

[8]   En este sentido, la citada Recomendación de la OIT otorga una lugar destacado a las tecnologías en la promoción del empleo industrial, y al efecto señala que "todo país miembro de la OIT debería examinar los medios de aumentar el empleo, teniendo en cuenta las exigencias técnicas".

como pieza esencial de las políticas de empleo[9]. Al respecto señala que uno de los principales elementos de toda política nacional debería ser el de facilitar el desarrollo de tecnologías como medio de aumentar la productividad y la creación de oportunidades de empleo. Además sostiene que las políticas tecnológicas deberían contribuir a mejorar las condiciones de trabajo y a la reducción del tiempo de trabajo, e incluir medidas para evitar que disminuya el número de empleos[10]. La citada Recomendación prevé la adopción de medidas en una triple dirección para encajar y facilitar el desarrollo de las políticas tecnológicas. Así, se prevén medidas por parte de los estados, de la representación de los trabajadores y empresarios y, de las propias empresas.

En primer lugar, la OIT prevé que los países se esfuercen en adoptar medidas adecuadas para que los sistemas de enseñanza y de formación, incluidos los de readaptación profesional, ofrezcan a los trabajadores suficientes posibilidades de adaptarse a los cambios del empleo que origine el cambio tecnológico; se preste especial atención a la mejor utilización posible de las competencias y destrezas existentes en el presente y en el futuro; se eliminen los efectos negativos del cambio tecnológico en las condiciones de trabajo y de vida y la seguridad e higiene en el trabajo, especialmente tomando en cuenta consideraciones relativas a la ergonomía, la seguridad y la higiene[11].

---

[9] En el apartado IV, junto a la política de población, el empleo de jóvenes y de grupos y personas desfavorecidos, sector no estructurado, pequeñas empresas, desarrollo de la política regional, cooperación económica internacional y empleo, y migraciones internacionales y empleo.

[10] A mayor abundamiento, la citada Recomendación señala que los países deberían fomentar investigaciones sobre la selección, adopción y desarrollo de nuevas tecnologías y sobre el efecto de las nuevas tecnologías en el volumen y estructura del empleo, las condiciones de empleo, la formación, el contenido del trabajo y las aptitudes requeridas, cfr. ap. 21 de la Recomendación de la OIT sobre política de empleo (disposiciones complementarias), 1984 (núm. 169).

[11] La preocupación de los estados por las relaciones entre el empleo y las nuevas tecnologías se materializó en la Conferencia Internacional del Trabajo de 1984 en la que se aprobó la citada Recomendación, y al efecto se planteó por parte de algunos estados la resolución relativa a las repercusiones de las nuevas tecnologías sobre el empleo, y la CIT pidió a los gobiernos de los estados miembros que tomaran "las medidas necesarias para asegurar la *formación continua y la readaptación* a fin de elevar la cualificación de los trabajadores, en particular de las trabajadoras, necesaria para las transformaciones digitales, y que *prestaran* atención muy especial a la identificación de los *riesgos para la salud* que se deriven de la introducción de las nuevas tecnologías y que desarrollen medidas preventivas y de protección apropiadas…". Cfr. Actas de la 70ª Conferencia Internacional del Trabajo, Ginebra 1984, págs.. 47-48, Labordoc ILO Digital Repository.

En segundo lugar, la OIT prevé el reconocimiento a las organizaciones representativas de trabajadores y empresarios de un papel importante en materia de políticas tecnológicas. Así, se debería mejorar la consulta entre las organizaciones interesadas en las nuevas tecnologías y las organizaciones representativas de trabajadores y empresarios. Estimular a las organizaciones de trabajadores y de empresarios a contribuir a la difusión de informaciones generales acerca de las opciones tecnológicas, a promover nexos de orden tecnológico entre las grandes y las pequeñas empresas, a establecer los programas de formación pertinentes, y a celebrar convenios colectivos a nivel nacional, sectorial o industrial respecto de las consecuencias de la introducción de nuevas tecnologías.

En tercer lugar, la OIT considera que se debería estimular a las empresas que introduzcan cambios tecnológicos con consecuencias importantes para los trabajadores a que asocien a los trabajadores o/y a sus representantes a la planificación, introducción y utilización de las nuevas tecnologías, y que les informen acerca de las posibilidades y efectos de esas nuevas tecnologías y les consulten con el fin de llegar a acuerdos. Estimular a las empresas a que favorezcan una mejor organización del tiempo de trabajo y una mejor repartición del empleo, a que prevengan y mitiguen en el mayor grado posible cualquier efecto adverso del cambio tecnológico sobre los trabajadores. Y, a que promuevan la inversión en tecnologías que favorezcan directa o indirectamente la creación de empleos y contribuyan a un incremento progresivo de la producción y a la satisfacción de las necesidades esenciales de la población.

De lo dicho hasta aquí puede afirmarse que la Organización Internacional del Trabajo parte de la base de que los estados, los trabajadores, los empresarios y sus organizaciones, además de las empresas, están llamados a ejercer su influencia en materia de política de empleo en la aplicación de las nuevas tecnológicas.

2.1.2. La Declaración del Centenario de la OIT

Recientemente, el informe de la Comisión Mundial sobre el Futuro del Trabajo[12] encargada de realizar un examen a fondo del futuro del trabajo, que sirva de base para cumplir con el mandato en materia de justicia social de la

---

[12] "Trabajar para un futuro más prometedor", Informe de la Comisión Mundial sobre el Futuro del Trabajo, OIT, Ginebra, 2019. Repárese en que los avances tecnológicos y las nuevas tecnologías impregnan todo el informe de la Comisión, desde igualdad de género hasta tiempo de trabajo, representación de trabajadores y empresarios, bienestar del trabajador, aprendizaje permanente, etc.

OIT en el siglo XXI, sitúa a las tecnologías en un lugar preferente en el debate sobre el futuro del trabajo. Al efecto, sostiene que las transformaciones en el mundo del trabajo exigen que se fortalezcan las instituciones del trabajo, y señala expresamente a "la tecnología para el trabajo decente" junto al establecimiento de una "Garantía Laboral Universal", la ampliación de la "soberanía sobre el tiempo", y "revitalizar la representación colectiva". El informe exhorta de forma expresa "al uso de la tecnología en aras del trabajo decente y bajo control humano", y afirma que "el programa centrado en las personas requiere que se preste una atención igualmente urgente –y complementaria– al papel más general de la tecnología para promover el trabajo decente"[13].

En materia de política de empleo –y en conexión con la Recomendación anteriormente estudiada– el informe recomienda a los gobiernos, y a los organizaciones de trabajadores y empresarios, que hagan un seguimiento del impacto de las nuevas tecnologías en el trabajo, y orienten el desarrollo de las mismas de forma que se respete la dignidad de los trabajadores. Añadiendo que consideren la posibilidad de adoptar nuevas normativas en este sentido[14].

En los últimos tiempos la OIT más allá de su actividad normativa de convenios y recomendaciones, ha aprobado determinadas declaraciones que pretenden reforzar la efectividad en el cumplimiento de las normas internacionales del trabajo. En relación con la cuestión objeto de estudio, la Declaración del Centenario de la OIT para el Futuro del Trabajo subraya la importancia que las innovaciones tecnológicas tienen en la transformación radical del mundo del trabajo, y la Conferencia Internacional del Trabajo declara que la OIT debe orientar sus esfuerzos a "aprovechar todo el potencial del progreso tecnológico y el crecimiento de la productividad, inclusive mediante el diálogo social, para lograr trabajo decente y desarrollo sostenible y asegurar la dignidad, la realización personal y una distribución equitativa de los beneficios para todos"[15].

2.2. *Los instrumentos europeos*

Una de los primeros aspectos a subrayar en materia de política de empleo es la limitada soberanía que los Estados miembros de la UE tienen a

---

[13] "Trabajar para un futuro más prometedor", cit., pág. 45.
[14] "Trabajar para un futuro más prometedor", cit., pág. 47.
[15] La Declaración fue adoptada en la 108ª Reunión de la Conferencia Internacional del Trabajo celebrada los días 10-21 de junio de 2019.

la hora de definir el marco normativo de su política. Al efecto, el Tratado de Funcionamiento de la Unión Europea consagra la coordinación de
las políticas económicas y de empleo[16], y contempla en el Título IX sobre
Empleo un procedimiento anual para la coordinación de la política de
empleo.

Como consecuencia del Tratado de Amsterdam, el Consejo Europeo de
Luxemburgo de 1997 adoptó la Estrategia Europea de Empleo que estableció el marco común para la dirección de las políticas de empleo, para
asegurar la coordinación de las prioridades de estas políticas. En materia
de nuevas tecnologías, el Consejo de Luxemburgo pidió a la Comisión que
evaluara las consecuencias de la sociedad de la información para el empleo y la formación. Un año después el informe de la Comisión[17] examinó
las repercusiones que la sociedad de la información estaba teniendo en el
empleo en la UE, y del citado informe se desprende que en la Europa de
los finales de los 90 "la empleabilidad y la dinamización de la economía
europea se condicionan al desarrollo de las nuevas tecnologías"[18].

La importancia de las nuevas tecnologías sobre el empleo se pone de
manifiesto en las sucesivas Conclusiones de los Consejos Europeos. Así, las
Conclusiones del Consejo Europeo de Helsinki de 1999 subraya que "la
Unión y los estados miembros deben promover activamente un uso más
extendido de la nuevas tecnologías y desarrollar la sociedad de la información para apoyar la competitividad, el empleo y la cohesión social". En el
año 2000, en el Consejo Europeo de Lisboa, la Unión Europea actualizó la
Estrategia Europea de Empleo mediante el establecimiento de unos objetivos a medio plazo, y propuso como objetivo estratégico para la próxima
década tener una economía basada en el conocimiento más competitiva y
dinámica, en un contexto de crecimiento económico sostenible con más y
mejores empleos y una mayor cohesión social. Al efecto, las conclusiones

---

[16] Art. 2.3 TFUE Los Estados miembros coordinarán sus políticas económicas y de empleo según las modalidades establecidas en el presente Tratado, para cuya definición
la Unión dispondrá de competencia. Y el art. 5.3 añade que la Unión tomará medidas
para garantizar la coordinación de las políticas de empleo de los Estados miembros, en
particular definiendo las orientaciones de dichas políticas. Sobre el tema, véase, CRIS-
TÓBAL RONCERO, R., "Políticas de empleo en la Unión Europea", RMTAS, núm. 33,
2001, pág. 33 y sigs.

[17] Oportunidades de empleo en la Sociedad de la Información: explotar el capital de la
revolución de la información, Informe de la Comisión Europea dirigido al Consejo
Europeo COM(1998) 590 final – Es, Bruselas.

[18] GÓMEZ URQUIJO, L. "Las nuevas tecnologías como instrumento de la política de
empleo de la UE", en Derecho y nuevas tecnologías, vol. 3, 2011, pág. 2.

de la presidencia del Consejo Europeo de Lisboa señala que "el paso a una economía digital, basada en el conocimiento ... será un poderoso motor para el crecimiento, la competitividad y el empleo. ... Para aprovechar al máximo esta oportunidad, se invita al Consejo y a la Comisión a que preparen un Plan de Acción global *e*Europe que se presentará al Consejo Europeo en junio de este año, utilizando un método abierto de coordinación basado en una evaluación comparativa de las iniciativas nacionales, combinada con la reciente iniciativa de la Comisión *e*Europe y su comunicación titulada "Estrategias para la creación de empleo en la sociedad de la información". En este punto se ha afirmado de forma acertada que el reto de las nuevas tecnologías define la Estrategia Europea para la formación y para el empleo[19]. Posteriormente, la Recomendación del Consejo de 19 de enero de 2001, sobre la aplicación de las políticas de empleo de los Estados miembros, aborda el problema del mercado de trabajo desde una triple perspectiva, incluida, el apoyo al desarrollo de las tecnologías de la información.

Las nuevas tecnologías también es una de las líneas maestras del relanzamiento de la Estrategia de Lisboa de 2005 que propugna "más crecimiento", en términos de "fomento de la innovación y el desarrollo tecnológico, del conocimiento y la investigación, así como el uso y difusión de las TIC". Asimismo, las Directrices integradas para el crecimiento y el empleo (2005-2008) recogen como directriz microeconómica, facilitar la difusión y la utilización eficiente de las tecnologías de la información y la comunicación (TIC) y crear una sociedad de la información plenamente integradora (9ª)[20].

2.2.1. La Estrategia Europa 2020

En 2010 la Comisión propuso establecer una nueva estrategia para la próxima década, conocida como "la Estrategia Europa 2020", que permita a la Unión emerger más fuerte de la crisis y orientar su economía hacia un crecimiento inteligente, sostenible e inclusivo que vaya parejo con un nivel elevado de empleo, productividad y cohesión social. La Estrategia Europea 2020 aprobada por el Consejo Europeo celebrado en junio de 2010

---

[19]   GÓMEZ URQUIJO, L. "Las nuevas tecnologías como instrumento de la política de empleo de la UE", en Derecho y nuevas tecnologías, vol. 3, 2011, pág. 2.

[20]   Sobre la EEE, véase, DE PABLOS, J.C./MARTÍNEZ, A., "La Estrategia Europea de Empleo: historia, consolidación y claves de interpretación", RMTIN, núm. 77, 2008, pág. 105 y sigs.

adopta una nueva estrategia para el empleo y un crecimiento inteligente, sostenible e integrador, y sirve de marco de referencia para la coordinación de las políticas económicas y sociales de la UE. Los objetivos de la EE 2020 reciben el apoyo de siete iniciativas emblemáticas, dos de las cuales tienen su proyección en el ámbito de las nuevas tecnologías, la relativa a la Unión por la innovación, y una agenda para nuevas cualificaciones y empleos.

La Estrategia subraya la importancia de las TIC para el crecimiento económico y para la creación de nuevos empleos, además, es fácil advertir la relación directa entre las TIC y productividad, competitividad y oportunidades para la innovación[21]. La "Europa 2020"[22] se sustenta en un conjunto integrado de políticas europeas y nacionales que los Estados miembros y la Unión habrán de aplicar plenamente y a su debido tiempo, a fin de aprovechar los efectos positivos de unas reformas estructurales coordinadas y una contribución más coherente de las políticas europeas a los objetivos de la Estrategia.

Las orientaciones constituyen un marco para que los Estados miembros conciban, apliquen y supervisen políticas nacionales en el contexto de la estrategia general de la UE. La Estrategia Europa 2020 se apoya inicialmente en un conjunto reducido de orientaciones que sustituyen a las 24 anteriores de la Estrategia de Lisboa y que tratan de manera coherente los temas relacionados con el empleo y con la política económica general[23]. Las orientaciones para las políticas de empleo de los Estados miembros son coherentes con las orientaciones generales para las políticas económicas de los Estados miembros y de la Unión, y juntas conforman las orientaciones integradas para la aplicación de la Estrategia Europa 2020 ("orientaciones integradas "Europa 2020").

En 2015 el Consejo de Ministros de Empleo de la UE adoptó una versión revisada de las orientaciones para las políticas de empleo, que, junto con las orientaciones generales para las políticas económicas establecidas en la Recomendación del Consejo del 14 de julio de 2015[24], constituyen con-

---

[21]   Al respecto, FEIJOO, C., "Una perspectiva de la función de las TIC en crecimiento y empleo dentro del marco de la economía europea del conocimiento", en El empleo y la dimensión social en la estrategia UE-2020, MTIN, 2010, señala que el vínculo con el empleo es mucho más complejo, pág. 66 y sigs.

[22]   http://data.consilium.europa.eu/doc/document/ST-13-2010-INIT/es/pdf

[23]   Sobre la Estrategia Europea 2020 veáse, RODRÍGUEZ CRESPO, M.J., "Políticas activas de empleo y estrategia española: las innovaciones", REDT, núm. 178, https://westlaw.es, p. 3 y ss.

[24]   Recomendación (UE) 2015/1184 del Consejo, de 14 de julio de 2015, relativa a las orientaciones generales para las políticas económicas de los Estados miembros y de la Unión Europea (DO L 192 de 18.7.2015).

juntamente las Orientaciones Integradas para la aplicación de la Estrategia Europa 2020, que vienen a reformular las vigentes entre 2010 y 2015. La revisión de 2015 modifica el conjunto de las orientaciones, que se reducen de diez a ocho, de las cuales cuatro corresponden a las orientaciones para las políticas económicas y cuatro para las políticas de empleo. Además, a partir de 2015 y a raíz de las tensiones sociales y políticas generadas por las últimas crisis, las iniciativas de la llamada Comisión Juncker apelan a la necesidad de desplegar nuevos derechos sociales en el futuro en el contexto de la digitalización para adecuarse a la evolución del mundo laboral[25]. En 2017 se aprobó el Pilar Europeo de Derechos Sociales que expresa el compromiso de los países de trabajar por una Europa más social, además añade nuevos principios que pretenden afrontar los retos que se derivan de los desarrollos sociales, tecnológicos y económicos.

En la actualidad y en el terreno específico del empleo, las orientaciones para las políticas de empleo de 2019 se centran en impulsar la demanda de mano de obra (n° 5); aumentar la oferta de trabajo y mejorar el acceso al empleo, las capacidades y las competencias (n° 6); mejorar el buen funcionamiento de los mercados de trabajo y la eficacia del diálogo social (n° 7); promover la igualdad de oportunidades para todos, fomentar la integración social y combatir la pobreza (n° 8)[26]. La 6ª orientación apela al contexto de los cambios tecnológicos, junto a los medioambientales y demográficos, para demandar de los estados miembros en colaboración con los interlocutores sociales "la promoción de la productividad y la empleabilidad mediante una oferta adecuada de conocimientos, capacidades y competencias a lo largo de la vida laboral que respondan a las necesidades actuales y futuras del mercado de trabajo[27]".

---

[25] Tanto el *Libro Blanco sobre el futuro de Europa. Reflexiones y escenarios para la Europa de los veintisiete en 2025*, Comisión Europea COM(2017) 2025 de 1 de marzo de 2017, como el *Documento de reflexión sobre la dimensión social de Europa*, Comisión Europea COM(2017) 206 de 26 de abril de 2017, son una buena referencia para ver la evolución de la política de empleo en la UE.

[26] La Decisión (UE) 2019/1181 del Consejo de 8 de julio de 2019 relativa a las orientaciones para las políticas de empleo de los Estados miembros, mantiene para 2019 las orientaciones para las políticas de empleo de los Estados miembros establecidas en el anexo de la Decisión (UE) 2018/1215, de 16 de julio de 2018, y se tendrán en cuenta por los Estados miembros en sus políticas de empleo.

[27] Y añade que "Los Estados miembros deben realizar las inversiones necesarias en educación y formación, tanto iniciales como continuas (aprendizaje permanente). Deben trabajar junto con los interlocutores sociales, los proveedores de educación y formación, las empresas y otras partes interesadas para abordar las debilidades estructurales de los sistemas de educación y de formación y proporcionar una educación, una for-

Por último es importante advertir, tal y como señala la citada Decisión UE relativa a las recomendaciones para las políticas de empleo, que las orientaciones deben tenerlas en cuenta los estados miembros en sus políticas de empleo y programas de reformas. No obstante, es importante resaltar que aunque éstas se dirigen a los Estados miembros y a la Unión, "su aplicación debe hacerse conjuntamente con las autoridades nacionales, regionales y locales, y en estrecha colaboración con los parlamentos, así como con los interlocutores sociales y los representantes de la sociedad civil".

2.3. *Los instrumentos nacionales*

De conformidad con lo dispuesto en la Ley de Empleo los instrumentos jurídicos básicos para la coordinación de la política de empleo en España son la Estrategia Española de Activación para el Empleo, y el Plan Anual de Política de Empleo.

2.3.1. La Ley de Empleo

La Ley 56/2003, de 16 de diciembre, de Empleo *constituye un hito importante en la historia de la ordenación jurídica del mercado de trabajo* en nuestro país, porque hasta ese momento el legislador había sido poco proclive a normar la realidad social del empleo. La ley introduce importantes novedades en nuestro mercado de trabajo derivadas de cambios importantes en el entorno socioeconómico, organizativo y tecnológico, en el que persistía una alta tasa de paro y una baja tasa de ocupación en comparación con la Unión Europea[28]. A la altura de 2003 el mercado de trabajo se había vuelto más complejo y había cambiado el entorno político e institucional con la transferencia de funciones y servicios para la ejecución de las políticas activas a las comunidades autónomas, y con la integración de España en la Unión Europea[29].

---

mación y un aprendizaje permanente inclusivos y de calidad. Deben intentar garantizar la transferencia del derecho a la formación durante las transiciones profesionales; esto debería permitir una mejor anticipación y adaptación de todos a las necesidades del mercado de trabajo y gestionar con éxito las transiciones, reforzando así la resiliencia general a las perturbaciones de la economía...".

[28]   En estos términos se pronuncian MONTOYA MELGAR, A./CRISTÓBAL RONCERO, R., Comentario a la Ley de Empleo (Ley 56/2003, de 16 de diciembre), Thomson-Civitas, 2004, p. 13.

[29]   La Ley Básica de Empleo 51/1980, de 8 de octubre, a diferencia de la Ley 56/2003, de 16 de diciembre, descansaba sobre el monopolio del servicio público de empleo con

La Exposición de Motivos de la Ley señalaba hasta en dos ocasiones la importancia de los cambios experimentados en los últimos años en el entorno o en el contexto tecnológico[30]. Y, añadía como uno de los retos a los que se debía enfrentar la política de empleo, el desarrollo fulgurante de las tecnologías de la información y de la comunicación, junto a factores tan relevantes como la evolución demográfica, el envejecimiento de la población activa, el fenómeno inmigratorio, la nueva orientación de la política social, o la apertura a los agentes privados de los servicios de información, orientación e intermediación. Desde su promulgación en 2003, la Ley de Empleo ha sufrido modificaciones legislativas que no han afectado a la definición sintética de la política de empleo, limitándose a detallar los objetivos e instrumentos de la misma[31]. La Ley fue modificada por las reformas laborales de los años 2010, 2011, 2012 y 2014[32], siendo las de 2011 y 2014 las que introdujeron los cambios más significativos[33].

Todas esas reformas están recogidas en el vigente texto refundido de la Ley de Empleo, aprobada por RD Legislativo 3/2015, de 23 de octubre (en adelante, LE), atendiendo al mandato contenido en el art. Uno. f) de la Ley 20/2014, de 29 de octubre, que autorizó al Gobierno para aprobar un texto refundido en el que se integrasen, debidamente regularizadas, aclaradas y armonizadas, la Ley 56/2003, de 16 de diciembre, de Empleo, y todas las disposiciones legales relacionadas que se enumeran en ese apar-

---

competencia en la totalidad del territorio estatal, y la implantación de políticas activas era muy moderada concibiéndose la protección por desempleo exclusivamente como una prestación económica ante situaciones de falta de trabajo. Tal y como recuerdan MONTOYA MELGAR, A./CRISTOBAL RONCERO, R. op. cit., p. 14, "hubo que esperar hasta 1.997 para que se iniciase el proceso de transferencias de la gestión del INEM sobre colocación, orientación y formación a las Comunidades Autónomas que, a partir de entonces, iniciaron la creación de servicios de empleo autonómicos. Asimismo, a partir de entonces se suscribieron entre el INEM y las Comunidades Autónomas convenios de colaboración destinados a la coordinación de las políticas activas de empleo y las prestaciones por desempleo".

[30]　"A lo largo de los últimos años, el entorno social, económico, organizativo y tecnológico ha experimentado cambios fundamentales", véase, Exposición de Motivos de la Ley 56/2003.

[31]　En este sentido, véase MARTÍN VALVERDE, A., "La naturaleza, los objetivos y el régimen jurídico de la política de empleo", *Comentarios a la Ley de Empleo,* dirs.: Valdés Dal-Ré/Sobrino González, La Ley, 2012, p. 7.

[32]　Ley 35/2010, de 17 de septiembre; el RD-Ley 3/2011, de 18 de febrero; el RD-Ley 14/2011, de 16 de septiembre; la Ley 3/2012, de 6 de julio; la Ley 18/2014, de 15 de octubre.

[33]　Sobre la reforma de las políticas activas de empleo en tiempos de crisis económica, véase, GARCÍA QUIÑONES, J.C., *Políticas activas de empleo durante la crisis económica (2010-2015),* Reus, 2015.

tado, así como las normas con rango de ley que las hubieren modificado y las que, afectando a su ámbito material pudieran aprobarse antes de la aprobación por el Consejo de Ministros del texto refundido. A partir de la aprobación en el mes de octubre de 2015 del texto refundido de la Ley de Empleo puede hablarse ya de una cierta estabilización normativa en el proceso de institucionalización de las políticas de empleo[34], llamando la atención la única referencia a las nuevas tecnologías recogida en el artículo 13 LE y dedicada a los principios de organización y funcionamiento del Sistema Nacional de Empleo[35].

2.3.2. La Estrategia Española de Activación para el Empleo

La coordinación de las políticas de empleo se lleva a cabo principalmente a través de la Estrategia Española de Activación para el Empleo y de los Planes Anuales de Políticas de Empleo. La vigente Estrategia Española de Activación para el Empleo 2017-2020 fue aprobada por el RD 1032/2017, de 15 de diciembre, a propuesta del MEYSS en colaboración con las CCAA y con la participación de los agentes sociales, y configura el marco normativo para la coordinación y ejecución de las políticas activas de empleo en el conjunto del Estado[36]. Respecto del contenido de la Estrategia quizás pueda señalarse la escasa referencia a las nuevas tecnologías, refiriéndose sólo a ellas al abordar la importancia de la digitalización en el objetivo estructural del emprendimiento, y en el objetivo estructural de la formación.

---

[34]   En el mismo sentido, MONEREO PÉREZ, J.L., "Las políticas activas de empleo. Derecho al trabajo y políticas activas de empleo en el marco de la política de empleo", cit., p. 52, señala que el nuevo TRLE viene a producir al menos el efecto óptico de una institucionalización y estabilización normativa de la definición, alcance y sentido jurídico-político de las políticas activas de empleo en el marco más amplio de la política de empleo.

[35]   "El principio de transparencia en el funcionamiento del mercado de trabajo y establecimiento de las políticas necesarias para asegurar la libre circulación de trabajadores por razones de empleo o formación, debe tener como elemento esencial para garantizar este principio, entre otros, el de la calidad en la prestación del servicio con aprovechamiento de las nuevas tecnologías como elemento dinamizador del cambio".

[36]   La primera referencia a la Estrategia Española de Empleo se contiene en el RDL 3/2011, que encomienda al Gobierno la elaboración de la Estrategia Española de Empleo, que garantizará la igualdad de acceso, la cohesión social y la complementariedad entre la unidad de mercado y la diversidad territorial. El RD 1542/2011, de 31 de octubre, aprueba la Estrategia Española de Empleo 2012-2014.
La segunda Estrategia, denominada EEAE –a raíz de las reformas introducidas en la LE por la Ley 18/2014– fue aprobada por Real Decreto 751/2014, de 5 de septiembre, por el que se aprueba la Estrategia Española de Activación para el Empleo 2014-2016.

En este último caso, se señala como uno de los objetivos instrumentales de la formación: ajustar la oferta formativa a las necesidades del mercado de trabajo y a la mejora de la competitividad del tejido productivo, con especial atención –entre otras– a las competencias digitales[37].

Por su parte, el El Plan Anual de Política de Empleo de 2019 en tanto concreción anual de la Estrategia[38], se confecciona en base a la previsión de servicios y programas de políticas para la activación de empleo que se proponen llevar a cabo las Comunidades Autónomas y el Servicio Público de Empleo Estatal, cada uno en el ejercicio de sus propias competencias. Para alcanzar los objetivos previstos en la Estrategia el PAPE contiene la previsión de los servicios y programas de políticas activas de empleo que se proponen llevar a cabo tanto las CCAA en el ejercicio de sus competencias de ejecución en el ámbito del trabajo, el empleo y la formación profesional para el empleo, como el SEPE en su ámbito competencial.

El PAPE recoge los programas y servicios, tanto los comunes o de aplicación para todo el Estado, como los propios de cada Comunidad Autónoma. Estos servicios y programas podrán ser revisados durante la vigencia del Plan cuando existan circunstancias extraordinarias que lo hagan necesario. El Plan también incluye los indicadores que se aplicarán para la evaluación del cumplimiento de objetivos.

Las Comunidades Autónomas y el Servicio Público de Empleo Estatal han propuesto para su inclusión en el Plan 2019 un total de 637 servicios y programas distintos para el conjunto de los 6 Ejes[39], refiriéndose a temas de nuevas tecnologías y digitalización un escaso número de programas o servicios, menos del 5%. A modo de ejemplo, sobre nuevas tecnologías pueden mencionarse el programa propio de Islas Baleares de nuevas tecnologías aplicadas a la intermediación laboral; el programa propio de Extremadura de fomento de las tecnologías de la información, TIC en el empleo; el programa propio de Aragón de formación oficial certificada en tecnologías de la información y comunicación y programa de formación audiovisual

---

[37] Sobre la EEAE 2017-2020, puede consultarse, GARCÍA PIÑEIRO, N.P. "El nuevo modelo de políticas activas de empleo", Revista del Ministerio de Empleo y Seguridad Social, núm. Extra 135, 2018, págs. 295-337.

[38] Aprobado por Resolución de 12 de marzo de 2019, de la Secretaría de Estado de Empleo, por la que se publica el Acuerdo del Consejo de Ministros de 8 de marzo de 2019, por el que se aprueba el Plan Anual de Política de Empleo para 2019, según lo establecido en el art. 11.2 del texto refundido de la Ley de Empleo.

[39] Eje 1 de orientación, eje 2 de formación, eje 3 de oportunidades de empleo, eje 4 de igualdad de oportunidades, eje 5 de emprendimiento, y eje 6 de mejora del marco institucional.

en centro tecnologías avanzadas INAEM; programa propio de colaboración entre el Instituto Aragonés de Empelo y el Instituto Tecnológico de Aragón, para la ejecución de acciones formativas; el programa propio de Galicia de fomento de las iniciativas empresariales de base tecnológica, etc.

Los objetivos de la Estrategia Europea 2020 se llevan a cabo a través del Plan Nacional de Reforma y el Programa de Estabilidad[40]. El Plan Nacional de Reformas del Reino de España para 2019 recoge las prioridades políticas, e identifica como sectores prioritarios y palancas para lograr un crecimiento sostenible e inclusivo, entre otras, la formación y capital humano, el avance científico y tecnológico, y el mercado laboral eficiente y justo.

El PNR 2019 contiene de manera acertada numerosas referencias a las nuevas tecnologías, impregnando la totalidad del mismo en múltiples materias tales como el avance científico y tecnológico, el impulso a la innovación y la productividad en todos los sectores económicos a través de estrategias sectoriales, el fomento de la inversión en infraestructuras y tecnologías clave, y el impulso a la inversión pública en i+D+I. Asimismo se avanzan estrategias sectoriales en desarrollo en ciencia y tecnología, como las Directrices Generales de la Nueva Política Industrial Española 2030, el Plan de Modernización del Comercio 2019-2020, la Estrategia de turismo sostenible 2030, o la Estrategia Nacional de Inteligencia Artificial. O, la Estrategia España Nación Emprendedora, cuyo diseño está ya muy avanzados y que prevé el desarrollo de una Ley de Start ups y reforzar el apoyo a la digitalización.

4. LA INCIDENCIA DE LAS NUEVAS TECNOLOGÍAS EN LOS OBJETIVOS E INSTRUMENTOS DE LA POLÍTICA DE EMPLEO

La Ley de Empleo, partiendo de los artículos 40 y 41 de la Carta Magna, define la política de empleo como el conjunto de decisiones adoptadas por el Estado y las CCAA que tienen por finalidad el desarrollo de programas y medidas tendentes a la consecución de cuatros grandes objetivos[41]:

---

[40] El semestre europeo, creado en 2010, permite a los países miembros de la UE coordinar sus políticas económicas a lo largo del año y atender a los desafíos a los que se enfrenta la UE. Sobre el semestre europeo véase RODRÍGUEZ CRESPO,M.J., cit., págs. 5-6.

[41] Sobre el análisis de los elementos (subjetivos, objetivos y teleológicos) de la definición legal contenida en el art. 1 LE, véase, MARTÍN VALVERDE, A., "La naturaleza, los objetivos y el régimen jurídico de la política de empleo", cit., p. 7.

- el pleno empleo

- la calidad en el empleo

- la adecuación cuantitativa y cualitativa de la oferta y demanda de empleo

- la reducción y la debida protección de las situaciones de desempleo

La política de empleo incluye el conjunto de actuaciones de los poderes públicos que tienen como finalidad esencial aumentar el empleo y proteger el desempleo, a través de la adopción de medidas activas y pasivas que requieren una planificación conjunta, debiendo existir una coordinación e interrelación teleológica y funcional entre ambas[42]. A la hora de desarrollar las medidas es importante tener en cuenta el impacto de las nuevas tecnologías en el empleo, para lograr la adecuación tanto cuantitativa como cualitativa de la oferta y demanda de empleo. La normativa de empleo tipifica como "instrumentos de la política de empleo" tres tipos de acciones:

- la intermediación laboral

- las políticas activas

- la coordinación entre las políticas activas y la protección frente al desempleo

Tal y como se verá a continuación, los objetivos y los instrumentos de la política de empleo han ido sufriendo en la última década sucesivas modificaciones en el plano jurídico, pero no han sufrido cambios sustanciales para adaptarse al desarrollo tecnológico[43].

---

[42] En este sentido véase, MONEREO PÉREZ, J.L., "Las políticas activas de empleo. Derecho al trabajo y políticas activas de empleo en el marco de la política de empleo", *Las Políticas Activas de Empleo: Configuración y Estudio de su Regulación Jurídica e Institucional*, dirs./coord.: Monereo Pérez/Fernández Bernat/López Insua, Thomson Reuters-Aranzadi, 2016, p. 38. El citado autor señala con buen criterio que "en los sistemas de fomento y protección del empleo más evolucionados no se puede hablar actualmente de una separación radical entre las medidas pasivas y las medidas activas, sino más de dos dimensiones articuladas entre políticas activas y pasivas …, encaminadas a alcanzar el objetivo fundamental del derecho al trabajo y a la reinserción profesional" (p. 48).

[43] En términos muy semejantes, VALLECILLO GÁMEZ, M.R., "La inclusión de la robotización en la política de empleo", International Journal of Information Systems and Software Engineering for Big Companiers, (IJSEBC), 6 (1), 2019, p. 97, sostiene que "la política de empleo no ha sufrido cambios sustanciales en las últimas décadas más allá de la adopción de modificaciones en el plano jurídico, a pesar de unas tasas de desempleo que superan todos los límites y de los ajustes en el mercado de trabajo"

La intermediación laboral, entendida como la puesta en contacto de la oferta y la demanda de mano de obra para lograr la colocación del trabajadores demandantes de empleo, se encomienda por mandato legal a los servicios públicos de empleo, a las agencias de colocación y a las servicios establecidos para los trabajadores en el extranjero. Las últimas reformas laborales en aras a la consecución eficaz del emparejamiento de la oferta y la demanda de trabajo apuestan decididamente por la colaboración público-privada, legalizándose las agencias de colocación con ánimo de lucro, y articulándose fórmulas de acuerdos con los servicios públicos de empleo. Además, también se reconocen las ETT como agencias de colocación[44].

Para afrontar con éxito la intermediación laboral es necesario contar con instrumentos eficaces de colocación, y éstos a su vez deben disponer de mecanismos fluidos de intercambio de información. En este escenario juegan un papel fundamental las nuevas tecnologías, ya que la red puede actuar como intermediario entre la oferta y la demanda de empleo. Los portales y plataformas *on line* favorecen la intermediación laboral y se caracterizan por su heterogeneidad, por la diversidad de ámbitos profesionales que abarcan, y por la amplia gama de prestaciones que ofrecen, la mayoría relacionadas con el empleo[45]. En el ámbito del Servicio Público de Empleo Estatal debe mencionarse el Portal Único de Empleo, previsto en el art. 13. b) 2° de la Ley de Empleo. El citado Portal, denominado Portal de Empleo y Autoempleo, posibilita la publicación de ofertas de empleo, favoreciendo el contacto entre empresarios y ciudadanos que ofertan y demandan puestos de trabajo, de forma libre y gratuita sin intermediar en su gestión, sino facilitando la búsqueda de empleo a través de la integración en un único espacio web de toda la oferta de los portales de los servicios públicos de empleo, así como la oferta residenciada en otros portales de intermediación laboral públicos y privados que se adhieran al mismo.

---

[44] Reforma incluida en la propuesta efectuada por PÉREZ DE LOS COBOS ORIHUEL, F., "La reforma de la intermediación laboral en España", Actualidad Laboral, núm. 5, 2010. Sobre la reforma de la intermediación laboral, véase, CRISTÓBAL RONCERO, R./SAN MARTÍN MAZZUCCONI, C., "Nuevas perspectivas en materia de intermediación laboral", en *La reforma laboral de 2012: nuevas perspectivas para el Derecho del Trabajo* (dir.: J. Thibault Aranda/coord..: A. Jurado Segovia), La Ley, 2012, pág. 31 y sigs.

[45] Al respecto, GARCÍA RUBIO, M.A., "Portales digitales de empleo y Agencias de colocación: Puntos de intersección y de indefinición normativa", Derecho de las Relaciones Laborales, núm. 7, 2019, pág. 669 y sigs. La autora profundiza en la proyección del concepto de agencia de colocación sobre los portales digitales de empleo, y resalta la importancia de distinguir lo que es mera información de lo que es intermediación laboral. Además, hace una llamada al legislador sobre las entidades privadas de búsqueda de empleo, y no sólo de las que actúan *on line*.

En el ámbito de la UE debe destacarse el portal de la Red Europea de Servicios de Empleo –EURES– de la Comisión Europea, como portal europeo de movilidad profesional, que recientemente ha recibido un impulso en nuestro país a través del Real Decreto 207/2019, de 29 de marzo, por el que se regula el sistema nacional de admisión de miembros y socios de la Red EURES en España[46].

En materia de intermediación sigue siendo necesario impulsar instrumentos eficaces de colocación de desempleados, potenciando a su vez fórmulas adecuadas de colaboración público-privado en donde debe primar la coordinación y el intercambio de información. Por último, quizás deba resaltarse la necesidad de la transparencia en los datos de intermediación laboral porque a día de hoy faltan datos oficiales de las colaciones llevadas a cabo por las agencias de colocación.

Las políticas activas inciden directamente en la mejora del mercado laboral, aumentando y manteniendo el empleo y reduciendo el desempleo, y se realizan fundamentalmente a través de la formación profesional para el empleo, que será objeto de estudio más adelante. Por su parte, las políticas pasivas garantizan un determinado nivel de ingresos a través de las prestaciones por desempleo. Ahora bien, poco a poco las fronteras entre las políticas activas y pasivas se van diluyendo, produciéndose una reestructuración de las mismas que conlleva la activación del conjunto de las políticas de empleo[47]. Al efecto, la propia Ley de Empleo proclama como uno de los objetivos generales de la política de empleo "mantener un sistema eficaz de protección ante situaciones de desempleo, que comprende las políticas activas de empleo y las prestaciones por desempleo, asegurando la coordinación entre las mismas y la colaboración entre los distintos entes implicados en la ejecución de la política de empleo y su gestión y la interrelación entre las distintas acciones de intermediación laboral".

3.1. *La formación profesional para el empleo y nuevas tecnologías*

La formación profesional para el empleo es la principal política activa de empleo dirigida a neutralizar los efectos negativos de las nuevas tecnolo-

---

[46] BOE de 30 de marzo de 2019.

[47] Al respecto, MOLINA HERMOSILLA, O., "Clasificación de la política de empleo: políticas activas y pasivas", *Las Políticas Activas de Empleo: Configuración y Estudio de su Regulación Jurídica e Institucional*, dirs./coord.: Monereo Pérez/Fernández Bernat/López Insua, Thomson Reuters-Aranzadi, 2016, p. 134, habla de la "activación de la política de empleo".

gías ya que contribuye, a la mejora de las posibilidades de acceso al empleo en entornos tecnológicos de las personas desempleadas y, al mantenimiento del empleo y la promoción profesional de las personas ocupadas.

Ante los avances tecnológicos la formación es un valor estratégico para favorecer la productividad, la competitividad y el empleo. La importancia de la formación para la creación de empleo se extrae también de las Orientaciones para el Empleo 2019 cuya principal prioridad es la creación de empleo directamente vinculado a la formación, las competencias y la educación. La vinculación entre formación, empleo y nuevas tecnologías se desprende de que la implantación de las mismas exige la formación y cualificación profesional de los trabajadores, ya que por efecto de las nuevas tecnologías se produce un desfase importante de sus cualificaciones, habilidades y competencias.

Al respecto, escribía el profesor Pérez de los Cobos en su monografía sobre Nuevas Tecnologías y Relación de Trabajo que *"todo cambio en las tecnologías* de producción comporta un cambio en los contenidos del trabajo que *exige,* al cabo, una *renovación de las cualificaciones* necesarias para realizarlo"[48] . Hoy más que nunca, las nuevas tecnologías exigen trabajadores con formación polivalente y un aprendizaje permanente para adaptarse a los cambios tecnológicos que se están produciendo[49].

Las últimas reformas laborales consagraron importante avances en materia de formación profesional para el empleo en la relación individual de trabajo que permiten a los trabajadores enfrentarse al reto permanente de la formación exigido por la implantación de las nuevas tecnologías en el puesto de trabajo. De hecho, se reconoce por primera vez de forma expresa el derecho de los trabajadores a la formación profesional, y se otorga un derecho individual a un permiso retribuido con fines formativos. También se reconoce el derecho a la formación necesaria para la adaptación al puesto de trabajo tras las modificaciones técnicas operadas en el puesto de trabajo, y se crea la cuenta de formación para asegurar la trazabilidad de la formación de los trabajadores. Por último, se establece la necesidad de adaptar la oferta formativa a las necesidades reales del mercado de trabajo, considerándose áreas prioritarias la innovación y el

---

[48]   Pág. 95.

[49]   Sobre formación y nuevas tecnologías, véase, GARCÍA MUÑOZ, M., "Nuevas tecnologías e iniciativas de formación para incrementar las competencias de los trabajadores ocupados", Revista Internacional y Comparada de Relaciones Laborales y Derecho del Empleo, vol. 7, núm. 1, enero-marzo 2019, ADAPT University Press, págs.. 52-82.

desarrollo tecnológico, además de la internacionalización y el emprendimiento[50].

La importancia que el ordenamiento jurídico otorga a la formación en el nuevo entorno tecnológico se desprende también de la Ley 30/2015, de 9 de septiembre, por la que se regula el sistema de formación profesional para el empleo en el ámbito laboral, que consagra como uno de los fines del sistema "acercar y hacer partícipes a los trabajadores de las ventajas de las tecnologías de la información y la comunicación, promoviendo la disminución de la brecha digital existente y garantizando la accesibilidad de las mismas" [art. 2 f)]. Asimismo, se reconoce como competencia transversal prioritaria para 2015 a los efectos de la programación formativa, entre otras, las relacionadas con las tecnologías de la información y la comunicación.

En cuanto a la formación estatal dirigida prioritariamente a trabajadores ocupados, debe aplaudirse la convocatoria del Servicio Público de Empleo Estatal, por la que se aprueba la convocatoria para la concesión, con cargo al ejercicio presupuestario de 2018, de subvenciones públicas para la ejecución de programas de formación de ámbito estatal, para la adquisición y mejora de competencias profesionales relacionadas con los cambios tecnológicos y la transformación digital, dirigidos prioritariamente a las personas ocupadas[51].

La importancia de la formación, y en concreto en competencias digitales[52], se desprende del propio Plan Nacional de Reformas 2019, que aboga por la necesidad de formar en competencias digitales, por un plan estratégico de formación profesional, y por la adecuación de las cualificaciones a las necesidades del mercado laboral. Además, el PNR propone la actualización del catálogo de cualificaciones profesionales, en coordinación con los agentes sociales y en colaboración con el sector privado, de los contenidos de los títulos actuales, con impulso a las cualificaciones en ámbitos como ciberseguridad, robótica colaborativa y avanzada, big data y análisis de datos, fabricación 2D y 3D, realidad ampliada y realidad virtual o conectividad.

---

[50]   Al respecto, véase, GARCÍA PIÑEIRO, N.P., "Nuevas perspectivas del derecho a la formación profesional", en *La reforma laboral de 2012: nuevas perspectivas para el Derecho del Trabajo* (dir.: J. Thibault Aranda/coord.: A. Jurado Segovia), La Ley, 2012, págs.. 73-95.

[51]   Resolución de 11 de mayo de 2018.

[52]   Sobre las nuevas necesidades formativas en el marco de la digitalización, véase, QUINTERO LIMA, M.G., "Las nuevas necesidades formativas en el marco de la digitalización y demás avatares 4.0", Lan Harremanak: Revista de relaciones laborales, núm. Extra 37, 2017, págs. 128-149.

A partir del PNR, las Recomendaciones del Consejo relativas al PNR de 2019 de España y por la que se emite un dictamen del Consejo sobre el Programa de Estabilidad de 2019 de España[53] establecen que es necesario "incrementar la cooperación entre los sectores educativo y empresarial con vistas a mejorar las capacidades y cualificaciones demandadas en el mercado laboral, especialmente en el ámbito de las tecnologías de la información y la comunicación".

A pesar de los esfuerzos de la política de empleo de los últimos tiempos de vincular formación y nuevas tecnologías, el panorama español en la materia no es muy halagüeño, ya que en 2019 Bruselas vuelve a insistir en la necesidad de mejorar las capacidades y las cualificaciones demandadas en el mercado de trabajo, haciendo especial referencia al ámbito de las TIC. La insistencia se debe a que a las empresas les cuesta encontrar trabajadores formados para abrirse paso a la innovación, y de manera especial expertos en TIC. A ello se une que el empleo en los sectores de alta tecnología y en los servicios intensivos en conocimientos se encuentra muy por debajo de la media de la Unión en muchas Comunidades Autónomas[54]. La escasez de formación en el ámbito de las nuevas tecnologías provoca un desajuste entre la demanda y la oferta de perfiles profesionales que limita el crecimiento económico y del empleo. El volumen de vacantes sin cubrir en la UE-27 aumentaría según las previsiones efectuadas hasta casi 800.000 en el año 2020[55].

La formación en nuevas tecnologías ayuda a minimizar el impacto de las nuevas tecnologías en la destrucción de puestos de trabajo y en el desajuste de las cualificaciones que se requieren. Es más, el establecimiento de un sistema de formación profesional eficaz que permita a los trabajadores el reciclaje permanente, el pleno desarrollo de sus capacidades, facilite sus transiciones laborales y consienta a las empresas disponer de mano de obra cualificada con la que dar respuesta al cambio tecnológico, debe ser un componente esencial de las políticas de empleo.

La política en materia de formación debe apostar por una formación generalizada, permanente y de calidad, que se adapta a las necesidades del mercado de trabajo y que se anticipe a las nuevas necesidades formativas[56].

---

[53]   COM (2019) 509 final, Bruselas, 5 de junio de 2019.

[54]   Véase, Recomendaciones del Consejo relativas al PNR de 2019 de España y por la que se emite un dictamen del Consejo sobre el Programa de Estabilidad de 2019 de España, cit., págs. 6-7.

[55]   Informe 03/2017, La digitalización de la economía, Consejo Económico y Social, pág. 150

[56]   En términos semejantes, el informe de la Comisión Mundial del Futuro del Trabajo señala que "el aprendizaje permanente será un elemento clave para que las personas

Y, las acciones formativas deben facilitar el mantenimiento y la mejora del empleo, de su cualificación, empleabilidad, recalificación y adaptación de sus competencias a los requerimientos del mercado de trabajo[57].

De todo lo dicho sobre formación y nuevas tecnologías debe seguir abogándose por un impulso en la promoción de la formación, y de manera especial, en el ámbito de las nuevas tecnologías que permita a los trabajadores adquirir nuevas habilidades para acceder a un empleo o para mantener el mismo[58]. Además, la situación actual aconseja una reflexión sosegada sobre el futuro de la formación profesional para el empleo para hacer frente, entre otros, a los nuevos retos de la internacionalización, globalización y digitalización.

4. PROPUESTA DE MEDIDAS DE POLÍTICA DE EMPLEO EN UN CONTEXTO TECNOLÓGICO

Después de analizar la instrumentos de política de empleo que se van a ver más afectados por las nuevas tecnologías –intermediación y formación profesional para el empleo–, se proponen brevemente una serie de medidas de política de empleo para hacer frente al nuevo contexto tecnológico[59].

Primera. Inclusión de un nuevo colectivo prioritario. Se propone revisar el art. 30 de la Ley de Empleo para insertar un nuevo colectivo prioritario, que incluya a todos los trabajadores con déficit de formación en nuevas tecnologías y digitalización y con dificultades de integración en el mercado de trabajo. Se trata de utilizar la posibilidad que brinda la Ley de Empleo

---

puedan aprovechar "las nuevas tecnologías y las nuevas actividades laborales que vendrán después", pág. 30.

[57] Adviértase que ya en 2015 el informe del CES sobre Competencias Profesionales y Empleabilidad (Informe 03/2015) alertaba ya de la necesidad de reforzar el sistema nacional de cualificaciones profesionales. Y sugería la necesidad de "alcanzar una oferta de competencias y cualificaciones profesionales que sea a la vez suficiente, coherente y bien dimensionada, y que sea además dinámica y capaz de responder ágilmente a los cambios subraya la necesidad de dotarse de una política coherente e integral de formación profesional. Para ello, es necesario garantizar la coordinación entre las Administraciones institucionales y territoriales con competencias en formación y asegurar la participación de los interlocutores sociales y la integración de las empresas, pág. 226.

[58] En términos semejantes, VALLECILLO GÁMEZ, M.R., cit., pág. 103.

[59] Se siguen en esencia las propuestas realizadas por VALLECILLO GÁMEZ, M.R., "La inclusión de la robotización en la política de empleo", International Journal of Information Systems and Software Engineering for Big Companiers, (IJSEBC), 6 (1), 2019, pág. 101 y sigs.

al Gobierno y a las CCAA de añadir de común acuerdo nuevos colectivos prioritarios, y así fomentar el empleo de personas con especiales dificultades de integración en el mercado de trabajo.

Segunda. Acciones de política de empleo para determinados sectores productivos o zonas geográficas. De conformidad con lo dispuesto en el art. 2 e) LE, que considera objetivo general de la política de empleo, "mantener la unidad de mercado de trabajo en todo el territorio estatal, teniendo en cuenta las características específicas y diversas de los diferentes territorios y promoviendo la corrección de los desequilibrios territoriales y sociales", se propone adoptar medidas de estímulo de empleo para determinados sectores productivos o zonas geográficas que se hayan podido ver afectadas por la irrupción de las nuevas tecnologías. A día de hoy podría pensarse en el sector de la banca, del comercio, o de los seguros, pero debe actuarse con previsión ya que las nuevas tecnologías afectarán probablemente a todos los sectores productivos.

Tercera. Acciones de orientación y formación profesional continua en el ámbito de la digitalización y las nuevas tecnologías como mecanismo de ajuste para evitar los efectos negativos para los trabajadores, en especial los de más edad y menor cualificación.

Cuarta. Bonificaciones o reducciones de las cotizaciones sociales para empresas que introduzcan nuevas tecnologías, mantengan el nivel de empleo y cualifiquen a sus trabajadores. El objetivo de la medida es contribuir a la recualificación y recolocación de esos trabajadores desde dentro de la empresa, sin expulsarlos del mercado de trabajo.

Quinta. Fomento del emprendimiento y el trabajo por cuenta propia como opción de inserción laboral, para atender las enormes oportunidades de crecimiento y empleo que posibilitan las nuevas tecnologías[60].

5. CONCLUSIONES

Como conclusión quizás valga la pena subrayar que si bien es cierto que las nuevas tecnologías generan enormes posibilidades de crecimiento

---

[60]   Sobre el empleo autónomo, repárese en que MERCADER UGUINA, J.R., aboga por construir una nueva categoría el "microautónomo, y superar el tradicional esquema binario entre trabajador por cuenta ajena y trabajador por cuenta propia, El futuro del trabajo en la era de la digitalización y la robótica, Tirant lo Blanch, Valencia, 2017, págs.111-112.

económico y empleo, también lo es que la imparable penetración de las nuevas tecnologías hace necesaria una adaptación de la política de empleo en todos los niveles.

La importancia que los instrumentos jurídicos de política de empleo internacionales y europeos conceden a las nuevas tecnologías, no se traslada al ámbito nacional, por lo que quizás resultaría interesante profundizar en este aspecto.

La política de empleo nacional no ha tenido demasiado en cuenta el impacto de las nuevas tecnologías en la definición de los objetivos y de las medidas a adoptar, y ello a pesar de la importancia creciente de las nuevas tecnologías en el ámbito del empleo. Un ejemplo claro es el escaso número de servicios y programas del Plan Anual de Política de Empleo 2019 centrados en las nuevas tecnologías o la digitalización.

Por último, quizás convenga señalar que si bien es cierto que los objetivos y los instrumentos de la política de empleo han ido sufriendo en la última década sucesivas modificaciones en el plano jurídico, también lo es que no han sufrido cambios sustanciales para adaptarse al desarrollo tecnológico[61].

BIBLIOGRAFÍA

AA.VV., *Tecnologías de la información y comunicación en las relaciones de trabajo: nuevas dimensiones del conflicto jurídico*, (dir.: C. San Martín Mazzucconi), Eolas, León, 2014.

ÁLVAREZ CUESTA, H., *El futuro del trabajo vs. el trabajo del futuro*, Colex, 2017.

CRISTÓBAL RONCERO, R., "Políticas de empleo en la Unión Europea", RMTAS, núm. 33, 2001.

CRISTÓBAL RONCERO, R./SAN MARTÍN MAZZUCCONI, C., "Nuevas perspectivas en materia de intermediación laboral", *La reforma laboral de 2012: nuevas perspectivas para el Derecho del Trabajo* (dir.: J. Thibault Aranda/coord..: A. Jurado Segovia), La Ley, 2012,

---

[61] En términos muy semejantes, VALLECILLO GÁMEZ, M.R., "La inclusión de la robotización en la política de empleo", International Journal of Information Systems and Software Engineering for Big Companiers, (IJSEBC), 6 (1), 2019, p. 97, sostiene que "la política de empleo no ha sufrido cambios sustanciales en las últimas décadas más allá de la adopción de modificaciones en el plano jurídico, a pesar de unas tasas de desempleo que superan todos los límites y de los ajustes en el mercado de trabajo"

DE PABLOS, J.C./MARTÍNEZ, A., "La Estrategia Europea de Empleo: historia, consolidación y claves de interpretación", RMTIN, núm. 77, 2008.

FEIJOO, C., "Una perspectiva de la función de las TIC en crecimiento y empleo dentro del marco de la economía europea del conocimiento", en El empleo y la dimensión social en la estrategia UE-2020, MTIN, 2010.

GARCÍA MUÑOZ, M., "Nuevas tecnologías e iniciativas de formación para incrementar las competencias de los trabajadores ocupados", Revista Internacional y Comparada de Relaciones Laborales y Derecho del Empleo, vol. 7, núm. 1, enero-marzo 2019, ADAPT University Press.

GARCÍA QUIÑONES, J.C., *Políticas activas de empleo durante la crisis económica (2010-2015)*, Reus, 2015.

GARCÍA PIÑEIRO, N.P. "El nuevo modelo de políticas activas de empleo", Revista del Ministerio de Empleo y Seguridad Social, núm. Extra 135, 2018.

— "Nuevas perspectivas del derecho a la formación profesional", en *La reforma laboral de 2012: nuevas perspectivas para el Derecho del Trabajo* (dir.: J. Thibault Aranda/coord.: A. Jurado Segovia), La Ley, 2012.

GARCÍA RUBIO, M.A., "Portales digitales de empleo y Agencias de colocación: Puntos de intersección y de indefinición normativa", Derecho de las Relaciones Laborales, núm. 7, 2019.

GOERLICH PESET, J.M. "¿Repensar el derecho del trabajo? Cambios tecnológicos y empleo", Gaceta Sindical, núm. 27, 2016.

GÓMEZ URQUIJO, L. "Las nuevas tecnologías como instrumento de la política de empleo de la UE", en Derecho y nuevas tecnologías, vol. 3, 2011.

MARTÍN VALVERDE, A./RODRÍGUEZ-SAÑUDO GUTIERREZ, F./GARCÍA MURCIA, J.", *Derecho del Trabajo*, 28ª ed., Tecnos, Madrid 2019,

MARTÍN VALVERDE, A., "La naturaleza, los objetivos y el régimen jurídico de la política de empleo", *Comentarios a la Ley de Empleo*, dirs.: Valdés Dal-Ré/Sobrino González, La Ley, 2012.

MERCADER UGUINA, J.R., *El futuro del trabajo en la era de la digitalización y la robótica*, Tirant lo Blanch, Valencia 2017.

MIEDES UGARTE, B., "Sociedad de la información y exclusión socio-laboral: una reflexión en torno a los efectos de las NTIC en el campo de la inserción socio-económica", Trabajo: Revista iberoamericana de relaciones laborales, núm. 10, 2001 (ejemplar dedicado a Políticas de Empleo).

MOLINA HERMOSILLA, O., "Clasificación de la política de empleo: políticas activas y pasivas", *Las Políticas Activas de Empleo: Configuración y Estudio de su Regulación Jurídica e Institucional*, dirs./coord.: Monereo Pérez/Fernández Bernat/López Insua, Thomson Reuters-Aranzadi, 2016.

MONTOYA MELGAR, A., *Derecho del Trabajo*, 40ª ed., Tecnos, Madrid, 2019.

MONTOYA MELGAR, A./CRISTÓBAL RONCERO, R., Thomson-Civitas, 2004.

PÉREZ DE LOS COBOS ORIHUEL, F., *Nuevas Tecnologías y Relación de Trabajo*, Tirant lo Blanch, Valencia, 1990.

— "La reforma de la intermediación laboral en España", Actualidad Laboral, núm. 5, 2010.

QUINTERO LIMA, M.G., "Las nuevas necesidades formativas en el marco de la digitalización y demás avatares 4.0", Lan Harremanak: Revista de relaciones laborales, núm. Extra 37, 2017.

RODRÍGUEZ CRESPO, M.J., "Políticas activas de empleo y estrategia española: las innovaciones", REDT, núm. 178, https://westlaw.es.

SALA FRANCO, T., "Datos para una caracterización material del Derecho del Trabajo", Cuadernos de Derecho del Trabajo, núm. 0, 1974.

VALENDUC, G./VENDRAMIN, P., "Le travail virtuel: nouvelles formes de travail et d'emploi dans economie digitale", Fondation Travai-Universite, mars, 2016.

VALLECILLO GÁMEZ, M.R., "La inclusión de la robotización en la política de empleo", International Journal of Information Systems and Software Engineering for Big Companiers, (IJSEBC), 6 (1), 2019, 97-110.

V. PODER DE DIRECCIÓN Y VIDEOVIGILANCIA LABORAL

Alfredo Montoya Melgar
Catedrático Emérito de Derecho del Trabajo
Magistrado del Tribunal Constitucional

SUMARIO: 1. LOS DERECHOS EN JUEGO. 1.1. La facultad empresarial de vigilancia y control. 1.2. El derecho del trabajador a la intimidad personal y a la protección de sus datos personales. 2. EL DERECHO A LA INTIMIDAD Y A LA PROTECCIÓN DE DATOS Y SUS LÍMITES; Y LA FACULTAD DE VIGILANCIA Y CONTROL Y SUS LÍMITES. 2.1. El derecho a la intimidad y sus límites. 2.2. El derecho a la protección de datos personales y sus límites. 2.3. La facultad de videovigilancia y sus límites. 2.3.1. La delimitación legal del ámbito del poder directivo del empresario. 2.3.2. El deber de información de la instalación de cámaras de video y de la utilización de datos personales. 2.3.3. Sobre la necesidad de consentimiento del trabajador sujeto a control.

Advertía FRANCISCO PÉREZ DE LOS COBOS, hace ya tres décadas, acerca de cómo la incidencia de las nuevas tecnologías sobre las relaciones laborales determina "el aumento del poder del empresario sobre la prestación de trabajo y sobre el trabajador mismo"[1]. Ese incremento del poder empresarial se ha traducido inevitablemente en un aumento de las posibilidades de afectación, por excesos en el ejercicio de dicho poder, de derechos fundamentales del trabajador (singularmente, el derecho a la intimidad, y, próximo a él, el derecho a la protección de sus datos personales). El ordenamiento jurídico ha respondido a esos nuevos riesgos de invasión de la esfera personal del trabajador a través de la instrumentación de garantías jurídicas en favor de esos derechos.

En concreto, la utilización empresarial de cámaras de videovigilancia con fines de control del trabajo supone una evidente ampliación del poder directivo empresarial y una consiguiente reducción del ámbito de reserva e intimidad del trabajador, ante las que el Derecho debe esforzarse en asegurar "el delicado equilibrio en el que han de convivir el legítimo interés de la empresa (y del empresario) y el de los propios trabajadores", de modo

---

[1]   F. PÉREZ DE LOS COBOS ORIHUEL: *Nuevas tecnologías y relación de trabajo*, Tirant Monografías, Valencia, 1990, pág. 72.

que "ni el empresario pued[a] ignorar e invadir la esfera jurídica del trabajador ni éste obstruir el ámbito de poder que compete al patrono"[2].

Situado ante la litigiosidad derivada del control empresarial ejercido
a través de medios tecnológicos, el Tribunal Constitucional (TC) ha ido
construyendo una relevante doctrina, a cuyas líneas maestras nos hemos
de referir en estas páginas.

1. LOS DERECHOS EN JUEGO

El control empresarial ejercido sobre los trabajadores mediante artilugios tecnológicos enfrenta, como acabamos de recordar, dos posiciones
jurídicas: el derecho del empresario a ejercer ese control, en defensa del
interés de la empresa, cuyo libre ejercicio reconoce el art. 38 de la Constitución española (CE) y el derecho del trabajador a que ese control respete
los límites que le impone el ordenamiento jurídico con el fin de garantizar
la defensa de derechos laborales fundamentales como son, señaladamente,
los derechos a la intimidad, al honor y a la propia imagen, que proclama
el art. 18.1 CE.

1.1. La facultad empresarial de vigilancia y control

El derecho del empresario a controlar la actividad del trabajador forma parte del poder de dirección patronal, consustancial al concepto de
empresa, con independencia del modelo político-jurídico en el que ésta
se integre. Como escribió el maestro ALONSO OLEA hace más de medio
siglo, "el poder de dirección se atribuye al empresario porque *naturalmente*
lo exige el contrato de trabajo para el desarrollo ordenado de sus prestaciones, y porque *naturalmente* lo exige la empresa como institución para el
cumplimiento de las actividades –producción de bienes y servicios para un
mercado– que le son propias"[3]. Muchos años más tarde, las sentencias del
TC 98/2000, de 10 de abril, 186/2000, de 10 de julio de 2000, y 39/2016,

---

[2]   A. MONTOYA MELGAR: "Poder directivo del empresario y derecho del trabajador a la
        propia imagen", comentario a la STC 99/1994, de 11 de abril, en M. ALONSO OLEA
        y A. MONTOYA MELGAR: *Jurisprudencia constitucional sobre trabajo y seguridad social,*
        tomo XII, 1994, Civitas, 1995, pág. 241.
[3]   M. ALONSO OLEA: Prólogo al libro de A. MONTOYA MELGAR: *El poder de dirección
        del empresario,* Instituto de Estudios Políticos, Madrid, 1965, pág. XIII, sintetizando la
        tesis de la obra.

de 3 de marzo de 2016, proclaman, en el mismo sentido y con rotundidad, que el poder de dirección empresarial es "imprescindible para la buena marcha de la organización productiva".

Dentro del género *poder de dirección del empresario* se sitúa un conjunto de facultades empresariales entre las que se encuentra la de controlar la actividad del trabajador; función controladora ésta que se suma a las de ordenación y organización, que también forman parte de aquel poder[4], y que puede ejercerse tanto por medios personales como por sistemas mecánicos y tecnológicos[5].

Aunque ni el poder de dirección del empresario ni, dentro de él, la facultad de control del trabajo, tienen un reconocimiento expreso en la Constitución, ello no impide que posean una clara justificación constitucional. A ella alude la citada sentencia del TC 39/2016, de 3 de marzo de 2016, cuando indica, en su FJ 4, que dicho poder "es reflejo de los derechos constitucionales reconocidos en los arts. 33 y 38 CE", acogidos y concretados en materia laboral "en la previsión legal ex art. 20.3 del texto refundido de la Ley del estatuto de los trabajadores".

En efecto, el art. 33 CE (cuyo primer apartado reconoce el derecho a la propiedad privada) y el art. 38 CE (que reconoce la libertad de empresa en el marco de la economía de mercado) sirven de fundamento al relevante art. 20 del Estatuto de los Trabajadores (ET), que, tras proclamar la obligación del trabajador de realizar su trabajo bajo la dirección empresarial (apartado 1), precisa en el apartado 3 que "el empresario podrá adoptar las medidas que estime más oportunas de vigilancia y control para verificar el cumplimiento por el trabajador de sus obligaciones y deberes laborales…".

1.2. *El derecho del trabajador a la intimidad personal y a la protección de sus datos personales*

Ese mismo art. 20.3 ET se encarga de delimitar el alcance de las aludidas medidas, que no son realmente, como parecería derivarse del primer inci-

---

[4]   A. MONTOYA MELGAR: *El poder de dirección…*, cit, págs. 146 y ss.
[5]   Ya Werner SOMBART: *El apogeo del capitalismo*, México, 1946, I, pág. 417, distinguía tres tipos de control laboral: 1) un control de asistencia, que "actualmente se realiza con todo género de dispositivos mecánicos, como marcado de tarjetas, relojes, entre otros; 2) un control mecánico (sistemas de cómputo automático); 3) un control personal del rendimiento, realizado no mediante máquinas, sino a través de la vigilancia directa del empresario y sus delegados".

so del precepto, las que el empresario "estime más oportunas" sin más, sino que esa estimación empresarial se encuentra doblemente condicionada: primero, por la específica finalidad laboral que la norma asigna a la facultad de vigilancia patronal ("verificar el cumplimiento por el trabajador de sus obligaciones y deberes laborales"), y en segundo lugar, por el obligado respeto que el ejercicio de esa facultad controladora ha de observar para preservar la dignidad del trabajador, reconocida en el art. 4.2.e) ET, junto con la intimidad, como un derecho de los trabajadores "en la relación de trabajo". En otros términos, el ejercicio del poder directivo empresarial ha de respetar los límites constitucionales y legales; esto es, ha de ser un "ejercicio regular" como puntualizan los arts. 5.c) y 20.2 ET.

De ello deriva que, si el empresario es titular de un poder de dirección del trabajo, y, dentro de él, de una facultad de control de la actividad laboral, tanto a través de medios personales como mecánicos o tecnológicos, el trabajador es a su vez titular de un estatuto jurídico que las decisiones empresariales fundadas en aquel poder y aquella facultad deben respetar. Ese estatuto jurídico tiene una triple raíz constitucional de alcance general: el art. 10.1 CE, que proclama la "dignidad de la persona" y el "libre desarrollo de la personalidad" como fundamento del orden político y la paz social; el art. 18.1 CE, que reconoce el derecho al honor, a la intimidad y a la propia imagen; y el art. 18.4 CE, que ordena al legislador la limitación del uso de la informática para garantizar los derechos a la intimidad y el honor, y con ellos el derecho a la protección de los datos personales.

Estos derechos fundamentales han tenido su acogida, aplicándolos a las relaciones laborales, por el legislador, y así el Estatuto de los Trabajadores reconoce el derecho del trabajador al "respeto de su intimidad" y a la "consideración debida a su dignidad" (art. 4.2.e), y, más específicamente, limita el poder empresarial de adoptar medidas de vigilancia y control, exigiendo en su ejercicio la consideración debida a la dignidad del trabajador (art. 20.3). Una muestra de la aplicación de estos preceptos, en cuanto limitativos del poder de dirección empresarial, la ofrece la STC 98/2000, de 10 de abril, que subraya además cómo ese poder ha de ejercitarse "dentro del debido respeto a la dignidad del trabajador, de acuerdo con los límites impuestos también por los arts. 2 y 7 de la LO 1/1982, de 5 de mayo, de protección civil del honor, la intimidad personal y familiar y la propia imagen".

El art. 20 bis del ET, añadido por la DF 13ª de la LO 3/2018, de 5.12, de protección de datos personales y garantía de los derechos digitales, reitera el derecho de los trabajadores a la intimidad, ahora y específicamente oponiéndolo como límite al ejercicio del poder de control empresarial, esto es, "frente al uso de dispositivos de videovigilancia [...] establecidos en la legislación vigente en materia de protección de datos personales y garantía de los derechos digitales".

Del juego, compatibilidad y mutua limitación de ambos derechos –la intimidad del trabajador y el poder directivo del empresario ejercido a través de videovigilancia– nos ocupamos seguidamente.

2. EL DERECHO A LA INTIMIDAD Y A LA PROTECCIÓN DE DATOS Y SUS LÍMITES; Y LA FACULTAD DE VIGILANCIA Y CONTROL Y SUS LÍMITES

Obviamente, cuando el ordenamiento jurídico acoge ambos derechos –el del empresario a dirigir el trabajo en su empresa y el del trabajador a preservar su intimidad y a la protección de sus datos– está partiendo de la base de su necesaria coexistencia. Sin embargo, ello no impide –en ésta como en cualquier otra realidad ordenada por el Derecho– la posible conflictividad planteada en el concreto ejercicio de esos derechos.

En efecto, pese a que el poder de dirección del empresario (incluida su vertiente de vigilancia y control del trabajo) y los derechos de los trabajadores a la dignidad e intimidad (esta sería una derivación de aquella) y a la protección de datos personales poseen una indudable legitimidad constitucional y legal, es evidente que, en su ejercicio, ese poder y esos derechos pueden colisionar, y de hecho colisionan en no pocas ocasiones; por ello resulta imprescindible la tarea de fijar sus respectivos contenidos y límites, a fin de garantizar su pacífica coexistencia. Esos necesarios "equilibrios y limitaciones recíprocos que se derivan para ambas partes del contrato de trabajo", a los que se refieren, entre otras, las SSTC 98/2000 y 186/2000, se prevén de modo expreso en la propia Constitución, no ciertamente con relación a la tutela del "derecho a la intimidad", pero sí respecto del "derecho a la protección de datos", cuando el art. 18.4 CE dispone que "la ley limitará el uso de la informática para garantizar el honor y la intimidad...", etc[6]. En esta importante tarea de fijación de límites a los derechos, inclui-

---

[6]   Derecho a la protección de datos de carácter personal que proclaman de modo absoluto y en términos idénticos tanto el art. 16.1 del Tratado de Funcionamiento de la Unión Europea como el art. 8.1 de la Carta de los Derechos Fundamentales de la Unión Europea: "Toda persona tiene derecho a la protección de los datos de carácter personal que le conciernan".

dos los fundamentales, viene destacando de modo principal la jurisprudencia, tanto la ordinaria como la del Tribunal Constitucional.

Ciertamente, el esquema típico al que responde el debate procesal
entre derechos del trabajador y poder empresarial de control audiovisual
es el de la demanda presentada por un trabajador frente a la sanción
impuesta por su empresario como consecuencia del descubrimiento de
una falta laboral obtenido gracias a una prueba videográfica. Al Tribunal
Constitucional ha llegado, por la vía del recurso de amparo, un buen número de estos casos, consecuencia a su vez de la abundante litigiosidad
en la materia.

Un ejemplo reciente, y muy ilustrativo, de tal conflicto lo proporciona
la STC 39/2016, en la que el hecho determinante del conflicto en ella enjuiciado fue el despido de una trabajadora (cajera de un establecimiento
comercial), basado en la prueba, obtenida por una cámara de videovigilancia, de que había llevado a cabo una ilícita apropiación dineraria.

Detectadas por la empresa múltiples irregularidades de caja, había encargado a una entidad especializada la instalación de dicha cámara, lo que
permitió comprobar la realidad de la apropiación sospechada. Despedida la trabajadora por transgresión de la buena fe contractual, presentó
demanda instando la declaración de nulidad del despido, por considerar
que éste había atentado contra su honor, intimidad y dignidad, y, subsidiariamente, solicitó la declaración de improcedencia, denunciando una
serie de infracciones que se habrían producido según la demandante: la
ausencia de información previa sobre la existencia de cámaras de videogra-
bación al público, la falta de comunicación a la Agencia de Protección de
Datos, la falta de autorización de la comisaría de policía y la ausencia de
informe previo del comité de empresa.

Dicha demanda fue desestimada por el Juzgado de lo Social, e igualmente desestimado fue el recurso de suplicación ante el Tribunal Superior de Justicia competente. Interpuesto incidente de nulidad de actuaciones ante dicho Tribunal, éste lo desestimó asimismo al entender
que la sentencia impugnada era susceptible de recurso de casación para
unificación de doctrina, recurso que la reclamante no había interpuesto.
Presentado ante el TC recurso de amparo, algunos de cuyos aspectos más
destacados volverán a ocuparnos más adelante, la sentencia del alto Tribunal consideró que el ejercicio del poder directivo del empresario no
había lesionado derecho fundamental alguno de la trabajadora recurrente ni había desbordado, por tanto, los límites constitucionales y legales
de dicho poder.

2.1. El derecho a la intimidad y sus límites

Reiterada jurisprudencia del TC viene poniendo de relieve que "el derecho a la intimidad no es absoluto, como no lo es ninguno de los derechos fundamentales". Esa relatividad podría incluso extenderse a la respuesta que habría que dar al planteamiento previo de si se trata de un derecho realmente invocable en el ámbito estricto de las relaciones laborales. En este sentido, la STC 186/2000, referida a la instalación de un circuito cerrado de televisión en la empresa, llegó a considerar (FJ 6), citando las SSTC 170/1987, 142/1993 y 202/1999, que el ámbito personal y familiar (que es precisamente al que se refiere el art. 18.1 CE)[7] "*no comprende, en principio, los hechos referidos a las relaciones sociales y profesionales en que se desarrolla la actividad laboral, que están más allá del ámbito del espacio de intimidad personal y familiar*". La afirmación, que si fuera absoluta resultaría sin duda excesivamente reductora, se matiza, como se ve, con la salvedad de que la exclusión de la actividad laboral del ámbito protegido por la intimidad se postula sólo "en principio", dejando abierta con ello la posibilidad de actuaciones de los trabajadores que, aun producidas en el ámbito laboral, están amparadas por el derecho a la intimidad. Salvedad ésta justificada porque también en el ámbito de las relaciones laborales es posible que se vulnere el derecho a la intimidad de la persona.

Con absoluta claridad, otra sentencia del mismo año 2000 –la STC 98/2000, de 10 de abril–, reaccionaba frente a la doctrina inicial del TC contenida en las sentencias 180/1987 y 142/1993, entre otras, descartando que en los centros de trabajo no proceda ejercer el derecho a la intimidad y que éste sólo se encuentre amparado por el art. 18.1 CE en específicos y determinados ámbitos del centro de trabajo, tales como lugares de descanso, vestuarios, lavabos, etc. Ello no impide, desde luego, que estos lugares gocen de una inmunidad específica frente al control empresarial, como muestra el art. 89.2 LO 3/2018 cuando establece la prohibición absoluta de instalar sistemas de videovigilancia en "lugares dedicados al descanso o esparcimiento de los trabajadores [...] tales como vestuarios, aseos, comedores y análogos", fórmula no muy exacta, pues evidentemente ni los vestuarios ni los aseos ni siquiera los comedores se dedican al descanso o al esparcimiento (entendido este con el DRAE como "recreo", "pasatiempo" o "conjunto de actividades con que se llena el tiempo libre"), pero cuya inexactitud no impide la comprensión de su finalidad y alcance, a saber, declarar exentos de control

---

[7]   Art. 18.1 CE: "Se garantiza el derecho al honor, a la intimidad personal y familiar y a la propia imagen". Ver también las SSTC 57/1994 y 143/1994.

esos lugares en los que la intimidad personal prevalece de modo absoluto, al margen por completo de la actividad laboral.

Para la sentencia 98/2000, citando las 231/1988 y 197/1991, no se puede "limitar apriorísticamente el alcance del derecho a la intimidad" a esos concretos espacios, pues también fuera de ellos pueden desenvolverse manifestaciones de la esfera de intimidad del individuo. Ello no contradice que, cuestionada la constitucionalidad de un sistema de control audiovisual, deba examinarse, como la propia STC 98/2000 argumenta, la adecuación del lugar en el que se instala dicho sistema, la visibilidad o naturaleza subrepticia de éste, sus razones objetivas, y, en fin, si la adopción de la medida de control es o no discriminatoria, y si respeta o no la intimidad del trabajador.

Todo ello implica que la valoración del sistema empresarial de vigilancia ha de operar de un modo casuístico, teniendo en cuenta las "circunstancias concurrentes" en cada concreto supuesto. En suma, y de nuevo con palabras de la STC 98/2000, el derecho del trabajador a la intimidad tiene plena efectividad en el seno de la relación laboral, con independencia de que admita "limitaciones o sacrificios en la medida en que se desenvuelve en el seno de una organización que refleja otros derechos reconocidos constitucionalmente en los arts. 38 y 33 CE".

Siendo así, lo que procede en cada caso de aparente vulneración de un derecho fundamental (como es el de intimidad) es valorar si "el recorte que aquel haya de experimentar se revele como necesario para lograr el fin legítimo previsto, proporcionado para alcanzarlo y, en todo caso, sea respetuoso con el contenido esencial del derecho" (STC 143/1994, de 29 de mayo).

2.2. *El derecho a la protección de datos personales y sus límites*

El específico derecho del trabajador a la protección de sus datos personales no es ilimitado, del mismo modo que tampoco lo es el derecho a la intimidad. La sentencia del Pleno del TC 292/2000, de 30 de noviembre, señala al efecto que aquel derecho tiene límites en cuanto al contenido, modo, tiempo y lugar de su ejercicio. Esos límites, prosigue la sentencia, sólo pueden ser fijados por la ley (sin posibilidad de que ésta apodere a la Administración para que lo haga) y únicamente serán, a su vez, legítimos cuando respondan a la finalidad de "protección de otros derechos fundamentales o bienes constitucionalmente protegidos" y respeten el contenido esencial del propio derecho a la protección de datos.

2.3. La facultad de videovigilancia y sus límites

La jurisprudencia constitucional tiene dicho que el poder de dirección del empresario, del que es facultad integrante la videovigilancia, sólo puede limitar derechos fundamentales de los trabajadores cuando la naturaleza del trabajo lo justifique y exista "acreditada necesidad o interés empresarial" (SSTC 99/1994, 6/11995, 106/1996, 136/1996, 98/2000). Ello significa que el poder empresarial se encuentra limitado, al tener que respetar en su ejercicio, por lo pronto, esas circunstancias; y además y obviamente, al tener que respetar los derechos fundamentales de los trabajadores. "En resumen –como se lee en la STC 186/2000– el empresario no queda apoderado para llevar a cabo, so pretexto de las facultades de vigilancia y control que le confiere el art. 20.3 ET, intromisiones ilegítimas en la *intimidad de sus empleados* en los centros de trabajo".

En la obligada tarea de compatibilizar el ejercicio de las facultades empresariales reconocidas por la Constitución (arts. 33 y 38) y la ley (arts. 5.c y 20 ET[8]) y los derechos de los trabajadores, se impone una cuidadosa ponderación de los derechos e intereses de las dos partes del contrato de trabajo así como la "modulación" de esos derechos y las obligaciones que les corresponden (SSTC 170/1987, 18/1996, 1/1998, 98 y 186/2000, etc.).

Del mismo modo que los derechos del trabajador, incluidos los fundamentales, no son absolutos sino que pueden encontrarse limitados por otros derechos o bienes constitucionalmente protegidos, "también las facultades organizativas empresariales se encuentran limitadas por los derechos fundamentales del trabajador" (SSTC 292/1993 y 98/2000, entre otras). El TC tiene, en efecto, declarado, como se ha indicado más arriba, que el empresario no puede ejercer sus facultades de vigilancia y control para llevar a cabo intromisiones ilegítimas en la intimidad de sus trabajadores (SSTC 186/2000). Más aún –sigue diciendo esta resolución– "la jurisprudencia constitucional ha mantenido, como no podía ser de otro modo, que el ejercicio de las facultades organizativas y disciplinarias del empleador no puede servir en ningún caso a la producción de resultados inconstitucionales, lesivos de los derechos fundamentales del trabajador".

Con carácter previo a la determinación de los requisitos que debe cumplir el ejercicio de ese poder de control empresarial para mantenerse den-

---

[8]   El art. 5.c) ET impone a los trabajadores, entre otros "deberes básicos", el de "[c]umplir las órdenes e instrucciones del empresario en el ejercicio regular de sus facultades directivas". El art. 20 ET regula en sus cuatro apartados la que su rúbrica titula "dirección y control de la actividad laboral".

tro de la legitimidad constitucional y la legalidad, y respondida afirmati-
vamente la pregunta sobre si tiene cabida en el ámbito de las relaciones
laborales el ejercicio del derecho a la intimidad personal, el paso inmediato es el de indagar hasta qué punto ese derecho admitiría ser afectado por
la actividad empresarial de control; esto es, hasta qué punto el ejercicio
de este poder puede invadir o recortar lícitamente el derecho a la intimidad. Pues en los supuestos litigiosos derivados de sanciones empresariales
frente a comportamientos de trabajadores reputados ilícitos, éstos, cuando
acceden en amparo al TC, vienen invocando en su defensa, para obtener
la declaración de nulidad de la sanción, la extralimitación del poder directivo, alegando que su ejercicio habría afectado, contrariando con ello
lo dispuesto en la Constitución, a un derecho fundamental del trabajador.

Un recorrido por la jurisprudencia constitucional nos permite: a) conocer los requisitos que debe reunir el ejercicio del poder de control empresarial para ajustarse a la Constitución; y b) detectar los motivos que se
vienen invocando en los recursos de amparo frente a decisiones sancionadoras de conductas de trabajadores a los que se imputan incumplimientos
graves de su contrato laboral, descubiertos por las cámaras de videovigilancia. En efecto, con estrecha y habitual vinculación a las denuncias de
vulneración del derecho a la tutela judicial efectiva (en sus vertientes de
derecho a la presunción de inocencia, derecho a un proceso con todas las
garantías, derecho a utilizar los medios de prueba pertinentes y derecho
al acceso a los recursos), los trabajadores recurrentes suelen invocar como
motivo de impugnación de fondo la vulneración del derecho fundamental
a la intimidad por el ejercicio de la facultad empresarial de control.

Los requisitos a los que debe sujetarse el empresario en el ejercicio de
su facultad de vigilancia no aparecen, explicablemente, en el art. 18 CE,
que tiene, en la materia que nos ocupa, una finalidad genérica: garantizar
el derecho a la "intimidad personal" (ap. 1) y encomendar a la ley que limite el "uso de la informática" (ap. 4). Por su parte, descendiendo al plano de
la legalidad ordinaria, el art. 20.3 ET, al ocuparse del poder empresarial de
"vigilancia y control", avanza un par de importantes límites: a) tal poder se
circunscribe a la finalidad de "verificar el cumplimiento por el trabajador
de sus obligaciones y deberes laborales", lo que significaría que las cámaras
de videovigilancia tienen vedado el acceso a aspectos ajenos al comportamiento del trabajador en cuanto tal trabajador, esto es, el acceso a sus
actuaciones puramente extralaborales; y b) dicho poder debe guardar "en
su adopción y aplicación la consideración debida a [la] dignidad [del tra-
bajador]" (añadiendo el art. 20.3, de modo complementario, el deber de
tener en cuenta "en su caso, la capacidad real de los trabajadores con disca-

pacidad"). Este límite al poder de control empresarial atiende además a la específica invocación del art. 4.2.e) ET a la dignidad del trabajador "en la relación de trabajo", que aplica a la materia laboral la declaración de carácter general del art. 10.1 CE ("La dignidad de la persona [es] fundamento del orden político y de la paz social").

2.3.1. La delimitación legal del ámbito del poder directivo del empresario

El poder directivo del empresario tiene unos límites legales que vienen fijados, en principio, en dos artículos del Estatuto de los Trabajadores, a los que ya se ha aludido: el art. 5.c) (cuando supedita la obligatoriedad de las órdenes empresariales al "ejercicio regular" de ese poder) y el art. 20 (cuyo apartado 2 insiste en ese "ejercicio regular", y cuyo apartado 3 impone el límite de la dignidad del trabajador).

Recientemente, y refiriéndose específicamente a la materia que nos ocupa, el art. 81.1 de la LO 3/2018, de protección de datos personales, faculta a los "empleadores" para el tratamiento de imágenes captadas por cámaras o videocámaras, de acuerdo con lo previsto en el art. 20.3 ET, al tiempo que impone a esa facultad el deber de ajustarse a los límites impuestos por el "marco legal"[9].

Por otra parte, la Constitución misma establece, con carácter general y no circunscrito al ámbito de las relaciones laborales, un límite más, en este caso con relación específica al "uso de la informática". En efecto, el art. 18.4 CE encomienda a la ley limitar ese uso con el fin de garantizar "el honor y la intimidad personal y familiar de los ciudadanos y el pleno ejercicio de sus derechos". Concretando ese mandato, el Tribunal Constitucional viene advirtiendo que la norma que autorice la recogida de datos personales debe incluir las garantías de respeto a la vida privada (SSTC 254/1993, 143/1994 y 292/2000). Esa norma es hoy la ya citada LO 3/2018, de 5.12, de protección de datos personales y garantía de los derechos digitales, que ha derogado la LO 15/1999 y que regula, en la materia que nos afecta, los derechos a la intimidad y uso de dispositivos digitales en el ámbito laboral (art. 87), a la desconexión digital en el ámbito laboral (art. 88), a la intimidad frente al uso de dispositivos de videovigilancia y de grabación de sonidos en el lugar de trabajo (art. 89), a la intimidad ante la utilización

---

[9] Sobre el "derecho al olvido en búsquedas de Internet" y en los "servicios de redes sociales", vid. arts. 93 y 94 LO 3/2018.

de sistemas de geolocalización en el ámbito laboral (art. 90); y, en fin, los derechos digitales en la negociación colectiva (art. 91).

El art. 89 de la citada ley regula, pues, la materia objeto de nuestra atención, y lo hace remitiéndose en primer lugar al art. 20.3 ET (y, para los empleados públicos, a la legislación de función pública), dejando claro que el tratamiento empresarial de las imágenes obtenidas por cámaras o videocámaras ha de efectuarse "dentro [del] marco legal y con los limites inherentes al mismo". Previamente, el art. 22.1 de la propia ley determina la finalidad de ese tratamiento: "preservar la seguridad de las personas y bienes, así como de sus instalaciones" (en realidad, estas son también bienes).

2.3.2. El deber de información de la instalación de cámaras de video y de la utilización de datos personales

Más en concreto, se viene exigiendo el requisito de la información previa sobre la instalación de la tecnología controladora, para que ésta pueda considerarse ajustada a la Constitución.

Ello no obstante, un reproche repetido (*vid.*, por todas, las SSTC 186/2000 y 39/2016) frente a las medidas sancionadoras basadas en los datos proporcionados por una cámara de video es el de la falta de información por parte del empresario acerca de la instalación de dicha cámara, omisión que se entiende que vulneraría no sólo el art. 18.1 CE, en cuanto que la prueba de los hechos en que se fundara el despido habría sido obtenida violando la intimidad del recurrente, sino también el art. 18.4 CE, que impone la limitación por ley del uso de la informática para garantizar el honor y la intimidad.

Con relación a la recogida de datos personales de los trabajadores, el empresario está obligado, en efecto, por unos deberes de información hacia los afectados, que relacionaba el art. 5 de la LO 15/1999, de protección de datos de carácter personal y que hoy regulan, con carácter general, el art. 11, y, específicamente en materia laboral, el art. 87.3 de la vigente LO 3/2018, derogatoria de aquélla. El primero de los preceptos citados incluía entre los derechos informativos de aquellos de quienes se obtuvieran los datos el de conocer "las consecuencias de la obtención de los datos" (art. 5.1.c de la LO 15/1999), mientras que la LO 3/2018 impone al responsable del tratamiento de los datos el deber de informar al afectado de, entre otras cuestiones, "la finalidad del tratamiento" [art. 11.2.b)] y dispone que "[l]os trabajadores deberán ser informados de los criterios de utilización" de los dispositivos digitales. Una aplicación literal de estos preceptos al ámbito de las relaciones laborales llevaría, sin duda, a exigir al empresario que instala un sistema de videovigilancia con el fin de controlar el cumplimiento leal de la prestación de trabajo, que informara previamente al trabajador investigado, "de modo expreso, preciso e inequívoco" (como decía el art. 5.1 de la LO 15/1999), acerca de la específica finalidad de tal instalación; esto es, la finalidad de averiguar si el trabajador estaba cometiendo actos ilícitos, obteniendo así la prueba para proceder a su despido u otra sanción. En esta dirección razonó, por cierto, la STC 29/2013, de 11 de febrero, al resolver el caso del empleado de una universidad sancionado por incumplimientos de sus obligaciones, detectados por una cámara videográfica situada en el acceso al centro de trabajo. Desestimada la petición de anulación de la prueba, tanto por el juez de lo social como por el TSJ, y propuesta igualmente por el fiscal del Tribunal Constitucional la desestimación del recurso de amparo, la Sala 1ª del TC acordó, sin embargo, su estimación, mediante una interpretación formalista del art. 5 de la LO 15/1999, basándose en la STC 292/2000 y separándose de lo resuelto en las SSTC 98/2000 y 186/2000, que luego han sido seguidas por la STC 39/2016.

La sentencia del Pleno del TC 292/2000 había abordado, en efecto, un recurso de inconstitucionalidad frente a la LO 15/1999, de protección de datos de carácter personal en el que se debatió acerca de la "libertad informática", y específicamente acerca del "derecho de control sobre los datos relativos a la propia persona", en particular cuando tales datos se hallan contenidos en ficheros informatizados. La sentencia se ocupó de distinguir la función de los apartados 1 y 4 del art. 18 CE: el primero, dedicado a garantizar la protección frente a cualquier invasión de la esfera íntima de la persona, y el segundo dedicado a garantizar en el "uso de la informática" no sólo el derecho a la intimidad sino otros derechos fundamentales como el honor y cualesquiera derechos o bienes amparados por la Constitución.

Por otra parte, ambos apartados 1 y 4 del art. 18 CE se diferencian, según seguía razonando la STC 292/2000, en que el apartado 1 consagra el deber de terceros de abstenerse de llevar a cabo intromisiones en la esfera íntima de la persona, mientras que el apartado 4 reconoce el dominio sobre los datos personales propios –sean o no de carácter íntimo–, exigiendo para su recogida y utilización el conocimiento e información del afectado acerca de su finalidad, y reconociendo a éste el derecho al acceso, rectificación y cancelación de los datos que le conciernen (FJ 6, con abundante cita de jurisprudencia constitucional). El FJ 13 de la sentencia de referencia precisaba que "es evidente que el interesado debe ser informado tanto de la posibilidad de cesión de sus datos personales y sus circunstancias como del destino de éstos, pues sólo así será eficaz su derecho a consentir [...]. Para lo que no basta que conozca que tal cesión es posible [...] sino también las circunstancias de cada cesión concreta".

La sentencia completaba su fundamentación recordando que la protección de datos prevista en el art. 18.4 CE es concordante con la establecida en el Convenio del Consejo de Europa para la protección de las personas respecto al tratamiento automatizado de datos personales, de 28 de enero de 1981, y en la Directiva 95/46, sobre protección de las personas físicas en lo que respecta al tratamiento de datos personales y libre circulación de éstos, así como en el art. 8 de la Carta de derechos fundamentales de la Unión Europea.

Dicho todo lo anterior, debe tenerse también muy presente que la propia STC 292/2000 se cuida de reiterar cómo el derecho a la protección de datos "no es ilimitado [...] aunque la Constitución no le imponga expresamente límites específicos". El principio de proporcionalidad se invoca también aquí, con remisión a sentencias anteriores (SSTC 57/1994, 18/1999), prefiriendo, si existiera, una medida limitadora menos invasiva que la que se quiere adoptar.

En parecidos términos se había pronunciado unos meses antes la STC de la Sala 1ª 98/2000, de 4 de abril, que resolvió un recurso de amparo en el que se debatía la constitucionalidad de la instalación de unos micrófonos en un casino. La sentencia recordó también que el derecho a la intimidad permite "limitaciones o modulaciones", siempre que sean "las indispensables y estrictamente necesarias para satisfacer un interés empresarial merecedor de tutela". En consecuencia, la citada sentencia no admite aquellas medidas de control empresarial que, aunque sean convenientes, no resulten necesarias. En consecuencia, y refiriéndose al caso por ella resuelto, declara que "la mera utilidad o conveniencia para la empresa no legitima sin más la instalación de los aparatos de audición y grabación", máxime teniendo en cuenta que en aquella ocasión la instalación de los micrófonos no era indispensable, al no haberse detectado previamente una "quiebra en los sistemas de seguridad y control".

Por todo ello, la sentencia entendió que la audición continua e indiscriminada de todo tipo de conversaciones, tanto de los propios trabajadores como de los clientes del casino, suponía un desbordamiento de la facultad empresarial reconocida en el art. 20.3 ET y una ilegítima invasión del derecho a la intimidad. Corolario de todo ello fue el otorgamiento del amparo solicitado.

Volviendo a la STC 29/2013, para cuya mejor comprensión hemos hecho referencia a la 292/2000, que aquella cita como antecedente, la Sala consideró que, pese a que se había comunicado la instalación de las cámaras a la Agencia de Protección de Datos y se habían colocado carteles que informaban sobre ella, se había vulnerado la libertad informática del trabajador, al no habérsele informado a él mismo dicha instalación[10]. Se estimaba de este modo que la falta de comunicación al trabajador de la instalación de una cámara videográfica determinaba por sí misma la vulneración del derecho del recurrente a la protección de datos personales y la nulidad de la sanción impuesta al trabajador y de todas las resoluciones recaídas en vía judicial. En su momento, nosotros comentamos esta sentencia, concluyendo que "la invocación del derecho fundamental vulnerado fue el medio para alcanzar un fin no ajustado a Derecho: la evitación de una sanción justificada"[11]. En efecto, la existencia de autorización de la Agencia de Protección de Datos y de carteles informativos de la existencia de la cámara garantizaba suficientemente el respeto de los derechos de los trabajadores consagrados en el art. 18 CE (y en particular, en el art. 18.4), y resultaba por ello excesivo exigir adicionalmente la información al concreto trabajador sospechoso de infringir sus deberes contractuales; información que, muy probablemente, hubiera frustrado la finalidad de la medida controladora, al alertar al trabajador haciéndole cesar en las actividades presuntamente ilícitas cuya realización se trataba, precisamente, de probar.

Con criterio menos formalista, la STC 39/2016 argumenta de modo convincente que la empresa cumple la exigencia del precepto de la ley de protección de datos (concretamente, del mandato del art. 5 de la hoy derogada LO 15/1999, al que se refería también la sentencia 29/2013) cuando coloca en el escaparate de la tienda un distintivo informativo de la existencia de las cámaras. "El trabajador conocía –se lee en el FJ 4 de la sentencia de 2016– que en la empresa se había instalado un sistema de control por videovigilancia, *sin que haya que especificar, más allá de la mera vigilancia,*

---

[10]   Sobre la STC 98/2000, vid. D. ALVAREZ ALONSO: "Derecho a la intimidad y vigilancia audiovisual en el medio de trabajo; sentencia TC 98/2000, de 19 de abril", en J. GARCÍA MURCIA (Dir.): *Derechos del trabajador y libertad de empresa*, Thomson Reuters / Aranzadi, 2013, págs. 337 y ss.; sobre la STC 29/2013, vid., y A. MONTOYA MELGAR: "Protección de datos y nulidad de prueba videográfica", en M. ALONSO OLEA y A. MONTOYA MELGAR: *Jurisprudencia constitucional sobre trabajo y seguridad social*, tomo XXX, 2012 y 2013, Thomson Reuters / Civitas, 2014, págs. 257 y ss.

[11]   A. MONTOYA MELGAR: "Protección de datos y nulidad de prueba videográfica", cit., pág. 264.

la finalidad exacta que se le ha asignado a ese control". En consecuencia, el Tribunal entendió que el despido impugnado no había vulnerado el art. 18.4 CE, pues había quedado suficientemente probado el actuar ilícito de la empleada, y el medio de prueba no merecía reproche.

En fin, la misma irrelevancia sobre la validez de la medida controladora tiene, según razona la STC 186/2000, FJ 7, la falta de su comunicación tanto a los trabajadores afectados como al comité de empresa. Denunciada esta supuesta vulneración, el Tribunal la descarta al apreciar su intrascendencia desde la perspectiva constitucional, por tratarse de una cuestión de mera legalidad.

En efecto, la citada sentencia, ante un caso en el que la información de referencia no existió, ni con relación al trabajador recurrente ni tampoco con relación al comité de empresa, consideró que ello no suponía vulneración del derecho a la intimidad. Así, el FJ 7 de la resolución declaró que "*[e]l hecho de que la instalación del circuito cerrado de televisión no fuera previamente puesto en conocimiento del comité de empresa y de los trabajadores afectados (sin duda por el justificado temor de la empresa de que el conocimiento de la existencia del sistema de filmación frustraría la finalidad apetecida) carece de trascendencia desde la perspectiva constitucional, pues, fuese o no exigible el informe previo del comité de empresa a la luz del art. 64.1.3 d) LET[12], estaríamos en todo caso ante una cuestión de mera legalidad ordinaria, ajena por completo al objeto del recurso de amparo*". La aclaración que la sentencia ofrece entre paréntesis –que la información sobre la instalación del sistema de filmación tenía el riesgo de frustrar el objetivo de la medida de control– no es infundada, aunque podría llevar a una consecuencia seguramente excesiva, pues de ella podría quizá deducirse que permite la grabación de imágenes del puesto de trabajo sin previa información alguna acerca de dicha instalación. Pues una cosa es la información al trabajador de que va a ser grabado para obtener una prueba de su conducta ilícita sobre la que basar una ulterior sanción (que sin duda sería excesivo exigir, dado el evidente riesgo de que ello hubiera frustrado el objetivo de la instalación videográfica), y otra distinta informar simplemente y con carácter general de que existe o de que se va a instalar una cámara de videovigilancia, cuya finalidad, por otra parte, aunque no se haga expresa no sería difícil de intuir.

---

[12]   Se refiere al precepto de la entonces vigente Ley del Estatuto de los Trabajadores (RDLeg 8/1980, de 10 de marzo), a cuyo tenor el comité de empresa era competente para "emitir informe con carácter previo a la ejecución por parte del empresario de las decisiones adoptadas por este en las siguientes materias: (…) d) implantación o revisión de sistemas de organización y control del trabajo".

El deber de información del que nos venimos ocupando se regula actualmente en el art. 89.1 de la LO 3/2018, que dispone que el empresario debe informar "a los trabajadores [...] y en su caso a sus representantes" del tratamiento de imágenes a través de cámaras o videocámaras "con carácter previo, y de forma expresa, clara y concisa". Esta regla, sin embargo, conoce una muy importante y pertinente excepción: cuando "se haya captado la comisión flagrante de un acto ilícito por los trabajadores [...] se entenderá cumplido el deber de informar cuando existiese al menos el dispositivo al que se refiere el artículo 22.4" de la propia LO. Este art. 22.4 de la LO 3/2018 establece que el deber de información [que prevé el art. 12 del Rglto. (UE) 2016/679] "se entenderá cumplido mediante la colocación de un dispositivo informativo en lugar suficientemente visible identificando, al menos, la existencia del tratamiento, la identidad del responsable y la posibilidad de ejercitar los derechos previstos en los artículos 15 a 22 del reglamento (UE) 2016/679)". Como se ve, la ley admite como medio de prueba del ilícito cometido por el trabajador las imágenes captadas por una cámara de videovigilancia, bastando que la instalación de esta haya sido anunciada genéricamente, sin necesidad de apercibir al concreto trabajador sospechoso de incumplimiento, lo que, ciertamente y como ya se ha dicho, podría frustrar la finalidad probatoria del dispositivo de control.

El TEDH acaba de ratificar la doctrina de nuestro TC en materia de información acerca de la instalación de cámaras de videovigilancia, en su importante sentencia de 17 de octubre de 2019, asunto *López Ribalda*, pronunciada a consecuencia de la petición del Gobierno español de reenvío a la Gran Sala del litigio resuelto por la sección 3ª del TEDH en su sentencia de 9 de enero de 2018.

Dicha resolución, y ahora la de la Gran Sala, se ocupan de un supuesto de cámaras de videovigilancia instaladas sin comunicarlo a los empleados ni al comité de empresa. Ante la sospecha de sustracciones de productos de la empresa, esas cámaras ocultas se instalaron sumándose a otras visibles, sobre cuya existencia, además, se advertía con una indicación genérica.

Despedidos los empleados responsables de esos actos por transgresión de la buena fe contractual, en base a la prueba aportada por los registros videográficos obtenidos por las cámaras ocultas, aquellos presentaron demanda ante el juzgado de lo social denunciando que dicha prueba se había obtenido con vulneración de su derecho a la intimidad por lo que debía ser considerada nula. El juez, invocando la tantas veces citada STC 186/2000, consideró el despido procedente, dado que la prueba del incumplimiento era válida, al haberse obtenido mediante una medida de control proporcionada.

Confirmada esta sentencia por el Tribunal Superior de Justicia, que entendió que se ajustaba a la doctrina del TC, pues el control empresarial se ajustó a los criterios de adecuación, necesidad y proporcionalidad, los despedidos recurrieron en casación y en amparo, respectivamente, ante el TS y el TC, siendo inadmitidos ambos recursos. Planteada la cuestión ante el Tribunal Europeo de Derechos Humanos, su Sección 3ª estimó el recurso, entendiendo que se había vulnerado el art. 8 del Convenio del Consejo de Europa para la protección de las personas respecto al tratamiento automatizado de datos personales, de 1981, ratificado por España en 1984. La Gran Sala rectifica ahora este pronunciamiento y resuelve, con un minucioso examen del Derecho español y del europeo (Consejo de Europa y Unión Europea), que la prueba obtenida era válida y que los tribunales españoles no habían vulnerado el art. 8 del Convenio.

2.3.3. Sobre la necesidad de consentimiento del trabajador sujeto a control

Un requisito no menos necesitado de precisión que el de la información de la implantación de un sistema de videovigilancia es el de la exigencia de consentimiento del afectado sobre la recogida y utilización de sus datos personales; requisito abordado, entre otras, por la STC 39/2016, de 3 de marzo. Dicha exigencia constituía una regla que tenía, sin embargo, importantes excepciones en la (entonces vigente) LO 15/1999, de protección de datos de carácter personal; en concreto, después de disponer (art. 6.1) que "el tratamiento de los datos de carácter personal requerirá el consentimiento inequívoco del afectado, salvo que la ley disponga otra cosa", de inmediato la ley (art. 6.2 de la misma LO 15/1999) eximía de la exigencia del consentimiento en una serie de supuestos, entre ellos cuando esos datos "*se refieran a las partes de un contrato o precontrato de una relación (…) laboral y sean necesarios para su mantenimiento o cumplimiento*"; excepción reiterada en el reglamento de la ley (RD 1720/2007, de 21 de diciembre, art. 10.3.b)[13]. En consecuencia, la citada sentencia 39/2016, dado que en

---

[13]   La fórmula de la LO 3/2018 exige en su art. 6 ("Tratamiento basado en el consentimiento del afectado") el "consentimiento inequívoco" del afectado (ap. 1), prevé el consentimiento para una pluralidad de finalidades (ap. 2) y prohíbe la supeditación de la ejecución del contrato al consentimiento en cuanto al "tratamiento de los datos personales para finalidades que no guarden relación con el mantenimiento, desarrollo o control de la relación contractual" (ap. 3).

el caso enjuiciado el tratamiento de los datos se utilizaba para garantizar el cumplimiento de la relación laboral, entendió que el empresario estaba dispensado de obtener el consentimiento de la trabajadora para el referido tratamiento de datos. Como dice contundentemente el FJ 4 de la resolución, refiriéndose al caso, "el empresario no necesita el consentimiento expreso del trabajador", pues dicho consentimiento "se entiende implícito en la propia aceptación del contrato que implica reconocimiento del poder de dirección del empresario".

Una solución análoga es a la que llega el Reglamento (UE) 2016/679, del Parlamento Europeo y del Consejo, de 27 de abril de 2016, sobre protección de las personas en cuanto al tratamiento de datos personales, cuando en su art. 6 enumera los distintos supuestos de tratamiento de datos lícitos, considerando casos alternativos, entre otros que aquí no importan, no sólo aquel en el que "el interesado dio su consentimiento para el tratamiento de sus datos personales" [apartado *a*)] sino también aquel otro en el que "el tratamiento es necesario para la ejecución de un contrato en el que el interesado es parte" [apartado *b*)]. En este último caso –que es el que está siendo objeto de nuestra atención, con relación al contrato de trabajo–, pues, la incidencia del tratamiento de los datos sobre el cumplimiento del contrato hace que no se precise requerir el consentimiento del trabajador.

El estudio de las relaciones entre el poder de dirección del empresario, ejercido a través de instrumentos de videovigilancia, y los derechos, especialmente el de intimidad, del trabajador –estudio que hemos centrado en la doctrina del TC– nos lleva, sobre todo, a reafirmar una conocida conclusión: la necesidad de conciliar las posiciones, derechos e intereses de ambas partes del contrato de trabajo; necesidad de conciliación que coincide con la finalidad esencial del Derecho del Trabajo, un sector del ordenamiento jurídico caracterizado por su naturaleza transaccional[14].

En efecto, en el curso de las relaciones laborales es obligado observar –como dice, de nuevo, la STC 186/2000, reiterada por la 39/2016– «el necesario equilibrio entre las obligaciones dimanantes del contrato para el trabajador y el ámbito –modulado por el contrato, pero en todo caso subsistente– de su libertad constitucional (…) teniendo siempre presente el principio de proporcionalidad».

---

[14]   Cfr. J.M. GALIANA MORENO: "Reflexiones sobre el carácter transaccional del Derecho del Trabajo", en *Estudios de Derecho del Trabajo en memoria del Profesor Gaspar Bayón Chacón,* Editorial Tecnos, Madrid, 1980, págs. 537 y ss.

Aplicando los tradicionales rasgos de dicho principio –idoneidad, necesidad y proporcionalidad en sentido estricto de la medida cuestionada–, la STC 39/2016 concluyó que la cuestionada instalación de una cámara fue "una medida justificada (ya que existían razonables sospechas de que alguno de los trabajadores que prestaban servicios en dicha caja se estaba apropiando de dinero); idónea para la finalidad pretendida por la empresa (verificar si algunos de los trabajadores cometía efectivamente las irregularidades sospechadas y en tal caso adoptar las medidas disciplinarias correspondientes); necesaria (ya que la grabación serviría de prueba de tales irregularidades); y equilibrada (pues la grabación de imágenes se limitó a la zona de la caja), por lo que debe descartarse que se haya producido lesión alguna del derecho a la intimidad personal consagrado en el art. 18.1 CE".

Este pronunciamiento favorable a la constitucionalidad del control de videovigilancia coincide con el efectuado años antes por la tantas veces citada STC 186/2000, de 10 de julio de 2000. También en aquel caso el irregular proceder del cajero de un economato de empresa dio lugar a que ésta encargara la instalación de un circuito cerrado de televisión, lo que permitió probar sustracciones efectuadas por el trabajador, y motivar el despido de éste. También en aquel caso el recurrente en amparo denunció la infracción de sus derechos a la intimidad y a la propia imagen. Y también en aquel caso se estimó que la medida empresarial era justificada, idónea, necesaria y equilibrada.

VI. JURISPRUDENCIA SOBRE CONTROL EMPRESARIAL DE LA ACTIVIDAD DEL TRABAJADOR MEDIANTE INSTRUMENTOS TECNOLÓGICOS

ÁNGEL BLASCO PELLICER
Magistrado Tribunal Supremo
Catedrático de Derecho del Trabajo
y de la Seguridad Social –SE–. Universidad de Valencia)

1. INTRODUCCIÓN

Desde su primera versión (Ley 8/1980, de 10 de marzo), el artículo 20.3 del Estatuto de los Trabajadores ha permanecido invariable, a pesar de las infinitas modificaciones que aquél texto legal ha tenido durante sus cuarenta años de vigencia. Conforme a dicho precepto, el empresario podrá adoptar las medidas que estime más oportunas de vigilancia y control para verificar el cumplimiento por el trabajador de sus obligaciones y deberes laborales. Las únicas limitaciones que el texto legal incluye se refieren, por un lado, a que para la adopción y aplicación de las medidas se deberá guardar la consideración debida a la dignidad del trabajador; y, por otro lado, se deberá tener en cuenta, en su caso, la capacidad real de los trabajadores con discapacidad. Con tan escasos mimbres normativos, el Tribunal Supremo ha tenido que resolver los conflictos que se han venido produciendo como consecuencia de la utilización de medios tecnológicos, bien sea como instrumentos de trabajo, bien como mecanismos de control de la actividad del trabajador.

Es cierto que, como consecuencia de la Disposición Final Decimotercera de la Ley Orgánica 3/2018, de 5 de diciembre, de protección de datos personales y garantía de los derechos digitales (en adelante: LOPDP)[1], se ha introducido un nuevo artículo en el Estatuto de los Trabajadores, concretamente, el artículo 20 bis, cuyo título es "Derechos de los trabajadores a la intimidad en relación con el entorno digital y a la desconexión". Según el mismo, los trabajadores tienen derecho a la intimidad en el uso de los dispositivos digitales puestos a su disposición por el empleador, a la desconexión digital y a la intimidad frente al uso de dispositivos de video vigilancia y geo localización en los términos establecidos en la legislación vigente en materia de protección de datos personales y garantía de los derechos digitales. Legislación vigente que es, precisamente, la que introdujo la mencionada LOPDP, concretamente, en sus artículos 87 a 91. Sin embargo, dichos nuevos preceptos, por razones temporales, no han sido aplicados, todavía, por el Tribunal Supremo.

De la dicción del artículo 20.3 ET, en lo relativo al respeto a la dignidad del trabajador, desde siempre, ha venido entendiéndose que no sólo cabe exigir que los mecanismos de control del trabajador utilizados por el empresario deben ser respetuosos con el derecho a la dignidad, sino también, con la totalidad de los derechos fundamentales del trabajador, especialmente del derecho a la intimidad. En concreto, el Tribunal Constitucional ha reiterado (por todas SSTC 98/2000, de 10 de abril y 186/2000, de 10 de julio) que las decisiones del empresario en este terreno deben someterse a un juicio de proporcionalidad que implica una triple exigencia, a saber, que las medidas sean idóneas, esto es que sean susceptibles de conseguir el fin propuesto; que sean necesarias porque no existan otras de menor intensidad invasiva sobre los derechos del trabajador con las que se pueda conseguir la misma finalidad; y que deriven de ellas más beneficios que perjuicios. Es lo que se denomina triple control de idoneidad, necesidad y proporcionalidad en sentido estricto. Por ello, las resoluciones del Tribunal Supremo al respecto, casi siempre vinculadas a la legitimidad de la prueba de un posible incumplimiento del trabajador, han tenido que dirimir el conflicto entre el legítimo derecho del empresario de verificación de la actividad de sus trabajadores y los derechos de estos reconocidos en la Constitución y en el resto de la legislación ordinaria. Para ello ha tenido el auxilio de la doctrina del Tribunal Constitucional, especialmente prolija en estas cuestiones, que siempre ha exigido someter las medidas empre-

---

[1]   Un análisis completo de los aspectos laborales de dicha ley en PÉREZ DE LOS CO-BOS, F. "Poderes del empresario y derechos digitales del trabajador" en *Trabajo y Derecho*, nº 59. Noviembre. 2019.

sariales al canon de proporcionalidad en los términos expuestos, y la del Tribunal Europeo de Derechos Humanos.

El propósito de este trabajo estriba en el análisis específico de la reciente jurisprudencia del Tribunal Supremo y su valoración a la vista de la reciente regulación contenida en la LOPDP. Y ello en torno a dos cuestiones concretas, prácticamente las únicas que han llegado a la casación unificadora, la primera el control del uso de los medios tecnológicos puestos a disposición del trabajador para la realización de su trabajo, en concreto, del ordenador y de los programas o funciones incorporados al mismo (correo electrónico, internet...); y, el segundo, la inspección de la actividad del trabajador mediante dispositivos de video vigilancia.

2. CONTROL DEL USO DEL ORDENADOR: CONEXIÓN A INTERNET, CORREO ELECTRÓNICO, ETC.

2.1. *La primera jurisprudencia y su adecuación a la doctrina del TC y del TEDH*

Consolidada la doctrina constitucional sobre el reseñado control de proporcionalidad de la medida empresarial en relación con los derechos del trabajador, en especial los incluidos en el artículo 18 CE, el Tribunal Supremo se enfrentó con el problema del control del uso por el trabajador del ordenador puesto a disposición por la empresa para la realización del trabajo convenido, en la conocida –probablemente por ser pionera en la solución del conflicto que nos ocupa– STS de 26 de septiembre de 2007, Rcud. 966/2006.

La sentencia se dicta a propósito de un despido, pero de lo que el Tribunal Supremo se ocupó no fue del hecho de la existencia o no de un incumplimiento contractual derivado de una conducta con efectos disciplinarios; sino del alcance y la forma del control empresarial sobre el uso por el trabajador del ordenador que se facilitó por la empresa como instrumento de trabajo; en definitiva, del control sobre un ámbito que, aunque vinculado al trabajo, puede afectar a la intimidad del trabajador. El problema jurídico abordado, ligado a la licitud de la prueba del incumplimiento del trabajador –consistente en la comprobación del uso del ordenador realizado sin la presencia del trabajador ni de sus representantes–, es la compatibilidad de ese control empresarial con el derecho del trabajador a su intimidad personal (artículo 18.1 CE); o, incluso, con el derecho al secreto de las comunicaciones (artículo 18.3 CE), si se tratara del control del correo electrónico; o al artículo 8 del Convenio europeo para la protección de derechos humanos. Sobre todo ello, el alto tribunal estableció una incipiente doctrina (después ratificada, entre otras, en SSTS de 8 de marzo de 2011, Rcud. 1826/2010 y 6 de octubre de 2011, Rcud. 4053/2010) que podría resumirse de la siguiente forma:

a) Las garantías que el artículo 18 ET establece, a propósito de los registros sobre la persona del trabajador, su taquilla o sus efectos personales, no resultan de aplicación al ordenador y a su uso puesto que este es un instrumento de trabajo, de propiedad empresarial, puesto a disposición del empleado para la realización del trabajo encomendado. Por ello, su control debe regirse por el artículo 20.3 ET.

b) Existe un uso social de tolerancia respecto a la utilización moderada de los medios de comunicación de la empresa. Apoyándose en tal realidad, surge, sin duda, una expectativa de confidencialidad para el trabajador. Expectativa que debe protegerse.

c) Esa expectativa de confidencialidad no puede convertirse en un impedimento permanente del control empresarial, porque, aunque el trabajador tiene derecho al respeto a su intimidad, no puede imponer ese respeto cuando utiliza un medio proporcionado por la empresa en contra de las instrucciones establecidas por ésta para su uso y al margen de los controles previstos para esa utilización y para garantizar la permanencia del servicio.

d) En consecuencia, el empresario, de conformidad con las exigencias de la buena fe, debe establecer previamente las reglas de uso de esos medios –con aplicación de prohibiciones absolutas o parciales– e informar a los trabajadores de que va existir control y de los medios que han de aplicarse en orden a comprobar la corrección de los usos, así como de las medidas que han de adoptarse, en su caso, para garantizar la efectiva utilización laboral del medio cuando sea preciso, sin perjuicio de la posible aplicación de otras medidas de carácter preventivo, como la exclusión de determinadas conexiones.

e) Establecidas las reglas de uso y conocidas por el trabajador, si hay limitaciones o prohibiciones de uso personal y advertencia de control sobre el mismo, la expectativa de confidencialidad desaparece.

La sentencia que nos ocupa deja de lado el correo electrónico, aunque se refiere al mismo indicando que las comunicaciones telefónicas y el correo electrónico están incluidos en este ámbito con la protección adicional que deriva de la garantía constitucional del secreto de las comunicaciones, sin ninguna otra matización, por lo que debe considerarse un mero óbiter dicta y no una doctrina asentada pues no dirime el problema derivado del control empresarial de un medio de trabajo singular cual es el correo electrónico y su colisión con el derecho al secreto de las comunicaciones, lo que –como se verá de inmediato– ha ocupado a la jurisprudencia más reciente.

La sentencia, cuya doctrina fue reiterada en posteriores ocasiones tuvo una especial trascendencia doctrinal y judicial, probablemente, por ser la primera que enfrentó el conflicto que nos ocupa y que pretendió establecer criterios generales que sirviesen de guía y doctrina. Sin embargo, se alineó –como, por otra parte, no podía ser de otra manera– con la propia doctrina del Tribunal Constitucional (las ya citadas SSTC 98/2000, de 10 de abril y 186/2000, de 10 de julio) y con la doctrina derivada del Tribunal Europeo de Derechos Humanos, especialmente, la sentencia de 3 de abril de 2007 TEDH cuando señala que están incluidos en la protección del art. 8 del Convenio Europeo de derechos humanos "la información derivada del seguimiento del uso personal de Internet" y es que esos archivos pueden contener datos sensibles en orden a la intimidad, en la medida que pueden incorporar informaciones reveladores sobre determinados aspectos de la vida privada (ideología, orientación sexual, aficiones personales, etc.).

En todo caso, la doctrina del TS descansaba sobre el eje delimitación empresarial del uso de los medios tecnológicos puestos a disposición del trabajador y expectativa de confidencialidad por parte de éste, de forma que la STS de 13 de septiembre de 2016, Rcud. 206/2015, admitió tanto la facultad de control del empresario como la licitud de una prohibición absoluta de los usos personales y, ante la cuestión relativa a determinar si existe o no un derecho del trabajador a que se respete su intimidad cuando, en contra de la prohibición del empresario o con una advertencia expresa o implícita de control, utiliza el ordenador para fines personales, estableció que si no hay derecho a utilizar el ordenador para usos personales, no habrá tampoco derecho para hacerlo en unas condiciones que impongan un respeto a la intimidad o al secreto de las comunicaciones, porque, al no existir una situación de tolerancia del uso personal, tampoco existe ya una expectativa razonable de intimidad y porque, si el uso personal es ilícito, no puede exigirse al empresario que lo soporte y que además se abstenga de controlarlo. Por tanto, si existe un régimen previo de limitación de uso de los medios informáticos, con prohibición expresa de uso extralaboral, "el poder de control de la empresa sobre las herramientas informáticas de titularidad empresarial puestas a disposición de los trabajadores podía legítimamente ejercerse, ex art. 20.3 LET, tanto a efectos de vigilar el cumplimiento de la prestación laboral realizada a través del uso profesional de estos instrumentos, como para fiscalizar que su utilización no se destinaba a fines personales o ajenos al contenido propio de su prestación de trabajo" (STC 170/2013, de 7 de octubre). Y que "este dato constituye una importante particularidad respecto a los supuestos enjuiciados en algunos pronunciamientos del Tribunal Europeo de Derechos Humanos, en los que la apreciación, a la vista de las circunstancias, de que el trabajador no estaba advertido de la posibilidad de que sus comunicaciones pudieran ser objeto de seguimiento por la empresa, ha llevado a admitir que dicho trabajador podía razonablemente confiar en el carácter privado de las llamadas efectuadas desde el teléfono del trabajo o, igualmente, en el uso del correo electrónico y la navegación por Internet (STEDH de 25 de junio de 1997, caso Halford c. Reino Unido, § 45 y de 3 de abril de 2007, caso Copland c. Reino Unido , § 42 y 47".

2.2. La STS de 8 de febrero de 2018 y su adecuación a la doctrina del TEDH (Caso Barbulescu, STEDH de 5 de septiembre de 2017)

Probablemente debido a que el TEDH tuvo que pronunciarse dos veces sobre el mismo asunto, primero en sala ordinaria y, posteriormente por la Gran Sala; o porque se trataba de un supuesto de control del ordenador y, específicamente, de una cuenta de mensajería instantánea –lo que implicaba al secreto de las comunicaciones–, lo cierto es que la STEDH del caso Barbulescu[2] ha tenido una gran trascendencia mediática y ha venido a condicionar la jurisprudencia interna de los países de la Unión y, en su seno, la nuestra[3].

Los hechos son sobradamente conocidos: En una empresa rumana, en la que existía, a través del reglamento de la empresa, una prohibición de utilización de los ordenadores propiedad de la empresa para usos personales, pero no una advertencia sobre la vigilancia empresarial y su alcance, consta que existía en el ordenador del Sr. Barbulescu una cuenta de mensajería instantánea para comunicarse con los clientes. Mediante una investigación sobre el ordenador se descubrieron múltiples mensajes entre

---

[2]   Sentencia del Tribunal Europeo de Derechos Humanos de 16 de enero de 2016, caso Barbulescu contra Rumania (denominada Barbulescu-I) seguida de la STEDH de 5 de septiembre de 2017, Proc. Nº 61496/08, dictada por la Gran Sala (caso Barbulescu-II)

[3]   Un lúcido análisis de ambas resoluciones en DESDENTADO, A. *Nuevas tecnologías y contrato de trabajo en la jurisprudencia reciente* Encuentro Jueces de lo Social, Valencia, 2017. Ejemplar mecanografiado.

el referido trabajador y su pareja y familia. El 3 de julio de 2007, se entregó al Sr. Barbulescu, al igual que al resto de los trabajadores, una nota indicando que el empleador se veía en la obligación de verificar, controlar y, en su caso, sancionar el uso de internet, teléfonos y fotocopiadoras. En una reunión producida días después se informó al trabajador de que se habían controlado sus comunicaciones y se le advertía que se había producido un uso indebido de internet. En una posterior reunión se le mostraron 45 páginas de transcripciones de sus conversaciones privadas, algunas de carácter íntimo, que demostraban el uso personal. Posteriormente fue despedido. Los tribunales nacionales desestimaron su demanda contra la medida extintiva; decisión que, implícitamente, fue ratificada por el TEDH pues en su sentencia se 16 de enero de 2016 desestimó su pretensión al considerar que no se había producido vulneración alguna del artículo 8 de la CEDH.

El asunto, como se avanzó, llegó a la Gran Sala que estimó la pretensión del trabajador en su STEDH de 5 de septiembre de 2017 en la que entendió que el artículo 8 CEDH resulta aplicable y había sido vulnerado ya que las comunicaciones vía mensajería privada en el lugar de trabajo están protegidas al entrar de lleno en los conceptos vida privada del trabajador y correspondencia o comunicación. La Gran Sala tuvo en cuenta las siguientes circunstancias: A) que las autoridades nacionales rumanas no habían determinado, con claridad, que el Sr. Barbulescu había sido informado con carácter previo a las medidas de monitorización llevadas a cabo por la empresa. Al respecto, la sentencia enfatiza que para que una advertencia sea válida debe llevarse a cabo antes de la intervención empresarial. B) Igualmente, la sentencia resalta que los tribunales rumanos no tuvieron en cuenta el alcance de la intrusión, dado que la empresa había grabado la totalidad de las comunicaciones del trabajador, sin que, por otra parte, aparecieran justificados los motivos que impulsaron la monitorización. C) También se pone de relieve que los tribunales rumanos no valoraron si la medida intrusiva era absolutamente necesaria o si se hubiera logrado el mismo objetivo con una medida menos invasiva; y D) Tampoco determinaron en qué momento exacto del procedimiento disciplinario la empresa accedió a las comunicaciones del trabajador, lo que atenta contra el principio de transparencia. Por todo ello, la sentencia concluye que los tribunales rumanos no valoraron adecuadamente el equilibrio entre los derechos que entraban en conflicto.

Si bien se mira, el alcance de la sentencia no va mucho más allá del triple control de proporcionalidad que exige nuestro Tribunal Constitucional y que se expreso anteriormente. En efecto, la doctrina que establece la sentencia Barbulescu-II que, recordemos, ha de servir como criterio interpretativo en la aplicación de los preceptos constitucionales tuteladores de los derechos fundamentales, requiere, para los supuestos de control de los medios tecnológicos puestos a disposición por la empresa al trabajador, de las siguientes exigencias: a) En primer lugar de una doble advertencia previa, clara y conocida por el trabajador con antelación, consistente, por un lado, en el uso exclusivo de dichos medios tecnológicos para asuntos de trabajo y, consiguientemente, la prohibición total o parcial de su uso para cuestiones de índole personal o extrañas al trabajo convenido; y, por otro lado, la simultánea advertencia de la posibilidad de control del referido uso por parte de la empresa. b) En segundo lugar, esa posibilidad de control por parte de la empresa debe estar justificada por razones ligadas a las exigencias derivadas de la organización productiva de la empresa o por la preservación de los mismos medios tecnológicos sujetos al control. c) En tercer lugar, no basta la doble advertencia inicial, sino que resulta conveniente una reiteración periódica de los avisos empresariales. Y d) Los medios de control deben ser lo menos invasivos posible, limitado al descubrimiento y acreditación del ilícito contractual, sin que sea adecuada ni lícita una monitorización continua, salvo excepciones ligadas a labores de seguridad, defensa, policía o investigación altamente especializada.

Poco tiempo después, el tribunal Supremo tuvo que enfrentarse a una cuestión ligada a la vigilancia y comprobación del correo electrónico de un trabajador por parte de su empresa. Se trató del supuesto contemplado en la STS de 8 de febrero de 2018 (Rcud. 1121/2015) en el que una determinada mercantil tenía establecido un sistema por medio del cual, cada vez que se encendía el ordenador, aparecía un aviso en pantalla recordando que el medio tecnológico y los programas instalados eran propiedad exclusiva de la empresa que reservaba su uso, exclusivamente para cuestiones ligadas al trabajo a realizar, a la vez que advertía que la empresa efectuaba controles periódicos sobre el uso regular de tales medios de producción. Igualmente el sistema, para avanzar, requería la conformidad del empleado y su conocimiento de las advertencias empresariales. En esas circunstancias, un empleado, del departamento de compras se dejó olvidado en la impresora común una copia de una transferencia, por una cantidad importante de dinero, efectuada por una empresa proveedora a la cuenta particular del trabajador. Otro empleado, en la creencia de que podría tratarse de un documento de la empresa olvidado, se lo entregó al Jefe de Administración. La empresa requirió de un ingeniero informático externo para investigar en el ordenador y correo electrónico de la empresa, lo que se hizo, acotando la búsqueda de correos enviados y recibidos, solo para la cuenta de correo del proveedor y por el concepto transferencia. En ningún momento se abrieron correos distintos de los expresados. A consecuencia de ello, el trabajador fue despedido y tanto el Juzgado de lo Social como la Sala de lo Social del Tribunal Superior de Justicia de Galicia declararon el despido procedente. Ahora bien, este último tribunal, entendió que la prueba de los correos electrónicos se había obtenido con vulneración de los derechos fundamentales del trabajador, del derecho a la intimidad y al secreto de las comunicaciones, mandando eliminar dicha prueba, pero confirmando la procedencia del despido en base a otras pruebas obrantes en las actuaciones.

Recurrieron en casación unificadora ambas partes, el trabajador para sostener la nulidad del despido o, subsidiariamente, su improcedencia; la empresa para mantener la validez de la prueba y, especialmente, para que se declarase que no se habían vulnerado los derechos fundamentales del trabajador. El recurso del trabajador fue inadmitido al faltar la necesaria contradicción. Sin embargo, el recurso de la empresa si pasó tal trámite. La sentencia del TS comienza avalando la posibilidad de recurrir por parte de la empresa al reconocer que, pese a ser absuelta, concurría gravamen para ella, habida cuenta de que, declarada por la sentencia recurrida la vulneración de derechos fundamentales del trabajador, con base a ello era posible la exigencia de responsabilidades de todo orden por una actuación de la empresa que la sentencia recurrida había calificado atentatoria a derechos fundamentales del trabajador.

Por lo que respecta al fondo del asunto, la sentencia, en una primera parte, explicita la doctrina constitucional sobre las facultades empresariales de control del uso de soportes y programas informáticos por el trabajador. En concreto, recuerda lo siguiente: a) El poder de dirección del empresario «es imprescindible para la buena marcha de la organización productiva –reflejo de los derechos proclamados en los arts. 33 y 38 CE– y se reconoce expresamente en el art. 20 LET; en su apartado 3 se atribuye al empresario la facultad de adoptar las medidas que estime más oportunas de vigilancia y control para verificar el cumplimiento por el trabajador de sus obligaciones y deberes laborales, guardando en su adopción y aplicación la consideración debida a su dignidad humana (SSTC 98/2000, de 10 de abril; 186/2000, de 10 de julio; y 241/2012, de 17 de diciembre). b) En aplicación de esta necesaria adaptabilidad de los derechos del trabajador a los razonables requerimientos de la organización productiva en que se integra, se ha afirmado que "manifestaciones del ejercicio de aquéllos que en otro contexto serían legítimas, no lo son cuando su ejercicio se valora en el marco de la relación laboral" (STC 126/2003, de 30 de junio). En el mismo sentido, hemos indicado que "la relación laboral, en cuanto tiene como efecto típico la sumisión de ciertos aspectos de la actividad humana a los poderes empresariales, es un marco que ha de tomarse en forzosa consideración a la hora de valorar hasta qué punto ha de producirse la coordinación entre el interés del trabajador y el de la empresa que pueda colisionar con él" (STC 99/1994, de 11 de abril). c) en el marco de las facultades de auto organización, dirección y control correspondientes a cada empresario, "no cabe duda de que es admisible la ordenación y regulación del uso de los medios informáticos de titularidad empresarial por parte del trabajador, así como la facultad empresarial de vigilancia y control del cumplimiento de las obligaciones relativas a la utilización del medio en cuestión, siempre con pleno respeto a los derechos fundamentales" (STC 241/2012)[4].

Inmediatamente, la sentencia fija criterios sobre el derecho a la intimidad del trabajador en el marco de la relación laboral, siguiendo la doctrina del Tribunal Constitucional del siguiente modo: a) el derecho a la intimidad personal, en cuanto derivación de la dignidad de la persona (art. 10.1 CE), "implica la existencia de un ámbito propio y reservado frente a la acción y el conocimiento de los demás, necesario, según las pautas de nuestra cultura, para mantener una calidad mínima de la vida humana". Así pues, "lo que garantiza el art. 18.1 CE es el secreto sobre nuestra propia esfera de vida personal, excluyendo que sean los terceros, particulares o poderes públicos, los que delimiten los contornos de nuestra vida privada" (STC 159/2009, de 29 de junio, FJ 3; o SSTC 185/2002, de 14 de octubre y 93/2013, de 23 de abril. b) la intimidad protegida por el art. 18.1 CE no se reduce a la que se desarrolla en un ámbito doméstico o privado; existen también otros ámbitos, en particular el relacionado con el trabajo o la profesión, en que se generan relaciones interpersonales, vínculos o actuaciones que pueden constituir manifestación de la vida privada (STC 12/2012, de 30 de enero). Por ello, expresamente hemos afirmado que el derecho a la intimidad es aplicable al ámbito de las relaciones laborales (SSTC 98/2000, de 10 de abril, y 186/2000, de 10 de julio). c) Pero el derecho a la intimidad no es absoluto –como no lo es ningún derecho fundamental–, pudiendo ceder ante intereses constitucionalmente relevantes, siempre que el límite que aquél haya de experimentar se revele como necesario para lograr un fin constitucionalmente legítimo y sea proporcionado (STC 115/2013, de 9 de mayo o SSTC 143/1994, de 9 de mayo y 70/2002,

---

[4]   Véase: MERCADER, J.R. *El futuro del trabajo en la era de la digitalización y de la robótica.* Tirant Lo Blanch, Valencia, 2017, pp. 140 y ss.

de 3 de abril). Y tales criterios, aplicables sin duda al correo electrónico, implican que en este ámbito la cobertura de este derecho fundamental viene determinada por la existencia de una expectativa razonable de privacidad o confidencialidad. En concreto, se ha señalado que un criterio a tener en cuenta para determinar cuándo nos encontramos ante manifestaciones de la vida privada protegible frente a intromisiones ilegítimas es el de las expectativas razonables que la propia persona, o cualquier otra en su lugar en esa circunstancia, pueda tener de encontrarse al resguardo de la observación o del escrutinio ajeno (STC 12/2012).

Desde otra perspectiva, apoyándose –también– en la doctrina del TC, la sentencia señala claramente que existiendo previsión colectivamente fijada sobre prohibición del uso del ordenador para fines personales, cabe concluir que, en su relación laboral, sólo estaba permitido al trabajador el uso profesional del correo electrónico de titularidad empresarial; en tanto su utilización para fines ajenos al contenido de la prestación laboral se encontraba tipificada como infracción sancionable por el empresario, o estaba claramente vedada, regía pues en la empresa una prohibición expresa de uso extra laboral, no constando que dicha prohibición hubiera sido atenuada por la entidad. Siendo este el régimen aplicable, el poder de control de la empresa sobre las herramientas informáticas de titularidad empresarial puestas a disposición de los trabajadores podía legítimamente ejercerse, ex art. 20.3 LET, tanto a efectos de vigilar el cumplimiento de la prestación laboral realizada a través del uso profesional de estos instrumentos, como para fiscalizar que su utilización no se destinaba a fines personales o ajenos al contenido propio de su prestación de trabajo.

Partiendo de todo ello, resulta necesario constatar si cumple los tres siguientes requisitos o condiciones: si tal medida es susceptible de conseguir el objetivo propuesto (juicio de idoneidad); si, además, es necesaria, en el sentido de que no exista otra medida más moderada para la consecución de tal propósito con igual eficacia (juicio de necesidad); y, finalmente, si la misma es ponderada o equilibrada, por derivarse de ella más beneficios o ventajas para el interés general que perjuicios sobre otros bienes o valores en conflicto (juicio de proporcionalidad en sentido estricto]). Y la sentencia concluye la comprobación de manera positiva ya que el hallazgo casual de la referida prueba documental excluye la aplicación de la doctrina anglosajona del fruto del árbol emponzoñado, en cuya virtud al juez se le veda valorar no sólo las pruebas obtenidas con violación de un derecho fundamental, sino también las que deriven de aquéllas. Que la clara y previa prohibición de utilizar el ordenador de la empresa para cuestiones estrictamente personales lleva a afirmar que si no hay derecho a utilizar el ordenador para usos personales, no habrá tampoco derecho para hacerlo en unas condiciones que impongan un respeto a la intimidad o al secreto de las comunicaciones, porque, al no existir una situación de tolerancia del uso personal, tampoco existe ya una expectativa razonable de intimidad y porque, si el uso personal es ilícito, no puede exigirse al empresario que lo soporte y que además se abstenga de controlarlo (STS de 6 de octubre de 2011 –rcud. 4053/10–). Y que el ponderado examen del correo electrónico, utilizando el servidor de la empresa y parámetros de búsqueda informática orientados a limitar la invasión en la intimidad, evidencia que se han respetado escrupulosamente los requisitos exigidos por la jurisprudencia constitucional y se han superado los juicios de idoneidad, necesidad y proporcionalidad.

Por último, la sentencia dedica un amplio apartado a evidenciar que el supuesto que examina es muy diferente al contemplado por el TEDH en el asunto Barbulescu-II y que su doctrina es absolutamente respetada en la resolución que se comenta porque, en definitiva, es la misma que viene aplicando el TS, siguiendo la doctrina del Tribunal Constitucional. Así, el razonamiento del Tribunal Supremo se articula en las siguientes consideraciones:

1. Aunque por obvias razones temporales, en las instancias previas no se pudo tener en cuenta la STEDH –Gran Sala– de 5 de Septiembre de 2017 (Caso «Barbulescu»- II), a la Sala le parece conveniente referirse a tan reciente doctrina, no sólo para evidenciar que sus criterios son sustancialmente coincidentes con los de la jurisprudencia constitucional, sino también que –precisamente por ello– la conducta empresarial que se examina en el supuesto fáctico contemplado pasa holgadamente el filtro de los requisitos que el Alto Tribunal europeo exige para atribuir legitimidad a la actividad de control que acabamos de enjuiciar.

2. Para ello, parece conveniente señalar, con carácter previo, que las circunstancias del control informático a que había sido sometido el Sr. Barlubescu son por completo dispares a las que concurren en la sentencia, ya que: a) los mensajes monitorizados por la empresa no eran de correo electrónico, sino de chats que correspondían a cuenta privada del trabajador en Yahoo Messenger (que el empleado –sostuvo– que tenía un doble sistema, uno que utilizaba para atender clientes de la empresa; y, otro, estrictamente privado) y para cuyo acceso se precisaba una clave que sólo conocía él; b) aunque la empresa había prohibido el uso personal de los medios corporativos, no había advertido del alcance del control empresarial ni de la posibilidad de acceder a los chats sin consentimiento del interesado, y el

trabajador consideraba que su cuenta era personal; c) la empresa accedió al contenido de los chats privados –con la novia y hermano del trabajador– y los imprimió; d) tampoco había mediado causa concreta que motivase el acceso a las comunicaciones privadas.

3. El núcleo de la cuestión a debate por la Gran Sala era determinar los términos en que podían entenderse cohonestados, de un lado el derecho del trabajador al que se le respete su vida privada y correspondencia, y de otro el de la empresa a comprobar que la actividad profesional de sus empleados es ejercida con corrección y se adecua a sus directrices. Y sobre ello el Tribunal Europeo hace una serie de afirmaciones, de entre las que han de destacarse previamente dos de ellas:

a) Que las comunicaciones que se emiten desde el puesto de trabajo, así como las del domicilio, pueden incluirse en las nociones de "vida privada" y de "correspondencia" a que se refiere el artículo 8 del Convenio, cuando el trabajador puede razonablemente suponer que su privacidad estaba protegida y era respetada.

b) Que los tribunales nacionales deben velar porque el establecimiento por una empresa de medidas para vigilar la correspondencia y otras comunicaciones, sea cual sea su alcance y duración, vaya acompañado de garantías adecuadas y suficientes contra los abusos.

4. A los efectos de calificar la supervisión del empleador y la posible intromisión en la vida privada, considera el TEDH que se deben tener en cuenta los siguientes factores:

i) ¿El empleado ha sido informado de la posibilidad de que el empleador tome medidas para supervisar su correspondencia y otras comunicaciones, así como la aplicación de tales medidas? Si bien en la práctica esta información puede ser comunicada efectivamente al personal de diversas maneras, según las especificidades fácticas de cada caso, el Tribunal considera que, para que las medidas puedan ser consideradas conforme a los requisitos del artículo 8 del Convenio, la advertencia debe ser, en principio, clara en cuanto a la naturaleza de la supervisión y antes del establecimiento de la misma.

ii) ¿Cuál fue el alcance de la supervisión realizada del empleador y el grado de intrusión en la vida privada del empleado? A este respecto, debe hacerse una distinción entre el control del flujo de comunicaciones y el de su contenido. También se debería tener en cuenta si la supervisión de las comunicaciones se ha realizado sobre la totalidad o sólo una parte de ellas y si ha sido o no limitado en el tiempo y el número de personas que han tenido acceso a sus resultados. Lo mismo se aplica a los límites espaciales de la vigilancia.

iii) ¿El empleador ha presentado argumentos legítimos para justificar la vigilancia de las comunicaciones y el acceso a su contenido?. Dado que la vigilancia del contenido de las comunicaciones es por su naturaleza un método mucho más invasivo, requiere justificaciones más fundamentadas.

iv) ¿Habría sido posible establecer un sistema de vigilancia basado en medios y medidas menos intrusivos que el acceso directo al contenido de comunicaciones del empleado? A este respecto, es necesario evaluar, en función de las circunstancias particulares de cada caso, si el objetivo perseguido por el empresario puede alcanzarse sin que éste tenga pleno y directo acceso al contenido de las comunicaciones del empleado.

v) ¿Cuáles fueron las consecuencias de la supervisión para el empleado afectado con las referencias citadas? ¿De qué modo utilizó el empresario los resultados de la medida de vigilancia, concretamente si los resultados se utilizaron para alcanzar el objetivo declarado de la medida?.

vi) ¿Al empleado se le ofrecieron garantías adecuadas, particularmente cuando las medidas de supervisión del empleador tenían carácter intrusivo? En particular, estas garantías debían impedir que el empleador tuviera acceso al contenido de las comunicaciones en cuestión sin que el empleado hubiera sido previamente notificado de tal eventualidad.

5. La lectura de los prolijos razonamientos utilizados por el TEDH en el asunto "Barbulescu II", pone de manifiesto que el norte de su resolución estriba en la ponderación de los intereses en juego, al objeto de alcanzar un justo equilibrio entre el derecho del trabajador al respeto de su vida privada y de su correspondencia, y los intereses de la empresa empleadora. Y, al efecto, resultan decisivos los siguientes factores a tener en cuenta: a) el grado de intromisión del empresario; b) la concurrencia de legítima razón empresarial justificativa de la monitorización; c) la inexistencia o existencia de medios menos intrusivos para la consecución del mismo objetivo; d) el destino dado por la empresa al resultado del control; e) la previsión de garantías para el trabajador.

Visto lo cual, el Tribunal Supremo concluye que, tales consideraciones del Tribunal Europeo nada sustancial añaden a la doctrina tradicional de esta propia Sala (SSTS de 26 de septiembre de 2007 –rcud 966/06– ; de 8 de marzo de 2011 –rcud 1826/10–; y de 6 de octubre de 201 –rcud. 4053/10) y a la expuesta por el Tribunal Constitucional (SSTC 170/2013; 96/2012, de 7 de Mayo; 14/2003, de 28 de Enero; y 89/2006, de 27 de Marzo), pues sin lugar a dudas los factores que para el TEDH deben tenerse en cuenta en la obligada ponderación de intereses, se reconducen básicamente a los tres sucesivos juicios de «idoneidad», «necesidad» y «proporcionalidad» requeridos por el TC[5].

3. LA VIDEOVIGILANCIA Y OTROS SISTEMAS DE CONTROL EN EL ÁMBITO LABORAL

Hasta fechas bien recientes la única referencia del ET respecto de la videovigilancia como mecanismo de control empresarial de la actividad laboral del trabajador era indirecta. En efecto, el artículo 20.3 ET se limita a reseñar que el empresario "podrá adoptar las medidas que estime más oportunas de vigilancia y control" para verificar el cumplimiento de las obligaciones laborales del trabajador. La expresión legal amparaba la utilización de cámaras para la obtención de imágenes –en algunas ocasiones también el sonido–. La prevención legal según la que debería tenerse en cuenta en la adopción y aplicación del sistema la consideración debía a la dignidad del trabajador había sido entendida como respeto a los derechos fundamentales del trabajador, señaladamente a su dignidad y a su intimidad y, también, a la protección de sus datos personales.

Con la entrada en vigor de la Ley Orgánica 3/2018, de 5 de diciembre, de protección de datos personales y garantía de los derechos digitales (LOPDP), se introdujo en el ET un nuevo precepto, el artículo 20 bis que, al respecto, dispone taxativamente: "los trabajadores tienen derecho…a la intimidad frente al uso de dispositivos de video vigilancia y geolocalización en los términos establecidos en al legislación vigente en materia de protección de datos personales y garantía de los derechos digitales" lo que reenvía a la expresada LOPDD, en concreto, a sus artículos 89 y 90. El contenido de estos preceptos es bastante sencillo y, aunque no resuelve –como se verá– todos los problemas jurídicos que estaba planteando

---

[5]   Véase PÉREZ DE LOS COBOS-GARCÍA RUBIO "El control empresarial de las comunicaciones electrónicas del trabajador: criterios convergentes de la jurisprudencia del Tribunal Constitucional y del Tribunal Europeo de Derechos Humanos" , *Revista Española de* Derecho *del Trabajo,* nº 196, 2017.

la vigilancia del trabajador mediante grabación de imágenes, sonidos o sistemas de geolocalización, si al menos contribuye a solucionar los más importantes. Por ello, resulta previsible que la norma contribuya a asentar una jurisprudencia que, salvo en los últimos tiempos no se ha distinguido por ser uniforme; probablemente, porque tampoco lo era la doctrina del Tribunal Constitucional.

El artículo 89 LOPDP regula el derecho a la intimidad frente al uso de dispositivos de videovigilancia y de grabación de sonidos en el lugar de trabajo. Las previsiones que allí se contemplan son muy simples: en primer lugar, se establece el principio general según el que los empleadores podrán tratar las imágenes obtenidas a través de sistemas de cámaras o videocámaras para el ejercicio de las funciones de control de los trabajadores previstas en el artículo 20.3 ET. En segundo lugar, establece que los empleadores deberán informar con carácter previo, y de forma expresa, clara y concisa, a los trabajadores y, en su caso, a sus representantes, acerca de esta medida. En tercer lugar, se prohíbe expresamente la instalación de sistemas de grabación de sonidos o de videovigilancia en lugares destinados al descanso o esparcimiento de los trabajadores, tales como los vestuarios, aseos comedores y análogos. Y, por último, se establece que en el supuesto de que se haya captado la comisión flagrante de un acto ilícito por los trabajadores, el deber de información se entenderá cumplido cuando existiese al menos el dispositivo al que se refiere el artículo 22.4 de la propia LOPDP; esto es, existencia de dispositivo informativo, suficientemente visible, sobre la existencia del tratamiento, la identidad del responsable y la posibilidad de ejercitar los derechos previstos en los 15 a 22 del Reglamento UE 2016/679.

Respecto del sonido, el apartado 3 del artículo 89 LOPDP limita la utilización de sistemas de grabación de sonidos en el lugar de trabajo, únicamente, cuando resulten relevantes los riesgos para la seguridad de las instalaciones, bienes y personas derivados de la actividad que se desarrolle en el centro de trabajo y siempre respetando el principio de proporcionalidad, el de intervención mínima y las garantías establecidas para la grabación de imágenes. Regulación ciertamente mucho más restrictiva que la prevista en el supuesto de grabación de imágenes, lo que se explica por el carácter mucho más invasivo del sonido.

Por último, el artículo 90 LOPDD regula el derecho a la intimidad ante la utilización de sistemas de geolocalización en el ámbito laboral, partiendo –al igual que en el caso de las imágenes– del principio general según el que los empleadores podrán tratar los datos obtenidos a través de sistema de geolocalización para el ejercicio de las funciones de control de los trabajadores previstas en el artículo 20.3 ET. Ahora bien, con carácter previo, los empleadores deberán informar de forma expresa, clara y concisa, a los trabajadores y, en su caso, a sus representantes, acerca de la existencia y características de estos dispositivos y del posible ejercicio de los derechos de acceso, rectificación, limitación del tratamiento y supresión[6].

3.1. *Repaso a los pronunciamientos más relevantes del Tribunal Supremo*

La jurisprudencia no ha tenido ocasión de pronunciarse sobre sistemas de geolocalización y apenas si ha tenido ocasión de pronunciarse sobre el sonido, por lo que la práctica totalidad de sus resoluciones en la materia han sido sobre sistemas de vigilancia a través de cámaras de captación de imágenes con o sin sonido incorporado. Las más recientes han sido, por lo general, tributarias de la doctrina del Tribunal Constitucional.

Por ello el análisis debe comenzar con la STC 29/2013 de 11 de febrero, conocida como "caso Universidad de Sevilla". En ella se contempla una decisión disciplinaria de la mencionada Universidad que comprobó, mediante las cámaras instaladas en el recinto universitario –dando a la calle–, diversos incumplimientos del horario de trabajo. La cuestión que se suscitó en el recurso de amparo fue la de determinar si existió una vulneración de los derechos fundamentales del art. 18 CE, provocada por la utilización de las grabaciones para sancionar al trabajador por el incumplimiento de su horario de trabajo. El TC centra su atención, lo que constituye una consideración novedosa, en el hecho de que podría existir vulneración del derecho fundamental a la protección de datos de carácter personal por tratar imágenes captadas por las cámaras de videovigilancia instaladas en el recinto universitario que no tenían como finalidad la supervisión laboral. Se parte del dato incuestionable de que está fuera de toda duda que las imágenes grabadas en un soporte físico constituyen un dato de carácter personal que queda integrado en la cobertura del artículo 18.4 CE, ya que el derecho fundamental amplía la garantía constitucional a todos aquellos datos que identifiquen o permitan la identificación de la persona y que puedan servir para la confección de su perfil (ideológico, racial, sexual, económico o de cualquier otra índole) o para cualquier otra utilidad que, en determinadas circunstancias, constituya una amenaza para el individuo (STC 292/2000, de 30 de noviembre), lo cual, como es evidente, incluye

---

[6]   Sobre la cuestión: MOLINA, C: "Poder de Geolocalización, intimidad y autodeterminación en las relaciones de trabajo: ¿Un nuevo orden eficaz de garantías y límites? *Diario La Ley*, nº 9319, Sección Tribuna 17 Diciembre 2018. Wolters KJuwer.

también aquellos que facilitan la identidad de una persona física por medios que, a través de imágenes, permitan su representación física e identificación visual u ofrezcan una información gráfica o fotográfica sobre su identidad.

Considera la sentencia que la utilización de las grabaciones con fines de supervisión de las obligaciones laborales, sin haber informado al trabajador de tal tratamiento, vulneró su derecho a la protección de datos; y ello, a pesar de que existían distintivos que, en cumplimiento de la normativa entonces vigente, informaban de la existencia de cámaras y de la consecuente captación de imágenes y se notificaba del resto de extremos exigidos. El TC consideró que era necesaria una información previa, expresa, precisa, clara e inequívoca a los trabajadores de las características del sistema de vigilancia por imágenes y, especialmente, de la posibilidad de control de la actividad laboral a través del visionado de las imágenes grabadas. Debió, por tanto, informarse de las características y el alcance del tratamiento de datos y explicitarse que podía utilizarse para el control de la actividad laboral, con la consiguiente consecuencia de la posible imposición de sanciones disciplinarias derivadas de incumplimientos laborales. Para el TC no había una habilitación legal expresa para la omisión del derecho a la información sobre el tratamiento de datos personales en el ámbito de las relaciones laborales, y que tampoco podría situarse su fundamento en el interés empresarial de controlar la actividad laboral a través de sistemas sorpresivos o no informados de tratamiento de datos que aseguren la máxima eficacia en el propósito de vigilancia. En el caso enjuiciado, las cámaras de video-vigilancia instaladas en el recinto universitario reprodujeron la imagen del recurrente y permitieron el control de su jornada de trabajo; captaron, por tanto, su imagen, que constituye un dato de carácter personal, y se emplearon para el seguimiento del cumplimiento de su contrato. De los hechos probados se desprende que la persona jurídica titular del establecimiento donde se encuentran instaladas las videocámaras es la Universidad de Sevilla y que ella fue quien utilizó al fin descrito las grabaciones, siendo la responsable del tratamiento de los datos sin haber informado al trabajador sobre esa utilidad de supervisión laboral asociada a las capturas de su imagen. Vulneró, de esa manera, el art. 18.4 CE.

La sentencia cuneta con un voto particular discrepante en el que se entiende que no se produjo la aludida vulneración del derecho fundamental en la medida en que, efectuada la oportuna labora de composición de derechos e intereses en juego, el juicio de proporcionalidad arrojaba un claro saldo favorable a las facultades de control, debiéndose poner de relieve que el control de acceso era de público conocimiento, al igual que la situación de las cámaras, que permitían controlar en qué medida el recurrente aportaba datos falsos sobre el cumplimiento de su horario laboral.

El contenido de la STS de 13 mayo de 2014, Rcud.1685/2013 es directamente tributario de la doctrina constitucional reseñada. En ella se declaró la nulidad del despido de una cajera de un supermercado por cuanto que se había vulnerado su derecho a la protección de datos comprendido en el artículo 14 CE. El visionado de las imágenes captadas por cámaras fijas –instaladas con objeto de controlar la seguridad– evidenció que la trabajadora despedida no registraba ni, por tanto, cobraba, los productos que su pareja adquiría. El TS fundamenta la nulidad del despido en el dato de que la prueba de las imágenes se obtuvo a través de unas cámaras cuya finalidad era la de evitar hurtos, no la de control de la actividad laboral. La consecuencia es que el hallazgo casual de un ilícito, mediante cámaras fijas instaladas para la seguridad de bienes y personas, no resulta válido por falta de información del trabajador de que podrían las imágenes captadas ser utilizadas como prueba de un ilícito contractual. La fundamentación jurídica de la sentencia se apoya en la recién explicada STC 29/2013, apartándose de otros precedentes constitucionales y del TEDH, quizás más acordes con la secuencia fáctica, establecidos en las STC 186/2000 y STEDH de 27 de mayo de 2014, caso La Flor Cabrera, como pone de relieve el extenso y bien fundado voto particular.

En este recorrido por la doctrina de nuestros tribunales sobre la prueba obtenida mediante cámaras de captación de imagen constituye un hito de extraordinaria relevancia la STC 39/2016, de 3 de marzo, dictada por el pleno, que analizó el despido de una cajera de una tienda de una conocida marca de lencería femenina que fue captada por las imágenes de cámaras fijas mientras sustraía prendas y efectivo metálico. La cámara que captó las imágenes enfocaba la caja y tanto ella como el resto de cámaras tenían un distintivo visible en el que se informaba de su existencia. El TC entendió que la prueba era válida y que no se habían vulnerado los derechos fundamentales de la trabajadora, especialmente el artículo 18 CE. La argumentación básica sobre la que descansan los fundamentos de la sentencia es doble: por un lado, que para la instalación de cámaras de videovigilancia no es necesario el consentimiento previo ni del trabajador ni de sus representantes, más aún cuando las mismas están destinadas a salvaguardar las instalaciones, su contenido y la seguridad de las personas; al respecto, la ley –cuando el tratamiento de los datos tenga por finalidad proteger un interés constitucionalmente protegible y estemos en el ámbito de un contrato de trabajo, dispensa del consentimiento previo, debiéndose estar al oportuno control de proporcionalidad. Y, en segundo lugar, que la obligación de informar quedaba cumplida con la instalación del correspondiente distintivo avisando de la existencia de las cámaras y de los derechos de acceso y rectificación. En definitiva, el TC afirma que el empresario no necesita el consentimiento expreso del trabajador para el tratamiento de las imágenes que han sido obtenidas a través de las cámaras instaladas en la empresa con la finalidad de seguridad o control laboral, ya que se trata de una medida dirigida a controlar el cumplimiento de la relación laboral y es conforme con el art. 20.3 ET del texto refundido de la Ley del estatuto de los trabajadores, que establece que "el empresario podrá adoptar las medidas que estime más oportunas de vigilancia y control para verificar el cumplimiento por el trabajador de sus obligaciones y deberes laborales, guardando en su adopción y aplicación la consideración debida a su dignidad humana". Si la dispensa del consentimiento prevista en el art. 6 LOPD se refiere a los datos necesarios para el mantenimiento y el cumplimiento de la relación laboral, la excepción abarca sin duda el tratamiento de datos personales obtenidos por el empresario para velar por el cumplimiento de las obligaciones derivadas del contrato de trabajo. El consentimiento se entiende implícito en la propia aceptación del contrato que implica reconocimiento del poder de dirección del empresario.

También la sentencia cuenta con dos votos particulares discrepantes (suscritos por tres magistrados) en el que se reclama la aplicación del contenido de la STC 29/2013 cuyo contenido queda especialmente modificado por la sentencia que comentamos.

El Tribunal Supremo, ha ido, perfilando la doctrina inicial del TC, en un primer momento y, posteriormente, aplicando la nueva doctrina del Tribunal Constitucional en variados supuestos, de los que cabe destaca los siguientes:

* STS de 7 de julio de 2016, rcud. 3233/2014. Se contempla el supuesto de una trabajadora empleada de una cadena de supermercado a la que las cámaras descubren consumiendo dos paquetes de lomo lonchado que había sustraído de otro lugar del centro. Este se hallaba provisto de cámaras de seguridad –a excepción de vestuarios y aseos– cuya instalación y existencia era conocida por el personal, además de existir carteles advirtiendo de las mismas. La cuestión que se somete a análisis del Tribunal responde a la valoración que, a efectos de acreditación de los hechos imputados, deba merecer una prueba obtenida mediante videocámara. Al respecto, la sentencia remarca las diferencias con la STC 23/2013, especialmente por lo que se refiere al conocimiento de la trabajadora. El supuesto contemplado nos muestra a una trabajadora que introduce alimentos en la zona de almacén para consumirlos en el mismo lugar sin abonar su importe. Lo hace a

sabiendas de que las cámaras de vigilancia existen en ese y en otros lugares de establecimiento. La presencia de las cámaras en la mayor parte del centro de trabajo sugiere una finalidad protectora del patrimonio empresarial y la grabación de conductas que atenten contra esa finalidad.

Semejante entorno específico excluye el factor sorpresa y muestra claramente la situación de riesgo asumido por la demandante y por cualquier otro responsable de conductas análogas. De conformidad con los parámetros de la doctrina constitucional no cabe negar en la utilización de la prueba discutida las notas de proporcionalidad pues no se ha mostrado otra medida más idónea para averiguar el origen de las pérdidas ni más moderada en la consecución de tal propósito al contrario de lo que sucedería con otras medidas tales como llevar a cabo controles aleatorios que acarrearían molestias innecesarias a trabajadores sin responsabilidad alguna en los hechos que dieron lugar a la adopción de la medida. Se llega a la conclusión de que se ha producido un uso apropiado de la videovigilancia implantada y que la consecución de su objetivo se ha ajustado a las exigencias razonables de respeto a la intimidad de la persona al tiempo que no le crean una situación de indefensión pues los actos por lo que se sanciona tienen lugar en un marco de riesgo asumido, el de actuar a ciencia y paciencia de una observación llevada a cabo por medios tecnológicos y cuya finalidad, conocida, es combatir las actividades generadoras de pérdidas.

* SSTS (Pleno) de 31 de enero de 2017 y de 1 de febrero de 2017; Rcuds. 3331/2015 y 3262/2015. Se trata de dos sentencias que contemplan sendos casos idénticos producidos en la misma empresa consistentes en la manipulación de los tickets de caja y consiguiente sustracción de efectivo efectuada por dos trabajadores, actividades que fueron captadas por las cámaras instaladas en la empresa por razones de seguridad y cuya existencia conocían los trabajadores que habían sido informados de su instalación, presencia y finalidad –ligada a razones de seguridad– aunque no se había especificado su posible uso por cuestiones laborales. La instalación de las cámaras se había declarado y documentado en la Agencia Española de Protección de Datos.

El Tribunal concluyó en la validez de la prueba videográfica obtenida, amparándose en la STC 39/2016 y concluyendo que la instalación de cámaras de seguridad era una medida justificada por razones de seguridad (control de hechos ilícitos imputables a empleados, clientes y terceros, así como rápida detección de siniestros), idónea para el logro de ese fin (control de cobros y de la caja en el caso concreto) y necesaria y proporcionada al fin perseguido, razón por la que estaba justificada la limitación de los derechos fundamentales en juego, máxime cuando los trabajadores estaban informados, expresamente, de la instalación del sistema de vigilancia, de la ubicación de las cámaras por razones de seguridad, expresión amplia que incluye la vigilancia de actos ilícitos de los empleados y de terceros y en definitiva de la seguridad del centro de trabajo.

También ambas sentencias cuentan con voto particular discrepante suscrito por tres magistrados en los que se defiende la aplicación estricta del contenido de la STC 26/2013.

** STS (Pleno) de 2 de febrero de 2017, Rcud. 554/2016. Nuevamente el TS se enfrenta a la validez de una prueba obtenida por captación de imágenes a través de una cámara que enfocaba directamente el acceso a un gimnasio, que no estaba oculta y cuya existencia era perfectamente conocida por la trabajadora. La cámara fija, capta las imágenes desde arriba, sin primeros planos de los rasgos faciales, en lugar abierto al público y sin registrar el sonido. A su través se descubrió que la actora dejaba pasar a las instalaciones a entrenadores de otros clubes, a los cuales les ha abierto el torniquete con su pulsera, para que accediesen a la instalación de forma no autorizada, infringiendo así las normas de la empresa. La sentencia concluye que la necesidad, la proporcionalidad e idoneidad del uso de las cámaras videográficas han sido satisfechas en la situación que se examina ya que existía constancia de las conductas irregulares, pero tampoco cabía practicar controles aleatorios afectando a quienes nunca había participado en las conductas bajo sospecha. Por otra parte, el público conocimiento de la colocación de cámaras alejaba la idea de adopción sorpresiva de la conducta y del mantenimiento de una actitud tolerante de la empresa. En cuanto al caso concreto del demandante, las quejas emitidas por sus compañeros acerca de otras conductas y el incumplimiento de otras obligaciones laborales le hacían acreedor a una mayor atención respecto del conjunto de sus deberes como trabajador de suerte que en lo que a su actitud personal concierne la proyección disciplinaria del medio empleado para la averiguación de sus infracciones no puede considerarse un exceso de las facultades que a su empleador confiere el artículo 5 c) del Estatuto de los Trabajadores. Nuevamente, existe un voto particular discrepante en línea con los de anteriores sentencias.

3.2. El caso López Ribalda (SSTEDH de 9 de enero de 2018 y de 17 de octubre de 2019 –Gran Sala–)

Los hechos del asunto son sobradamente conocidos y consisten en síntesis en lo siguiente: En una tienda de una conocida cadena de supermercados, la empresa identificó pérdidas o descuadres en varios meses consecutivos que ascendieron a más de ochenta mil euros. En el contenido de una investigación interna, la empresa instaló dos tipos de cámaras: unas visibles de las que informó ampliamente a los representantes de los trabajadores y al conjunto de los empleados y, otras ocultas, de las que no informó. De las imágenes proporcionadas por estas últimas cámaras se obtuvo la certeza de la sustracción de bienes y efectivos por parte de varios trabajadores, que fueron despedidos mediante entrega de cartas de despido en presencia de sus representantes legales y del delegado sindical. Los hechos consistían en dejar pasar a clientes sin pagar y sacar de la tienda productos sin pagar. Tras diversas vicisitudes, incluidas las conciliaciones de algunos despedidos, el Juzgado de lo Social declaró los despidos ajustados a derecho y, posteriormente, la sentencia del TSJ confirmó la procedencia de los mismos. El posterior recurso de casación para la unificación de la doctrina fue inadmitido por falta de contradicción. Formulado recurso de amparo, este fue, también inadmitido, por inexistencia de vulneración de derecho fundamental alguno.

La cuestión fue llevada por los trabajadores ante el TEDH alegándose violación de los artículos 8 y 6 de la CEDH. En una primera sentencia, de 9 de enero de 2018, el TEDH, tras reconocer que la vigilancia encubierta a través de cámaras de video se llevó a cabo tras las oportunas y fundadas sospechas de que les demandantes podían estar cometiendo robos, recordó que los datos visuales obtenidos implicaban el almacenamiento y procesamiento de datos de carácter personal. Por ello, recordando las previsiones del derecho interno entonces vigente (la LOPD), en concreto su artículo 5, consideró que que la videovigilancia encubierta de un empleado en su lugar de trabajo debe considerarse, en sí misma, como una importante intromisión en su vida privada. Supone el registro y reproducción de información sobre la conducta de una persona en su lugar de trabajo, que no puede eludir ya que está obligada mediante un contrato de trabajo a llevarla a cabo en dicho lugar. Por ello, las demandantes tenían derecho a ser "previamente informadas de modo expreso, preciso e inequívoco de la existencia de un fichero o tratamiento de datos de carácter personal, de la finalidad de la recogida de éstos y de los destinatarios de la información; del carácter obligatorio o facultativo de su respuesta a las preguntas que les sean planteadas; de las consecuencias de la obtención de los datos o de la negativa a suministrarlos; de la posibilidad de ejercitar los derechos de acceso, rectificación, cancelación y oposición; de la identidad y dirección del responsable del tratamiento o, en su caso, de su representante". Concluye el TEDH que la actuación empresarial vulnero el artículo 8 CEDH. Paralelamente entendió que no se había vulnerado el artículo 6 de la mencionada Convención. En función de los datos obrantes, entiende que la única compensación a que tenían derecho las actoras era a una compensación por daño moral a abonar por el Estado español.

El Gobierno, de conformidad con el artículo 43 de la Convención, solicitó la remisión del caso a la Gran Sala, a lo que está accedió. Ello dio lugar a que, tras los trámites oportunos, la referida Gran Sala del TEDH dictase la sentencia de 17 de octubre de 2019 que rectifica la sentencia anterior y que entiende, como ya lo hizo la sentencia de 2018, que no hubo vulneración del artículo 6 de la Convención y, por mayoría, que tampoco hubo violación del artículo 8 de la referida convención, modificando así el anterior criterio.

La sentencia de 17 de octubre de 2019 considera que los tribunales españoles llevaron a cabo un ejercicio de equilibrio detallado entre, por un lado, el derecho de los trabajadores al respeto de su vida privada, y, por otro, el interés del empleador en garantizar la protección de su propiedad y el buen funcionamiento de la empresa. Señala que los criterios de proporcionalidad establecidos por la jurisprudencia del Tribunal Constitucional y seguidos en el presente caso son similares a los que ha desarrollado en su propia jurisprudencia el TEDH. Los tribunales nacionales verificaron así si la videovigilancia estaba justificada por un objetivo legítimo y si las medidas adoptadas con ese fin eran apropiadas y proporcionadas, observando en particular que el objetivo legítimo perseguido por el empleador no podía lograrse con medidas que fueran menos intrusivas para los derechos de los trabajadores.

El TEDH estimó que los tribunales españoles fueron capaces, sin sobrepasar el margen de apreciación otorgada a las autoridades nacionales, de establecer que la interferencia en la privacidad de los solicitantes era proporcional. Así, mientras no se puede aceptar la proposición de que, en términos generales, la menor sospecha de apropiación indebida o cualquier otro delito por parte de los empleados podría justificar la instalación de videovigilancia encubierta por parte del empleador, la existencia de sospechas razonables de que se ha cometido una mala conducta grave y el alcance de las pérdidas identificadas en el presente caso puede parecer una justificación importante. Esto es aún más cierto en una situación en la que el buen funcionamiento de una empresa está en peligro no solo por la sospecha de mal comportamiento de un solo empleado, sino más bien por la sospecha de una acción concertada por parte de varios empleados, ya que esto crea una atmósfera general de desconfianza en el lugar de trabajo.

No cabe duda de la importancia del pronunciamiento relatado y de la influencia decisiva que está llamado a tener en la evolución futura de nuestra jurisprudencia. Por una parte, el TEDH respalda expresamente los cánones de proporcionalidad que viene utilizando el Tribunal Constitucional y que ha aplicado el propio Tribunal Supremo (Proporcionalidad en sentido estricto, necesidad e idoneidad de la medida); por otra parte, la sentencia estima que tales criterios aplicados al caso concreto avalan la postura de los tribunales nacionales; esto es, que el sacrificio del derecho a la intimidad delos trabajadores estaba suficientemente justificado en atención a las circunstancias concurrentes. De entre ellas cabe destacar, en primer lugar, que en los puestos de trabajo de la línea de cajas del supermercado, la expectativa de intimidad era ciertamente menor y más limitada que en otros puestos. En segundo lugar, que existían sospechas fundadas de la posible concurrencia de un concierto de voluntades defraudatorias por parte de varias personas. En tercer lugar, que no había una medida menos invasiva con la que se pudiera lograr el objetivo pretendido que, ligado a la defensa del patrimonio empresarial y al buen funcionamiento de la empresa, se considera lícito. Y, por último, que en atención a todas las circunstancias concurrentes, estaba plenamente justificada la falta de información previa sobre la instalación de las cámaras.

BIBLIOGRAFÍA

DESDENTADO, A. *Nuevas tecnologías y contrato de trabajo en la jurisprudencia reciente* Encuentro Jueces de lo Social, Valencia, 2017. Ejemplar mecanografiado.

MERCADER, J.R. *El futuro del trabajo en la era de la digitalización y de la robótica.* Tirant Lo Blanch, Valencia, 2017.

MOLINA, C: "Poder de Geolocalización, intimidad y autodeterminación en las relaciones de trabajo: ¿Un nuevo orden eficaz de garantías y límites? *Diario La Ley,* nº 9319, Sección Tribuna 17 Diciembre 2018. Wolters Kluwer.

PÉREZ DE LOS COBOS, F. "Poderes del empresario y derechos digitales del trabajador" en *Trabajo y Derecho,* nº 59. Noviembre. 2019.

PÉREZ DE LOS COBOS-GARCÍA RUBIO "El control empresarial de las comunicaciones electrónicas del trabajador: criterios convergentes de la jurisprudencia del Tribunal Constitucional y del Tribunal Europeo de Derechos Humanos" , *Revista Española de Derecho del Trabajo,* nº 196, 2017.

VII. EL DERECHO A LA INTIMIDAD FRENTE A LA VIDEOVIGILANCIA EN EL ÁMBITO LABORAL

Remedios Roqueta Buj
Catedrática de Derecho del Trabajo y de la Seguridad Social
Universidad de Valencia

1. LAS FACULTADES EMPRESARIALES DE VIGILANCIA Y CONTROL Y EL DERECHO A LA INTIMIDAD DEL TRABAJADOR

El poder de dirección del empresario, imprescindible para la buena marcha de la organización productiva (organización que refiere a otros derechos reconocidos constitucionalmente en los arts. 33 y 38 CE) y consagrado expresamente en los apartados 1 y 2 del art. 20 del Real Decreto Legislativo 2/2015, de 23 de octubre, por el que se aprueba el texto refundido de la Ley del Estatuto de los Trabajadores (ET), comprende la facultad de *«adoptar las medidas que estime más oportunas de vigilancia y control para verificar el cumplimiento por el trabajador de sus obligaciones y deberes laborales, guardando en su adopción y aplicación la consideración debida a su dignidad »* (art. 20.3 ET). Pese a que el art. 20.3 del ET sólo alude a la *«dignidad humana»*, no hay que olvidar que ésta se halla presente en todos los derechos fundamentales. Por consiguiente, el ejercicio del poder de vigilancia y control empresarial ha de respetar los derechos fundamentales del trabajador, como ha reconocido el Tribunal Constitucional específicamente en relación con el derecho a la intimidad personal en sus sentencias 98/2000, de 10 de abril, y 186/2000, de 10 de julio. En definitiva, la actividad de control empresarial se encuentra limitada por los derechos del trabajador a la dignidad (art. 10 CE) y a la intimidad personal (art. 18.1 CE)[1].

La Constitución no ofrece una definición del derecho a la intimidad personal, lo que obliga a recurrir a la Declaración Universal de Derechos Humanos y demás tratados suscritos por España sobre la materia[2]. Pues bien, el Tribunal Constitucional, a la luz de los mismos, señala que el derecho a la intimidad personal reconocido en el art. 18.1 de la Constitución se halla *«estrechamente vinculado a la propia personalidad y deriva, sin ningún género de dudas, de la dignidad de la persona que el art. 10.1 CE reconoce»*[3]. Dicho derecho implica *«la existencia de un ámbito propio y reservado frente a la acción y conocimiento de los demás, necesario —según las pautas de nuestra cultura— para mantener una calidad mínima de la vida humana»*[4]. Es más, *«el atributo más importante de la intimidad, como núcleo central de la personalidad, es la facultad de exclusión de los demás, de abstención de injerencias por parte de otro, tanto en lo que se refiere a la toma de conocimientos intrusiva, como a la divulgación ilegítima de esos datos»*[5]. Se trata, por consiguiente, de que ese ámbito propio de la vida personal y familiar debe quedar excluido del conocimiento ajeno y de las intromisiones exteriores de los demás, salvo autorización del interesado, por lo que de algún modo se introduce un concepto subjetivo de intimidad, al depender del sujeto la determinación de esa esfera[6]. La conexión de la intimidad con la libertad y dignidad de la persona *«implica que la esfera de la inviolabilidad de la persona frente a injerencias externas, el ámbito personal y familiar, sólo en ocasiones tenga proyección hacia el exterior, por lo que no comprende en principio los hechos referidos a las relaciones sociales y profesionales en que se desarrolla la actividad laboral, que están más allá del ámbito del espacio de intimidad personal y familiar sustraído a intromisiones extrañas por formar parte del ámbito de la vida privada»*[7]. Sin embargo, no se puede ignorar *«que, mediante un*

---

[1]   Por todos, ROQUETA BUJ, R., *Uso y control de los medios tecnológicos de información y comunicación en la empresa*, Tirant lo Blanch, Valencia, 2005.

[2]   Cfr. los arts. 8 y 10 del Convenio Europeo de Protección de los Derechos Humanos y de las Libertades Fundamentales; y arts. 7 y 8 de la Carta de los Derechos Fundamentales de la Unión Europea. Por todos, DE VICENTE PACHÉS, F., *El Derecho del Trabajador al Respeto de su Intimidad*, Madrid, 1998, págs. 59 y ss.

[3]   Cfr. la STC 127/2003, de 30 de junio.

[4]   Cfr. la STC 231/1988, de 2 de diciembre. En el mismo sentido, las SSTC 197/1991, de 17 de octubre; 57/1994, de 28 de febrero; 98/2000, de 10 de abril; 186/2000, de 10 de julio; 70/2002, de 3 de abril; 218/2002, de 25 de noviembre; y 127/2003, de 30 de junio.

[5]   STC 142/1993, de 22 de abril.

[6]   DE VICENTE PACHÉS, F., *El Derecho del Trabajador...*, cit., págs. 77–78.

[7]   SSTC 170/1987, de 30 de octubre; 142/1993, de 22 de abril; y 186/2000, de 10 de julio.

análisis detallado y conjunto de esos hechos, es factible en ocasiones acceder a informaciones atinentes a la vida íntima y familiar del trabajador, que pueden resultar lesivas del derecho a la intimidad personal protegido por el art. 18.1 CE»[8]. En fin, el trabajador goza de un ámbito de reserva (limitado) en el lugar de trabajo, que no se contrae a los lugares de descanso o esparcimiento, vestuarios, aseos, comedores y análogos[9]. En este sentido, el Tribunal Constitucional afirma que «*no puede compartirse, al limitar apriorísticamente el alcance del derecho a la intimidad de los trabajadores a las zonas del centro del trabajo donde no se desempeñan los cometidos propios de la actividad profesional, negando sin excepción que pueda producirse lesión del derecho fundamental en el ámbito de desempeño de las tareas profesionales*» y que «*no puede descartarse que también en aquellos lugares de la empresa en los que se desarrolla la actividad laboral puedan producirse intromisiones ilegítimas por parte del empresario en el derecho a la intimidad de los trabajadores, como podría serlo la grabación de conversaciones entre un trabajador y un cliente, o entre los propios trabajadores, en las que se aborden cuestiones ajenas a la relación laboral que se integran en lo que hemos denominado propia esfera de desenvolvimiento del individuo*»[10].

El ejercicio de los derechos fundamentales por el trabajador, sin embargo, «*admite limitaciones o sacrificios en la medida en que se desenvuelve en el seno de una organización que refleja otros derechos reconocidos constitucionalmente en los arts. 38 y 33 CE y que impone, según los supuestos, la necesaria adaptabilidad para el ejercicio de todos ellos*»[11]. Dada la posición preeminente de los derechos fundamentales en nuestro ordenamiento jurídico, esa modulación que se sigue del contrato de trabajo sólo puede derivar de «*una acreditada necesidad o interés empresarial*»[12]. No obstante, la mera invocación de la justificación es insuficiente para recortar derechos fundamentales del trabajador en la empresa. En efecto, de conformidad con la doctrina del Tribunal Constitucional, «*la constitucionalidad de cualquier medida restrictiva de derechos fundamentales viene determinada por la estricta observancia del principio de proporcionalidad*», y «*para comprobar si una medida restrictiva de un derecho fundamental supera el juicio de proporcionalidad, es necesario constatar si cumple los tres requisitos o condiciones siguientes: si tal medida es susceptible de conseguir el objetivo propuesto (juicio de idoneidad); si, además, es necesaria, en el sentido*

---

8   STC 98/2000, de 10 de abril.

9   GOÑI SEIN, J.L., *El respeto a la esfera privada del trabajador*, Madrid, 1988, pág. 23; y STC 98/2000, de 10 de abril.

10   STC 98/2000, de 10 de abril.

11   Cfr. la STC 90/1997, de 6 de mayo.

12   Cfr. las SSTC 99/1994, de 11 de abril; 90/1997, de 6 de mayo; y 186/2000, de 10 de julio.

de que no exista otra medida más moderada para la consecución de tal propósito con igual eficacia (juicio de necesidad); y, finalmente, si la misma es ponderada o equilibrada, por derivarse de ella más beneficios o ventajas para el interés general que perjuicios sobre otros bienes o valores en conflicto (juicio de proporcionalidad en sentido estricto)»[13]. Lo que entraña la necesidad de proceder a una ponderación adecuada que respete la definición y valoración constitucional de los derechos fundamentales y que atienda a las circunstancias concurrentes en cada caso concreto[14].

Por último, hay que señalar que el art. 20.3 del ET se completa con otras previsiones legales, singularmente las contenidas en los arts. 18, 64.5.f), 5.c) y 20.2 del ET.

Pero vayamos por partes:

a) El art. 18 del ET previene que *«sólo o podrán realizarse registros sobre la persona del trabajador, en sus taquillas y efectos particulares, cuando sean necesarios para la protección del patrimonio empresarial y del de los demás trabajadores de la empresa, dentro del centro de trabajo y en horas de trabajo»* y que *«en su realización se respetará al máximo la dignidad e intimidad del trabajador y se contará con la asistencia de un representante legal de los trabajadores o, en su ausencia del centro de trabajo, de otro trabajador de la empresa, siempre que ello fuera posible»*. Este artículo no sólo especifica las condiciones de aplicación en un determinado ámbito de la facultad *in genere* recogida en el art. 20.3 del ET, sino que, además, establece una excepción a la inicial discrecionalidad que caracteriza la elección del medio de control en este precepto[15]. Existe, de este modo, una relación de complementariedad entre los arts. 18 y 20.3 del ET, que supera la mera especificación de las facultades de elección del medio de control en un determinado supuesto, integrando una colaboración normativa en la que el primero completa algunos aspectos de la regulación genérica del segundo[16].

b) Las facultades empresariales de vigilancia y control han de ejercerse de buena fe[17]. En efecto, el ET proclama de modo expreso el deber general del empresario de ejercer de modo *«regular»* (y en la regularidad entra el actuar de buena fe, al que se opone la conducta abusiva) su poder directivo

---

[13]   STC 186/2000, de 10 de julio.
[14]   STC 151/2004, de 20 de septiembre.
[15]   MARTÍNEZ FONS, D., *El Poder de Control del Empresario en la Relación Laboral*, Madrid, 2002, pág. 292.
[16]   MARTÍNEZ FONS, D., *El Poder de Control...*, cit., pág. 292.
[17]   RUBIO DE MEDINA, Mª.D., *El despido por utilización personal del correo electrónico*, Barcelona, 2003, págs. 9 y ss.

[arts. 5.c) y 20.2][18]. Dicho deber obliga al empresario a adecuar su libertad de decisión, más allá de los que pudieran considerarse sus puros intereses egoístas, a los intereses objetivos de la empresa, a los que no son ajenos los trabajadores, y se opone a que el empresario pueda adoptar decisiones abusivas o fraudulentas que lesionen los derechos de éstos. De este modo, las facultades empresariales de vigilancia y control de los trabajadores deben desarrollarse de forma correcta y leal, adecuándose a las específicas causas que las justifican. Es decir, dichas facultades y, por ende, el sacrificio de los intereses subjetivos de los trabajadores no ha de representar más que «un efecto meramente accidental», nunca un resultado deliberadamente buscado de forma encubierta[19].

c) De conformidad con el art. 64.5.f) del ET, los representantes legales de los trabajadores deberán emitir informe previo a *«la implantación o revisión»* por el empresario de los *«sistemas de organización y control del trabajo»*. La referencia al *«control del trabajo»* contenida en el art. 64 del ET y no al control del cumplimiento de las *«obligaciones y deberes laborales»* en general que se prevé en el art. 20.3 del ET, podría dar pie a entender que se refiere sólo a los sistemas de control del efectivo cumplimiento por el trabajador de la prestación debida y en los términos señalados por el empleador; interpretación que se refuerza desde su inclusión en el art. 64.5.f) del ET junto a la eventual adopción de los sistemas de organización del trabajo[20]. Téngase en cuenta, sin embargo, que el art. 20 del ET, aunque intitulado *«dirección y control de la actividad laboral»*, en su apartado tercero extiende las facultades de dicho control a la observancia de la totalidad de las obligaciones y deberes laborales. Por lo tanto, la representación legal de los trabajadores deberá emitir informe previo a la implantación o revisión por el empresario de todos los sistemas de control, tanto de los dirigidos a evaluar el cumplimiento de la prestación laboral, como de los orientados a verificar el incumplimiento de las obligaciones laborales. Por otra parte, por *«sistemas de control»* debe entenderse *«cualquier medio o mecanismo de vigilancia –consiguientemente con vocación de permanencia– que permita, de forma sistemática, obtener la información idónea y suficiente para satisfacer la verificación del comportamiento observado en relación con los estándares establecidos inicialmente, completando, de este modo, el objetivo del control»*[21]. No obstante, y aunque

---

[18] Por todos, MONTOYA MELGAR, A., *La buena fe en el Derecho del Trabajo,* Madrid, 2001, págs. 79 y ss.
[19] GOÑI SEIN, J.L., *El respeto a la esfera privada...,* cit., pág. 144.
[20] MARTÍNEZ FONS, D., *El Poder de Control...,* cit., págs. 162 y ss.
[21] MARTÍNEZ FONS, D., *El Poder de Control...,* cit., pág. 162.

el concepto de «*sistemas*» no integra la adopción de medidas puntuales, en determinados supuestos será precisa también la intervención de la representación legal de los trabajadores *a posteriori* a fin de asegurar que la adopción de la medida de control empresarial está justificada y que se desarrolla con el máximo respeto a los derechos fundamentales de los trabajadores.

2. EL DERECHO A LA INTIMIDAD PERSONAL FRENTE AL USO DE DISPOSITIVOS DE VIDEOVIGILANCIA Y DE GRABACIÓN DE SONIDOS EN EL LUGAR DE TRABAJO

El control mediante mecanismos audiovisuales ha de respetar los derechos fundamentales del trabajador, especialmente el derecho a la intimidad personal, como han reconocido el Tribunal Constitucional en sus sentencias 98/2000, de 10 de abril, y 186/2000, de 10 de julio, y el nuevo art. 20 bis del ET, por consiguiente, ha de estar justificado, y lo estará si tiene como fin[22]:

– Controlar la seguridad del centro cuando existen riesgos de atentado contra el patrimonio, el personal o los clientes de la empresa, al tratarse, por ejemplo, de un museo, una entidad bancaria o un hipermercado[23], o se han producido múltiples sustracciones de material y pertenencias del empresario, del personal o de los clientes de la empresa[24];

– Controlar la seguridad del centro contra los riesgos de atentado contra la vida o integridad de las personas[25] o de accidentes laborales[26];

---

[22]   Por todos, ROQUETA BUJ, R., «El derecho a la intimidad de los trabajadores y el control audiovisual del empresario», en AA.VV., *La protección jurídica de la intimidad*, Iustel, Madrid, 2010, págs. 405-460.

[23]   SSTSJ de Andalucía de 9 de marzo de 2001 (AS/2788), de Galicia de 20 de marzo de 2002 (Rec. 6296/2001), de la Comunidad de Madrid de 28 de junio de 2005 (Rec. 1885/2005), de Galicia de 22 de diciembre de 2005 (Rec. 5549/2005), de la Comunidad de Madrid de 14 de junio de 2006 (Rec. 2640/2006) y de Extremadura de 15 de mayo de 2007 (Rec. 105/2007).

[24]   SSTSJ de Galicia de 28 de septiembre de 1999 (Rec. 3821/1999), de las Islas Canarias de 25 de octubre de 2002 (Rec. 700/2002), de Castilla-La Mancha de 28 de febrero de 2005 (Rec. 1690/2004), de Castilla y León de 18 de septiembre de 2006 (Rec. 1479/2006) y de Aragón de 3 de junio de 2008 (Rec. 470/2008).

[25]   STSJ de Andalucía de 9 de marzo de 2001 (AS/2788).

[26]   STSJ de Aragón de 3 de junio de 2008 (Rec. 470/2008).

– Garantizar la seguridad de las operaciones de la empresa, como por ejemplo, controlar el desarrollo de los sucesivos sorteos o juegos que se van produciendo en un casino o en un bingo[27], si bien en este caso la instalación de micrófonos no está justificada, al permitir la audición continuada e indiscriminada de todo tipo de conversaciones, tanto de los propios trabajadores, como de los clientes[28];

– Controlar el acceso a una caja fuerte y el sistema de mandos del equipo de seguridad[29];

– Verificar el cumplimiento de las obligaciones laborales por parte de los trabajadores de la empresa cuando, por ejemplo, ésta ha detectado faltas de puntualidad y pérdidas de tiempo injustificadas entre sus empleados[30], o se trata de controlar el contenido de las pantallas de los ordenadores de los trabajadores[31];

– Cuando existan razonables sospechas de la comisión por parte del trabajador de graves irregularidades en su puesto de trabajo, como, por ejemplo, cuando la limpieza del establecimiento es insuficiente[32], existen descuadres en el balance[33] o el trabajador apaga intencionadamente las cámaras frigoríficas donde se guardan los alimentos que consumen los residentes[34].

Ahora bien, no basta con alegar cualquiera de estas circunstancias justificativas de la medida de control audiovisual[35]. Si la empresa invoca como causa justificativa de la adopción de esta excepcional medida de control, la existencia de diferencias en el balance, debe ofrecer datos de las discrepancias existentes entre las mercancías y el dinero obtenido en la caja que

---

[27] STSJ de Andalucía de 9 de enero de 2003 (Rec. 1853/2002).

[28] Como señala la STC 98/2000, de 10 de abril de 2000, *«este sistema permite captar comentarios privados, tanto de los clientes como de los trabajadores del casino, comentarios ajenos por completo al interés empresarial y por tanto irrelevantes desde la perspectiva de control de las obligaciones laborales, pudiendo, sin embargo, tener consecuencias negativas para los trabajadores que, en todo caso, se van a sentir constreñidos de realizar cualquier tipo de comentario personal ante el convencimiento de que van a ser escuchados y grabados por la empresa».* En el mismo sentido, la STSJ de Castilla y León de 11 de abril de 2018 (Rec. 407/2018):

[29] STSJ de Madrid de 17 de abril de 2009 (Rec. 5665/2008).

[30] STSJ de Castilla y León de 18 de septiembre de 2006 (Rec. 1479/2006).

[31] STSJ del País Vasco de 19 de junio de 2007 (Rec. 1122/2007).

[32] STSJ de la Comunidad Valenciana de 27 de abril de 2004 (Rec. 352/2004).

[33] STC 186/2000, de 10 de julio; y SSTSJ de Extremadura de 29 de enero de 2008 (Rec. 765/2007) y de las Islas Baleares de 28 de abril de 2008 (Rec. 91/2008).

[34] STSJ de Madrid de 9 de mayo de 2006 (Rec. 1128/2006).

[35] STSJ de Galicia de 30 de noviembre de 2001 (Rec. 5319/2001).

pongan de manifiesto la existencia de una supuesta actuación irregular del trabajador[36]. Ciertamente, no se puede considerar suficiente una mera afirmación apodíctica de que existían sospechas fundadas de estar el trabajador cometiendo una infracción grave, sin explicar cuáles sean esas precisas sospechas. Es necesario que esas desconfianzas respondan a hechos concretos que permitan a un observador imparcial, concluir, de forma indiciaria pero razonable, que se puede estar cometiendo una infracción de gravedad, y no solo eso, sino además que el responsable de esa infracción es seguramente el trabajador concreto investigado.

Además, debe constatarse si la medida de control audiovisual cumple con los tres requisitos siguientes: a) En primer lugar, «*si tal medida es susceptible de conseguir el objetivo propuesto*» (juicio de idoneidad); b) En segundo lugar, «*si* (la medida) *es necesaria, en el sentido de que no exista otra más moderada para la consecución de tal propósito con igual eficacia*» (juicio de necesidad); c) En tercer lugar, «*si* (la medida) *es ponderada o equilibrada, por derivarse de ella más beneficios o ventajas para el interés general que perjuicios sobre otros bienes o valores en conflicto*» (juicio de proporcionalidad).

A tales efectos, habrá que atender no sólo al lugar del centro de trabajo en que se instalan por la empresa sistemas audiovisuales de control, sino también a otros elementos de juicio para dilucidar en cada caso concreto, si esos medios de vigilancia y control respetan el derecho a la intimidad de los trabajadores. No obstante, tales elementos de juicio son distintos en función de la finalidad que se persigue con la instalación de los medios de control, esto es, según se trate de dar un plus de seguridad o de verificar el cumplimiento indiscriminado de las obligaciones laborales por parte de

---

[36] SSTSJ de Madrid de 9 de julio de 2003 (Proc. 560/2003, 562/2003, 566/2003 y 572/2003), del País Vasco de 26 de enero de 2010 (Rec. 2607/2009) y de las Islas Canarias de 27 de marzo de 2017 (Rec. 934/2016). Por su parte, la STSJ de Madrid de 6 de julio de 2004 (Rec. 315/2004) frente a la consideración del juez de instancia de que la empresa no ha ofrecido datos sobre las diferencias existentes entre la mercancía y lo facturado ni sobre el desvío de dinero, afirma lo siguiente: «*Si se tiene en cuenta que la imputación referida al dinero consiste en sustracción de propinas que no se registran en caja, difícilmente la empresa puede aportar datos contables al respecto, máxime cuando existe la norma de no admitirse propinas de los clientes, y si a pesar de ello éstos las dejan, destinarse a un Fondo Social a disposición del Comité Intercentros. En cuanto a la diferencia entre la mercancía almacenada y la facturada, debe observarse que la propia naturaleza de la actividad (bar) puede hacer especialmente difícil advertir que se ha producido un cierto desfase salvo que el mismo fuese notorio. En efecto, en determinados tipos de consumiciones no es posible calibrar la cantidad exacta servida al cliente pues ni la bebida ni la comida se presenta no se sirve ni se presenta siempre en recipientes o envases individuales; lo mismo ocurre con los aperitivos, tapas o raciones.*»

los trabajadores (a), o de comprobar las sospechas de prestación irregular de los servicios por parte de algún trabajador en concreto (b).

a) Cuando se trata de dotar a la empresa de seguridad o de verificar el cumplimiento indiscriminado de las obligaciones laborales por parte de los trabajadores, la doctrina judicial considera que la medida de control supera los tres requisitos a los que queda sometido el juicio de proporcionalidad cuando a través de ella se consigue el fin pretendido, no se cuenta con otro medio más racional y proporcionado de control, los trabajadores saben de la existencia de las cámaras, y la filmación es la indispensable y estrictamente necesaria para satisfacer el interés empresarial merecedor de tutela y protección, situándose las cámaras en zonas de paso y de trabajo sin captación de sonido y sin persecución visual de los trabajadores ni de sus actos, y sin que las cámaras tengan posibilidad de zoom ni de modificar su enfoque[37]. También se pondera de forma favorable el que las cámaras no permitan el visionado en tiempo real de las imágenes que captan, quedando las mismas almacenadas en soporte físico sobre el que se vuelve a grabar cada cierto tiempo[38], o el que las imágenes recogidas únicamente puedan verse en la pantalla del ordenador instalado en el despacho del director utilizando una clave secreta[39]. Por el contrario, y aunque la instalación de cámaras tenga causa y fundamento legítimos, ello no faculta a la empresa a mantener en el tiempo este sistema de vigilancia cuando se ha reducido la causa que lo motivó y sobre todo cuando se lleva a cabo con cámaras que pueden ser manipuladas por la empresa sin conocimiento de los trabajadores ni de sus representantes, de manera que permitan vigilar los concretos puestos de trabajo[40]. No obstante, si en el curso de una vigilancia no centrada en los trabajadores se comprueba que alguno de ellos

---

[37] SSTSJ de Andalucía de 9 de marzo de 2001 (AS/2788), de Galicia de 30 de noviembre de 2001 (Rec. 5319/2001) y 20 de marzo de 2002 (Rec. 6296/2001), de las Islas Canarias de 25 de octubre de 2002 (Rec. 700/2002), de Andalucía de 9 de enero de 2003 (Rec. 1853/2002), de Castilla-La Mancha de 28 de febrero de 2005 (Rec. 1690/2004), de Madrid de 28 de junio de 2005 (Rec. 1885/2005), de Galicia de 22 de diciembre de 2005 (Rec. 5549/2005), de Madrid de 14 de junio de 2006 (Rec. 2640/2006), de Castilla y León de 18 de septiembre de 2006 (Rec. 1479/2006), de Extremadura de 15 de mayo de 2007 (Rec. 105/2007), del País Vasco de 19 de junio de 2007 (Rec. 1122/2007), de Aragón de 3 de junio de 2008 (Rec. 470/2008), de Galicia de 14 de julio de 2011 (Rec. 1633/2011), y de Cataluña de 9 de marzo de 2017 (Rec. 39/2017) y 22 de marzo de 2018 (Rec. 255/2018).

[38] STSJ de Aragón de 3 de junio de 2008 (Rec. 470/2008).

[39] STSJ de Castilla-La Mancha de 9 de noviembre de 2010 (Rec. 1087/2010).

[40] SSTSJ de la Comunidad Valenciana de 11 de julio de 2008 (Rec. 1754/2008) y de Madrid de 3 de junio de 2013 (Rec. 4217/2012).

comete una falta disciplinaria (por ejemplo, una sustracción de material de la empresa), quedará justificado el enfoque exclusivo que de éste puedan hacer las cámaras[41], si bien dicho enfoque deberá superar el juicio de proporcionalidad que se expone en el siguiente apartado.

b) En los supuestos en que existen indicios o sospechas razonables de la comisión por parte del trabajador de graves irregularidades en su puesto de trabajo, los tribunales consideran que la medida de control audiovisual supera[42]: – El juicio de idoneidad, cuando permite verificar que el trabajador comete efectivamente las irregularidades sospechadas y en tal caso adoptar las medidas disciplinarias correspondientes; – El de necesidad, si la grabación sirve de prueba de tales irregularidades; – Y el de proporcionalidad, si la grabación de imágenes se limita a la zona de trabajo en la que pueden cometerse las supuestas irregularidades (por ejemplo, la caja o la barra de la cafetería, la zona de laboratorio o, incluso, el cuarto de baño utilizado por las auxiliares de un geriátrico para bañar a los residentes, ante la sospecha de malos tratos a éstos) y a una duración temporal limitada en el tiempo, la suficiente para comprobar que no se trata de un hecho aislado o de una confusión, sino de una conducta ilícita reiterada[43]. No se

---

[41]   STSJ de las Islas Canarias de 25 de octubre de 2002 (Rec. 700/2002).

[42]   STC 186/2000, de 10 de julio; y SSTSJ de la Comunidad Valenciana de 11 de enero de 2001 (Rec. 3460/2000), de La Rioja de 5 de diciembre de 2000 (Rec. 342/2000), de Andalucía de 9 de marzo de 2001 (AS/2788), del Principado de Asturias de 22 de marzo de 2002 (Rec. 2922/2001), de La Rioja de 30 de mayo de 2002 (Rec. 94/2002), de la Comunidad Valenciana de 14 de enero de 2004 (Rec. 3308/2003), de Extremadura de 14 de abril de 2004 (Rec. 154/2004), de la Comunidad Valenciana de 27 de abril de 2004 (Rec. 352/2004), de Madrid de 6 de julio de 2004 (Rec. 315/2004), de Galicia de 7 de julio de 2005 (Rec. 2632/2005), de Madrid de 9 de mayo de 2006 (Rec. 1128/2006) y 4 de julio de 2007 (Rec. 1625/2007), de la Comunidad Valenciana de 13 de junio de 2007 (Rec. 1336/2007), de Extremadura de 29 de enero de 2008 (Rec. 765/2007), de las Islas Baleares de 28 de abril de 2008 (Rec. 91/2008), de la Comunidad Valenciana de 21 de noviembre de 2008 (Rec. 3473/2008), de las Islas Canarias de 30 de abril de 2009 (Rec. 218/2008), de la Comunidad Valenciana de 3 de mayo de 2016 (Rec. 2232/2016), de Andalucía de 22 de marzo de 2017 (Rec. 1461/2016), de Cataluña de 5 de octubre de 2017 (Rec. 2833/2017) y de la Comunidad Valenciana de 13 de octubre de 2017 (Rec. 347/2017).

[43]   No se estima equilibrada la medida de control audiovisual en el siguiente supuesto de hecho [STSJ de Madrid de 9 de julio de 2003 (Proc. 560/2003, 562/2003, 566/2003 y 572/2003)]: *«la causa de la adopción de esa excepcional medida de control, colocando una cámara oculta, «se debió a diferencias en el balance» y que instaló en el office de Bar Inglés, ya que se consideró que era allí donde podrían producir las pérdidas de las que ignoraban fuesen de género o dinero. Razones todas ellas que han de considerarse inadecuadas, innecesarias y desproporcionadas, puesto que el lugar escogido para la instalación de la cámara fue el Office del Bar Inglés, como tal dependencia auxiliar del mismo, donde se ubica precisamente la terminal*

pueden filmar los lugares de descanso o esparcimiento, vestuarios, aseos, comedores y análogos[44]. Sin embargo, no se conculca la intimidad de los trabajadores si a través de las cámaras se visualizan las puertas de acceso a los aseos cuando se trata de controlar las ausencias que se producen durante la jornada laboral si la producción se realiza en cadena y el personal es

---

de pago y caja registradora de los movimientos de cobro realizado en ese departamento, como se aprecia gráficamente en el reportaje fotográfico aportado –folios 128 a 132– que curiosamente no fue nunca filmada, ni intervenida, ni controlada, extremos perfectamente factibles y visibles en una organización compleja y ejemplar en tantas cosas, como es la empresa demandada, y por último resultó ser medida desproporcionada para los fines y pretensiones declarados de comprobar ese descuadre en el balance, del que por cierto no se ofrecieron datos de las diferencias existentes entre las mercancías y el dinero obtenido en la caja, que pusieran de manifiesto la existencia de esa supuesta irregular situación y la posible incidencia de la conducta imputada a dos de los demandantes de consumo reiterado de bebidas alcohólicas y de otros productos –no concretados– y que se decían impagados».

[44]   SSTSJ de Madrid de 14 de septiembre de 2000 (Rec. 2155/2000), de las Islas Canarias de 25 de julio de 2001 (Rec. 301/1999), de Cantabria de 29 de abril de 2002 (Rec. 245/2002), de Andalucía de 2 de octubre de 2007 (Proc. 623/2007) y de Madrid de 17 de abril de 2009 (Rec. 5665/2008). La STSJ de Madrid de 4 de junio de 2007 (Rec. 1625/2007) afirma lo siguiente: «...*estaba justificada la instalación por la empresa BT España, SA, en cuyo centro de trabajo sito en Madrid prestaba servicios quien hoy recurre, de una cámara para la captación y grabación de imágenes en la sala o cuarto donde se hallaban ubicadas varias máquinas destinadas a expender productos tales como café en sus diversas variedades, bebidas y otros alimentos sólidos, al objeto de comprobar lo que estaba sucediendo en cuanto al trato y manejo de las mismas, resulta innegable, teniendo en cuenta las quejas manifestadas pocos días antes por escrito por parte de la firma propietaria de dichas máquinas, en relación, de un lado, con el desajuste que frecuentemente existía entre los productos dispensados y la recaudación obtenida y, de otro, con los repetidos episodios de manipulación violenta de los sistemas de cierre y distribución con que cuentan; tampoco cabe cuestionar que la medida adoptada fuese necesaria, dado que era la única y más segura forma de averiguar lo que estaba aconteciendo y desvelar, así, la identidad de los posibles responsables de ello, sin que tuviese sentido la implantación de un sistema permanente de seguridad en la mencionada sala mediante personal adecuado durante toda la jornada laboral; a su vez, que fue una decisión idónea para la finalidad perseguida es asimismo evidente, ya que su designio no fue otro que conocer la veracidad de las quejas de la empresa suministradora del servicio y, sobre todo, despejar dudas en cuanto a la actuación de la mayoría del personal que trabaja en las oficinas de BT España, SA en Madrid, evitando de este modo que sobre él pesara una injusta y genérica imputación de actuación irregular en punto al manejo de las máquinas expendedoras de bebidas y otros productos; y finalmente, se trató también de una medida proporcionada y equilibrada, desde el mismo momento que la cámara fue colocada en la sala en la que, como dijimos, estaban las máquinas, enfocando únicamente a éstas, cuarto que, además, no solía ser utilizado como lugar de descanso y esparcimiento, ya que en el centro de trabajo existe otra sala destinada específicamente a fumar y comer, a lo que se une que, como con indudable valor fáctico consta en el fundamento segundo de la sentencia de instancia, tan repetida cámara sólo estuvo instalada «un par de días», solamente se procedió a la grabación de imágenes, que no a la captación de conversaciones y, además, la misma «únicamente grababa lo sucedido en las máquinas y no en el resto de la sala». Por consiguiente, su uso se ajustó a los presupuestos que exige la doctrina constitucional.»*

retribuido por hora efectivamente trabajada y se constata un uso anómalo de las tarjetas dispuestas por la empresa para controlar el acceso a los aseos del personal del centro[45], o la entrada a los vestuarios cuando se han cometido robos en las taquillas de los trabajadores[46]. Por lo demás, el que los trabajadores elijan dejar sus bolsos o pertenencias personales en una zona de trabajo, ello no la convierte también en una zona vedada por los fines a los que sirven las cámaras de vigilancia[47].

Por último, no cabe ningún tipo de publicación ni de divulgación de las imágenes captadas, o de conservación de las mismas una vez visualizadas dentro de un tiempo razonable y en las instalaciones de la empresa por la persona encargada del control, salvo que se haya apreciado infracción sancionable en cuyo supuesto podrán ser conservadas durante y a los solos efectos de prueba[48].

3. EL DERECHO A LA INTIMIDAD INFORMÁTICA FRENTE AL USO DE DISPOSITIVOS DE VIDEOVIGILANCIA Y DE GRABACIÓN DE SONIDOS

Como las imágenes se consideran un dato de carácter personal, en virtud de lo establecido en los arts. 3 de la Ley Orgánica 15/1999, de 13 de diciembre, de Protección de datos de carácter personal, y 5.1.f) del Real Decreto 1720/2007, de 21 diciembre, que califican como dato de carácter personal cualquier información *«gráfica, fotográfica, acústica o de cualquier otro tipo concerniente a personas físicas identificadas o identificables»*, ello exige respetar la normativa existente en materia de protección de datos, y en particular lo dispuesto en la Instrucción 1/2006, de 8 de noviembre, de la Agencia de Protección de Datos, sobre el tratamiento de datos personales con fines de vigilancia a través de sistemas de cámaras o videocámaras (BOE 12–12–2006)[49].

No obstante, en sede judicial se plantean numerosos problemas en esta materia, especialmente en relación con la necesidad de consentimiento del trabajador afectado y de información previa a los trabajadores de las ca-

---

[45]   SSTSJ de la Región de Murcia de 3 de febrero de 2003 (Rec. 58/2003 y 59/2003). Véase también la STSJ de Galicia de 21 de abril de 1995 (Rec. 1036/1995).
[46]   STSJ de Cataluña de 24 de mayo de 2007 (Rec. 343/2007).
[47]   STSJ de Extremadura de 29 de enero de 2008 (Rec. 765/2007).
[48]   STSJ de Galicia de 21 de abril de 1995 (Rec. 1036/1995).
[49]   Cfr. la STSJ de las Islas Baleares de 28 de abril de 2008 (Rec. 91/2008).

racterísticas y el alcance del tratamiento de los datos obtenidos a través de la instalación de cámaras de videovigilancia; problemas que trata de resolver, aunque no siempre con la claridad y rotundidad que serían deseables, la nueva Ley Orgánica 3/2018, de 5 de diciembre, de Protección de Datos Personales y garantía de los derechos digitales (LOPD).

El art. 89 de la LOPD regula el derecho a la intimidad informática frente al uso de dispositivos de videovigilancia y geolocalización en el ámbito laboral. Esta regulación se aplica a los trabajadores y empleados públicos, formando parte de la legislación laboral y de las bases del régimen estatutario de los funcionarios públicos (DF 2.ª LOPD) y tiene carácter mínimo respecto de la autonomía colectiva, que podrá *«establecer garantías adicionales de los derechos y libertades relacionados con el tratamiento de los datos personales de los trabajadores y la salvaguarda de derechos digitales en el ámbito laboral»* (art. 91 LOPD).

De conformidad con el art. 89.1 de la LOPD, los empleadores *«podrán tratar las imágenes obtenidas a través de sistemas de cámaras o videocámaras para el ejercicio de las funciones de control de los trabajadores o los empleados públicos previstas, respectivamente, en el artículo 20.3 del Estatuto de los Trabajadores y en la legislación de función pública».* Ciertamente, aunque las imágenes grabadas en un soporte físico constituyen un dato de carácter personal que queda integrado en la cobertura del art. 18.4 de la CE (STC 29/2013 de 11 febrero), el empresario no necesita el consentimiento expreso del trabajador para el tratamiento de las imágenes que han sido obtenidas a través de las cámaras instaladas en la empresa con la finalidad de seguridad o control laboral[50]. Ahora bien, los *«sistemas de cámaras o videocámaras»* deben utilizarse respetando *«su marco legal y con los límites inherentes al mismo».* En efecto, el control audiovisual (circuitos cerrados de televisión, grabación por dispositivos webcam, instalación de cámaras, etc.) ha de respetar los derechos fundamentales del trabajador, especialmente el derecho a la intimidad personal[51]. Sin embargo, la LOPD no determina cuándo la instalación de los dispositivos de videovigilancia es lícita y cuándo no. A tales efectos, ha de estarse a *«su marco legal»*, esto es, a lo dispuesto en el art. 18.1 de la CE, en conexión con los arts. 8 del Convenio Europeo de Derechos Humanos y 7 de la Carta de los Derechos Fundamentales de la Unión Europea, el ET o el Real Decreto Legislativo 5/2015, de 30 de octubre, por el que se aprueba el texto refundido de la Ley del Estatuto Básico del Empleado Público

---

[50]   STS de 2 de febrero de 2017 (Rec. 554/2016).
[51]   SSTC 98/2000, de 10 de abril; y 186/2000, de 10 de julio.

(EBEP), y la Ley Orgánica 1/1982, de 5 de mayo, sobre la protección del derecho al honor, a la intimidad personal y familiar y a la propia imagen.

Por consiguiente, la medida de control audiovisual ha de estar justificada (garantizar la seguridad del centro ante riesgos de atentado contra la vida o integridad de las personas o contra el patrimonio de la empresa, del personal o de los clientes –v.gr., un museo, una entidad bancaria o un hipermercado– o de las operaciones de la empresa –controlar el desarrollo de los sucesivos sorteos o juegos que se van produciendo en un casino o en un bingo–, o verificar el cumplimiento de las obligaciones laborales por parte de los trabajadores de la empresa cuando, por ejemplo, se han detectado faltas de puntualidad y pérdidas de tiempo injustificadas entre sus empleados o cuando existen sospechas fundadas de irregularidades en el cumplimiento de las obligaciones laborales por parte de un trabajador o de trabajadores concretos[52] y superar el «test de proporcionalidad» (triple juicio de idoneidad, necesidad y proporcionalidad).

Ahora bien, como hemos visto, los elementos de juicio son distintos en función de la finalidad que se persigue con la instalación de los medios de control.

a) Cuando se trata de dotar a la empresa de seguridad o de verificar el cumplimiento indiscriminado de las obligaciones laborales, la medida de control supera el test de proporcionalidad cuando a través de ella se consigue el fin pretendido, no se cuenta con otro medio más racional y proporcionado de control, los trabajadores saben de la existencia de las cámaras, y la filmación es la indispensable y estrictamente necesaria para satisfacer el interés empresarial merecedor de tutela y protección, situándose las cámaras en zonas de paso y de trabajo sin captación de sonido y sin persecución visual de los trabajadores ni de sus actos, y sin que las cámaras tengan posibilidad de zoom ni de modificar su enfoque. También hay que ponderar de forma favorable el que las cámaras no permitan el visionado en tiempo real de las imágenes que captan, quedando las mismas almacenadas en un soporte físico sobre el que se vuelve a grabar cada cierto tiempo. Por el contrario, la empresa no puede mantener en el tiempo este sistema de vigilancia cuando haya desaparecido la causa que lo motivó y sobre todo cuando se lleva a cabo con cámaras que pueden ser manipuladas por la empresa sin conocimiento de los trabajadores ni de sus representantes, de manera que permitan vigilar los concretos puestos de trabajo.

---

[52]   SSTC 186/2000, de 10 de julio; y 39/2016, de 3 marzo.

b) En los supuestos en que existen fundadas sospechas de la comisión por parte de un concreto trabajador de graves irregularidades en su puesto de trabajo, la medida de control audiovisual supera[53]: – el juicio de idoneidad, cuando permite verificar que el trabajador comete efectivamente las irregularidades sospechadas y en tal caso adoptar las medidas disciplinarias correspondientes; – el de necesidad, si la grabación sirve de prueba de tales irregularidades; – y el de proporcionalidad, si la grabación de imágenes se limita a la zona de trabajo en la que pueden cometerse las supuestas irregularidades (por ejemplo, la caja o la barra de la cafetería, la zona de laboratorio, o el mostrador y la oficina trasera de una pequeña oficina de farmacia), y a una duración temporal limitada en el tiempo, la suficiente para comprobar que no se trata de un hecho aislado o de una confusión, sino de una conducta ilícita reiterada.

La LOPD contiene dos previsiones en relación con el derecho a la intimidad de los trabajadores, a saber:

– En ningún caso se pueden instalar los sistemas de grabación de sonidos ni de videovigilancia en los *«lugares destinados al descanso o esparcimiento de los trabajadores o los empleados públicos, tales como vestuarios, aseos, comedores y análogos»* (art. 89.2 LOPD).

– La grabación de sonidos en el lugar de trabajo *«se admitirá únicamente cuando resulten relevantes los riesgos para la seguridad de las instalaciones, bienes y personas derivados de la actividad que se desarrolle en el centro de trabajo y siempre respetando el principio de proporcionalidad, el de intervención mínima y las garantías previstas en los apartados anteriores»* (89.3 LOPD). De esta manera, la LOPD asume la doctrina sentada en la STC 98/2000, de 10 de abril, referida a la instalación de aparatos de captación y grabación del sonido en dos zonas concretas de un casino, como son la caja y la ruleta francesa. La sentencia considera injustificada la instalación de micrófonos, al permitir la audición continuada e indiscriminada de todo tipo de conversaciones, tanto de los propios trabajadores, como de los clientes. En este sentido, el Tribunal Constitucional afirma lo siguiente: *«no ha quedado acreditado que la instalación del sistema de captación y grabación de sonidos sea indispensable para la seguridad y buen funcionamiento del casino. Así las cosas, el uso de un sistema que permite la audición continuada e indiscriminada de todo tipo de conversaciones, tanto de los propios trabajadores, como de los clientes del casino, constituye una actuación que rebasa ampliamente las facultades que al empresario otorga el art. 20.3 LET y supone, en definitiva, una intromisión ilegítima en el derecho a la intimidad*

---

[53]   STC 186/2000, de 10 de julio; y STS de 21 de julio de 2016 (Rec. 318/2015).

consagrado en el art. 18.1 CE». Ahora bien, no se debería elevar a categoría general la doctrina sentada por una sentencia que se refiere a un caso muy particular.

Por último, el tratamiento de las imágenes obtenidas a través de sistemas de cámaras o videocámaras debe respetar la intimidad informática. A este respecto, el art. 89.1 de la LOPD contiene las siguientes previsiones:

– *«Los empleadores habrán de informar con carácter previo, y de forma expresa, clara y concisa, a los trabajadores o los empleados públicos y, en su caso, a sus representantes, acerca de esta medida»*[54]. La LOPD no distingue según se trate de la instalación puntual y temporal de una cámara tras razonables sospechas de incumplimientos contractuales de los trabajadores o de un sistema permanente de videovigilancia. No obstante, la STC 39/2016, de 3 marzo, subraya que sin perjuicio de las eventuales sanciones legales que pudieran derivar, para que el incumplimiento del deber información por parte del

---

[54]   En este sentido, la SJS núm. 3 de Bilbao de 4 de abril de 2009 (Proc. 314/2018) declara lo siguiente a partir de lo dispuesto en la nueva LOPD: *«en el supuesto analizado si bien es cierto que el empleador no estableció de forma clara y meridiana que las cámaras eran para el control de la actividad laboral con una información adicional al respecto, en el contrato se informó de su existencia y de la propia colocación de las mismas en instancias en las que no existe acceso al público (siendo departamentos de trabajo de las empleadas de la farmacia), y una trabajadora con 10 años de prestación de servicios en el centro , bien pudo deducir que las mismas tenían por objeto el referido control de la actividad laboral. Respecto a su uso proporcionado la empresa no procede a la visualización de las cámaras habitualmente, sino que es precisamente en orden al hallazgo causal de irregularidades en el sistema informático y para validar la autoría cuando procede a visualizar las grabaciones, siendo esta actividad limitada a los días en los que se produjo la irregularidad en el sistema informático de la empresa, al existir devoluciones sospechosas, y por ello limitado en el tiempo y en el espacio y de carácter proporcional . La única forma en la que la empresa podía comprobar la autoría de las referidas actuaciones presuntamente irregulares era por las cámaras, al no tener limitado el uso personal del número de empleado cada una de las personas que prestaba servicios en la farmacia, por lo que el control de la actividad y la injerencia realizada con esas grabaciones era absolutamente necesaria y se encuentra dentro de los límites constitucionales no suponiendo una injerencia ilegitima en la intimidad del trabajador que determine la nulidad de la prueba de grabación».* En cambio, la SJS núm. 3 de Pamplona de 18 de febrero de 2019 (Proc. 875/2018) se expresa en los siguientes términos: *«Efectivamente, dado que existe un deber de informar previamente al trabajador de la instalación de las cámaras de vigilancia, ya no serán posibles y quedan absolutamente prohibidas las grabaciones encubiertas u ocultas, que es tanto como decir no informadas. Las sospechas de irregularidades graves en el desempeño de la actividad laboral no legitiman una excepción del deber de informar de la grabación que afecta al puesto objeto de sospecha, ni exonera de cumplir las exigencias del RGPD. La empresa siempre dispone de un medio de defensa de sus intereses, como es el anuncio de la grabación de las imágenes y de la finalidad, que ofrece ya una protección sobre su patrimonio por la función disuasoria que razonablemente debe producir.»*

empresario implique una vulneración del art. 18.4 de la CE exige valorar la observancia o no del principio de proporcionalidad. Deben ponderarse así en cada caso y a la vista de las circunstancias concurrentes los derechos y bienes constitucionales en conflicto; a saber, por un lado, el derecho a la protección de datos del trabajador y, por otro, el poder de dirección empresarial imprescindible para la buena marcha de la organización productiva. De este modo, se viene a dejar a salvo la constitucionalidad del control oculto cuando existen razonables sospechas de la comisión por parte del trabajador de graves irregularidades laborales[55].

Por su parte, la STEDH de 5 de octubre de 2010 (Caso Köpke contra Alemania) también admitió la utilización de la videovigilancia encubierta porque pudo demostrarse en sede judicial nacional la existencia de «fundadas sospechas» de que dos trabajadores habían cometido robos en la empresa y la proporcionalidad de la medida (la vigilancia se dirigió únicamente hacia ellos y por un tiempo limitado de dos semanas)[56]. No obstante, la STEDH de 9 de enero de 2018 (Caso López Ribalda y otros contra España) no admite la videovigilancia encubierta cuando se basa en una sospecha general contra todo el personal. Las cámaras no eran la consecuencia de una sospecha justificada contra las demandantes y, en consecuencia, no iban dirigidas específicamente a ellas, sino a todo el personal que trabajaba en las cajas registradoras, durante semanas, sin límite de tiempo y durante todas las horas del trabajo, por lo que no superaban el test de proporcionalidad.

– Además, «*en el supuesto de que se haya captado la comisión flagrante de un acto ilícito por los trabajadores o los empleados públicos se entenderá cumplido el deber de informar cuando existiese al menos el dispositivo al que se refiere el artícu-*

---

[55] Cfr. las SSTC 98/2000, de 10 de abril; y 186/2000, de 10 de julio.

[56] El Tribunal Europeo de Derechos Humanos da la razón a España, que no tendrá que indemnizar a cinco cajeras de un supermercado que fueron pilladas robando gracias a la instalación de cámaras ocultas. La Gran Sala del Tribunal Europeo de Derechos Humanos (TEDH) ha dictaminado el 17 de octubre de 2019 y por 14 votos contra tres que España no violó el artículo 8 del Convenio Europeo de Derechos Humanos, que regula el respeto al derecho a la vida privada. El tribunal europeo asegura que los jueces españoles han valorado correctamente los derechos de las cajeras que fueron descubiertas robando gracias a la instalación de una serie de cámaras ocultas de las que no había sido informada previamente. La Gran Sala cree que hay una clara justificación para que los gerentes del supermercado tomaran la decisión de no comunicar la instalación de algunas de esas cámaras ante la razonable sospecha de una conducta que podría ser delictiva y que estaba generando pérdidas a la empresa. El fallo añade que los tribunales nacionales no se han excedido en su apreciación de que esta videovigilancia era "proporcionada y legítima".

lo 22.4 de esta ley orgánica», esto es, el distintivo anunciando la instalación de cámaras y la captación de imágenes. De este modo, la LOPD recoge la doctrina constitucional y jurisprudencial que considera válida la utilización por la empresa de cámaras de videovigilancia estando indicada su existencia y siendo el trabajador conocedor de su existencia, justificada por razones de seguridad –expresión amplia que incluye la vigilancia de actos ilícitos de terceros y de los empleados–[57]. Por el contrario, las razones de seguridad del centro no comprenden otro tipo de control laboral que sea ajeno a la seguridad, esto es, el de la efectividad de la prestación laboral, las ausencias del puesto de trabajo, las conversaciones con compañeros, etc.[58].

Con todo, hay que subrayar que se trata de una doctrina discutida en el seno del propio Tribunal Constitucional y del Tribunal Supremo, ya que existen sentencias o votos particulares en los que se subraya que las cámaras están instaladas de forma permanente y su objeto es la prevención de hurtos por parte de los clientes, habiéndose utilizado para una finalidad distinta cuando no existen sospechas sobre la posible actuación irregular de los trabajadores. Por ello, se sostiene que existe una vulneración del derecho a la intimidad informática al existir falta de información sobre la utilidad de supervisión laboral asociada a las capturas de imágenes de los trabajadores, sin que contrarreste esa conclusión que existieran dispositivos anunciando su instalación y la captación de imágenes.

Finalmente, y como corolario de todo lo anterior, las DD.FF. 13.ª y 14.ª de la LOPD añaden un nuevo art. 20 bis al ET y una nueva letra j bis) en el art. 14 del EBEP en los que se reconoce a los trabajadores y empleados públicos el derecho a la intimidad en el uso de los dispositivos digitales puestos a su disposición y frente al uso de dispositivos de videovigilancia y geolocalización, así como a la desconexión digital, *«en los términos establecidos en la legislación vigente en materia de protección de datos personales y garantía de los derechos digitales»*.

---

[57]   STC 39/2016, de 3 marzo; SSTS de 7 de julio de 2016 (Rec. 3233/2014), 31 de enero de 2017 (Rec. 3331/2015), 1 de febrero de 2017 (Rec. 3262/2015) y 2 de febrero de 2017 (Rec. 554/2016) en relación a hurtos, manipulación de tickets o del torniquete de acceso a las instalaciones de un gimnasio; y STSJ de Andalucía de 20 de marzo de 2019 (Rec. 683/2018). En sentido contrario, la STC 29/2013, de 11 febrero; y la STS de 13 de mayo de 2014 (Rec. 1685/2013) –circunstancias particulares: tras la instalación de las cámaras, la empresa comunicó a la representación de los trabajadores que la finalidad exclusiva era evitar robos por parte de clientes y que no se trataba de un sistema de vigilancia laboral–.

[58]   SSTS de 31 de enero de 2017 (Rec. 3331/2015) y 1 de febrero de 2017 (Rec. 3262/2015) –si bien en un argumento *obiter dicta*–.

Esta regulación legal merece la siguiente valoración:

1.º) Se trata de un planteamiento excesivamente reduccionista, ya que sólo se reconoce el derecho a la intimidad y, sin embargo, los trabajadores y empleados públicos también son titulares de los derechos al secreto de las comunicaciones y a la intimidad informática –que a pesar del estrecho parentesco que guardan con el derecho a la intimidad personal, son autónomos e independientes de este–.

2.º) Además, es simplista por cuanto que los arts. 89 y 90 de la LOPD, en rigor, se limitan a regular el derecho a la intimidad informática de los trabajadores y empleados públicos frente al uso de dispositivos de videovigilancia y de grabación de sonidos y de sistemas de geolocalización, remitiéndose en cuanto a las condiciones del ejercicio de las funciones de control a través de estos dispositivos al marco legal correspondiente.

BIBLIOGRAFÍA

DE VICENTE PACHÉS, F., El Derecho del Trabajador al Respeto de su Intimidad, Madrid, 1998.

GOÑI SEIN, J.L., *El respeto a la esfera privada del trabajador*, Madrid, 1988.

MARTÍNEZ FONS, D., *El Poder de Control del Empresario en la Relación Laboral*, Madrid, 2002.

MONTOYA MELGAR, A., *La buena fe en el Derecho del Trabajo*, Madrid, 2001.

ROQUETA BUJ, R., *Uso y control de los medios tecnológicos de información y comunicación en la empresa*, Tirant lo Blanch, Valencia, 2005.

ROQUETA BUJ, R., «El derecho a la intimidad de los trabajadores y el control audiovisual del empresario», en AA.VV., *La protección jurídica de la intimidad*, Iustel, Madrid, 2010.

RUBIO DE MEDINA, Mª. D., *El despido por utilización personal del correo electrónico*, Barcelona, 2003.

VIII. REDES SOCIALES DEL TRABAJADOR, PROTECCIÓN DE DATOS Y ACCESO AL EMPLEO

Margarita Tarabini-Castellani Aznar

*Profesora Titular de Derecho del Trabajo
y de la Seguridad Social de las Islas Baleares
–s.e–. Letrada del Gabinete Técnico del Tribunal Supremo, Sala Cuarta*

1. INTRODUCCIÓN

La primera vez que escuché la expresión "vino nuevo en odres viejos"[1] en una reflexión jurídica, fue al profesor Pérez de los Cobos en una de sus clases, o quizá la leí en uno de sus escritos. Pero ahora resuena especial-mente, en un recuerdo de la conexión que el profesor Pérez de los Cobos ha potenciado entre vida, cultura y Derecho, cuando estudio las conse-cuencias sobre la relación laboral en ciernes del contenido de las redes sociales del trabajador.

---

[1] Mateo 9,17, Marcos 2,22 y Lucas 5,37.

Vino nuevo en odres viejos es seguir pensando en la era digital con categorías que sólo sirven para un mundo analógico. Vino nuevo en odres viejos es que la problemática jurídica derivada de la información que sobre los trabajadores puede extraerse de las redes sociales se aborde desde la óptica del derecho a la intimidad.

En la "sociedad de la transparencia", en la era en la que la vida privada se hace pública, a través de las redes sociales, en la "sociedad de la exposición" y "en la sociedad íntima"[2], ya no podemos utilizar los estándares del derecho a la intimidad. Cuando nuestra manera de relacionarnos se mueve en ámbitos digitales y nuestra vida personal y profesional se proyecta y expone ante millones de potenciales usuarios de dicha red, o incluso de terceros, desarticulamos en parte el derecho a la intimidad, pero articulamos otro derecho, concebido precisamente para la realidad digital: el derecho a la protección de datos personales.

Desde esta perspectiva voy a abordar el presente estudio, que partirá de la definición de red social (2); continuará con una breve exposición sobre los derechos implicados (3) y el protagonismo de uno de ellos, el derecho a la protección de datos personales, los elementos que lo configuran y las condiciones para la licitud del tratamiento de dichos datos, en particular en lo que implica la consideración de la información obrante en las redes sociales del candidato o trabajador en el acceso al empleo (4 y 5); para mostrar seguidamente los elementos más relevantes de las políticas de uso de datos de dos de las redes sociales más emblemáticas (6); acometer a continuación si puede hacerse uso y en su caso en qué medida de la información que consta en las redes sociales del trabajador en el proceso de contratación (7) y recoger, por fin, en conclusiones una serie de ideas y aportaciones sobre el particular, incluidas las propuestas de lege ferenda (8).

2. DEFINICIÓN DE RED SOCIAL

Una red social es, desde luego, el conjunto de conexiones personales que un individuo tiene en un determinado momento, y muchas veces se define en términos de protección de la persona –una mayor o menor red social le proporciona, en idéntica medida, una mayor o menor seguridad y cobertura–; pero a los efectos del presente estudio y sin ánimo de ofrecer una definición cerrada ni completa, el concepto de red social tiene que ver

---

[2]   Expresiones todas ellas que desarrolla BYUNG-CHUL HAN en La sociedad de la transparencia, Barcelona, 2013, pp. 25 y ss y 67 y ss.

con la web 2.0 y es digital, no analógica, y se define como una plataforma tecnológica que permite a sus usuarios, a través de sus correspondientes perfiles, vincularse entre sí, creando sistemas cruzados e interactivos de generación y difusión de información. Los usuarios pueden así compartir y acceder a cualquier información que deseen –si bien con los límites que haya determinado cada usuario respecto de la propia información–, de cualquier medio o formato; pueden también controlar la información ofrecida, como se acaba de anticipar, compartirla con quien decidan y establecer, dentro de los parámetros dispuestos por el operador de la red en cuestión, los controles que consideren[3].

Dato determinante de esta definición es el medio en el que se desarrolla o desenvuelve la información. Es la realidad digital en la que se integra la red y las posibilidades infinitas del llamado Big Data lo que resulta relevante[4]. Es la velocidad a la que puede propagarse y procesarse la información vertida –con o sin conocimiento del usuario y con o sin su consentimiento– utilizando únicamente dicha información o toda la que genera el uso de las aplicaciones, servicios y productos de la red social[5], lo que hace de ella una nueva realidad relacional que requiere también respuestas nuevas.

La tipología de redes es variada y, por lo que aquí interesa, pueden encontrarse redes generalistas, en las que la interacción de los usuarios no tiene una vocación definida, sino que se busca un espacio abierto a diversos usos; y redes específicas, con perfiles de usuarios predefinidos, como redes profesionales, de ocio o de difusión de conocimiento[6]. Diferencia que no es baladí, porque el tipo de información que se comparte y la finalidad con la que se hace pueden a determinar el uso legítimo de la misma.

La relevancia de las redes sociales es tal que las empresas han optado por utilizar dichas plataformas para configurar sus propias redes corporativas como instrumento de comunicación y colaboración entre los empleados[7], incluso la presencia de la empresa en redes se acompaña con un perfil de los trabajadores como miembros de ella que integra la propia

---

[3]   AGUSTINOY GUILAYN, A., MONCLÚS RUIZ, J., *Aspectos legales de las redes sociales*, Madrid 2019, pp.22-23.

[4]   Un análisis de su incidencia en materia de derechos fundamentales en MORENTE PARRA, V., "Big data o el arte de analizar datos masivos. Una reflexión crítica desde los derechos fundamentales", DERECHOS Y LIBERTADES, núm. 41, 2019, pp. 225 y ss.

[5]   BAZ RODRÍGUEZ, J., *Privacidad y protección e datos de los trabajadores en el entorno digital*, Madrid, 2019, pp. 23 y ss.

[6]   AGUSTINOY GUILAYN, A., MONCLÚS RUIZ, J., *Aspectos legales…*, op. cit.,p. 23-24.

[7]   BAZ RODRÍGUEZ, J., *Privacidad y protección…*, op. cit., pp. 22-23.

estrategia empresarial de transparencia, prestación de un determinado servicio, personalización del mismo, etc. Así mismo, no son extraños los casos en los que la propia empresa es la que gestiona el perfil profesional del trabajador[8] y crecen los puestos de trabajo relacionados con la gestión de las redes sociales[9].

Interesa destacar, por una parte, que una red social es una plataforma, un canal abierto de comunicación, aunque en algunas ocasiones el usuario cierre el círculo de los que acceden a la información que el vuelca en ella. Por otra, que el uso de dicha información por parte de otros miembros o de terceros, dependerá, en principio, de las condiciones que imponga al respecto la plataforma, de la cantidad de información proporcionada por el usuario y del carácter público o restringido con el que se haya configurado el acceso a la misma.

3. LOS DERECHOS IMPLICADOS

La configuración digital y como canal abierto o semi abierto de comunicación de la red social, en la mayor parte de sus usos, va a determinar qué derechos son los aplicables. Así, si el derecho a la intimidad se configura como un derecho defensivo, de protección frente a injerencias por parte de otro o como pretensión de exclusión de cualquier forma de conocimiento intrusivo y de divulgación ilegítima de los aspectos más personales y reservados de la persona (SSTC 231/1988, de 1 de diciembre; 197/1991, de 17 de octubre, 99/1994, de 11 de abril; 143/1994, de 9 de mayo, 207/1996, de 16 de diciembre, y 202/1999, de 8 de noviembre entre otras). Es evidente que dicho derecho no es el que opera cuando el propio usuario de la red ha informado o llevado a cabo actuaciones en el seno de la misma que permiten el conocimiento de dichas esferas personales. Este derecho podría esgrimirse, en cambio, respecto de los contenidos que aquél haya reservado al conocimiento de unos pocos ante su divulgación.

---

[8]   CARMONA GONZÁLEZ, I., y SÁNCHEZ POLIDORO, E., "Implicación de los trabajadores en el desarrollo de la creación de la marca digital de la empresa: la cesión de gestión de perfiles en las redes sociales". Revista de Privacidad y Derecho Digital, núm. 10, 2018, pp. 79 y ss.

[9]   Por todos, DÍAZ IGLESIAS, S., PRADO ROMÁN, A., y PAZ GIL, I. "Nuevas formas de búsqueda de empleo en redes sociales", en Revista de Estudios de Juventud, núm. 118, 2017, pp.45 y ss.

En la misma línea, el dato de que sea un canal abierto de comunicación en la mayoría de sus usos, implica que no resulte aplicable el derecho al secreto de las comunicaciones, destinado a proteger el contenido de lo comunicado en un canal de comunicación cerrado, entre dos personas (STC 115/2013, de 9 de mayo. SSTC 123/2002, de 20 de mayo, o 56/2003, de 24 de marzo 230/2007, 142/2012, 241/2012 SSTC 114/1984, de 29 de noviembre, y 34/1996, de 11 de marzo y 281/2006). Ahora bien, cuando en el marco de las redes sociales se utilice la aplicación de mensajería, dicho uso sí que podría estar protegido por este derecho, si dicha aplicación se configura como canal cerrado y bilateral.

El derecho que vela por los usuarios que interactúan en la red social es el derecho a la protección de datos personales. Se trata de un derecho fundamental al control sobre los propios datos. El derecho a una autodeterminación informativa. Es una vertiente activa del derecho a la intimidad. Mientras el derecho a la intimidad permite excluir la esfera privada de una persona del conocimiento ajeno, el derecho a la protección de datos garantiza a los individuos un poder de disposición sobre los datos personales que han sido revelados o expuestos. Es el derecho a que se requiera con carácter general el propio consentimiento para la recogida y uso de los datos personales; el derecho a saber y ser informado sobre el destino y uso de los mismos; y el derecho a acceder, rectificar y cancelar dichos datos. (STC 254/1993, de 20 de julio) De otra forma dicho, el derecho a decidir cuáles de estos datos proporcionar a un tercero, sea el Estado o un particular, o cuáles puede este tercero recabar, permitiendo también al individuo saber quién posee esos datos personales y para qué, pudiendo oponerse a esa posesión o uso (SSTC 292/2000, de 30 de noviembre y 29/2013, de 11 de febrero).

Las fuentes normativas de este derecho son el artículo 8 del Convenio Europeo de Derechos Humanos; el artículo 8 también de la Carta de los Derechos Fundamentales de la Unión Europea; el artículo 16. 1 del Tratado Fundacional de la Unión Europea y el artículo 18 de la Constitución Española (CE), en cuya interpretación, huelga decirlo, ha de contarse con la labor de los correspondientes Tribunales.

Pero junto a los anteriores derechos, ha de tenerse en cuenta la incidencia que la vulneración del derecho a la protección de datos puede tener en el derecho a no ser discriminado del artículo 14 CE, de lo que cuida particularmente, como se tendrá ocasión de ver, la prohibición de tratamiento de determinados datos y que adquiere especial relevancia en las fases previas a la contratación.

4. EL PROTAGONISMO DEL DERECHO A LA PROTECCIÓN DE DATOS PERSONALES

El protagonismo del derecho a la protección de datos personales implica que, a la normativa propiamente laboral, haya de sumarse el Reglamento UE 679/2016 del Parlamento Europeo y del Consejo, de 27 de abril, relativo a la protección de las personas físicas en lo que respecta al tratamiento de datos personales y la libre circulación de estos datos (RGPD), por el que se deroga la Directiva 95/46/CE antes encargada de regular esta materia. En desarrollo del mismo resulta imprescindible la Ley Orgánica 3/2018, de 5 de diciembre, de protección de datos personales y garantía de los derechos digitales (LOPDGDD). Aunque esta ley ha olvidado por completo la realidad de las redes sociales en la empresa, del reglamento citado puede derivarse sin dificultad un régimen jurídico aplicable a esta materia.

Junto a las previsiones normativas, han de tenerse en cuenta las recomendaciones, dictámenes e informes de diversos organismos con competencias en la materia en diferentes ámbitos. Así, en el Consejo de Europa ha de tenerse en cuenta que el Comité de Ministros adoptó el 1 de abril de 2015 la recomendación CM/Rec (2015) 5 relativa al tratamiento de datos personales en el ámbito laboral. En la Unión Europea resulta imprescindible atender a la actividad del actual Comité Europeo de Protección de Datos, previsto en los artículos 68 y ss. del RGPD que ha venido a sustituir al Grupo de Trabajo del artículo 29 (GT29), llamado así por haber sido creado por el citado artículo de la Directiva 95/46. Se trata de un órgano de carácter consultivo e independiente, integrado por representantes de las autoridades de protección de datos de la UE y la Comisión Europea. En el ámbito interno las resoluciones de la Agencia Española de Protección de Datos (AEPD) y de las Agencias autonómicas en su caso también van a clarificar el contenido de este derecho.

5. ELEMENTOS CONFIGURADORES DEL DERECHO A LA PROTECCIÓN DE DATOS PERSONALES Y LAS CONDICIONES DEL TRATAMIENTO DE ESTOS DATOS

5.1. *Algunas definiciones previas*

El RGPD en su artículo 4 define qué son datos personales, el tratamiento de los mismos y quienes son los responsables de dicho tratamiento. Los primeros son "toda información sobre una persona física identificada o identificable («el interesado»); se considerará persona física identificable toda persona cuya identidad pueda determinarse, directa o indirectamente, en particular mediante un identificador, como por ejemplo un nombre, un número de identificación, datos de localización, un identificador en línea o uno o varios elementos propios de la identidad física, fisiológica, genética, psíquica, económica, cultural o social de dicha persona".

Tratamiento es, por su parte, "cualquier operación o conjunto de operaciones realizadas sobre datos personales o conjuntos de datos personales, ya sea por procedimientos automatizados o no, como la recogida, registro, organización, estructuración, conservación, adaptación o modificación, extracción, consulta, utilización, comunicación por transmisión, difusión o cualquier otra forma de habilitación de acceso, cotejo o interconexión, limitación, supresión o destrucción".

Finalmente, responsable del tratamiento, es "la persona física o jurídica, autoridad pública, servicio u otro organismo que, solo o junto con otros, determine los fines y medios del tratamiento; si el Derecho de la Unión o de los Estados miembros determina los fines y medios del tratamiento, el responsable del tratamiento o los criterios específicos para su nombramiento podrá establecerlos el Derecho de la Unión o de los Estados miembros".

5.2. El acceso al contenido de las redes sociales de los trabajadores como tratamiento de datos personales

La definición de dato personal, tratamiento y responsable desvela que la actividad desplegada por el empresario para conocer o controlar al trabajador en función de lo que conste del mismo en las redes sociales constituirá un tratamiento de sus datos personales[10]. No puede considerarse, en este sentido a la red social como una fuente accesible al público que excluye el tratamiento de datos personales[11], ni tampoco que cuando el empleador o mediador en el empleo, persona física, sea miembro de la misma red social, está efectuando un ejercicio de actividades exclusivamente personales o domésticas, actividad que excluiría la aplicación del RGPD a tenor de lo dispuesto en su artículo 2.2 c). El empleador es, en virtud de lo anterior, el responsable del tratamiento, como lo será, en su caso, la entidad que medie

---

[10]   Lo han entendido en el mismo sentido, por todos, BAZ RODRÍGUEZ, J., *Privacidad y protección...*, op. cit., pp.259 y ss.; CRUZ VILLALÓN, J., *Protección...*, op. cit., pp. 10 y ss.; AGUSTINOY GUILAYN, A., y MONCÚS RUIX, J., *Aspectos legales...*, op. cit., pág. 46.

[11]   Resolución R/0017/2015 de la AEPD, si bien referido al artículo 3.1 de la L.O. 15/1999, actualmente derogada.

en la contratación del trabajador, porque cualquier actividad empresarial que busque o tenga en cuenta datos sobre los trabajadores o candidatos a serlo obrantes en las redes sociales es un tratamiento de datos personales.

5.3. Los principios a los que debe acomodarse dicho tratamiento

El tratamiento, por parte de la empresa o mediador en el empleo, de los datos personales de los trabajadores procedentes de sus cuentas o perfiles en las redes sociales, deberá sujetarse a los principios que deben regir dicho tratamiento expuestos en el artículo 5 del RGPD, de cuyo cumplimiento será responsable el empresario que debe ser también capaz de demostrarlo («responsabilidad proactiva»).

El primero de los principios es triple y consiste en la licitud, lealtad y transparencia del tratamiento de dichos datos en relación con el interesado [art. 5.1 a) RGDP]. El segundo es la limitación de la finalidad, porque los datos deben ser recogidos con fines determinados, explícitos y legítimos, y no serán tratados ulteriormente de manera incompatible con dichos fines [art. 5. 1b) RGPD]. El tercer principio hace referencia a la minimización de datos, pues éstos deben ser adecuados, pertinentes y limitados a lo necesario en relación con los fines para los que son tratados [art. 5.1 c) RGPD). El cuarto impone la exactitud. Los datos personales han de ser exactos y, si fuera necesario, actualizados. Además, deben adoptarse todas las medidas razonables para que se supriman o rectifiquen sin dilación los datos personales que sean inexactos con respecto a los fines para los que se tratan [art. 5.1 d) RGPD y art. 4 LOP-DGDD]. El quinto principio se refiere a la limitación del plazo de conservación y determina que los datos personales serán mantenidos de forma que se permita la identificación de los interesados durante no más tiempo del necesario para los fines del tratamiento de los datos personales [art. 5. 1 e) RGPD] y por fin, según el sexto, serán tratados con integridad y confidencialidad, de tal manera que se garantice una seguridad adecuada de los mismos, incluida la protección contra el tratamiento no autorizado o ilícito y contra su pérdida, destrucción o daño accidental, mediante la aplicación de medidas técnicas u organizativas apropiadas [art. 5.1.f) RGPD y art. 5 LOPDGDD].

5.4. La licitud del tratamiento

Por lo que respecta a la licitud del tratamiento, de los supuestos previstos en el artículo 6 RGPD, me centro en las letras a) y f) que, respectivamente, hacen referencia al consentimiento del interesado para uno o varios fines específicos y a su necesidad para la satisfacción de intereses legítimos perseguidos por el responsable del tratamiento o por un tercero.

Las otras letras prevén como títulos de licitud también la necesidad del tratamiento, de las que interesa destacar las referidas a la ejecución de un contrato en que el interesado sea parte o para la aplicación a petición de éste de medidas precontractuales [art. 6. 1 b) RGPD][12], o al cumplimiento de una obligación legal (derivada del Derecho de la unión o derecho interno) aplicable al responsable del tratamiento [art. 6.1 c) RGPD] [13]. Estas previsiones se dedican a los datos necesarios para dar vida a un contrato, como puedan ser nombre y apellidos, dirección, datos de contacto[14], comunicar el número de afiliación, o cumplir con obligaciones públicas, como las fiscales o de seguridad social; datos que en modo alguno tiene sentido entender que son proporcionados por las redes sociales, por lo que es evidente que el acceso a la información sobre los candidatos en las redes sociales, no puede hacerse al amparo de estos artículos o, dicho de otra forma, dichos preceptos no constituyen condiciones de licitud del tratamiento de datos de los trabajadores en las redes sociales.

5.4.1. El consentimiento del interesado

Cuando el tratamiento se base en el consentimiento del interesado, el artículo 7 RGPD parte de que el responsable deberá ser capaz de demostrar que aquel consintió el tratamiento de sus datos personales (art. 7.1 RGPD) Y cuida especialmente la calidad de dicho consentimiento.

Por ello indica, por una parte, que, la solicitud del consentimiento debe ser clara de modo que, si el mismo se da en el contexto de una declaración escrita que también se refiera a otros asuntos, aquella se presentará de tal forma que se distinga claramente de los demás asuntos, de forma inteligible y de fácil acceso y utilizando un lenguaje claro y sencillo. Es más, no

---

[12]   BAZ RODRÍGUEZ, J., op. cit., p. 270; MERCADER UGUINA, J. R., *Protección de datos en las relaciones laborales*, Madrid, 2018, p. 38.

[13]   También menciona la necesidad del tratamiento para para proteger intereses vitales del interesado o de otra persona física y para el cumplimiento de una misión realizada en interés público o en el ejercicio de poderes públicos conferidos al responsable del tratamiento [letras d) y e)].

[14]   Algunos datos de contacto, como el teléfono móvil o el correo electrónico, no se consideran necesarios y las cláusulas contractuales que las recaban son nulas, STS de 21 de septiembre de 2015, R. 259/2014.

será vinculante ninguna parte de la declaración que constituya infracción del RGPD (art. 7.2 RGPD y art. 6 LOPDGDD).

Por otra, se contempla igualmente que el interesado tendrá derecho a retirar su consentimiento en cualquier momento y que será tan fácil retirar el consentimiento como darlo. En los casos retirada del consentimiento, ello no afectará a la licitud del tratamiento basada en el consentimiento previo a su retirada. Antes de dar su consentimiento, el interesado será informado de ello (art. 7.3 RGPD).

Y, por último, al evaluar si el consentimiento se ha dado libremente, se tendrá en cuenta en la mayor medida posible el hecho de si, entre otras cosas, la ejecución de un contrato, incluida la prestación de un servicio, se supedita al consentimiento al tratamiento de datos personales que no son necesarios para la ejecución de dicho contrato (art. 7.4 RGPD). El art. 6.3 LOPDGDD expresamente determina que no se supeditará la ejecución del contrato a que el afectado consienta el tratamiento de los datos personales para finalidades que no guarden relación con el mantenimiento, desarrollo o control de la relación contractual.

5.4.2. El interés legítimo del responsable del tratamiento o de un tercero

Respecto del interés legítimo del responsable como base jurídica para el tratamiento, ha de tenerse en cuenta, de un lado, que el tratamiento amparado en el mismo será lícito "siempre que sobre dichos intereses no prevalezcan los intereses o los derechos y libertades fundamentales del interesado que requieran la protección de datos personales, en particular cuando el interesado sea un niño", [art. 6.1.f) RGPD]. Como se trata de un título jurídico distinto al consentimiento, se entiende que quien procede al tratamiento de los datos debe estar en condiciones de demostrar su existencia, como se deduce de la responsabilidad proactiva del artículo 5.2 RGPD, de la derivada de explicitar los fines que persigue el tratamiento [art. 5.1 b) RGPD] y de la obligación de informar sobre los intereses legítimos que habilitan el tratamiento de datos prevista en los artículos 13. 1 d) y 14.2 b) del mismo cuerpo legal.

De otro, ha de tenerse presente el artículo 6. 4 RGPD que posibilita el tratamiento para otro fin distinto a aquél que se recogieron, en los casos en que éste no esté basado en el consentimiento ni en las limitaciones que pueden establecerse por ley en cada Estado según el artículo 23 del RGPD, y por tanto esté amparado en un interés legítimo del responsable o de un tercero. En estos supuestos el responsable del tratamiento, con objeto de determinar si el tratamiento con otro fin es compatible con aquel para el que se recogieron inicialmente los datos personales, tendrá en cuenta, entre otras cosas: a) cualquier relación entre los fines para los cuales se hayan recogido los datos personales y los del tratamiento ulterior previsto; b) el contexto en que se hayan recogido los datos personales, en particular por lo que respecta a la relación entre los interesados y el responsable del tratamiento; c) la naturaleza de los datos personales, en concreto cuando se traten categorías especiales de datos personales, de conformidad con el artículo 9, o datos personales relativos a condenas e infracciones penales, de conformidad con el artículo 10; d) las posibles consecuencias para los interesados del tratamiento ulterior previsto; e) la existencia de garantías adecuadas, que podrán incluir el cifrado o la pseudonimización.

5.5. Las categorías especiales de datos

En todo caso, hay determinados datos cuyo tratamiento está prohibido. Se trata de las "categorías especiales de datos", que son los que revelan el origen étnico o racial, las opiniones políticas, las convicciones religiosas o filosóficas, o la afiliación sindical, así como los datos genéticos, datos biométricos dirigidos a identificar de manera unívoca a una persona física, datos relativos a la salud o datos relativos a la vida sexual o la orientación sexual de una persona física (art. 9. 1 RGPD).

Aunque el propio artículo 9. 2. a) RGPD admite que la prohibición no será de aplicación cuando medie consentimiento del interesado, contempla también que el Derecho de la Unión o de los Estados miembros establezca que la prohibición no pueda ser levantada por el interesado. Y en este sentido, el artículo 9.1 LOPDGDD señala que el sólo consentimiento del afectado no bastará para levantar la prohibición del tratamiento de datos cuya finalidad principal sea identificar su ideología, afiliación sindical, religión, orientación sexual, creencias u origen racial o étnico. En consecuencia, de la interpretación sistemática de ambas normas, la europea y la estatal, deriva que el consentimiento sólo hace ceder la prohibición del tratamiento de las categorías especiales de datos en lo que respecta a los genéticos y biométricos[15]. Datos que, por otra parte, no cabe recabar de las redes sociales.

Del mismo modo, de las excepciones a la prohibición de tratamiento previsto en el artículo 9.2 RGPD y que conciernen al objeto de este estudio,

---

[15]   Véase sobre ello, CRUZ VILLALÓN, J., *Protección...*, op. cit., pp. 57 y ss.

ninguna de ellas tiene sentido respecto de datos obrantes en las redes sociales. Así, de un lado, las letras b) y h) se dirigen a la necesidad de dichos datos para el cumplimiento de obligaciones laborales, de seguridad social y preventivas[16], datos que carece de sentido entender que pueden recabarse de una revisión de los perfiles del trabajador en las redes sociales. De otro, la letra e) se refiere a los datos personales que el interesado ha hecho manifiestamente públicos y la exigencia de que dichos datos sean manifiestamente públicos no es compatible con una revisión o indagación del perfil del trabajador. Dichos datos cumplirán dicha característica cuando se evidencien de manera inequívoca, sin necesidad de "chequeo", como pueda ser la inclusión del trabajador en la página web de un sindicato, partido político u organización de otro tipo. Y, en cualquier caso, ha de recordarse que tener en cuenta dichos datos para la contratación, podría ser discriminatorio.

No obstante, se entiende que en el ámbito laboral puede concurrir ocasiones excepcionales en que sea necesario el tratamiento de dichos datos, porque la decisión a adoptar en torno a la contratación dependa de la verificación de información sensible. Piénsese en las llamadas empresas de tendencia en relación con las opiniones políticas, las convicciones religiosas o filosóficas, o la afiliación sindical[17], o ,por ejemplo, que se soliciten trabajadores de determinada etnia o sexo para una obra de teatro, película para un determinado personaje. La propia justificación de dicho tratamiento en

---

[16]   Cuando el tratamiento es necesario para el cumplimiento de obligaciones y el ejercicio de derechos específicos del responsable del tratamiento o del interesado en el ámbito del Derecho laboral y de la seguridad y protección social, en la medida en que así lo autorice el Derecho de la Unión de los Estados miembros o un convenio colectivo con arreglo al Derecho de los Estados miembros que establezca garantías adecuadas del respeto de los derechos fundamentales y de los intereses del interesado; y para fines de medicina preventiva o laboral, evaluación de la capacidad laboral del trabajador, diagnóstico médico, prestación de asistencia o tratamiento de tipo sanitario o social, o gestión de los sistemas y servicios de asistencia sanitaria y social, sobre la base del Derecho de la Unión o de los Estados miembros o en virtud de un contrato con un profesional sanitario, cuando su tratamiento sea realizado por un profesional sujeto a la obligación de secreto profesional, o bajo su responsabilidad, de acuerdo con el Derecho de la Unión o de los Estados miembros o con las normas establecidas por los organismos nacionales competentes, o por cualquier otra persona sujeta también a la obligación de secreto de acuerdo con el Derecho de la Unión o de los Estados miembros o de las normas establecidas por los organismos nacionales competentes. Para este caso, el artículo 9.2 LOPDGDD exige que el tratamiento de dichos datos esté amparado en una norma con rango legal, que podrá establecer requisitos adicionales relativos a su seguridad y confidencialidad.

[17]   CRUZ VILLALÓN, J., *Protección de datos…*, op. cit., pp. 32.

el marco de un interés legítimo del empleador en el tratamiento de dichos datos, en la medida en que no es con fines discriminatorios prohibidos, será la condición de licitud del tratamiento.

5.6. *La transparencia en el tratamiento. Exigencia de información*

Por último ya, queda por hacer referencia a la información que debe darse por parte del responsable del tratamiento a aquél respecto del que se recaban los datos. Los artículos 13 y 14 RGPD son los dedicados a esta cuestión, que diferencian los supuestos en que los datos personales se obtengan del propio interesado de los que no. Como los datos de las redes sociales no se obtienen del interesado, sino que se obtienen de forma mediata, el precepto a considerar es el segundo de los citados, por cuanto dichos datos provienen de lo que aquél ha incorporado en ellas, pero también de lo que otros usuarios hayan comentado de lo que el propio usuario incorpora en ellas o reenviado de su cuenta o perfil.

El responsable, por tanto, deberá informar de su identidad y sus datos de contacto y, en su caso, de los de su representante [art. 14. 1a) RGPD] y de los del delegado de protección de datos [art. 14. 1b) RGPD] si, de acuerdo con lo previsto en los artículos 37 RGPD y 34 LOPDGDD, el responsable debe designar uno o así se ha decidido en la empresa. Se incluyen en la obligación de informar, las categorías de datos personales de que se trate [art. 14. 1d) RGPD]; de los destinatarios o las categorías de los mismos en su caso [art. 14. 1e) RGPD]; de la fuente de la que proceden los datos personales y si proceden de fuentes de acceso público [art. 14. 2 f) RGPD].

Especial relevancia tiene en el presente trabajo la exigencia de información sobre los fines del tratamiento a que se destinan los datos personales y la base jurídica del tratamiento [art. 14.1 c) RGPD] y cuando la mencionada base sea la existencia de intereses legítimos, dichos intereses legítimos del responsable o de un tercero [art. 14. 2 b) RGPD]. Igualmente, cuando el responsable del tratamiento proyecte el tratamiento ulterior de datos personales para un fin que no sea aquel para el que se recogieron, proporcionará al interesado, con anterioridad a dicho tratamiento ulterior, información sobre ese otro fin y cualquier información adicional pertinente a tenor del artículo 14 2 RGPD (art. 14.4 RGPD). Cuando el tratamiento se ampare en el consentimiento, se informará de la existencia del derecho a retirar el consentimiento en cualquier momento, sin que ello afecte a la licitud del tratamiento basado en el consentimiento previo a su retirada [art. 14. 2 d) RGPD].

También se exige informar sobre el plazo durante el cual se conservarán los datos personales o, cuando no sea posible, los criterios utilizados para determinar este plazo; e igualmente sobre los llamados derechos ARCO (acceso a los datos personales relativos al interesado, su rectificación o supresión, o la limitación de su tratamiento, o a oponerse al mismo), así como el derecho a la portabilidad de los datos y el derecho a presentar una reclamación ante una autoridad de control [art. 14. 1 a), b), e), 2. a) b) y c) RGPD y similar contenido en el art. 11 LOPDGDD].

La información también concierne a la existencia de decisiones automatizadas, incluida la elaboración de perfiles, a que se refiere el artículo 22. 1 y 4 RGPD. Dicho precepto indica que todo interesado tendrá derecho a no ser objeto de una decisión basada únicamente en el tratamiento automatizado, incluida la elaboración de perfiles, que produzca efectos jurídicos en él o le afecte significativamente de modo similar y que no se basarán en las categorías especiales de datos, salvo que medie consentimiento o puedan aducirse razones de un interés público esencial, con las cautelas sobre el mismo expresadas en el RGPD, y siempre que se hayan tomado medidas adecuadas para salvaguardar los derechos y libertades y los intereses legítimos del interesado. En caso de que se hayan adoptado decisiones automatizadas deberá proporcionarse información significativa sobre la lógica aplicada, así como la importancia y las consecuencias previstas de dicho tratamiento para el interesado [art. 14. 2 g) RGPD].

El plazo en el que debe proporcionarse toda la información será, a tenor del artículo 14. 3 RGPD: a) razonable, una vez obtenidos los datos personales, y a más tardar dentro de un mes, habida cuenta de las circunstancias específicas en las que se traten dichos datos; b) si los datos personales han de utilizarse para comunicación con el interesado, a más tardar en el momento de la primera comunicación a dicho interesado, o c) si está previsto comunicarlos a otro destinatario, a más tardar en el momento en que los datos personales sean comunicados por primera vez.

Aunque el artículo 14. 5 RGPD contempla excepciones a las anteriores exigencias, las mismas no son aplicables al supuesto de datos procedentes de las redes sociales[18].

---

[18] "Las disposiciones de los apartados 1 a 4 no serán aplicables cuando y en la medida en que: a) el interesado ya disponga de la información; b) la comunicación de dicha información resulte imposible o suponga un esfuerzo desproporcionado, en particular para el tratamiento con fines de archivo en interés público, fines de investigación científica o histórica o fines estadísticos, a reserva de las condiciones y garantías indicadas en el artículo 89, apartado 1, o en la medida en que la obligación mencionada en el

6. CONDICIONES DE USO Y TRATAMIENTO DE DATOS EN LAS REDES SOCIALES, EN PARTICULAR FACEBOOK Y LINKEDIN

Una de las primeras cuestiones que surgen al abordar la problemática del uso por parte del empresario de los datos personales de los perfiles o cuentas de los trabajadores en las redes sociales, tiene que ver con el derecho de disposición de los propios datos y el principio de finalidad. Si los trabajadores han introducido sus datos personales en una red social con una finalidad que no es la profesional, sino la de la simple conexión con otras personas y la de exponerse o expresar sus gustos, opiniones, etc. ¿pueden tratarse para otra finalidad distinta? ¿Para qué trata los datos personales de los miembros la propia red social? ¿A la hora de ceder los datos, los usuarios de la red disponen para qué pueden usarse? Expongo a continuación algunos de los puntos de la política de privacidad de dos redes emblemáticas, a título ejemplificativo, la red social por excelencia, Facebook, de corte general, de comunicación entre sus miembros, y otra de corte profesional, LinkedIn.

6.1. *Los usos de los datos que se incluyen en Facebook*

La política de datos personales de Facebook[19], amén de informar sobre la cantidad de datos y fuentes de obtención de los mismos[20], permite

---

apartado 1 del presente artículo pueda imposibilitar u obstaculizar gravemente el logro de los objetivos de tal tratamiento. En tales casos, el responsable adoptará medidas adecuadas para proteger los derechos, libertades e intereses legítimos del interesado, inclusive haciendo pública la información; c) la obtención o la comunicación esté expresamente establecida por el Derecho de la Unión o de los Estados miembros que se aplique al responsable del tratamiento y que establezca medidas adecuadas para proteger los intereses legítimos del interesado, o d) cuando los datos personales deban seguir teniendo carácter confidencial sobre la base de una obligación de secreto profesional regulada por el Derecho de la Unión o de los Estados miembros, incluida una obligación de secreto de naturaleza estatutaria".

[19] https://es-es.facebook.com/privacy/explanation Un análisis sobre la protección de datos personales de la propia red, FERRER TAPIA, B., "Protección de datos y redes sociales" en AA.VV., BATUECAS CALETRÍO, A., y APARICIO VAQUERO, J. P., (coords), *Algunos desafíos en la protección de datos personales*, Granada 2018, pp. 1 y ss.

[20] Los datos que recopila son los proporcionados por los propios usuarios, los derivados de los múltiples usos y actividades en la plataforma a través de los diversos dispositivos –incluida también la información de los propios dispositivos–, así como de la actividad de otros usuarios y la información que proporcionan sobre los demás miembros. También se recopila dicha información de los anunciantes, desarrolladores de aplicaciones

conocer que la finalidad del uso de los datos es la de ofrecer los servicios de la propia red; comunicarse con el usuario; proporcionar, personalizar y mejorar sus productos; proporcionar mediciones, análisis y otros servicios para empresas; fomentar la seguridad, la integridad y la protección; realizar investigaciones e innovar en beneficio del bienestar social.

Sin embargo, dicha política de privacidad no determina de qué modo pueden usarse los datos de los usuarios por parte de otros miembros de la red o por parte de terceros que no sean los llamados socios externos[21]. Aunque sí se indica que Facebook no vende los datos de los usuarios a nadie, actúa, por el contrario, como una plataforma en la que tanto otros usuarios, como la propia plataforma, como terceros, pueden disponer de los datos obrantes en la información pública de cada usuario. Se habla de "información", pero en dicha información es evidente que se encuentran datos personales.

Facebook advierte que cualquier persona, y no solo miembros de la red, puede acceder a información pública de los usuarios o verla, volver a compartirla, descargarla o enviarla. En esta línea, recomienda la atenta selección de con quien se quiere compartir contenido, ya que las personas que ven la actividad de los miembros en los productos Facebook pueden decidir compartirla con otras, tanto dentro como fuera de ella, incluidas personas y empresas que no pertenecen al público elegido. "Por ejemplo, –se indica– si compartes una publicación o envías un mensaje a un amigo o una cuenta concreta, el destinatario puede hacer una captura de pantalla de dicho contenido, o bien descargarlo o volverlo a compartir con otras personas dentro o fuera de nuestros Productos, en persona o en experiencias de realidad virtual, como Facebook Spaces. Asimismo, cuando comentas la publicación de una persona o reaccionas a su contenido, cualquiera que pueda ver dicho contenido verá también tu comentario o reacción. Ten en cuenta, además, que esta persona puede cambiar el público más adelante." Y añade que "las personas también pueden usar nuestros Productos para crear y compartir contenido sobre ti con el público que elijan. Por ejemplo, pueden compartir una foto en la que apareces en una historia, mencionarte o etiquetarte en una ubicación determinada en una publicación, o bien compartir información acerca de ti en sus publicaciones

---

y editores a través de las herramientas para empresas de Facebook que emplean aplicaciones o instrumentos que proporciona dicha red.

[21]   Los que usan los servicios de análisis de la plataforma, los anunciantes, socios de medición, socios que ofrecen bienes y servicios en los productos Facebook; proveedores de servicios e investigadores y académicos.

o mensajes. Si te incomoda el contenido que otras personas han publicado sobre ti en nuestros Productos, puedes obtener información sobre cómo denunciarlo."

Esta aproximación a la política de privacidad de Facebook desvela una extraña dicotomía entre "información" y "datos personales", que supone que, al tiempo que expone la finalidad con la que usa los datos de sus miembros, considera "información" lo que éstos incorporan en su perfil y no limita su uso por parte de los otros usuarios o terceros ni limita la finalidad de la incorporación de dicho contenido. Esta política contrasta con el poder de disposición sobre los propios datos, que integra el derecho a la protección de datos personales, así como con los principios que hemos visto, principalmente el de finalidad.

Quizá si los datos personales se han cedido para un determinado uso, al que el usuario ha consentido al integrarse en la red, no deberían usarse con otra finalidad[22] o, en todo caso, usarse con la misma o similar finalidad en aplicación analógica de lo dispuesto en el artículo 6. 4 RGPD y que quien velase por ello fuera a la propia plataforma en la que los mismos se integran.

6.2. *Los usos de los datos que se incluyen en LinkedIn*

La propia definición de LinkedIn como una red social y una plataforma en línea para profesionales determina que sus servicios se utilicen "para encontrar oportunidades laborales o para que ellas les encuentren, así como para conectarse con otras personas y tener acceso a información"; lo que va a condicionar su política de privacidad[23].

Como sucede con Facebook, en cuanto a los datos o la información que maneja, aparte de los datos generados por el propio miembro en su actividad en la red y por los otros miembros respecto de aquél[24], quiero subrayar

---

[22]   En sentido similar BAZ RODRÍGUEZ, J., op. cit., p. 273.

[23]   https://www.LinkedIn.com/legal/privacy-policy?_l=es_ES

[24]   Los datos que maneja LinkedIn son los que cada miembro incluye, pero también los que proporciona cuando hace uso de los servicios de la propia red, como cuando se rellena un formulario, responde a una encuesta o se envía un currículum, de la actividad en la misma y de los dispositivos y redes del usuario, incluidos los datos de ubicación. También maneja la información propia que cada miembro sincronice en la propia plataforma, como los contactos. Y el uso por parte del miembro de un concreto servicio adquirido por la empresa o institución educativa en la que esté incluido. Se obtienen datos igualmente de las visitas a sitios que incluyen complementos, anuncios, cookies

que esta red recaba datos de terceros, como lo que se publica sobre cada usuario (como parte de artículos, publicaciones, comentarios o vídeos) en sus servicios. Y a menos que se marque la opción de autoexclusión, se recaba información pública sobre aquél, como noticias y logros profesionales (por ejemplo, concesión de patentes, reconocimientos profesionales, ponencias en conferencias, proyectos, etc.) y se publican como parte de los propios servicios (por ejemplo, sugerencias para el perfil o notificaciones de menciones en las noticias).

En cuanto a la finalidad del tratamiento de los datos por parte de la plataforma, el texto consultado señala que éstos se utilizan para mejorar el propio servicio, pero sobre todo para cumplir con los fines profesionales que la definen y así, destaca, el uso de los datos proporcionados por cada miembro para que otras personas encuentren su perfil, para sugerir contactos.

Destaca el contenido en el apartado "empleos" y "productividad" del epígrafe "cómo utilizamos tus datos", donde se indica que tanto las personas que están buscando candidatos (para un empleo o tarea específica), como aquellas que quieren ser contratadas, pueden encontrar el perfil del usuario. Se utilizan los datos de los miembros para recomendar empleos o a personas que buscan asesoramiento y/o para mostrar quién trabaja en una empresa, en un sector, en una función o ubicación, o quién tiene determinadas aptitudes y contactos. Se puede indicar el interés en cambiar de empleo y compartir información con los técnicos de selección de personal. Se utilizan los datos, en el mismo sentido, para recomendar a los técnicos de selección de personal. Y expresamente señala que pueden utilizarse sistemas automatizados para trazar perfiles y proporcionar recomendaciones con el fin de contribuir a que los servicios de la plataforma sean más relevantes para sus miembros, visitantes y clientes. La plataforma permite, igualmente, buscar clientes potenciales, clientes, socios y a otras personas con las que hacer negocios, así como comunicar con otros miembros y programar y preparar reuniones.

---

de LinkedIn o cuando se inicia sesión en los servicios de terceros a través de la propia cuenta de LinkedIn.

Del mismo modo, la red recibe datos de los usuarios cuando otros miembros sincronizan información propia (calendarios, contactos, correos electrónicos) en la que están incluidos o cuando utilizan los servicios proporcionados por la propia red o sus filiales, de los clientes y socios de LinkedIn, como empleadores actuales, empleadores potenciales y sistemas de seguimiento de solicitantes que nos proporcionan datos sobre las solicitudes de empleo.

Respecto del uso de la información por parte de otros usuarios o de terceros, la red advierte que en la configuración del perfil cabe abrirlo a otras personas, además de otros miembros y clientes de los servicios de la plataforma. Se aclara igualmente que cualquier contenido que los miembros publiquen o acción social (por ejemplo, recomendaciones, contenido seguido, comentarios o contenido compartido) que se realice en los servicios de la plataforma serán vistos por otras personas.

En particular puede leerse que cuando los miembros comparten de manera pública un artículo o una publicación (por ejemplo, una actualización, una imagen, un vídeo o un artículo), cuando recomiendan o vuelven a compartir un comentario en otro tipo de contenido (incluidos los anuncios), todos pueden verlo y volverlo a compartir en cualquier lugar (en función de la configuración del perfil del usuario), así como asociarlo con el usuario que ha llevado a cabo la acción. Los miembros, los visitantes y otras personas podrán encontrar y ver el contenido que se haya compartido públicamente, incluido el nombre del usuario y, en caso de haberla proporcionado, su foto.

Se advierte, del mismo modo, que cuando se sigue a una persona o empresa, el perfil del usuario será visible para otras personas y para el «propietario de la página» como seguidor. En un grupo, las publicaciones son visibles para los demás miembros del grupo. La pertenencia a un grupo es pública, así como parte del perfil del usuario, que puede cambiar la visibilidad en su configuración. Cuando se comparta información a través de las páginas de empresa o de otras organizaciones en los servicios de LinkedIn, podrá ser vista por otras personas que visiten esas páginas.

A diferencia de Facebook, resulta evidente que la red LinkedIn tiene un cariz profesional que permite[25], como enseguida se verá, justificar el rastreo de perfiles e información sobre trabajadores en la misma, mientras que dicha justificación no es tan clara en Facebook.

Así mismo, la finalidad profesional de LinkedIn posibilita que la visibilidad de los miembros y la facilidad de compartir datos personales no esté afectada por las críticas vertidas a la política de privacidad de Facebook, aunque no estaría de más que advirtiera de la finalidad con la que pueden tratase los datos.

---

[25] Al menos en lo que respecta a su uso genérico y no a través de productos específicos de Facebook para empresas, como *Workplace*.

7. REDES SOCIALES Y FASES PREVIAS
DE LA CONTRATACIÓN

La lectura del anterior epígrafe ofrece una buena muestra de los datos que los usuarios o miembros de una red social generan, datos que tanto en el seno de la propia red como fuera de ella pueden tratarse y pueden transferirse. En un entorno así, las posibilidades de indagación sobre los candidatos, en la selección del personal, se multiplican hasta el infinito pues, además de disponerse de los datos personales que sus miembros incluyen (vida personal, contactos, opiniones, fotos), puede trazarse un perfil del candidato o candidata, combinando datos publicados por él mismo al configurar su página, con los que derivan de su actividad en la red, como sus contactos, preferencias, opiniones, referencias, publicaciones, reenvíos, enlaces, o los "me gusta".

La licitud de la actividad del empresario, del gabinete de selección o de la agencia de colocación, en el seno de las redes sociales en relación con los candidatos no debe medirse, insisto, en términos de derecho a la intimidad. No puede entenderse que lo que el solicitante de empleo tenga como público en su cuenta de la red social puede ser utilizado por dichas empresas, por el mismo hecho de que sea público, por el mismo hecho de que está expuesto y por tanto, por no ser íntimo[26]. La licitud de la actividad empresarial mencionada dependerá, como se ha dicho, del respeto al derecho a la protección de datos personales.

Ha podido constatarse cómo tanto Facebook como LinkedIn dan por supuesta la posibilidad de tratar los datos personales de sus miembros o usuarios en la medida en la que constan en la parte pública, a través de reenvíos y descargas por parte de usuarios de la red o de terceros. En consecuencia, al margen de que dicha posibilidad podría chocar con el principio de finalidad, como ya se ha tenido ocasión de criticar, lo cierto es que los datos obrantes en la parte pública de los perfiles de las redes sociales pueden usarse y, lo que parece más importante, tratarse con otras finalidades. Lo que lleva a concluir que, en principio y a salvo de lo que enseguida se señalará, no habría incompatibilidad legal en el tratamiento de los datos que los miembros o usuarios introducen en la parte pública de su perfil en las redes sociales a los fines de encontrar candidatos para un empleo y dicho tratamiento puede provenir de miembros de la propia red o de ter-

---

[26] En el mismo sentido CRUZ VILLALÓN, J., *Protección de datos personales...*, op. cit., p.10.

ceros. En el caso de LinkedIn el tratamiento de datos con estos fines forma parte de la razón de ser de la red social.

7.1. La licitud del tratamiento

La licitud en el tratamiento, por parte del empleador o de quien medie con fines de empleo, de los datos procedentes de las redes, supone verificar el título jurídico que lo permite a tenor de lo dispuesto en el artículo 6 RGPD.

De las posibilidades explicitadas en el artículo 6 RGPD, sólo el consentimiento del interesado y la existencia de un interés legítimo del responsable del tratamiento (empleador, gabinete de selección o agencia de colocación) constituyen títulos para el tratamiento de datos personales procedentes de las redes.

7.1.1. El problema del consentimiento

En cuanto al consentimiento, algún autor ha derivado su exigencia de la frase "a petición de éste" –el interesado–, en el artículo 6.1 b) RGPD, que contempla, recuérdese, como título jurídico para el tratamiento de los datos la necesidad del mismo para la aplicación de medidas precontractuales, a petición del interesado. Con esta interpretación se entiende que para la aplicación de medidas precontractuales se exige el consentimiento del interesado[27].

Sin embargo, una exégesis literal y sistemática del artículo 6.1 b) RGPD no permite derivar tal conclusión. La petición del interesado no es del tratamiento de sus datos sino de la aplicación de medidas precontractuales y el tratamiento es necesario para dicha aplicación. La norma determina que será lícito el tratamiento de datos cuando sea preciso para la aplicación de las medidas precontractuales solicitadas por el interesado, pero no que dicho el tratamiento proceda a petición del interesado, porque el apartado está dedicado a la necesidad del tratamiento. El precepto cubre el tratamiento de datos que resulta estrictamente necesario para entablar la relación precontractual entre dos sujetos, pero en modo alguno bucear en los antecedentes personales del interesado. Muy probablemente la norma hace referencia a la comunicación directa por parte del propio interesado exclusivamente de aquellos datos que resultan necesarios para la aplicación de dichas medidas [28].

---

[27]   CRUZ VILLALÓN, J., *Protección de datos...*, op. cit., p. 25.
[28]   BAZ RODRÍGUEZ, J., op. cit., p. 270.

A mayor abundamiento, a tenor del artículo 7. 4 RGPD, recuérdese, "al evaluar si el consentimiento se ha dado libremente, se tendrá en cuenta en la mayor medida posible el hecho de si, entre otras cosas, la ejecución de un contrato, incluida la prestación de un servicio, se supedita al consentimiento al tratamiento de datos personales que no son necesarios para la ejecución de dicho contrato". Y en desarrollo de dicho precepto, el artículo 6.3. LOPDGDD indica con claridad que "no podrá supeditarse la ejecución del contrato a que el afectado consienta el tratamiento de los datos personales para finalidades que no guarden relación con el mantenimiento, desarrollo o control de la relación contractual".

Podría concluirse que no es el consentimiento la condición de licitud del tratamiento de datos del candidato procedente de sus redes sociales, porque éste es puesto en duda por la propia ley. Por lo demás, es cierto que las sospechas sobre el consentimiento enfocan al "tratamiento de datos personales que no son necesarios para la ejecución de dicho contrato", por lo que dicha manifestación de voluntad podría exigirse para tratamientos sujetos a finalidades relacionadas exclusivamente con la relación laboral, pero carece de sentido exigir un consentimiento con dichas condiciones, así como discernir dichos tratamientos en el marco de la consulta en las redes sociales.

7.1.2. La existencia de un interés legítimo y las condiciones del tratamiento

Cuanto hasta ahora se ha analizado, permitiría, a mi juicio, entender existente un interés legítimo del empleador en conocer los perfiles profesionales del candidato[29], lo que implica, en principio, poder tratar datos personales que constan en las redes sociales sobre aquél, con las condiciones que enseguida se señalan. La propia existencia de las redes sociales, así como la existencia de redes de matriz profesional, conduce a entender que no puede sustraerse a los empleadores del acceso a la información que obra en ellas, pues en dichas plataformas es donde se entablan actualmente las relaciones y, no sólo la presencia en las mismas, sino contar con lo que sucede en su seno, es una forma de estar en la realidad, por virtual que sea.

Ahora bien, este interés legítimo se ostentará, según indica el artículo 6. 1 f) RGPD, "siempre que sobre dichos intereses no prevalezcan los intereses o los derechos y libertades fundamentales del interesado que requieran la protección de datos personales". Se trata por tanto de determinar la pre-

---

[29] En el mismo sentido, BAZ RODRÍGUEZ, J., op. cit., p. 271.

valencia o del interés legítimo del empleador o de quien recabe los datos del candidato, o bien de los de éste.

La concurrencia de un interés legítimo en el tratamiento de los datos, que, como se ha advertido antes, debe ser concreto y explicitado [arts. 5. 2 y 14. 1c) y 2b) RGPD], pasa necesariamente por examinar las condiciones de dicho tratamiento, lo que a su vez va a exigir diferenciar entre las redes sociales de las que se pueden recabar los datos. Sólo el cumplimiento de determinadas condiciones permitirá que prevalezca el interés legítimo del empleador, gabinete o agencia sobre los intereses y sobre los derechos y libertades que requieren la protección de datos del candidato. Debe tratarse, por ello, de un interés claramente articulado, que permita entablar un juicio de ponderación de los diferentes intereses en juego[30].

Los principios relativos al tratamiento, anteriormente expuestos, van a alumbrar los límites a los que éste debe sujetarse para entender que el interés empresarial es legítimo. En concreto han de traerse a colación los de finalidad y minimización, pues los datos deben ser recogidos con fines determinados, explícitos y legítimos y deben ser adecuados, pertinentes y limitados a lo necesario en relación con los fines para los que son tratados (art. 5. 1 b) y c) RGPD).

En línea con ello, se entiende que el interés legítimo que aduzca el empresario debe ser actual, real y presente, o accesible a corto plazo, y no meramente especulativo o remitido a un eventual provecho futuro. No puede considerarse existente un interés legítimo del empleador en bucear y recabar todos los datos existentes sobre un candidato en las redes sociales. Ni tampoco búsquedas en abstracto de futuros trabajadores como una práctica vaga si no existen puestos de trabajo concretos e identificables que deban cubrirse a corto plazo. Por ello el tratamiento –y el interés legítimo para su licitud– ha de venir referido a búsquedas dirigidas a la cobertura inmediata de puestos de trabajo concretos, identificables y, en su caso, vacantes[31].

En consecuencia, los datos tratados deben ser exclusivamente profesionales[32]; lo que supone, a su vez, que las redes sociales a consultar sean profesionales o que se trate de servicios profesionales dentro de las redes generales, o de perfiles profesionales en redes generales. La amplitud de datos personales y extralaborales expuestos en las redes generales lleva consigo

---

[30]   BAZ RODRÍGUEZ, J., op. cit., p. 275.
[31]   BAZ RODRÍGUEZ, J., op. cit., pp. 272-273.
[32]   BAZ RODRÍGUEZ, J., op. cit., pp. 273-274.

que la consulta de las mismas sea incompatible con los anteriores principios. Los datos que cabe recabar son exclusivamente los que atiendan a las necesidades que deben ser explicitadas por el empleador en relación con el puesto a cubrir y que hagan referencia a la preparación del interesado, experiencia previa, formación, habilidades profesionales y, por tanto, va de suyo que no cabe la consideración de las categorías especiales de datos, salvo casos excepcionales y debidamente justificados, como puedan ser las empresas de tendencias y otras a las que se ha hecho referencia en supra epígrafe 5. 5.

En cuanto a la parte no pública del perfil del candidato en una red profesional, el tratamiento de los datos obrantes en ella quedará cubierto por un interés legítimo del responsable siempre que sea miembro de la red en cuestión y esté entre los contactos, amigos o seguidores del candidato, aunque, como se verá enseguida, la condición de amigo o contacto, requiere ser analizada con cautela.

Si por el contrario el contenido privado se desvela a quien no es un contacto o es un tercero en la red, ello implicaría, no sólo la vulneración del derecho a la protección de datos, sino, muy seguramente también, el derecho a la intimidad.

En virtud de todo lo anterior, la entrada por vías indirectas a los perfiles de los trabajadores, como, por ejemplo, a través de sus contactos o "amigos", esto es, accediendo a los mismos a través de persona interpuesta, no quedaría respaldada por el RGPD, pues no se cumpliría con su artículo 5. 1 a) sobre la lealtad y transparencia del tratamiento de datos.

En la misma línea, habría que dudar de la legalidad de una orden empresarial que condicionara la contratación a la entrada a la parte privada de los perfiles de los solicitantes en las redes sociales, la apertura de las cuentas en su presencia, o la identidad usada en algunas de ellas. El GT 29 señala que no existe fundamento legal para que un empleador exija a los candidatos que le acepten como "amigo" o que de alguna forma le proporcionen acceso al contenido de sus perfiles. La Recomendación CM/ Rec (2015) 5 (Apartado 5. 3) del Comité de Ministros del Consejo de Europa también se pronuncia sobre el deber de abstención por parte de los empleadores de exigir o solicitar a un trabajador o a un candidato tener acceso a informaciones que éste comparta con otros en línea, en especial en las redes sociales. En estos casos la validez del consentimiento prestado al efecto sería muy dudosa, en la línea que se ha señalado anteriormente que contemplan el artículo 7. 4 RGPD y el artículo 6.3 LOPDGDD.

Sería especialmente conveniente que los códigos de conducta previstos en el artículo 40 RGPD, destinados a contribuir a la correcta aplicación del Reglamento y a los que el artículo 38 LOPDGDD atribuye carácter vinculante, establecieran protocolos sobre esta materia, y del mismo modo, los delegados de protección de datos contemplados en el artículo 37 RGPD y 34 LOPDGDD, velaran por el estricto cumplimiento de los principios del tratamiento articulados, en su caso, en dichos códigos[33].

7.2. *La transparencia del tratamiento. El deber de información*

Los principios de licitud, finalidad y minimización implican, en virtud de lo hasta ahora examinado, el tratamiento únicamente de datos de carácter profesional procedentes de las redes.

Pues bien, los principios de lealtad y transparencia, por su parte, llevan anudado el deber de informar sobre el tratamiento de dichos datos. El epígrafe 5. 6 se ha dedicado al contenido del artículo 14 RGPD sobre el particular, al que me remito, aunque se hace necesario subrayar algunas cuestiones especialmente relevantes respecto las fases previas a la contratación.

La primera es que el responsable del tratamiento, esto es, el empleador o el mediador en el empleo, deberá informar, además de la identidad y los datos del responsable, del delegado de protección de datos y de los destinatarios, en su caso, también de las categorías de datos, de los fines del tratamiento y del interés legítimo que le sirve de base jurídica y el del tercero al que van destinados los datos.

Por tanto, deberá expresar que el tratamiento tiene amparo profesional y deberá explicitar qué busca y para qué, en concreto, qué puesto ha de cubrirse y qué características o condiciones se precisan para desempeñarlo, por ejemplo, la experiencia previa en qué tipo de empresas o entidades o la formación del candidato. En relación con ello, deberá exponer qué datos trata, lo que significa que será imprescindible la información acerca del tratamiento de categorías especiales de datos en los casos excepcionales que sea necesario y a los que ya se ha hecho referencia anteriormente.

Conforme con el principio de minimización del tratamiento, éste debe circunscribirse únicamente a aquellos que permiten responder a la finali-

---

[33]　BAZ RODRÍGUEZ, J., op. cit., p. 275; BEL ANTAKI, J., y DURÁN GÁLVEZ, S., en AA. VV., *Aspectos legales...* op. cit. p. 140 y ss.

dad expuesta, para responder a las exigencias de adecuación, pertinencia y limitación.

Igualmente, e insisto que en este punto se están subrayando determinados aspectos de la normativa general, el responsable debe informar de la fuente y la existencia de decisiones automatizadas como pueda ser la elaboración de perfiles, y en tales casos, información significativa sobre la lógica aplicada, así como la importancia y las consecuencias previstas de dicho tratamiento para el interesado. Información especialmente relevante si se tiene en cuenta que, por ejemplo, la propia LinkedIn hace referencia a la elaboración de perfiles de modo automatizado.

Ahora bien, un inconveniente a mi juicio notable para hacer frente a las anteriores exigencias es la configuración legal del momento en que debe proporcionarse dicha información. A tenor del artículo 14.3 a) RGPD se facilitará en un plazo razonable, una vez obtenidos los datos personales, y a más tardar dentro de un mes, habida cuenta de las circunstancias específicas en las que se traten dichos datos.

La información posterior sobre el tratamiento realizado permitiría al candidato verificar el cumplimiento de los principios de minimización, adecuación, pertinencia, exactitud y actualización y en el mismo sentido ejercer los derechos ARCO, pero dado que el citado tratamiento está anudado a una decisión sobre su contratación, parece que el derecho a la autodeterminación informativa y también los principios de lealtad y transparencia, aconsejan una información previa al candidato del examen de sus datos que se va a realizar y en qué condiciones. No en vano el GT 29 en su Dictamen 2/2017 señala que el tratamiento de datos personales obtenidos de las redes sociales será lícito dependiendo de, entre otras cuestiones, que el interesado sea informado del tratamiento de dichos datos antes de que participe en el proceso de contratación. Téngase en cuenta, además, que dar cumplimiento al derecho del artículo 94. 2 LOPDGDD, sobre el derecho al olvido, podía requerir de dicha información previa.

Acaso sea tarea de los códigos de conducta a los que se ha hecho referencia determinar qué información se proporciona a los candidatos antes y después del tratamiento, velando por el cumplimiento de los citados principios de lealtad y transparencia.

Ciertamente, ante un proceso de selección en el marco de la actual cultura digital, es evidente que los propios candidatos deben cuidar la información de interés profesional que los mismos vierten o han vertido en sus perfiles o cuentas y diseñar o renovar los mismos a estos efectos, pero parece imprescindible que puedan conocer qué es lo que se va a examinar de las mismas en virtud del derecho a la autodeterminación informativa.

7.3. La protección del derecho

Las garantías jurídicas existentes en nuestro ordenamiento para la protección de los derechos que podrían quedar afectados por una actividad empresarial consistente en el acceso prohibido a los datos dimanantes de las redes sociales del candidato a un empleo –derecho a la protección de datos personales, intimidad y discriminación– son las siguientes[34]:

En primer lugar, en el ámbito administrativo, de un lado, con carácter general, constituirá infracción laboral muy grave *«solicitar datos de carácter personal en los procesos de selección o establecer condiciones, mediante la publicidad, difusión o por cualquier otro medio, que constituyan discriminaciones para el acceso al empleo»* (art. 16. 2 de la LISOS), como también lo será, en su caso, *«los actos del empresario que fueran contrarios al respeto de la intimidad y consideración debida a la dignidad de los trabajadores»* (art. 8.11 LISOS); a lo que hay que añadir la infracción también muy grave del artículo 8.12 de la LISOS relativa a *«las decisiones unilaterales de la empresa que impliquen discriminaciones directas o indirectas»*.

De otro lado, con carácter especial, las actuaciones ilegales de los responsables del tratamiento de datos personales podrán ser sancionados administrativamente por la Agencia Española de Protección de Datos o por las autoridades autonómicas de protección de datos en su caso (arts. 5 y 58 RGPD, 63 y ss. y 71 y ss. LOPDGDD). Dados los distintos intereses concurrentes en juego, no parece que incurra esta segunda sanción administrativa respecto de la anterior en incumplimiento del principio *«non bis in ídem»35*.

En segundo lugar, en vía judicial, y en el marco de la jurisdicción social, de un lado, y de acuerdo con el artículo 82.1 RGPD, toda persona que haya sufrido daños y perjuicios materiales o inmateriales como consecuencia de una infracción del RGPD, tendrá derecho a recibir del responsable o el

---

[34] Analizamos las posibles reacciones ante la vulneración del derecho en SALA FRANCO, T., y TARABINI-CASTELLANI AZNAR, M., "El derecho a la intimidad personal y el control del trabajador", en *Propuestas para un debate sobre la reforma laboral*, Madrid, 2018, pp. 239 y ss.

[35] En contra de la compatibilidad entre las dos sanciones CRUZ VILLALÓN, J., *Protección de datos...*, op. cit., p. 91.

encargado del tratamiento una indemnización por daños y perjuicios. La reclamación se sustentaría a través del procedimiento especial de tutela de derechos fundamentales (arts. 177 y ss. de la LJRS) [36].

De otro, podría defenderse la nulidad ex artículo 17.1 ET de los pactos individuales y las decisiones unilaterales del empresario que «*contengan discriminaciones favorables o adversas en el empleo*» y, con ello declarar la nulidad de aquellos contratos celebrados con un trabajador previa discriminación de otro. El procedimiento idóneo a seguir sería el de tutela de los derechos fundamentales ante la jurisdicción señalado anteriormente[37], para lo que se encuentran legitimados tanto el trabajador perjudicado como el sindicato (art. 177.1 de la LRJS).

Aunque con la Ley de Enjuiciamiento Civil en la mano las obligaciones de hacer resultan coercibles, no parece que tenga sentido defender el derecho a ser contratado y su posterior ejecución *in natura,* sino a ejecutar por equivalente pecuniario. Ejecución a la que habría que añadir la indemnización correspondiente por la vulneración de un derecho fundamental (art. 183 LRJS).

Debe señalarse igualmente que, a la indemnización derivada de la vulneración de derechos fundamentales, podría añadirse la derivada de los daños y perjuicios producidos de acuerdo con las circunstancias concurrentes en cada caso. En este último sentido, ha de considerarse el estadio de la oferta de empleo o de los tratos preliminares y las actuaciones llevadas a cabo por el trabajador en relación con ellos, por ejemplo, el abandono del anterior puesto de trabajo o el rechazo de otras ofertas de trabajo.

En el caso de que las vulneraciones de los anteriores derechos se produjeran en el marco de un proceso selectivo de la Administración Pública, el orden social de la jurisdicción no sería competente, sino el contencioso-administrativo[38] y en caso de verificarse la existencia de discriminación, sí cabría defender la nulidad de la contratación efectuada y derecho a obtener el puesto en cuestión. La indemnización que, en su caso, se reclamase se articularía a través de la responsabilidad patrimonial del Estado[39].

---

[36]   CRUZ VILLALÓN, J., *Protección de datos…*, op. cit., pp. 85-86.
[37]   En el mismo sentido, CRUZ VILLALÓN, J., *Protección de datos…*, op. cit., p. 88.
[38]   En el mismo sentido, CRUZ VILLALÓN, J., *Protección de datos…*, op. cit., p. 87. Salvo que se impugnaran a las bases de la convocatoria, caso en el que la competencia sería de la jurisdicción social, en virtud de la reciente sentencia del TS/Sala Cuarta, de 11 de junio de 2019, R. 132/2018.
[39]   En el mismo sentido, CRUZ VILLALÓN, J., *Protección de datos…*, op. cit., p. 87.

No cabe descartar, por otra parte, el planteamiento de un conflicto colectivo por el procedimiento especial correspondiente (arts. 153 y ss. LRJS) por parte de los sindicatos [art. 154 a) LRJS].

Finalmente, en determinados casos, cabría incluso exigir una responsabilidad penal derivada, bien del descubrimiento y revelación de secretos (arts. 197 y ss. del Código Penal), bien de la discriminación en el empleo subsiguiente a tal comportamiento empresarial (art. 314 del Código Penal).

Dicho esto, a nadie se le escapa que se trata de una débil protección jurídica por cuanto, en la práctica, fuera de los casos, excepcionales por lo demás, de actuaciones abiertamente atentatorias por parte del empresario, estas indagaciones suelen practicarse en el más absoluto secreto, siendo por ello de muy difícil prueba para el trabajador afectado, pese a que, con base en el artículo 181.2 LRJS, una vez constatada la existencia de indicios de un atentado empresarial al derecho a la intimidad del trabajador, corresponda al empresario demandado *«la aportación de una justificación objetiva y razonable, suficientemente probada, de las medidas adoptadas y de su proporcionalidad»*.

Téngase en cuenta, además, que muchos de los datos obtenidos se encuentran "en abierto", por lo que el empresario o la entidad de selección pueden encontrar una fácil cobertura a su modo de proceder.

Ahora bien, los nuevos tiempos brindan también la posibilidad de recabar nuevas pruebas y, sobre todo, de recabar de los Tribunales actuaciones acomodadas a los mismos. En este sentido, sería posible solicitar que investiguen si, desde los equipos informáticos de la empresa se ha producido algún acceso a los perfiles del candidato en las redes sociales y, de constatarse que se ha producido, podría entenderse que ello supone un indicio de vulneración frente al que correspondería al empresario la carga de la prueba de la justificación objetiva y razonable de la no selección del trabajador[40].

Los nuevos tiempos alientan también la elaboración de códigos de conducta al amparo de los artículos 40 y ss. RGPD y 38 LOPDGDD. Ciertamente dichos códigos están destinados a una materia más amplia que la que me ocupa, pero si entrasen a determinar qué criterios rigen la selección del personal y en particular la política de consulta de las redes sociales de los trabajadores o candidatos, su incumplimiento, en caso de verificarse, podría reclamarse ante la AEPD.

---

[40]   BAZ RODRÍGUEZ, J., op. cit., pp. 277-278

En el mismo sentido la figura del delegado de protección de datos está llamado a cumplir una función relevante al posibilitar que las reclamaciones frente a la AREPD o Autoridades autonómicas de control se vehiculen con carácter previo ante el mismo.

8. CONCLUSIONES Y PROPUESTAS

Las anteriores páginas evidencian la relevancia no ya de un progresivo desarrollo de una cultura de la disposición de los propios datos, habida cuenta de la infinidad de posibilidades de uso de los datos personales de los candidatos en el marco de la solicitud de empleo, sino de una paralela cultura de la transparencia y proporcionalidad en el tratamiento de los mismos en el ámbito empresarial en general, pero, por lo que interesa en este momento, en la selección de trabajadores.

El artículo 88 RGPD contempla la posibilidad de que los Estados miembros establezcan, a través de disposiciones legislativas o convenios colectivos, normas más específicas para garantizar la protección de los derechos y libertades en relación con la protección de datos personales de los trabajadores en el ámbito laboral, en particular a efectos de contratación de personal.

Aunque los artículos 87 y ss. LOPDGDD desarrollan el citado precepto, lo cierto es que dicha ley no contiene mención alguna a la incidencia de las redes sociales en la relación laboral o sus preparativos; muy probablemente porque las disposiciones señaladas recogen la jurisprudencia sobre la materia y apenas hay sobre la que ocupa el presente trabajo.

Sigue pendiente entonces una previsión normativa que determine el uso permitido de los datos personales de los candidatos que obran en las redes, a los que no se ha puesto ninguna restricción y que no son los especialmente protegidos (vida sexual, origen, ideología, religión, salud, afiliación sindical). Previsión que debería circunscribir el tratamiento de datos personales a los relevantes a efectos profesionales en el sentido señalado en el presente estudio y confiar a la negociación colectiva y a los códigos de conducta la concreción de protocolos empresariales o incluso preceptos de obligado cumplimiento sobre el uso de internet y redes sociales con fines de selección de personal[41].

---

[41]   SALA FRANCO, T., y TARABINI-CASTELLANI AZNAR, M., "El derecho a la intimidad"…op. cit., pp. 239 y ss.

Dicha previsión debería igualmente clarificar la información previa y posterior al tratamiento, con el fin de dar cumplimiento a los principios del tratamiento del artículo 5 RGPD y conjugar así los intereses legítimos de empresa y trabajador, así como su derecho a la autodeterminación informativa.

Del mismo modo, sería conveniente una configuración del delegado de protección de datos, que es designado en la actualidad por el responsable o el encargado del tratamiento, de manera que respondiera a una plena independencia en el ejercicio de sus funciones.

Mientras, y de la mano del artículo 88 RGPD, los convenios colectivos están llamados a dotarse de criterios en esta materia que clarifiquen las vías de recogida y tratamiento de datos en la fase previa a la contratación; como también lo están los códigos de conducta a los que se ha hecho referencia.

Quizá estas propuestas no sean suficientes en el marco de unas redes sociales que son "un espacio panóptico no perspectivista en el que se cree que se vive en libertad, en cuya construcción y conservación colaboran de manera activa sus moradores, que se exhiben y "se desnudan no por coacción externa, sino por la necesidad engendrada en sí misma", perfeccionando así la sociedad de control[42], que es también la sociedad de la transparencia y la "sociedad íntima habitada por narcisistas sujetos íntimos"[43]. Quizá también las redes sociales son, más que una red de protección, una red de tela de araña que atrapa a quienes caen en ella.

Sin embargo, como canta María de Bethânia, no creo que sea un "sonho impossivel" pensar que dichas propuestas contribuyen a completar la cultura digital, en la que estamos ya inmersos, con la de protección de datos personales propios y ajenos, una cultura que canalice y cubra de los principios del tratamiento el acceso por los empleadores o mediadores en el empleo a los perfiles o cuentas en redes sociales de los trabajadores, pero que también encauce la desinhibición con la que los usuarios vierten datos en las redes que contenga o palíe el narcisismo.

Si empezaba este trabajo diciendo que no cabía tratar la problemática derivada del acceso, por parte de los empleadores, a las redes sociales de los trabajadores en odres viejos, acabo con la necesidad de impregnar la relación laboral y, en particular sus fases previas, de la cultura de la protección de datos personales, como el vino nuevo se impregna del aroma de la barrica de roble.

---

[42] BYUNG-CHUL HAN, op. cit., p. 89
[43] BYUNG-CHUL HAN, op. cit., p. 70

IX. EL DERECHO A LA PROTECCIÓN DE LOS DATOS PERSONALES EN EL MARCO DE LA RELACIÓN DE TRABAJO

Nuria de Nieves Nieto
Prof. Titular Univ. Complutense de Madrid

SUMARIO: 1. INTRODUCCIÓN. 2. CONFIGURACIÓN NORMATIVA DEL DERECHO A LA PROTECCIÓN DE LOS DATOS PERSONALES. 2.1. La protección de datos en el Derecho de la Unión Europea. 2.2. La conformación del derecho fundamental autónomo de protección de datos en nuestro país y su reflejo normativo. 3. DELIMITACIÓN Y CLASIFICACIÓN DE LOS DATOS PERSONALES OBJETO DE PROTECCIÓN. 3.1. Categoría ordinaria de dato protegible. 3.2. Categoría especial de dato protegible. 4. REQUISITOS DE LEGITIMACIÓN Y VALIDEZ DEL TRATAMIENTO DE DATOS PERSONALES EN EL ENTORNO DE LA RELACIÓN LABORAL. 4.1. Tipología, especialidades y fases de aplicación. 4.2. Fase previa a la celebración del contrato de trabajo: procesos de selección de personal y acceso al empleo. 4.3. Fase de constitución y desarrollo de la relación de trabajo. 4.4. Fase posterior a la relación de trabajo: consecuencias tras la finalización del vínculo contractual. 5. EL EJERCICIO POR LOS TRABAJADORES DE LOS DERECHOS DE PROTECCIÓN DE SUS DATOS PERSONALES. 5.1. Contenido y principales elementos. 5.2. Cauces y medios de impugnación de las decisiones empresariales.

1. INTRODUCCIÓN

El imparable avance de las tecnologías de la información y la comunicación ha provocado que surjan nuevas posibilidades de uso y nuevas necesidades de aplicación de los datos personales[1]; lo que ha generado que crezcan también exponencialmente los riesgos de captación indebida y utilización desviada de bienes que pertenecen a la esfera más estricta de

---

[1] "Intentar un análisis de las repercusiones que la introducción de nuevas tecnologías está provocando en la relación de trabajo continúa siendo arriesgado porque persisten dificultades de primera hora ... perdura en fin sobre todo, un espíritu colectivo de nueva frontera que invita a la reflexión y a la prudencia". F. PÉREZ DE LOS COBOS ORIHUEL, *Nuevas Tecnologías y relación de trabajo*, Tirant lo Blanch, Valencia, 1990, p. 11.

la persona[2]. Aunque es evidente que las nuevas tecnologías aportan beneficios a quienes trabajan en las empresas –como mejoras en el acceso a la información y comunicación o la inmediatez en la resolución de sus problemas– también lo es que las tecnologías vinculadas a la informática representan una amenaza potencial para los empleados en la medida en que registran gran cantidad de datos personales de estos[3]. Numerosos datos de los trabajadores se aportan voluntariamente o, al menos, con conocimiento y se utilizan para la finalidad para la que han sido recabados pero también es posible que estos sean utilizados con otros fines bien distintos o incluso que se obtengan y manejen otros datos sin siquiera llegar a conocerlo los afectados; existen, por otro lado, datos que, sin ser conscientes los sujetos que los generan, dejan "un rastro" de forma involuntaria al navegar por la red o al usar cualquier instrumento de tecnología digital, lo que plantea el problema del destino que se les puede dar a los mismos una vez que quedan registrados[4]. Todas estas circunstancias, y desde luego otras muchas, han aconsejado la ordenación del tratamiento de la información relativa a los trabajadores en el entorno del empleo.

Si se parte de que el tratamiento de información sobre los sujetos es necesario para responder a las necesidades de nuestra sociedad, en el concreto ámbito laboral, el manejo de los datos de los trabajadores resulta inherente a su integración en la organización empresarial (el salario y los datos de Seguridad Social, la jornada de trabajo y su control, los datos de salud, los expediente de conducta en la empresa, habilidades o itinerario formativo, son un buen ejemplo)[5]. Desde esta perspectiva el derecho a la protección de los datos de los empleados debe ser concebido, no ya como derecho absoluto, sino como un derecho vinculado a la función social que cumple el tratamiento de ciertos datos, lo que lleva a la búsqueda de un adecuado equilibrio con otros derechos fundamentales.

---

[2]   J. GARCÍA MURCIA e I. A. RODRÍGUEZ CARDO, "La protección de datos personales en el ámbito de trabajo: una aproximación desde el nuevo marco normativo", *Revista Española de Derecho del Trabajo*, nº 216, 2019, p. 20.

[3]   El manejo masivo de los datos personales se produce, además de por los usos específicos e intensivos de internet, por la generalización de las tecnologías disruptivas como, entre otras, la inteligencia artificial, la nube, la alta velocidad para navegar en la red o el llamado "internet de las cosas".

[4]   J.L. GOÑI SEIN, "Nuevas tecnologías digitales, poderes empresariales y derechos de los trabajadores: análisis desde la perspectiva del Reglamento Europeo de Protección de Datos de 2016", *RDS*, nº 78, p. 3.

[5]   E. GONZÁLEZ BIEDMA, "Derecho a la información y consentimiento del trabajador en materia de protección de datos", *Temas Laborales*, nº 138, 2017, p. 224 y sig.

Estos derechos de los trabajadores a la protección de sus datos despliegan precisamente en el medio laboral importantes efectos, como se va a comprobar. Como punto de partida, no se prohíbe el uso que otra persona pueda hacer de los datos personales de los trabajadores, si se considera necesario para que pueda desenvolverse adecuadamente la relación de trabajo, pero sí se proporciona a estos una importante facultad de control sobre dicho uso.

Los distintos agentes que operan en el sistema de relaciones laborales, no solo empresarios y trabajadores sino también representaciones colectivas de estos[6], responsables de seguridad o prevención o entidades públicas y privadas vinculadas al acceso al empleo y la Seguridad Social, tienen habitualmente necesidad de acceder a datos de las personas implicadas en las relaciones de trabajo; piénsese en sindicatos, asociaciones patronales o agencias de colocación, Servicios Públicos de Empleo, Inspección de Trabajo o la Tesorería de la Seguridad Social. En el marco de las relaciones que se crean entre los sujetos referidos la protección de los datos personales interesa especialmente al trabajador puesto que es él (a causa de su integración en la compañía) el que genera que se haga acopio de esa información y el que, en mayor medida, puede verse expuesto a una afectación que no se desea.

Esta aportación pretende analizar la proyección de la regulación vigente sobre el uso de los datos personales en el entorno de las relaciones de trabajo con la limitación que supone dejar al margen de este trabajo, por ser objeto de un estudio específico en este mismo volumen, aquellos aspectos que atienden particularmente a la facultad de control por parte de los empresarios sobre sus empleados a través de distintos medios que captan y tratan sus datos personales. El propósito que se persigue, pues, es mostrar, en primer lugar, las normas que ordenan la utilización de los datos de los trabajadores para después centrarse en el análisis de ciertos elementos imprescindibles para comprender el alcance de la protección que aquellas normas confieren a los empleados o aspirantes a ocupar un puesto de trabajo, como es la identificación del concepto de dato personal así como de sus diversas categorías o los fundamentos que en el ámbito de la relación de trabajo (en la fase de selección de personal, durante la relación de trabajo y en los momentos posteriores a la extinción de la relación laboral)

---

[6]   J. GARCÍA MURCIA, "Nuevas tecnologías y nuevas fronteras para el Derecho del Trabajo" en *Nuevas tecnologías y protección de datos personales en las relaciones de trabajo*, Gobierno del Principado de Asturias/Universidad de Oviedo, Oviedo, 2019, p. 13.

legitiman el tratamiento de los datos de los empleados[7]. Se apuntan, por último, los distintos derechos que se reconocen a los trabajadores respecto del tratamiento de sus datos -ya recogidos unos en las normas anteriores y de reciente incorporación a nuestro ordenamiento jurídico, otros- y los medios de impugnación de las decisiones de los empresarios contrarias a los derechos de protección de datos.

2. CONFIGURACIÓN NORMATIVA DEL DERECHO A LA PROTECCIÓN DE LOS DATOS PERSONALES

2.1. La protección de datos en el Derecho de la Unión Europea

En el marco del Consejo de Europa, el artículo 8 del Convenio Europeo para la Protección de Derechos Humanos de 1950 ya consagró el derecho al respeto de la vida privada y familiar, en el que el Tribunal Europeo de Derechos Humanos encajó el derecho a la protección de datos[8]. En este contexto, unos años después, se adoptó el primer instrumento internacional con fuerza vinculante destinado a proteger a las personas en relación con el tratamiento de sus datos personales[9], el Convenio núm. 108, de 28 de enero de 1981[10]. Este Convenio tenía por finalidad garantizar a las personas físicas el respeto de sus derechos y libertades fundamentales, en concreto su derecho a la vida privada en referencia al tratamiento automatizado de los datos de carácter personal.

Desde la Unión Europea se asumió, siguiendo la pauta marcada por el Consejo de Europa, la necesidad de regular una protección respecto del

---

[7]   S. RODRÍGUEZ ESCANCIANO, "La potencialidad lesiva de la informática sobre los derechos de los trabajadores", *Revista Española de Protección de Datos*, nº 2, 2007, p. 95 y sig. y "El derecho a la protección de datos personales en el contrato de trabajo: reflexiones a la luz del Reglamento europeo 2016/679", *CEF-Trabajo y Seguridad Social*, nº 423, 28010, p. 27 y sig.

[8]   Lo que favoreció su desplazamiento al campo de la vida privada de las personas; *vid.*, por ejemplo, el asunto *Leander*, de 26 de marzo de 1987 o *Gaskin*, de 7 de julio de 1989.

[9]   Tenía cono fin garantizar a las personas físicas "el respeto de sus derechos y libertades fundamentales, concretamente su derecho a la visa privada, con respecto al tratamiento automatizado de los datos de carácter personal correspondientes a dicha persona".

[10]   Esta norma, como tratado internacional que es cumple la doble función de ser una norma incorporada al Derecho español por la vía del artículo 96 de la CE y servir como criterio interpretativo de los derechos fundamentales en virtud de lo dispuesto por el artículo 10.2 de la CE. G. MINERO ALEJANDRE, "Presente y futuro de la protección de datos personales. Análisis normativo y jurisprudencial desde la perspectiva nacional y extranjera", *Anuario Jurídico y Económico Escurialense*, 2017, p. 21.

uso de los datos personales[11] para evitar que los Estados siguieran elaborando leyes de protección de datos divergentes que perjudicaran el funcionamiento del mercado único; este propósito se llevó a cabo a través de instrumentos normativos de contenido general[12], como la –actualmente derogada– Directiva 95/46/CE, relativa a la protección de las personas físicas en lo referente al tratamiento de datos personales y a la libre circulación de estos datos[13]. Dicha norma trató de cubrir las deficiencias del Convenio de 1981 del Consejo de Europa, que no permitía, por sí mismo, asegurar el cumplimiento del doble objetivo de, por un lado, tutelar la intimidad y, por otro, garantizar el funcionamiento del mercado interior y la libre circulación de los datos personales entre los Estados de la Unión. En este sentido, la Directiva fue una herramienta para impedir las trabas a la libre circulación de información personal en el contexto de la UE; una vía para evitar que la defensa de los derechos fundamentales constituyera un freno para los objetivos de la integración económica[14]. La Directiva, que no era una norma dirigida específicamente a las relaciones laborales, dedicó al tratamiento de datos en este concreto ámbito algún precepto específi-

---

[11] Tras el Acuerdo de Schengen, en 1985, se adoptó, el 19 de junio de 1990, su Convenio de aplicación, que necesitó apoyarse en un sistema de información común. La libre circulación de personas, la abolición de las fronteras y el desarrollo del mercado interior requerían la adopción de ciertas medidas como la creación del Sistema de Información Schenguen. Las garantías creadas en este específico ámbito para salvaguardar los derechos de las personas concernidas resultaban insuficientes a la luz de lo establecido en el Convenio 108 del Consejo de Europa.

[12] Entre otras iniciativas, en la década de los años setenta y ochenta del siglo pasado destacan: Resolución del Parlamento de 21 de febrero de 1975 sobre la protección de los derechos de las personas ante el desarrollo de los progreso técnicos en el ámbito de la informática sobre el informe Mansfield o la Resolución de 8 de mayo de 1979 del Parlamento con el mismo nombre que la anterior pero, en este caso, sobre el informe Bayerl o la Recomendación de la Comisión de 29 de julio de 1981, relativa al Convenio 108 del Consejo de Europa.

[13] El derecho a la protección de datos personales apareció por primera vez en la legislación comunitaria en esta Directiva 95/46/CE, de 24 de octubre de 1995, que, con el fin de tutelar el derecho a la intimidad de las personas pero también de asegurar el ejercicio de las libertades económicas en el mercado interior aspiraba, como su título daba a entender, a la armonización de las legislaciones nacionales sobre protección de los datos personales y la eliminación de obstáculos para el ejercicio de actividades económicas a escala comunitaria en adecuada competencia.

[14] Su artículo primero rezaba: "*1. Los Estados miembros garantizarán, con arreglo a las disposiciones de la presente Directiva, la protección de las libertades y de los derechos fundamentales de las personas físicas, y, en particular, del derecho a la intimidad, en lo que respecta al tratamiento de los datos personales. 2. Los Estados miembros no podrán restringir ni prohibir la libre circulación de datos personales entre los miembros por motivos relacionados con la protección garantizada en virtud del apartado 1*".

co; como el artículo 8 que contemplaba algún aspecto del tratamiento de datos del trabajador por parte del empleador y reconocía la necesidad de su uso dentro de las organizaciones representativas de trabajadores y empresarios.

La necesidad de que el tratamiento de la información personal en el ámbito comunitario respondiera homogéneamente al estándar protector consagrado en la Directiva se plasmó posteriormente en el Derecho originario[15]. En 1997 el Tratado de Amsterdam incorporó, en el artículo 286 TCE, la obligación de que las instituciones y organismos comunitarios respetaran el derecho a la protección de datos personales; en él se decía que "*a partir del 1 de enero de 1999, los actos comunitarios relativos a la protección de las personas respecto del tratamiento de los datos personales y a la libre circulación de dichos datos serán de aplicación a las instituciones y organismos establecidos en el presente Tratado o sobre la base el mismo*[16]".

Otras normas comunitarias de Derecho derivado sobre protección de datos se sumaron a la Directiva de 1995 en su objetivo, si bien estas desplegaron su regulación en determinados ámbitos concretos. Se trató, por un lado, de la Directiva 97/66/CE, de 15 de diciembre de 1997, relativa al tratamiento de datos personales y a la protección de la intimidad en el sector de las telecomunicaciones[17] y, por otro, del Reglamento 45/2001 del Parlamento Europeo y del Consejo, de 18 de diciembre de 2000, acerca de la protección de las personas físicas en lo que respecta al tratamiento de datos personales por las instituciones y organismos comunitarios y a la libre circulación de estos datos, que tiene por finalidad garantizar en toda la Unión una aplicación coherente y homogénea de las normas de protección de los derechos y las libertades fundamentales de las personas en lo que respecta al tratamiento de los datos personales[18].

---

[15]   *Vid.*, M.C. GUERRERO PICÓ, "El Derecho fundamental a la protección de los datos de carácter personal en la Constitución Europea", *REDCE4, www.urg.es.*

[16]   Establecía además que "*Con anterioridad a la fecha indicada en el apartado 1, el Consejo establecerá, con arreglo al procedimiento previsto en el artículo 251, un organismo de vigilancia independiente, responsable de controlar la aplicación de dichos actos comunitarios a las instituciones y organismos de la Comunidad y adoptará, en su caso, cualesquiera otras disposiciones pertinentes*".

[17]   Que tenía por objeto armonizar las disposiciones de los Estados miembros necesarias para garantizar un nivel equivalente de protección de las libertades y los derechos fundamentales y, particularmente, el derecho a la intimidad en lo que se refiere a los datos personales en el ámbito de las telecomunicaciones. Esta Directiva ha sido sustituida por la Directiva 2002/58/CE, de 12 de julio de 2002.

[18]   Entre los aspectos que trata cabe señalar el tratamiento reforzado de la prohibición del tratamiento de los datos personales que revelen el origen racial o étnico, las opi-

En este proceso de configuración del Derecho europeo a la protección de datos ha sido decisivo el reconocimiento del derecho a la protección de datos como derecho fundamental e independiente del derecho a la vida privada; lo que se produjo mediante su integración en el artículo 8 de la Carta de Derechos Fundamentales del año 2000, que –bajo el rótulo "*protección de datos de carácter personal*"– declaró el derecho de toda persona a la protección de sus datos personales y que estos se han de tratar de modo leal, para fines concretos y sobre la base del consentimiento de la persona afectada o en virtud de otro fundamento legítimo previsto por la ley; a lo que añade que "*toda persona tiene derecho a acceder a los datos recogidos que la conciernan y a su rectificación*"[19]. De lo que se deriva que, en primer lugar, el citado precepto de la Carta hace una proclamación formal del derecho sin especificar a la persona física como destinaria[20] y, en segundo lugar, recoge de forma sintética varios aspectos del tratamiento lícito de los datos: el del trato leal, el de la finalidad, el de la necesidad de consentimiento o del fundamento legal del tratamiento y el derecho de acceso y de rectificación. No menciona, en cambio, otros como el derecho a la información, el principio de la calidad de los datos o el derecho de cancelación, sin embargo esa carencia es salvable por aplicación del artículo 53 de la Carta, en cuya virtud ningún artículo de la misma debe ser interpretado como limitativo o lesivo de los derechos reconocidos en otras fuentes del Derecho Internacional, el Derecho Comunitario o las Constituciones de los Estados miembros[21].

---

niones políticas, las convicciones religiosas o filosóficas, la pertenencia a sindicatos, así como el tratamiento de los datos relativos a la salud o a la sexualidad –salvo excepciones previstas–, la creación de una tabla de derechos para los interesados, que incluye el derecho a la información, al acceso, a la rectificación, al bloqueo, a la supresión o a la oposición, el establecimiento de reglas para la transmisión de datos personales según los destinatarios sean o no distintos de las instituciones y los organismos comunitarios. Se ha mantenido en vigor hasta su derogación por el Reglamento 2018/1725, de 23 de octubre de 2018.

[19]   *Vid.*, C. RUIZ MIGUEL, "El derecho a la protección de los datos personales en la Carta de Derechos Fundamentales de la Unión Europea: análisis crítico", *Revista de Derecho Comunitario Europeo*, n° 14, 2003, p. 7 y sig. y A. TRONCOSO REIGADA, "Hacia un nuevo marco jurídico europeo de la protección de datos personales", *Revista Española de Derecho Europeo*, n° 43, 2012, p. 25 y sig.

[20]   Ya que de otro modo complicaría el reconocimiento que ciertos países hacen de este derecho a las personas jurídicas.

[21]   *Vid.*, M.C. GUERRERO PICÓ, "El Derecho fundamental a la protección de los datos de carácter personal en la Constitución Europea", *REDCE, www.urg.es. Cfr.* C. RUIZ MIGUEL, "El derecho a la protección de los datos personales en la Carta de Derechos Fundamentales de la Unión Europea: análisis crítico", *Revista de Derecho Comunitario Europeo*, n° 14, 2003, p. 8 y sig.

Ha sido también determinante, en el reconocimiento de este nuevo derecho, que la protección de datos se incorporara a las versiones más recientes de los Tratados; por un lado, en el Tratado de Funcionamiento, el artículo 16 declara que toda persona tiene derecho a la protección de datos y habilita al Parlamento y al Consejo para la adopción de normas correspondientes y, por otro, el Tratado de la Unión encarga al Consejo, en su artículo 39, la elaboración de normas sobre protección de las personas físicas respecto del tratamiento de datos personales por los Estados miembros en el ejercicio de las actividades relacionadas con la política exterior y de seguridad común[22].

Actualmente, el Reglamento General de Protección de Datos 2016/679[23] es la norma europea de referencia en la materia[24]. A partir del carácter fundamental del derecho a la protección de datos de carácter personal[25] ha tratado de encontrar un equilibrio en el nuevo panorama tecnológico entre el derecho de las personas a la protección de sus datos y las necesidades

---

[22]   M. ARENAS RAMIRO, *El derecho fundamental a la protección de datos personales en Europa*, Tirant lo Blanch, Valencia, 2006, p. 225 y sig. y "La protección de datos personales en los países de la Unión Europea", *Revista Jurídica de Castilla y León*, n° 16, 2008, p. 113 y sig.

[23]   R. MAYOR GÓMEZ, "Contenido y Novedades del Reglamento General de Protección de datos de la UE (Reglamento UE 2016/679, de 27 de abril de 2016)", *Gabilex-Revista del Gabinete Jurídico de Castilla La Mancha*, n° 6, 2016, p. 7; L.A. FERNÁNDEZ VILLA-ZÓN, "El nuevo Reglamento Europeo de Protección de Datos", *Foro, Nueva Época*, vol. 19, n° 1, 2016, p. 399 y sig. J.L. PIÑAR MAÑAS, "Hacia un nuevo modelo europeo de protección de datos", en *Reglamento General de Protección de Datos. Hacia un nuevo modelo de privacidad*, Madrid, Reus, 2016, p. 15.

[24]   Otros instrumentos normativos más especializados son la Directiva 2000/31/CE, de 8 de junio de 2000, sobre comercio electrónico –que establece determinados aspectos jurídicos de los servicios de la sociedad de la información, fundamentalmente el comercio electrónico del mercado interior–; la Directiva 2002/58/CE, de 12 de julio de 2002, sobre la privacidad y las comunicaciones electrónicas –que tiene por finalidad garantizar un nivel equivalente de protección de las libertades y derechos fundamentales, en particular, del derecho a la intimidad en lo que hace al tratamiento de los datos personales en el sector de las comunicaciones electrónicas–; la Directiva 2016/680, de 27 de abril de de 2016, acerca de la protección de las personas físicas en lo que respecta al tratamiento de datos personales por parte de las autoridades competentes para fines de prevención, investigación, detección o enjuiciamiento de infracciones penales o de ejecución de sanciones penales, y a la libre circulación de dichos datos; el Reglamento 611/2013, de 24 de junio de 2013, acerca de las medidas aplicables a la notificación de casos de violación de datos personales en el marco de la Directiva 2002/58/CE, o el Reglamento 2018/1725, de 23 de octubre de 2018, relativo a la protección de las personas físicas en lo que respecta al tratamiento de datos personales por las instituciones, órganos y organismos de la Unión, y a la libre circulación de esos datos.

[25]   Su artículo 1 señala que su objeto es proteger "*los derechos y libertades fundamentales de las personas físicas y, en particular, su derecho a la protección de datos personales*".

de transmisión y circulación de esta información en el mercado europeo. En este sentido, su considerando 101 ya apunta que los flujos transfronterizos de datos personales son necesarios para la expansión del comercio y la cooperación internacionales, cuyo aumento plantea nuevos retos en cuanto a la protección de los mismos; de modo que revela la pretensión de la norma de ofrecer una regulación que no obstaculice dicha libre circulación y facilite el flujo económico, pero sin desatender la seguridad jurídica de las personas implicadas.

El Reglamento UE no es una norma que trate específicamente la protección de datos personales en medios profesionales, sin embargo no cabe duda de que es plenamente vigente en este ámbito, no solo porque no se excluye su aplicación en el terreno laboral (entre las exclusiones de aplicación del artículo 2) sino también porque ha incorporado una disposición específica, el artículo 88, relativa al tratamiento de los datos personales en el ámbito laboral[26]; lo que revela que el legislador europeo ha tenido presente que, en el contexto de las relaciones laborales, se dan condiciones particulares que hacen necesaria la consideración de ciertas especificaciones. En esta línea, aunque el Reglamento, por el tipo de norma que es, tiene una aplicación directa en los Estados miembros de la Unión no deja de contar con el complemento de las normas nacionales que pueden[27] introducir, con carácter general, disposiciones más específicas para conseguir el objetivo de que los datos de las personas se encuentren protegidos y pueden también, en el ámbito laboral, establecer reglas más precisas para salvaguardar los derechos e intereses legítimos de los concurrentes, principalmente los trabajadores y los empresarios[28].

Además de las disposiciones legislativas, los convenios colectivos[29] –incluidos los de empresa– pueden, según el mencionado artículo del Regla-

---

[26]   J.L. GOÑI SEÍN, *La nueva regulación europea y española de protección de datos y su aplicación al ámbito de la empresa*, Bomarzo, Albacete, 2018, p. 21.

[27]   Es un acto facultativo complementario de la normativa europea; pero en ningún caso se establece por el Reglamento europeo una imposición de que se produzca una intervención regulativa en este ámbito por parte de la norma nacional. J. CRUZ VILLALÓN, "Protección de datos personales del trabajador en el proceso de contratación: facultades y límites de la actuación del empleador", Bomarzo, Albacete, 2019, p. 15.

[28]   J. GARCÍA MURCIA, "La protección de datos personales en el ámbito laboral: una sucinta reseña jurisprudencial a partir de cinco sentencias del Tribunal Supremo", *Revista Galega de Dereito Social*, nº 5, 2018, p. 12.

[29]   *Vid.*, J. BAZ RODRÍGUEZ, *Privacidad y protección de datos de los trabajadores en el entorno digital*, Wolters Kluwer, Madrid, 2019, p. 43. Según este autor, tres son las condiciones exigidas para que opere la habilitación normalizadora concedida por el reglamento a la negociación colectiva: que se trate de convenios dotados de eficacia normativa y per-

mento UE, establecer normas específicas para garantizar la protección de los derechos y libertades relativas al tratamiento de datos personales de los trabajadores en el ámbito laboral[30], "*en particular a efectos de contratación de personal, ejecución del contrato laboral, incluido el cumplimiento de las obligaciones establecidas por la ley o por el convenio colectivo, gestión, planificación y organización del trabajo, igualdad y diversidad en el lugar de trabajo, salud y seguridad en el trabajo, protección de los bienes de empleados o clientes, así como a efectos del ejercicio y disfrute, individual o colectivo, de los derechos y prestaciones relacionados con el empleo y a efectos de la extinción de la relación laboral*".

El apartado 10 del Preámbulo del Reglamento UE 2016/679, por su parte, reconoce un margen de maniobra para que los Estados miembros puedan especificar sus normas, incluso para el tratamiento de categorías especiales de datos; de ahí que no excluya que las normas nacionales puedan determinar las circunstancias relativas a situaciones particulares de tratamiento, que pueden incluir la concreción de las condiciones en las que el tratamiento de datos personales es lícito.

Entre las valiosas aportaciones que ha introducido la norma europea destaca el fortalecimiento de la exigencia del consentimiento y del derecho de los interesados a la información acerca del tratamiento, la tutela de los datos integrantes de categorías especiales, el agravamiento de sanciones administrativas, el diseño de la figura del delegado de protección de datos[31] o la garantía del derecho al olvido; a pesar de los avances apuntados el traslado de sus previsiones genéricas al marco de las relaciones laborales no resulta siempre fácil[32].

---

sonal general, que las regulaciones convencionales observen y respeten los principios y reglas contenidos en las normas de protección de datos personales y, por último, que la propia regulación convencional prevea garantías adecuadas para el respeto de los derechos fundamentales e intereses de los trabajadores.

[30]   *Vid.*, J.M. SERRANO GARCÍA, *La protección de datos personales y la regulación de las tecnologías en la negociación colectiva y en la jurisprudencia*, Bomarzo, Albacete, 2019.

[31]   *Vid.*, E.M. SIERRA BENÍTEZ, "El delegado de protección de datos en la industria 4.0: funciones, competencias y las garantías esenciales de su estatuto jurídico", *Revista Internacional y Comparada de Relaciones Laborales y Derecho del Empleo*, vol. 6, nº 1, 2018, p. 236 y sig.; J.L. GOÑI SEÍN, *La nueva regulación europea y española de protección de datos y su aplicación al ámbito de la empresa*, p. 163 y sig.

[32]   S. RODRÍGUEZ ESCANCIANO, "El derecho a la protección de datos personales en el contrato de trabajo: reflexiones a la luz del Reglamento europeo", *Revista de Trabajo y Seguridad Social CEF*, nº 423, 2018, p. 58.

2.2. *La conformación del derecho fundamental autónomo de protección de datos en nuestro país y su reflejo normativo*

El reconocimiento del derecho a la protección de datos ha sufrido en nuestro ordenamiento jurídico una interesante evolución que no nos resistimos, aunque sea someramente, a reflejar. De un primer estadio, en el que el derecho a la intimidad era el protagonista indiscutible –a partir de la proclamación del artículo 18.1 de la CE, *"se garantiza el derecho al honor, a la intimidad personal y familiar y a la propia imagen"*– se ha pasado a un importante asentamiento del derecho a la protección de los datos personales, como derecho fundamental singular[33].

Para comprender el proceso apuntado, conviene recordar que el artículo 18.4 de nuestra Constitución, con la intención de responder a la amenaza que puede suponer el uso ilegítimo del tratamiento mecanizado de datos, encarga al legislador que limite el uso de la informática para garantizar el honor, la intimidad personal y familiar de las personas y el pleno ejercicio de sus derechos; en sus palabras, *"la ley limitará el uso de la informática"*. Destaca en esta disposición la dimensión negativa de la libertad informática[34], en detrimento de su significación positiva referida al derecho al acceso y control de la informática por el individuo y los grupos[35]. La previsión contenida en el artículo citado contempla una cláusula abierta, de valor programático, que manifiesta una preocupación del constituyente acerca de la potencial amenaza que la informática representa para la esfera personal del individuo[36].

El derecho a la intimidad en su relación con el uso de la informática fue desarrollado por la Ley Orgánica 5/1992, de 29 de octubre, de regulación del tratamiento automatizado de datos de carácter personal. Esta ley tenía por objetivo, en desarrollo de lo dispuesto en el apartado 4 del artículo 18 de

---

[33] *Vid.,* C. CONDE ORTÍZ, *La protección de datos personales: un derecho autónomo con base en los conceptos de intimidad y privacidad,* Dykinson, Madrid, 2000, p. 27 y sig.

[34] Los trabajos parlamentarios revelan que desde los primeros momentos se concibió la informática en sentido negativo –esto es, como una herramienta que debía ser controlada por su potencial lesividad–. *Vid.,* Diario de Sesiones del Congreso de los Diputados, sesión n° 9, de 9 de mayo de 1978, p. 2526 y sig.

[35] A.E. PÉREZ LUÑO, "Informática y libertad. Comentario al artículo 18.4 de la Constitución Española", *Revista de Estudios Políticos (Nueva Época),* n° 24, 1981, p. 46. J. PARDO FALCÓN, "La protección de datos" en *Comentarios a la Constitución Española,* T-I, BOE, Madrid, 2018, p. 562.

[36] El apartado cuarto del artículo 18 de la CE destaca por su carácter abierto, A. TRONCOSO REIGADA, *La protección de datos personales. En busca del equilibrio,* Tirant lo Blanch, Valencia, 2010, p. 70.

la CE, "*limitar el uso de la informática y otras técnicas y medios de tratamiento auto-matizado de los datos de carácter personal para garantizar el honor, la intimidad personal y familiar de las personas físicas y el pleno ejercicio de sus derechos*", tal y como disponía su artículo 1[37]. Tras la aprobación de la Directiva 95/46/CE fue necesario que nuestra legislación se adaptara a su contenido, lo que generó que se aprobara la Ley Orgánica 15/1999, 13 de diciembre de protección de datos de carácter personal[38]. Esta norma, que reprodujo con bastante fidelidad el contenido de la mencionada Directiva, se dirigía a "*garantizar y proteger, en lo que concierne al tratamiento de los datos personales, las libertades públicas y los derechos fundamentales de las personas físicas, y especialmente su honor e intimidad personal y familiar*", como indicaba su artículo primero. Tenía, por tanto, un contenido más complejo adaptado no solo ya a la correspondiente normativa europea sino también a la experiencia acumulada en los años anteriores dentro de nuestras fronteras. Su ámbito de aplicación se amplió respecto de su precedente por cuanto se aplicaba no solo a los ficheros automatizados sino también al tratamiento automatizado en soporte físico[39].

A pesar de que el derecho a la protección de datos no aparece formulado como derecho fundamental en el artículo 18.4 de la CE[40], el TC ha realizado una importante labor de configuración de este derecho que ha culminado en su consideración como derecho fundamental autónomo[41].

Se ha reconocido su carácter autónomo respecto del derecho al honor y a la intimidad por considerarse que se trata de un derecho con contenido propio y diferenciado. Esta apreciación se alcanzó tras una evolución en la

---

[37]   En esta norma se reconoció una serie de principios generales y de derechos que correspondían al individuo frente al tratamiento automatizado de datos: calidad de los datos, consentimiento de la persona para el tratamiento de los datos, información en el momento de la recogida y sobre la existencia y finalidad de ficheros de datos personales, derechos de acceso, rectificación y cancelación, protección especial para los datos sensibles.

[38]   Y, posteriormente, su reglamento de desarrollo RD 1720/2007, de 21 de diciembre.

[39]   X. THIBAULT ARANDA, "La incidencia de la Orgánica 15/1999, de 13 diciembre, de protección de datos de carácter personal, en ámbito de las relaciones laborales", *Relaciones Laborales*, n° 2, 2000, p. 169 y sig.

[40]   También el artículo 105 b) de la CE prevé otra garantía de los ciudadanos según la cual, por Ley se regulará el acceso de estos a los archivos y registros administrativos, salvo en lo que afecta a la seguridad y la defensa del Estado, la averiguación de los delitos y la intimidad de las personas. A pesar de que nada se diga en esta disposición sobre informática, queda implícito que el derecho reconocido no excluye ningún soporte; por lo tanto, ha de aplicarse respecto a archivos y registros realizado en soporte automatizado o no de datos personales.

[41]   M.A. CASTRO ARGÜELLES, "Protección de datos de carácter personal en el ámbito laboral" en *Nuevas tecnologías y protección de datos personales en las relaciones de trabajo*, p. 18.

conformación del derecho, que partía, en los primeros pronunciamientos del TC, de que no era posible estimar que se había producido vulneración del uso de la informática si no existía violación del derecho a la intimidad, como entendió en la STC 110/1984, de 26 de noviembre o en la STC 142/1993, de 22 de abril –en la que indicó que la retribución que el trabajador percibe no constituye dato íntimo–. En un momento posterior, el Tribunal Constitucional empezó a hablar del derecho a la libertad informática como derecho contenido en el apartado 4 del artículo 18 CE, en sentencias como SSTC 254/1993, de 20 de julio[42], 11/1998, de 13 de enero[43], 94/1998, de 4 de mayo[44] o 202/1999, de 8 de noviembre[45]; en estos asuntos ya se entendió que el derecho a la protección de datos personales –denominado, entonces, derecho a la libertad informática, que consistía

---

[42]   En esta sentencia se dice que la Constitución "*ha incorporado una nueva garantía constitucional, como forma de respuesta a una nueva forma de amenaza concreta a la dignidad y a los derechos de la persona… Estamos ante un instituto de garantía de otros derechos, fundamentalmente el honor y la intimidad, pero también de un instituto que es en sí mismo, un derecho o libertad fundamental, el derecho a la libertad frente a potenciales agresiones a la dignidad y a la libertad de la persona provenientes de un uso ilegítimo del tratamiento mecanizado de datos, lo que la Constitución llama "la informática". La garantía de la intimidad adopta hoy un contenido positivo en forma de derecho de control sobre los datos relativos a la propia persona. La llamada "libertad informática" es, así, también derecho a controlar el uso de los mismos datos insertos en un programa informático (habeas data)*". *Vid.*, I. VILLAVERDE MENÉNDEZ, "Protección de datos personales, derecho a ser informado y autodeterminación informativa del individuo. A propósito de la STC 245/1993", *Revista Española de Derecho Constitucional*, nº 41, 1994, p. 188 y sig.

[43]   Referida a la lesión de los derechos fundamentales de libertad sindical y de protección de datos de carácter personal producida por un descuento de retribuciones a los afiliados a los sindicatos convocantes de una huelga sobre la información de la que disponía la empresa relativa a su afiliación. En este pronunciamiento se señala que el artículo 18.4 de la CE, además de entrañar un instrumento específico de protección de los derechos del ciudadano frente al uso torticero de la informática "*consagra un derecho fundamental autónomo a controlar el flujo de informaciones que conciernen a cada persona … pertenezcan o no al ámbito más estricto de la intimidad*"; pretende evitarse así que la informatización de los datos personales genere comportamientos discriminatorios.

[44]   En la que se dice que la Ley Orgánica 5/1992, de regulación del tratamiento automatizado de los datos de carácter personal plasma la congruencia y la racionalidad de su utilización como principio de la protección de los datos; esto es, la conexión entre la información que se recaba y se trata y el objetivo para el que se solicita.

[45]   Esta sentencia trata, por primera vez, el derecho al olvido por parte de un trabajador respecto de los datos médicos contenidos en un fichero de la empresa relativo a situaciones de absentismo por baja médica. En aquella sentencia se indicó que la libertad informática es un derecho a controlar el uso de los datos incluidos en un programa informático que comprende entre otros aspectos la oposición del interesado a que dichos datos sean usados para un fin distinto (control del absentismo) de aquel legítimo para el que habían sido recabados (preservación de la salud de los trabajadores).

en el derecho a controlar los datos relativos a la propia persona insertos en un programa informático– se configuraba como un derecho fundamental a la libertad frente a posibles agresiones a la dignidad y a la libertad de la persona provenientes de la utilización ilegítima del tratamiento automatizado de los datos[46]. Este derecho garantizaba, en fin, a la persona el control sobre sus datos y sobre el uso y destino que se les pudiera dar para evitar el tráfico ilícito de los mismos o lesivo para la dignidad y los derechos de los afectados. Puede decirse que hasta finales de los años 90 del siglo pasado la doctrina constitucional destacó la trascendencia de este derecho fundamental, pero también su carácter instrumental para servir a la protección de otros derechos fundamentales como el derecho a la intimidad, el derecho al honor y el pleno disfrute de los demás derechos del ciudadano[47].

La última fase en la conformación del derecho de protección de datos personales es aquella en la que se ha reconocido su independencia respecto de otros derechos y, en consecuencia, se le ha dotado de la cobertura procesal del artículo 53.2 de la CE[48]. Este relevante posicionamiento se ha reflejado en sentencias como 290/2000, de 30 de noviembre, y 292/2000, de la misma fecha. La primera de estas sentencias reconoció por primera vez, como tal, el nuevo derecho fundamental específico a la protección de los datos de carácter personal frente a la libertad informática, que garantiza a la persona un poder de control y disposición sobre sus datos personales y que se descompone en un haz de facultades que el ciudadano puede ejercer frente a quienes sean titulares de los ficheros; por su parte, la STC 292/2000, ya claramente expresa que se trata de un derecho fundamental independiente de otros derechos. En este último asunto el TC distingue de forma manifiesta entre dos derechos: el derecho a la intimidad, que permite excluir del conocimiento ajeno ciertos datos sobre la persona y el derecho a

---

[46]   A.M. ORELLANA CANO, *El derecho a la protección de datos personales como garantía de la privacidad de los trabajadores*, Thomson Reuters-R.A.J.L., Madrid, 2019, p. 26 y sig.

[47]   P. LUCAS MURILLO DE LA CUEVA, "La Constitución y el derecho a la autodeterminación informativa", *Cuadernos de Derecho Público*, nº 19-20, 2003, p. 27 y sig.; I. VILLA-VERDE MENÉNDEZ, "Nuevas tecnologías, videovigilancia, derecho a la protección de datos y ficheros policiales", *Revista Catalana de Seguretat Pública*, nº 17, 2006, p. 180 y sig.; R. GARCÍA MAHAMUT, "El derecho fundamental a la protección de datos: El Reglamento (UE) 2016/679 como elemento definidor del contenido esencial el artículo 18.4 de la Constitución", *Corts: Anuario de Derecho Parlamentario*, nº extra 31, 2018, p. 67.

[48]   Esta interpretación es acorde con la naturaleza orgánica de la norma reguladora de la materia, que entonces era la Ley Orgánica 15/1999, de 13 de diciembre, de Protección de Datos de Carácter Personal; naturaleza orgánica de la que también gozaba la primera norma española que respondía al emplazamiento contenido en el artículo 18.4 de la CE, la Ley Orgánica 5/1992, de 29 de octubre.

la protección de datos, que garantiza a las personas un poder de disposición sobre esos datos. El derecho a la protección de datos se concibe en este pronunciamiento como un verdadero derecho fundamental nuevo, con razón de ser propia y existencia autónoma. Este derecho fundamental comparte con el derecho a la intimidad el objetivo de ofrecer una eficaz protección constitucional de la vida privada personal y familiar; sin embargo, el objeto protegido por aquel no se limita a los datos íntimos de la persona sino que incluye cualquier dato personal cuyo conocimiento por terceros puede afectar sus derechos[49]. El derecho a la protección de datos exige que existan instrumentos que hagan posible y efectivo el poder de disposición del afectado sobre sus datos[50]. En palabras de la propia sentencia 292/2000, el derecho a la protección de datos "*persigue garantizar a la persona el poder de control sobre sus datos personales, sobre su uso y destino, con el propósito de impedir su tráfico ilícito y lesivo para la dignidad y derecho del afectado, y que no se reduce solo a los datos íntimos de la persona, sino a cualquier dato personal, sea o no íntimo, cuyo conocimiento o empleo por tercero pueda afectar a sus derechos sean o no fundamentales*".

A partir de estos momentos ese derecho a la protección de los datos personales se configura como un derecho fundamental independiente que consiste en un poder de disposición y de control sobre los datos personales, que faculta a las personas para decidir cuáles de esos datos proporcionar a un tercero (Estado o particular) o cuáles puede este tercero recabar[51]; en definitiva, proporciona el control de uno mismo sobre la información personal que le afecta y sirve para proyectarlo frente a cualquier tecnología.

La ordenación más reciente de la protección de los datos personales en nuestro país se ha llevado a cabo con la Ley Orgánica de Protección de Datos

---

[49]   El derecho a la protección de datos, como indica la sentencia, "*también alcanza a aquellos datos personales públicos que, por el hecho de serlo, de ser accesibles al conocimiento de cualquiera, no escapan al poder de disposición del afectado porque así lo garantiza su derecho a la protección de datos. También por ello, el que los datos sean de carácter personal no significa que solo tengan protección los relativos a la vida privada o íntima de la persona, sino que los datos amparados son todos aquellos que identifiquen o permitan la identificación de la persona*".

[50]   G. MINERO ALEJANDRE, "Presente y futuro de la protección de datos personales. Análisis normativo y jurisprudencial desde la perspectiva nacional y extranjera", *Anuario Jurídico y Económico Escurialense*, 2017, p. 19 y 20; vid., M.E. CASAS BAAMONDE, "El derecho a la protección de datos de carácter personal en la jurisprudencia del Tribunal Constitucional", *aeds.org*, Asociación Española de Derecho Sanitario, 2014.

[51]   Al derecho a la protección de datos personales –en expresión comúnmente admitida– también se le ha denominado, de forma más amplia, derecho a la autodeterminación informativa o, más restringida, derecho a la informática. P. LUCAS MURILLO DE LA CUEVA, "La Constitución y el derecho a la autodeterminación informativa", *Cuadernos de Derecho Público*, nº 19-20, 2003, p. 39.

Personales y Garantía de los Derechos Digitales 3/2018[52], de 5 de diciembre, que no ha incluido novedades relevantes respecto de lo previsto en el Reglamento UE para la protección de los datos personales pero sí ha aportado un mayor grado de concisión sobre el alcance de las correspondientes reglas de la norma comunitaria como los principios de exactitud de los datos, el de confidencialidad o la prestación del consentimiento así como acerca de las autoridades españolas en materia de protección de los datos[53].

Desde una perspectiva laboral esta ley presenta dos partes diferenciadas: una primera, de proyección general –que, por tanto, resulta aplicable a los trabajadores asalariados– (títulos I a IX), en la que el legislador adapta el Reglamento UE al ordenamiento interno[54], y una segunda, (título X)[55] en la que se aborda la regulación de los derechos digitales, que contiene varios preceptos de contenido específicamente laboral (artículo 87-91), que trascienden el ámbito estricto de la protección de datos al regular la utilización de los dispositivos tecnológicos proporcionados por el empresario[56]. Esta parte contempla una serie de garantías frente a la utilización de medios electrónicos o digitales ante el riesgo de que puedan verse afectados ciertos derechos básicos, fundamentalmente intimidad o privacidad.

Una vez apuntado el marco normativo, europeo y nacional, regulador de la protección de los datos personales conviene adentrarse en aspectos en los que esa ordenación genérica se proyecta en el ámbito del trabajo. Con éste

---

[52]   Ya el RDL 5/2018, de 27 de julio, había procurado un primer desarrollo del Reglamento UE en aspectos procesales y administrativos.

[53]   S. RODRÍGUEZ ESCANCIANO, *Derechos laborales digitales: garantías e interrogantes*, Aranzadi, Cizur Menor, 2019, p. 25 y sig.

[54]   Entre este grupo de disposiciones destaca el artículo 22, que regula el tratamiento de datos personales con fines de videovigilancia o a partir de sistemas de grabación de sonido y menciona, en el número 8, el manejo que el empresario debe hacer de los datos obtenidos por esos sistemas. También en el artículo 24 relativo al sistema de información de denuncias internas menciona expresamente a los empleados, que deben ser informados de la existencia de estos sistemas de información. Merece la pena mencionar, al hilo de la referencia al sistema de denuncias, la nueva Directiva (UE) 2019/1937, de 23 de octubre de 2019, relativa a la protección de las personas que informen sobre infracciones del Derecho de la Unión, en cuyo artículo 17 se dice que "*todo tratamiento de datos personales realizado en aplicación de la presente Directiva, incluido el intercambio o transmisión de datos personales por las autoridades competentes, se realizará de conformidad*" con el Reglamento de Protección de Datos UE.

[55]   J. BAZ RODRÍGUEZ, "La Ley Orgánica 3/2018 como marco embrionario de garantía de los derechos digitales laborales. Claves para un análisis sistemático", *Trabajo y Derecho*, nº 54, 2019, p. 49 y sig.

[56]   F. PÉREZ DE LOS COBOS ORIHUEL, "Poderes del empresario y derechos digitales del trabajador", *Trabajo y Derecho*, nº 59, 2019, p. 16 y sig.

objetivo se va a hace referencia, como se apuntó, primero, a la identificación de los datos personales que son objeto de protección; en segundo lugar, a las condiciones de licitud del tratamiento de esos datos en distintos momentos vinculados a la celebración del contrato de trabajo y, por último, a los derechos de los sujetos en lo que respecta a la protección de sus datos. Se insiste en que al margen de este estudio quedan –aunque se produzcan en el entorno de las relaciones de trabajo– los controles por parte del empresario sobre la actividad de sus trabajadores, puesto que estas situaciones van a ser objeto de detallado estudio en otras partes de esta obra.

3. DELIMITACIÓN Y CLASIFICACIÓN DE LOS DATOS PERSONALES OBJETO DE PROTECCIÓN

Para abordar el contenido y alcance del derecho a la protección de los datos de carácter personal consideramos oportuno en este momento determinar qué ha de entenderse por dato personal para analizar, después, cómo se ha articulado jurídicamente su tratamiento[57] en el ámbito del trabajo.

No resulta fácil establecer cuándo se está ante un dato personal protegible. En realidad, dato personal es una expresión amplia y compleja, que necesariamente debe ser analizada a través de su conexión con otras figuras como la de persona física o la de información relativa a la misma por lo que para delimitar qué es un dato personal es conveniente tener presente todos los aspectos personales a los que puede hacer referencia como, entre otros, el físico, el fisiológico, el psíquico, el económico, el cultural, el familiar, el formativo, el profesional, el lúdico o el social.

Como es fácilmente comprensible, en el entorno de trabajo, mucha información acerca de los trabajadores o de los aspirantes a serlo ha de ser manejada; en múltiples casos, se trata de datos personales (su nombre, DNI o dirección pero también otros relativos a su formación, trayectoria profesional, salud, capacidad laboral…) cuyo uso puede ser necesario o conveniente utilizar en las distintas fases de la relación laboral.

---

[57] El Reglamento UE ofrece una definición de tratamiento más amplia que la contenida en la Directiva anterior. El artículo 4.2 indica que tratamiento es "*cualquier operación o conjunto de operaciones realizadas sobre datos personales o conjuntos de datos personales, ya sea por procedimientos automatizados o no, como la recogida, registro, organización, estructuración, conservación, adaptación o modificación, extracción, consulta, utilización, comunicación por transmisión, difusión o cualquier otra forma de habilitación de acceso, cotejo o interconexión, limitación, supresión o destrucción*".

3.1. Categoría ordinaria de dato protegible

Entre el elenco de definiciones que contempla el artículo 4.1 del Reglamento UE, destaca la que indica lo que debe entenderse por "dato personal": "*toda información sobre una persona física identificada o identificable*"[58].

Por lo que respecta a esa información sobre una persona[59] cabe distinguir, por un lado, la referida a una persona identificada, que sería aquella que permitiría conocer quién es esa persona concreta –en ese caso la información de la que se dispone indica directamente a quién pertenece sin necesidad de realizar averiguaciones al respecto–; y, por otro lado, información relativa a una persona identificable, que sería la que no permitiría

---

[58]   Los principios de protección de datos no deben aplicarse a la información anónima, es decir información que no guarda relación con una persona física identificada o identificable, ni a los datos convertidos en anónimos de forma que el interesado no sea identificable, o deje de serlo. El proceso de anonimización de los datos, a grandes rasgos, consiste en reemplazar un atributo de un set de datos –generalmente un identificador directo– por otro que no permitiría conocer a quién pertenece cada dato. En este caso, los datos se someten a un tratamiento que tiene por finalidad impedir que por sí mismos puedan ser atribuidos al interesado; para que ello se produzca es necesario utilizar una información adicional que, en principio, se mantiene separada y se encuentra sujeta a medidas técnicas y de seguridad. *Vid.*, Orientaciones y garantías en los procedimientos de anonimización de datos personales de la Agencia Española de Protección de Datos de 2016, p. 4 y Dictamen 5/2014, de 10 de abril de 2014, sobre técnicas de anonimización de datos del Grupo de Trabajo del artículo 29, *ec.europa.eu*, (WP 216); vid., A. ORTEGA GIMÉNEZ, "Cuestiones prácticas laborales en materia de protección de datos de carácter personal tras el nuevo reglamento general de protección de datos de la UE", *Revista Española de Derecho del Trabajo*, n° 216, 2019, p. 142. A diferencia de los datos anonimizados, los datos seudonimizados siguen siendo datos protegibles. Este mecanismo seguridad en la protección de los datos personales, especialmente los datos más sensibles, se aplica para que no se pueda reconocer la identidad de una persona sin utilizar una información adicional. Tanto los datos que han sido seudonimizados como la información complementaria que sirve para identificar a la persona se encuentran protegidos por el Reglamento; el motivo es que tras el proceso de seudonimización la persona es, aun de forma indirecta, todavía identificable UE. Dictamen 4/2007, de 20 de junio de 2007, sobre el concepto de datos personales, *ec.europa.eu*, (WP 136), p.19 y sig.

[59]   Persona, desde luego, física, como contempla el artículo mencionado; por lo que al margen quedan los datos relativos a las personas jurídicas como las empresas, cuyo nombre o número de identificación no estaría protegido por las normas correspondientes. Al respecto *vid.*, STS de 24 de noviembre de 2014, Rec. 3763/2013. Según el Grupo de Trabajo 29, extramuros de la protección de datos queda la información relativa a las personas fallecidas que no pueden ser consideradas personas físicas. Dictamen 4/2007, de 20 de junio de 2007, del Grupo de Trabajo del artículo 29 sobre el concepto de datos personales, *ec.europa.eu*, (WP136), p. 24 y 25. Cabe advertir que el Grupo de Trabajo creado a partir del artículo 29 de la anterior Directiva 95/46 ha sido sustituido por el Comité Europeo de Protección de Datos previsto en el artículo 94 del Reglamento UE.

conocer directamente a qué persona se refiere pero a través de los datos de los que se dispone sería posible que se pudiera averiguar. En cuanto a qué debe entenderse por persona física identificable, el mencionado artículo indica que esta es *"toda persona cuya identidad pueda determinarse, directa o indirectamente, en particular mediante un identificador, como por ejemplo un nombre, un número de identificación, datos de localización, un identificador en línea o uno o varios elementos propios de la identidad física, fisiológica, genética, psíquica, económica, cultural o social de dicha persona"*.

Los datos de carácter personal son heterogéneos[60], es decir, se encuentran compuestos de partes de diversa naturaleza y abarcan todo género de información sobre una persona determinada, así por ejemplo, su situación familiar, su medio de contacto como número de teléfono o dirección de correo electrónico, su dirección IP[61] pero también sus opiniones, gustos, apreciaciones, noticias, las imágenes que permitan su representación física o identificación visual, su grafía o dibujos así como su forma de caminar o de expresarse, su tono de voz, los rastros en búsquedas de internet o los respaldos (*likes*) en redes sociales, entre otros. En fin, aquellos datos que, en atención a su contenido, finalidad o efectos, se refieran a una persona concreta[62]. Se trata, en todo caso, de una lista abierta que va ampliándose en la medida en que la sociedad y la tecnología evolucionan.

Desde el punto de vista de la naturaleza de la información, el concepto de dato personal integra todo tipo de afirmaciones sobre una persona, por consiguiente, abarca información objetiva que incluye todos aquellos datos que proporcionan información sobre cualquier tipo de actividad que desarrolla la persona, como la referida a sus relaciones laborales o a su actividad económica y social. En este sentido la información acerca de las condiciones de trabajo de una persona (también la referida a sus aficiones) ha sido considerada dato personal en el sentido de la anterior Directiva 95/46/CE, en el asunto *Lindqvist*, de 6 de noviembre de 2003 (C-101/01).

Más allá de los puros datos sobre la persona se ha planteado si las valoraciones que sobre ella se pueda hacerse, es decir las evaluaciones subjetivas, son también datos personales; piénsese, por ejemplo, en la importancia que pueden tener esas apreciaciones en los procesos de selección o promoción profesionales. Con respecto a los juicios vertidos en dichos procesos, el TJUE, en el

---

[60]   Tal y como ha apuntado el TJUE en el asunto *Rijkeboer*, de 7 de mayo de 2009 (C-553/07).

[61]   En el asunto *Breyer*, de 19 de octubre de 2016 (C-582/17), el TJUE declaró que la IP dinámica es un dato personal protegible.

[62]   Como se indica en las SSTC 254/1993, de 20 de julio, y 292/2000, de 30 de noviembre.

asunto *Nowak*, de 20 de diciembre de 2017 (C-434/16), ha estimado que son datos personales las "*respuestas escritas del aspirante durante un examen profesional*" puesto que dichas respuestas permiten hacer una valoración de los conocimientos y competencias del candidato. De otra parte, ha considerado también que son datos personales "*las posibles anotaciones del examinador en relación con ellas*" sobre la base de que esas anotaciones expresan la valoración del examinador respecto del rendimiento individual del interesado, particularmente sobre sus conocimientos y competencias[63]. En fin, el Tribunal ha entendido que, en el concepto de dato personal, cabe incluir todo tipo de información, objetiva o subjetiva, siempre que afecte a una persona.

El formato que puede servir de soporte al dato personal puede resultar muy variado; si bien el medio a través del cual se manifiesta externamente no afecta a su esencia de información acerca de la persona. El dato puede aparecer de muchas maneras, como en forma de representación gráfica (escritura, dibujo u otras representaciones como la fotográfica, la filmográfica, la radiográfica o la ecográfica), en forma de representación sonora, tejido humano o de huella digital.

3.2. *Categoría especial de dato protegible*

Entre los datos personales pueden identificarse algunos que, por revelar aspectos muy íntimos y delicados de la persona, requieren una tutela particular. Con anterioridad eran conocidos como datos especialmente sensibles y ahora han pasado a integrar la categoría especial de datos, al lado de la categoría ordinaria –que estaría integrada por todos aquellos a los que no cabe calificar de especiales–. La categoría especial de datos incluye aquellos que "por su naturaleza, son particularmente sensibles en relación con los derechos y las libertades fundamentales, ya que el contexto de su tratamiento podría entrañar importantes riesgos para los derechos y las libertades fundamentales" (número 51 del Preámbulo del Reglamento UE).

Se han venido considerando datos personales especiales aquellos relativos al origen étnico o racial, las opiniones políticas, las convicciones religiosas o filosóficas, la afiliación sindical, los datos relativos a la gestación en las mujeres, a la salud, a la vida sexual o a la orientación sexual de las personas. A este elenco, que ya había recogido la Directiva, el Reglamento UE ha añadido los datos genéticos y los biométricos.

---

[63]   J.L. GOÑI SEÍN, *La nueva regulación europea y española de protección de datos y su aplicación al ámbito de la empresa*, p. 37.

Cabe hacer una referencia particular a los datos de salud, por la importancia que tienen en el entorno de trabajo. Los datos de salud son definidos en el artículo 4.15 del Reglamento UE como "*datos personales relativos a la salud física o mental de una persona física, incluida la prestación de servicios de atención sanitaria, que revelen información sobre su estado de salud*". La captación de este tipo de datos no puede ser directamente objeto de tratamiento, como señala el artículo 9 del Reglamento UE, pero en caso de que su manejo fuera necesario, se encontrará sometido a mayores garantías para los afectados.

Los datos de salud, que se utilizan habitualmente por los departamentos de recursos humanos de las empresa, pueden ser recabados con objeto comprobar la idoneidad de un candidato para ocupar un puesto de trabajo, de cumplir con los requerimientos de la medicina preventiva[64], garantizar una apropiada rehabilitación o acatar otras exigencias del entorno de trabajo, salvaguardar los intereses vitales del sujeto de los datos o de otros empleados o de terceros, permitir la concesión de prestaciones sociales y responder a procedimientos judiciales[65], tal y como indica la Recomendación CM/REC(2015)5, del Comité de Ministros del Consejo de Europa a

---

[64] A pesar de que la vigilancia de la salud de los trabajadores a través de reconocimientos médicos, depende, según la Ley 31/1995, de Prevención de Riesgos Laborales, de la voluntad de estos –por lo que solo pueden realizarse si el empleado presta su consentimiento–, está prevista una excepción a esta regla general constituida por el supuesto de que esos reconocimientos resulten imprescindibles, como indica el artículo 22.1 de la mencionada norma, para "*evaluar los efectos de las condiciones de trabajo sobre la salud de los trabajadores o para verificar si el estado de salud del trabajador puede constituir un riesgo para el mismo, para los demás trabajadores o para otras personas relacionadas con la empresa o cuando así esté establecido en una disposición legal en relación con la protección de riesgos específicos y actividades de especial peligrosidad*". Podría plantearse si la alusión a "*una disposición legal*" comprendería otras fuentes como el convenio colectivo. La respuesta puede encontrarse en el pronunciamiento de la STC 196/2004, de 15 de noviembre, que afirmó que el convenio colectivo no puede introducir, en la regulación de los reconocimientos médicos, elementos incompatibles con la protección que otorga el artículo 18.1 CE, añadiendo restricciones no previstas en la Ley. En concreto, señala que "no puede configurar como obligatorios reconocimientos que no lo son *ex lege*". El reconocimiento de esta exclusión puede servir de pretexto para cuestionar el alcance de la previsión contenida en el artículo 9.2 .b) del Reglamento UE, que dispone que la prohibición del tratamiento de estos datos de categoría especial no se aplicaría si "*el tratamiento es necesario para el cumplimiento de obligaciones y el ejercicio de derechos específicos del responsable del tratamiento o del interesado en el ámbito del Derecho laboral y de la seguridad y protección social, en la medida en que así lo autorice el Derecho de la Unión de los Estados miembros o un convenio colectivo con arreglo al Derecho de los Estados miembros que establezca garantías adecuadas del respeto de los derechos fundamentales y de los intereses del interesado*".

[65] No pueden ser utilizados para una finalidad distinta como, por ejemplo, el control del absentismo laboral como estimó la STS de 12 de diciembre de 2007, Rec. 113/2007.

los Estados miembros sobre el tratamiento de datos personales en el contexto del empleo, de 1 de abril de 2015.

Una subcategoría de los datos de salud es el conjunto de aquellos que provienen de un análisis cromosómico, análisis del ácido desoxirribonucleico (ADN) o del ácido ribonucleico (ARN) o el de cualquier otro elemento que permita obtener un tipo de información similar –como señala el Preámbulo, en su número 34–. Los datos genéticos son, según el apartado 13 del artículo 4 del Reglamento UE, los "*datos personales relativos a las características genéticas heredadas o adquiridas de una persona física que proporcionen una información única sobre la fisiología o la salud de esa persona, obtenidos en particular del análisis de una muestra biológica de tal persona*". No resulta aconsejable, según el parecer de la Recomendación CM/REC (2015)5 antes citada, en su apartado 9.3, el uso de datos genéticos en el ámbito laboral; no pueden, por ejemplo, procesarse para determinar la idoneidad profesional de un empleado o un solicitante de empleo, incluso con el consentimiento del sujeto de los datos. El procesamiento de estos datos solo podría permitirse en circunstancias excepcionales, como evitar cualquier perjuicio grave a la salud del interesado o de terceros, y únicamente si está previsto por la legislación nacional y sujeto a las garantías adecuadas.

Integrados en esa categoría especial de datos de la salud se encuentran también los datos biométricos, que el apartado 14 del artículo 4 del Reglamento UE define como "*datos personales obtenidos a partir de un tratamiento técnico específico, relativos a las características físicas, fisiológicas o conductuales de una persona física que permitan o confirmen la identificación única de dicha persona, como imágenes faciales o datos dactiloscópicos*". Se trata de "propiedades biológicas, características fisiológicas, rasgos de la personalidad o tics, que son, al mismo tiempo, atribuibles a una sola persona y mensurables, incluso si los modelos utilizados en la práctica para medirlos técnicamente implican un cierto grado de probabilidad. Ejemplos típicos de datos biométricos son los que proporcionan las huellas dactilares, los modelos retinales, la estructura facial, las voces, pero también la geometría de la mano[66], las estructuras venosas e incluso determinada habilidad profundamente arraigada u otra característica del comportamiento (como la caligrafía, las pulsaciones, una manera particular de caminar o de hablar, etc.)"[67]. Estos datos, a los que se puede considerar tanto contenido de la información sobre una

---

[66]   Sistema que el TS consideró válido en STS de 2 de julio de 2007, Rec. 5017/2003.

[67]   Las muestras de tejido humano o de sangre son fuentes a partir de las cuales se extraen datos biométricos, pero no son, en sí mismas, datos biométricos. Por lo tanto, la extracción de información de las muestras supone la obtención de datos personales, a los que

determinada persona como un elemento para vincular una información a una determinada persona, pueden servir de identificadores; de modo que, al corresponder a una única persona, pueden utilizarse para identificar a una persona precisa. La Recomendación citada más arriba advierte de que la recopilación y el procesamiento de estos datos biométricos solo deben realizarse cuando sea necesario para proteger los intereses legítimos de los empleados, empresarios o terceros y solo si no hay otros medios menos intrusivos disponibles y si van acompañados de las adecuadas salvaguardas.

Como más adelante se podrá constatar, otro tipo de dato personal de categoría especial de gran trascendencia en el ámbito de las relaciones de trabajo es el de la afiliación sindical de los empleados. Esta es, desde luego, una información extremadamente sensible cuyo conocimiento se encuentra vetado a los empresarios, con alguna excepción como la relativa al pago de la cuota sindical. Tampoco puede accederse, como regla general, a datos relativos a la ideología del trabajador, con la salvedad de que resulte necesario para evitar desajustes con el ideario de las empresas de tendencia.

Además de los anteriores, también otros datos especiales, como el origen étnico o racial, las opiniones políticas, las convicciones religiosas o filosóficas, o la orientación sexual de los trabajadores[68], son de particular interés no solo durante la existencia de la relación de trabajo sino, sobre todo, en los momentos previos de selección de personal.

4. REQUISITOS DE LEGITIMACIÓN Y VALIDEZ DEL TRATAMIENTO DE DATOS PERSONALES EN EL ENTORNO DE LA RELACIÓN LABORAL

4.1. *Tipología, especialidades y fases de aplicación*

La protección de los datos personales despliega su eficacia respecto de cualquier tratamiento total o parcialmente automatizado de datos así como del tratamiento no automatizado de datos personales contenidos o

---

se debían aplicar las normas de la entonces vigente Directiva. Dictamen 4/2007, de 20 de junio de 2007, sobre el concepto de datos personales, *ec.europa.eu*, (WP 136), p. 9.

[68] Estas condiciones personales tienen una importante vertiente laboral como acreditan las Directivas 2000/43/CE, de 29 de junio, relativa a la igualdad de trato de las personas independientemente de su origen racial o étnico y 2000/78/CE, de 27 de noviembre de 2000, sobre igualdad de trato en el empleo y la ocupación.

destinados a ser incluidos en un fichero[69], tal y como señalan los artículos 2.1 del Reglamento UE y 2.1 de la LPDPGDD.

Conforme a lo que indica el artículo 5.1.a) del Reglamento UE, los datos personales deben ser tratados de forma lícita, leal y transparente en relación con el interesado, de donde se deriva la necesaria aplicación de los principios de licitud, lealtad[70] y transparencia[71] en el tratamiento de los datos[72]. Centrándonos en el primero de estos principios, el de licitud, debemos señalar como rasgo considerable su firme delimitación por el legislador comunitario en el artículo 6.1, que dispone que el tratamiento solo será lícito si se basa, al menos, en uno de los distintos fundamentos jurídicos que prevé.

El Reglamento UE incorpora un listado que recoge de forma genérica la base jurídica que legitima las operaciones de dicho tratamiento, y que, aunque no se diga expresamente, se aplica en el ámbito laboral: el consentimiento, que es la manifestación de voluntad por la que el afectado acepta el tratamiento; la relación contractual, el cumplimiento de una obligación legal aplicable al responsable del tratamiento, el cumplimiento de una misión realizada en interés público, el interés vital de una persona o un interés legítimo que prevalece sobre los intereses de los particulares.

---

[69]   SAN (C-A) de 4 de marzo de 2013, Rec. 61/2011 y 62/2011.

[70]   La aplicación de este principio impide que puedan utilizarse medios o métodos engañosos o desleales para recabar los datos.

[71]   Este principio excluye que los datos sean tratados sin proporcionar la información necesaria al interesado para que entienda el objeto y los fines del tratamiento, sus consecuencias y posibles riesgos y pueda decidir sobre él. *Vid.*, M.E. CASAS BAAMONDE, "Informar antes de vigilar ¿Tiene el Estado la obligación positiva de garantizar un mínimo de vida privada a los trabajadores en la empresa en la era digital? La necesaria intervención del legislador laboral", *Derecho de las Relaciones Laborales*, n° 2, 2018, p. 103 y sig.

[72]   Junto a los otros principios, recogidos en el artículo 5 del Reglamento UE –y aludidos en el considerando 39–: de limitación de la finalidad (los datos deben ser recogidos con fines determinados, explícitos y legítimos y no han de ser tratados, posteriormente, de manera incompatible o distinta con dichos fines), minimización de los datos (exige adecuación, pertinencia y limitación en relación con los fines que legitiman el tratamiento), exactitud de los datos (lo que implica que deben adoptarse las medidas razonables para corregir errores, modificar datos inexactos o incompletos y garantizar la certeza de la información), limitación de los plazos de conservación (de modo que no pueden conservarse los datos durante más tiempo que el necesario para los fines del tratamiento) e integridad y confidencialidad (que requiere garantizar una seguridad adecuada para preservar la integridad de los datos e impedir el acceso o uso no autorizado). El responsable de los datos es también el responsable de asegurar que estos principios se cumplen en el seno de las empresas y debe ser, además, capaz de demostrarlo (responsabilidad proactiva, que denomina el artículo 5.2 del Reglamento UE).

El consentimiento ha sido considerado tradicionalmente en nuestro ordenamiento "el fundamento preferente de legitimación del tratamiento de los datos de carácter personal en nuestro país"[73] pues, como advirtió el TC en su sentencia 292/2000, la protección de datos se concreta en la facultad de consentir su tratamiento. En este sentido, ya la anterior Ley de Protección de Datos, Ley 15/1999, en su artículo 6, disponía un diseño según el cual el consentimiento se erigía en regla general mientras que, en ocasiones excepcionales, era posible el tratamiento de los datos sin necesidad de prestar el consentimiento.

El Reglamento UE establece, en cambio, una distribución equitativa de los diversos fundamentos de la licitud del tratamiento de modo que, a la vista de lo dispuesto en su artículo 6, no cabe afirmar que haya un supuesto que tenga un rol preponderante para que pueda hacerse un uso adecuado de los datos personales y otros que tengan un papel secundario, sino que todos esos fundamentos jugarían en plano de igualdad para sustentar la licitud del tratamiento de los datos[74]. En la disposición mencionada se dice que el *"tratamiento solo será lícito si se cumple al menos una de las siguientes condiciones: a) el interesado dio su consentimiento para el tratamiento de sus datos personales para uno o varios fines específicos; b) el tratamiento es necesario para la ejecución de un contrato en el que el interesado es parte o para la aplicación a petición de este de medidas precontractuales; c) el tratamiento es necesario para el cumplimiento de una obligación legal aplicable al responsable del tratamiento; d) el tratamiento es necesario para proteger intereses vitales del interesado o de otra persona física; e) el tratamiento es necesario para el cumplimiento de una misión realizada en interés público o en el ejercicio de poderes públicos conferidos al responsable del tratamiento; f) el tratamiento es necesario para la satisfacción de intereses legítimos perseguidos por el responsable del tratamiento o por un tercero, siempre que sobre dichos intereses no prevalezcan los intereses o los derechos y libertades fundamentales del interesado que requieran la protección de datos personales, en particular cuando el interesado sea un niño"*. En definitiva, la citada disposición exige que los datos personales sean válidamente tratados solamente si es aplicable al menos uno de los seis fundamentos jurídicos contemplados en la misma.

---

[73]   J.R. MERCADER UGUINA, *Protección de datos en las relaciones laborales*, Francis Lefebvre, Madrid, 2018, p. 34.

[74]   Tal y como ya destacaba en el Dictamen 15/2011 del Grupo de Trabajo 29, de 13 de julio de 2011 (WP 187), sobre el concepto de consentimiento, en el que se indicaba que el texto de la anterior Directiva –como también hace el actual Reglamento UE– no realizaba distinción jurídica alguna entre los seis fundamentos jurídicos y no sugería que hubiera una jerarquía entre ellos.

A esto debe añadirse la especialidad que reviste el tratamiento de ciertos datos, como los referidos a opiniones, convicciones, origen u orientaciones de los trabajadores, calificados como de categoría especial. En principio, esos datos –que se anotaron en el epígrafe anterior– no pueden ser tratados porque su manejo se encuentra prohibido por el artículo 9.1 del Reglamento UE. Pero está previsto que dicha prohibición, con la que se pretende evitar conductas discriminatorias, no sea de aplicación en determinadas circunstancias. Entre las reglas particulares que permiten el tratamiento de esos datos cabe destacar además del consentimiento del interesado, el cumplimiento de obligaciones y el ejercicio de derechos cuando lo disponga una norma.

A partir de la enumeración contenida en el Reglamento UE conviene plantearse cuál es la base jurídica en virtud de la cual se recaban y manejan los datos personales con ocasión de la relación de trabajo.

No se ignora, en todo caso, que la problemática de la legitimación del tratamiento se extiende más allá de la estricta relación entre trabajador y empresario y alcanza a las actividades de las organizaciones sindicales[75]. Ciertamente, las organizaciones sindicales, en el desempeño de sus funciones –el artículo 28.1 de la CE ampara el derecho de los sindicatos a ejercer aquellas actividades dirigidas a atender los intereses de los trabajadores y a desplegar los medios necesarios para que puedan cumplir con las funciones que les corresponden–, precisan manejar información de los trabajadores, tanto para atender sus gestiones como asociación y la normal comunicación con sus afiliados, como para cumplir los objetivos que el ordenamiento jurídico les ha asignado[76]. En estos casos, la legitimación del tratamiento de los datos personales (de sus miembros) que han de manejar se encuentra fundada por la necesidad de atender a los fines propios de las relaciones de afiliación[77]. En consecuencia, estos datos de los afiliados

---

[75]   *Vid.*, F. NAVARRO NIETO, "El ejercicio de la actividad sindical a través de las tecnologías de la información y de las comunicaciones", *Temas Laborales*, n° 138, 2017, p. 77 y sig.; F. PÉREZ DE LOS COBOS ORIHUEL, "El uso sindical de los medios informáticos en la empresa", *RRLL*, T-I, 2009, p. 201 y sig.; y C. MOLINA NAVARRETE, "Acción sindical y protección de datos: nuevos relatos de una relación espinosa", *Revista de Trabajo y Seguridad Social CEF*, n° 423, 2018, p. 125 y sig.

[76]   *Vid.*, SAN de 3 de mayo de 2019, Rec. 60/2019, que estimó que la empresa había vulnerado el derecho a la libertad sindical del sindicato por haber prohibido el reparto de propaganda sindical en los puestos de trabajo.

[77]   STC 281/2005, de 7 de noviembre, relativa al derecho a utilizar las direcciones de correo electrónico que la empresa pone a disposición de sus trabajadores para que el sindicato distribuya información entre sus afiliados, si el servicio de correo electrónico

pueden ser tratados por la organización sindical sin el consentimiento expreso del trabajador[78].

Junto a la vertiente asociativa, el derecho de libertad sindical integra también un aspecto funcional, dirigido a la defensa, promoción y protección de los intereses de los trabajadores, que les habilita para desplegar los medios necesarios para cumplir las funciones que constitucionalmente se les ha asignado. Entre ellos destaca la difusión de información de interés sindical y laboral que no ha de exceder del ámbito de las empresas. Esa difusión puede producirse por vías tradicionales como el tablón de anuncios físico o mediante la publicación en soporte virtual[79] –que solo puede ubicarse en la intranet[80] de la empresa– pero, también, a través de envíos de mensajes por correo electrónico, si el empresario puede poner este sistema a su disposición –ya que no tiene obligación de hacerlo, como apuntó la STC 281/2005, de 7 de noviembre–[81].

Los siguientes apartados pretenden analizar los fundamentos de la legitimación del tratamiento de los datos en el entorno de trabajo; para ello se atenderá, como hace –implícitamente- el artículo 88 del Reglamento UE, a las tres fases en las que se puede encontrar un trabajador respecto de su empleo: en primer lugar, el momento preparatorio de la celebración del

---

ya se encuentra instaurado en la empresa y si no provoca problemas en su funcionamiento habitual.

[78]   Que en el caso del propio dato de la afiliación sindical, como dato de categoría especial, su tratamiento encontraría acomodo en el apartado d) del artículo 9.2 del Reglamento UE.

[79]   En la STC 22/2011, de 14 de marzo, se analizó un inadecuado archivo de demanda por no haberse aportado datos de trabajadores demandados a los que, en opinión del juzgador de instancia, se tenía acceso por encontrarse publicados en el tablón de anuncios. N. DE NIEVES NIETO, "Tutela judicial en caso de archivo de procedimiento por falta de identificación de los afectados", AA.VV., *Jurisprudencia Constitucional sobre Trabajo y Seguridad Social*, en vol XXIX, Civitas, Madrid, 1999, p. 53.

[80]   SAN (C-A), de 28 de enero de 2013, Rec.454/2011. No pueden situarse en internet como indican las SSAN de 19 de diciembre de 2007, Rec. 346/2006, o de 8 de julio de 2009, Rec. 340/2008.

[81]   *Vid.*, entre otros, A.V. SEMPERE NAVARRO, "El uso sindical del correo electrónico a la luz de la STCo 281/2005, de 7 de noviembre", *Aranzadi Social*, nº 17, 2006, p. 113 y sig.; J. TORRENTS MARGALEF, "Sobre el uso sindical del correo electrónico (primera aproximación a la STCo 281/2005, de 7 de noviembre)", *Documentación Laboral*, nº 75, 2005, p. 81 y sig.; I. ALZAGA RUIZ, "El uso por parte de la representación sindical de los medios informáticos propiedad de la empresa (Comentario de la sentencia del Tribunal Constitucional 281/2005, de 7 de noviembre)", *REDT*, nº 132, 2006, p. 1074 y sig.; F. PÉREZ DE LOS COBOS ORIHUEL, "El uso sindical de los medios informáticos en la empresa", *RRLL*, T-I, 2009, p. 208 y sig.

contrato, esto es el período destinado a atender todo el proceso de acceso a la empresa; en segundo lugar, aquel en el que, a partir de la celebración del contrato de trabajo, el empleado se encuentra vinculado a la empresa y se desarrolla la relación laboral y, por último, el momento en el cual deja ya de prestar servicios para el empresario.

4.2. *Fase previa a la celebración del contrato de trabajo: procesos de selección de personal y acceso al empleo*

Como se acaba de indicar al mencionar el artículo 88 del Reglamento UE -que ofrece unas pautas para la aplicación del tratamiento de los datos en el ámbito laboral- entre las materias para las que se contempla la posible implementación nacional de la garantía de la protección de los datos de los trabajadores, se encuentra expresamente mencionado la que ha de desarrollarse, en particular, "*a efectos de contratación de personal*" como un escenario distinto de la que se menciona a continuación de la "*ejecución del contrato laboral*"[82]. También, el propio artículo 6 hace referencia al momento precontractual. De ahí que consideremos conveniente prestar una atención especial a la protección de los datos que suelen tratarse en esta etapa destinada a la contratación de personal. Desde luego, en el estadio previo a la celebración del contrato de trabajo, las partes no están vinculadas por ninguna relación laboral sin embargo, entre ellas, sí se producen contactos que generan la transmisión de información en la que se ceden datos personales. En el curso de los procesos de selección para ocupar puestos de trabajo en las empresas suelen recibirse o reclamarse datos a los aspirantes con objeto de gestionar adecuadamente su participación en dicha tramitación. La negativa a proporcionar tales datos supondría, razonablemente, la imposibilidad de que se pudiera tener en cuenta la candidatura por no ser posible valorar si sus condiciones personales se adecuan a las necesidades del puesto a cubrir.

El momento a partir del cual las empresas se ven comprometidas a garantizar la protección de los datos personales de los empleados comienza cuando un candidato a ocupar un puesto de trabajo manifiesta su deseo de vincularse a la empresa a través de la celebración de un contrato, para lo cual procede a la presentación de un curriculum o de una solicitud de

---

[82]   La LOPDPGDD no hace mención a fases de selección y colocación de trabajadores, como tampoco el Estatuto de los Trabajadores ni la Ley de Empleo establecen normas sobre la protección de datos en ese estadio previo a la contratación laboral.

participación en un proceso de selección, por el medio que sea[83]. Así las cosas, resulta aconsejable que las empresas dispongan de mecanismos que permitan, además de hacer constar que se ha recibido el curriculum o la solicitud, trasladar al solicitante la información pertinente, relativa al tratamiento que de sus datos se pretenda hacer. En caso de que se haya formalizado algún anuncio o convocatoria pública para la cobertura de puestos de trabajo se considera adecuado que en la misma se incluya información acerca de la identidad y dirección del responsable del fichero, la finalidad del tratamiento y la posibilidad de que los interesados puedan ejercer sus derechos de protección de datos.

El tratamiento de los datos recabados en ese proceso (tanto información procedente del propio curriculum[84] como los resultados de las distintas pruebas, actividades o dinámicas de grupo) solo podrá hacerse si se informa al candidato acerca de la finalidad del mismo, que no será otra que la de obtener información sobre las capacidades profesionales del interesado. La empresa solo puede mantener los datos de los aspirantes durante el proceso selectivo para el que fueron recabados y, una vez finalizado este, decae la licitud de tratamiento[85]. Si quisiera conservar dichos datos para utilizarlos en procesos posteriores debería contar con la aquiescencia del aspirante.

El tratamiento de esos datos es lícito, según el artículo 6.1.b) del Reglamento UE, si es necesario para la aplicación, a petición del interesado, de

---

[83]   Cuando las empresas utilicen para la captación de talentos, un tratamiento automatizado que evalúe determinados aspectos de la personalidad de los sujetos y con ello puedan tomar decisiones automatizadas basadas únicamente en el tratamiento, el artículo 22 del Reglamento UE dispone que deben informar a los afectados de esas actuaciones, deben aportar información sobre la lógica y deben explicar la importancia y consecuencias del tratamiento.

[84]   Como por ejemplo la titulación de un trabajador para constatar si es posible celebrar con él un contrato en prácticas o si su formación se adecua a las necesidades del puesto que se pretende cubrir. C. SAN MARTÍN MAZZUCCONI, "El derecho a la protección de datos personales de los trabajadores: criterios de la Agencia Española de Protección de Datos" en AAVV, *Tecnologías de la información y la comunicación en las relaciones de trabajo: nuevas dimensiones del conflicto jurídico,* (coord. C. SAN MARTÍN MAZZUCCONI y A.V. SEMPERE NAVARRO), Eolas, León, 2014, p. 220.

[85]   El empleador puede tratar los datos obtenidos en este proceso de selección de personal únicamente a esos fines, por consiguiente, no se encuentra legitimado para transmitirlos a terceros. De ahí que se entienda que vulnera la normativa sobre protección de datos la remisión del curriculum recibido a otra empresa sin el consentimiento del afectado. Lo mismo ocurre si se trata de una transmisión del curriculum entre empresas filiales de un grupo de empresas, que necesitaría el consentimiento del demandante de empleo para tal cesión. Resolución de la AEPD de 12 de febrero de 2008.

"*medidas precontractuales*"[86]. A la vista de los términos previstos en este precepto, surge la duda de si este título legitimador del tratamiento excluiría la necesidad de consentimiento del aspirante a ocupar un puesto de trabajo. Algún interesante parecer ha estimado que esta previsión normativa "no puede interpretarse de otro modo que entender que el precepto está exigiendo el consentimiento del demandante de empleo, a pesar de que sistemáticamente la redacción pueda inducir a cierta confusión"; de donde el contenido del apartado b) del artículo citado se ha de interpretar de forma que en tanto "el tratamiento necesario de datos con vistas a la ejecución del contrato no requiere del consentimiento del interesado, sin embargo cuando admite el tratamiento necesario para medidas precontractuales sí que exige el consentimiento del interesado"[87]. Pero, en nuestra opinión, la inclusión de la expresión *"a petición de este* [el interesado]" respecto de la aplicación de tales medidas previas a la celebración del contrato no parece que pueda identificarse, sin más, con la prestación de consentimiento, a la que se asocian ciertas garantías para proteger los derechos de los interesados. Cabría, más bien, pensar que si el legislador europeo hubiera querido añadir el consentimiento en este supuesto lo habría previsto expresamente.

Conviene tener presente que los datos que se pueden manejar en las entrevistas de trabajo y, en general, en los procesos de selección son exclusivamente aquellos que resulten necesarios para tomar la decisión acerca de la adecuación del candidato al puesto de trabajo que se pretende cubrir, por lo que no deberían ser reclamados otros ajenos a dicho propósito. Si se estimara que alguno de los datos que se proporcionan durante el proceso de reclutamiento no es estrictamente necesario para que el encargado del mismo se hiciera una idea cabal de las condiciones y aptitudes del candidato, el tratamiento de estos datos no se encontraría ya amparado por la necesidad de adopción de medidas precontractuales porque no incidirían –desde luego, no deberían hacerlo– en la decisión de elegir a un aspirante.

---

[86]   Entendida esta expresión en un sentido amplio de manera que incluya no solo la conocida institución del precontrato –que, a pesar de no estar expresamente regulado del CC, sí que se deduce de artículos como el 1451– sino, además, cualesquiera otras acciones vinculadas con el futuro contrato que se celebraría como resultado de la superación con éxito del proceso selectivo. *Vid.*, X. THIBAULT ARANDA, "La incidencia de la Ley Orgánica 15/1999, de 13 de diciembre, de protección de datos de carácter personal, en el ámbito de las relaciones laborales", *RRLL*, n° 2, 2000, p. 173 y sig.

[87]   J. CRUZ VILLALÓN, *Protección de datos personales del trabajador en el proceso de contratación: facultades y límites de la actuación del empleador*, Bomarzo, Albacete, 2019, p. 26; ya la letra a) del artículo 6.1 del Reglamento UE permite un genérico tratamiento de los datos cuando el interesado presta su consentimiento para el tratamiento de sus datos, por lo que nada añadiría la letra b) respecto de las medidas precontractuales.

Si se decidiera aportar esa información complementaria –no esencial en la decisión selectiva–, el interesado debería prestar su consentimiento expreso respecto del uso de esos concretos datos (piénsese en el estado civil, las personas con las que convive o la condición de miembro de un club deportivo[88]), por aplicación de lo dispuesto en el apartado a) del artículo 6.1 del Reglamento UE. Hay datos que pueden estimarse, a primera vista, innecesarios para ser tenidos en cuenta en el propio proceso de reclutamiento pero que son convenientes para que la empresa los tenga presentes a la hora de tomar la decisión acerca de su elección final, como el sexo, la edad, o, en su caso, el grado de discapacidad, al objeto de obtener las bonificaciones o reducciones de cuotas a la Seguridad Social previstas para los colectivos más vulnerables entre las medidas de política activa de empleo[89]. En estos casos la empresa podría alegar interés legítimo en la obtención de tal información.

No es admisible exigir, como regla general, al candidato un certificado de antecedentes penales[90] relativo a condenas o infracciones penales. Sin embargo, en virtud de lo establecido en el artículo 10 del Reglamento UE y el artículo 10.1 de la LOPDGDD, sí sería posible solicitar dicha información[91] en caso de que esta se encontrara amparada en una norma de Derecho europeo[92] o en una norma nacional con rango de ley[93]. Tam-

---

[88] Por no citar otros que se podrían considerar inapropiados como los relativos al consumo de alcohol o drogas –salvo que dicha información fuera necesaria por circunstancias de la actividad como sería el caso del transporte, la medicina o el deporte, en los que puede tener una repercusión negativa en el trabajo–.

[89] Sobre medidas de apoyo a mujeres y personas con discapacidad, *vid.*, Ley 43/2006, de 29 de diciembre, para la mejora del crecimiento y del empleo y respecto del fomento del trabajo de personas de edad avanzada, *vid.*, Ley 45/2002, de 12 de diciembre, de medidas urgentes de reforma del sistema de protección por desempleo y mejora de la empleabilidad.

[90] Como establecen disposiciones que prohíben la discriminación en el acceso al empleo, como el artículo 73.2 de la Ley General Penitenciaria, o los artículos 4.2 y 14 del ET.

[91] La información se transmitiría directamente al interesado (artículo 5 del RD 95/2009, de 6 de febrero, por el que se regula el Sistema de Registros Administrativos de Apoyo a la Administración de Justicia).

[92] Sería el caso del personal de cabina en el tráfico aéreo (Reglamento CE 300/2008, de 11 de marzo, sobre seguridad de la aviación civil).

[93] Algunos ejemplos de situaciones en las que sí sería posible solicitar certificación de penales en el acceso al empleo serían: profesionales que trabajen con menores de edad –limitado a delitos de carácter sexual– (Ley Orgánica 1/1996, de 15 de enero, de Protección Jurídica del Menor modificada por la Ley 26/2015, de 28 de diciembre, de modificación del sistema de protección de la infancia y la adolescencia), profesionales de la seguridad privada (Ley 5/2014, de 4 de abril, de Seguridad Privada) o empleados de casino (Ley 8/2010, de 15 de julio, de los juegos y apuestas).

poco estaría permitida la utilización de las denominadas "listas negras" de trabajadores; estas consisten en ficheros de datos personales que se elaboran sin el consentimiento del interesado y sin dar cumplimiento al derecho de informarle –lo que le imposibilita para ejercer los derechos reconocidos sobre el tratamiento de sus datos–. Entre los criterios en los que pueden estar basadas destaca el del planteamiento por los trabajadores de reclamaciones judiciales contra las empresas, que puede afectar significativamente a su grado de empleabilidad. Precisamente ese fue el caso que se trató en la STS (Civil) de 12 de noviembre de 2015, Rec. 899/2014, en el que se planteó la licitud de una lista de trabajadores conflictivos que obstaculizaba el acceso de los miembros de la misma a un futuro empleo. La elaboración de ficheros en estas condiciones se encontraría prohibida, como han estimado, por su parte, el Informe Jurídico de la AEPD 0201/2010 y el Documento de Trabajo del Grupo 29, de 3 de octubre de 2002[94].

Pero, quizá, los mayores problemas se plantean en relación con datos cuya obtención se entiende prohibida por tratarse de datos de categoría especial o con información que se puede recabar de sujetos distintos del propio interesado como la procedente de las redes sociales, de internet o de otras empresas.

Es frecuente que se efectúen pruebas físicas, psicológicas[95] y reconocimientos médicos a los candidatos Los resultados de esas pruebas que arrojen información relativa a la salud o a la carga genética contienen datos de categoría especial, cuyo tratamiento, como dispone el apartado 9.1 del Reglamento UE, queda prohibido; si bien en los casos previstos en el número 2 del mismo artículo, dicha prohibición podría exceptuarse. Tal sería el supuesto en el que resultara necesario para atender fines de evaluación de la capacidad laboral del trabajador, conforme a la normativa correspondiente

---

[94]   Working Party on Data Protection. Blacklists. 11118/02/EN/final, (WP 65).

[95]   Una postura restrictiva adoptó el TC respecto de los tests psicológicos en su Auto de 272/1998, de 3 de diciembre, que las admitió únicamente cuando resultaran imprescindibles para el desempeño del puesto de trabajo. En este mismo sentido, también la Recomendación CM/REC(2015)5 sobre el tratamiento de datos personales en el contexto del empleo. "*Recourse to psychological tests, analysis and similar procedures performed by specialised professionals, subject to medical confidentiality, that are designed to assess the character or personality of an employee or a job applicant should only be allowed if legitimate and necessary for the type of activity performed in the job and if domestic law provides appropriate safeguards. 19.2. The employee or the job applicant should be informed in advance of the use that will be made of the results of these tests, analysis or similar procedures and, subsequently, the content thereof*" (núm 19).

–prevista en el apartado h de la disposición mencionada[96]–. El apartado 9.2 de la Recomendación del Comité de Ministros del Consejo de Europa, de 1 de abril de 2015, admite que un candidato a un puesto de trabajo pueda ser preguntado sobre su estado de salud y sometido a reconocimientos médicos con el propósito de determinar la idoneidad para el empleo actual o futuro[97]. También las posiciones ideológicas de los aspirantes son datos personales de carácter especial cuyo tratamiento estaría prohibido, pero la obtención de información relativa a dicha condición podría justificarse por producirse en el ámbito de actividades legítimas de entidades ideologizadas, como ocurre respecto de algunos puestos de trabajo en empresas de tendencia[98]. Al margen de esta circunstancia, no podría admitirse que el candidato se vea obligado a revelar datos personales relativos a su afiliación sindical, ideología, religión u orientación sexual.

En lo referente a la información que proviene de terceros conviene indicar que las empresas deben abstenerse de solicitar a un candidato al empleo el acceso a las informaciones que este comparta en redes sociales (aunque nada impide que la compañía pueda conocer contenidos publicados por el aspirante en redes sociales abiertas –de uso no restringido–, si fueran relevantes para valorar su adecuación al puesto de trabajo a cubrir y se le informara de dicha acción[99]), tal y como indica el apartado 5.3 de la Recomendación del Comité de Ministros del Consejo de Europa[100], relativa al tratamiento de datos personales en el entorno laboral. En este sentido, el Dictamen 2/2017 del Grupo de Trabajo 29[101] apunta, ante la frecuencia de las consultas a las redes sociales para conocer los perfiles de

---

[96]   A pesar de que esa disposición habla de "trabajador" entendemos esta expresión en sentido amplio por lo que consideramos que incluiría también al "aspirante a trabajador" y, por tanto, se aplicaría a la fase previa a la relación de trabajo.

[97]   La Recomendación CM/REC(2015)5, sobre el tratamiento de datos personales en el contexto del empleo. "*In accordance with domestic law, an employee or a job applicant may only be asked questions concerning his or her state of health and/or be medically examined in order to:... indicate his or her suitability for present or future employment*" (núm 9).

[98]   El artículo 4.2 de la Directiva 2000/78/CE, de 27 de noviembre, relativa a la igualdad en el empleo y la ocupación, permite a los Estados miembros establecer disposiciones que incluyan diferencias de trato basadas en la religión o convicciones personales cuando esta característica constituya un requisito profesional esencial, legítimo y justificado respecto de la ética de la organización.

[99]   No existe ningún fundamento jurídico para que el empresario solicite "amistad" a trabajadores potenciales o para que estos proporcionen acceso a los contenidos de sus perfiles. Dictamen 2/2017 del Grupo de Trabajo 29, de 8 de junio de 2017, (WP 249), p. 12.

[100] Recomendación CM/REC(2015)5, sobre el tratamiento de datos personales en el contexto del empleo, de 1 de abril de 2015.

[101] De 8 de junio de 2017, (WP 249), p. 12.

los solicitantes, que los empresarios deben tener en cuenta que el hecho de que el acceso a las redes sea público no implica que esté permitido tratar esa información para fines propios. Se podrían recoger y tratar, en virtud del interés legítimo del empresario, datos personales relativos a aspirantes, en la medida en que la recopilación de los mismos sea necesaria y pertinente para el desempeño del trabajo solicitado. En estos casos, en los que los datos no se han obtenido del afectado, el responsable debe comunicarle la información indicada en el artículo 11.3 de la LOPDPGDD y el artículo 14 del Reglamento UE.

Puede plantearse si la petición de referencias sobre un aspirante a otra empresa en la que previamente este ha trabajado podría vulnerar el derecho a la protección de los datos personales del solicitante. La empresa receptora de la petición no puede efectuar un tratamiento de datos para fines diversos de aquellos para los que los mantiene –en alusión a sujetos que no son ya empleados suyos–; el resto de la información no necesaria para atender obligaciones que trascienden a la extinción del contrato debería haber sido cancelada[102]. Por tanto, parece que lo que puede transmitirse son informes valorativos del perfil profesional del trabajador sin aportar datos precisos y sin constituir, por vía oculta, un mecanismo asimilado a las "listas negras". El manejo de esos contenidos puede estar justificado por la necesidad de atender al interés legítimo de la empresa interesada en dichas referencias de evitar el fraude en su seno, que encajaría en el supuesto del apartado 6.1.f) del Reglamento UE y, desde luego, nada obstaría a que el interesado prestara su consentimiento expreso para dicha operación.

Cabe, por último, apuntar que si se recibe información sobre un demandante de empleo de una entidad dedicada a la intermediación laboral, como un servicio público de empleo o una agencia de colocación[103], es preciso que se informe a aquel de la procedencia de los datos recibidos, en el plazo de un mes, tal y como prevé el artículo 14.3.a) del Reglamento UE.

El tratamiento de los datos que han sido puestos a disposición del encargado del proceso de selección por el interesado solo puede realizarse, en principio, con objeto de responder al reclutamiento en curso, que es aquel en el que participa el candidato. Dado que la finalidad concreta para la que se han cedido los datos desaparece al finalizar el procedimiento selec-

---

[102]   Sería el caso, por ejemplo, de infracciones y sanciones prescritas impuestas por la empresa en virtud del poder disciplinario del empresario.

[103]   O. GARCÍA COCA, *La protección de datos de carácter personal en los procesos de búsqueda de empleo*, Laborum, Murcia, 2016, p. 33 y sig.

tivo, el mantenimiento de los datos personales del solicitante deja de tener objeto por lo que el encargado debe deshacerse de la correspondiente información. Ha de entenderse, entonces, que la conservación por la empresa de los datos personales de los candidatos no elegidos, para su manejo en posteriores fases selectivas, requiere el consentimiento expreso para esa utilización futura porque si no decaería el derecho a conservar y acceder a esos datos; que, en principio, solo pueden ser utilizados para la finalidad concreta para la que han sido recabados. No obstante, a pesar de contar con el consentimiento del interesado, el mantenimiento de los datos por la empresa no es ilimitado sino que alcanza un límite temporal que llega, bien hasta el momento en el que esos datos queden desfasados porque no son fieles a la realidad (cambio de domicilio o adquisición de nuevas titulaciones) y no reflejen las condiciones personales reales del afectado, o bien hasta que haya transcurrido un tiempo razonable para entender que la información deja de ser de interés.

En esta etapa de acceso al empleo el empresario dispone, en fin, de una amplia facultad de tratamiento de los datos de los demandantes de empleo sin necesidad de recabar expresamente su consentimiento como en el caso de los datos necesarios para constatar que sus condiciones personales y profesionales se adecuan a las necesidades del puesto de trabajo, para justificar el cumplimiento de los requerimientos que legalmente se establecen para desarrollar ciertas profesiones (así la ausencia de antecedentes penales) o para acceder a deducciones por contratación de colectivos vulnerables (bonificaciones y reducciones de cutas a la seguridad social que se aplican a ciertos trabajadores por su género, edad o grado de discapacidad). El fundamento sobre el que se apoya el tratamiento de los datos correspondería, en el primero de los casos, a necesidades de adopción de medidas precontractuales a instancia del interesado –artículo 6.1.b) del Reglamento UE–, al cumplimiento de una obligación legal del responsable, en el segundo –artículo 6.1.c)– y en el último, a intereses legítimos prevalentes de los empresarios –artículo 6.1.f)–. Si se requiriera, por su parte, la utilización de datos relativos al estado de salud del solicitante de empleo o al singular perfil ideológico que se exige en algunos puestos de empresas de tendencia estaríamos ante excepciones a la prohibición de tratamiento de datos de categoría especial previstos en el artículo 9.2 del Reglamento UE.

Pero a estos casos apuntados debe añadirse otro en el que, en estos momentos de selección de personal resulta necesario tratar los datos de los aspirantes para cumplir una obligación legal. En efecto, ante la vulnerable situación en la que se encuentran los aspirantes en la fase de reclutamiento de personal, se ha reconocido a los sujetos colectivos la función de velar por el respeto de la normativa sobre protección de los datos personales durante dichos procesos. Así, por ejemplo, se ha considerado lícito el acceso a información sobre candidatos a un empleo, en cumplimiento de las funciones que tienen atribuidas –esto es, por obligación legal[104]–, sobre la lista de miembros de la bolsas de empleo para controlar si se guardaba el turno de llamamiento por orden de puntuación, como estimó la STS de 21 de diciembre de 2015, Rec. 56/2015.

4.3. Fase de constitución y desarrollo de la relación de trabajo

Ya se anunció en la introducción del epígrafe que los Estados miembros pueden establecer normas más específicas para garantizar la protección de los derechos y libertades en relación con el tratamiento de los datos en el ámbito laboral, además de en los momentos previos a la contratación de personal, durante la "*ejecución del contrato laboral, incluido el cumplimiento de las obligaciones establecidas por la ley o por el convenio colectivo, gestión, planificación y organización del trabajo, igualdad y diversidad en el lugar de trabajo, salud y seguridad en el trabajo, protección de los bienes de empleados o clientes, así como a efectos del ejercicio y disfrute, individual o colectivo, de los derechos y prestaciones relacionados con el empleo*". Este segundo momento que señala –y detalla– el artículo 88 del Reglamento UE nos sirve para identificar el siguiente escenario en el que analizar la justificación del tratamiento de los datos de los trabajadores. Así pues, en adelante, se van a exponer las distintas bases jurídicas que legitiman el tratamiento a partir del momento en el cual se constituye la relación de trabajo y durante su desenvolvimiento; a esto se suma, en último término, una mención a los casos en los que, en este contexto, el tratamiento de los datos de los trabajadores se encuentra prohibido.

a) La necesidad del tratamiento para la ejecución del contrato

Si se aspira a que la relación de trabajo se constituya y desenvuelva adecuadamente[105] resulta innegable la necesidad de que pueda disponerse de determinada información sobre el trabajador.

---

[104]   Derivada del derecho de los delegados sindicales a recibir la misma información que el comité de empresa (aunque no formen parte del mismo), Artículo 10.3.1 LOLS y 64 ET.

[105]   En palabras de la sentencia del TC 39/2016, de 3 de marzo, el consentimiento del trabajador pasa, como regla general, a un segundo plano puesto que "el consentimiento se entiende implícito en la relación negocial, siempre que el tratamiento de datos de carácter personal sea necesario para el mantenimiento y el cumplimiento del contrato firmado entre las partes".

Por ello, se encuentra reconocido –por el artículo 6.1.b) del Reglamento UE– el derecho al tratamiento de los datos del contratante, sin su consentimiento, cuando sea preciso para la ejecución del contrato en el que el interesado sea parte. Podría entenderse que, en tal supuesto, ese consentimiento ya se encuentra implícito en la mera aceptación de la oferta de empleo o en la voluntad de que se perfeccione el contrato, por lo que podría estimarse que el mismo no resulta ya necesario para el tratamiento de los datos de cara a la celebración y desarrollo del vínculo contractual. De modo que no parece necesario que el propio trabajador preste su consentimiento para que puedan tratarse los datos personales que se requieran para cumplir las obligaciones que se deriven del contrato de trabajo[106].

La necesidad del manejo de los datos para la ejecución del contrato, según el Grupo de Trabajo 29, en su Dictamen 6/2014[107], debe ser interpretada de forma estricta, lo que implica que el tratamiento ha ser necesario para el cumplimiento del contrato de cada sujeto individual y que exista un vínculo directo y objetivo entre la utilización de los datos y el propósito de la ejecución del contrato.

En el contexto de trabajo este fundamento jurídico permite el tratamiento de la información necesaria para la formalización por escrito del contrato (artículo 8.2 del ET), el registro del contrato en el Servicio Público de Empleo (artículo 8.3 del ET), la entrega de la copia básica del contrato a los representantes de los trabajadores (artículo 8.4 del ET) o el alta en la Seguridad Social del trabajador (artículos 16 y 139 de la LGSS). Cabe también pensar en otra información que se requiere para la ejecución del contrato, como los datos sobre la cuenta bancaria del trabajador, para que pueda ser abonado el salario. Más dudas ha planteado la inclusión, en este supuesto, del tratamiento de los datos dirigido al control de la relación laboral que, en definitiva, está orientado al cumplimiento de la misma[108].

En este supuesto puede encuadrarse también la transmisión de los datos en los casos de subcontratación de la gestión de nóminas puesto que cabe

---

[106] La relación de trabajo es una relación de tracto sucesivo por lo que la conservación de los datos a lo largo del tiempo se hace imprescindible. J. GARCÍA MURCIA e I. A. RODRÍGUEZ CARDO, "La protección de datos personales en el ámbito de trabajo: una aproximación desde el nuevo marco normativo", *Revista Española de Derecho del Trabajo*, n° 216, 2019, p. 37.

[107] De 9 de abril de 2014, relativo al concepto de interés legítimo del responsable del tratamiento de los datos (WP 217), p. 21.

[108] *Vid.*, STS de 31 de enero de 2017, Rec. 3331/2015. Remitimos al tratamiento específico que el correspondiente capítulo de esta obra dedica al control empresarial de la actividad de los trabajadores.

entender que está amparado por el adecuado desarrollo de la relación laboral, si bien el trabajador deberá ser puntualmente informado acerca de
las condiciones de la cesión de sus datos[109].

Puede apreciarse, por último, que el artículo 6.1.b) solo se aplica a los
datos que son precisos para la ejecución de un contrato. Entre la valoración de la necesidad y el cumplimiento del principio de limitación de la
finalidad debe existir, desde luego, una clara relación. Es importante, entonces, determinar la justificación exacta del contrato, es decir, su esencia y objetivo fundamental, puesto que la evaluación para comprobar si
el tratamiento de datos es necesario para su ejecución se realizará en
función de esta información. En este sentido ha pronunciado el Tribunal Supremo en STS de 10 de abril de 2019, Rec. 112/2017 en la que, a
diferencia de lo que había decidido la Audiencia Nacional, determinó
que, en el caso del tratamiento de la imagen personal de sus empleados a
través de videollamadas, el consentimiento del interesado no era preciso
porque constituía un dato necesario para la ejecución del contrato suscrito por el trabajador.

b) La necesidad de tratamiento para el cumplimiento de una obligación
jurídica

Junto al fundamento de la ejecución del contrato de trabajo, el tratamiento de los datos del trabajador se encuentra también amparado,
según el apartado c) del artículo 6.1 del Reglamento UE, en aquellas situaciones en las que su utilización resulte necesaria para el cumplimiento
de obligaciones jurídicas a las que se encuentre sujeto el responsable del
tratamiento.

La obligación en la que se basa este supuesto se define en el artículo
8.1 de la LPDPGDD como aquella que se encuentra reconocida en una
ley de la Unión Europea o de un Estado miembro –y no, por ejemplo, en
un acuerdo contractual–. Esa norma ha de cumplir todas las condiciones
requeridas para que la obligación sea válida y vinculante, y debe también
acatar la legislación de protección de datos, incluido el requisito de necesidad, proporcionalidad y limitación de la finalidad[110].

---

[109] Es habitual que la gestión de nóminas se encuentre externalizada; sería la asesoría o
gestoría encargada de dicha gestión la que se convertiría en la encargada del tratamiento de los datos. En tales casos es necesario que se celebre un contrato entre la
empresa y la asesoría externa, como dispone el artículo 28 del Reglamento UE.
[110] La propia obligación legal debe estar suficientemente clara en lo que respecta al tratamiento de los datos personales que se requiere (considerando 41 del Reglamento).

Tal puede ser el caso, por ejemplo, de la inclusión en la nómina de los trabajadores de datos personales como el número de sus hijos o el grado de discapacidad, si lo tuviera; así como también, en los supuestos de contratas y subcontratas, la solicitud de certificación negativa por descubiertos en el pago de las cuotas por parte de los contratistas, tal como dispone el artículo 42 del ET[111].

Esta previsión justifica, además, la cesión de información a la Seguridad Social o a las autoridades fiscales acerca de los datos salariales de los empleados o la obligación de ceder datos a los representantes de los trabajadores. Respecto de esta última obligación, el Tribunal Constitucional ya confirmó, en la STC 142/1993, de 12 de abril, que los representantes de los trabajadores pueden acceder a datos personales de los empleados cuando el conocimiento de esos datos sea necesario para el cumplimiento de las funciones que tienen asignadas[112].

Por consiguiente, el acceso a datos de los trabajadores por parte de sus representantes y de las organizaciones sindicales puede suponer una limitación al derecho fundamental a la protección de sus datos personales; en todo caso, la aplicación de este límite deberá ser el resultado de una operación de balance constitucional entre los distintos derechos fundamentales en presencia[113]. La valoración del tratamiento de los datos en el ámbito de los derechos colectivos se habrá de realizar en términos de conflicto: de un lado, la libertad sindical, que ampararía el uso de los datos para dar cumplimiento a las funciones de los sujetos colectivos y, de otro, la protección de datos, que protegería a los trabajadores frente a tratamientos desproporcionados de sus datos personales[114].

Dictamen del Grupo de Trabajo 29, 6/2014, de 9 de abril de 2014, relativo al concepto de interés legítimo del responsable del tratamiento de los datos (WP 217), p. 24.

[111] S. RODRÍGUEZ ESCANCIANO, *Derechos laborales digitales: garantías e interrogantes*, p. 53.

[112] M.A. CASTRO ARGÜELLES, "Protección de datos de carácter personal en el ámbito laboral" en *Nuevas tecnologías y protección de datos personales en las relaciones de trabajo*, p. 31. El Tribunal Supremo ha tenido ocasión (entre otras, STS 111/2018, de 7 de febrero, Rec. 78/2017) de resolver acerca de la interrelación entre el derecho fundamental a la protección de datos y la posibilidad de que los representantes sindicales o legales de los trabajadores accedan a información que la empresa tiene sobre los trabajadores con motivo del contrato de trabajo; en la mayoría de los casos a favor de los intereses colectivos.

[113] A. TRONCOSO REIGADA, "Libertad sindical, libertad de empresa y autodeterminación informativa de los trabajadores", AA.VV., *La protección de datos de carácter personal en los centros de trabajo*, Cinca-Fundación Largo Caballero, Madrid, 2006, p. 116.

[114] J.R. MERCADER UGUINA y A. DE LA PUEBLA PINILLA, "Protección de datos y relaciones colectivas", *Revista de Trabajo y Seguridad Social CEF*, n° 423, 2018, p. 69.

En este contexto de cumplimiento de las funciones encomendadas a las representaciones colectivas, los procesos electorales han generado los mayores conflictos, en lo que concierne, sobre todo, a la posibilidad de cesión de los datos de los empleados a las organizaciones sindicales para la gestión de su intervención en dichos procesos. Cabe recordar que, en virtud de lo dispuesto en el artículo 74 del ET, es la mesa electoral la destinataria de la información correspondiente al censo electoral para que proceda a su publicación durante el tiempo estimado para dar la adecuada difusión de la misma[115]. Por ello, en principio, los sindicatos no tendrían derecho a recibir estos datos directamente del empresario. No obstante, en una interpretación flexible del artículo mencionado, el Tribunal Supremo ha estimado, en STS de 27 de septiembre de 2007, Rec. 78/2006, que a la finalidad publicitaria de los datos profesionales y personales incluidos en los censos –ordenada por el artículo 74 del ET–, se le puede añadir aquella otra que permite facilitar a determinadas entidades su natural actividad sindical dentro de un concreto proceso electoral; por lo que cabría entender que los trabajadores no podrían oponerse al tratamiento de los datos incluidos en los censos a los mencionados efectos electorales.

Por lo que hace, de otro lado, a aquellos datos que pueden ser conocidos por los miembros del comité de empresa[116] en el ejercicio de sus funciones, el artículo 64 del ET[117] –así como el artículo 10.3.1 de la LOLS respecto de los delegados sindicales[118]– indica que este órga-

---

[115]   Sobre el uso del censo por la mesa electoral, *vid.,* informe de la Agencia Española de Protección de Datos 2017/262.

[116]   *Vid.,* A. J. VALVERDE ASENCIO, "Protección de datos de carácter personal y derechos de información de los representantes de los trabajadores", *Temas Laborales,* n° 119, 2013, p. 29 y sig.; y S. RODRÍGUEZ ESCANCIANO, "Participación de los representantes de los trabajadores en el tratamiento de datos personales. Derechos de información y consulta", *Jurisdicción Social,* n° 197, 2019, p. 37 y sig.

[117]   Junto al artículo 64 deben mencionarse los artículos 40 (movilidad geográfica), 41 (modificaciones sustanciales de condiciones de trabajo), 47 (reducción de jornada o suspensión de relación laboral), 51 (despidos colectivos) y 82.3 (inaplicación convenio) del ET, que exigen para el adecuado desarrollo del período de consultas la transmisión de información, que contiene datos personales de los empleados afectados, a los representantes de los trabajadores durante los correspondientes períodos de consultas; y también los artículos 42 y 44 del ET que contienen derechos de información en caso de subcontratación y sucesión de contratas. J.R. MERCADER UGUINA y A. DE LA PUEBLA PINILLA, "Protección de datos y relaciones colectivas", *Revista de Trabajo y Seguridad Social CEF,* n° 423, 2018, p. 90;

[118]   *Vid.,* M. APILLUELO MARTÍN, "Derecho de información del delegado sindical a las retribuciones de los trabajadores y derechos de libertad sindical y a la protección de datos de carácter personal", *Aranzadi Social,* n° 28, 2011 (BIB 2011\1037).

no tiene derecho a ser informado y consultado por el empresario sobre aquellas cuestiones que puedan afectar a los trabajadores, así como sobre la situación de la empresa y la evolución del empleo en la misma. El fundamento que legitima el tratamiento de estos datos de los empleados se encuentra en el ejercicio y cumplimiento de las funciones que legalmente tiene atribuidas. Con todo, este título no sirve para justificar una cesión generalizada de datos si la misma no es necesaria para la función de vigilancia y control en el cumplimiento de la normativa vigente en materia laboral. En virtud de lo apuntado, el empresario se encuentra obligado a facilitar la información que afecte directa o indirectamente a las relaciones laborales, a excepción de aquellos datos que pertenezcan a la esfera más privada del trabajador; entre esta información (que el empresario debe transmitir con el fin de que comité tenga conocimiento de una cuestión determinada y pueda proceder a su examen) se encuentra la relativa a la copia básica de los contratos, la notificación de las prórrogas, las denuncias de los contratos, las sanciones por faltas muy graves, la relación de puestos de trabajo, índices estadísticos, etc... Entre esta información a la que se ha hecho referencia cabría incluir, por un lado, el salario del trabajador, si bien al respecto conviene recordar que la STS de 19 de febrero de 2009, Rec. 6/2008, había estimado que la información de los salarios por categorías y departamentos cumplía suficientemente con las exigencias del artículo 1 de la entonces vigente Ley 2/1991, de 7 de enero, por lo que no era necesario concretar individualizadamente el salario de cada uno de los trabajadores. Por otro lado, respecto de las ausencias por incapacidad temporal, la empresa ha de informar sobre las causas y las consecuencias de las bajas pero no de las patologías médicas concretas de los trabajadores. Con relación, por otra parte, a los contratos de trabajo, el empresario, como prescribe el artículo 8.4 del ET, ha de entregar a la representación legal de los trabajadores una copia básica de todos los contratos que deban celebrarse por escrito –con la excepción de los contratos de alta dirección–, debiendo contener esa copia todos los datos necesarios[119] salvo el domicilio, estado civil y cualquier

---

Sobre el derecho de los delegados sindicales estatales al acceso a información sobre los trabajadores en centros que no tengan comités de empresa, *vid.,* STS de 21 de febrero de 2019, Rec. 214/2017, –en la que se estima que no se vulnera el derecho a la protección de datos puesto que los representantes sindicales de los trabajadores tienen derecho a la información como elemento central de su actividad representativa–.

[119] Según la STC 142/1993, de 22 de abril, el dato relativo a la retribución del trabajador, que es una de las prestaciones esenciales del contrato de trabajo, debería estar incluido en la copia básica del contrato para permitir constatar si un determinado vínculo

otro dato que pueda afectar a la esfera íntima del trabajador –para cuya inclusión sería necesario recabar el consentimiento del trabajador–. Por lo que se refiere, por último, a los documentos de cotización (conocidos como TC2), ya diversos pronunciamientos judiciales (como las SSTS de 11 de febrero de 1999 y 11 de marzo de 1999 y, más recientemente, las SSTSJ del País Vasco de 20 de noviembre de 2007 y de Cantabria, de 28 de diciembre de 2008) han manifestado que el derecho de información reconocido en el ET a los comités de empresa no ampara la obligación empresarial de facilitar los documentos de cotización.

No conviene olvidar que en el manejo de la información transmitida por el empresario a los miembros del comité de empresa, estos deben observar el deber de sigilo con respecto a aquella información que, en legítimo y objetivo interés de la empresa, les haya sido expresamente comunicada con carácter reservado, tal y como dispone el apartado segundo del artículo 65 del ET[120]. El artículo 7.7 de la LISOS, por su parte, prevé que la transgresión de los derechos de información y consulta de los representantes de los trabajadores y de los delegados sindicales constituye una infracción grave.

c) La necesidad de tratamiento para la satisfacción de intereses legítimos

Se encuentra, también, legitimado el tratamiento de los datos de un empleado cuando resulte necesario para la satisfacción de intereses legítimos perseguidos por el responsable del tratamiento[121] "*siempre que sobre dichos intereses no prevalezcan los intereses o los derechos y libertades fundamentales del interesado que requieran la protección de datos personales*", en virtud de lo dispuesto por el artículo 6.1.f) del Reglamento UE.

Según ha manifestado el Grupo de Trabajo 29, en su Dictamen 6/2014[122], el interés se encuentra vinculado con la finalidad o razón específica por la que se tratan los datos, esto es, el objetivo o la intención

---

contractual se ajusta a las previsiones normativas aplicables. M. ALONSO OLEA, "Sobre si el salario es dato que pudiera afectar a la intimidad de los trabajadores", *Revista de Trabajo*, n° 100, 1991, p. 381 y sig.

[120]   Con apoyo también en el artículo 5.1.f) del Reglamento UE que lo considera como un deber jurídico indeclinable para quienes manejen información sensible como responsables del tratamiento de los datos.

[121]   Sobre el interés legítimo se ha pronunciado el TJUE en asuntos como *ASNEF* y *FECEMD*, de 24 de noviembre de 2011 (C-468/10 y C-469/10), *Digital Rights Ireland y otros*, de 8 de abril de 2014 (C-293/12 y C-594/12), *Google Spain y Google*, de 13 de mayo de 2014 (C-131/12), o *Rigas*, de 4 de mayo de 2017 (C-13/2016).

[122]   De 9 de abril de 2014, relativo al concepto de interés legítimo del responsable del tratamiento de los datos (WP 217), p. 29 y 30.

del tratamiento. Para que un interés pueda ser considerado legítimo debe ser lícito –conforme a la legislación nacional y de la UE–, suficientemente concreto, de forma que quede claramente delimitado y definido y debe representar un provecho real y actual para la empresa (no un mero interés especulativo). Pero el mero hecho de que un responsable del tratamiento tenga interés legítimo no supone que pueda amparar su actuación en la vía del artículo 6.1.f). La legitimidad del interés del responsable resulta ser solo el punto de partida ya que la justificación para el tratamiento de los datos únicamente podrá mantenerse cuando se compruebe que existe un adecuado equilibrio entre la adopción de medidas tendentes a conseguir los fines perseguidos por el empleador y el respeto por los derechos de los trabajadores; en definitiva, siempre que supere el juicio de ponderación que correspondería hacer en cada caso (debe sopesarse aquello que es necesario para el interés legítimo del responsable del tratamiento –o de terceros– en relación con los derechos y libertades fundamentales del interesado).

En realidad, dicho juicio no consiste en una evaluación de ponderación directa que trate de sopesar dos elementos fácilmente cuantificables y comparables sino que requiere, como señala el documento citado, tener en consideración los factores relativos a lo siguiente: "a) evaluación del interés legítimo del responsable del tratamiento; b) impacto sobre los interesados; c) equilibrio provisional y d) garantías adicionales aplicadas por el responsable del tratamiento para impedir cualquier impacto indebido sobre los interesados". De donde se deduce que la prueba de balance debe constar de dos fases. Una primera evaluación ha de analizar si el tratamiento es necesario para conseguir el interés alegado, así como las repercusiones que tendría para los interesados. Como resultado puede extraerse una conclusión preliminar relativa a si el interés legítimo del responsable prevalece sobre los derechos e intereses de los afectados. Una segunda fase conllevaría una valoración adicional en el ejercicio de ponderación en la que se manejan mecanismos de garantía complementarios, como la minimización de los datos, el uso extensivo de técnicas de anonimización, el aumento de transparencia o la posibilidad de que los interesados se excluyan voluntariamente del tratamiento.

El Grupo de Trabajo 29 admite, en su Dictamen 2/2017[123], que en el ámbito laboral el interés legítimo de los empresarios puede ser invocado si es estrictamente necesario para un fin legítimo y cumple los principios

---

[123]   De 8 de junio de 2017, sobre el tratamiento de datos en el trabajo (WP 249).

de proporcionalidad y subsidiariedad; en este sentido indica que "debería realizarse una prueba de proporcionalidad antes de la utilización de cualquier herramienta de observación para determinar si todos los datos son necesarios, si este tratamiento prevalece sobre los derechos generales de privacidad que los trabajadores tienen también en el lugar de trabajo y qué medidas deben adoptarse para garantizar que las violaciones del derecho a la vida privada y el derecho al secreto de las comunicaciones se limite al mínimo necesario".

A esta base jurídica para el tratamiento se han acogido diferentes actuaciones como la confección de bases internas de datos de contacto de los trabajadores de una empresa que contenga el nombre, la dirección laboral, el número de teléfono y la dirección de correo electrónico de todos los empleados, para permitir que estos puedan ponerse en contacto con sus compañeros de trabajo o la publicación en la red de determinados datos profesionales de los trabajadores –como, por ejemplo, la inclusión en la página web de la empresa de los nombres y apellidos de sus empleados– con el fin de que sean conocidos por eventuales clientes. Interés legítimo podría tener igualmente una empresa que pretenda establecer sistemas de protección de sus instalaciones o que quiera impedir acciones fraudulentas o ilícitas a través de medidas de vigilancia que estime oportunas[124].

Una particular atención cabe prestar a los datos personales de contacto del empleado que, tras una paulatina flexibilización judicial respecto de su exigencia[125], la legitimación de su tratamiento ha quedado reconducido a este supuesto de interés legítimo, como refleja el artículo 19 de la LOPDPGDD: "...*se presumirá amparado en lo dispuesto en el artículo 6.1.f) del Reglamento (UE) 2016/679 el tratamiento de los datos de contacto y en su caso los relativos a la función o puesto desempeñado de las personas físicas que presten servicios en una persona jurídica siempre que se cumplan los siguientes requisitos: a) Que el tratamiento se refiera únicamente a los datos necesarios para su localización*

---

[124]   Como sería el caso de la aplicación de sistemas de videovigilancia en las instalaciones, el control de acceso a la sede de la empresa mediante el uso de sistemas biométricos o la geolocalización del trabajador cuando su trabajo se desempeña fuera de la oficina.

[125]   La SAN de 28 de enero de 2014, Rec. 428/2013, había declarado nulas las cláusulas contractuales en las que se le obligaba al trabajador a disponer de móvil e internet y proporcionar enlaces personales para que la empresa pudiera contactar con él. Por su parte, la STS de 21 de septiembre de 2015, Rec. 259/2014, a pesar estimar que el teléfono y correo electrónico personales no eran necesarios para la celebración y el mantenimiento de la relación de trabajo, aconsejaba que el empresario pudiera disponer de ellos para un adecuado desenvolvimiento de dicha relación.

profesional. b) Que la finalidad del tratamiento sea únicamente mantener relaciones de cualquier índole con la persona jurídica en la que el afectado preste sus servicios".

El interés legítimo parece reconocerse, también, como fundamento en la transmisión de datos personales de empleados para fines administrativos internos en los grupos de empresas, tal y como prevé el considerando 48 del Reglamento UE; por lo que se entendería amparado en el interés del grupo empresarial el tratamiento de los datos de determinados trabajadores dentro de este o entre entidades afiliadas a un mismo organismo central para atender asuntos administrativos internos.

d) El consentimiento del trabajador para el tratamiento de sus datos

El apartado a) del artículo 6.1 del Reglamento UE apunta que será lícito el tratamiento de información relativa al interesado si este ha prestado su consentimiento para dicho tratamiento para uno o varios fines específicos. Como se ha podido advertir, en el ámbito de la relación de trabajo, el propio vinculo jurídico que se crea entre las partes, las obligaciones legales que se atribuyen a los implicados en dicha relación o los intereses legítimos preponderantes ofrecen soporte para legitimar el tratamiento de los datos de los trabajadores con proyección profesional. Al margen de esa información quedaría otra referida a la esfera más personal que únicamente podría manejarse si se contara con la aquiescencia del empleado. Tal y como se ha visto en la fase de acceso al empleo, para el válido tratamiento de los datos que no son estrictamente necesarios para la ejecución del contrato de trabajo se requiere el consentimiento del trabajador. Así lo había declarado el Tribunal Supremo en STS de 21 de septiembre de 2015, Rec. 259/2014[126], en la que afirmó que el manejo de los datos que no resultaban imprescindible para el desarrollo de la relación de trabajo no se encontraba exento del consentimiento del trabajador puesto que tales datos no eran necesarios para la celebración del contrato de trabajo y el mantenimiento de la relación laboral[127]. Los datos concretos que se analizaron fueron el móvil y el correo electrónico personal del trabajador respecto de

---

[126]   J. GARCÍA MURCIA, "La protección de datos personales en el ámbito laboral: una sucinta reseña jurisprudencial a partir de cinco sentencias del Tribunal Supremo", *Revista Galega de Dereito Social,* nº 5, 2018, p. 21.

[127]   En este pronunciamiento el TS declaró nula la cláusula de un contrato de trabajo por la que las partes convenían expresamente que cualquier tipo de comunicación relativa a ese contrato, a la relación laboral o al puesto de trabajo, podía ser enviada al empleado vía SMS o vía correo electrónico, según los datos que había facilitado el trabajador a efectos de contacto y que cualquier cambio o incidencia respecto a los mismos debían ser comunicados a la empresa de forma fehaciente e inmediata. La declaración de nulidad de la cláusula se fundó en que la debilidad contractual que caracterizaba a la

los que, no obstante, apreció que, aun no siendo datos necesarios para el adecuado desenvolvimiento de la relación de trabajo resultaba aconsejable que el empresario pudiera disponer de ellos para un fluido funcionamiento de las relaciones entre la empresa y sus empleados. El artículo 19 de la LOPDPGDD, como se ha apuntado, ha resuelto en este mismo sentido las dudas sobre la justificación del tratamiento de esa información al indicar expresamente que es lícito (con fundamento en el interés legítimo del responsable) el tratamiento de los datos de contacto de las personas físicas que presten servicios en una persona jurídica, si se refiere únicamente a los datos necesarios para su localización personal.

La imagen del trabajador captada a través de video-llamada ha sido, asimismo, analizada como objeto de tratamiento en el marco de la relación de trabajo por nuestros Tribunales en varias ocasiones; estos se pronunciaron, respecto de la pertinencia de su exigencia para el desarrollo de la relación laboral, inicialmente en un sentido estricto, que posteriormente ha sido matizado. Así, la SAN de 15 de junio de 2017, Rec. 137/2017,[128] examinó el contenido de los datos personales necesarios para el desarrollo de funciones propias del contrato de trabajo y que, por este motivo, se encuentran exentos de la obligación general de solicitud del consentimiento. En este caso, se había incluido una cláusula genérica en los contratos de trabajo por la que los empleados se comprometían a ceder su imagen para el desarrollo de la actividad de telemarketing por video- llamada. Dicha actividad era residual en la empresa y tal carácter de excepcionalidad en el uso de la imagen del trabajador llevó a considerar que no podía entenderse que, en ese supuesto concreto, la imagen formara parte de los datos personales necesarios para el desarrollo del trabajo; datos para cuya utilización el empresario no tenía obligación de recabar el consentimiento expreso del empleado, tal y como dispone el artículo 6.1.b) del Reglamento UE. En consecuencia, se estimó –con fundamento en la doctrina del TC de la aplicación del criterio del menor sacrificio para el afectado– que si la empresa decidía destinar a sus trabajadores a labores de video-llamada debía solicitar entonces su consentimiento expreso. Este pronunciamiento ha sido casado y anulado por el Tribunal Supremo en sentencia de 10 de abril de 2019, Rec. 227/2017, que ha confirmado la validez de la mencionada cláusula contractual incorporada a los contratos de trabajo. Se ha en-

---

posición del trabajador podía hacer que quedara viciado su consentimiento respecto de la previsión negocial referida a un derecho fundamental.

[128]   E. GONZÁLEZ BIEDMA, "Derecho a la información y consentimiento del trabajador en materia de protección de datos", *Temas Laborales*, n° 138, 2017, p. 236.

tendido que la cláusula se limitaba a advertir al trabajador de la posibilidad de tener que realizar una de las funciones propias del contrato que había suscrito. El Tribunal Supremo ha apreciado, en fin, que en este caso la imagen, como dato que se ha de ceder en el marco de un contrato de trabajo para el desarrollo de la actividad laboral comprometida, no requiere de la prestación del consentimiento por parte del empleado. Para alcanzar esta conclusión ha tenido en cuenta que la imagen del trabajador en las labores de telemarketing resulta necesaria porque ver el producto y al vendedor genera más confianza al cliente, lo que mejora los resultados de las ventas. El consentimiento, por consiguiente, se entiende implícito en el propio contrato por su mismo objeto.

Por el contrario, si la imagen del empleado se utilizara para alguna actividad que, aun vinculada a la empresa, no se encontrara integrada entre aquellas necesarias para el desarrollo de la prestación laboral que ha sido pactada, como sería el caso de actividades de promoción o publicidad, sería necesario solicitar del trabajador autorización para el tratamiento de su imagen con ese fin.

Ya se ha indicado que, en el marco de la relación de trabajo, el tratamiento de los datos se encuentra generalmente legitimado por la ejecución del propio contrato de trabajo, por un prevalente interés legítimo de la empresa o por obligaciones legalmente previstas; si no concurren estas circunstancias, su licitud depende del consentimiento del trabajador[129]. Pues bien, una vez advertido que que solo de forma residual cabe requerir al trabajador el consentimiento para el lícito tratamiento de sus datos –en referencia a aquellos no necesarios para el desarrollo de la relación laboral– conviene hacer una especial mención a las condiciones de prestación de dicho consentimiento.

El artículo 6 de la LOPDPGDD, reiterando lo dispuesto en el artículo 4.11 del Reglamento UE, indica qué es y cómo debe ser prestado el consentimiento del interesado para que pueda legitimar el tratamiento de los

---

[129]　Entre las principales conclusiones del Dictamen del Grupo de Trabajo 29, 15/2011 destaca que "el consentimiento es uno de los diversos fundamentos jurídicos para tratar los datos personales, y no el principal motivo. Desempeña un importante papel, pero no excluye la posibilidad, dependiendo del contexto, de que otros fundamentos jurídicos puedan ser más apropiados tanto desde la perspectiva del responsable del tratamiento como desde la perspectiva del interesado. Si se utiliza correctamente, el consentimiento es una herramienta que proporciona al interesado control sobre el tratamiento de sus datos. Si se utiliza incorrectamente, el control del interesado resulta ilusorio y el consentimiento constituye un fundamento inadecuado para el tratamiento".

NURIA DE NIEVES NIETO

datos: "*toda manifestación de voluntad libre, específica, informada e inequívoca por la que el interesado acepta, ya sea mediante una declaración o una clara acción afirmativa, el tratamiento de datos personales que le conciernen*".

En caso de que sea necesario que el trabajador preste su consentimiento[130] respecto de aquellos datos que no se encuentren estrictamente vinculados al cumplimiento de las obligaciones laborales, dicho consentimiento deberá ser libre, específico e informado.

Por lo que respecta, en primer lugar, a la nota de libertad –que implica que el consentimiento no se ha de encontrar sometido a condiciones que interfieran en la manifestación de voluntad–, no debe ignorarse que, en el ámbito de la relación de trabajo, el consentimiento es una condición de legitimación excepcional para el empresario debido a la naturaleza de dicha relación, que se caracteriza fundamentalmente por la dependencia del empleado, como sostiene el Grupo de Trabajo 29 en su Dictamen 2/2017[131]. Esto no significa que los empleadores no puedan contar con el consentimiento como base legal para el tratamiento puesto que es posible demostrar que el consentimiento se ha prestado libremente. Pero para que el consentimiento del interesado sirva de soporte al tratamiento de esa información es necesario que sea prestado con las máximas garantías. La preocupación por asegurar la libertad en la prestación del consentimiento queda reflejada en varios contenidos del Reglamento UE.

---

[130] *Guidelines on consent under Regulation 2016/679*, del Grupo de Trabajo 29, adoptado el 28 de noviembre de 2017 y revisada el 10 de abril de 2018 (WP 259 rev. 01), p. 6.

[131] "Dada la dependencia que resulta de la relación entre el empleador y el empleado, no es probable que el interesado pueda negar a su empleador el consentimiento para el tratamiento de datos sin experimentar temor o riesgo real de que su negativa produzca efectos perjudiciales. Parece poco probable que un empleado pudiera responder libremente a una solicitud de consentimiento de su empleador para, por ejemplo, activar sistemas de vigilancia por cámara en el lugar de trabajo o para rellenar impresos de evaluación, sin sentirse presionado a dar su consentimiento. Por tanto, el GT29 considera problemático que los empleadores realicen el tratamiento de datos personales de empleados actuales o futuros sobre la base del consentimiento, ya que no es probable que este se otorgue libremente. En el caso de la mayoría de estos tratamientos de datos en el trabajo, la base jurídica no puede y no debe ser el consentimiento de los trabajadores [artículo 6, apartado1, letra a)] debido a la naturaleza de la relación entre empleador y empleado. No obstante, esto no significa que los empleadores no puedan basarse nunca en el consentimiento como base jurídica para el tratamiento de datos. Puede haber situaciones en las que el empleador pueda demostrar que el consentimiento se ha dado libremente. Dado el desequilibrio de poder entre un empleador y los miembros de su personal, los trabajadores únicamente pueden dar su libre consentimiento en circunstancias excepcionales, cuando el hecho de que otorgue o no dicho consentimiento no tenga consecuencias adversas". *Ibid*. p. 7.

Así se manifiesta en número 43 de su preámbulo que el consentimiento "no debe constituir un fundamento jurídico válido para el tratamiento de datos de carácter personal en un caso concreto en el que exista un desequilibro claro entre el interesado y el responsable del tratamiento, en particular cuando dicho responsable sea una autoridad pública y sea por lo tanto improbable que el consentimiento se haya dado libremente en todas las circunstancias de dicha situación particular. Se presume que el consentimiento no se ha dado libremente… cuando el cumplimiento de un contrato, incluida la prestación de un servicio, sea dependiente del consentimiento, aun cuando este no sea necesario para dicho cumplimiento". De forma más efectiva, el artículo 7.4 dispone que, para evaluar si el consentimiento ha sido prestado libremente, se ha de tener muy en cuenta si "*la ejecución de un contrato, incluida la prestación de un servicio, se supedita al consentimiento al tratamiento de datos personales que no son necesarios para la ejecución de dicho contrato*"; en tales circunstancias, se presume que no ha sido prestado libremente. La LOPDPGDD lo especifica en el artículo 6.3, que prescribe que la ejecución de un contrato no puede supeditarse a que el afectado "*consienta el tratamiento de los datos personales para finalidades que no guarden relación con el mantenimiento, desarrollo o control de la relación contractual*".

La especificidad del consentimiento, como segundo requisito, se refiere a que este debe ser prestado para un fin concreto, esto es, en caso de que el tratamiento tenga varias finalidades debe consentirse la utilización de los datos personales para cada una de ellas. Este requisito tiene por objeto garantizar un nivel de control y transparencia para el interesado y debe aplicar: la especificación del fin como garantía contra la desviación del uso, la disociación en las solicitudes de consentimiento y una clara separación entre la información relacionada con la obtención del consentimiento para las actividades del tratamiento de datos y la información relativa a otras cuestiones[132]. La LOPDPGDD, por su parte, explicita esta condición en su artículo 6.2 como una garantía para el interesado, al indicar que cuando el tratamiento pretenda fundarse en "*el consentimiento del afectado para una pluralidad de finalidades será preciso que conste de manera específica e inequívoca que dicho consentimiento se otorga para todas ellas*".

En tercer lugar, la nota de información que se exige respecto del consentimiento –así como para el resto de causas legitimadoras de la utilización de los datos personales– para que pueda procederse lícitamente al

---

[132] Dictamen por el que se fijan directrices sobre el consentimiento en el sentido del Reglamento (UE) 2016/679 (WP 259 rev 01), p. 13.

tratamiento de los datos se refiere a que el trabajador debe ser informado, con antelación, acerca del tratamiento al que van a ser sometidos sus datos. Facilitar información al interesado antes de obtener su consentimiento – en cumplimiento del principio de transparencia formulado en el artículo 5 del Reglamento UE– resulta esencial para que pueda ser tomada válidamente la decisión respecto de la aceptación del tratamiento.

Con relación a los contenidos que deben trasladarse al trabajador, cuando los datos sean obtenidos del mismo –que es lo habitual en el contexto profesional–, atendiendo a lo dispuesto en el artículo 11.2 de nuestra LOP-DGDD, han de integrar lo siguiente: una información básica que incluya la identidad del responsable y de su representante, la finalidad del tratamiento y la posibilidad de ejercer sus derechos. Más profuso se muestra el artículo 13.1 del Reglamento UE al indicar que debe comunicarse información respecto de: la identidad y los datos de contacto del responsable y, en su caso, los del delegado de protección de datos; los fines del tratamiento a que se destinan los datos personales; los destinatarios de los datos; y, si correspondiera, la intención del responsable de transferir datos personales a un tercer país u organización internacional[133]. Toda esa información deberá ser, como indica el artículo mencionado, trasladada al trabajador en el momento en el que se obtengan los datos[134].

Con objeto de garantizar la debida lealtad y transparencia del tratamiento de datos, está además previsto, en el artículo 13.2 del Reglamento UE, que el responsable del tratamiento facilite al trabajador, cuando los datos se obtengan de este, una información complementaria, también "*en el momento en que se obtengan los datos personales*". El responsable del tratamiento debe entonces transmitir al trabajador la siguiente información: el plazo durante el cual se conservarán los datos personales; la existencia del derecho a solicitar al responsable del tratamiento el acceso, la rectificación, la limitación u oposición al tratamiento de sus datos y el derecho

---

[133] Y si la legitimidad del tratamiento se basara en un interés legítimo del responsable o de un tercero, en lugar del consentimiento del trabajador, debe especificarse aquel.

[134] Respecto al plazo del que podría disponer el empresario para notificar la información preceptiva al trabajador en caso de que la licitud del tratamiento dependiera de su consentimiento nada se menciona en el articulado del Reglamento UE pero, en virtud de lo indicado en el considerando 42, "para que el consentimiento sea informado, el interesado debe conocer como mínimo la identidad del responsable del tratamiento y los fines del tratamiento a los cuales están destinados los datos personales", de donde se deriva que al menos esa información debe ser trasladada con anterioridad a la prestación del consentimiento. El resto puede ser notificado hasta el momento en el que los datos sean obtenidos, como señala el artículo 13 del Reglamento UE.

a la portabilidad de los mismos; en su caso, la existencia del derecho a retirar el consentimiento en cualquier momento; el derecho a presentar una reclamación ante una autoridad de control; si la comunicación de datos personales es un requisito legal o contractual, o un requisito necesario para suscribir un contrato, y si el interesado está obligado a facilitar los datos personales; y la existencia de decisiones automatizas, incluida la elaboración de perfiles[135].

A lo anterior debe añadirse que, para que la información sea adecuadamente transmitida al interesado y el consentimiento pueda estimarse convenientemente informado, se exige un requisito formal; la información debe ser proporcionada, como advierte el artículo 12.1 del Reglamento UE, de forma "*concisa, transparente, inteligible y de fácil acceso, con un lenguaje claro y sencillo*"; en definitiva, se trata de que el mensaje resulte comprensible para un ciudadano medio –no únicamente para juristas–.

En cuarto lugar, el consentimiento del trabajador ha de ser inequívoco –característica que no contemplaba la anterior norma comunitaria, la Directiva 95/46–, en referencia a la forma de su prestación, que debe ser emitida de manera que el afectado trasmita, sin lugar a dudas, su beneplácito al tratamiento de los datos. Atendiendo a lo que dispone el considerando 32 del Reglamento UE, el consentimiento debe darse mediante un acto afirmativo claro que refleje una manifestación de voluntad de aceptación del tratamiento de los datos que le conciernen (como una declaración por escrito, a través de medios electrónicos e incluso una declaración verbal). Este requisito excluye que el consentimiento pueda prestarse de forma tácita pero, también, que se encuentre oculto o mezclado con otras condiciones de prestación de servicios. El silencio o la inacción del afectado, por tanto, no podría nunca alegarse para justificar la obtención del consentimiento por la vía de la ausencia de rechazo a su tratamiento.

A la exigencia de que el consentimiento sea libre, específico, informado e inequívoco, se suman unas medidas adicionales tendentes a garantizar que el consentimiento se obtiene y mantiene válidamente y que dichas circunstancias pueden convenientemente demostrarse. En esta línea, el artículo 7.1 del Reglamento UE ha incorporado dos requisitos complementarios: relativo, uno, a la demostración del consentimiento válido y a la posibilidad

---

[135] Esta obligación informativa no parece tener tanta trascendencia cuando el consentimiento no es una condición de licitud del tratamiento de datos, J. GARCÍA MURCIA e I. A. RODRÍGUEZ CARDO, "La protección de datos personales en el ámbito de trabajo: una aproximación desde el nuevo marco normativo", *Revista Española de Derecho del Trabajo*, nº 216, 2019, p. 50 y 51.

de retirada del consentimiento, el otro. El primero está referido a que el consentimiento debe ser susceptible de comprobación y prueba por parte del empresario –de donde se deriva que le corresponde a él demostrar el consentimiento prestado–. Para responder adecuadamente a esta exigencia el empleador debe conservar, mientras dure la actividad de tratamiento, las declaraciones de consentimiento recibidas de manera que pueda demostrar que se cumplió con los criterios requeridos para que el consentimiento se considere adecuadamente prestado. La segunda condición requiere que el empresario garantice que el trabajador pueda retirar su consentimiento en cualquier momento y que hacerlo resultará tan fácil como lo fue darlo.

e) La prohibición de tratamiento de determinados datos

Ha quedado claro con lo expuesto que los datos de los trabajadores pueden ser tratados, en el marco de la relación laboral, si concurren distintas razones que lo justifican; pero hay ocasiones en las que no es posible proceder al manejo de los datos personales. El motivo es que los datos que pretenden someterse a tratamiento quedan al margen de dicha posibilidad por prescripción normativa. Ya se anunció que, en principio, quedan fuera de la posibilidad de tratamiento los datos personales particularmente sensibles. En el contexto de las relaciones de trabajo puede requerirse información acerca de datos referidos al origen étnico o racial, la orientación sexual, la afiliación sindical, la salud o el estado de embarazo de las mujeres[136]; pero también a otros datos especialmente sensibles incorporados por el Reglamento UE, los datos biométricos y los datos genéticos[137].

---

[136]   Este dato personal no está específicamente contemplado en el Reglamento UE. Coincidimos con quien piensa que la relación de datos prohibidos en su tratamiento en dicha norma debe extenderse a todos aquellos otros que solo podrían tener una utilidad en orden a provocar un tratamiento de exclusión discriminatoria de determinados trabajadores y, en general, lesivo de derechos fundamentales y libertades públicas. J. CRUZ VILLALÓN, *Protección de datos personales del trabajador en el proceso de contratación: facultades y límites de la actuación del empleador*, p. 45. En este punto, conviene recordar el asunto del TJUE, de 8 de noviembre de 1990, *Dekker* (C-177/88), en el que se condenó por discriminación por razón de sexo a un empresario que se había negado a contratar a una mujer considerada apta para ocupar un puesto de trabajo por encontrarse esta embarazada.

[137]   En la decisión de la empresa de que se utilicen datos genéticos para identificar a los trabajadores y, por ejemplo, constatar los momentos de acceso y salida de los centros de trabajo (piénsese en la huella digital o en el reconocimiento de la mano o del iris) tendría que contarse con el consentimiento de los afectados porque la base jurídica para el tratamiento de esos datos no puede reconducirse a ningún otro supuesto contemplado como excepción a la prohibición de manejo de esos datos especialmente sensibles. No está previsto, en estos casos de tratamiento de datos de categoría especial, el interés legítimo de la empresa para justificar el uso de esos datos por lo

Como regla general, la utilización de esta información se encuentra prohibida –según dispone el artículo 9.1 del Reglamento UE–, con la salvedad de algunos supuestos contemplados por el artículo 9.2 de la norma europea, que constituyen excepciones a la prohibición general de tratamiento.

Se indica, como primer supuesto, la prestación expresa del consentimiento. No se trata, no obstante, de una regla absoluta porque el apartado a) *in fine* del artículo referido prevé la excepción de que el Derecho de la Unión o de los Estados establezcan que la prohibición general de tratamiento de los datos mencionados no puede ser levantada por el interesado. Según esto es posible, por consiguiente, que el Derecho de la Unión o de los Estados miembros dispongan que el tratamiento de categorías especiales de datos no resulte lícito aunque se cuente con el consentimiento explícito del interesado. Este margen de maniobra para los Estados –que afecta a los derechos fundamentales, especialmente a la libertad ideológica y a algunos supuestos de prohibición de discriminación– ha permitido que la LOPDPGDD, en su artículo 9.1, haya previsto que con el fin de "*evitar situaciones discriminatorias, el solo consentimiento del afectado no bastará para levantar la prohibición del tratamiento de datos cuya finalidad principal sea identificar su ideología, afiliación sindical, religión, orientación sexual, creencias u origen racial o étnico*". En conclusión, el consentimiento explícito del trabajador no es suficiente para legitimar el tratamiento de algunas categorías especiales de datos –las señaladas arriba– (aunque sí para otras –datos de salud, biométricos y genéticos–) si su finalidad principal es identificar su ideología, afiliación sindical, orientación sexual u origen racial o étnico. Pero hay que tener en cuenta que, en virtud del último inciso del artículo 9.1 de la LOPDPGDD, lo anterior no impide el tratamiento de dichos datos al amparo de los restantes supuestos previstos en el apartado 2 del artículo 9 del Reglamento UE[138].

Junto al consentimiento del trabajador –convenientemente relativizado– también están contempladas otras excepciones que justificarían el tratamiento de esos datos de categoría especial en otras situaciones como las que se apuntan a continuación.

La primera de ellas se produce cuando "*el tratamiento es necesario para el cumplimiento de obligaciones y el ejercicio de derechos específicos del responsable del*

---

que si el empleado se niega a cederlos no parece que pueda haber forma de forzarlo a hacerlo.

[138]   A. TRONCOSO REIGADA, "Las categorías especiales de datos personales en el Reglamento General de Protección de Datos de la Unión Europea", *elderecho.com*, Lefebvre.

tratamiento o del interesado en el ámbito del Derecho laboral y de la seguridad y protección social, en la medida en que así lo autorice el Derecho de la Unión de los Estados miembros o un convenio colectivo con arreglo al Derecho de los Estados miembros que establezca garantías adecuadas del respeto de los derechos fundamentales y de los intereses del interesado". En la excepción descrita cabe incluir el supuesto en el cual la ley obliga a los empresarios a colaborar con los sindicatos en el descuento, recaudación e ingreso de la cuota sindical. Dicha obligación exigiría al empresario retener datos de especial sensibilidad como el relativo a quiénes se encuentran afiliado a cada sindicato. Previamente, como señala el artículo 11.2 de la LOLS, el sindicato debería haber solicitado el consentimiento del trabajador para que se le descontara de su nómina la cuota sindical, así como el empresario, la conformidad del trabajador afectado.

El tratamiento del dato de la afiliación sindical del trabajador debe ser objeto de cuidadosa atención, por ser una opción ideológica protegida por el artículo 16 de la CE[139]. El manejo de este dato por la empresa o por el sindicato debe limitarse a la finalidad para la cual el dato se recabó por lo que un uso desviado del tratamiento convertiría a este en ilegítimo. En este sentido, la STC 11/1998, de 13 de enero, declaró que se había producido una vulneración del artículo 28.1 de la CE en conexión con los artículos 16, 18.1 y 18.4 de la Norma Fundamental porque la empresa había utilizado el dato de afiliación obtenido con el fin de descontar la cuota sindical de la retribución para detraer el salario correspondiente a la participación del trabajador en una huelga[140] o, en otro caso tratado en la SAN de 27 de mayo de 2004, Rec. 30/2004, para conceder o retirar derechos a una organización sindical en función de el número de afiliados que le constara al empresario[141]. Procede recordar, como excepción a esta prohibición de utilización del dato de la afiliación sindical a una finalidad distinta de aquella para la que se obtuvo, la obligación contenida en el artículo 55.1 del ET, relativa a que si al empresario le constara que el trabajador estuviera afiliado a un sindicato, debe de dar audiencia previa a los delegados sindicales de la sección correspondiente al sindicato al que perteneciera el trabajador afectado, en caso de despido.

---

[139]   Entre otras, SSTC 94/1998, de 4 de mayo, o 145/1999, de 22 de julio.

[140]   *Vid.*, A. CÁMARA BOTÍA, "Utilización antisindical de datos laborales automatizados", AA.VV., *Jurisprudencia Constitucional sobre Trabajo y Seguridad Social,* en vol. XVI y vol. XVII, Civitas, Madrid, 1999, p. 62 y 52 (respectivamente).

[141]   Tampoco para permitir o no la constitución de secciones sindicales en la empresa, como en la STS (C-A) de 30 de marzo de 2001, Rec. 6153/1996. J.R. MERCADER UGUINA y A. DE LA PUEBLA PINILLA, "Protección de datos y relaciones colectivas", *Revista de Trabajo y Seguridad Social CEF,* n° 423, 2018, p. 74.

Un segundo supuesto en el que cabe admitir el tratamiento de datos sensibles concurre cuando "*el tratamiento es efectuado, en el ámbito de sus actividades legítimas y con las debidas garantías, por una fundación, una asociación o cualquier otro organismo sin ánimo de lucro, cuya finalidad sea política, filosófica, religiosa o sindical, siempre que el tratamiento se refiera exclusivamente a los miembros actuales o antiguos de tales organismos o a personas que mantengan contactos regulares con ellos en relación con sus fines y siempre que los datos personales no se comuniquen fuera de ellos sin el consentimiento de los interesados*". Parece que podría incluirse aquí, en general, el manejo de los datos relativos a la afiliación de los trabajadores por las organizaciones sindicales y, desde luego, del mismo modo cabría incluir, aunque no se mencione expresamente, a las organizaciones empresariales[142].

La tercera situación que permite el tratamiento de datos de categoría especial es aquella en la que "*el tratamiento es necesario para fines de medicina preventiva o laboral, evaluación de la capacidad laboral del trabajador, diagnóstico médico, prestación de asistencia o tratamiento de tipo sanitario o social, o gestión de los sistemas y servicios de asistencia sanitaria y social, sobre la base del Derecho de la Unión o de los Estados miembros o en virtud de un contrato con un profesional sanitario*". Así, la prohibición de tratamiento de datos personales sobre la salud del trabajador no será de aplicación si es preciso para evaluar la capacidad laboral del trabajador –o del aspirante a ocupar un puesto de trabajo– o para fines de medicina preventiva. Queda así legitimada la cesión y el uso de los datos que revelen información sobre la salud del trabajador por la realización de alguna acción de control médico. De este modo, la vigilancia de la salud de los trabajadores no se considera como un acceso a datos por cuenta de terceros en los supuestos de los servicios de prevención de riesgos laborales ajenos. En todo caso, las empresas únicamente pueden tener conocimiento de las conclusiones derivadas de los reconocimientos en relación con la aptitud del trabajador para el desempeño de su puesto de trabajo[143].

Junto a las excepciones expuestas se encuentran otras de carácter general que permiten el tratamiento de datos sensibles como que se trate de información que sea manifiestamente pública o cuando sea necesaria por

---

[142] J. GARCÍA MURCIA e I. A. RODRÍGUEZ CARDO, "La protección de datos personales en el ámbito de trabajo: una aproximación desde el nuevo marco normativo", *Revista Española de Derecho del Trabajo*, nº 216, 2019, p. 48.

[143] Con relación a la evaluación de la capacidad laboral del trabajador, la información sobre su salud resulta necesaria para verificar su estado, como dispone el artículo 20.4 del ET, cuando este "*sea alegado por este para justificar sus faltas de asistencia al trabajo, mediante reconocimiento a cargo de personal médico*".

razón de un interés público esencial, como disponen los apartado e) y g) del artículo 9.2 del Reglamento UE[144].

4.4. *Fase posterior a la relación de trabajo: consecuencias tras la finalización del vínculo contractual*

Un último escenario en el que puede plantearse la licitud del manejo de datos personales es el relativo al momento a partir del cual finaliza el vínculo jurídico laboral que unía a las partes. En general, los datos que habían sido obtenidos durante la relación laboral han de ser cancelados cuando hayan dejado de ser necesarios para la finalidad para la que habían sido recabados. De modo que, al llegar la relación a su fin, se debe eliminar el nombre y referencias del usuario del listado público de trabajadores de la empresa, así como borrar sus cuentas de correo corporativas y bloquear el acceso a otros servicios que la empresa pone a disposición de sus trabajadores para que operen en conjunto.

A pesar de que, en estos casos, no hay ya relación jurídico laboral entre las partes es posible que pueda subsistir una serie de responsabilidades derivadas de ese contrato que perduran en el tiempo. Por ello, y en respuesta a la obligación legal de conservación de datos necesarios para cumplir con obligaciones sociales y fiscales, el empresario ha de mantener información personal de sus ex trabajadores con el fin, por ejemplo, de aportar pruebas respecto de ese antiguo personal a los efectos de su defensa en un eventual juicio. El tiempo durante el cual pueden ser conservados los datos personales es aquel en el que pueda exigirse algún tipo de responsabilidad derivada de la relación jurídica (por lo que hace a los documentos de afiliaciones, altas, bajas, cotizaciones en la Seguridad, nóminas o contratos, el plazo es de cuatro años).

A partir del momento de la finalización de la relación laboral, salvo los casos amparados por las normas, el tratamiento de los datos del trabajador requiere su consentimiento. Esto es así porque el manejo de esa información no sería necesario para el mantenimiento o cumplimiento de la relación laboral, que ya no existe.

En este contexto surgen, entre otras, las siguientes dudas. Una primera relativa al fundamento del tratamiento de los datos que se han de manejar para el cumplimiento de pactos postcontractuales, en cuyo caso parece

---

[144] J.R. MERCADER UGUINA, "Aspectos laborales de la Ley Orgánica 3/2018, de 5 de diciembre", *Trabajo y Derecho*, n° 52, 2019, p. 110 y sig.

lógico pensar que sería el de ejecución (con posterioridad) de lo que se ha pactado en el contrato de trabajo. La segunda referida a si resulta lícito que una empresa solicite información a otra acerca de un ex empleado, esto es, las comúnmente denominadas "referencias", cuya remisión puede suponer una cesión de datos. Parece que nada impediría que el consentimiento del afectado legitimara la utilización de los datos que no fueran especialmente sensibles –es decir, datos cuya finalidad principal no sea identificar su ideología, afiliación sindical, religión, orientación sexual, creencias u origen racial o étnico–; así como tampoco habría inconveniente en que se acudiera al fundamento del interés legítimo del potencial empresario, si se tratara de datos de categoría ordinaria[145].

Cabe plantearse si un empresario puede seguir a sus trabajadores en redes sociales a fin de comprobar si cumplen con el pacto de no competencia. El Dictamen 2/2017 del Grupo de Trabajo 29 considera que es posible hacerlo siempre que el empresario pueda demostrar que dicho control es necesario para proteger sus intereses legítimos, que no existen otros mecanismos menos invasivos y que los ex trabajadores ha sido adecuadamente informados del alcance del control periódico de sus comunicaciones públicas.

A la vista de lo apuntado puede concluirse que, una vez que la relación laboral queda extinguida, pueden tratarse los datos personales del antiguo empleado si subsisten obligaciones legales o postcontractuales a las que hacer frente, si pueden anteponerse intereses legítimos del empresario o, en su caso, si el afectado manifiesta su consentimiento respecto del tratamiento de sus datos.

5. EL EJERCICIO POR LOS TRABAJADORES DE LOS DERECHOS DE PROTECCIÓN DE SUS DATOS PERSONALES

Como se mencionó al analizar el derecho fundamental a la protección de datos personales –y reiterando las palabras del TC en su sentencia

---

[145]   *Vid.*, I. SAGARDOY DE SIMÓN, "Datos personales, datos profesionales y su tratamiento automatizado", *RRLL*, nº 1, 1995, p. 1464. No obstante, si en esas referencias se solicita información sobre infracciones laborales en un anterior puesto de trabajo no va a ser posible comunicarla puesto que, en virtud del principio de la limitación de la finalidad, estas informaciones han debido cancelarse o destruirse. Podría, en cambio, requerirse opiniones personales al antiguo empleador acerca de sus genéricas condiciones profesionales –entre las que no debe incluirse ni referencias a su vida privada ni a datos de categoría especial–.

292/2000, de 30 de noviembre– este derecho posee una importante peculiaridad que radica en su contenido, ya que atribuye un haz de facultades consistentes en diversos poderes jurídicos *"cuyo ejercicio impone a terceros deberes jurídicos y que sirven a la capital función que desempeña este derecho fundamental: garantizar a la persona un poder de control sobre sus datos personales, lo que sólo es posible y efectivo imponiendo a terceros... deberes de hacer... Estos poderes de disposición y control sobre los datos personales, que constituyen parte del contenido, se concretan jurídicamente en la facultad de consentir la recogida, la obtención y el acceso a los datos personales, su posterior almacenamiento y tratamiento, así como su uso o usos posibles, por un tercero, sea el Estado o un particular. Y ese derecho a consentir el conocimiento y el tratamiento, informático o no, de los datos personales, requiere como complementos indispensables, por un lado, la facultad de saber en todo momento quién dispone de esos datos personales y a qué uso los está sometiendo, y, por otro lado, el pode oponerse a esa posesión y usos".*

5.1. Contenido y principales elementos

En virtud de la doctrina expuesta, al titular del derecho a la protección de datos le corresponde un conjunto de facultades consistentes en diversos poderes jurídicos cuyo ejercicio impone a terceros ciertos deberes. Esos derechos se presentan en los considerandos 58 a 71 y se encuentran reconocidos y descritos en el Capítulo III del Reglamento UE; en el ámbito interno, la LOPDPGDD, en sus artículos 12 y siguientes, ha procedido a completar y especificar el panorama diseñado por la norma europea.

La estructura de este epígrafe responde al modelo concebido por el propio Reglamento UE, en el que a una referencia inicial a las condiciones generales en las que se desenvuelve el ejercicio de los derechos de protección de los datos personales le sigue una regulación particular relativa a cada uno de esos derechos con su correspondiente descripción.

Las condiciones generales que se proyectan en cada uno de los derechos concretos que se atribuyen a los interesados –de acceso, rectificación, supresión, limitación del tratamiento, portabilidad, oposición y limitación de las decisiones individuales automatizadas– se encuentran recogidas en el artículo 12 del Reglamento UE, como exigencias que han de cumplir los responsables de los tratamientos. Dichas condiciones contemplan los siguientes aspectos:

–   la transparencia, al requerir que la información que se dirija al interesado sea concisa, de fácil acceso y a través de un lenguaje claro y sencillo, con lo que se pretende evitar las comunicaciones excesivamente largas o difíciles de entender;

- los plazos, que se fijan en un mes para hacer efectivo el derecho del interesado, el cual puede ser prorrogado por dos meses más en supuestos de complejidad o número de solicitudes recibidas; en cualquier caso, deberán ser informadas dichas prórrogas avisando expresamente al interesado de los motivos de la mismas;

- la utilización de medios electrónicos debe procurarse, según establece el considerando 59 del Reglamento UE, por el responsable, que debe proporcionar medios al interesado para que las solicitudes se presenten por dichos medios electrónicos;

- la negativa a la solicitud del interesado por la no concesión del derecho debe notificarse al interesado en el mismo plazo de un mes alegando los motivos para dicha negativa, e informando de la posibilidad de presentación de la correspondiente reclamación ante la autoridad competente;

- la gratuidad para los interesados en el ejercicio de sus derechos, con sus excepciones en las que es posible que el responsable cobre una tasa o canon razonable o incluso se niegue a responder. Dichos supuestos son los casos de solicitudes abusivas de ejercicio de derechos manifiestamente infundadas o excesivos, y en particular aquellas que tengan un carácter repetitivo[146];

- información por parte del responsable del tratamiento al afectado sobre los medios a su disposición para ejercer los derechos que le corresponden;

- la prueba del cumplimiento del deber de responder a la solicitud de ejercicio de sus derechos formulado por el afectado recae sobre el responsable del tratamiento.

A continuación se exponen los derechos que pueden ejercitar los empleados a fin de proteger sus datos personales.

a) Derecho de información. Este derecho no se configura ya, como en la anterior Directiva, como un mero deber del responsable. Se encuentra regulado en los artículos 13 y 14 del Reglamento UE (y referido en los considerandos 60 a 62 del RGPD). En virtud de tales disposiciones, el trabajador tiene derecho a que se le facilite toda la información que precise

---

[146] Según dispone el artículo 13.3 de la LOPDPGDD, a los efectos establecidos en el artículo 12.5 del Reglamento UE se podrá considerar repetitivo el ejercicio del derecho de acceso en más de una ocasión durante el plazo de seis meses, a menos que exista causa legítima para ello. También el artículo 15.3 del Reglamento UE.

en relación con el tratamiento de sus datos personales. El contenido de la información a la que tiene derecho el interesado se divide en dos, en función del origen de la obtención del dato: si son obtenidos del propio empleado o provienen de una fuente externa[147].

En caso de que los datos sean obtenidos del propio trabajador, la información que ha de procurársele, según el artículo 13 del Reglamento UE, es la siguiente: de un lado, un conjunto de información fija, que debe ser facilitada en todo caso, como la identidad y datos de contacto del responsable, la finalidad y la base jurídica del tratamiento, los plazos de conservación de los datos o criterios para determinar el plazo; la posibilidad de solicitar el ejercicio de derechos de acceso, rectificación, supresión, limitación, oposición y portabilidad, el derecho a revocar el consentimiento y el derecho a presentar reclamación ante la autoridad de control; y, de otro, información variable, que es aquella que cambia en función de que la misma sea aplicable al supuesto de hecho o al concreto responsable de tratamiento de que se trate, que incluye, entre otros aspectos, la identidad del delegado de protección de datos, el interés legítimo del responsable o un tercero –en su caso–, los destinatarios, si existen decisiones individualizadas automatizadas.

Si, en cambio los datos no se recaban del propio interesado, el artículo 14 del Reglamento UE indica que el responsable debe facilitar en el plazo de un mes[148], además de la información anterior, la referida al origen de los datos y a sus categorías.

Están previstos, en el artículo 14.5 del Reglamento UE, varios supuestos en los que no se precisa informar al interesado: si este dispone ya de la

---

[147]   En relación con el deber de información, la Agencia Española de Protección de Datos ha publicado una Guía para el Cumplimiento del Deber de Informar (*aepd.es*) en la que destaca la división de la información por capas o niveles. Una primera capa en la que se comunique información básica y resumida del tratamiento de datos en el mismo momento y en el mismo medio en el que se recojan los datos, para a continuación remitir a un segundo nivel o segunda capa en donde se incluirá de forma detallada el resto de obligaciones de información adicional. Esta segunda capa podrá ser un medio distinto más adecuado para su presentación y comprensión pudiendo tratarse incluso de un archivo descargable.

[148]   En estos supuestos de no obtención directa del interesado, el plazo para informar es de un mes con dos excepciones: de un lado, si trata el dato para comunicarse con el afectado se debe informar antes o a más tardar en la primera comunicación que se dirija; si, de otro lado, se realiza el tratamiento para facilitárselo a un tercero, se debe informar antes de la comunicación o como muy tarde en el momento en que los datos sean comunicados por primera vez.

información, en los casos en los que la comunicación de dicha información resulte imposible o suponga un esfuerzo desproporcionado, si la obtención o la comunicación está expresamente establecida por el Derecho de la Unión o de los Estados miembros que se aplique al responsable del tratamiento y que establezca medidas adecuadas para proteger los intereses legítimos del interesado, o cuando los datos personales deban seguir teniendo carácter confidencial.

b) Derecho de acceso. El derecho de acceso está referido a la información relativa a los datos de los que dispone el responsable del tratamiento, fundamentalmente respecto de la finalidad del tratamiento, la categoría del dato tratado, los destinatarios, el plazo de conservación, la existencia del derecho a rectificar, suprimir, limitar u oponerse al tratamiento, la reclamación, el origen de la fuente de obtención del dato y la existencia de decisiones individuales automatizadas y elaboración de perfiles.

Está previsto, atendiendo a lo dispuesto en el artículo 15.3 del Reglamento UE y en su considerando 63, que la forma en la que se debe facilitar el acceso a la información es mediante una copia de los datos objeto de tratamiento; de forma sencilla o con facilidad en intervalos de plazo razonables, con el fin de que el interesado pueda verificar y conocer la licitud del tratamiento. En caso de que el interesado solicite otra copia, podrá requerirse una compensación económica –tasa o canon basado en los costes administrativos que suponga la generación de dicha copia–.

Si el interesado utilizó medios electrónicos de uso común para realizar su solicitud, debe facilitarse el acceso a los datos por tales medios. A este respecto, el considerando 63 indica que los responsables deben estar facultados para permitir un acceso remoto seguro que ofrezca al interesado un acceso directo a sus datos personales.

Por último, el mismo considerando menciona una restricción al ejercicio del derecho de acceso referida a que el mismo no afecte negativamente a los derechos y libertades de otros, incluidos los secretos comerciales o la propiedad intelectual y, en particular, los derechos de propiedad intelectual que protegen los programas informáticos.

Si se tratara de una gran cantidad de datos relativos al trabajador y este ejercitara su derecho de acceso sin especificar si se refiere a todos o a una parte de los datos, el artículo 13 de la LPDPGDD indica que el responsable podrá solicitar al afectado, antes de facilitar la información, que especifique los datos o actividades de tratamiento a los que se refiere la solicitud.

Si el empleado elige un medio distinto al que se le ofrece que suponga un coste desproporcionado, la solicitud será considerada excesiva, por lo que dicho afectado asumirá el exceso de costes que su elección comporte. En este caso, solo será exigible al responsable del tratamiento la satisfacción del derecho de acceso sin dilaciones indebidas.

c) Derecho de rectificación. La regulación de este derecho de rectificación, contemplada en el artículo 16 del Reglamento UE, ofrece dos vertientes del mismo; la primera está referida a la propia acción de rectificación "*el interesado tendrá derecho a obtener sin dilación indebida del responsable del tratamiento la rectificación de los datos personales inexactos que le conciernan* y, la segunda al derecho a que los datos que estén incompletos se ajusten con exactitud, "*teniendo en cuenta los fines del tratamiento, el interesado tendrá derecho a que se completen los datos personales que sean incompletos, inclusive mediante una declaración adicional*". Constituye un derecho del trabajador que sus datos sean completados o rectificados cuando corresponda hacerlo y, al mismo tiempo, en una obligación de los responsables que los datos tratados no sean incompletos o inexactos, por lo que han de garantizar que estos sean actualizados sin dilación.

Nuestra normativa específica, en el artículo 14 de la LOPDGDD, que cuando sea preciso el interesado deberá adjuntar la documentación justificativa de la inexactitud o del carácter incompleto de los datos objeto de tratamiento; si bien no se concreta en qué circunstancias se ha de entender que resulta necesaria la aportación de dicha justificación.

d) Derecho de supresión. El derecho a la supresión de los datos permite al trabajador solicitar que los mismos dejen de ser tratados sin dilación indebida por el responsable[149]. Este derecho se puede ejercer, según el artículo 17 del Reglamento UE, entre otros supuestos, cuando los datos dejan de ser necesarios para los fines para los que fueron recabados; el consentimiento ha sido retirado por el interesado; el interesado se opone al tratamiento de los mismos conforme al 21 del Reglamento UE; cuando los datos han sido tratados ilícitamente; o cuando se deba cumplir con una obligación legal[150].

---

[149]   Cuando el consentimiento no es condición de la licitud del tratamiento, el trabajador difícilmente puede hacer valer frente a la otra parte algunos de los derechos más típicos vinculados a la protección de datos, como el de la supresión, que ya no podrá impedir que los datos personales sean objeto de tratamiento en tanto resulten necesarios para la ejecución del contrato. J. GARCÍA MURCIA e I. A. RODRÍGUEZ CARDO, "La protección de datos personales en el ámbito de trabajo: una aproximación desde el nuevo marco normativo", *Revista Española de Derecho del Trabajo*, nº 216, 2019, p. 51.

[150]   Junto al rótulo que el legislador le asigna a la disposición mencionada, derecho a la supresión, se apunta entre paréntesis la expresión "*derecho al olvido*", que está referida específicamente a la manifestación del derecho de supresión en internet. Este dere-

No se hace mención expresa en el Reglamento UE al bloqueo de datos, pero sí se establece en el artículo 17 y en el considerando 65 una referencia a la posible retención de los datos por parte del responsable de tratamiento o excepciones al derecho de supresión[151]. Así, se señala que pueden conservarse los datos, aunque dejen de ser útiles o el interesado retire su consentimiento para el tratamiento, cuando este sea necesario para el ejercicio de las libertades de expresión e información, el cumplimiento de una obligación legal que requiera el tratamiento de datos impuesta por el Derecho de la Unión o de los Estados miembros, el tratamiento para el cumplimiento de una misión realizada en interés público, por razones de interés público en el ámbito de la salud pública o, en fin, como se apuntó más atrás, para la formulación, el ejercicio o la defensa de reclamaciones.

e) Limitación del tratamiento. El derecho a la limitación del tratamiento de los datos personales permite que los datos puedan ser marcados de tal manera que se evite por parte del responsable un tratamiento en el futuro, tal y como dispone el apartado 3 del artículo 4 del Reglamento UE. La limitación del tratamiento puede operar, como establece el artículo 18 del Reglamento UE, en determinados supuestos como, por ejemplo, si se produce una impugnación de la exactitud de los datos, durante el plazo que se permite al responsable verificar la misma; si ha habido un tratamiento ilícito de los datos y el interesado se opone a la supresión o si los datos no son ya necesarios para la finalidad del tratamiento pero el interesado los necesita para la formulación, el ejercicio o la defensa de reclamaciones.

En los supuestos apuntados de limitación, los datos únicamente podrán ser objeto de tratamiento, "*con excepción de su conservación, con el consentimiento del interesado o para la formulación, el ejercicio o la defensa de reclamaciones, o con miras a la protección de los derechos de otra persona física o jurídica o por razones de interés público importante de la Unión o de un determinado Estado miembro*", según el apartado 2 del artículo 18 del Reglamento UE.

---

cho, alejado en principio del escenario de la relación laboral, se encuentra vinculado sobre todo a los motores de búsqueda en internet. En esta línea, ya la SAN de 28 de enero de 2015, Rec. 336/2012, consideró procedente la eliminación de datos, como consecuencia del derecho de oposición sobre información que se extraía de la búsqueda del nombre del interesado relativa a la celebración de un juicio de faltas por hurto; se atendió a la alegación del afectado que argumentó que la difusión de esa información le ocasionaba problemas laborales.

[151]   *Vid.*, A.I. BERROCAL LANZAROT, *Derecho a la supresión de datos o derecho al olvido*, Reus, Madrid, 2017.

Está prevista, por último, una garantía para los interesados que hayan obtenido la limitación de sus datos; deberán ser informados por los responsables del tratamiento antes de que se produzca el levantamiento de dicha limitación. A esta medida, el artículo 16.2 de la LOPDGDD, añade otra referida a que debe constar claramente en los sistemas de información del responsable el hecho de que el tratamiento de los datos personales se encuentra limitado[152].

Entre los métodos aconsejables para proceder a la limitación del tratamiento de los datos, el considerando 67 del Reglamento UE propone "los consistentes en trasladar temporalmente los datos seleccionados a otro sistema de tratamiento, en impedir el acceso de usuarios a los datos personales seleccionados o en retirar temporalmente los datos publicados de un sitio internet. En los ficheros automatizados la limitación del tratamiento debe realizarse, en principio, por medios técnicos, de forma que los datos personales no sean objeto de operaciones de tratamiento ulterior ni puedan modificarse".

f) Derecho a la portabilidad. Queda reconocido por el artículo 20 del Reglamento UE, el derecho del interesado a recibir todos aquellos datos personales que le incumban y que haya facilitado a un responsable, siempre que el tratamiento esté basado en el consentimiento o sea necesario para la ejecución de un contrato, o en la aplicación de medidas precontractuales, y el mismo se efectúe por medios automatizados[153]. El propósito de este derecho es capacitar al interesado y darle un mayor control sobre los datos personales que le conciernen. El formato en el cual se deben recibir los datos ha de ser estructurado, de uso común y de lectura mecánica e interoperable o, siempre que la tecnología lo permita, el interesado tendrá el derecho a que los datos personales se transmitan directamente de un responsable de tratamiento a otro.

Con relación a qué datos deben ser facilitados al interesado o, en su caso, al nuevo responsable, las directrices del Grupo de Trabajo 29 sobre el derecho a la portabilidad de los datos[154] distinguen entre tres catego-

---

[152] Garantía que ha sido tomada del último inciso del considerando 67 del Reglamento UE; El hecho de que el tratamiento de los datos personales esté limitado debe indicarse claramente en el sistema "el hecho de que el tratamiento de los datos personales esté limitado debe indicarse claramente en el sistema".

[153] Se prevén como excepción aquellos supuestos en los que el tratamiento se encuentre fundado en el cumplimiento de una misión de interés público o inherente al ejercicio del poder público.

[154] Directrices adoptadas el 13 de diciembre de 2016 y revisadas, por última vez, el 5 de abril de 2017, (WP 242 rev.01).

rías de datos: los facilitados por el usuario, los originados por el responsable en el tratamiento de datos e incluso los inferidos por este último. Los datos que cubre el derecho a la portabilidad son, fundamentalmente, los datos proporcionados de forma activa y consciente por el interesado, y aquellos datos que son proporcionados también por el interesado en virtud del uso del servicio o el dispositivo. En este último caso, la mencionada Guía destaca como ejemplos de datos originados por el servicio, el historial de búsqueda, los datos de tráfico y los datos de ubicación. Puede concluirse, por consiguiente, que los datos inferidos o deducidos del interesado, y por tanto creados por el responsable sobre la base de los datos proporcionados por éste último, no estarían incluidos en el derecho a la portabilidad.

Como establece la Guía aludida del Grupo de Trabajo 29, en referencia a los datos de los empleados, el derecho a la portabilidad de los mismos se aplica únicamente si el tratamiento se funda en el consentimiento o en un contrato del que el interesado es parte. Algunos tratamientos de recursos humanos se basan, no obstante, en el fundamento jurídico del interés legítimo, o son necesarios para cumplir con obligaciones legales específicas en el ámbito del empleo. "El derecho a la portabilidad de los datos en un contexto de recursos humanos afecta, sin duda, a algunas operaciones de tratamiento (como servicios de pago y compensación o contratación interna) pero en muchas otras situaciones se requerirá un enfoque caso por caso con el fin de verificar que se cumplen todas las condiciones que rigen el derecho a la portabilidad de los datos"[155].

g) Derecho de oposición. Se reconoce al interesado, según el artículo 21 del Reglamento UE, el derecho de oponerse, cuando considere por motivos relacionados con su situación particular, a que los datos personales que le conciernan sean objeto de un tratamiento basado en el interés público o en un interés legítimo, incluida la elaboración de perfiles sobre la base de dichas disposiciones. "*El responsable del tratamiento dejará de tratar los datos personales, salvo que acredite motivos legítimos imperiosos para el tratamiento que prevalezcan sobre los intereses, los derechos y las libertades del interesado, o para la formulación, el ejercicio o la defensa de reclamaciones*".

La norma europea invierte la carga de la prueba, por lo que corresponde al responsable del tratamiento demostrar que existen motivos suficientes que prevalecen sobre los derechos y libertades del interesado. En caso contrario, debe dejar de tratar los datos personales del interesado.

---

[155]   *Ibid.* p. 10.

Este derecho se encuentra muy cerca del derecho a la supresión, lo que puede llevar a que sean confundidos; pero mientras que en la oposición se está ante un tratamiento, sobre el cual prevalecen los derechos del interesado que ha manifestado su disconformidad a través de la expresión de su oposición a dicho tratamiento; el derecho de supresión supone dejar de utilizar una serie de datos personales sobre los cuales, en su día, hubo una base legal y justificada para su tratamiento.

h) Derecho a no ser objeto de una decisión basada únicamente en el tratamiento automatizado. El interesado tiene derecho a que no se tomen decisiones que tengan efectos jurídicos para él o que le afecten significativamente sobre la base exclusiva de un tratamiento automatizado de los datos, incluida la elaboración de perfiles[156], como prevé el artículo 22 del Reglamento UE. El considerando 71 del Reglamento UE, por un lado, ofrece algún ejemplo como los servicios de contratación en red en los que no medie intervención humana alguna y, por otro establece lo que puede llegar a considerarse "elaboración de perfiles"[157]: " consistente en cualquier forma de tratamiento de los datos personales que evalúe aspectos personales relativos a una persona física, en particular para analizar o predecir aspectos relacionados con el rendimiento en el trabajo, la situación económica, la salud, las preferencias o intereses personales, la fiabilidad o el comportamiento, la situación o los movimientos del interesado, en la medida en que produzca efectos jurídicos en él o le afecte significativamente de modo similar" [158].

---

[156]   En palabras del artículo 4.4 del Reglamento UE, "*elaboración de perfiles: toda forma de tratamiento automatizado de datos personales consistente en utilizar datos personales para evaluar determinados aspectos personales de una persona física, en particular para analizar o predecir aspectos relativos al rendimiento profesional, situación económica, salud, preferencias personales, intereses, fiabilidad, comportamiento, ubicación o movimientos de dicha persona física*".

[157]   Sobre el régimen jurídico de la elaboración de perfiles ("*profiling*"), vid., J. BAZ RODRÍGUEZ, *Privacidad y protección de datos de los trabajadores en el entorno digital*, p. 129 y sig. La inclusión expresa en el Reglamento UE de la elaboración de perfiles, como fase preliminar en los procesos de gestión del empleo, supone precisamente la asunción del carácter potencialmente dañino para los derechos fundamentales de la mera elaboración de los mismos.

[158]   Se apunta en el considerando 71, además, que "el responsable debe utilizar procedimientos matemáticos o estadísticos adecuados para la elaboración de perfiles, aplicar medidas técnicas y organizativas apropiadas para garantizar, en particular, que se corrigen los factores que introducen inexactitudes en los datos personales y se reduce al máximo el riesgo de error, asegurar los datos personales de forma que se tengan en cuenta los posibles riesgos para los intereses y derechos del interesado y se impidan, entre otras cosas, efectos discriminatorios en las personas físicas por motivos de raza u origen étnico, opiniones políticas, religión o creencias, afiliación sindical, condición

No obstante si la decisión es "*necesaria para la celebración o la ejecución de un contrato entre el interesado y un responsable del tratamiento; está autorizada por el Derecho de la Unión o de los Estados miembros que se aplique al responsable del tratamiento y que establezca asimismo medidas adecuadas para salvaguardar los derechos y libertades y los intereses legítimos del interesado; o se basa en el consentimiento explícito del interesado*" deben permitirse tales decisiones basadas en tratamientos automatizados de datos –con la excepción, en principio, de que la decisión se base en categorías especiales de datos personales–. De modo que cuando la toma de decisiones automática resulte necesaria para la celebración o ejecución de un contrato de trabajo, como podría ser el caso de la actividad que desarrollan empresas de selección de personal o del propio empresario, pueden realizar perfiles a efectos de contratación.

En cualquier caso, tales tratamientos deben estar sujetos a las garantías apropiadas, "entre las que se deben incluir la información específica al interesado y el derecho a obtener intervención humana, a expresar su punto de vista, a recibir una explicación de la decisión tomada después de tal evaluación y a impugnar la decisión", atendiendo a lo que indica el considerando 71 del Reglamento UE.

5.2. Cauces y medios de impugnación de las decisiones empresariales

Unas últimas líneas nos sirven para apuntar las posibilidades de reacción que tienen los trabajadores frente a infracciones de los sujetos responsables del tratamiento y posibles actos lesivos que dichas decisiones pueden provocar. El cumplimiento de la normativa sobre protección de datos se ha asegurado no solo con la imposición del principio de responsabilidad proactiva –en virtud del cual el responsable del tratamiento debe garantizar que los principios generales se cumplan en el seno de las empresas– sino también con un complejo régimen de recursos y mecanismos de responsabilidad que se pone a disposición de los perjudicados.

La primera reacción del empleado que se ve afectado por la vulneración de sus derechos ha de ser la reclamación directa al responsable o encargado del tratamiento –que lo trasladará al responsable–. Si estos no

---

genética o estado de salud u orientación sexual, o que den lugar a medidas que produzcan tal efecto. Las decisiones automatizadas y la elaboración de perfiles sobre la base de categorías particulares de datos personales únicamente deben permitirse en condiciones específicas".

atienden a su requerimiento, en el plazo de un mes[159], o su respuesta no resulta satisfactoria[160], el interesado puede elevar su reclamación a los órganos correspondientes para que resuelvan sobre dichos incumplimientos. Además del propio empleado perjudicado, también los sujetos colectivos que representan el interés general pueden activar dichos procedimientos; en virtud de lo dispuesto en el artículo 80 del Reglamento UE, "*interesado tendrá derecho a dar mandato a una entidad, organización o asociación sin ánimo de lucro que haya sido correctamente constituida con arreglo al Derecho de un Estado miembro, cuyos objetivos estatutarios sean de interés público y que actúe en el ámbito de la protección de los derechos y libertades de los interesados en materia de protección de sus datos personales, para que presente en su nombre la reclamación, y ejerza en su nombre los derechos*" que le correspondan[161].

Dejando al margen los procedimientos internos que pueden estar contenidos en los códigos de conducta o protocolos de las compañías, el Reglamento UE prevé distintas vías de impugnación de las decisiones empresariales: de un lado, unos mecanismos de tutela, tanto administrativa como judicial, de los derechos de protección de datos y, de otro, un remedio

---

[159]   Si el responsable del tratamiento no resuelve las cuestiones planteadas, de conformidad con el artículo 38 del Reglamento UE, el afectado puede ponerse en contacto con el delegado de protección de datos que, en su caso, haya designado el responsable o encargado del tratamiento, entre cuyas funciones figura la de supervisión del cumplimiento de la normativa de protección de datos. También sería posible hacer uso, en su caso, de mecanismos de mediación, procedimientos extrajudiciales y otros procedimientos de resolución de conflictos previstos en el artículo 40 k) de la citada norma para resolver las controversias surgidas con los responsables del tratamiento (en el ámbito de la comunicación comercial se ha constituido una entidad específica denominada AUTOCONTROL).

[160]   Según el artículo 12.3 del Reglamento UE, "*dicho plazo podrá prorrogarse otros dos meses en caso necesario, teniendo en cuenta la complejidad y el número de solicitudes. El responsable informará al interesado de cualquiera de dichas prórrogas en el plazo de un mes a partir de la recepción de la solicitud, indicando los motivos de la dilación. Cuando el interesado presente la solicitud por medios electrónicos, la información se facilitará por medios electrónicos cuando sea posible, a menos que el interesado solicite que se facilite de otro modo*".

[161]   El considerando 142 del Reglamento UE explica que "el interesado que considere vulnerados los derechos reconocidos por el presente Reglamento debe tener derecho a conferir mandato a una entidad, organización o asociación sin ánimo de lucro que esté constituida con arreglo al Derecho de un Estado miembro, tenga objetivos estatutarios que sean de interés público y actúe en el ámbito de la protección de los datos personales, para que presente en su nombre una reclamación ante la autoridad de control, ejerza el derecho a la tutela judicial en nombre de los interesados o, si así lo establece el Derecho del Estado miembro, ejerza el derecho a recibir una indemnización en nombre de estos".

indemnizatorio frente a los daños causados por los incumplimientos de los responsables.

1. Vía administrativa de tutela de derechos. Entre los mecanismos de tutela previstos, cabe contar, en primer lugar, con la posibilidad de que los trabajadores que vean vulnerados sus derechos puedan plantear reclamaciones ante una autoridad de control en materia de protección de datos –que, en nuestro país, es la Agencia Española de Protección de Datos[162]–. Este derecho se encuentra regulado en el artículo 77 del Reglamento UE que reconoce que, *"sin perjuicio de cualquier otro recurso administrativo o acción judicial, todo interesado tendrá derecho a presentar una reclamación"* ante la autoridad competente; recoge también, en su apartado segundo, el derecho a que se les informe sobre el curso y el resultado de las mismas.

Nuestra normativa interna, por su parte, desarrolla los procedimientos que se tramitan por la AEPD en los artículos 63 y siguientes de la LOPDPG-DD. Los supuestos en los que pueden plantearse estas reclamaciones[163] son aquellos *"en los que un afectado reclame que no ha sido atendida su solicitud de ejercicio de los derechos reconocidos en los artículos 15 a 22 del Reglamento (UE) 2016/679, así como en los que aquella investigue la existencia de una posible infracción de lo dispuesto en el mencionado reglamento y en la presente ley orgánica"*.

Si el procedimiento se refiere exclusivamente a la falta de atención de una solicitud de ejercicio de los derechos establecidos en los artículos 15 a 22 del Reglamento UE, este se deberá iniciar por acuerdo de admisión a trámite y el plazo para resolver será de seis meses a contar desde la fecha en que hubiera sido notificado al reclamante el acuerdo de admisión a trámite. El interesado podrá considerar estimada su reclamación, si transcurrido este plazo, la AEPD no se ha pronunciado.

Cuando, por su parte, el procedimiento tenga por objeto la determinación de la posible existencia de una infracción de lo dispuesto en la normativa de protección de datos, este se iniciará o bien mediante acuerdo de inicio adoptado por propia iniciativa o bien como consecuencia de una reclamación. Ante la recepción de una reclamación, la AEDP debe decidir, en primer lugar, acerca de su admisión a trámite, conforme a lo dispues-

---

[162] Entre otras funciones se le atribuye la tramitación de reclamaciones presentadas por violación del Reglamento y las legislaciones nacionales pertinentes. Consultar página web de la Comisión Europea *Data Protection Authorities* (*ec.europa. eu*).

[163] Tal y como indica el considerando 141 del Reglamento UE, "para facilitar la presentación de reclamaciones, cada autoridad de control debe adoptar medidas como el suministro de un formulario de reclamaciones, que pueda cumplimentarse también por medios electrónicos, sin excluir otros medios de comunicación".

to en el artículo 65 de la LOPDPGDD. Una vez admitida la reclamación, así como en los supuestos en los que la AEDP actúe por propia iniciativa, puede existir una fase de actuaciones previas de investigación, que se regirá por lo previsto en el artículo 67 de dicha norma. El plazo máximo de duración de este procedimiento es de de nueve meses a contar desde la fecha del acuerdo de inicio o, en su caso, del proyecto de acuerdo de inicio. Transcurrido dicho plazo se producirá su caducidad y, en consecuencia, el archivo de las actuaciones.

Con el fin de asegurar la garantía de los derechos de los afectados, ante el riesgo de que la continuación del tratamiento de los datos personales, su comunicación o transferencia internacional comportara un menoscabo grave del derecho a la protección de datos personales, la AEPD podría, según prevé el artículo 69 de la LOPDPGDD, ordenar a los responsables o encargados el bloqueo de los datos y la cesación del tratamiento e incluso proceder a su inmovilización, si sus mandatos fueran incumplidos.

2. Vía judicial de tutela de derechos. En caso de que AEPD no responda a una reclamación, rechace o desestime total o parcialmente una reclamación o no actúe cuando sea necesario para proteger los derechos del interesado o ante una vulneración de los derechos de protección de datos, el trabajador perjudicado tiene reconocido el derecho a la tutela judicial efectiva. Así, a través de esta vía judicial el afectado puede hacer valer sus derechos de protección de datos mediante la interposición de dos acciones diferentes; de una parte, aquella que permite reaccionar frente a una resolución insatisfactoria de la AEPD y, de otra, la que puede plantearse contra los responsables o encargados del tratamiento por incumplimiento de la normativa de protección de datos.

El primero de estos mecanismos judiciales de defensa del trabajador, contenido en el artículo 78 del Reglamento UE, se articula en nuestro ordenamiento a través de la posibilidad de interponer recurso contencioso-administrativo ante la Audiencia Nacional frente a decisiones consideradas inadmisibles de la AEPD. El artículo 25 y la disposición adicional cuarta de la Ley 29/1998, de 13 de julio, Reguladora de la Jurisdicción Contencioso-Administrativa, regula este procedimiento[164].

La segunda posibilidad de acudir a la vía judicial es aquella, contemplada por el artículo 79 del Reglamento UE, que prevé que "*todo interesado tendrá derecho a la tutela judicial efectiva cuando considere que sus derechos en virtud*

---

[164]   J. BAZ RODRÍGUEZ, *Privacidad y protección de datos de los trabajadores en el entorno digital*, p. 134.

del presente Reglamento han sido vulnerados como consecuencia de un tratamiento de sus datos personales". Se indica específicamente que las acciones contra un responsable o encargado del tratamiento deberán ejercitarse ante los tribunales del Estado miembro en el que el responsable o encargado tenga un establecimiento. En estos casos, el orden jurisdiccional competente será el social, en virtud del apartado a) y b) de la Ley Reguladora de la Jurisdicción Social.

3. El resarcimiento efectivo de daños producidos por incumplimiento. Especial atención han prestado las normas más recientes a la garantía del principio de resarcimiento de daños causados por incumplimientos de la normativa sobre protección de datos; es el caso del artículo 82 del Reglamento UE, que regula dicho remedio indemnizatorio. Expresamente dispone que "*toda persona que haya sufrido daños y perjuicios materiales o inmateriales como consecuencia de una infracción del presente Reglamento tendrá derecho a recibir del responsable o el encargado del tratamiento una indemnización por los daños y perjuicios sufridos*".

Para que pueda prosperar una acción de responsabilidad *ex* artículo 82 del Reglamento UE es necesario que concurran los presupuestos propios de este tipo de responsabilidad, esto es, la condición de responsable o encargado del tratamiento, una infracción normativa sobre protección de datos, daños y perjuicios sufridos y una relación de causalidad entre infracción y resultado dañoso[165].

La indemnización que se reclama –de carácter extracontractual– ha de estar basada en un hecho culposo imputable al sujeto responsable del tratamiento; la responsabilidad del encargado, por su parte, es más limitada puesto que únicamente responde de los daños causados por el tratamiento cuando no haya cumplido con las obligaciones dirigidas específicamente a los encargados o haya actuado al margen o en contra de las instrucciones legales del responsable[166]. Ambos pueden, no obstante, quedar exentos de responsabilidad si demostrara que no son, en modo alguno, responsables del hecho que haya causado los daños y perjuicios.

Si en la misma operación de tratamiento participa más de un responsable o encargado y sean responsables de cualquier daño o perjuicio causado

---

[165]   A. RUBÍ PUIG, "Daños por infracciones del derecho a la protección de datos personales. El remedio indemnizatorio del artículo 82 RGPD", *Revista de Derecho Civil*, vol. V, nº 4, 2018, p. 57.

[166]   J.L. GOÑI SEÍN, *La nueva regulación europea y española de protección de datos y su aplicación al ámbito de la empresa*, p. 186.

por dicho tratamiento, cada uno de ellos será considerado responsable de todos los daños y perjuicios[167], a fin de garantizar la indemnización efectiva del interesado. En el caso de que un responsable o encargado haya pagado una indemnización total por el perjuicio ocasionado tendrá derecho a reclamar a los demás la parte de la indemnización correspondiente a su parte de responsabilidad.

---

[167]   Como apunta el considerando 146 del Reglamento UE, "los interesados deben recibir una indemnización total y efectiva por los daños sufridos".

X. LA BASE JURÍDICA DEL TRATAMIENTO DE DATOS PERSONALES EN EL ÁMBITO LABORAL

Xavier Thibault Aranda

Profesor Titular de Derecho del Trabajo y de la Seguridad Social
Universidad Complutense

SUMARIO: 1. INTRODUCCIÓN. 2. EL PRINCIPIO DE LICITUD Y LAS BASES JURÍDICAS DEL TRATAMIENTO DE DATOS PERSONALES. 3. EL CONTRATO DE TRABAJO COMO BASE JURÍDICA DEL TRATAMIENTO. 4. EL CUMPLIMIENTO DE UNA OBLIGACIÓN LEGAL COMO BASE JURÍDICA DEL TRATAMIENTO. 5. EL TRATAMIENTO BASADO EN EL INTERÉS LEGÍTIMO DEL RESPONSABLE DEL TRATAMIENTO O DE UN TERCERO. 6. EL CONSENTIMIENTO DEL TRABAJADOR COMO ÚLTIMA OPCIÓN PARA EL TRATAMIENTO DE DATOS DEL TRABAJADOR.

1. INTRODUCCIÓN

Ocioso es recordar que en el actual contexto económico y productivo la transformación digital no es para la inmensa mayoría de las empresas una simple oportunidad de negocio sino una necesidad acuciante. El posicionamiento en los buscadores o la estrategia de redes sociales pueden determinar el éxito o el fracaso de un proyecto empresarial. Empresas emergentes alcanzan valoraciones astronómicas en bolsa mientras que grandes conglomerados industriales con cientos de años de historia desaparecen de la noche a la mañana por no haber previsto estos cambios o no saber adaptarse a los mismos. Y aunque la primera empresa del mundo por capitalización bursátil vuelve a ser una petrolera, todos los expertos coinciden en que los datos son el nuevo petróleo. Es la llamada "gobernanza de los datos", que remueve los enteros cimientos del sistema social, económico y productivo y, por ende, la gestión de la empresa; tanto hacia fuera, en su relación con los clientes, proveedores y otros operadores, como, en lo que aquí interesa, hacia dentro, al implementarse procesos de producción y de trabajo basados en el dato y la analítica. Y aunque podemos seguir sosteniendo que el trabajo no es una mercancía, lo que es indudable es que un imperceptible código de barras o QR amenaza al trabajador.

Si hasta hace unos pocos años, el empleado venía definido por unos pocos atributos, que normalmente registraban los departamentos de recursos humanos o las gestorías en unas fichas, como la titulación, la antigüedad o los ingresos, ahora, en cambio, los trabajadores son una fuente inagotable de datos. Desde aquellos que revela al responder a cuestionarios o en las entrevistas de trabajo hasta aquellos otros de los que se desprende a través del uso de dispositivos como teléfonos, ordenadores, tabletas, vehículos y "wearables", puede que incluso sin que sea consciente. Por no hablar de las amplias posibilidades de monitorización mediante la grabación de su imagen y la grabación de sonidos, o el uso de sistemas de inteligencia artificial incorporados al proceso productivo que parametrizan su rendimiento y diligencia, en tiempo real, de forma constante e indefectible. Una tecnología que permite verificar el grado de cumplimiento de las obligaciones laborales, adecuar el ritmo y la carga de trabajo a la capacidad del trabajador e incluso, gracias a los algoritmos, anticipar su comportamiento.

Ahora bien, sin desconocer las indudables ventajas que supone el uso de estas técnicas en los procesos de producción y en la gestión del personal, tampoco conviene pasar por alto los riesgos que la digitalización puede suponer para el trabajador. Máxime si se tiene en cuenta que el contrato de trabajo se configura ya como un ámbito particularmente propicio para que se produzcan intromisiones en la esfera de la intimidad y privacidad del trabajador, habida cuenta de que el empleador tiene reconocido por ley el derecho a controlar la ejecución del contrato de trabajo y, por ende, al trabajador. ¿Hasta dónde se puede monitorizar a un trabajador?, ¿está justificado medir sus constantes vitales o conocer su estado de ánimo?, ¿qué grado de intervención humana resulta necesario para que una decisión del empleador basada en un tratamiento automatizado de datos resulte válida?, he aquí algunas de las preguntas que tenemos que hacernos en este nuevo escenario. Porque la misma tecnología que sirve, por ejemplo, para eliminar la arbitrariedad o la excesiva subjetividad en multitud de decisiones empresariales, pone en serio riesgo el derecho a la intimidad o, por lo que aquí interesa, el derecho a la protección de datos. Pues no se olvide que por el hecho de firmar un contrato de trabajo el empleado no pierde su derecho a controlar la información sobre uno mismo y decidir qué datos desea compartir o revelar. El tratamiento de datos personales de los trabajadores tendrá que desarrollarse según las necesidades empresariales, pero respetando los límites de ese derecho y de los que se relacionan con él, como la intimidad, el honor o la propia imagen.

En este escenario, el Reglamento 2016/679, del Parlamento Europeo y del Consejo, de 27 de abril, relativo a la protección de las personas físicas en lo que respecta al tratamiento de datos personales y a la libre circulación de estos datos y por el que se deroga la Directiva 95/46/CE –en adelante RGPD–, se configura como eje central a la hora de garantizar que, aunque estemos en una empresa cada vez más "datificada", la dignidad del trabajador siga estando en el centro de cualquier estrategia corporativa y, como tal, quede incorporada en los procesos y la tecnología. No en vano toda la información que puede obtener el empresario del trabajador, afecte o no a su intimidad, entra dentro de la definición de datos personales del art. 4.1. del RGPD y, por tanto, la normativa de protección de datos personales debe tenerse en cuenta en cada momento de la relación laboral. Incluso antes, desde que se recibe el curriculum. Como señalan García Murcia y Rodríguez Cardo, "probablemente no sea el primer campo de aterrizaje para las reglas sobre protección de datos personales, pero es indiscutible que las relaciones de trabajo y, en general, la actividad profesional de las personas es terreno abonado para el juego de esta clase de reglas"[1], pues al fin y a la postre estamos ante un vínculo de carácter personal, que perdura en el tiempo y que afecta a ámbitos muy diversos de la personalidad humana –datos relativos a la vida profesional o familiar, a la salud o incluso la ideología, como la afiliación sindical–[2].

Como es sabido, con la aprobación del RGPD se pretende, entre otros objetivos, superar los obstáculos que impidieron la finalidad armonizadora de la Directiva 95/46/CE, mediante una regulación de efectos directos. Ahora bien, eso no excluye toda intervención del Derecho interno, que incluso puede ser necesaria, tanto desde el punto de vista de la depuración del ordenamiento nacional como para el desarrollo o complemento de la norma comunitaria. De ahí la posterior aprobación de la Ley Orgánica 3/2018, de 5 de diciembre, de Protección de Datos Personales y garantía de los derechos digitales –en adelante LOPDGDD–, que, además de integrar el ordenamiento europeo en el interno, ha venido a regular de manera específica determinados tratamientos de datos en el ámbito laboral. En concreto, cuando se conecta al uso de dispositivos digitales, de videovigilancia y de grabación de sonidos en el lugar de trabajo y de geolocalización en el ámbito laboral. En coherencia con lo dispuesto con el Considerando 155 del RGDP que señala que los Estados miembro o la negociación colectiva,

---

[1]   GARCÍA MURCIA, J. y RODRÍGUEZ CARDO, I.A., "La protección de datos personales en el ámbito de trabajo: una aproximación desde el nuevo marco normativo", *Revista Española de Derecho del Trabajo*, núm. 216, 2019, pág. 33.

[2]   MERCADER UGUINA, J.R., *Derecho del Trabajo, nuevas tecnologías y sociedad de la información*, Lex Nova, Madrid, 2002, pág. 107.

incluida la de empresa, pueden establecer normas específicas relativas al tratamiento de datos personales de los trabajadores en el ámbito laboral[3]. En definitiva, un nuevo armazón jurídico para la protección de datos que obliga a estudiar la incidencia de los nuevos principios y obligaciones en el contexto de las relaciones laborales.

Dicho esto, no se va a abordar aquí el conjunto de modificaciones normativas ni las implicaciones que tiene la aplicación de tales previsiones legales en el ámbito laboral, sino que más limitadamente se va a examinar uno de los presupuestos para el tratamiento de datos laborales, las bases jurídicas contenidas en el art. 6 del RGPD. El análisis se va a centrar, por tanto, en el título jurídico que habilita al empresario o a un tercero con quien guarda relación –clientes, representantes de los trabajadores, otras empresas– para tratar información de sus empleados. De una parte, porque, como consecuencia de la aprobación del RGPD y más limitadamente de la LOPDGDD, se han producido novedades relevantes; de otra, porque en los últimos tiempos ha habido algunos pronunciamientos judiciales y decisiones de la AEPD que ponen de manifiesto las especialidades o dificultades que comporta el encaje o la determinación de la base legal del tratamiento en el ámbito del contrato de trabajo o, más ampliamente, de las relaciones laborales. A este fin se encamina, modestamente, esta aportación, teniendo en cuenta además que en el capítulo anterior se ha realizado una aproximación de conjunto, que en cierto modo permite enmarcar lo que aquí se aborda.

2. EL PRINCIPIO DE LICITUD Y LAS BASES JURÍDICAS DEL TRATAMIENTO DE DATOS PERSONALES

Desde un punto de vista sistemático, el estudio de la base jurídica del tratamiento de datos y, por ende, del contenido del artículo 6 del RGPD, exige referirse con carácter previo al art. 5 del RGPD, sobre los "principios relativos al tratamiento de datos". Dicho artículo regula el conjunto de

---

[3]   "(…), en particular en relación con las condiciones en las que los datos personales en el contexto laboral pueden ser objeto de tratamiento sobre la base del consentimiento del trabajador, los fines de la contratación, la ejecución del contrato laboral, incluido el cumplimiento de las obligaciones establecidas por la ley o por convenio colectivo, la gestión, planificación y organización del trabajo, la igualdad y seguridad en el lugar de trabajo, la salud y seguridad en el trabajo, así como a los fines del ejercicio y disfrute, sea individual o colectivo, de derechos y prestaciones relacionados con el empleo y a efectos de la rescisión de la relación laboral" –Considerando 155 RGPD–.

principios a los que debe someterse dicho tratamiento, con la particularidad, por tanto, de que no se limitan a informar la normativa sino que, dada su consagración legal, será necesario su cumplimiento en cada caso concreto de tratamiento[4]. No son, como señala Puyol Montero, meros principios informadores, sino un conjunto de reglas prácticas que determinan cómo se deben recoger, tratar y ceder los datos de carácter personal[5]. Pues bien, entre esas reglas, figura que los datos sean "tratados de forma lícita, leal y transparente en relación con el interesado («licitud, lealtad y transparencia»)". Tiene que existir en todo caso una base legítima para justificar el tratamiento de datos. Si falta deviene ilícito[6]. Es más, conforme a la regla de transparencia que se incorpora como parte del principio de tratamiento leal y lícito, el interesado tiene que ser informado de la base jurídica que justifica el tratamiento, de suerte que si falta dicha información el mismo deviene igualmente ilícito.

Partiendo de lo anterior, conforme a lo dispuesto en el art. 6.1 del RGPD el tratamiento solo será lícito si se cumple al menos una de las siguientes condiciones[7]:

"a) el interesado dio su consentimiento para el tratamiento de sus datos personales para uno o varios fines específicos;

b) el tratamiento es necesario para la ejecución de un contrato en el que el interesado es parte o para la aplicación a petición de este de medidas precontractuales;

c) el tratamiento es necesario para el cumplimiento de una obligación legal aplicable al responsable del tratamiento;

d) el tratamiento es necesario para proteger intereses vitales del interesado o de otra persona física;

---

[4] "De modo que será necesario su cumplimiento en cada supuesto de tratamiento, exigiendo que el mismo cumpla con todos y cada uno de ellos", PUENTE ESCOBAR, A., "Principios y licitud del tratamiento, en *Tratado de protección de datos*, AA.VV. (Dir. RALLO LOMBARTE, A.), Tirant lo blanch, Valencia, 2019, pág. 116.

[5] PUYOL MONTERO, J., *Reglamento General de Protección de datos. Hacia un nuevo modelo europeo de privacidad*, REUS, Madrid, 2016, pág. 135.

[6] El art. 72.1.b) de la LOPDGDD tipifica como infracción muy grave "el tratamiento de datos sin que concurra alguna de las condiciones de licitud del tratamiento establecidas en el artículo 6 del Reglamento (UE) 2016/679".

[7] Téngase en cuenta que dicha relación de bases jurídicas constituye un listado cerrado, según reconoció el TJUE, en sentencia de 24 de noviembre de 2011, caso ASNEF (C-468-10 y C-469/10), pues, aunque se refería al art. 7 de la Directiva 95/46/CE, resulta igualmente predicable del art. 6 del RGPD.

e) el tratamiento es necesario para el cumplimiento de una misión realizada en interés público o en el ejercicio de poderes públicos conferidos al responsable del tratamiento;

f) el tratamiento es necesario para la satisfacción de intereses legítimos perseguidos por el responsable del tratamiento o por un tercero, siempre que sobre dichos intereses no prevalezcan los intereses o los derechos y libertades fundamentales del interesado que requieran la protección de datos personales, en particular cuando el interesado sea un niño.

Lo dispuesto en la letra f) del párrafo primero no será de aplicación al tratamiento realizado por las autoridades públicas en el ejercicio de sus funciones".

Todo lo cual comporta, por las razones que expondremos a continuación, un cambio sensible respecto del modelo de protección de datos que había regido en nuestro país hasta la entrada en vigor del reglamento europeo.

Primero, de todos es sabido que, desde la aprobación de la Ley Orgánica 5/1992, de 29 de octubre, de regulación del tratamiento automatizado de los datos de carácter personal –en adelante, LORTAD–, el consentimiento del interesado constituye, junto a los principios de finalidad y proporcionalidad, uno de los principios básicos de nuestro sistema de protección de datos[8]. No en vano, dicha ley estableció que el tratamiento de los datos requeriría el consentimiento inequívoco del afectado, salvo que la ley dispusiera otra cosa –art. 6.1 LORTAD–, al tiempo que configuraba el resto de supuestos de lícito tratamiento como excepciones al consentimiento –art. 6.2 LORTAD–. Un planteamiento que no se correspondía con la Directiva 95/46/CE, de 24 de octubre, relativa a la protección de las personas físicas en lo que respeta al tratamiento de datos personales y a la libre circulación de estos datos, que contemplaba seis causas legales de tratamiento, sin prevalencia de unas sobre otras. A pesar de lo cual, el legislador español, al transponer la norma comunitaria, mantuvo esa clara preferencia por el consentimiento del interesado como base de legitimación del tratamiento. En concreto, en el artículo 6 de la Ley Orgánica 15/1999, de 13 de diciembre, de Protección de Datos de Carácter Personal –en adelante, LOPDCP–, que no en vano llevaba por título "Consentimiento del interesado". Allí se

---

[8]   Para el propio Tribunal Constitucional el contenido del derecho fundamental a la protección de datos se configura en ese tiempo como "la facultad de consentir la recogida, la obtención y el acceso a los datos personales, posterior almacenamiento y tratamiento, así como su posterior uso por un tercero." –STC 292/2000, de 30 de noviembre–.

prevé igualmente que el tratamiento requeriría el consentimiento inequívoco del afectado, salvo que la ley dispusiera otra cosa o concurriera algunas de las circunstancias especiales que se desgranaban a continuación.

Pues bien, con la aplicación directa del RGPD se pone fin a esa anomalía patria. El art. 6 del RGPD no configura el consentimiento como la única base realmente legítima del tratamiento, ni otorga preferencia o prioridad al consentimiento frente a las restantes bases de legitimación del tratamiento. "Tan lícito es acudir a una de esas causas de legitimación como a otras, teniendo en cuenta las circunstancias del caso"[9]. De suerte que se pasa de un modelo en el que el consentimiento se consagra como la piedra angular del sistema a otro en el que sólo cabe acudir a la libre determinación de la voluntad del interesado como motivo de legitimación cuando el tratamiento no responde a ninguno de los contextos específicos que se describen en las letras b) a f) del art. 6.1 del RGPD.

Segundo, el art. 6.1 del RGPD distingue, según se ha visto, seis bases legales para el tratamiento de datos de carácter personal. Dichas bases no experimentan variaciones sensibles con respecto a lo que ya establecía el art. 7 de la Directiva 95/46/CE. En cambio, las novedades son mayores si se compara con la LOPDCP. De una parte, desaparece la "habilitación legal" como base jurídica del tratamiento, al establecer el art. 6.1.c) del RGPD, de manera mucho más restrictiva, que el tratamiento tiene que ser "necesario para el cumplimiento de una obligación legal aplicable al responsable del tratamiento". No se trata, por tanto, ya de que la ley habilite un tratamiento que el responsable llevará o no a cabo si lo estima conveniente, en el sentido de que será una decisión discrecional, sino que viene compelido a tratar determinados datos por mandato legal[10]. De otra parte, aunque no menos relevante, con el art. 6.1.f) del RGPD se incorpora a nuestra normativa el "interés legítimo del responsable del tratamiento o de un tercero", con lo que se corrige una de las principales anomalías de nuestro modelo de protección de datos. Pues, ni en la LORTAD ni en la LOPDCP, se vino a reconocer abiertamente la regla de ponderación del interés legítimo como base jurídica del tratamiento[11]. Tal y como vino a constatar la STJUE de 24

---

[9]   PUENTE ESCOBAR, A., "Principios y licitud…", op. cit., pág. 118.

[10]   PUENTE ESCOBAR, A., "Principios y licitud…", op. cit., pág. 123.

[11]   Otra cosa es que dicha laguna se tratara de suplir con la inclusión en la ley de otras causas de legitimación, distintas de las concurrentes en los países de nuestro entorno y que en último término tenían como base la satisfacción de un interés legítimo no regulado con carácter general en la ley. Algunas, como el tratamiento de datos de "fuentes accesibles al público" o la habilitación legal para crear "ficheros de solvencia patrimonial y de crédito", se incluyeron en la propia normativa de protección de datos,

de noviembre de 2011 (Asuntos acumulados C-468/10 y C-469/10, ASNEF, FECEMD), que declaró el efecto directo del artículo 7.f) de la Directiva 95/46/CE.

Tercero, como señala Puente Escobar, "dada la literalidad del precepto y la diferenciación que el mismo realiza entre la voluntad del sujeto y la necesidad del tratamiento en los restantes supuestos", las causas de tratamiento que se enumeran el art. 6.1 del RGPD no son intercambiables o acumulables. Esto significa que si concurre alguna de las necesidades enumeradas en las letras b) a f) del art. 6.1 del RGPD, el tratamiento deberá vincularse con la correspondiente base jurídica, y si no puede apreciarse este juicio de necesidad deberá acudirse al consentimiento del interesado para proceder al tratamiento, esto es, la letra a) del art. 6.1 del RGPD. Pero también significa que no cabe ampararse en más de una de esas bases legales para justificar la licitud del tratamiento[12]. Lo que no comporta que dos o más causas no puedan concurrir en el tratamiento de los datos de un trabajador, habida cuenta que se trata de una relación de tracto sucesivo y que a lo largo de la misma se tratan multiplicidad de datos, a veces incluso los mismos, para fines diversos. Un claro ejemplo es el tratamiento de datos que realiza el empleador con ocasión del registro de la jornada. Si de lo que se trata es de verificar el cumplimiento de la jornada, en los términos que habilita el art. 20.3 del Estatuto de los Trabajadores, la base jurídica radica en el propio contrato de trabajo –art. 6.1.b) RGPD–. Si, en cambio, se trata de dar cumplimiento a lo dispuesto en el art. 34.9 del Estatuto de los Trabajadores, cabrá apelar al cumplimiento de la obligación legal –art. 6.1.c) RGPD–.

Por último, añádase que las bases jurídicas enumeradas en el art. 6.1 del RGPD operan para todo tipo de datos, esto es, también para el tratamiento de las denominadas categorías especiales de datos, como pone de manifiesto el considerando 51 del RGPD cuando señala que "además de los requisitos específicos de ese tratamiento, deben aplicarse los principios generales y otras normas del presente Reglamento, sobre todo en lo que se refiere a las condiciones de licitud del tratamiento". Es decir, para que sea lícito el tratamiento de estos datos, además de darse alguna de las circunstancias que excepcionan la regla general de prohibición de tratamiento

---

mientras que otras se plasmaban en otras normas sectoriales, como la Ley 19/2013, de 9 de diciembre, de transparencia, acceso a la información pública y buen gobierno, que legítima la información pública sobre el interés legítimo del solicitante.

[12]   PUENTE ESCOBAR, A., "Principios y licitud...", op. cit., págs. 123 a 125.

de datos "sensibles" ex art. 9 del RGPD, tiene que concurrir alguna de las bases jurídicas contempladas en el art. 6 del RGPD.

Pues bien, sentado lo anterior y antes de entrar a analizar en detalle las bases de legitimación del tratamiento de datos de los trabajadores, se impone realizar dos precisiones. De una parte, no procede analizar aquí todas y cada una de las bases jurídicas que enumera el art. 6.1 del RGPD, habida cuenta de su diverso nivel de incidencia en el ámbito de la relación entre trabajador y empresario. En concreto, el análisis se centrará en el "consentimiento", "la ejecución de un contrato" o la "aplicación de medidas precontractuales", la "obligación legal" y los "intereses legítimos perseguidos por el responsable del tratamiento o por un tercero", mientras que se dejará de lado el tratamiento "necesario para proteger intereses vitales del interesado o de otra persona física" y el "necesario para el cumplimiento de una misión realizada en interés público o en el ejercicio de poderes públicos conferidos al responsable del tratamiento". De otra parte, no se va a seguir el orden establecido en el art. 6.1 del RGPD, en la medida en que el consentimiento se configura en cierto modo como *ultima ratio*, esto es, sólo cuando no concurra alguna de las "necesidades" que se enumeran en las letras anteriores, por lo que su estudio se deja para el final. Máxime porque, como se comprobará luego, el consentimiento en el ámbito laboral viene teniendo un papel muy secundario.

3. EL CONTRATO DE TRABAJO COMO BASE JURÍDICA DEL TRATAMIENTO

Conforme a lo establecido en el artículo 6.1.b) RGPD, que reproduce prácticamente de forma literal el artículo 7 de la Directiva, el tratamiento es lícito cuando "es necesario para la ejecución de un contrato en el que el interesado es parte o para la aplicación a petición de este de medidas precontractuales". En estas circunstancias el empresario no viene obligado a recabar la venia del trabajador para tratar los datos. La licitud viene dada por el propio desarrollo del contenido del contrato o porque el tratamiento es necesario para implementar medidas precontractuales. Un término, este último, ciertamente más amplio que el que figuraba en el art. 6.2 de la LOPDCP, que se refería en su lugar al "precontrato".

Partiendo de lo anterior, el precepto diferencia dos supuestos, aquel en el que el tratamiento de los datos es necesario para la celebración y cumplimiento de un contrato, en nuestro caso de trabajo, y aquel otro en que el tratamiento es necesario para la adopción de medidas precontractuales, como, por ejemplo, la realización de entrevistas de trabajo, test psicotécnicos, etc. Ahora bien, ni uno ni otro presupuesto son suficientes por sí solos para legitimar el tratamiento, habida cuenta que el precepto establece un requisito adicional, la necesidad de ese tratamiento. Una condición que debe vincularse con el concreto contenido de la relación contractual y el alcance de los derechos y obligaciones que del mismo se derivan[13].

Es decir, el hecho de que exista una relación laboral no determina que el empleador pueda válidamente tratar cualquier dato del trabajador, sino que, en principio, deberá limitarse a aquellos que son estrictamente necesarios para la ejecución del contrato. Más allá de ahí, esto es, para tratar datos que nada tienen que ver con el contrato de trabajo o que, aunque puedan conectarse de algún modo con la condición de empleado, no resultan necesarios para ejecutarlo, habrá que recabar el consentimiento del empleado o recurrir a otro título de legitimación. Un ejemplo puede ser la grabación de un video promocional de la empresa en el que aparecen trabajadores realizando sus funciones. Dado que no responde a la finalidad de sus contratos, será necesario justificarlo en base a un interés legítimo de la empresa o solicitar el consentimiento de los afectados.

Un juicio de necesidad que requerirá indagar en cada caso y a la vista de las circunstancias concurrentes, si es posible desarrollar la relación laboral sin el tratamiento de los datos. Un examen concreto y prospectivo no exento de dificultades. Para muestra dos ejemplos que nos brinda el Tribunal Supremo en los últimos años, que, aunque se plantean al albur de lo dispuesto en el art. 6 de la derogada Ley Orgánica 15/1999, resultan igualmente ilustrativos.

En primer lugar, obligado es recordar la STS de 21 de noviembre de 2015 –Rec. 259/2014–, que analiza la validez de una cláusula/tipo que, con ligeras variantes introducidas en el tiempo, refería que las "partes convienen expresamente que cualquier tipo de comunicación relativa a este contrato, a la relación laboral o al puesto de trabajo, podrá ser enviada al trabajador vía SMS o vía correo electrónico según los datos facilitados por el trabajador a efectos de contacto" y que "cualquier cambio o incidencia con respecto a los mismos, deberá ser comunicada a la empresa de forma fehaciente e inmediata". Cuestión sobre la que previamente se había

---

[13]   En palabras del Grupo de Trabajo creado por el art. 29 de la Directiva 95/46/CE, "debe existir un vínculo objetivo y directo entre el tratamiento de los datos y la finalidad de la ejecución del contrato", en *Directrices sobre el consentimiento en el sentido del Reglamento (UE) 2016/679* –GT29, WP259 & 3.1.2–.

pronunciado la Audiencia Nacional, en la sentencia de 28 de enero de 2014, que declaró la nulidad de la referida cláusula, en la consideración de que no se había acreditado que los números de teléfono móvil y dirección de correo electrónico fueran necesarios para el mantenimiento y cumplimiento del contrato y que, por ende, la empresa no podía imponer a los trabajadores al firmar el contrato que le facilitasen los referidos datos por ser contrario a la Ley Orgánica 15/1999. Lo que no impedía, añadió el tribunal, que el trabajador pudiera voluntariamente, de forma separada y con posterioridad proporcionar esos mismos datos. La empresa, disconforme con la decisión, interpuso recurso de casación[14].

Pues bien, el Tribunal Supremo, siguiendo en esencia el razonamiento de la Audiencia Nacional, va a desestimar ese recurso. El Alto Tribunal parte de que los datos cuya incorporación al contrato se cuestionan –teléfono móvil/correo electrónico– en manera alguna están exentos del consentimiento del trabajador. Concretamente y he aquí el meollo del asunto, declara que "no lo están en la excepción general del art. 6.2 LOPDCP, porque en absoluto «son necesarios para el mantenimiento o cumplimiento» del contrato de trabajo, como el precepto requiere, y mucho menos «imprescindibles» a tal efecto, como el recurso llega a afirmar, pues si la cualidad de «necesario» se predica conforme al DRAE- de aquello que «es menester indispensablemente, o hace falta para un fin», el hecho de que la relación laboral pueda desenvolverse –lo ha venido haciendo hasta las recientes fechas en que tales avances tecnológicos eran inexistentes– sin tales instrumentos, evidencia que no puedan considerarse incluidos en aquella

---

[14]   Basa el recurso en tres razones: primero, porque el supuesto estaba exento del consentimiento del trabajador, en tanto que los datos a los que se refería la cláusula presentaban la nota de ser absolutamente indispensables para que el contrato de trabajo pudiera desplegar sus efectos, por lo que estaba incurso en la excepción prevista en el art. 6.2 LOPD –"sean necesarios para su mantenimiento o cumplimiento"–; segundo, porque, aparte de esa innecesariedad, la propia literalidad de la cláusula ponía de manifiesto el expreso consentimiento del trabajador, al evidenciarse "en todo momento, que su formalización responde a la libre voluntad de las partes"; y tercero, porque el art. 2.2 del Real Decreto 1720/2007, de 21 de diciembre, por el que se aprueba el Reglamento de desarrollo de la Ley Orgánica 15/1999, de 13 de diciembre, de protección de datos de carácter personal, exceptuaba tales datos de la protección examinada, en la consideración de que "tanto el número de teléfono móvil como la dirección de correo electrónico personal se erigen en datos absolutamente comunes en el tráfico ordinario de las cosas, son necesarios en una dinámica de relaciones laborales normales y, por ello, no se corresponden ni tienen relación alguna con datos o con información que entronque directamente con la esfera más íntima de la persona".

salvedad general"[15]. Sentada esta premisa, a continuación, la Sala no "niega que voluntariamente puedan ponerse aquellos datos a disposición de la empresa, pues ello es algo incuestionable; es más, incluso pudiera resultar deseable, dado los actuales tiempos de progresiva pujanza telemática en todos los ámbitos", pero rechaza que ello pueda hacerse en el momento mismo de la firma del contrato, en la consideración de que en ese momento el consentimiento puede no ser enteramente libre. Razón por la cual y en último término, el Alto Tribunal declara la nulidad de la cláusula en cuestión, aspecto sobre el que se volverá más adelante.

Lo relevante en este punto es destacar la restrictiva aplicación que hace el Tribunal Supremo del juicio de necesidad. Tanto que prácticamente proscribe del ámbito laboral el uso del teléfono o del correo electrónico para comunicarse con el trabajador fuera del horario y centro de trabajo. Porque, aunque el Tribunal no lo haya expresado con tanta claridad, al final la conclusión es que en pleno siglo XXI las comunicaciones tienen que hacerse de modo similar a como se hacía no ya en el siglo pasado sino incluso antes. Un razonamiento que de hacerse extensivo a otros avances tecnológicos mantendría a la empresa en épocas pasadas, pues siguiendo con la lógica del Tribunal hasta hace bien poco la relación laboral se desarrollaba sin necesidad de recurrir al uso de dispositivos de captación de imagen y sonido o a la geolocalización. Una decisión que por la misma razón llevaría a considerar que no se pueden realizar videoconferencias en las empresas o usar los datos biométricos de los trabajadores para controlar el acceso a las instalaciones o registrar la jornada de trabajo. Es cierto que el propio Tribunal, al compás de los tiempos, abre la puerta a la posibilidad de que el trabajador consienta a la empresa para tratar esos datos –siempre que sea con posterioridad a la celebración del contrato–, pero lo cierto es que tal solución en último término dependerá de la voluntad del trabajador, quien además podría retirarlo en cualquier momento.

Un fallo que, en términos generales, no comparto. El juicio de necesidad requiere acreditar que no exista otra medida que, obteniendo en términos semejantes la finalidad perseguida, resulte menos gravosa o restrictiva del derecho, por cuanto no exija el tratamiento de esos datos perso-

---

[15]   A lo que añade que "tampoco pueden incluirse en la previsión específica que al efecto lleva a cabo el art. 2.2 del RD 1720/2007, por cuanto que la misma se refiere exclusivamente al teléfono y dirección electrónica «profesionales», esto es, los destinadas –específicamente– a la actividad profesional del trabajador y que –parece obvio– han de ser los proporcionados por la empresa para el desarrollo de la actividad laboral del empleado; no los particulares de que los trabajadores pudieran disponer".

nales. Estamos ante una manifestación de la racionalidad ética fundamentada en que la restricción del derecho a la protección de datos sea lo más moderada posible, pero también de la racionalidad instrumental, ya que debe ser avalada empíricamente por otras medidas igualmente idóneas. Y esto último es lo que, creo, no valora adecuadamente el Tribunal, dado que en este caso no necesariamente son medios equivalentes. Hay circunstancias sobrevenidas, como un cambio de horario, un retraso o una ausencia de un trabajador, que exigen contactar lo antes posible con el empleado y eso pasa por llamarle a su teléfono personal si necesario. Entender lo contrario es ir en contra del signo de los tiempos y desconocer las ventajas que para empresa y trabajador confieren las nuevas posibilidades de comunicación. De ahí que, a mi juicio, hubiera sido más adecuado considerar que la inmediatez que caracteriza de un tiempo a esta parte los hábitos sociales, de consumo y de producción, exige que la comunicación con el trabajador se realice en determinadas situaciones a través de su teléfono o cuenta de correo particular, y que, por tanto, el tratamiento de esos datos deviene efectivamente necesario para la adecuada ejecución del contrato. Una conclusión que no parece descabellada si se tiene en cuenta que para celebrar otros contratos, sometidos a las mismas vicisitudes, como comprar un billete de tren o de avión, se exige al comprador que cumplimente obligatoriamente esos mismos datos.

Como segunda referencia cabe recordar la STS de 10 de abril de 2019 –rec. 227/2017–, en la que se analiza la validez de una cláusula del contrato que establece que "el trabajador consiente expresamente, conforme a la LO 1/1982, de 5 de mayo, RD 1720/2007 de Protección de Datos de carácter personal y Ley Orgánica 3/1985 de 29 de mayo, a la cesión de su imagen, tomada mediante cámara web o cualquier otro medio, siempre con el fin de desarrollar una actividad propia de telemarketing y cumplir, por tanto, con el objeto del presente contrato y los requerimientos del contrato mercantil del cliente". Cuestión sobre la que previamente se había pronunciado la Audiencia Nacional, en la SAN de 15 de junio de 2017 –rec. 137/2017–, que estima la demanda interpuesta por los sindicatos frente a una empresa del sector del "contact center" y declara la nulidad de la cláusula en cuestión. Se justificaba tal decisión en que, si bien "es totalmente legítimo que la empresa exija a sus trabajadores la realización de servicios de video llamada, cuando el servicio pactado con el cliente lo requiera, lo cual comportará necesariamente que entre en juego la imagen de los trabajadores afectados, puesto que, si no cedieran su imagen, no podría activarse la videollamada con terceros", dicha circunstancia "no exime del consentimiento expreso del trabajador", en la consideración de que el servicio de videollamada es sólo una de las múltiples funcionalidades del telemarketing y que además era absolutamente minoritaria en la empresa, dado que sólo estaban adscritos quince trabajadores sobre un colectivo de seis mil. En palabras de la Sala "no es absolutamente imprescindible para el cumplimiento del objeto del contrato, puesto que se utiliza, al menos hasta ahora, de manera absolutamente excepcional", por lo que, siguiendo su razonamiento, era necesario el consentimiento. Un consentimiento que, por otra parte, añadía la Audiencia Nacional, no se puede prestar al comienzo de la relación laboral mediante cláusulas tipo de contenido genérico, pues, al estar los trabajadores en una manifiesta situación de desigualdad con sus empleadores, no se puede asegurar que no concurre ningún tipo de vicio en su producción, por lo que debía haberse solicitado con posterioridad, para cada servicio concreto y ajustándose a los requerimientos de cada contrato.

Pues bien, presentado el oportuno recurso de casación, el Tribunal Supremo va a estimar el mismo. Para el Alto Tribunal "la cláusula controvertida no es abusiva, sino, más bien, informativa y a la par receptora de un consentimiento expreso que no era preciso requerir". La Sala toma en consideración el hecho de que esa cláusula se incluye en los contratos de quienes son contratados para prestar los servicios de "Contact-Center", que, añade el Tribunal, conforme al convenio colectivo de aplicación, comporta la realización de videollamadas, ya sea para prestar un mejor servicio o por exigencias del cliente. Por lo que, "si se trata de la realización de funciones propias del objeto del contrato celebrado, aunque no sean las habituales, (…) la cláusula controvertida se limita a advertir al nuevo contratado de la posibilidad de tener que realizar una de las funciones propias del contrato que suscribe y, a la par que el mismo queda advertido de ello, presta, expresamente, su consentimiento a la cesión de su imagen, pero como una salvaguarda". De modo que, concluye, "la cláusula controvertida no se puede considerar abusiva, ni calificar de nula, porque es lícita, dado que es manifestación de un consentimiento expreso que el trabajador da a la cesión de su imagen, cuando la actividad propia del telemarketing, la del convenio colectivo, la desarrolle por videollamada y que está implícito en el objeto del contrato".

Un fallo que, a mi juicio, resuelve la cuestión en sus justos términos, al considerar que la necesidad de tratar esos datos surge del propio contrato y, por lo tanto, no es necesario el consentimiento del trabajador, otorgando mero carácter informativo a la cláusula en cuestión. Máxime porque sostener lo contrario, esto es, entender que los empleados afectados tienen que prestar su consentimiento cada vez que se solicita una videollamada, comportaría admitir que el trabajador puede legítimamente no prestarlo –si no habría que entender que no es libre–. Lo cual, convendremos, abocaría al absurdo, pues dependería de la voluntad del trabajador que la empresa pueda prestar el servicio requerido.

4. EL CUMPLIMIENTO DE UNA OBLIGACIÓN LEGAL COMO BASE JURÍDICA DEL TRATAMIENTO

Conforme al art. 6.1.c) del RGPD será lícito el tratamiento de datos cuando sea necesario para el cumplimiento de una obligación legal aplicable al responsable del tratamiento[16]. Nuevamente, como destaca Puente Escobar, el precepto se centra en la aplicación del principio de necesidad, por lo que no es suficiente con que la norma legal habilite u otorgue al interesado la opción de tratar los datos personales, sino que tiene que tratarse de un mandato legal[17]. Algo que, sin embargo, es bastante habitual en el ámbito laboral, pues, como recuerda Mercader Uguina, la ley es el campo normal de la acción normativa del Estado en materia laboral[18].

Basten como ejemplo y sin ánimo de ser exhaustivo las siguientes previsiones legales. Primero, la obligación de entregar una copia básica del contrato de trabajo a los representantes de los trabajadores *ex* art. 8.4 del Estatuto de los Trabajadores[19], que únicamente deja fuera aquellos datos

---

[16]   A lo que añade el Considerando 41 del RGPD, que dicha base jurídica o previsión normativa debe ser clara y precisa y su aplicación previsible para los destinatarios.

[17]   PUENTE ESCOBAR, A., "Principios y licitud…", op. cit., pág. 136.

[18]   MERCADER UGUINA, J., *Protección de datos de las Relaciones Laborales*, Francis Lefebvre, Madrid, 2018, pág. 38.

[19]   Previsión que se enmarca dentro del más genérico derecho de acceso de dichos representantes a determinada información relativa a las condiciones de trabajo y que sin duda afecta a la información personal de los trabajadores, DESDENTADO BONETE, A. y MUÑOZ RUIZ, A., "Protección de datos y contrato de trabajo". Justicia Laboral, núm. 46, 2011, págs. 54 a 59. Una limitación del derecho fundamental a la protección de datos personales que, como señala TRONCOSO REIGADA, "es consecuencia de la propia libertad sindical y una garantía de los derechos de los trabajadores. Este límite es resultado de un *balancing* constitucional entre los distintos derechos fundamentales en presencia; en este caso, el derecho fundamental a la protección de datos personales y el derecho a la intimidad de los trabajadores –art. 18 CE– por un lado, y, por otro, la libertad sindical –art. 28 CE–. Esta limitación puede justificar la cesión de datos personales de los trabajadores al delegado de personal, al comité de empresa y a los delegados sindicales", en "Libertad sindical, libertad de empresa y derecho a la intimidad y a la protección de datos de los trabajadores", AA.VV. (Dir. FARRIOLS I SOLA, A), *La protección de datos de carácter personal en los centros de trabajo,* Cinca, 2006, pág. 116. Ello sin

personales que afecten a la intimidad del trabajador, como el número del documento nacional de identidad o el número de identidad del extranjero, el domicilio y el estado civil[20]. Segundo, la obligación de registrar la jornada de trabajo *ex* art. 34.9 del Estatuto de los Trabajadores, que exige registrar cuando menos la hora de entrada y salida, aunque también, cabe pensar, las eventuales interrupciones o ausencias y el motivo de las mismas, como "pausa del bocadillo", almuerzo, reconocimiento médico, reunión sindical o del comité de empresa, etcétera, dado que es precisamente esa información añadida la que permitirá en muchos casos determinar si se han superado o no los límites de tiempo de trabajo[21]. Por último, la obligación de someter al trabajador a reconocimiento médico, en aquellos supuestos excepcionales en que, en virtud de lo dispuesto en el art. 22.1 de la Ley de Prevención de Riesgos Laborales, el derecho a la integridad física y la intimidad del trabajador cede frente a otros intereses igualmente tutelables, como cuando su estado de salud pueda suponer un riesgo para los demás trabajadores o para otras personas relacionadas con la empresa. En situaciones como ésta, en las que el trabajador no puede oponerse al control sanitario, no hará falta su consentimiento para tratar los datos resultantes.

Repárese, por último, en que el tratamiento deberá hacerse en términos adecuados, pertinentes y limitados a lo estrictamente necesario para el cumplimiento de la obligación legal, teniendo en cuenta además que, conforme al art. 8 de la LOPDGDD, la norma podrá determinar las condiciones generales y los tipos de datos objeto del mismo, así como las cesiones que procedan como consecuencia del cumplimiento de la obligación legal. Así, por ejemplo, el acceso a la información médica de carácter per-

---

perjuicio de que esa facultad de recabar información por parte de los representantes sindicales no es genérica o ilimitada, sino que, como cualquier comunicación de datos tendrá que ceñirse, de acuerdo con el principio de minimización, a las circunstancias del caso, véase al respecto la STS de 21 de diciembre de 2011 –rec. 56/2015 y STS de 7 de febrero de 2018 –rec. 78/2017–.

[20] La exclusión no afecta a la retribución, en la medida en que, sostiene el Tribunal Constitucional, el conocimiento de la retribución percibida no permite reconstruir la vida íntima de los trabajadores, puesto que esa información "aparte de indicar la potencialidad de gasto del trabajador, nada permite deducir respecto a las actividades que solo o en compañía de su familia pueda desarrollar en su tiempo libre, STC 142/1993, de 22 de abril.

[21] En cambio, por aplicación del principio de "minimización", no debería constar la concreta dolencia o enfermedad que motiva la ausencia o el retraso ni la afiliación sindical del trabajador, THIBAULT ARANDA, J., "Claves prácticas laborales de la protección de datos", Observatorio de Recursos Humanos, núm. 149, 2019, pág. 41.

sonal de los reconocimientos médicos se limitará al personal médico y a las autoridades sanitarias que lleven a cabo la vigilancia de la salud de los trabajadores, sin que puedan facilitarse al empresario o a otras personas sin consentimiento expreso del trabajador. Lo que no obsta para que el empresario y las personas u órganos con responsabilidades en materia de prevención sean informados de las conclusiones que se derivan del reconocimiento en relación con la aptitud del trabajador para el desempeño de su puesto de trabajo o la necesidad de introducir o mejorar las medidas de protección y prevención[22]. En igual sentido, aunque en un ámbito completamente distinto, el censo laboral que el empresario tiene que remitir a los componentes de la mesa electoral por mandato legal tendrá que ajustarse al modelo normalizado. En concreto, conforme al art. 6.3 del Real Decreto 1844/1994, "se hará constar el nombre, los apellidos, sexo, fecha de nacimiento, documento nacional de identidad, categoría o grupo profesional y antigüedad en la empresa de todos los trabajadores". Lo que significa que la comunicación a la mesa electoral o a los representantes de los trabajadores debe limitarse a esos datos y que no es posible, por ejemplo, comunicar un dato personal como el domicilio de los trabajadores, a efectos de remitir propaganda electoral. Tal y como vino a constatar el Tribunal Supremo, en sentencia de 17 de octubre de 2005, que consideró que la remisión de propaganda sindical electoral al domicilio particular de los trabajadores sin la expresa autorización de estos constituía una infracción del derecho a la protección de datos[23].

---

[22] Tal y como ya contemplaba la Recomendación núm. 171 de la OIT, sobre los servicios de salud, de 1985, que en párrafo 16 señala que "(1) Al término de un examen médico prescrito para determinar la aptitud de un trabajador para un puesto de trabajo que entraña exposición a un riesgo determinado, el médico que lo haya realizado debería comunicar sus conclusiones por escrito al trabajador y al empleador. (2) Esta comunicación no debería contener indicación alguna de índole médica; según los casos, podría indicar que el trabajador es apto para el puesto de trabajo previsto o bien especificar los tipos de trabajo y las condiciones de trabajo que le estén contraindicados, temporal o permanentemente, desde el punto de vista médico". Sobre las limitadas facultades de acceso del empresario a la información médica véanse también los numerosos pronunciamientos de la AEPD; Informe Jurídico AP/00038/2013; Informe Jurídico 0574/2008–, incluso la comunicación al personal médico de la empresa, cuando no esté entre sus funciones la vigilancia de la salud –Informe 0240/2009 e Informe 424/2010–.

[23] Considera el Tribunal Supremo que el derecho a la libertad sindical, en su faceta de publicidad electoral, se puede satisfacer plenamente sin necesidad de remitir las citadas cartas al domicilio particular de los denunciantes, por lo que no puede prevalecer en este caso el derecho a la libertad sindical sobre el derecho a la protección de datos. En igual sentido se pronuncia la Audiencia Nacional, "en la relación de datos que figuran en el censo laboral, que son los que se consideran pertinentes y necesarios a tal fin,

5. EL TRATAMIENTO BASADO EN EL INTERÉS LEGÍTIMO DEL RESPONSABLE DEL TRATAMIENTO O DE UN TERCERO

El art. 6.1.f) del RGPD regula el interés legítimo en términos muy similares al art. 7.1.f) de la Directiva 95/46/CE y considera lícito el tratamiento "necesario para la satisfacción de intereses legítimos perseguidos por el responsable del tratamiento o por un tercero, siempre que sobre dichos intereses no prevalezcan los intereses o los derechos y libertades fundamentales del interesado que requieran la protección de datos personales, en particular cuando el interesado sea un niño".

A partir de este tenor, tienen que concurrir los siguientes requisitos acumulativos para que el tratamiento de datos personales sea lícito. Por una parte, tiene que haber un interés legítimo del responsable del tratamiento o de un tercero, lo que significa que, además de real y actual, ese interés debe ser conforme a derecho y respetuoso con las normas generales o sectoriales que resulten de aplicación a quien va a proceder al tratamiento de los datos personales; por otra parte, ese tratamiento tiene que ser necesario, en el sentido de que permita satisfacer el interés perseguido –juicio de necesidad– y además no exista otra medida menos intrusiva para con los derechos e intereses de los afectados que permita lograr la satisfacción del interés en cuestión con la misma eficacia –juicio de necesidad–; y por último siguiendo la doctrina de nuestro Tribunal Constitucional, que sea ponderado y equilibrado, por derivarse del mismo más beneficios o ventajas para el interés del responsable o de terceros que perjuicios sobre los derechos y libertades del interesado –proporcionalidad en sentido estricto–[24]. Lo cual requerirá que el responsable del tratamiento lleve a cabo una adecuada ponderación de los derechos e intereses en presencia en cada caso particular, tomando como elementos especialmente relevantes según el Grupo de Trabajo creado por el art. 29 de la Directiva 95/46/CE –en adelante, GT29–[25]:

–   "La naturaleza de los datos, en particular si los mismos pertenecen a categorías especiales de datos". Pues no en vano el apartado prime-

---

no consta el domicilio particular de los trabajadores, lo que implica que la campaña electoral a las elecciones en cuestión se puede llevar a cabo sin necesidad de remitir información o propaganda electoral al domicilio particular de los trabajadores" –SAN CA de 4 de marzo de 2010, rec. 274/2009–.

[24]   PUENTE ESCOBAR, A., "Principios y licitud…", op. cit., pág. 127.

[25]   *Dictamen 6/2014, de 9 de abril, sobre el concepto de interés legítimo del responsable del tratamiento en virtud del artículo 7 de la Directiva 95/64/CE* –GT29 WP217, § III.3.4–.

ro del art. 9 del RGPD establece una prohibición general de tratamiento para esos datos, que sólo excepciona si concurre alguna de
las situaciones previstas en el apartado 2.

– "El modo en que se lleva a cabo el tratamiento, teniendo en cuenta
  especialmente su mayor o menor divulgación a terceros y la concurrencia en los mismos de intereses susceptibles de incluirse en la
  ponderación".

– "Las expectativas razonables del interesado, teniendo en cuenta
  el régimen aplicable a la situación subyacente al tratamiento". En
  términos del considerando 47 del RGPD, "si un interesado puede
  prever de forma razonable, en el momento y en el contexto de la
  recogida de datos personales, que pueda producirse el tratamiento
  con tal fin".

– "La posición del responsable y del interesado y si existe entre ambos
  una situación de desequilibrio". Aspecto particularmente relevante
  en el marco de la relación laboral, si se tiene en cuenta la diferente
  posición negocial que ocupan empleador y trabajador, pero que no
  impide de manera absoluta que se puedan tratar datos del trabajador sobre esta base jurídica, como se expondrá a continuación.

Sentadas estas premisas y teniendo en cuenta lo dicho en anteriores
epígrafes, parece claro que esta base jurídica tendrá un papel secundario
o marginal en el marco de la relación laboral. Porque, como es fácilmente
imaginable, el interés legítimo del empleador viene normalmente incorporado al contrato de trabajo, por lo que el tratamiento se justifica en la mayoría de los casos por la necesidad de ejecutar dicho contrato –art. 6.1.b)
RGPD–. Eso no significa que dicha base jurídica no pueda servir en algunos
supuestos para habilitar el tratamiento de datos de los trabajadores, muy
particularmente cuando interviene un tercero. De hecho, el considerando
48 del RGPD advierte, por ejemplo, que "los responsables que forman parte de un grupo empresarial o de entidades afiliadas a un organismo central
pueden tener un interés legítimo en transmitir datos personales dentro
del grupo empresarial para fines administrativos internos, incluido el tratamiento de datos personales de clientes o empleados"[26]. Mientras que el

---

[26] Dicha previsión legal vendría a corregir al menos en parte el criterio general, según el
      cual, la circunstancia de que una sociedad esté participada por otra no afecta al hecho
      de que ambas mantienen diferenciada y plena su personalidad jurídica y, por tanto,
      la comunicación de datos entre las mismas requiere el consentimiento del afectado
      –AEDP, Informe 0494/2008–.

art. 19 de la Ley Orgánica 3/2018 dispone que, salvo prueba en contrario, se presumirá amparado en lo dispuesto en el artículo 6.1.f) del RGPD el tratamiento de los datos de contacto y en su caso los relativos a la función o puesto desempeñado de las personas físicas que presten servicios en una persona jurídica siempre que el tratamiento se refiera únicamente a los datos necesarios para su localización profesional y la finalidad del mismo sea únicamente mantener relaciones de cualquier índole con la persona jurídica en la que el afectado preste sus servicios[27]. A lo que cabe añadir otros numerosos supuestos en los que el tratamiento bien pudiera fundarse en ese interés legítimo prevalente. A título de ejemplo y una vez más sin ánimo de exhaustividad cabe considerar las siguientes tres situaciones:

En primer lugar, está el registro de la jornada de los trabajadores de una empresa contratista, cuando prestan su servicio en las instalaciones de la empresa principal. Porque en ese contexto, lo que sucede en ocasiones es que la empresa principal registra y comunica a la empresa contratista los datos de entrada y salida del recinto de trabajo de sus trabajadores y a partir de los mismos ésta efectúa el registro de jornada. Una posibilidad que, de hecho, se contempla en la "Guía del Ministerio sobre el Registro de Jornada". Una decisión de la empresa principal de añadir un fin adicional al fin con el que se registraban inicialmente los datos, que sin embargo no parece que tenga amparo en el art. 34.9 del Estatuto de los Trabajadores, dado que no son sus empleados y no es, por tanto, el destinatario de esa obligación legal, pero que sí podría encontrar acomodo en el art. 6.1.f) del RGPD, en la medida en que se considere que concurre un interés legítimo de un tercero, el empresario contratista, que de este modo puede cumplir con la obligación legal de registrar la jornada de sus trabajadores. Dicho de otro modo, el empresario principal comunicaría al empresario contratista los registros de acceso de sus empleados a las instalaciones de la principal sobre la base del interés legítimo y el contratista trataría esos datos en cumplimiento de una obligación legal.

En segundo lugar, están los supuestos de contrata y subcontrata. Como es sabido, el Estatuto de los Trabajadores y la Ley General de Seguridad Social establecen que, en determinadas circunstancias, el empresario principal

---

[27]   Recuérdese que hasta la entrada en vigor del RGPD tales datos habían quedado al margen de la protección examinada por mor del art. 2.2. del Real Decreto 1720/2007, que establecía que dicho reglamento no sería aplicable a los ficheros que se limitasen a incorporar los datos de las personas físicas que prestasen servicio en las mismas, cuando se limitaran a "su nombre y apellidos, las funciones o puestos desempeñados, así como la dirección postal o electrónica, teléfono y número de los profesionales".

será responsable solidario junto con el contratista o subcontratista respecto de las obligaciones de naturaleza salarial contraídas con los trabajadores y de las referidas a la Seguridad Social. Por tanto, llegado el caso, esto es, si el empresario principal tiene que cumplir esas obligaciones, tendrá que conocer el contenido integro de las mismas. Lo que necesariamente pasa por tratar los datos personales de los trabajadores afectados. Por ejemplo, para el caso de que, ex artículo 42 del Estatuto de los Trabajadores, el empresario principal tenga que afrontar solidariamente el pago de los salarios de los trabajadores de la contratista tendrá que poder tener acceso a sus nóminas. Eso sí, de acuerdo con el principio de minimización, únicamente podrán transferirse los datos que son estrictamente necesarios para cumplir con la obligación legal. En nuestro ejemplo, sólo las nóminas de los trabajadores ocupados en la concreta contrata y no las de cualesquiera trabajadores de la empresa. En esta situación, de incumplimiento por parte de la empresa contratista de sus obligaciones y consiguiente responsabilidad de la empresa principal, la base jurídica para el tratamiento es clara: es necesario para cumplir una obligación legal[28]. Dicho lo anterior, existe una práctica relativamente extendida dentro del ámbito de las contratas y subcontratas que, a mi juicio, tiene peor encaje dentro de art. 6.1.c) del RGPD. Me refiero al caso de que empresa principal y empresa contratista acuerden que ésta remita a la empresa principal con la periodicidad que se predetermine las nóminas y los documentos de cotización de los trabajadores empleados en la contrata. La comunicación de esos datos se hace, digámoslo así, con carácter preventivo. La empresa principal no tiene que atender ninguna obligación de la empresa contratista, al menos de momento, pero para evitar que surja esa responsabilidad o, al menos, limitar el alcance la de misma, accede ya a datos personales de los trabajadores. Pues bien, en la medida en que no ha surgido todavía una deuda y nada se le puede exigir a la empresa principal, no puede considerarse que el tratamiento responda a una obligación legal. Pero también convendremos que

---

[28]   Tal parece ser el criterio de la AEPD, aunque no sin ciertos vaivenes. En el Informe Jurídico 0337/2008 concluye que ni el Estatuto de los Trabajadores ni la Ley de Prevención de Riesgos Laborales amparan la comunicación de las nóminas, los boletines de cotización o los partes médicos, quedando asegurada la garantía de la indemnidad del contratista mediante la certificación por descubiertos ante la Seguridad Social ex. art. 42.1 del Estatuto de los Trabajadores. En cambio, posteriormente, en los Informes Jurídicos núm. 0412/2009 y 0223/2009, la AEPD entiende lícita la transmisión de los datos necesarios para facilitar el cumplimiento de las responsabilidades salariales de cotización o de prevención. Por último, para el caso de que la contrata o subcontrata no sea de propia actividad, quedando fuera del art. 42 del Estatuto de los Trabajadores, véase el Informe Jurídico núm. 0030/2010.

al menos sí existe un interés efectivo del empresario principal en conocer esos datos: es perfectamente razonable que quiera saber en todo momento si la empresa cumple con sus obligaciones, dado que de no hacerlo será él quien responda. De ahí que, a mi juicio, para amparar tales acuerdos y la consiguiente comunicación de los datos quepa hacer referencia al interés legítimo prevalente de un tercero. Eso sí, con los mismos límites y garantías que se han señalado anteriormente. Es decir, que la base jurídica para el tratamiento de los datos podría variar a lo largo del tiempo, el art. 6.1.f) del RGPD antes de que, en su caso, surja la deuda, y el art. 6.1.c) del RGPD después.

Por último, cabe referirse al tratamiento de datos en el contexto de la sucesión de empresas. En principio, el flujo de datos entre la empresa cedente y la empresa cesionaria podría entenderse amparado por el art. 44 del Estatuto de los Trabajadores, pues si bien no impone específicamente la comunicación de los datos de los trabajadores, puede entenderse que la misma es necesaria para que opere de manera efectiva la transmisión de las relaciones laborales cedidas[29]. En la medida en que se impone al empresario cesionario el mantenimiento de los contratos y las condiciones de trabajo necesariamente tienen que conocer los datos que sustentan esas obligaciones y derechos.

Ahora bien, aparentemente esta previsión legal sólo legitimaría la transferencia de datos a partir del momento en que se produce efectivamente la sucesión, no antes[30]. Lo cual, como señalara Mercader Uguina, planteaba la duda de cómo operar cuando por razones organizativas había que comunicar al menos parte de los datos antes de que se ejecutara la operación. La AEPD admitió en el Informe 0518/2009 dicha comunicación, siempre que el negocio jurídico estuviera efectivamente iniciado y además fuera necesario para concluir el proceso de absorción o fusión[31]. Una interpretación claramente posibilista, pero cuando menos discutible, desde el momento en que, como reconocía la propia AEPD, la habilitación legal para la comunicación de datos sólo concurría cuando se ejecutaba efectivamente la operación. De ahí que, a partir de la aplicación directa del RGPD, tal vez sea más adecuado considerar que la base jurídica para permitir el acceso a los datos de los trabajadores de una empresa por parte de otra entidad

---

[29]   LÓPEZ-LAPUENTE, L., "La sucesión de empresa desde el punto de vista de la protección de datos personales", en AA.VV., La sucesión de empresa. Lex Nova-Thomson Reuters, 2016, pág. 379.

[30]   LÓPEZ-LAPUENTE, L., "La sucesión...", op. cit., pág. 379.

[31]   Informe AEPD 0518/2009.

con la que existe intención de fusionarse radica en el interés legítimo de esta última. Así, el título jurídico que legitima la comunicación de los datos sería distinto según de la fase en que se encuentra el negocio jurídico correspondiente: el interés legítimo de la empresa cesionaria antes de que se ejecute la operación y porque lo exige una norma con rango de ley, el art. 44 del Estatuto de los Trabajadores, a partir de ese momento.

6. EL CONSENTIMIENTO DEL TRABAJADOR COMO ÚLTIMA OPCIÓN PARA EL TRATAMIENTO DE DATOS DEL TRABAJADOR

El art. 6.1.a) del RGPD contempla el consentimiento del interesado como uno más de los motivos de legitimación del tratamiento de datos personales, en línea con lo que ya establecía el art. 7 de la Directiva 95/46/CE[32]. Habiendo de entender por tal, según el art. 4.11) del RGPD "toda manifestación de voluntad libre, específica, informada e inequívoca por la que el interesado acepta, ya sea mediante una declaración o una clara acción afirmativa, el tratamiento de datos personales que le conciernen". De acuerdo con lo anterior, no vale cualquier consentimiento, sino que éste, para ser válido, tiene que cumplir determinados requisitos, tanto desde el punto de vista de su formación como, posteriormente, de su exteriorización.

En cuanto a su formación, la validez del consentimiento se supedita a que sea:

– Libre, lo que implica elección y control por parte de los interesados. Con carácter general ello supone que el consentimiento deberá ha-

---

[32]   Téngase en cuenta, no obstante, que cuando se trate de categorías especiales de datos, conforme a lo dispuesto en el art. 9.1 de la Ley Orgánica 3/2018, el solo consentimiento del afectado no bastará para levantar la prohibición del tratamiento cuya finalidad principal sea identificar su ideología, afiliación sindical, religión, orientación sexual, creencias u origen racial o étnico, siendo necesario que concurra alguno de los restantes supuestos contemplados en el art. 9.2 del RGPD, como, por ejemplo, el cumplimiento de obligaciones y el ejercicio de derechos específicos del responsable del tratamiento o del interesado en el ámbito del Derecho laboral. Asimismo, para el tratamiento de datos relativos a la salud para fines de medicina preventiva o laboral, evaluación de la capacidad laboral del trabajador, diagnóstico médico, prestación de asistencia o tratamiento sanitario o social, no será suficiente el consentimiento, sino que deberá estar amparado en una norma con rango de ley –art. 9.2 de la Ley Orgánica 3/2018–.

ber sido obtenido sin la intervención de vicio alguno en los términos regulados por el Código Civil, es decir, sin que concurra error,
violencia, intimidación o dolo. Pero además, a fin de salvaguardar
esa libertad, se establece una disposición específica en el ámbito
de la protección de datos: "Al evaluar si el consentimiento se ha
dado libremente, se tendrá en cuenta en la mayor medida posible
el hecho de si, entre otras cosas, la ejecución del contrato, incluida
la prestación de un servicio se supedita al consentimiento al tratamiento de datos personales que no son necesarios para la ejecución
de dicho contrato" –art. 7.4 RGPD–. Se intenta así evitar que se su-
pedite o condicione la celebración de un contrato a que se aporten
datos que no son imprescindibles para su ejecución, porque en este
caso la voluntad del sujeto no sería completamente libre, al estar
condicionada por el hecho de obtener un determinado bien o servicio[33]. Una prevención que se establece en términos mucho más
garantistas en el art. 6.3 de la Ley Orgánica 3/2018, al disponer que
"No podrá supeditarse la ejecución del contrato a que el afectado
consienta el tratamiento de datos personales para finalidades que
no guarden relación con el mantenimiento, desarrollo o control de
la relación contractual". Dicho de otro modo, se entenderá que el
consentimiento no es libre cuando se subordina la firma del contrato al otorgamiento del consentimiento o si la continuación de la
relación laboral se hace depender del consentimiento[34]. Pero esto
es una cosa y otra bien distinta considerar que el consentimiento no
puede constituir un fundamento válido para el tratamiento de los
datos simplemente por el hecho de que exista un desequilibrio de
poder. Cuestión sobre la que se volverá después.

–   Específico, esto es que vaya referido a uno o varios fines específicos.
    Lo que excluye consentimientos en blanco, para fines genéricos o
    para fines indeterminados. Además de que, conforme a lo dispuesto
    en el art. 6.2. de la Ley Orgánica 3/2018, cuando se pretenda fun-
    dar el tratamiento de los datos en el consentimiento del afectado
    para una pluralidad de finalidades será preciso que conste de ma-

---

[33]   VILASAU SOLANA, M., "El consentimiento general y de menores", en *Tratado de Pro-
       tección de Datos, en AA.VV.* (Dir. RAYO LOMBARTE, A.), Tirant lo Blanch, Valencia,
       2019, pág. 203. YACER MATACÁS, Mª. R., *La autorización al tratamiento de información
       personal en la contratación de bienes y servicios,* Dykinson, Madrid, 2012, pág. 73.
[34]   "Se entiende que el consentimiento de los trabajadores está viciado, si se incluye como
       una condición laboral", BLÁZQUEZ AGUDO, E.M., *Aplicación práctica de la protección
       de datos en las relaciones laborales,* CISS, Valencia, 2018, pág. 72.

nera específica e inequívoca que dicho consentimiento se otorga para todas ellas[35]. Sin perjuicio, no obstante, de que debería darse la posibilidad de consentir un tratamiento y no otro. Es decir, el consentimiento no debería ser un todo o nada a "tanto alzado", sino que tendría que poder graduarse[36].

– Informado, para garantizar que el consentimiento se forme correctamente, sin una percepción errónea. El interesado tiene que conocer con anterioridad al tratamiento la existencia del mismo y el fin o fines para los que se otorga el consentimiento. La información debe darse de forma sencilla, transparente, inteligible, con un lenguaje claro y sencillo, además de que, por supuesto, sería desleal informar de que se están tratando los datos para una determinada finalidad y hacerlo en realidad para otra.

En cuanto a su exteriorización, el consentimiento tiene que ser inequívoco, lo que implica un claro acto afirmativo, por ejemplo, a través de una declaración por escrito, incluso por medios electrónicos, o una declaración verbal. Lo que podría incluir según el considerando 32 del RGPD "marcar una casilla de un sitio web en internet, escoger parámetros técnicos para la utilización de servicios de la sociedad de la información, o cualquier otra declaración o conducta que indique claramente que el interesado acepta la propuesta de tratamiento de sus datos personales". El consentimiento tácito no es, por tanto, válido, máxime porque el mismo considerando añade que "el silencio, las casillas ya marcadas o la inacción no deben constituir consentimiento". Podría tal vez admitirse el consentimiento presunto, esto es, el que se deduce de un acto realizado por el afectado, al menos en determinadas circunstancias. Por ejemplo, en el caso de que un trabajador solicite participar en una actividad lúdica o deportiva, para lo cual sea necesario inscribir al empleado. Ahora bien, como el responsable del tratamiento tiene que poder demostrar que el interesado consintió el tratamiento –art. 7.1 RGPD–, siempre será más adecuado recabar el consentimiento expreso y dejar constancia documental del mismo.

Pues bien, a pesar de que la voluntad del interesado se configura como uno más de los fundamentos que permite llevar a cabo un tratamiento, lo

---

[35] En línea con el Considerando 32 del RGPD, que señala que cuando un tratamiento consista en varias actividades realizadas con el mismo fin, el consentimiento ha de otorgarse para todas las actividades. Del mismo modo que si el tratamiento persigue varios fines, el tratamiento ha de otorgarse para todos.

[36] A pesar de que, como señala VILASAU SOLANA, el art.6 de la LOPDGDD no lo ha recogido de forma suficientemente clara, "El consentimiento…", op. cit., págs. 207 y 208.

cierto es que en el ámbito laboral su aplicación viene siendo muy residual. De una parte, porque, si lo pensamos, los datos que se tratan normalmente guardan relación con el mantenimiento, desarrollo y control de la relación laboral, por lo que tienen una base jurídica distinta, el contrato. De otra, porque los tribunales españoles se muestran, en general, reacios a admitir que el consentimiento del trabajador sea un título jurídico válido para tratar cualesquiera otros datos, en la consideración de que existe un desequilibrio entre los sujetos que integran la relación y por consiguiente el consentimiento no sería enteramente libre.

Como muestra la anteriormente citada sentencia del Tribunal Supremo de 21 de septiembre de 2015, que se opone a que "en el contrato de trabajo se haga constar –como específica cláusula/tipo– que el trabajador presta su «voluntario» consentimiento a aportar los referidos datos personales y a que la empresa los utilice en los términos que el contrato relata, siendo así que el trabajador es la parte más débil del contrato y ha de excluirse la posibilidad de que esa debilidad contractual pueda viciar su consentimiento a una previsión negocial referida a un derecho fundamental, y que dadas las circunstancias –se trata del momento de acceso a un bien escaso como es el empleo– bien puede entenderse que el consentimiento sobre tal extremo no es por completo libre y voluntario (…) de forma que la ausencia de la menor garantía en orden al consentimiento que requiere el art. 6.1 LOPT , determinó precisamente que la sentencia recurrida –y ahora esta Sala– consideren que tal cláusula es nula por atentar contra un derecho fundamental, y que debe excluirse de los contratos de trabajo" (rec. 259/2014). Una prevención hacia el consentimiento, como base que legitima un tratamiento, que también se puede observar en algunas resoluciones de la AEPD, donde se llega a afirmar que "los trabajadores casi nunca están en condiciones de dar, denegar o revocar el consentimiento libremente, habida cuenta de la dependencia que resulta de la relación empresario/trabajador. Dado el desequilibrio de poder, los trabajadores sólo pueden dar su libre consentimiento en circunstancias excepcionales, cuando la aceptación o el rechazo de una oferta no tiene consecuencias"[37].

Ahora bien, aunque tanto los tribunales como la AEPD consideren poco probable que el trabajador pueda negar su consentimiento al empleador por su situación de dependencia, lo cierto es que la ley no ha excluido expresamente la posibilidad de solicitar ese consentimiento, como, en cambio, sí sucede en relación con otra base jurídica y otro sujeto –el interés le-

---

[37]   AEPD PS/0040/2018.

gítimo y las administraciones públicas–. De ahí que, a mi entender, pueden darse situaciones en que efectivamente se recurra al consentimiento del trabajador como base para tratar sus datos[38]. Excepcionales, si se quiere, pero en todo caso posibles. Me refiero a supuestos en los que el tratamiento no es necesario para la ejecución del contrato de trabajo, pero a pesar de ello la empresa tiene un interés legítimo –aunque no prevalente– en que se traten los datos. Un ejemplo podría ser cuando el empleador pide a un trabajador que participe en un video promocional de la empresa, o cuando comunica los datos de contacto de sus empleados a otras empresas o entidades para que les ofrezcan promociones u ofertas, previo consentimiento del trabajador. En cualquiera de estos casos lo determinante es que no exista condicionalidad alguna. Por tanto, el empresario tendrá que poder demostrar que el consentimiento se ha dado libremente y para ello es básico: a) solicitar de forma separada los datos, distinguiendo claramente los datos precisos para el contrato y los que no son necesarios; b) informar que como no se trata de datos precisos para la ejecución del contrato, el trabajador podrá denegar el consentimiento; c) dejar constancia de que de la negativa no se derivará ninguna consecuencia para la celebración o desarrollo de la relación; d) advertir que el trabajador podrá revocar su consentimiento en cualquier momento, porque, como señala el GT29, lo que el art. 7.4 del RGPD persigue es "que el tratamiento de los datos para los que se ha solicitado consentimiento no se convierta directa o indirectamente en una contraprestación de un contrato"[39].

---

[38]   En igual sentido, MERCADER UGUINA, J., *Protección de datos,* op. cit., pág. 37. Como parece admitir el GT29, que si bien reconoce que "también en el contexto del empleo puede darse una situación de desequilibrio", de manera que "en la mayoría de esos tratamientos de datos en el trabajo, la base jurídica no debe y no puede ser el consentimiento de los trabajadores", ello no significa que no puedan darlo en "circunstancias excepcionales, cuando el hecho de que otorguen o no dicho consentimiento no tenga consecuencias adversas", en *Directrices sobre el consentimiento en el sentido del Reglamento (UE) 2016/679*–GT29, WP259, & 3.1.2–.

[39]   "Las dos bases jurídicas para el tratamiento lícito de datos personales, a saber, el consentimiento y el contrato no pueden fusionarse o difuminarse", en *Directrices sobre el consentimiento en el sentido del Reglamento (UE) 2016/679*–GT29, WP259 & 3.1.2–.

XI. DERECHO A LA INTIMIDAD Y A LA PROTECCIÓN DE DATOS Y LICITUD DE LA PRUEBA EN EL PROCESO LABORAL*

Mercedes López Balaguer
y Francisco Ramos Moragues
Profesora Titular de Universidad
Profesor Contratado Doctor
Departamento de Derecho del Trabajo y de la Seguridad Social
Universidad de Valencia

SUMARIO: 1. INTRODUCCIÓN. 2. EL DERECHO A LA PROTECCIÓN DE DATOS COMO DERECHO FUNDAMENTAL CON SUSTANTIVIDAD PROPIA. 3. LICITUD DE LA PRUEBA Y PROTECCIÓN DE DATOS EN EL PROCESO LABORAL. 3.1. La obtención de la prueba y el respeto a los derechos fundamentales: el art. 90.2 LRJS. 3.2. Obtención de pruebas a través del control empresarial: límites de la LOPD. 3.2.1. El control del trabajador mediante el acceso a los dispositivos digitales puestos a su disposición por la empresa. 3.2.2. El control del trabajador mediante sistemas de videovigilancia. 3.2.3. El control del trabajador por geolocalización. 4. A MODO DE CONCLUSIÓN.

1. INTRODUCCIÓN

Las personas físicas, cada vez con mayor frecuencia y a una escala mundial, compartimos nuestros datos personales. Actos que forman parte de nuestro día a día como navegar por Internet, el uso de las redes sociales, efectuar una compra *on line* o, simplemente, escuchar música a través de una aplicación, por citar tan sólo algunos ejemplos, conllevan un intercambio de información y de datos personales en favor de terceros. Son incuestionables las ventajas y posibilidades que ofrecen este tipo de servicios digitales, pero no cabe duda de que suponen un reto en punto a garantizar la efectiva tutela del derecho fundamental a la protección de datos.

Es cierto que no se trata, como se ha advertido convenientemente, de una cuestión novedosa, pero sí de un problema que, como se ha dicho[1],

---

*   El presente trabajo se ha realizado en el marco del Proyecto: "Los derechos fundamentales ante el cambio del trabajo subordinado en la era digital" –DER2017–83488- C4-3-R– del que forma parte como personal investigador la profesora Mercedes López Balaguer.
[1]   GARCÍA MURCIA, J. y RODRÍGUEZ CARDO, I.A., "La protección de los datos personales en el ámbito del trabajo: una aproximación desde el nuevo marco normativo",

"ha adquirido una nueva dimensión" como consecuencia, entre otros factores, del proceso de digitalización en el que se encuentra inmersa nuestra sociedad y que lleva aparejado una auténtica revolución en cuanto a la forma de vivir, trabajar y relacionarnos[2]. Da buena cuenta de esta idea la propia Exposición de Motivos de la Ley Orgánica 3/2018, de 5 de diciembre, de Protección de Datos y Garantía de los Derechos Digitales (en lo sucesivo, LOPD), en la que se afirma, literalmente, que: "La transformación digital de nuestra sociedad es ya una realidad en nuestro desarrollo presente y futuro tanto a nivel social como económico".

Volviendo a la nueva dimensión que reviste actualmente la cuestión referida a la protección de los datos personales, es bien sabido que la vertiginosa evolución tecnológica, materializada en la aparición de nuevas aplicaciones informáticas, en herramientas digitales o en el recurso a las tecnologías *Big Data*, junto al proceso de globalización en el que estamos inmersos, han incrementado notablemente las posibilidades de recogida y tratamiento de los datos personales. Así, centrándonos en las tecnologías *Big Data*, éstas permiten, a través de algoritmos, la obtención de una ingente cantidad de datos personales, de información sobre nosotros mismos que vamos "dejando" registrada en las actividades que llevamos a cabo a través de la Red. El tratamiento de todos estos datos, en principio inconexos, permite obtener un perfil claro de las personas: identificando nuestros gustos, hábitos, intereses, etc. Información que, por supuesto, puede ser muy valiosa para terceros interesados. Se trata de una tecnología muy consolidada en el mundo del consumo pero que cada vez se va extendiendo con más auge en el ámbito profesional, donde puede constituir un elemento estratégico fundamental para mejorar los procesos de negocios, con el fin de incrementar los beneficios y analizar los eventuales riesgos existentes[3].

Evidentemente, la principal contrapartida a las ventajas que aportan este tipo de tecnologías o herramientas digitales, es que aumentan considerablemente los riesgos de que se produzca un uso inadecuado de dicha

---

     Revista Española de Derecho del Trabajo, núm. 216, 2019 [Artículo consultado en la versión digital].

[2]   *Vid.*, el documento elaborado por la CEOE, rubricado "Plan de digitalización 2020. La digitalización de la sociedad española", 2016, pág. 11. El texto completo del documento se encuentra disponible en: http://contenidos.ceoe.es/CEOE/var/pool/pdf/publications_docs-file-334-plan-digital-2020-la-digitalizacion-de-la-sociedad-espanola.pdf [Consulta realizada el 1 de noviembre de 2019].

[3]   URRUTIA SAGARDÍA, E. "Importancia estratégica del *Big Data*", núm. 935, 2017 [Artículo consultado en la versión digital].

información y las consecuencias que ello puede tener para nuestra seguridad y privacidad. Siendo ello así, y teniendo en cuenta que el fenómeno de la digitalización es imparable, es imprescindible volcar los esfuerzos del legislador en configurar una adecuada protección de la privacidad de las personas a través de instrumentos normativos adecuados.

Las reflexiones que se han hecho hasta aquí son perfectamente extrapolables al ámbito empresarial, tanto en lo que se refiere al intercambio de datos personales como a la incidencia de los avances tecnológicos. En efecto, si en las relaciones personales es constante el intercambio de información, de datos personales, un tanto de lo mismo cabe decir respecto a las relaciones de trabajo, donde se manejan datos personales del trabajador como su nombre y apellidos, su nacionalidad, dirección, titulación, conocimientos, capacidad laboral, entre otros. Del mismo modo, el uso de las denominadas como "nuevas" tecnologías en el ámbito laboral, calificativo cuyo mantenimiento hoy en día no responde tanto a que su utilización sea algo novedoso –ya hace varias décadas que su implantación en la organización empresarial es un hecho[4]– sino por referencia a su constante evolución y a las nuevas funcionalidades que éstas ofrecen, tienen un efecto evidente en la privacidad de los trabajadores. Efectos que, según ha destacado la doctrina más autorizada, se proyecta en una triple dirección[5]: por un lado, permiten a las empresas un mayor acceso, tanto cuantitativa como cualitativamente, a informaciones personales de los trabajadores. Por otro lado, la generalización de los recursos técnicos ha propiciado que se difuminen las fronteras entre la vida laboral y la vida privada. En otras palabras, las nuevas tecnologías facilitan que la prestación de servicios se extienda más allá de la jornada y del lugar de trabajo instaurándose una suerte de cultura laboral basada en la "disponibilidad permanente"[6]. Por último, los nuevos sistemas tecnológicos posibilitan que la empresa, en ejercicio de la facultad de vigilancia de la actividad laboral que le es propia, lleve a cabo un control mucho más incisivo del cumplimiento de las obligaciones laborales por parte de los trabajadores. Fiscalización que, si se utiliza sin

---

[4] Prueba de ello es la publicación, hace casi 30 años, de uno de los estudios doctrinales referentes en esta materia. PÉREZ DE LOS COBOS ORIHUEL, F. *Nuevas tecnologías y relación de trabajo*, Ed. Tirant lo Blanch, Valencia, 1990.

[5] GOERLICH PESET, J.M., "Protección de la privacidad de los trabajadores en el nuevo entorno tecnológico", en AA.VV. *El derecho a la privacidad en un nuevo entorno tecnológico*, Ed. Centro de Estudios Políticos y Constitucionales, Madrid, 2016, pp. 124-125.

[6] GOÑI SEIN, J.L., "Nuevas tecnologías digitales, poderes empresariales y derechos de los trabajadores: análisis desde la perspectiva del reglamento europeo de protección de datos de 2016, *Revista de Derecho Social*, núm. 78, 2017, pág. 19.

observar las debidas garantías, puede constituir una intromisión ilegítima en los derechos fundamentales de los trabajadores.

De los tres principales efectos que se acaban de enunciar, no cabe duda que el último de ellos, esto es, la utilización de las nuevas tecnologías como herramientas de control es el que, en la práctica, ha propiciado mayores conflictos en el ámbito jurídico-laboral. Posiblemente, a ello ha contribuido la ausencia de una normativa específica que regulase la facultad de control empresarial[7], más allá de lo dispuesto en el art. 20 ET, que se limitaba a señalar que "el empresario podrá adoptar las medidas que estime más oportunas de vigilancia y control para verificar el cumplimiento por el trabajador de sus obligaciones y deberes laborales, guardando en su adopción y aplicación la consideración debida a su dignidad y teniendo en cuenta, en su caso, la capacidad real de los trabajadores con discapacidad". Esta situación de déficit normativo ha tenido que ser solventada por la intervención jurisprudencial, tanto a nivel interno –TS y, singularmente, TC– como internacional –TEDH– que a golpe de sentencia ha ido fijando un cuerpo doctrinal del que se pueden extraer las reglas y criterios interpretativos a tener en cuenta a la hora de valorar si existe un adecuado equilibrio entre el control de la actividad laboral y el respeto a los derechos fundamentales del trabajador, entre los que se encuentra, obvio es decirlo, el derecho a la protección de datos y el derecho a la intimidad.

La actual LOPD, como es sabido, destina determinados preceptos a regular específicamente el uso de los dispositivos digitales en el ámbito laboral, lo que se traducirá, como veremos con más detalle, en la imposición de límites concretos al ejercicio del poder de control empresarial.

En el marco de estas breves consideraciones introductorias, debemos precisar que el objeto de estudio del presente trabajo se va a centrar en una concreta materia: la licitud de la prueba en el proceso laboral en el marco del derecho fundamental del trabajador a la protección de datos y a la intimidad. Para ello necesariamente deberemos descender al análisis del derecho sustantivo, esto es, de los arts. 87, 89 y 90 LOPD, porque este será esencial para delimitar el espacio de licitud de la prueba en los términos que prevé el art. 90.2 LRJS que, como es sabido, señala: "No se admitirán

---

[7]   Se trata de una de las críticas que desde tiempo atrás viene formulando la doctrina científica, por todos: DE LOS COBOS ORIHUEL, F. y GARCÍA RUBIO, A. "El control empresarial sobre las comunicaciones electrónicas del trabajador: criterios convergentes de la jurisprudencia del Tribunal Constitucional y del Tribunal Europeo de los Derechos Humanos", en *Revista Española de Derecho del Trabajo*, núm. 196, 2017. [Artículo consultado en su versión digital].

pruebas que tuvieran su origen o que se hubieran obtenido, directa o indirectamente, mediante procedimientos que supongan violación de derechos fundamentales o libertades públicas".

Junto al análisis normativo parece conveniente identificar, en cada caso concreto, cuáles han sido los principales criterios interpretativos manejados por la jurisprudencia, nacional e internacional a la hora de resolver los conflictos jurídicos que se han ido suscitando; y ello con el propósito último de valorar en qué medida los cambios normativos acontecidos pueden suponer un cambio en las tesis jurisprudenciales hasta ahora predominantes. En relación con la ilicitud de la prueba no hay que olvidar que en la mayoría de los conflictos que se sustancian en sede judicial, las nuevas tecnologías no son únicamente una herramienta de control, sino que al mismo tiempo son el medio de prueba utilizado por la empresa para probar el incumplimiento contractual del trabajador que legitima el ejercicio del poder disciplinario. Así pues, cuando el derecho de protección de datos y el derecho a la intimidad son los que están en juego, la regulación de los procedimientos que permiten obtener pruebas lícitamente se ha de buscar actualmente en la LOPD.

2. EL DERECHO A LA PROTECCIÓN DE DATOS COMO DERECHO FUNDAMENTAL CON SUSTANTIVIDAD PROPIA

Los datos personales son aquellos que permiten, directa o indirectamente, identificar a una persona. Se incluyen en tal categoría desde el nombre y apellidos, la dirección postal y la fecha de nacimiento; hasta el número de identificación fiscal, de la Seguridad Social, la dirección de email, la huella digital o una fotografía, por citar tan sólo algunos ejemplos. En suma, se trata de datos que guardan una estrecha vinculación con la privacidad de las personas, con su intimidad. Prueba de ello es que la extinta Ley Orgánica 15/1999, de 13 de diciembre, de Protección de Datos de Carácter Personal, a la hora de delimitar su ámbito objetivo de aplicación, identificaba, como tal, el de garantizar y proteger, en lo relativo al tratamiento de los datos personales, las libertades públicas y los derechos fundamentales de las personas físicas, y especialmente de su honor e *intimidad personal y familiar.*

Ahora bien, siendo incuestionable la relación que puede darse entre los datos personales y la intimidad o privacidad de las personas, no existe, como se ha dicho, una coincidencia absoluta[8]. Hay datos que siendo personales no pertenecen al ámbito de la intimidad de una persona. El concepto de intimidad presenta un alcance más restringido. Es decir, la intimidad protege la esfera más reservada de las personas mientras que la privacidad abarca "[…] facetas de la personalidad que, aisladamente consideradas, pueden carecer de significación intrínseca, pero que, enlazadas entre sí, arrojan un retrato de la personalidad del individuo que este tiene derecho a mantener reservado"[9].

Es por ello que al hacer referencia al derecho de protección de datos se está aludiendo a un derecho fundamental que presenta sustantividad propia frente al de intimidad, por más que, en ocasiones, ambas facetas puedan ir unidas. Así se desprende del reconocimiento constitucional que se hace por el art. 18.4 CE del derecho fundamental a la protección de datos personales de manera autónoma, esto es, independiente del derecho al honor, a la intimidad y a la propia imagen que proclama el apartado primero del citado precepto constitucional. Dicha circunstancia no sólo va a implicar que el objeto y contenido de ambos derechos fundamentales difieran, sino que, además, pone en evidencian la necesidad de que el derecho a la protección de datos cuente con instrumentos normativos específicos que hagan posible la dispensa de una tutela adecuada. A mayor abundamiento, tal diferenciación, en la práctica, propiciará que unos hechos puedan ser constitutivos de una vulneración del derecho a la protección de datos y no del derecho a la intimidad; y, viceversa.

El Tribunal Constitucional ha venido avalando desde tiempo atrás el carácter independiente del derecho a la protección de datos o, lo que es lo mismo, que no se trata de una mera especificación del derecho a la intimidad. Particularmente ilustrativa fue en este sentido la conocida sentencia 292/2000, de 30 de noviembre, que trae causa en la interposición de un recurso de inconstitucionalidad frente a determinados incisos de algunos preceptos de la Ley Orgánica 15/1999, de 13 diciembre, de Protección de Datos de Carácter Personal[10]. Por cuanto aquí interesa, el Alto Tribunal esgrime a lo largo de su vasta fundamentación jurídica las peculiaridades que presenta el derecho a la protección de datos frente al derecho a la

---

[8]   GARCÍA MURCIA, J. y RODRÍGUEZ CARDO, I.A., "La protección de los datos personales en el ámbito del trabajo: una aproximación desde…", *op. cit.* p. 36.

[9]   MERCADER UGUINA, J.R., *Protección de datos y garantía de los derechos digitales en las relaciones laborales*, Ed. Francis Lefebvre. Claves Prácticas, Madrid, 2019, p. 23.

[10]   STC de 290/2000, de 30 de noviembre (Rec. de inconstitucionalidad acumulados 201/93, 219/93, 226/93 y 236/93).

intimidad, diferenciando el objeto de protección en ambos casos y su contenido. Tesis que, por lo demás, ha sido acogida con posterioridad por la jurisprudencia laboral[11].

De manera esquemática, las líneas maestras de la argumentación manejada por el Tribunal Constitucional para alcanzar dicha conclusión pueden reconducirse a las siguientes: en primer lugar, el TC arrancará su argumentación incidiendo en la insuficiencia del derecho a la intimidad como elemento de protección del tráfico de datos personales. Dicha afirmación se sustenta en la voluntad del constituyente, sabedor de los riesgos que podría entrañar el uso de la informática, de incluir un apartado cuarto en el art. 18 como "como forma de respuesta a una nueva forma de amenaza concreta a la dignidad y a los derechos de la persona", pero que es también, "en sí mismo, un derecho o libertad fundamental" (STC 254/1993, de 20 de julio). Prueba de esta voluntad de configurar un tratamiento autónomo a la protección de datos no sólo es su plasmación final en el texto constitucional sino el propio debate seguido en sede parlamentaria, en el que si bien se pudo cuestionar inicialmente la necesidad del apartado 4 del art. 18 habida cuenta de que ya se reconocían los derechos a la intimidad y al honor, finalmente se consideró que aquellos derechos, en atención a sus contenidos, "[…] no ofrecían garantías suficientes frente a las amenazas que el uso de la informática podía entrañar para la protección de la vida privada"; razón por la cual, era necesario un ámbito de protección específico y, por ende, más idóneo, que el que podían ofrecer, por sí mismos, los derechos fundamentales mencionados en el art. 18.1 CE.

Sentado lo anterior, el Tribunal profundizará en las diferencias entre intimidad y protección de datos. Así pues, se afirmará que "la garantía de la vida privada de la persona y de su reputación poseen hoy una dimensión positiva que excede el ámbito propio del derecho fundamental a la intimidad (art. 18.1 CE), y que se traduce en un derecho de control sobre los datos relativos a la propia persona". En este sentido, si bien ambos derechos comparten el fin último de ofrecer una eficaz protección constitucional de la vida privada personal y familiar, su objeto es distinto. Mientras el derecho a la intimidad extiende su garantía a la intimidad en su dimensión constitucionalmente protegida por el art. 18.1 CE, esto es, los datos íntimos de la persona; el derecho fundamental a la protección de datos, en cambio, amplía aquella garantía constitucional, al extenderla a aquellos datos que "[…] sean relevantes o tengan incidencia en el ejercicio de cualesquiera

---

[11]   STS de 7 de febrero de 2018, rec. 78/2017.

derechos de la persona, sean o no derechos constitucionales y sean o no relativos al honor, la ideología, la intimidad personal y familiar a cualquier otro bien constitucionalmente amparado". Consecuentemente, cualquier tipo de dato personal, sea o no íntimo, cuyo conocimiento o empleo por terceros pueda afectar a sus derechos, sean o no fundamentales, quedan dentro del objeto de protección del derecho previsto en el art. 18.4 CE. Se incluirían, también "datos personales públicos", que, pese a ser accesibles al conocimiento de cualquiera, no escapan al poder de disposición del afectado porque así lo garantiza su derecho a la protección de datos. En definitiva, se afirma que "[…] los datos amparados son todos aquellos que identifiquen o permitan la identificación de la persona, pudiendo servir para la confección de su perfil ideológico, racial, sexual, económico o de cualquier otra índole, o que sirvan para cualquier otra utilidad que en determinadas circunstancias constituya una amenaza para el individuo".

Por último, delimitado el objeto de protección y sus diferencias con respecto al derecho a la intimidad, el Alto Tribunal se centrará en el contenido del derecho de protección de datos pues también en este punto existen importantes singularidades. Y es que, mientras el derecho a la intimidad confiere a la persona el poder jurídico de imponer a terceros el deber de abstenerse de toda intromisión en la esfera íntima de la persona y la prohibición de hacer uso de lo así conocido; el contenido del derecho fundamental a la protección de datos consiste "[…] en un poder de disposición y de control sobre los datos personales que faculta a la persona para decidir cuáles de esos datos proporcionar a un tercero, sea el Estado o un particular, o cuáles puede este tercero recabar, y que también permite al individuo saber quién posee esos datos personales y para qué, pudiendo oponerse a esa posesión o uso". Tales poderes de disposición y control sobre los datos personales requieren como complemento indispensable, indica el TC, "[…] la facultad de saber en todo momento quién dispone de esos datos personales y a qué uso los está sometiendo, y, por otro lado, el poder oponerse a esa posesión y usos".

Por supuesto, esta interpretación jurisprudencial en la que se defiende al carácter autónomo del derecho a la protección de datos ha tenido su traslación al derecho positivo. Sirvan de ejemplo, de un lado y a nivel europeo, la Carta de los Derechos Fundamentales de la Unión Europea, cuyo art. 8.1 afirma que "toda persona tiene derecho a la protección de los datos de carácter personal que le conciernan". Además el Reglamento 2016/679 en su art. 1.2 establece que esta norma "protege los derechos y libertades fundamentales de las personas físicas y, en particular, su derecho a la protección de los datos personales". Es más, en su art. 88, el Reglamento de

2016 prevé, precisamente para el ámbito de las relaciones laborales, que los diferentes Estados miembros puedan establecer normas "más específicas para garantizar la protección de los derechos y libertades en relación con el tratamiento de datos personales de los trabajadores en el ámbito laboral". Un tanto de lo mismo ocurre, a nivel interno, con la LOPD de 2018 que, de forma expresa, reconoce en su art. 1 "el derecho fundamental de las personas físicas a la protección de datos personales". En este sentido, un sector de la doctrina ha interpretado[12], que el derecho fundamental de protección de datos abarca hoy al derecho a la intimidad, en el entendido no ya de que se trate de derechos interconectados, sino que, dicho de forma muy gráfica, se puede afirmar que "el derecho de protección de datos se ha comido a la intimidad".

Sin embargo, es difícil sostener estrictamente una afirmación en estos términos si acudimos a nuestra norma orgánica aprobada en 2018 y revisamos la regulación específica relativa al ámbito de las relaciones laborales. Y es que, aunque pueda sorprender, no se ha incorporado de manera expresa la referencia al derecho de protección de datos. En efecto, los preceptos que la misma dedica al ámbito laboral en relación con el control empresarial se refieren exclusivamente al derecho a la intimidad en relación con el uso de los dispositivos y la videovigilancia y solo se hace referencia al derecho de protección de datos en relación con la geolocalización. De hecho, el art. 20 bis ET, tras la reforma operada por la LOPD, viene a reconocer "el derecho a la intimidad" de los trabajadores "en el uso" y "frente al uso" de los dispositivos digitales. Llama la atención que no se haya incorporado al texto estatutario el derecho de protección de datos como derecho fundamental y únicamente se haga alusión al derecho a la intimidad. No obstante, y aunque esto pueda resultar criticable, lo cierto es que el derecho de protección de datos es ahora un derecho que muchas veces abarca y alcanza al derecho a la intimidad, pero, como ha precisado algún autor en línea con la doctrina del TC[13], estos derechos, aunque relacionados,

---

[12]   GOÑI SEIN, J.L., "Nuevas tecnologías digitales, poderes empresariales y derechos de los trabajadores: análisis desde…", *op. cit.*, p. 32, que cita a Córdoba y Díez-Picazo (véase cita 34). Para el autor, una lectura conforme de los nuevos retos planteados por las nuevas tecnologías debería llevar a encuadrar el conflicto en la disciplina del derecho a la protección de datos que garantiza la Constitución, aplicándose los límites conexos a tal derecho y condicionando la legitimidad de la medida de control empresarial a la valoración de todos los derechos afectados.

[13]   MERCADER UGUINA, J.R., *Protección de datos y garantía de los derechos…, op. cit.*, p. 24, que considera que la clave del diferente alcance de ambos derechos puede encontrarse en la regulación de la CDFUE, ya que la consagración en la CDFUE de la protección de datos como derecho autónomo (art. 8) se ha hecho de modo separado y diferente

son categorías diferentes y, esa diferencia, implica que los mismos hechos pueden ser vulneración de uno de los derechos y no del otro.

Apuntado todo lo anterior, veamos pues, centrándonos en el tema que nos ocupa desde la perspectiva de la LOPD, cómo se va a reconfigurar la licitud de la prueba en el ámbito de la empresa que pretende ejercer su poder de control del cumplimiento de las obligaciones laborales a través de medios digitales que afectan al derecho a la intimidad de los trabajadores.

3. LICITUD DE LA PRUEBA Y PROTECCIÓN DE DATOS EN EL PROCESO LABORAL

3.1. La obtención de la prueba y el respeto a los derechos fundamentales: el art. 90.2 LRJS

A mediados de los años ochenta, como la doctrina ha puesto de manifiesto[14], el TC en su sentencia 114/1984, de 29 de noviembre, vino a considerar, antes de que la LOPJ incluyese un precepto como el art. 11.1 y nuestra norma procesal un precepto como el actual art. 90.2 LPRS, que "el problema de la admisibilidad de la prueba ilícitamente obtenida se perfila siempre en una encrucijada de intereses, debiéndose así optar por la necesaria procuración de la verdad en el proceso o por la garantía –por el ordenamiento en su conjunto– de las situaciones jurídicas subjetivas de los ciudadanos. Estas últimas acaso puedan ceder ante la primera exigencia cuando su base sea estrictamente infraconstitucional pero no cuando se trate de derechos fundamentales que traen su causa, directa e inmediata,

---

del derecho al respecto a la vida privada y familiar (art. 7); en parecido sentido, GARCÍA MURCIA, J. y RODRÍGUEZ CARDO, I.A., "La protección de los datos personales en el ámbito del trabajo: una aproximación desde…", *op. cit.* p. 36, señalan que, tanto por su enunciado como por el contenido que efectivamente se les atribuye en el correspondiente pasaje legal, no siempre se trata de prácticas o decisiones relacionadas con la obtención o el uso de datos personales. Más bien se trata de supuestos en los que pueden o suelen quedar afectados otros bienes del trabajador, como su intimidad o su esfera personal o privada, al menos de manera principal o más inmediata. Y, añaden estos autores, que estos preceptos de la LOPD parecen restar alguna capacidad de impacto al derecho a la protección de datos porque la invocación de ese derecho había permitido conceder una tutela cualitativamente más intensa o perfeccionada que los derechos tradicionales, gracias a la disociación que hacía la jurisprudencia entre consentimiento e información.

[14]   Seguimos en este punto el magnífico trabajo del profesor GIL PLANA, J., *La prueba en el proceso laboral,* ed. Thomson Aranzadi, Navarra, 2005, p. 197 y ss.

de la norma primera del ordenamiento. En tal supuesto puede afirmarse la exigencia prioritaria de atender a su plena efectividad, relegando a un segundo término los intereses públicos ligados a la fase probatoria del proceso".

De hecho, tras este pronunciamiento, se produjo la recepción normativa de la ilicitud de la prueba por vulneración de derechos fundamentales tanto en la LOPJ como en la LPL. Actualmente, como ya decíamos al principio del trabajo, es el art. 90.2 LRJS el precepto que la recoge. Este precepto establece que la inadmisión de la prueba será la consecuencia jurídica aplicable al origen u obtención de la prueba mediante procedimientos que impliquen violación de derechos fundamentales o libertades públicas.

El cauce procedimental que se diseña para que la inadmisión de la prueba no lícita pueda producirse se concreta en el incidente que regula el art. 90.2 LRJS y que, como se ha dicho acertadamente[15], resulta de una enorme complejidad técnica e inadecuado para el proceso laboral. Este procedimiento incidental resulta complejo, entre otras cosas, porque implica que la posible vulneración del derecho fundamental se plantee en el marco de la práctica de la prueba en el juicio oral. No entraremos aquí a revisar este procedimiento incidental desde la perspectiva procesal[16]. Nos centraremos, tal y como ya hemos señalado, en una cuestión de fondo cual es la relacionada con la delimitación del espacio de licitud de la prueba que cabe perfilar desde la perspectiva del derecho de protección de datos y el derecho de intimidad cuando la empresa la obtiene la prueba a través de un control que se lleva a cabo por medios digitales.

3.2. Obtención de pruebas a través del control empresarial: límites de la LOPD

Tal y como hemos dicho más arriba, el actual art. 20 bis ET reconoce el derecho a la intimidad de los trabajadores "en el uso" y "frente al uso" de los dispositivos digitales. Y lo cierto es que nos encontramos ante un precepto de alcance meramente enunciativo, esto es, reconoce el derecho a la intimidad de los trabajadores de manera amplia –en el uso y frente al uso de dispositivos digitales–, pero no entra a desarrollar el alcance de ese derecho

---

[15] ESTEVE SEGARRA, A., "El proceso ordinario", en AAVV (Dir., BLASCO PELLICER, A. y GOERLICH PESET, J.M.), *La reforma del proceso laboral*, ed. Tirant lo Blanch, Valencia, 2011, p. 256.

[16] Sobre el mismo, *Ibídem*, p. 255-262.

en el marco de la relación laboral. De hecho, sin más, remite para ello a la "legislación vigente en materia de protección de datos y garantía de los derechos digitales". Así pues, para aplicar e interpretar este precepto debemos acudir a los arts. 87, 89 y 90 de la LOPD, pues solo así será posible delimitar el alcance de este derecho a la intimidad meramente enunciado en el ET[17].

Por otra parte, esa precisa delimitación resulta esencial en el tema que nos ocupa, esto es, la licitud o ilicitud de la prueba obtenida por el empresario. De este modo, a la hora de valorar en el marco del proceso laboral si la prueba obtenida es o no válida desde la perspectiva del respeto al derecho a la intimidad, será necesario comprobar si se han cumplido las condiciones y requisitos previstos en la LOPD.

En efecto, para aplicar en sus propios términos la norma procesal que prohíbe la admisión de la prueba obtenida mediante procedimientos que supongan violación de derechos fundamentales, será necesario ponerla en relación con la norma sustantiva que regula los procedimientos de control en el uso o frente al uso de dispositivos digitales en los que se puede ver afectado el derecho de protección de datos y el derecho a la intimidad –art. 20 bis ET y arts. 87 a 89 LOPD–. De este modo, los Tribunales para poder decidir sobre si el procedimiento de obtención de la prueba ha sido o no respetuoso con el derecho fundamental de protección de datos y con el derecho de intimidad, deberán comprobar si se han cumplido las exigencias que recoge la norma sustantiva. Y, lo que es seguro, es que esta tarea no será fácil dado que, como se ha considerado en opinión que compartimos, la nueva regulación "aporta más sombras que luces al desarrollo de los derechos digitales en el ámbito laboral, en la medida en que genera importantes dudas interpretativas"[18].

---

[17]   Muy crítico con este precepto, MOLINA NAVARRETE, "Poder de geolocalización, intimidad y autoderminación digital en las relaciones de trabajo: ¿un nuevo orden eficaz de garantías y límites?", *Diario La Ley*, Nº 9319, 17-12-2018, considera que el "desvaído" art. 20bis sigue siendo el referente fundamental en materia de protección de datos, "lo que es una sorprendente contradicción, pues la finalidad de la nueva regulación sería, precisamente, la de poner en el centro del eje regulador el derecho fundamental, no la potestad empresarial. Por lo tanto, aquí, la norma legal perdería su principal sentido garantista para mantener el que hoy tiene el art. 20.3 ET, primando el interés empresarial, aunque, naturalmente, el legislador no podrá dejar de establecer condiciones a su ejercicio; en este sentido, también consideran GARCÍA MURCIA, J. y RODRÍGUEZ CARDO, I.A., "La protección de los datos personales en el ámbito del trabajo: una aproximación desde…", *op. cit.* p. 36, que podría decirse, incluso, que más que de derechos se habla en la LOPD de reglas de ejercicio del poder empresarial.

[18]   SERRANO OLIVARES, R., "Los derechos digitales en el ámbito laboral: comentario de urgencia a la Ley Orgánica 3/2018, de 5 de diciembre, de protección de datos perso-

Así pues, pasamos a analizar estas exigencias diferenciando, como lo hace la LOPD, las condiciones para la licitud de la prueba obtenida, en primer lugar, del control de los dispositivos digitales puestos a disposición del trabajador; en segundo lugar, del control del cumplimiento de las obligaciones laborales mediante videovigilancia y grabación de sonidos; y, en tercer lugar, del control mediante sistemas de geolocalización. En este análisis seguiremos un esquema idéntico para los tres supuestos, recordando primero, muy brevemente, el nuevo marco normativo y pasando después a estudiar tanto la interpretación que los Tribunales están empezando a hacer de la normativa actual como la doctrina jurisprudencial y del TC que a lo largo de los años ha venido valorando la licitud de la prueba en base a la normativa anterior. Respecto de esta doctrina anterior se deberá comprobar además si, con la nueva normativa, sigue siendo aplicable o ha quedado superada en algún caso.

3.2.1. El control del trabajador mediante el acceso a los dispositivos digitales puestos a su disposición por la empresa

El art. 87 LOPD regula el derecho a la intimidad en el uso de los dispositivos digitales y lo hace de manera «progresiva» en el marco de la relación laboral, esto es, tras reconocer el derecho a la intimidad del trabajador y el derecho al control de la empresa, apunta cuál debe ser el espacio legal para la confluencia de ambos derechos y, en consecuencia, el espacio de licitud de la prueba obtenida por el empresario tras el control del dispositivo que el trabajador utiliza en su actividad profesional del día a día.

En efecto, este precepto primero reconoce sin duda que los trabajadores tienen derecho a la intimidad en el uso de los dispositivos digitales puestos a su disposición por su empleador. Con ello el legislador no nos dice nada nuevo. El derecho a la intimidad en el uso de los dispositivos digitales ya venía no solo siendo reconocido en la norma anterior sino por la doctrina tanto del TS como del TC o del TEDH. Es más, hay que tener en cuenta que el uso de los dispositivos digitales hace referencia a la actividad desempeñada por el trabajador en el entorno digital (correo electrónico, uso de internet, mensajería digital, uso de aplicaciones…) y es por ello que, aunque el art. 20 bis y el 87.1 LOPD se refieren al derecho de

---

nales y garantía de los derechos digitales", *IusLabor*, 3/2018, [versión digital], p. 218.

intimidad, otros derechos pueden estar también en juego (por ejemplo, el derecho al secreto de las comunicaciones)[19].

En segundo lugar, como hemos dicho, el art. 87.2 LOPD reconoce al empresario un poder de acceso al contenido de esos dispositivos digitales única y exclusivamente con dos objetivos: controlar el cumplimiento de las obligaciones laborales o estatutarias y/o garantizar la integridad de dichos dispositivos. Con ello el legislador traslada a la norma la "justificación legítima" que los Tribunales han venido exigiendo al empresario a la hora de acceder a los dispositivos digitales que utilizan los trabajadores y que impide que el acceso se produzca de manera injustificada, indiscriminada o constante. Sobre esta justificación legítima, podemos recordar que el TEDH en la conocida sentencia *Barbulescu II*, de 5 de septiembre de 2017, vino a señalar que "el empleador tiene un legítimo interés en asegurar el buen funcionamiento de su empresa, aplicando medidas que le permitan verificar que sus empleados cumplen con sus deberes profesionales de manera adecuada y con la celeridad requerida". Y, en nuestro país, ya la STS de 26 de septiembre de 2007[20], apuntaba que los dispositivos digitales son propiedad de la empresa que ésta facilita al trabajador para utilizarlos en el cumplimiento de la prestación laboral, "por lo que esa utilización queda dentro del ámbito del poder de vigilancia del empresario como precisa el artículo 20.3 ET".

De alguna manera en sus apartados primero y segundo el art. 87 está acogiendo la doctrina constitucional clásica que reconoce[21]:

– Que "el derecho a la intimidad no es absoluto, como no lo es ninguno de los derechos fundamentales, pudiendo ceder ante intereses constitucionalmente relevantes, siempre que el recorte que aquél haya de experimentar se revele como necesario para lograr el fin legítimo previsto, propor-

---

[19] Ya lo señaló el TS en su sentencia de 26 de septiembre de 2007, rec. 966/2006: "En el caso del uso por el trabajador de los medios informáticos facilitados por la empresa pueden producirse conflictos que afectan a la intimidad de los trabajadores, tanto en el correo electrónico, en el que la implicación se extiende también, como ya se ha dicho, al secreto de las comunicaciones, como en la denominada «navegación» por Internet y en el acceso a determinados archivos personales del ordenador". Sobre esta cuestión, DESDENTADO BONETE, A. y DESDENTADO DAROCA, E., "La segunda sentencia del Tribunal Europeo de Derechos Humanos en el caso Barbulescu y sus consecuencias sobre el control del uso laboral del ordenador", *Información Laboral*, 1/2018, BIB 2018\6059 [versión digital].

[20] rec. 966/2006.

[21] Por todas, STC 123/1992, de 28 de septiembre; STC 134/1994, de 9 de mayo; STC 6/1998, de 13 de enero; y STC 186/2000, de 10 de julio.

cionado para alcanzarlo y, en todo caso, sea respetuoso con el contenido esencial del derecho".

– Que "el poder de dirección del empresario, imprescindible para la buena marcha de la organización productiva (organización que refleja otros derechos reconocidos constitucionalmente en los arts. 33 y 38 CE) y reconocido expresamente en el art. 20 LET, atribuye al empresario, entre otras facultades, la de adoptar las medidas que estime más oportunas de vigilancia y control para verificar el cumplimiento del trabajador de sus obligaciones laborales" pero "que el ejercicio de las facultades organizativas y disciplinarias del empleador no puede servir en ningún caso a la producción de resultados inconstitucionales, lesivos de los derechos fundamentales del trabajador".

– Y, en consecuencia, que es necesario que se preserve "el necesario equilibrio entre las obligaciones dimanantes del contrato para el trabajador y el ámbito –modulado por el contrato, pero en todo caso subsistente– de su libertad constitucional pues, dada la posición preeminente de los derechos fundamentales en nuestro ordenamiento, esa modulación sólo deberá producirse en la medida estrictamente imprescindible para el correcto y ordenado respeto de los derechos fundamentales del trabajador y, muy especialmente, del derecho a la intimidad personal que protege el art. 18.1 CE, teniendo siempre presente el principio de proporcionalidad".

De este modo, situados el derecho fundamental a la intimidad del trabajador y el derecho de la empresa al control de la actividad laboral en el marco de la relación de trabajo, el tercer apartado del art. 87 LOPD es, como decíamos antes, el que viene a dar respuesta a la concreta cuestión que ahora nos ocupa y que se circunscribe a delimitar el perfil lícito de la prueba obtenida con la actuación controladora del empresario, es decir, el procedimiento que deberá seguir para que su control legítimo sea además respetuoso con el derecho fundamental a la intimidad que el trabajador mantiene intacto.

En efecto, a nuestro modo de ver, el legislador ha venido a reconfigurar este derecho de algún modo en el art. 87.3 LOPD en base al reconocimiento de un doble y gradual estándar de intimidad, cuya graduación depende de la prohibición o admisión del uso privado de los dispositivos digitales que los empresarios deben comunicar de manera previa a los trabajadores tras decidirlo con la participación de los representantes de los trabajadores[22]. El cumplimiento de este deber de información, que debe ser con-

---

[22]   Con esta exigencia, asume la LOPD una de las recomendaciones del importante *Dictamen 2/2017 del GT 29 sobre el tratamiento de datos en el trabajo* que recomienda que, en to-

siderado contenido esencial del derecho a la intimidad del trabajador[23], implica que de antemano el trabajador sabe que nos podemos encontrar dos escenarios:

- Si los criterios de uso quedan limitados única y exclusivamente al ámbito profesional la consecuencia será que el empresario deberá respetar los *estándares mínimos de protección de la intimidad de acuerdo con los usos sociales y los derechos reconocidos constitucional y legalmente.*

- Si los criterios de uso permiten el uso de los dispositivos digitales con fines privados la consecuencia será que el empresario *deberá especificar de modo preciso los usos autorizados y se establezcan garantías para preservar la intimidad de los trabajadores, tales como, en su caso, la determinación de los períodos en que los dispositivos podrán utilizarse para fines privados.*

En el primer escenario de prohibición total del uso privado, que es hoy posible desde una interpretación literal de la norma[24], nos moveríamos en lo que legislador ha denominado *estándar mínimo* de protección de la intimidad. Y, en el segundo, nos moveríamos en lo que podríamos llamar *estándar reforzado* de protección de la intimidad. Con ello, la licitud de la prueba que se obtenga a partir de ese control dependerá de que el estándar aplicable se haya respetado en todo caso y, en consecuencia, lo que hoy por hoy no plantea duda alguna es que el derecho a la intimidad es un límite al control empresarial de los dispositivos digitales tanto en el primer supuesto como en el segundo.

En este sentido, a nuestro entender[25], con la nueva LOPD no sería posible admitir como lícita una prueba tras el control del dispositivo afirmando

---

dos los casos, una muestra representativa de trabajadores participe en la evaluación de la necesidad del control, así como en la lógica y accesibilidad de la política. [Dictamen consultado en versión digital Sitio web: http://ec.europa.eu/justice/data-protection/index_en.htm].

[23]   SERRANO OLIVARES, R., "Los derechos digitales en el ámbito laboral: comentario…", *op. cit.,* p. 219.

[24]   En este sentido, SERRANO OLIVARES, R., "Los derechos digitales en el ámbito laboral: comentario…", *op. cit.,* p. 219; y, MERCADER UGUINA, J.R., Protección de datos y garantía de los derechos…, op. cit., p. 132. Para ambos autores la dicción literal del art. 87 LOPD lleva a interpretar que es posible que el empresario limite absolutamente el uso privado de los dispositivos digitales.

[25]   En el mismo sentido, para SERRANO OLIVARES, R., "Los derechos digitales en el ámbito laboral: comentario…", *op. cit.,* p. 220, que considera que "la expectativa de intimidad y secreto de las comunicaciones sigue vigente, aunque exista una prohibición empresarial expresa y absoluta del uso personal de los dispositivos digitales, salvo

que "si no hay derecho a utilizar el ordenador para usos personales, no habrá tampoco derecho para hacerlo en unas condiciones que impongan un respeto a la intimidad o al secreto de las comunicaciones, porque, al no existir una situación de tolerancia del uso personal, tampoco existe ya una expectativa razonable de intimidad y porque, si el uso personal es ilícito, no puede exigirse al empresario que lo soporte y que además se abstenga de controlarlo" (STS de 6 de octubre de 2011[26]). Ni tampoco consideramos que sea posible sostener tras la LOPD que es lícita la prueba obtenida con el control del dispositivo porque "no podía existir una expectativa fundada y razonable de confidencialidad respecto al conocimiento de las comunicaciones mantenidas por el trabajador a través de la cuenta de correo proporcionada por la empresa y que habían quedado registradas en el ordenador de propiedad empresarial. La expresa prohibición convencional del uso extralaboral del correo electrónico y su consiguiente limitación a fines profesionales llevaba implícita la facultad de la empresa de controlar su utilización, al objeto de verificar el cumplimiento por el trabajador de sus obligaciones y deberes laborales, incluida la adecuación de su prestación a las exigencias de la buena fe" (STC 170/2013, de 7 de octubre).

En el primer ejemplo, la ilicitud de la prueba obtenida sería la consecuencia aplicable al incumplimiento del actual art. 87.3 LOPD cuando expresamente reconoce que el estándar mínimo de intimidad sigue siendo exigible aun en casos de prohibición absoluta del uso privado del dispositivo. En el segundo, la ilicitud de la prueba obtenida sería consecuencia de la inexistencia de información suficiente a los trabajadores porque, tal y como señala el mencionado artículo en su último párrafo, estos han de ser informados de los criterios de utilización y la referencia en el convenio al carácter leve de la falta no parece que pueda cumplir con esta exigencia.

Por ende, desde nuestro punto de vista, cabe entender que en materia de obtención de prueba a través del control de los dispositivos digitales se puede considerar que resultan hoy aplicables como criterios interpretativos del nuevo art. 87 LOPD, en primer lugar, la doctrina jurisprudencial

---

que el empleador informe con la debida antelación de la naturaleza, tipo y alcance del control, así como del grado de intrusión en la vida privada social (la que se desarrolla en el lugar de trabajo)".

[26]   rec. 4053/2010. Hay que tener en cuenta que esta sentencia matizó de manera muy importante la doctrina de 2007, admitiendo, como señala MERCADER UGUINA, J.R., *Protección de datos y garantía de los derechos…*, *op. cit.*, p. 133, el control sin la información previa del mismo asumiendo "que no hay garantía de intimidad cuando existe prohibición absoluta de usos personales, aunque no se hayan formulado advertencias de control".

asentada desde la sentencia de 26 de septiembre 2007, a la que ya hemos aludido, que se sintetiza en tres puntos utilizando los principios clásicos de la doctrina constitucional sobre proporcionalidad, necesidad e idoneidad: a) el trabajador tiene derecho al respeto a su intimidad en el uso de los dispositivos digitales; b) la empresa de acuerdo con las exigencias de buena fe debe establecer "previamente las reglas de uso de esos medios –con aplicación de prohibiciones absolutas o parciales– e informar a los trabajadores de que va existir control y de los medios que han de aplicarse en orden a comprobar la corrección de los usos, así como de las medidas que han de adoptarse en su caso para garantizar la efectiva utilización laboral del medio cuando sea preciso, sin perjuicio de la posible aplicación de otras medidas de carácter preventivo, como la exclusión de determinadas conexiones"; c) si el dispositivo se utiliza para usos privados en contra de estas prohibiciones y con conocimiento de los controles y medidas aplicables, no podrá entenderse que se ha vulnerado el derecho a la intimidad. Y, en segundo lugar, desde la perspectiva de la doctrina del TEDH, debemos acudir obviamente a la sentencia *Barbulescu II* a la que ya nos hemos referido y que se resume en el denominado *test* de siete ítems[27]: a) Información previa y clara a los trabajadores de las medidas de control; b) Nivel de control: extensión temporal y material; c) Justificación legítima; d) Alcance comparativo del control: la fórmula más respetuosa con la vida privada; e) Uso de la información obtenida con el control; f) Trasparencia en el acceso al dispositivo[28].

En este sentido, la STS de 8 de febrero de 2018, rec. 1121/2015, resulta especialmente interesante para el tema que nos ocupa porque, aunque no

---

[27]   Así lo han denominado TERRADILLOS ORMAETXEA, E., "El principio de proporcionalidad como referencia garantista de los derechos de los trabajadores en las últimas sentencias del TEDH dictadas en materia de ciberderechos: un contraste con la doctrina del Tribunal Constitucional español", *Revista de Derecho Social*, n. 80, 2017, pp. 139-162; y, BLASCO JOVER, C., "Trabajadores "transparentes": la facultad fiscalizadora del empresario vs derechos fundamentales de los empleados (I)", *Revista Internacional y Comparada de relaciones laborales y derecho del empleo*, Volumen 6, núm. 3, julio-septiembre de 2018, p. 40.

[28]   Además consideramos, en línea con lo que señala MERCADER UGUINA, J.R., *Protección de datos y garantía de los derechos…, op. cit.*, pp. 137-138, que es importante que, a la hora de valorar el procedimiento de control de los dispositivos desde la perspectiva del derecho a la intimidad, se utilice también el Dictamen 2/2017 del GT 29, al que ya hemos hecho alusión, porque puede resultar en el plano práctico un guía muy interesante como orientación para implementar procedimientos de control válidos desde el parámetro de la proporcionalidad. En este Dictamen se encuentran ejemplos de tecnologías de control de los dispositivos no invasivas o mínimamente invasivas que las empresas deben utilizar en la medida de lo posible.

aplica lógicamente la LOPD de 2018, resuelve un supuesto en el que se cuestiona precisamente la licitud de la prueba obtenida tras el control de un ordenador de la empresa –de hecho, la empresa recurre la sentencia dictada en suplicación aunque el despido fue declarado procedente por admisión de otras pruebas[29]-, que previamente había informado sobre el uso exclusivamente profesional del mismo. En el caso planteado se acredita la existencia de normativa empresarial sobre los sistemas de información y sobre la política de seguridad de la información que limita el uso de los ordenadores de la empresa a los estrictos fines laborales y que prohíbe su utilización para cuestiones personales. Esta información aparece en la pantalla del ordenador cada vez que los trabajadores acceden al mismo y expresamente incluye una referencia a que "el acceso lo es para fines estrictamente profesionales, reservándose la empresa el derecho de adoptar las medidas de vigilancia y control necesarias para comprobar la correcta utilización de las herramientas que pone a disposición de su empleados, respetando en todo caso la legislación laboral y convencional sobre la materia y garantizando la dignidad e intimidad del empleado". Por otra parte, en relación con la justificación legitima del control en el asunto planteado el examen del ordenador utilizado por el trabajador se realiza tras el «hallazgo casual» de una documentación de la que cabía inferir un incumplimiento del deber de buena fe del trabajo expresamente prohibido en el Código de Conducta de la empresa. Y, finalmente, en relación con el alcance del control se constata que el examen del correo electrónico se limita al de la cuenta de correo corporativo y se lleva a cabo con restricciones tanto temporales como de contenido mediante el acceso al servidor alojado en las propias instalaciones de la empresa.

A nuestro entender, el supuesto planteado y resuelto en esta sentencia podría considerarse como un ejemplo de un sistema de control que se ajustaría a lo previsto en el actual art. 87.3 LOPD en el caso de aplicación de un protocolo de exclusivo uso profesional del dispositivo. Entendemos esto porque, aunque no compartimos algunos de los argumentos expuestos en la fundamentación jurídica de esta sentencia –en particular, los referidos a la doctrina del TS y del TC que consideramos superada por la actual regulación–, de acuerdo con la descripción de las circunstancias en las que se lleva a cabo el control, parece que se cumplen en el procedimiento de obtención de la prueba los requerimientos de la actual normativa de pro-

---

[29] Y el TS entiende que ha lugar al recurso precisamente por "la posible exigencia de responsabilidades de todo orden por una actuación de la empresa que la sentencia recurrida ha calificado atentatoria a derechos fundamentales del trabajador".

tección de datos en relación con los criterios de interpretación de la misma que aquí sostenemos. Así, en primer lugar, se cumple con el requisito de la información previa sobre la limitación estricta al uso profesional del dispositivo, detallándose en la información los criterios de uso. En segundo lugar, se advierte de que la empresa podrá proceder al control del mismo y se informa sobre que este se desarrollará en el marco del derecho a la intimidad. Y, en tercer lugar, se constata que en efecto ese control se realiza del modo menos invasivo posible por lo que a la afectación del derecho fundamental se refiere[30].

En el segundo de los escenarios, esto es, en el supuesto de que el sistema aplicable en la empresa permita el uso privado de los dispositivos digitales (art. 87.3.2°párr.) ya hemos visto que la información deberá ser mucho más detallada, incluyendo en todo caso la delimitación del derecho de los trabajadores al uso privado y el detalle de las garantías que los mismos tienen respecto del mismo. En este caso, como decíamos antes, parece que el legislador ha considerado necesario reforzar el estándar de intimidad del trabajador, dado que es obvio que, habilitado el uso personal de la herramienta digital de trabajo, habrá que reconocer y diseñar expresamente una frontera entre el espacio personal y profesional de uso. Y ese delimitado espacio va a resultar esencial a la hora de valorar si el procedimiento de control del dispositivo necesario para la obtención de la prueba ha sido o no respetuoso con el derecho a la intimidad del trabajador.

En relación con ello, un ejemplo práctico y que puede resultar muy útil a las empresas y a los representantes de los trabajadores a la hora de elaborar el protocolo de uso de los dispositivos digitales que permita el uso privado es el que ofrece la importante STEDH de 22 de febrero de 2018, asunto *Libert contra Francia*. En este asunto, el Tribunal de Estrasburgo decidió que no es contraria al art. 8 CEDH la normativa francesa que permite que cuando se han negociado protocolos de uso de los dispositivos digitales que permiten el uso privado, la empresa pueda acceder y abrir los archivos profesionales que estén almacenados en el disco duro de los

---

[30]   En el mismo sentido parece entenderlo SERRANO OLIVARES, R., "Los derechos digitales en el ámbito laboral: comentario…", *op. cit.*, p. 222. En contra de esta interpretación BLASCO JOVER, C., "Trabajadores "transparentes": la facultad fiscalizadora…", *op. cit.*, p. 47, sostiene una posición crítica considerando que la resolución del TEDH realiza el análisis del triple juicio de una forma más rigurosa y exigente que los Tribunales nacionales, que ya no podrán legitimar la medida fiscalizadora empresarial, sobre la existencia de una política de uso de los medios informáticos, sino que deberán revisar si existe la misma, a continuación, ponderar si aquélla supera el triple juicio antes indicado y, finalmente, si se ofrecieron las debidas garantías al trabajador.

ordenadores de la empresa cuando no estén identificados correctamente como privados. Concretamente, en este caso, el Acuerdo colectivo negociado con los representantes de los trabajadores había previsto que "excepto riesgo o acontecimiento especial", la empresa no podría acceder a los archivos identificados como "Privados". Pues bien, en el concreto supuesto de hecho, los archivos a los que la empresa accede estaban identificados de otro modo –con la palabra "risas" y en unidad "D:/datos personales"– y tras acceder a los mismos la empresa constata sin duda la transgresión de la buena fe contractual –entre otras cosas el trabajador había utilizado una parte importante de la capacidad de su ordenador profesional para almacenar 1.562 archivos representando un volumen de 787 Mb-. Con estos datos, el TEDH considera que, aún en un supuesto en el que la empresa había consentido el uso privado de los medios digitales profesionales, el incumplimiento de los requisitos –siquiera formales– fijados para ese uso privado, puede justificar el acceso de la empresa a los mismos y la imposición de la correspondiente sanción no puede ser considerada contraria al art. 8 CEDH.

3.2.2. El control del trabajador mediante sistemas de videovigilancia

El art. 89 LOPD es el precepto que se ocupa de regular la videovigilancia como sistema de control empresarial. En este sentido, en relación con el derecho fundamental a la intimidad de los trabajadores, es el precepto que establece el marco legal para que la obtención de pruebas mediante esta técnica de vigilancia sea respetuosa con ellos. Y lo que viene a señalar es que, tal y como hemos visto respecto de los dispositivos digitales, también en el supuesto de videovigilancia es posible distinguir tres niveles de protección.

En efecto, el precepto, tras reconocer el derecho de los empresarios a tratar las imágenes obtenidas a través de sistemas de cámaras o videocámaras para el ejercicio de las funciones de control –"siempre que estas funciones se ejerzan dentro de su marco legal y con los límites inherentes al mismo"–, establece:

A) Primero, que los empleadores habrán de informar con carácter previo, y de forma expresa, clara y concisa, a los trabajadores o los empleados públicos y, en su caso, a sus representantes, acerca de esta medida –se trata de lo que podemos denominar «cámaras informadas»–.

B) En segundo lugar, que en el supuesto de que se haya captado la comisión flagrante de un acto ilícito por los trabajadores se entenderá cumplido el deber de informar cuando existiese al menos el dispositivo al que se refiere el artículo 22.4 de la LOPD –se trata de lo que podemos denominar «cámaras identificadas no informadas»–.

C) Y, en tercer lugar, en relación con la grabación de sonidos, que solo se admitirá si resultan "relevantes los riesgos para la seguridad de las instalaciones, bienes y personas" y si, además, se respeta "el principio de proporcionalidad, el de intervención mínima y las garantías previstas en los apartados anteriores".

A) En primer lugar, si la empresa decide utilizar la videovigilancia como sistema de control del cumplimiento de las obligaciones laborales –obviamente, con el límite absoluto de las zonas prohibidas (89.2 LOPD)– y, por lo tanto, como sistema de obtención de prueba, debe, además de hacerlo en el ejercicio "legal y limitado de sus funciones", cumplir de manera previa con la obligación de información expresa y clara a los trabajadores y a sus representantes. Así pues, para entender válida en los términos del art. 90.4 LRJS la prueba obtenida mediante un sistema de videovigilancia será necesario:

– Que el empresario ejerza su función de control legalmente y dentro de los límites relativos a la proporcionalidad, necesidad e idoneidad del sistema[31]. En este sentido, hay que tener en cuenta que la videovigilancia como sistema permanente y continuado de control no será admisible en general en las empresas[32].

---

[31]   Recordando la clásica STC 186/200, de 10 de julio, que se refería precisamente a videovigilancia, acreditada la justificación legítima del control –existían razonables sospechas de la comisión de graves irregularidades en el puesto de trabajo– cabe exigir, para entender válido en el marco del derecho a la intimidad personal, el recurso a esta medida que se acrediten sobre la misma tres requisitos: a) idoneidad para la finalidad pretendida por la empresa –verificar si el trabajador cometía efectivamente las irregularidades sospechadas y en tal caso adoptar las medidas disciplinarias correspondientes)–; b) necesidad –ya que la grabación serviría de prueba de tales irregularidades–; y, c) proporcionalidad –limitación espacial y temporal–.

[32]   Así lo consideran MERCADER UGUINA, J.R., *Protección de datos y garantía de los derechos...*, *op. cit.*, p. 139, que, en base a los Informes de la AEPD y a alguna resolución judicial, entiende que resultará desproporcionado un sistema de videovigilancia que permita el seguimiento continuo de la actividad laboral monitorizando por completo su actividad laboral; y, GARCÍA MURCIA, J. y RODRÍGUEZ CARDO, I.A., "La protección de los datos personales en el ámbito del trabajo: una aproximación desde...", *op. cit.* p. 39, no parece que sea admisible, como regla general, una videovigilancia genérica y permanente con finalidad de control laboral, aunque se haga la oportuna advertencia a los trabajadores. La licitud de la medida de control no parece que pueda

– Que el trabajador –y los representantes de los trabajadores si los hay– hayan sido informado de la finalidad de control de la actividad laboral a la que va dirigida la videovigilancia. Esta información deberá concretar las características y el alcance del tratamiento de datos que va a realizarse, esto es, en qué casos las grabaciones pueden ser examinadas, durante cuánto tiempo y con qué propósitos, explicitando "muy particularmente" que pueden utilizarse para la imposición de sanciones disciplinarias por incumplimientos del contrato de trabajo[33].

B) Ahora bien, en segundo lugar, si no es la videovigilancia el sistema informado de control de las obligaciones laborales, en su párrafo segundo el art. 89.1 LOPD permite que la prueba obtenida a través de este medio pueda entenderse válida si constata "la comisión flagrante de un acto ilícito". En este caso, el único requisito que el precepto exige en relación con el deber de información es el recogido en el art. 22.4 LOPD que, como es sabido, se refiere a "la colocación de un dispositivo informativo en lugar suficientemente visible identificando, al menos, la existencia del tratamiento,

---

derivar de la mera voluntad del empleador, y la información previa a los trabajadores no parece que legitime por sí misma la actuación empresarial.

[33] En estos precisos términos STC 29/2013, de 11 de febrero. En este mismo sentido, considera SERRANO OLIVARES, R., "Los derechos digitales en el ámbito laboral: comentario…", *op. cit.,* p. 222, aunque la ley no exige que el empleador deba informar expresamente sobre la finalidad y el alcance concreto de la instalación, parece lógico pensar que se trata de uno de los contenidos esenciales que integran el deber de información empresarial, sin que la ley aclare, por otra parte, cuáles serían los efectos de un eventual incumplimiento del deber empresarial de información. Así, en sede de suplicación ya encontramos numerosas sentencias que, de acuerdo con lo previsto en el art. 89.1 LOPD, entienden lícita la prueba obtenida cuando "la empresa ha emitido con el Comité Intercentros acta conjunta para informar sobre las cámaras de videovigilancia y su utilización en actuaciones disciplinarias y que podrán ser utilizadas para la detección de acciones irregulares, sean éstas realizadas por personas ajenas a la empresa, por personal que presta servicios en la misma, sirviendo en su caso, como base para actuación disciplinaria laboral" (STSJ de Andalucía de 11 de abril de 2019, rec. 1125/2018); o, por poner otro ejemplo, cuando se acredita que "la empresa llegó a un acuerdo con el Comité Intercentros sobre la existencia de cámaras de videovigilancia en los centros comerciales y de trabajo, en las zonas de trabajo, sean de acceso, tránsito, venta, elaboración o almacenamiento, muelle o aparcamiento, implantadas para controlar la seguridad de personas, bienes, instalaciones y mercancías a la venta, pudiendo ser utilizadas legítimamente para la detección de acciones irregulares, sean éstas realizadas por personas ajenas a la empresa, o por personal que presta servicios en la misma, sirviendo, en su caso como base para actuación disciplinaria laboral y dicho acuerdo se comunicó a los trabajadores a través de circulares internas colgadas en los tablones de anuncios y en el Sistema de Información de Empresa" (STSJ de Madrid de 25 de enero de 2019, rec. 971/2018).

la identidad del responsable y la posibilidad de ejercitar los derechos previstos en los artículos 15 a 22 del Reglamento (UE) 2016/679".

Con ello el legislador estaría admitiendo que, de manera excepcional y solo ante la comisión flagrante del ilícito, la prueba obtenida sería válida si el sistema de videovigilancia estaba identificado de modo ordinario, sin exigirse en este caso la información específica a que se refiere el primer párrafo del art. 89.1 LOPD[34].

A nuestro modo de ver, la regulación actual que configura estos dos niveles de videovigilancia asumiría de algún modo, por una parte, la doctrina constitucional – STC 29/2013, de 11 de febrero– que consideró insuficiente en el plano del derecho de protección de datos el hecho de que "existieran distintivos anunciando la instalación de cámaras y captación de imágenes" en el centro de trabajo, en el entendido de que "era necesaria además la información previa y expresa, precisa, clara e inequívoca a los trabajadores de la finalidad de control de la actividad laboral a la que esa captación podía ser dirigida" y que, como es conocido, se refería a incumplimientos relacionados con la jornada de trabajo[35]; y, por otra parte, se ha de entender que esta nueva regulación asumiría y superaría a la vez la doctrina de la STC 39/2016, de 3 de marzo, porque, desde nuestro punto de vista, tal y como acabamos de exponer, no es posible sostener que si la instalación de la videovigilancia tiene por objeto controlar la actividad laboral, es válida la prueba obtenida de la misma "sin que haya que especificar, más allá de la

---

[34]   Para GARCÍA MURCIA, J. y RODRÍGUEZ CARDO, I.A., "La protección de los datos personales en el ámbito del trabajo: una aproximación desde…", *op. cit.* p. 39, este precepto es de redacción "un tanto equívoca y deficiente", pues en lugar de establecer una regla clara y precisa sobre el alcance de las facultades empresariales en esos casos, y sobre lo que puede hacer el empresario *ex ante* con esos fines de control particularizado, parte de la hipótesis de que en un momento determinado se haya captado, a través de los dispositivos existentes, la «comisión flagrante de un acto ilícito», en cuyo caso basta con la existencia de ese tipo de «dispositivos» para que se entienda cumplido el preceptivo deber de información.

[35]   En contra de esta opinión SERRANO OLIVARES, R., "Los derechos digitales en el ámbito laboral: comentario…", *op. cit.,* p.223, que entiende que la excepción de las cámaras solo identificadas ampararía tanto el uso para fines disciplinarios de seguridad (personas, bienes o instalaciones) como la instalación temporal de cámaras con fines de control laboral cuando existieran fundadas sospechas previas de incumplimientos laborales. Interpretada en estos términos, la nueva regulación vendría a rectificar la doctrina del Tribunal Constitucional en el asunto Universidad de Sevilla (sentencia 29/2013, de 11 de febrero) y a otorgar carta de naturaleza, en cambio, a la doctrina del mismo Tribunal Constitucional en el caso Bershka (sentencia 39/2016, de 3 de marzo).

mera vigilancia, la finalidad exacta que se le ha asignado a ese control" [36]. Pero, sin embargo, como pasamos a explicar seguidamente, con la nueva regulación sí se admitiría que en el concreto supuesto que se cuestionaba en esta sentencia de 2016 –que, como también es sabido, se refería a la transgresión de la buena fe contractual por la comisión de pequeños hurtos– la prueba obtenida con cámaras identificadas y no informadas sería lícita en el plano del derecho del derecho de protección de datos.

Entendemos que cabe alcanzar esta doble conclusión porque, como ya hemos dicho, el cumplimiento de la obligación de información es condición esencial hoy desde la perspectiva de la licitud de la prueba si el sistema de videovigilancia se utiliza específicamente para el control de la actividad laboral. Por lo tanto, la mera identificación de la cámara en estos casos no sería hoy suficiente y, así, si la prueba obtenida se refiere al incumplimiento de las obligaciones laborales ordinarias y no a las vinculadas con la seguridad, cuando solo conste este único elemento informativo, deberemos considerar que, de acuerdo con el art. 89 LOPD, se ha vulnerado del derecho fundamental a la intimidad del trabajador.

De este modo, se ha de convenir en que la cuestión controvertida se centra tras la LOPD en la delimitación de lo que deba considerarse un ilícito flagrante porque, dado que nos movemos en un terreno relativo al respeto al derecho fundamental de protección de datos y de intimidad, será necesario acotar de modo preciso el espacio de la excepción a la regla general de la información previa, expresa, clara y concisa. Creemos pues que será necesario delimitar, en primer lugar, a qué ilícitos se refiere el art. 89.1.2°parr (a); y, en segundo lugar, en qué casos debe considerarse flagrante su comisión (b).

a) Es evidente, por una parte, que no podemos identificar el ilícito a que se refiere el art. 89 LOPD con ilícito penal porque la tramitación par-

---

[36] Según esta STC "lo importante será determinar si el dato obtenido se ha utilizado para la finalidad de control de la relación laboral o para una finalidad ajena al cumplimiento del contrato, porque sólo si la finalidad del tratamiento de datos no guarda relación directa con el mantenimiento, desarrollo o control de la relación contractual el empresario estaría obligado a solicitar el consentimiento de los trabajadores afectados". Un análisis extenso de la doctrina constitucional en materia de videovigilancia puede encontrarse en TALÉNS VISCONTI, E., "Vídeo-vigilancia y protección de datos en el ámbito laboral: una sucesión de desencuentros", *Revista Internacional y Comparada de Relaciones Laborales y Derecho del Empleo*, Volumen 6, núm. 3, julio-septiembre de 2018, p. 59 y ss.

lamentaria de la LOPD nos lleva sin duda a esta conclusión[37]. En este sentido, como se ha apuntado[38], "aunque una lectura en clave tuitiva de la ley nos conduciría a interpretar restrictivamente la expresión "actos ilícitos", reservándola a los ilícitos de tipo penal, es lo cierto que tanto una interpretación literal como histórica de la ley, nos aboca a la interpretación contraria". Así pues, debemos entender que el ilícito sancionable a partir de la prueba videográfica identificada y no informada podrá tener o no relevancia a efectos penales. Y, en este punto, la cuestión a dilucidar pasa por concretar si deberá o no quedar acotado al ámbito de la protección por motivos seguridad o, dicho de otro modo, para la protección de las personas y las cosas; o si, dado que con ello también podríamos entender que nos movemos en el terreno penal, asumir que cualquier ilícito laboral captado por cámaras solo identificadas y no informadas debería considerarse obtenido lícitamente en los términos del art. 90.2 LRJS.

A nuestro entender, un argumento que el TS utilizó ya en 2017 podría servir también hoy para dar respuesta a esta cuestión en términos equilibrados desde la perspectiva del derecho fundamental a la intimidad. En la STS de 31 enero de 2017, rec. 3331/2015, se consideró que la prueba obtenida de cámaras de seguridad no específicamente utilizadas para el control laboral era "una medida justificada por razones de seguridad (control de hechos ilícitos imputables a empleados, clientes y terceros, así como rápida detección de siniestros), idónea para el logro de ese fin (control de cobros y de la caja en el caso concreto) y necesaria y proporcionada al fin perseguido, razón por la que estaba justificada la limitación de los derechos fundamentales en juego, máxime cuando los trabajadores estaban informados, expresamente, de la instalación del sistema de vigilancia, de la ubicación de las cámaras por razones de seguridad, expresión amplia que incluye la vigilancia de actos ilícitos de los empleados y de terceros y en

---

[37]   Como señala SERRANO OLIVARES, R., "Los derechos digitales en el ámbito laboral: comentario...", *op. cit.*, p. 225, el primer texto del proyecto de ley presentado por el Gobierno al Congreso se refería expresamente a la "comisión flagrante de un acto delictivo", de suerte que la nueva expresión empleada por la ley obedece claramente a la voluntad de extender la excepción prevista a cualquier supuesto de comisión flagrante de un incumplimiento laboral. En este sentido, TALÉNS VISCONTI, E., "Vídeo-vigilancia y protección de datos en el ámbito...", *op. cit.*, p. 84, comentando el texto del Proyecto de LOPD, consideraba que "esta excepción iría destinada para su valor probatorio en el proceso penal, en el sentido de que las imágenes captadas sin información probablemente no sirvan para sustentar una sanción laboral, pero sí que tendrían validez para una eventual sanción por la vía penal".

[38]   SERRANO OLIVARES, R., "Los derechos digitales en el ámbito laboral: comentario...", *op. cit.*, p. 225

definitiva de la seguridad del centro de trabajo pero que excluye otro tipo de control laboral que sea ajeno a la seguridad, esto es el de la efectividad en el trabajo, las ausencias del puesto de trabajo, las conversaciones con compañeros, etc."[39].

De este modo, para el TS los incumplimientos laborales que deberían entenderse lícitamente probados mediante cámara identificada y no informada expresamente para controles laborales quedaban circunscritos a los relacionados con la seguridad de las cosas o de las personas. En consecuencia, quedaban al margen de este ámbito de licitud las pruebas relacionadas con incumplimientos de las obligaciones laborales que podríamos denominar ordinarias y ajenas a la seguridad. En este sentido, a nuestro juicio, el actual art. 89.2 LOPD debería interpretarse de manera restringida por lo que a los ilícitos laborales se refiere, haciendo una distinción entre:

– Obligaciones del trabajador referidas a condiciones de trabajo ordinarias: tiempo de trabajo, rendimiento, etc.

– Obligaciones de trabajo relativas al cumplimiento del deber de buena fe contractual respecto de la protección de las personas o las cosas.

El incumplimiento de las primeras detectado por cámaras no identificadas e informadas no podría ser sancionado lícitamente con la prueba obtenida de las mismas, debiendo entender que esta no podría considerarse válida por vulneración del derecho a la intimidad de los trabajadores en este caso. En cambio, el incumplimiento de las segundas detectado por cámaras identificadas y no informadas podría ser sancionado lícitamente con la prueba obtenida de las mismas, asumiendo que estos ilícitos laborales van más allá de la objetiva configuración de las obligaciones contractuales que ambas partes han de cumplir y que el empresario ha de controlar de modo ordinario. De hecho, el art. 22 LOPD, a cuyo apartado cuarto se remite el art. 89, regula precisamente a los sistemas de cámaras o videocámaras que se instalan con la finalidad de "preservar la seguridad de las personas y bienes, así como de sus instalaciones"[40].

---

[39] Siguiendo esta doctrina jurisprudencial, los TSJ interpretan mayoritariamente que

[40] En este sentido, SERRANO OLIVARES, R., "Los derechos digitales en el ámbito laboral: comentario…", *op. cit.*, p. 223; para RODRÍGUEZ ESCANCIANO, S., "Videovigilancia empresarial: límites a la luz de la Ley Orgánica 3/2018, de 5 diciembre, de protección de datos personales y garantía de los derechos digitales, *Diario La Ley*, Nº 9328, 2 de Enero de 2019 [versión digital], p. 5, "mayor será la posibilidad de supervisión cuanto más clara sea la fundada sospecha de comportamiento irregular por parte del empleado, pues no es igual comprobar el cumplimiento normal de las obligaciones

b) Por lo que se refiere al carácter flagrante de la comisión del ilícito, entendemos que cabría apuntar dos interpretaciones. Por una parte, de manera restrictiva, cabría entender que la conducta sancionable debería ser aquella que se descubre por la cámara identificada y no informada de manera sorpresiva e insospechada por la empresa. Evidentemente, en estos casos la obtención de la prueba debería considerarse lícita, puesto que conocida por el trabajador la existencia de la videocámara identificada, la comisión del ilícito que transgrede la buena fe contractual podrá ser sancionada porque se ajustará literalmente al "ilícito flagrante" a que se refiere el art. 89 LOPD.

No obstante, también cabe entender, en nuestra opinión, que cumplirá el requisito del carácter flagrante, el ilícito que se descubre por la videocámara identificada y no informada cuando esta se utiliza para controlar específicamente a partir de fundadas sospechas alguna conducta irregular que se pueda estar cometiendo. En estos casos, la existencia de las cámaras sugiere, como señaló con claridad la STS de 7 de julio de 2016, rec. 3233/2014, "una finalidad protectora del patrimonio empresarial y la grabación de conductas que atenten contra esa finalidad"; por lo que, ante sospechas que sirven como justificación legítima al empresario, la prueba obtenida de las mismas habrá de reputarse válida, ya que, continua la citada sentencia, "semejante entorno específico excluye el factor sorpresa y muestra claramente la situación de riesgo asumido por la demandante y por cualquier otro responsable de conductas análogas".

En definitiva, consideramos que, de acuerdo con los argumentos apuntados, la interpretación del segundo párrafo del art. 89.1 LOPD debe llevar a considerar que cabrá admitir, en los términos del art. 90.4 LRJS, las pruebas obtenidas con videocámaras identificadas y no informadas siempre y cuando se trate, por un lado, de ilícitos laborales que queden limitados a la transgresión de la buena fe contractual desde la perspectiva de la protección de las personas o las cosas en el ámbito de la empresa. Y, por otro, de ilícitos cometidos de manera flagrante y captados por las cámaras solo identificadas bien de manera sorpresiva –sin que se haya tenido previa sospecha de su concurrencia– bien tras un control más específico a partir de una justificación legítima de la empresa que actúa en base a determinados indicios de irregularidades.

---

laborales ordinarias, donde el deber de información debe de cumplimentarse en todos los extremos, que actuar ante el temor fundado de la perpetración de infracciones donde el principio de transparencia puede sufrir alguna modulación".

Dicho esto, aun quedaría una pregunta por responder en relación con el tema de la videovigilancia tras la LOPD: ¿Son admisibles las cámaras ocultas? ¿Puede la empresa recurrir a ellas ante sospechas de un ilícito laboral?

La respuesta inicial a estas cuestiones podría ser negativa en el entendido de que el art. 89 LOPD viene a limitar la opción legal de la videovigilancia «como mínimo» a las cámaras identificadas y no informadas y, en consecuencia, las cámaras ocultas no serían una opción en términos de licitud de la prueba obtenida porque implicarían en todo caso la vulneración del derecho fundamental a la intimidad.

Sin embargo, es obvio que la respuesta hoy debe formularse necesariamente a la luz de la doctrina del TEDH en la sentencia *López Ribalda II*. Como es sabido, con esta sentencia la Gran Sala modifica la interpretación que en la anterior resolución –STEDH (Sección Tercera) de 9 de enero de 2018[41]– consideró que, aunque la videovigilancia se había aplicado en el supuesto concreto ante sospechas legítimas de robo, su alcance fue amplio en el tiempo y desde una perspectiva subjetiva. Por lo tanto, se incumplía la regulación española de protección de datos de 1995 en relación con la obligación de información previa a los afectados respecto de la recogida y tratamiento de sus datos personales y de la existencia, finalidad y modalidades de la medida de vigilancia. De este modo, se declaró que los órganos jurisdiccionales españoles no habían ponderado adecuadamente los derechos de privacidad de las trabajadoras y otros intereses en juego, produciéndose, en consecuencia, una vulneración del artículo 8 CPDHLF.

Pues bien, siguiendo lo que se ha venido a llamar, acertadamente a nuestro juicio, "un camino de ida y vuelta"[42], la STEDH (Gran Sala) de 17 octubre 2019, *Caso López Ribalda y otros contra España,* ha rectificado esta conclusión y ha venido a admitir la videovigilancia con cámara oculta pero, como no podía ser de otro modo, de manera absolutamente condicionada. En este sentido, el pronunciamiento del TEDH se ha producido teniendo en cuenta los siguientes factores que nos parecen especialmente importantes:

---

[41]   Un comentario de esta sentencia en TALÉNS VISCONTI, E., "Vídeo-vigilancia y protección de datos en el ámbito…", *op, cit.,* p. 61 y ss.

[42]   MERCADER UGUINA, J., "López Ribalda II: un camino de ida y vuelta", entrada de 30.10.19: https://forodelabos.blogspot.com/2019/10/lopez-ribalda-ii-un-camino-de-ida-y.html. El autor señala que

–   Que la doctrina *Barbulescu II* es aplicable *mutatis mutandis* a la video-vigilancia (ap. 116)[43].

–   Que, teniendo en cuenta esta doctrina, son claves para la admisión de la videovigilancia oculta, por una parte, el ámbito espacial, el temporal y el subjetivo (ap. 125 a 127); y, por otra, la prueba de que la información sobre las cámaras podía "poner en riesgo la finalidad de la videovigilancia" (ap. 128).

–   A partir de la anterior afirmación, que la exigencia de transparencia y el derecho a la información son fundamentales en el contexto de las relaciones laborales, pero que la información proporcionada a la persona objeto de vigilancia y su alcance "son sólo uno de los criterios a considerar a la hora de valorar la proporcionalidad de tal medida en un caso determinado. Sin embargo, si falta esa información, las garantías derivadas de los demás criterios serán aún más importantes" (ap. 131).

–   Y, en consecuencia, que no cabe aceptar que "la mínima sospecha de robos u otras irregularidades cometidas por los empleados, pueda justificar la instalación de un sistema de videovigilancia encubierta por parte del empleador", pero en las particulares circunstancias del caso planteado, las sospechas razonables de que se habían cometido "graves irregularidades" por la acción conjunta de varios empleados y "el alcance de los robos constatados" pueden parecer una justificación seria, teniendo en cuenta que esta situación podía crear en la empresa un clima general de desconfianza (ap. 134).

Con estas premisas, el Tribunal de Estrasburgo acaba considerando, en sentido contrario a la sentencia de 9 de enero de 2018, que en el caso planteado no se vulneró el art. 8 CPDHLF. Desde nuestro punto de vista, es posible extraer tres conclusiones tras esta resolución del TEDH que servirían, siempre desde la perspectiva del derecho fundamental a la protección de datos y a la intimidad, para confirmar de algún modo algunas de las afirmaciones que hemos hecho ya.

Estas tres conclusiones implican asumir que el espacio que el derecho a la intimidad deja al recurso de la videovigilancia como sistema de control es inversamente proporcional a la justificación legítima de la empresa.

---

[43]   En la sentencia se traslada el *test Barbulescu* al ámbito de la videovigilancia, incorporando las preguntas relacionadas con la proporcionalidad, necesidad e idoneidad a esta tecnología de control (véase, apartado 116).

Dicho de otro modo, cuanto menor es esta mayor es el límite que perfila el derecho fundamental. Y así, si estamos ante un uso de la videovigilancia como medio de control del cumplimiento de las obligaciones laborales del trabajador, la justificación legítima sería también la elemental relacionada con el poder de dirección y control de la empresa. Sin embargo, si estamos ante un uso la videovigilancia como medio de control de un acto ilícito flagrante, la justificación legítima vendrá reforzada por la sospecha de la empresa y su derecho de protección de la seguridad de las personas y las cosas en la empresa.

De acuerdo con esto, tras la sentencia *López Ribalda II,* podríamos considerar, en primer lugar, que la videovigilancia como sistema de control ordinario en la empresa solo será posible en relación con el derecho a la intimidad del trabajador cuando se haya informado previamente de la existencia de las cámaras y de manera clara y exhaustiva sobre la finalidad del control y siempre dentro de los márgenes de la proporcionalidad, idoneidad y necesidad. En segundo lugar, que la videovigilancia identificada pero no informada será admisible cuando exista sospecha «siquiera mínima» de "robos o de otras irregularidades", esto es, cuando se vea afectada la protección de las personas o las cosas en clave de seguridad. Entendemos que cabe alcanzar esta segunda conclusión porque, en tercer lugar, para que quepa admitir que la videovigilancia oculta o encubierta no vulnera el derecho a la intimidad, el TEDH refuerza la sospecha que actúa como justificación legítima de la empresa al exigir que aquella sea de especial gravedad en el sentido de que "atente al buen funcionamiento de la empresa" y "al clima general de desconfianza en la empresa".

C) Para acabar con el análisis de la licitud de la prueba obtenida mediante videovigilancia hemos de hacer mención especial a la grabación del sonido como dato especialmente protegido porque el propio art. 89.3 LOPD así lo hace y además precisamente para aportar una estricta consideración de este control[44]. El precepto viene considerar exigibles respecto de

---

[44]　Como ha señalado RODRÍGUEZ ESCANCIANO, S., "Videovigilancia empresarial: límites a la…", *op. cit.,* p. 6, estos contornos más estrictos encuentran justificación en el solo hecho de tener en cuenta que las conversaciones están amparadas tanto por el derecho a la intimidad (art. 18.1 CE) cuanto por el derecho al secreto de las comunicaciones (art. 18.3 CE) y únicamente mediante autorización judicial es posible una injerencia en las mismas. La grabación de un diálogo suele ser más sensible que la de una imagen porque las palabras pueden revelar pensamientos y sentimientos internos, permitiendo comprobar fácilmente incumplimientos en el trabajo y adoptar medidas disciplinarias, de ahí que el Tribunal Europeo de Derechos Humanos –Asunto

la grabación de sonidos, además de la aplicación de las garantías previstas en los apartados anteriores y que ha hemos analizado, tres condiciones:

– Que concurran relevantes los riesgos para la seguridad de las instalaciones, bienes y personas derivados de la actividad que se desarrolle en el centro de trabajo.

– Que la grabación respete el principio de proporcionalidad y el de intervención mínima.

– Que los sonidos conservados por estos sistemas de grabación se supriman en el plazo máximo de un mes desde su captación, salvo cuando hubieran de ser conservados para acreditar la comisión de actos que atenten contra la integridad de personas, bienes o instalaciones.

Es evidente que en relación con la grabación de la voz, el legislador ha tenido muy en cuenta la doctrina constitucional clásica porque se refuerza de manera especial en relación con el control que incluya el sonido tanto el requisito de la justificación legítima como el requisito de la proporcionalidad e intervención mínima[45]. En este sentido, la dicción literal del 89.3 LOPD acoge la argumentación de la conocida y clásica STC 98/2000, de 10 de abril, que, reconociendo la "utilidad" para la empresa de un sistema de control que graba el sonido, matiza que "la mera utilidad o conveniencia para la empresa no legitima sin más la instalación de los aparatos de audición y grabación, habida cuenta de que la empresa ya disponía de otros sistemas de seguridad que el sistema de audición pretende complementar". De este modo, la sentencia acaba considerando que la implantación de este sistema no resulta conforme "con los principios de proporcionalidad e intervención mínima que rigen la modulación de los derechos fundamentales por los requerimientos propios del interés de la organización empresarial" porque, sin ningún filtro, recoge todas las conversaciones que se producen en el lugar de trabajo. Así pues, de la sentencia se desprende claramente que la grabación del sonido afecta a un dato especialmente protegido porque "permite captar comentarios privados" lo que ha de considerarse "una intromisión ilegítima en el derecho a la intimidad consagrado en el art. 18.1 CE, pues no existe argumento definitivo que autorice a la empresa a escuchar y grabar

---

Haldorf– haya sido claro en la necesidad de que se avise al trabajador sobre la posible interceptación de los diálogos.

[45]   SERRANO OLIVARES, R., "Los derechos digitales en el ámbito laboral: comentario…", *op. cit.,* p. 224.

las conversaciones privadas que los trabajadores del casino mantengan entre sí o con los clientes"[46].

El art. 89.3 LOPD ha de ser interpretado a la luz de esta sentencia y, de ese modo, desde la perspectiva del art. 90.2 LRJS, habrá que entender que la licitud de la prueba en estos casos no será nada fácil de acreditar, dado que, primero, será necesario demostrar que la grabación del sonido responde a una justificación legítima reforzada y limitada a la seguridad. En segundo lugar, que el sistema que se utilice implica una intromisión lo menos invasiva posible. De este modo, queda descartado desde la perspectiva del derecho a la intimidad el uso de sistemas que permitan la audición continuada e indiscriminada de todo tipo de conversaciones. Y, en tercer lugar, deberá tratarse siempre de un sistema informado tanto a los trabajadores como a sus representantes, dado que el precepto declara aplicables las garantías previstas en los apartados anteriores[47].

3.2.3. El control del trabajador por geolocalización

Por lo que se refiere al control empresarial del cumplimiento de las obligaciones laborales mediante sistemas de geolocalización, la licitud de la prueba dependerá de que se cumplan los límites del art. 90 LOPD. En todo caso, coincidimos con la mayor parte de la doctrina[48], en la crítica al legislador respecto de la regulación del control por geo-

---

[46] En este sentido, recuerda MERCADER UGUINA, J.R., *Protección de datos y garantía de los derechos…, op. cit.*, p. 147, que las grabaciones de sonido son especialmente sensibles porque con ellas se permite identificar a la persona, tal y como recoge la LOPD.

[47] MERCADER UGUINA, J.R., *Protección de datos y garantía de los derechos…, op. cit.*, p. 148. Véanse en materia de información los Informes de la AEDP en esta materia que recoge el autor (p.148-149).

[48] MOLINA NAVARRETE, "Poder de geolocalización, intimidad y autoderminación digital…", *op. cit.*, p.1 que considera que, al margen de las garantías comunes –obligación de información individual y la posibilidad de información colectiva subsidiaria), en la regulación de la geolocalización quedan ausentes las demás (obligación de causalidad específica para este dispositivo de control; principio de proporcionalidad; derecho a la participación de la representación los trabajadores en la fijación de los criterios de introducción y uso de los dispositivos digitales), lo que lleva a un problema de integración de estas lagunas "mediante la interpretación finalista y sistemática, por imperativos no sólo de coherencia legislativa sino constitucionales y comunitarios"; y, SERRANO OLIVARES, R., "Los derechos digitales en el ámbito laboral: comentario…", *op. cit.*, p. 225, que echa de menos tanto la referencia expresa a la finalidad y alcance de la instalación de tales dispositivos en cuanto contenido mínimo del deber/derecho de información, como la referencia expresa al principio de proporcionalidad como límite a la facultad empresarial de control.

localización porque con la lectura del precepto no es posible articular un sistema fiable que asegure al trabajador un control en el marco de su derecho fundamental a la protección de datos y a la intimidad y a la empresa alguna garantía de que la obtención de la prueba será acorde a este derecho.

En efecto, en materia de control por geolocalización, el art. 90 LOPD ni de forma ordenada reconoce expresamente el derecho a la intimidad y a la protección de datos de los trabajadores, ni establece de manera precisa los límites al control empresarial. Según este precepto, la empresa podrá "tratar los datos obtenidos a través de sistemas de geolocalización para el ejercicio de las funciones de control de los trabajadores o los empleados públicos previstas, respectivamente, en el artículo 20.3 del Estatuto de los Trabajadores y en la legislación de función pública, siempre que estas funciones se ejerzan dentro de su marco legal y con los límites inherentes al mismo". Reitera así el legislador la referencia que vimos en el art. 87 respecto del uso de los dispositivos digitales y, dicho sea de paso, poco aporta por lo que a la geolocalización se refiere, porque con esta precisión de ejercicio legal del poder de control nada nuevo se nos dice.

En su apartado segundo el precepto hace alusión a la obligación de cumplir con el deber de información que asume la empresa indicando que esta deberá "de forma expresa, clara e inequívoca" informar a los trabajadores y, en su caso, a sus representantes, acerca de "la existencia y características de estos dispositivos". Igualmente deberá informarles acerca del "posible ejercicio de los derechos de acceso, rectificación, limitación del tratamiento y supresión". Se trata de una reiteración de las obligaciones que ya recoge en general en materia de protección de datos la LOPD de acuerdo con lo previsto en el Reglamento 2016/679. Por ello, cabe considerar que, en punto a la geolocalización, nos encontramos con un tratamiento débil desde la perspectiva del derecho fundamental de los trabajadores a la intimidad y a la protección de datos.

No obstante, desde nuestro punto de vista, es evidente que el art. 90 LOPD debe ser interpretado también, tal y como hemos considerado en relación con los dispositivos digitales y la videovigilancia, en línea con la doctrina de los Tribunales sobre la aplicación de los principios de justificación legítima, proporcionalidad, idoneidad y necesidad respecto de la instalación de sistemas de geolocalización como método de control de la actividad laboral. Además, puede resultar útil a efectos prácticos acudir, como hemos señalado también anteriormente, a los criterios que respecto del control por geolocalización ha recomendado el GT 29[49].

Por otra parte, dado que no tenemos doctrina jurisprudencial en materia de geolocalización y que se trata de un tema en el que el análisis casuístico es "imprescindible"[50], es importante acudir a la doctrina de suplicación porque los Tribunales están interpretando en los últimos años de manera bastante equilibrada el alcance del poder empresarial de control mediante geolocalización aplicando precisamente los criterios que acabamos de reseñar.

Así, por ejemplo, en relación con la idoneidad de los sistemas de geolocalización se ha considerado que no cabe duda de que lo son cuando la actividad a controlar se desempeña a través del desplazamiento constante del trabajador –es paradigmático el caso de los comerciales–. De hecho, incluso se ha considerado desde el punto de vista de la proporcionalidad, una medida de control más ajustada a esta finalidad que otras posibles fórmulas que la empresa puede utilizar –control manual del cuentakilómetros, multas de tráfico que impongan los cuerpos policiales, las llamadas por teléfono de los clientes ante la inasistencia o retraso del trabajador, las llamadas por teléfono de los trabajadores una vez en el domicilio para dar de alta al cliente y comprobar el funcionamiento correcto del servicio de telecomunicaciones instalado o reparado, etc.[51]–, dado que es el sistema más eficiente para controlar tanto el destino de los vehículos como el

---

[49]   En este sentido, MERCADER UGUINA, J.R., *Protección de datos y garantía de los derechos…, op. cit.,* p. 150.

[50]   GARCÍA MURCIA, J. y RODRÍGUEZ CARDO, I.A., "La protección de los datos personales en el ámbito del trabajo: una aproximación desde…", *op. cit.* p. 40. Como señalan estos autores, la regulación no es suficientemente precisa, por cuanto en muchas ocasiones el dispositivo se implanta con la función de proteger bienes empresariales (v.gr., vehículo de empresa), pero a la vez permite conocer la ubicación y los movimientos del trabajador, algo que no parece haber previsto el legislador.

[51]   En relación con la comparación de los sistemas de control, es muy interesante el análisis de la STSJ de Asturias de 27 de diciembre de 2017, rec. 2241/2017: "Los medios de control apuntados en el recurso suponen en gran medida dejar en manos de terceros –los cuerpos policiales que vigilan el tráfico, los clientes de la empresa– o de los propios trabajadores los mecanismos de supervisión y configuran un sistema de localización alternativo con lagunas e imperfecciones sobre el periodo de tiempo dedicado a los desplazamientos. La empresa debe tener la capacidad para sin acudir a ayudas externas, fundamentales en la propuesta del sindicato actor, organizar unos mecanismos efectivos de control y la utilización de dispositivos GPS en los vehículos de motor es un medio idóneo necesario y proporcionado a las características del desarrollo de la relación laboral. Además, aunque afecta a derechos fundamentales de los trabajadores su incidencia en ellos es de menos intensidad que otros posibles medios como el segui-

modo de prestación del servicio para trabajadores que pasan buena parte de su jornada fuera de su centro de trabajo[52].

En todo caso, la doctrina judicial ha considerado de manera unánime que la información sobre el control empresarial del cumplimiento de las obligaciones laborales mediante geolocalización, resulta una condición esencial a la hora de valorar la licitud de la prueba obtenida por aplicación de este sistema en el marco del derecho fundamental de protección de datos y de intimidad[53]. Así, la falta de información siempre se entiende contraria a estos derechos[54]. Es más, incluso cuando se acredita que la empresa sí ha transmitido de manera correcta y completa esta información, cabe considerar la vulneración del derecho fundamental si se constata que el control se extiende más allá de la jornada laboral[55].

En definitiva, con el nuevo art. 90 LOPD, no cabe duda de que en general puede mantenerse la interpretación que los Tribunales vienen haciendo respecto del uso de los sistemas de geolocalización en el marco del derecho fundamental a la protección de datos y a la intimidad.

4. A MODO DE CONCLUSIÓN

Constituye un principio esencial de los procesos judiciales el que determina que las pruebas obtenidas, directa o indirectamente, violentando los

---

miento por GPS instalado en el teléfono móvil utilizado en la prestación de servicios relación laboral".

[52] STSJ de la Comunidad Valenciana de 2 de mayo de 2017, rec. 3689/2016; o, STSJ de Asturias de 27 de diciembre de 2017, rec. 2241/2017.

[53] STSJ de Andalucía de 28 de noviembre de 2018, rec. 3827/2017.

[54] STSJ de Madrid de 12 de julio de 2019, rec. 197/2019 –en esta sentencia además el trabajador controlado por geolocalización no informada era delegado sindical, por lo que se entiende también vulnerado el derecho de libertad sindical–.

[55] De hecho, la STSJ de Asturias de 27 de diciembre de 2017, cit., que ya hemos ido analizando, concluye en la vulneración del derecho a la intimidad del trabajador porque este se mantenía activo cuando finalizaba la jornada laboral sin haber obtenido el consentimiento expreso del trabajador para mantener en funcionamiento los dispositivos GPS y para el análisis automatizado de los datos personales conseguidos por ese medio: "La protección por la empresa de sus bienes y el control del uso que de ellos se haga una vez terminada la jornada de trabajo no constituye una excepción a la vigencia de la indicada regla general". En el mismo sentido, la STSJ de Andalucía de 19 de octubre de 2017, rec. 1149/2017, declara vulnerado el derecho a la intimidad cuando el control se ha producido en relación a tramos horarios ajenos a la jornada laboral, como eran los periodos de baja por incapacidad temporal, para lo que no se encontraba autorizada la empresa.

derechos o libertades fundamentales no surtirán efecto en ningún tipo de procedimiento (art. 11.1 LOPJ).

En el ámbito del proceso laboral, el art. 90.2 LRJS detalla el procedimiento incidental para declarar en su caso la admisión de las pruebas obtenidas a través de procedimientos que vulneren derechos fundamentales. Estos procedimientos son objeto de regulación en la nueva LOPD de 2018 cuando las herramientas digitales entran en la escena empresarial. Así, el uso de los dispositivos digitales, el control mediante videovigilancia y la utilización de los sistemas de geolocalización, vienen regulados en esta norma desde la perspectiva del derecho fundamental a la intimidad y, en menor medida, a la protección de datos.

En el presente trabajo hemos podido comprobar que esta regulación no puede considerarse, ni mucho menos, adecuada desde la perspectiva del principio de seguridad jurídica que reconoce el art. 9.3 CE. Y la verdad es que, tratándose de una norma que regula perfiles de derechos fundamentales, esto resulta muy criticable. En este sentido, la crítica al legislador puede centrarse, en primer lugar, en la falta precisión a la hora de configurar la justificación legítima de la empresa para delimitar la intensidad del control. En segundo lugar, en la falta de recepción normativa eficiente de los principios clásicos de la doctrina constitucional de proporcionalidad, idoneidad y necesidad. Y, en tercer lugar, en la debilidad con la que se configura el derecho esencial de información que forma parte de aquellos derechos fundamentales.

Podríamos decir que da la impresión de que el legislador ha ido de más a menos en la redacción de los artículos 87, 89 y 90 LOPD. En el primero de los preceptos, de forma ordenada, reconoce primero el derecho a la intimidad del trabajador; en segundo lugar, el poder de control de la empresa; y, en tercer lugar, delimita el espacio de concurrencia de este derecho y este deber imponiendo límites a la empresa para que el control no supere el marco del derecho a la intimidad que el trabajador mantiene en el ámbito laboral. El segundo de los preceptos, de forma menos ordenada, no reconoce expresamente el derecho a la intimidad del trabajador, sino que comienza ya con el reconocimiento del poder de control empresarial. No obstante, limita este poder imponiendo la obligación de información, aunque no sin plantear importantes dudas interpretativas. Ahora bien, hay que destacar que, en relación con la grabación de sonidos, el legislador sí ha sido exhaustivo y sí ha cerrado la puerta a interpretaciones puesto que, tanto la justificación legítima como la proporcionalidad, la idoneidad y la necesidad de la medida de control están recogidas en el art. 89.3 LOPD.

Todo lo contrario ocurre con la regulación en relación con los sistemas de geolocalización, que garantiza débilmente el derecho del trabajador a la protección de datos y a la intimidad, planteando interrogantes en relación con la definición clara de los límites al control empresarial.

XII. EL TELETRABAJO EN LA ERA DIGITAL

Sira Pérez Agulla
Profesora Contratada Doctora
Derecho del Trabajo y de la Seguridad y Social
Universidad Complutense

SUMARIO: 1. PLANTEAMIENTO Y LINEAS ESTRUCTURALES. 2. IMPACTO DE LAS NUEVAS TECNOLOGÍAS EN EL TRABAJO ASALARIADO: FORMAS ATÍPICAS DE TRABAJO DEPENDIENTE. 3. TELETRABAJO. 3.1. El teletrabajo ante los nuevos avances tecnológicos. 3.2. Concepto y elementos del teletrabajo. 3.3. El teletrabajo en función de su calificación jurídica. 3.4. Regulación normativa del teletrabajo. 3.4.1. El teletrabajo en el contexto internacional: Unión Europea y OIT. 3.4.2. Regulación del teletrabajo en España. a) La actual regulación del trabajo a distancia en el Estatuto de los Trabajadores. b) El Teletrabajo ante las recientes novedades legislativas. b.1) Teletrabajo y derecho de conciliación de la vida laboral, personal y familiar. b.2) Cambios normativos en la gestión del tiempo de trabajo: el derecho a la desconexión digital de los teletrabajadores. 4. REFLEXIONES FINALES.

1. PLANTEAMIENTO Y LINEAS ESTRUCTURALES

El teletrabajo, prestación laboral atípica, si bien germinó hace casi cuatro décadas, hoy parece asentarse con fuerza entre trabajadores y empresarios; a pesar de que esta modalidad de trabajo ya había sido objeto de reflexión, sería dentro del marco de lo que se ha venido denominando "era digital" cuando comenzara a contemplarse como una posibilidad técnicamente real. El sustancial impacto que la revolución de las TIC tuvo en la organización empresarial, situó al teletrabajo en una posición privilegiada, frente a las otras formas de trabajo atípicas nacidas al amparo del uso intensivo de compleja tecnología. No obstante, a pesar de este avance incontestable, el teletrabajo se sitúa lejos de convertirse en una práctica habitual en nuestro país a corto plazo. Probablemente, el excesivo arraigo de la cultura presencial en el entorno laboral ralentice su desarrollo. Con independencia de la velocidad en su implantación el teletrabajo es un fenómeno venido para quedarse anclado a nuestro tejido empresarial.

Antes de adentrarnos en el análisis de esta figura, pondremos de relieve las numerosas transformaciones que han acontecido en el ámbito laboral y empresarial desde el último tercio del SXX. La mundialización de la economía, la proliferación de la descentralización productiva o las grandes transformaciones tecnológicas y de la comunicación no pasaron desapercibidas en el contexto laboral, que se vio obligado a iniciar una fase acelerada de innovaciones; de manera particular, prestaremos atención al poder transformador y alcance de las nuevas tecnologías, protagonistas indiscutibles de la que se ha denominado cuarta revolución industrial, caracterizada por la intensificación de los avances alcanzados en un pasado reciente.

Seguidamente, procederemos a presentar la figura, profundizando tanto en el concepto, como en su compleja calificación jurídica. En cuanto al primer asunto, se ponen de relieve definiciones procedentes de instituciones diversas, destacando el elemento locativo, común a todas. Respecto a la segunda cuestión, se subraya que desde antiguo, la naturaleza laboral del trabajo a distancia– concepto en el cual se encuadra el teletrabajo–, por entonces, trabajo a domicilio, ha sido cuestionada.

Por otro lado, el apartado más extenso del estudio, se encarga del tratamiento jurídico que se ha dado al teletrabajo tanto desde el contexto internacional como desde el ordenamiento español. En cuanto al primero, el Acuerdo Marco de la Unión Europea sobre Teletrabajo acapara buena parte del apartado; la falta de normativa en la esfera comunitaria fue suplida con la firma de dicha alianza que vino a fijar los aspectos fundamentales a respetar en el desarrollo de esta atípica forma de trabajo. Seguidamente, se pone de relieve el papel de la Organización Internacional del Trabajo que, partiendo de su Convenio 177, examina el teletrabajo desde sus informes de imprescindibles lectura.

En cuanto al ámbito nacional, se analiza en profundidad la modificación que de la ordenación tradicional del trabajo a domicilio llevó a cabo el Real Decreto-ley 3/2012; a pesar de no aludir en su articulado expresamente al teletrabajo, de la lectura de su preámbulo se infiere que el legislador pensaba en él a la hora de introducir el cambio. Para completar tan tangencial tratamiento, se profundiza en dos normas recientes que afectan de manera directa al fenómeno; por una parte, el Real Decreto-Ley 6/2019, de 1 de marzo, de medidas urgentes para garantía de la igualdad de trato y de oportunidades entre mujeres y hombres en el empleo y la ocupación, por otra, la Ley Orgánica 3/2018, de 5 de diciembre, de Protección de Datos Personales y garantía de los derechos digitales; en este sentido, conciliación y desconexión digital se presentan como conceptos entrelazados, considerándose uno, elemento prioritario para la consecución del otro.

2. IMPACTO DE LAS NUEVAS TECNOLOGÍAS EN EL TRABAJO ASALARIADO: FORMAS ATÍPICAS DE TRABAJO DEPENDIENTE

El supuesto dogmático jurídico a partir del cual se construyó el modelo tradicional de trabajo desde el último tercio del SXX se ha visto inmerso en una profunda crisis derivada de las transformaciones que han tenido lugar en el ámbito laboral y empresarial[1]. La mundialización de la economía, la proliferación de la descentralización productiva o las grandes transformaciones tecnológicas y de la comunicación no pasaron desapercibidas en el contexto laboral, que se vio obligado a iniciar una fase acelerada de innovaciones, tanto por lo que respecta a los trabajadores asalariados, como al mundo empresarial. Dichas modificaciones favorecieron un cambio en el concepto de trabajo tradicional según el modelo fordista. El sistema de fábrica, sobre cuyos presupuestos se había efectuado la construcción clásica de las fronteras del contrato de trabajo, perdió terreno; de ahí que el trabajo industrial por cuenta ajena, prestado en las dependencias de la empresa bajo el poder de dirección de un único empleador comenzara a resultar insuficiente ante las variadas formas de trabajo, siendo cuestionada la enraizada dicotomía trabajo dependiente-trabajo autónomo. Efectivamente, el Derecho Laboral ya no se contemplaba como un ordenamiento perfectamente delimitado, dado que los cimientos – trabajador y empresario– sobre los que había sostenido su principal pilar, el contrato de trabajo, comenzaban a distorsionarse en este nuevo contexto socio-económico.

La incidencia de las TIC en los procesos productivos y los cambios en las estructuras de la organización de las empresas, dieron lugar a la aparición y desarrollo de nuevas formas de organización y gestión de la fuerza de trabajo, que provocaron el abandono progresivo de la tendencia generalizada en el pasado de canalizar dicha fuerza a través de la relación laboral. La creciente externalización de prestaciones, hasta ese momento realizadas en la misma empresa, derivó en el incremento de las actividades prestadas en régimen de autonomía. En este sentido, debemos subrayar que ya se había cuestionado la naturaleza de ciertas prestaciones situadas en una zona de incertidumbre entre las clásicas y contrapuestas maneras de desarrollar una actividad; muestra de ello, la Ley 21/1962, de 21 de julio, promulgada, precisamente, para aclarar las numerosas dudas surgidas respecto de la calificación de dos figuras, representantes de comercio y profesionales libe-

---

[1]   CAMAÑO ROJO, E., "Las transformaciones del trabajo, la crisis de la relación laboral normal y el desarrollo del empleo atípico", Revista de Derecho, Vol. 18, N°. 1, 2005.

rales, cuya integración en el ámbito de aplicación del Derecho del Trabajo resultaba puesta en duda por cierto sector doctrinal[2].

La situación económica y social anteriormente narrada, también afectó a la tradicional figura del empresario, algo obvio teniendo en cuenta que la evolución de ésta queda inexorablemente ligada a las profundas trasformaciones sufridas por las propias organizaciones empresariales. Frente a la clásica organización, que integraba todas y cada una de las actividades necesarias para poner el producto final en el mercado, se instauró un modelo caracterizado por el desarrollo de esas prestaciones por una pluralidad o "red" de empresas, que coparticipaban en la producción última de los bienes y servicios. A este fenómeno, como decimos, consistente en extraer del ámbito de la empresa que actúa como principal, determinadas fases del proceso productivo que anteriormente se integraban en ella, se conoció con distintos nombres: "externalización", "outsourcing" "descentralización". Se trataba de un fenómeno que se materializaba a través de técnicas, tales como el recurso a las contratas y subcontratas, las Empresas de Trabajo Temporal o al trabajo autónomo. La implantación de este modelo de organización fue justificada con diferentes argumentos, pongamos por caso, la reducción de costes fijos, el imperativo empresarial de ganar en productividad o la capacidad de adaptación en un mercado más competitivo e internacionalizado.

A consecuencia de esta nueva realidad productiva y empresarial, asistimos a la escisión de la persona del empresario, que fue sustituido por una pluralidad de sujetos, generando cierta confusión en su identificación. De este modo, el empresario en algunos casos aparece difuminado, dándose lo que algunos han venido a calificar como la inconsistencia del empleador, derivada de que éste no es el titular del aparato empresarial para el que se presta el servicio, quebrándose de este modo la relación tradicional existente entre el trabajador y el empresario. Asimismo, estas nuevas formas de organización trastornan notablemente los poderes de dirección y organización inherentes a la figura del empresario, al poner dichas potestades en manos de personas distintas a las del titular de la empresa. De este modo, la tradicional regla que dispone que quién percibe la utilidad del trabajo por cuenta ajena y dependiente, ejerce de manera no compartida los poderes de dirección y organización, pierde sentido en estas novedosas formas, al desplazarse a sujetos distintos de quién concierta la relación laboral, como ocurre, por ejemplo, con las Empresas de Trabajo Temporal.

---

[2]   CABRERA BAZÁN, J., "El trabajo autónomo y el Derecho del Trabajo", Separata del libro homenaje al profesor Jiménez Fernández, Sevilla, 1967.

Respecto de la figura del trabajador, la situación económica y social descrita huye del concepto enraizado hasta el momento que implicaba un elevado nivel de subordinación y de control disciplinario por parte del empresario. Ciertamente, observamos cómo el operario tradicional, a cuya protección se dirigía, históricamente el Derecho del Trabajo, pierde fuerza, dando paso a un nuevo trabajador que cala en esta novedosa ordenación. Se trata de un empleado con un mayor margen de autonomía en la propia ejecución del trabajo, un trabajador que no se integra físicamente en la organización empresarial, más responsable, con mayor iniciativa en el desarrollo de su actividad. La crisis del empleado típico creó un entorno adecuado para que un mismo empleado pudiera desarrollar su prestación tanto en régimen de dependencia como de autonomía, lo cual no deja de ser una respuesta a las necesidades de flexibilización que las nuevas organizaciones productivas exigían[3].

Se asistió a una terciarización de las actividades productivas, adquiriendo mayor consideración lo que se ha vino denominando sociedad del conocimiento. Las crisis del último tercio del SXX disminuyó el número de obreros industriales en la población activa, mientras que, de forma paralela, produjeron un aumento de los empleados técnicos, originando una gran expansión del empleo en el sector de servicios, que ha pasado a ser, a lo largo de las dos últimas décadas, el predominante en las economías de la Unión Europea.

Por supuesto, debemos destacar que todos estos cambios vieron acompañados de un exponencial avance de las nuevas tecnologías y de la comunicación (TICS), que afectaron plenamente en nuestra vida personal, en nuestra forma de relacionarnos y, por supuesto, en nuestra forma de trabajar; precisamente, fue a finales del pasado siglo, cuando Internet[4] se fue convirtiendo en una realidad omnipresente en nuestras vidas, al traer consigo servicios como el correo electrónico (e-mail), telefonía por Internet o las nuevas formas de interacción personal por medio de mensajería instantánea, foros de Internet, y redes sociales.

En el SXXI, precisamente, la tecnología es la protagonista de la que se ha denominado cuarta revolución industrial, caracterizada por la intensificación de los avances alcanzados en un pasado reciente. El mundo del trabajo, como

---

[3] CRUZ VILLALÓN, J. / AA.VV., "Trabajo subordinado y trabajo autónomo en la delimitación de fronteras de Derecho del Trabajo. Estudios en homenaje al Prof. Cabrera Bazán, Consejo Andaluz de Relaciones Laborales-Tecnos, Madrid, 1999.

[4] Sus orígenes se remontan a 1969, cuando se estableció la primera conexión de computadoras, conocida como ARPANET, entre tres universidades en California (Estados Unidos).

tantas veces ha demostrado, tiene una capacidad innata para hacer frente a los cambios que se presentan, por muy abruptos que sean; ya quedo demostrado en el pasado cuando se abandonó la producción manual dando paso a la mecanizada o ante la integración de la electricidad y, con ella, la aparición de la manufactura en masa. Es cierto que en esta era digital se trata de cambios sin precedentes, que suponen grandes desafíos para el entorno laboral[5]. Ya contamos con nuevas tecnologías que tienen aplicación en el ámbito de las relaciones laborales y que permiten, por ejemplo, trabajar y registrar los horarios a través de sistemas *cloud* o el registro de datos biométricos, prestar servicios en plataformas digitales *on demand* o la utilización de herramientas de inteligencia artificial en entornos laborales (ej. Watson, IBM)[6] [7]. Ahora el gran reto consistirá en armonizar esta tecnología avanzada con los derechos de los trabajadores; tarea que no resultará sencilla precisamente por requerir de la reformulación de los elementos distintivos de la relación laboral[8]; así, conceptos tales como "trabajo" "dependencia", "centro de trabajo", "jornada" o "poderes empresariales" precisan ser examinados desde el prisma de la revolución digital en la que nos encontramos inmersos[9].

En este contexto, caracterizado por la flexibilidad e inmediatez, es en el que situamos nuestro interés por el teletrabajo; se trata, ante todo, de una forma de trabajar, una ruptura con el modelo tradicional de organización del trabajo[10], que si bien germinó hace casi cuatro décadas, hoy parece asentarse con fuerza entre empresa y trabajadores[11].

---

[5]   Abordando este asunto, el informe "Trabajar para un futuro más prometedor", OIT Comisión Mundial sobre el Futuro del Trabajo, 2019.

[6]   "Índice de Madurez Digital de las Empresas", realizado con la colaboración de Inesdi y de nPeople, 2018.

[7]   AA.VV. SÁNCHEZ-URÁN AZAÑA, GRAU RUIZ (dir.), Nuevas Tecnologías y Derecho - Retos y Oportunidades Planteados por la Inteligencia Artificial y la Robótica, Juruá editorial, 2019.

[8]   Vid. Rodríguez-Piñero Royo, M. "El trabajo 3.0 y la regulación laboral por un enfoque creativo en su tratamiento legal", Creatividad y sociedad: revista de la Asociación para la Creatividad, n°. 26, 2016.

[9]   Al mismo tiempo, el trabajo, su contenido, su organización y su diseño, así como su normativa y su protección, están experimentando grandes transformaciones en esta era digital. A menudo, dichas transformaciones también vuelven a menudo difusos los límites entre las diferentes dimensiones del trabajo y entre trabajo, empleo y actividades no laborales. "La era digital: oportunidades y desafíos para el trabajo y el empleo", Fundación Europea para la Mejora de las Condiciones de Vida y de Trabajo, 2019.

[10]   PÉREZ DE LOS COBOS, F.; THIBAULT ARANDA, J., *El teletrabajo en España. Perspectiva Jurídico-Laboral*, Madrid: MTAS, 2001, pág. 19.

[11]   Esto es así porque se han producido algunos desarrollos que no eran previsibles a principios de siglo, y que han cambiado su presencia en el mercado: principalmente un cam-

3. TELETRABAJO[12]

3.1. *El teletrabajo ante los nuevos avances tecnológicos*

El teletrabajo[13] (trabajo a distancia, *telework, networking o remote working*), de confusa naturaleza y vinculabilidad jurídica pero de perfecto engranaje con la actual tendencia hacia la descentralización productiva y la flexibilidad de la estructura empresarial, se ha venido presentando como una forma de organización y ejecución de la prestación laboral derivada del propio desarrollo de las nuevas tecnologías[14]. Si bien es cierto que el concepto de teletrabajo no es nuevo, sí que es necesario contextualizarlo dentro del actual proceso de transformación digital de las empresas, consecuencia inevitable de la intensa revolución digital, esto es, la confluencia de avances tecnológicos alcanzados con anterioridad con novísimas tecnologías.

En nuestro ordenamiento jurídico, esta modalidad de trabajo no contaba ni con un concepto, ni, por supuesto, con una regulación jurídica específica. Si es verdad que hace cuatro décadas ya había voces que vaticinaban como sería su tratamiento a futuro– "el teletrabajo no tiene por qué presentarse como una ruptura impuesta por decreto. Son el pragmatismo, la evolución de las mentalidades, las situaciones concretas las que lentamente decidirán los nuevos modo de organización laboral"–[15].

---

bio tecnológico, que ha llevado al abaratamiento de las TIC, a la conectividad total, al acceso universal a la información y a la portabilidad de equipos. RODRÍGUEZ- PIÑERO ROYO, M., "El papel de la negociación colectiva. Contenidos a afrontar, aparición de nuevas actividades y nuevas formas de trabajo", XXX Jornada de estudio sobre negociación colectiva de la CCNCC, celebrada en Madrid el 26 de octubre de 2017.

[12] Véase sobre el tema: IZQUIERDO CARBONERO, F. J., El teletrabajo. Difusión jurídica y Temas de Actualidad, Barcelona, 2006; SELLAS I BENVINGUT, El régimen jurídico del teletrabajo en España, Aranzadi, Pamplona, 2001; THIBAULT ARANDA, J., El teletrabajo: análisis jurídico-laboral, Consejo Económico y Social, Madrid, 2001; PÉREZ DE LOS COBOS ORIHUEL, F. y THIBAULT ARANDA, J., El teletrabajo en España: perspectiva jurídico-laboral, Ministerio de Trabajo y Asuntos Sociales, Madrid, 2001; SEMPERE NAVARRO, A., KAHALE CARRILLO, D., El Teletrabajo, Francis Lefebvre, D.L., Madrid, 2013.

[13] La historia del teletrabajo se remonta a los años 70, los primeros indicios se dieron en Estados Unidos. Tras una crisis de petróleo, se propuso que disminuyeran los desplazamientos en automóvil, con el objetivo de ahorrar energía, a raíz de este cambio, se desarrolló una ley que obligaba a un 5% de los empleados, a trabajar en casa. LAHIGUERA MENA, D., "El Teletrabajo", MAZ MATEPSS nº 11, 2012.

[14] PÉREZ DE LOS COBOS ORIHUEL, F. y THIBAULT ARANDA, J., El teletrabajo en España. Perspectiva jurídico laboral, MTAS, Madrid, 2001.

[15] ORTIZ CHAPARRO, F., *El teletrabajo. Una sociedad laboral en la era tecnológica*, McGraw-Hill, Madrid, 1995, pág. 28.

En el ámbito de la Unión Europea la falta de normativa[16] fue suplida con la firma de un Acuerdo-Marco, aprobado el 16 de julio de 2002, por los agentes sociales (CES, UNICE/UEAPME y CEEP)[17]. Estas organizaciones, junto con representantes del Comité de Enlace CEC/Eurocuadros, decidieron asumir por sí mismos la aplicación del Acuerdo, sin que su contenido fuera recogido en una Directiva del Consejo. Por eso, el Acuerdo constituyó, en síntesis, el marco general que debería tenerse en cuenta para establecer los procedimientos y las prácticas de empresarios y trabajadores en cada Estado miembro. En España, lo más próximo a su transposición, lo encontrábamos, desde el año 2003, en los Acuerdos Interconfederales para la Negociación Colectiva. Baste como muestra, el programado para 2015, que en línea con los anteriores, contemplaba el teletrabajo como un medio para modernizar la organización y conciliar la vida profesional y personal, abogando por su carácter voluntario y reversible, así como por la igualdad de derechos legales y convencionales de los teletrabajadores y del resto de empleados que trabajan en las instalaciones de la empresa. En este sentido, resulta llamativo por profético el suscrito en 2003 el cual, asumiendo que el teletrabajo era una práctica muy incipiente en el tejido laboral español, ya ponía de manifiesto que el grado de acierto de cualquier iniciativa que se emprendiera en torno a esta modalidad de trabajo dependería de la receptividad que empresa y trabajadores mostraran ante tal experiencia.

Hoy, esas palabras adquieren relevancia si tenemos en cuenta las conclusiones extraídas de diversos estudios[18] de los cuales se infiere que en España el excesivo arraigo de la cultura presencial ralentiza el desarrollo del trabajo a distancia. Sirva de ejemplo el informe conjunto de la OIT-Fundación Europea para la Mejora de las Condiciones de Vida y de Trabajo (Eurofound) "Trabajar a toda hora, en cualquier lugar: efectos sobre el mundo del trabajo", en el que se analizaban los resultados de varios estudios realizados en 15 países, incluyendo a diez países de la Unión Europea (Alemania, Bélgica, España, Finlandia, Francia, Hungría, Italia, los Países Bajos, Suecia y el Reino Unido) así como Argentina, Brasil, Estados Uni-

---

[16]   El teletrabajo empezó a regularse antes de que el uso de Internet se generalizase. La directiva 90/270/CEE estableció, ya en el año 1990, la obligatoriedad por parte de las empresas de respetar la vida privada del trabajador y comenzó a introducir la posibilidad de utilizar sistemas de monitorización a distancia.

[17]   THIBAULT ARANDA, J., JURADO SEGOVIA, A., "Algunas consideraciones en torno al Acuerdo Marco Europeo sobre Teletrabajo", Temas Laborales Nº 72/2003.

[18]   Libro blanco del Teletrabajo: una nueva forma flexible de trabajo, elaborado por Fundación Mas Familia y la consultora Business Innovation Consulting Group (BICG), 2019.

dos, India y Japón; dicho estudio sitúa a España a la cola de los países europeos[19], en particular, dispone que en nuestro país escasamente el 7% de los empleados trabaja a distancia, diez puntos por debajo de la media de la Unión Europea, situada en el en el 17%[20]. El informe no se limita a cuantificar el número de trabajadores que en los países objeto de estudio optan por esta modalidad de trabajo, sino que también incide en sus ventajas e inconvenientes. Respecto a los efectos positivos de este modo singular de trabajar, se incluye la reducción de los tiempos de desplazamiento desde casa al trabajo, el aumento de la autonomía en cuanto al tiempo de trabajo, la mejora de la conciliación entre la vida laboral y la personal en general y el aumento de la productividad. Las empresas se benefician de la mejora de la conciliación, lo que puede llevar a un aumento de la motivación y una reducción de la rotación de personal en la empresa, la mejora de la productividad y la eficiencia y la reducción de la necesidad de espacio de oficina y de los costes asociados; por otro lado, de manera acertada, no oculta que esta modalidad de trabajo también podrá producir un deterioro de las condiciones de trabajo así como el solapamiento de la vida privada o familiar por el trabajo o vida laboral.

3.2. *Concepto y elementos del teletrabajo*

Desde la aparición del teletrabajo, allá por los años 70[21], desde distintas disciplinas[22] se intentó conceptualizar el fenómeno; esta labor no resultaba sencilla del todo al intervenir diversos aspectos que hacían especial a esta forma de trabajo a distancia. Además, la falta de unanimidad en su propia denominación no facilitaba la tarea[23]. Desde la doctrina laboralista, expertos en la materia, propusieron diversas definiciones; baste como muestra,

---

[19]   Lideran el ranking países escandinavos como Suecia y Finlandia.

[20]   Messenger, Jon; Vargas Llave, Oscar; Gschwind, Lutz; Boehmer, Simon; Vermeylen, Greet; Wilkens, Mathijn, *Working anytime, anywhere: The effects on the world of work*, Joint ILO–Eurofound report, 2017.

[21]   EN 1973 Jack Nilles entendía por teletrabajo "cualquier forma de sustitución de desplazamientos relacionados con la actividad laboral por tecnologías de la información". NILLES, J. The Telecommunications-transportation tradeoff. California, Jada Internacional, 1973, p. 16.

[22]   En este sentido, CATAÑO RAMÍREZ, S., "El concepto de Teletrabajo: aspectos para la Seguridad y Salud en el Empleo", Revista CES Salud Pública, nº 5, Nº. 1, 2014.

[23]   AAVV RODRÍGUEZ –PIÑERO ROYO, M. (coorodinador), "Aproximación al teletrabajo" en *Negociación Colectiva y sectores emergentes*, Ministerio de Trabajo y Asuntos Sociales. Colección Informes y Estudios. Serie Relaciones Laborales nº33,

la otorgada por Thibault Aranda[24] para el cual el teletrabajo es "una forma de organización y/o ejecución del trabajo realizado en gran parte o principalmente a distancia, y mediante el uso intensivo de las técnicas informáticas y/o de telecomunicaciones"[25].

De igual manera, desde los distintos organismos internacionales se ha venido definiendo la atípica forma de trabajar. En este sentido, la Unión Europea, en su Acuerdo Marco, ya aludido, entendió, por dicho fenómeno "todo trabajo comparable al desempeñado por un asalariado en el lugar de trabajo normal, pero que también se puede hacer a distancia con las tecnologías informáticas en principio vinculadas a la red de información de la empresa". Por otro lado, según la Fundación Europea para la Mejora de las Condiciones de Vida y Trabajo "el teletrabajo es una forma de organización y/o de realizar el trabajo, utilizando la tecnología de la información, en el marco de un contrato de trabajo/relación, donde se realiza el trabajo, que también podría llevar a cabo en las instalaciones del empleador"[26]. En el seno de la OIT se ha entendido como tal "la forma de trabajo efectuada en un lugar alejado de la oficina central o del centro de producción y que implica una nueva tecnología que permite la separación y facilita la comunicación"[27].

Como se puede apreciar, en todas las definiciones anteriores, concurren tres elementos, que contribuyen a su delimitación: en primer lugar, el espacio físico en el que se desarrolla la actividad se encuentra fuera de la empresa; en segundo, se emplea, tecnología informática y de la comunicación; por último, supone un cambio en la organización del trabajo. Estos requisitos son interdependientes entre sí, de tal manera que deben darse simultáneamente, para que en rigor podamos hablar de teletrabajo[28].

3.3. El teletrabajo en función de su calificación jurídica

El principal obstáculo al que debe enfrentarse aquél que pretenda otorgar un tratamiento específico a esta forma de trabajar será establecer una categorización de teletrabajadores, por un lado, los que trabajan por cuen-

---

[24] THIBAULT ARANDA, J., *El teletrabajo. Análisis jurídico-laboral*, CES Colección estudios, 2001, pág. 32.

[25] En sentido similar, ESCUDERO RODRÍGUEZ, R. "Teletrabajo", Ponencia Temática III, X Congreso Nacional de Derecho del Trabajo y de la Seguridad Social, Zaragoza, 1999.

[26] Teletrabajo en la Unión Europea, Eurofound

[27] La Carta Europea para el Teletrabajo se realizó al amparo de la Dirección General XIII de la Unión europea en el Proyecto Diplomat, 1999.

[28] THIBAULT ARANDA, J., *El teletrabajo...*cit, pág. 26.

ta propia y, por otra, los que lo hacen por cuenta ajena. En este estudio focalizaremos nuestro interés en los segundos, es decir, en aquellos que deben cumplir con lo establecido en el art.1.1 del ET, en otras palabras, en los que "voluntariamente presten sus servicios retribuidos por cuenta ajena y dentro del ámbito de organización y dirección de otra persona física o jurídica, denominada empleador o empresario".

Desde antiguo, la naturaleza laboral del trabajo a distancia, por entonces, trabajo a domicilio[29] fue cuestionada. Sería el Real Decreto-ley de 26 de julio de 1926, encargado de su regulación el que aportaría luz a la cuestión. Esta norma no sólo aclaraba el concepto de trabajo a domicilio sino que intentaba resolver la confusión existente entre esta figura y el trabajo autónomo. Así, su art. 1 señalaba que "se entiende por tal el que ejecutan los obreros en su morada o en otro lugar, libremente elegido por ellos, sin la vigilancia del patrono por cuenta del cual trabajan ni del representante suyo, y del que reciben retribución por la obra ejecutada". Tras mostrar qué tipo de trabajadores quedaban acogidos por el Real Decreto-ley, éste indicaba, en su art. 3, que "no se considerará, a los efectos legales, trabajo a domicilio: (…) b) El trabajo autónomo, individual o colectivo, o en taller de familia, entendiéndose por trabajo autónomo el que se hace para la venta directa del producto, sin intermediario del patrono". De ambos preceptos se desprenden las diferencias existentes entre una y otra figura. Así, mientras en el trabajo a domicilio "laboral" la nota de dependencia se manifiesta atenuada, en el trabajo domicilio autónomo ni siquiera existe. Por otro lado, mientras en el primero, el obrero cede su trabajo al patrono a cambio de un salario mínimo que impide la asunción de riesgos, en el segundo, no confiere la utilidad de su prestación, obteniendo un lucro especial y asumiendo los riesgos de la misma.

Posteriormente, la regulación de esta modalidad de trabajo fue acogida, por primera vez, de forma completa, la Ley del Contrato de Trabajo de 1944. A pesar de que la Ley de 1931 mencionaba esta modalidad de trabajo, no fue hasta 1944 cuando se le otorgó una regulación más allá del RD de 1926, quedando completamente inserta en el ámbito del Derecho del Trabajo.

De este modo, la Ley calificaba este tipo de prestación como contrato especial de trabajo y le dedicaba su Libro II Título II (art. 114-121) que,

---

[29]   Las industrias típicas del trabajo a domicilio eran las del ramo de la confección, conocidas con el nombre de la aguja. En estas estaban empleadas mayoritariamente mujeres dedicadas a realizar encajes, bordados, calzados o guantes. También serían propias de esta modalidad las industrias encargadas de los trabajos de ebanistería, relojería, fabricación de armas, juguetes, etc.

junto con los arts. 5 y 6 de la Ley, constituía su marco normativo. A través de estos últimos preceptos, que incorporaban al texto refundido los arts. 2, 3 y 5 del Real Decreto de 26 de julio de 926, la Ley introdujo el concepto de empresario del trabajo a domicilio y matizó la noción de trabajador que ya otorgara la ley precedente[30]. De la lectura del art. 6 se desprende que el legislador, reacio hasta el momento a hacerse cargo de su regulación, debido a las anomalías que la nota de dependencia presentaba, a partir de la Ley del 44 amplía su ámbito de protección y admite la coexistencia de dichos caracteres con cierta libertad en la prestación del trabajo. Reflejo de esto eran los dos nuevos presupuestos que el art. 6 introdujo y que aportaron una mayor flexibilidad a los rasgos que acompañan al contrato de trabajo. Por un lado, ampliando el lugar en donde puede llevarse a cabo el trabajo, admitiendo que se ejecutara tanto en la morada de los trabajadores como en "otro lugar libremente elegido por ellos"; por otro, permitiendo que la prestación se desarrollara "sin la vigilancia de la persona por cuenta de la cual trabajan, ni de representante suyo".

Ésta falta de vigilancia, que hasta el momento había sido entendida como una circunstancia que trastocaba toda la estructura sobre la que se asentaba el contrato de trabajo, pasó a ser contemplada como una mera atenuación del poder de dirección empresarial. Así, la doctrina mayoritaria de la época entendió que una vigilancia y dirección no inmediata y un control no constante por parte del empresario, en ningún caso dejaba al trabajador a domicilio en situación de independencia, que le condujera a una posición extramuros del Derecho de Trabajo, como si de un trabajador autónomo se tratase; así, por ejemplo, Gallart consideraba que "en el Derecho español esta dependencia no exige que el trabajo se preste bajo la vigilancia directa del patrono o de sus apoderados o delegados, porque son manifestaciones de la misma en el trabajo prestado fuera de los locales del establecimiento patronal, el compromiso de dedicar a este trabajo toda o una parte de la jornada, la aceptación de un programa determinado de gestiones a realizar, la obligación de dar cuenta de las realizadas, la exigencia de la justificación del tiempo, la obligación de un rendimiento mínimo de la labor diaria y, sobre todo, el monopolio de la actividad del obrero,

---

[30]   Art. 5: (…) Se considera empresarios del trabajo a domicilio los fabricantes, almacenistas, comerciantes, etc.; los contratistas, subcontratistas y destajistas que encarguen trabajo a domicilio, pagando a tarea o a destajo, dando o no los materiales y útiles de trabajo. Art. 6: Trabajadores son (…) los llamados obreros a domicilio, entendiendo por tales los que ejecutan el trabajo en su morado u otro lugar libremente elegido por ellos, sin la vigilancia de la persona por cuenta de la cual trabajan, ni de representante suyo, y del que reciben retribución por la obra ejecutada.

manifestado en la prohibición de realizar otros trabajos de la misma índole o índole distinta, ya en provecho del mismo obrero, ya en provecho de otras personas"[31].

La completa regulación otorgada por la Ley del 44 consiguió alejar esta modalidad de trabajo de aquella figura del artesano, paradigma tradicional del trabajo independiente y cuyas similitudes tanto habían perjudicado al trabajador a domicilio en aras de su inclusión en la esfera aplicativa del Derecho Laboral. Ahora, su art. 115 al señalar que no consideraba trabajo a domicilio "el que se hace para la venta directa del producto sin intermediación del patrono" se hacía cargo de la expulsión de todos aquellos productores que acuden directamente al mercado, sin que previamente un empresario haya intervenido determinando la prestación a realizar para la obtención del producto a vender. A lo largo de los años, las similitudes existentes entre ambos habían inducido al error de considerarlos iguales. Así, debido a tales semejanzas y teniendo en cuenta el rechazo que el Derecho del Trabajo había mostrado, desde sus orígenes, hacia el trabajador autónomo, resultaba difícil, o al menos controvertido, para esta disciplina incluir en su esfera aplicativa una figura tan próxima a aquél. Con esta Ley, parece que ambas modalidades de trabajo quedaban perfectamente definidas, otorgando a cada una de ellas su correspondiente tratamiento.

Esto fue lo que les llevaría a constituir, a partir de la segunda década de los cincuenta, un sistema de indicios, indicador de la existencia de la nota de dependencia.

La legalización de este sistema se debió a la lucha emprendida por los representantes de comercio por adquirir de la condición de trabajador. Interés que se fundamentaba, no tanto en la conquista de la protección que la Ley de 1944 ofrecía en materia laboral, sino en la posibilidad de acudir a los Tribunales laborales y no a los ordinarios, carentes de rapidez y gratuidad. La respuesta a estas reivindicaciones vino de la mano de la Ley 21/1962, 21 de julio, que introdujo dos relevantes novedades. Por un lado, la cláusula de cierre contenida en el art. 6 de la Ley –que extendía la condición de trabajador a "cualesquiera otros semejantes"–, fue sustituida por una fórmula más completa través de la cual se consideraban trabajadores a "todos los que desarrollen actividades en situación de dependencia con respecto a las personas que las ordenan o encargan, pagando por ellas o por sus resultados una retribución".

---

[31]   GALLART FOLCH, A., Derecho español del Trabajo, Labor, Barcelona, 1936, pág.10.

De la lectura del nuevo párrafo incluido en el art.6 LCT de 1944 se desprende que requisitos tales como la vigilancia directa, la jornada de trabajo determinada o la exclusividad, hasta ahora considerados exigibles y esenciales para la laboralización de una relación de trabajo, quiebran, pasando a ser percibidos como simples características habituales del contrato de trabajo, cuya ausencia no implica su inexistencia. Esta novedosa orientación, que ampliaba el ámbito subjetivo de la Ley de 1944, fue tomada por la jurisprudencia para abrir un nuevo periodo caracterizado por la flexibilidad de las notas que definen el contrato de trabajo[32]. De este modo, y si bien es cierto que durante la primera mitad del régimen franquista, los Tribunales sociales mostraron escaso interés por expandir el ámbito de aplicación de la disciplina, interpretando de manera restrictiva las notas caracterizadoras de la figura contractual, tras esta reforma, la elasticidad, predicable de un modo especial de la dependencia, se convirtió en el rasgo que caracterizaba a las notas que definían la relación laboral y que permitió, no sólo dar cobijo entre las disposiciones laborales a los representantes de comercio, sino también a otros colectivos. Ejemplo de ello, la sentencia, de 22 de mayo de 1964, dictada por la Sala 6ª del Tribunal Supremo en la que se señalaba que "concurre la dependencia si aparece probado que el demandante estaba obligado a la normal dación de cuenta al demandado, sin que tales circunstancias, en el sentido corriente de sujeción a horario fijo y sometido a directa vigilancia, sean esenciales, aunque sí características del contrato de trabajo, que no resulta desnaturalizado por su relajamiento o ausencia, en razón a la particularidad de alguno de ellos.

Posteriormente, en un momento político y económico complejo, entró en vigor la Ley de Relaciones Laborales de 1976, a través de la cual el fenómeno expansivo vivido en el seno de los Tribunales se trasladó al ámbito de la legislación de la mano de las relaciones laborales especiales[33]; así, el trabajo a domicilio, de tan cuestionada naturaleza, pasó a ser contemplado como una relación de tal característica. Años después, se da un paso más en la laboralización de esta atípica forma de trabajar, pasando a configurarse en el Estatuto de los Trabajadores como una relación común −"El contrato de trabajo a domicilio es aquél en que la prestación de la actividad laboral se desarrolla en el domicilio del trabajador, o en el

---

[32]   PÉREZ AGULLA, S., "El trabajo autónomo en el nacimiento del Derecho del Trabajo" Civitas. Revista española de Derecho del Trabajo, nº 146, 2010.

[33]   Para VALDÉS DAL-RE, la Ley de Relaciones Laborales supuso un momento ascendente de las tendencias a la dispersión de la disciplina normativa del contrato de trabajo. Valdés Dal-Re, F., "Unidad y diversidad en la regulación del contrato de trabajo: apuntes de su evolución histórica", Rev. Relaciones Laborales, nº 8, abril 2005, pág. 13.

lugar libremente elegido por éste, sin vigilancia del empresario" (art. 13)–. Como se aprecia, los rasgos propios que definen a este tipo de trabajo son, por un lado, la libertad del trabajador para elegir el lugar en el que va a realizar su actividad, por otro, la falta de vigilancia empresarial. En cuanto al primero de ellos, el clásico indicio de lugar, como ya hemos visto, perdió hace tiempo su fuerza identificativa[34]; en este caso, debemos enfatizar que dada la autonomía que la norma atribuye al trabajador respecto a elección del lugar de trabajo, el poder de dirección del empresario queda mermado. Respecto a la segunda característica, ya se venía aceptando, otorgando una valoración laxa a la nota definitoria de la dependencia, que para que la misma se diera resultaba indiferente la falta de vigilancia por parte del empresario al entender que se trataba de una manifestación de la misma en el trabajo prestado fuera de los locales de la empresa.

En cuanto al teletrabajo, ya por entonces emergente, no encontraba cabida plena en la definición del art.13. Como puso de manifiesto la Jurisprudencia, en Sentencia del Tribunal Supremo, Sala de lo Social, de 11 de abril de 2005[35] no se trataba de "conceptos coincidentes, porque el teletrabajo puede prestarse en un lugar no elegido por el trabajador y distinto al de su domicilio y porque además puede haber formas de teletrabajo en la que exista una vigilancia empresarial (algunas manifestaciones trabajo "on line") aunque este elemento del control pudiera ser hoy menos decisivo en orden a la calificación y en cualquier caso las formas de control a través de las TIC no siempre son equiparables a la vigilancia tradicional, que es la que menciona el art.13 ET por referencia también a los tipos tradicionales del trabajo industrial a domicilio. Pero hay formas de teletrabajo que se ajustan al modelo de trabajo a domicilio y en este sentido la doctrina se refiere a un nuevo contrato a domicilio vinculado a las nuevas tecnologías frente al viejo contrato a domicilio"[36].

La nueva redacción que mediante el Real Decreto-ley 3/2012 se dio a dicho precepto legal permitía un mayor encaje de la figura del teletrabajo; si

---

[34]   SELMA PENALVA, A., "Las peculiaridades prácticas del control en la empresa", Anales de Derecho, n° 27, 2009, pág.12.

[35]   Sentencia del Tribunal Supremo Sala de lo Social de 11 de abril 2005 (RJ 2005\4060).

[36]   La necesidad de una regulación específica del teletrabajo ya fue puesta de manifiesto; muestra de ello, lo dispuesto por el TSJ Madrid en su sentencia de 30 de septiembre de 1999: "el teletrabajo constituye una relación laboral propiciada por las nuevas tecnologías que mejoran la calidad de vida de nuestra sociedad y permiten nuevas formas de relacionarse que deben ser reguladas legalmente y amparadas por la legislación vigente, que no puede quedar burlada, debiendo asimilarse la presencia física la presencia virtual".

bien, se limitaba a regular el trabajo a distancia, omitiendo toda referencia específica a este tipo de trabajo, hacía desaparecer el requisito relativo a la vigilancia del empresario. Tal supresión resulta del todo acertada teniendo en cuenta que el teletrabajador si puede estar bajo las órdenes y control del empresario, eso sí, a través de medios de control a distancia; en el tipo de teletrabajo más frecuente –el que se desarrolla *on-line* con doble dirección– el control empresarial, no solo existe, sino que normalmente resulta aún más intenso que el desarrollado presencialmente[37].

Llegados a este punto, habiendo considerado el legislador que no era necesario intervenir con una regulación específica del teletrabajo, conformándose con un tratamiento tangencial del mismo, resultará ineludible llevar a cabo una valoración de los elementos configuradores de la relación laboral. Al igual que ocurriera en la década de los sesenta, el tradicional haz de indicios que sirvió a la jurisprudencia para reconocer el rasgo de dependencia, de nuevo precisa de ser revisado a la luz de las novedosas herramientas tecnológicas y de la comunicación que han revolucionado las maneras de trabajar y las formas de interactuar dentro de esfera laboral; en este sentido, los indicios tradicionalmente fijados, ahora resultan ineficaces en la detección de nuevas manifestaciones de dependencia jurídica. Si bien es incontestable que los avances tecnológicos alcanzados en la hoy denominada era digital han aportado a la organización del trabajo una flexibilidad e inmediatez –hasta ahora desconocida–, también lo es que dichos rasgos han dado lugar a la desfiguración del tiempo, del lugar e, incluso, de los sujetos participantes en el contrato de trabajo; la variedad de características que presenta el teletrabajo, el tipo y grado de conexión, el control de la labor realizada mediante sofisticados programas informáticos, la mayor o menor libertad de autoorganización, no encajan con los indicios tradicionales que hacían suponer de la existencia de un vínculo laboral –valga de ejemplo, el sometimiento a una jornada y horario o la asistencia al centro de trabajo del empresario o al lugar de trabajo designado por éste–.

3.4. *Regulación normativa del teletrabajo*

3.4.1. El teletrabajo en el contexto internacional: Unión Europea y OIT

El vertiginoso desarrollo tecnológico experimentado en los últimos años, unido al surgimiento de nuevas formas de trabajo y a la profunda

---

[37]   CALVO GALLEGO, J., "Nuevas tecnologías y nuevas formas de trabajo", revista Creatividad y Sociedad, en su monográfico sobre Derecho, trabajo y creatividad n° 26, 2016.

repercusión de las TIC en las mismas (con el teletrabajo como máximo exponente), no han pasado desapercibidos y han incrementado los interrogantes acerca de sus beneficios y de la necesaria delimitación del concepto en el contexto internacional. Para ello, se han desarrollado diversos instrumentos, algunos con fuerza vinculante, y otros con carácter meramente informativo u orientador, con el fin de ofrecer una definición marco de este nuevo modelo de trabajo y de estudiar las repercusiones del mismo en la empresa y en los trabajadores.

En este sentido, el 16 de julio del año 2002 se suscribió el Acuerdo Marco sobre Teletrabajo por los agentes sociales comunitarios. Con respecto a la fuerza vinculante de este tipo de instrumentos, cabe destacar que, según el artículo 139 del Tratado CE ofrece dos opciones de aplicación de los mismos. La primera de ellas consiste en la implementación "de acuerdo con los procedimientos y prácticas específicos de gestión y trabajo y el Estado miembro", conocido también como "acuerdo autónomo"; mientras que la segunda implica la solicitud de una decisión del Consejo de Ministros. Con el Acuerdo Marco sobre Teletrabajo, se optó por la primera posibilidad, por lo que constituye el primer acuerdo europeo de carácter autónomo.

Frente a la dificultad de ofrecer una definición jurídica y uniforme del concepto de teletrabajo, el presente Acuerdo Marco comienza considerando este fenómeno como una forma de organización y/o de realización del trabajo, utilizando las TIC en el marco de un contrato o de una relación de trabajo, en la cual un trabajo que podría ser realizado igualmente en los locales de la empresa se efectúa fuera de estos locales de forma regular.

Por tanto, entiende como teletrabajador a toda persona que efectúe teletrabajo según lo descrito en el párrafo anterior, resultándoles a ellos de aplicación el Acuerdo Marco en cuestión.

De esta definición[38] pueden extraerse una serie de notas que parecen delimitar este tipo de trabajo. En primer lugar, este trabajo se caracteriza por hacer uso de las tecnologías de la información, que permiten que el mismo pueda ser desarrollado fuera de los locales o lugares tradicionales de trabajo, que constituye la segunda característica. Por otra parte, esta forma de realización del trabajo no supone un mero uso por parte del tra-

---

[38]   Se trata de una definición amplia de teletrabajo que permite incluir las diversas modalidades de esta nueva forma de organización laboral, con independencia del lugar en que se realiza la prestación, o del tipo de conexión que se establece con la empresa (teletrabajo "on-line" y "off-.line"). THIBAULT ARANDA, J., JURADO SEGOVIA, A., "Algunas consideraciones...", cit. pag. 17.

bajador de medios tecnológicos para su desempeño profesional, sino que implica la decisión por parte de la empresa (y con la conformidad del trabajador) de organizar parte de la actividad de sus empleados con el fin de que el trabajo se realice fuera del lugar habitual. Por último, estas especialidades que caracterizan el teletrabajo deben verse recogidas en el contrato laboral entre trabajador y empresario, aunque, para algunos autores, esta última nota no sería determinante a la hora de definir el teletrabajo. En cuanto al contrato que vincula a las partes, el acuerdo establece la obligación empresarial de hacer entrega al trabajador la información pertinente de conformidad con la Directiva 91/533/CEE de 14 de octubre de 1991, relativa a la obligación del empresario de informar al trabajador acerca de las condiciones aplicables al contrato de trabajo o a la relación laboral, hoy derogada[39] por la Directiva 2019/1152 de 20 de junio de 2019 relativa a unas condiciones laborales transparentes y previsibles en la Unión Europea; se trata de una norma que pretende modernizar la materia regulada, no en vano pone de manifiesto en su considerando 4 que "Desde la adopción de la Directiva 91/533/CEE del Consejo, los mercados laborales han experimentado profundas modificaciones, inducidas por los cambios demográficos y la digitalización, que han conducido a la creación de nuevas formas de empleo, que, a su vez, han fomentado la innovación, la creación de empleo y el crecimiento del mercado laboral. Algunas formas nuevas de empleo pueden divergir significativamente, por lo que respecta a su previsibilidad, de las relaciones laborales tradicionales, lo que genera incertidumbre respecto de los derechos y la protección social aplicables para los trabajadores afectados. En este entorno laboral cambiante, existe por tanto una creciente necesidad de que los trabajadores dispongan de información completa respecto de sus condiciones de trabajo esenciales, información que debe facilitarse a su debido tiempo y por escrito de una forma fácil acceso".

Además, el acuerdo, acertadamente, puso de relieve algunos aspectos conflictivos que se planteaban a la hora de su puesta en práctica desde el punto de vista de la seguridad jurídica; en este sentido, con la idea de dar respuesta o, al menos, un poco de luz a la dificultades inherentes a la propia naturaleza del teletrabajo que se planteaba, fija una serie de derechos y obligaciones recíprocos para empleados y empresarios:

---

[39]   Artículo 24 "Derogación":
        Queda derogada la Directiva 91/533/CEE con efectos a partir del 1 de agosto de 2022.
        Las referencias a la Directiva derogada se entenderán hechas a la presente Directiva.

- Vida privada. Se proclama el respeto a la vida privada del teletrabajador, para ello dispone que, en caso de introducirse un medio de
  vigilancia, este deberá ser proporcionado al objetivo, siendo incorporado con arreglo a la Directiva 90/270/CEE relativa a las pantallas de visualización.

- Equipos para la actividad. El empresario deberá facilitar, instalar y
  encargarse del mantenimiento de los equipos necesarios para el teletrabajo regular, excepto si el teletrabajador utiliza su propio equipo. El empresario ha de hacerse cargo, con arreglo a la legislación
  nacional y a los convenios colectivos, de los costes derivados de la
  pérdida o el deterioro de los equipos y de los datos utilizados por el
  teletrabajador.

- La salud y la seguridad. La importancia del derecho a la seguridad y
  salud de los teletrabajadores y las complejas cuestiones que en materia preventiva surgen de la propia especialidad del mismo fueron
  puestas de manifiesto en el Acuerdo Marco Europeo de 2002; como
  ya hemos visto, este hace responsable al empresario de la protección de la salud y seguridad profesional de aquellos y adjudica a
  este la materialización de las obligaciones dimanantes de la legislación existente en torno a la prevención de riesgos laborales. Para
  comprobar la correcta aplicación de las disposiciones aplicables en
  materia de salud y seguridad, el empresario, los representantes de
  los trabajadores y/o las autoridades competentes tendrán acceso al
  lugar del teletrabajo, dentro de los límites establecidos en las legislaciones y los convenios colectivos nacionales. Si el teletrabajador
  realiza su tarea en su domicilio, para poder acceder al mismo serán
  necesarias una notificación previa y el acuerdo del teletrabajador.
  Este podrá solicitar una visita de inspección.

- La organización del trabajo. En el marco de la legislación, de los
  convenios colectivos y de las normas laborales aplicables, corresponde al teletrabajador gestionar la organización de su tiempo de trabajo. La carga de trabajo y los criterios de resultados del teletrabajador
  son equivalentes a los de los trabajadores similares que realizan su
  tarea en los locales del empresario.

- La formación de los teletrabajadores. Los teletrabajadores tienen el
  mismo acceso a la formación y a las posibilidades de carrera profesional que trabajadores similares que realizan su tarea en los locales
  del empresario, y están sujetos a las mismas políticas de evaluación
  que los demás trabajadores. Los teletrabajadores recibirán una for-

mación apropiada, centrada en los equipos técnicos puestos a su disposición y en las características de esa forma de organización del trabajo.

– Los derechos colectivos de los teletrabajadores. Los teletrabajadores tienen los mismos derechos colectivos que los trabajadores que realizan su tarea en los locales de la empresa. No deberá obstaculizarse la comunicación con los representantes de los trabajadores.

Para finalizar este sucinto repaso al Acuerdo solo decir que indudablemente no parece haber servido de fuente de inspiración para la lacónica regulación que del fenómeno se ha dispuesto en España –como podremos comprobar en los siguientes apartados–.

En cuanto al contexto internacional, cabe enfatizar la labor realizada desde la OIT respecto de esta modalidad de trabajo. En este sentido, el Convenio número 177 sobre el trabajo a domicilio[40], en 1996, no solo vino a clarificar este fenómeno sino a fijar las bases de un futuro tratamiento legal acorde con la protección requerida por parte de estos trabajadores. En este sentido, la Conferencia General de la Organización Internacional del Trabajo justificó la elaboración de la norma por la necesidad de adaptar disposiciones de aplicación general relativas a las condiciones de trabajo a las características propias de esta atípica forma de trabajar. El Convenio 177 fijo los principios básicos del fenómeno, proclamando la igualdad de trato entre los trabajadores a domicilio y los otros asalariados, siempre teniendo presente las características particulares de aquellos.

El Convenio se ve completado con la Recomendación nº 184 –de igual nombre–, mediante la cual establecen directrices más detalladas; asuntos como la seguridad y salud en el trabajo, las horas de trabajo, periodos de descanso y licencias o la remuneración son abordados de manera reflexiva, poniendo el acento en los aspectos que más dudas suscitan.

En cuanto a la OIT, no podemos pasar por alto sus informes de imprescindibles lectura. A pesar de haber transcurrido 25 años, el que lleva por título "El trabajo a domicilio. Análisis comparativo (Documento 10)" ya auguraba el crecimiento exponencial del teletrabajo, así como la necesidad de establecer un marco jurídico específico para tan atípica forma de trabajar. Tras este punto de partida, en cuanto al estudio y reflexión de la figura,

---

[40] El Convenio núm. 177 entró en vigor el 22 de abril de 2000. En la fecha de 1 de marzo de 2017, lo han ratificado diez Estados: Albania, Argentina, Bélgica, Bosnia y Herzegovina, Bulgaria, Finlandia, Irlanda, Macedonia, Países Bajos y Tayikistán.

también debemos mencionar informes posteriores que de manera directa o indirecta se hacen cargo del mismo. En ese marco, el reciente informe "Perspectivas Sociales y del Empleo en el Mundo", Tendencias 2020, "Trabajar para un futuro más prometedor", 2019, "Perspectivas Sociales y del Empleo en el Mundo 2018: Sostenibilidad medioambiental con empleo", 2018 o, el tantas veces mencionado en esta estudio, "Trabajar en cualquier momento y en cualquier lugar: consecuencias en el ámbito laboral" (T/TICM) y el ámbito laboral", 2017.

3.4.2. Regulación del teletrabajo en España

a) La actual regulación del trabajo a distancia en el Estatuto de los Trabajadores

En nuestro país el teletrabajo, como hemos apuntado, no presenta índices elevados, sino que continúa predominando la modalidad del trabajo presencial. Además, no se encuentra regulado en una normativa específica para el mismo, sino de manera tangencial en el Estatuto de los Trabajadores.

El nuevo tratamiento de esta atípica forma de trabajo vino de la mano del art. 6 del Real Decreto-ley 3/2012, de 10 de febrero, de medidas urgentes para la reforma del mercado laboral, en cuyo preámbulo, el legislador manifestaba "el deseo de promover nuevas formas de desarrollar la actividad laboral hace que dentro de esta reforma se busque también dar cabida, con garantías, al teletrabajo que encaja perfectamente en el modelo productivo y económico que se persigue, al favorecer la flexibilidad de las empresas en la organización del trabajo, incrementar las oportunidades de empleo y optimizar la relación entre tiempo de trabajo y vida personal y familiar. Se modifica, por ello, la ordenación del tradicional trabajo a domicilio, para dar acogida, mediante una regulación equilibrada de derechos y obligaciones, al trabajo a distancia basado en el uso intensivo de las nuevas tecnologías".

Dicho precepto, como ya se ha dispuesto en un apartado anterior, introdujo una superflua modificación del art.13 ET, referente, hasta entonces, a la ordenación del tradicional trabajo a domicilio. A pesar de sus intenciones manifestadas en el preámbulo de la norma, la heterogeneidad del teletrabajo impidió al legislador establecer una normativa específica capaz de comprender todas sus formas de manifestación.

En particular, comienza modificando el epígrafe que venía acompañando al precepto; si hasta el momento, la locución que precedía al artículo era "trabajo a domicilio", ahora, con la nueva redacción es "trabajo a distancia". No podemos pasar por alto está modificación ya que los epígrafes generalmente son abarcativos del objeto del precepto. Seguidamente, define esta particular forma de organización del trabajo del siguiente modo: "Tendrá la consideración de trabajo a distancia aquel en que la prestación de la actividad laboral se realice de manera preponderante en el domicilio del trabajador o en el lugar libremente elegido por este, de modo alternativo a su desarrollo presencial en el centro de trabajo de la empresa".

Se opta por una conceptualización extensiva orientada a acoger diversas formas de desarrollo de la actividad laboral con un denominante común: la distancia del trabajador respecto del centro de trabajo de la empresa. Si bien la exposición de motivos que precede al articulado de la norma reformista parece indicar que los cambios propuestos van dirigidos a dar acogida al trabajo a distancia basado en el uso intensivo de las nuevas tecnologías, la omisión en dicha definición del aspecto tecnológico parece pretender no expulsar con ello, por ejemplo, al trabajo a domicilio actual, que gira, principalmente en torno a sectores como, por ejemplo, el de la confección textil, en los cuales no se requiere necesariamente el empleo de la tecnología. Dicho de otra manera, si bien todo teletrabajo será trabajo a distancia, no todo trabajo a distancia será teletrabajo.

En cuanto a esta definición, también conviene subrayar que el legislador deja en manos del trabajador la elección del lugar –distinto al de las oficinas de la empresa–, en el que éste desarrollará su trabajo. Por lo que concierne al teletrabajo, aunque el domicilio del trabajador continua siendo el mayoritariamente elegido, actualmente existen múltiples lugares donde este puede prestar los servicios, llegando a afirmarse que lo único que importa es que el trabajo se realice fuera del centro físico de funcionamiento de la empresa, siendo irrelevante desde donde se haga (domicilio, móvil, coworking, etc.)[41]. No obstante, a pesar de resaltar el elemento locativo esencial de esta forma de trabajar, el legislador permite que parte de la prestación pueda desarrollarse en la propia oficina, eso sí, para poder considerar que nos encontramos ante un supuesto de trabajo a distancia, resultara necesario que la actividad realizada "de manera preponderante" sea la llevada a cabo a distancia del centro de trabajo de la empresa[42]. En

---

[41]   UGARTE CATALDO, J.L., *El nuevo Derecho del Trabajo,* Editorial Universitaria, 2005, pág.150.

[42]   Esta posibilidad de realizar parte de la actividad en la empresa, está en línea con lo dispuesto en el informe de la OIT y Eurofound en el que se recomienda la promoción del teletrabajo formal a tiempo parcial para ayudar a los teletrabajadores a mantener el vínculo con sus compañeros de trabajo y mejorar su bienestar.

este sentido, ante la proliferación generalizada del teletrabajo ocasional, el legislador hubiera acertado clarificando dicha locución; fijar un porcentaje de tiempo trabajado a distancia hubiera facilitado la determinación objetiva de la actividad laboral como de teletrabajo[43].

Con respecto a la forma del contrato, el acuerdo por el que se establezca el trabajo a distancia se formalizará por escrito. En todo lo no regulado especialmente se aplican la normativa común y los convenios colectivos en las mismas condiciones que para los restantes tipos de trabajo.

Por lo que se refiere a los derechos de los trabajadores a distancia/ teletrabajadores, la regulación contenida en el precepto legal es exigua, de carácter básico y, no cabe duda, necesitada de un desarrollo legislativo preciso, que al menos ambicione despejar las numerosas cuestiones, hoy sin respuesta, que surgen por las especialidades de esta modalidad de trabajo; en este sentido, la protección de datos y de la vida privada, el control de la jornada, las contingencias profesionales en el contexto del teletrabajo o la prevención de riesgos laborales, demandan con urgencia un marco regulador.

Concretamente, el art.13 proclama la igualdad de derechos entre los teletrabajadores y los empleados que prestan sus servicios en las oficinas de la empresa, exceptuando aquellos que sean inherentes a la realización de la prestación laboral en el mismo de manera presencial. En especial, se refiere al derecho de los trabajadores a distancia/teletrabajadores a percibir, como mínimo, la retribución total establecida conforme a su grupo profesional y funciones. También, en lo concerniente a la promoción profesional, dispone que estos trabajadores deberán disfrutar de las mismas oportunidades que el resto de trabajadores; para alcanzar tal fin, el precepto legal recoge la correlativa obligación del empresario de establecer los medios necesarios para asegurar el acceso efectivo de estos trabajadores a la formación profesional para el empleo.

Seguidamente, sin dar respuesta a los numerosos interrogantes que suscita la materia preventiva, se limita a disponer que los trabajadores a distancia tienen derecho a una adecuada protección en materia de segu-

---

[43]   Respecto de esta cuestión, SELLAS I BENVINGUT, R. dispuso que "de admitir el porcentaje señalado como una medida objetiva, optaría por calificar la relación como ordinaria o en régimen de teletrabajo en función de cuál fuera de entre ambas la dominante en proporción al tiempo de dedicación, por lo que si se desarrollara la actividad a distancia con tan sólo un 20 por 100 de la jornada laboral, habría que entender, a mi juicio, que nos encontramos ante una situación de trabajo ordinario". *El régimen jurídico del teletrabajo en España*, Aranzadi, 2001, pág. 39.

ridad y salud resultando de aplicación, en todo caso, lo establecido en la Ley 31/1995, de 8 de noviembre, de Prevención de Riesgos Laborales, y su normativa de desarrollo. Es evidente que en esta materia resulta necesario e urgente el establecimiento de una regulación *ad hoc* que se haga cargo de las cuestiones críticas que surgen en torno a la protección de la seguridad y salud de estos trabajadores remotos; valgan como ejemplo, los riesgos psicosociales, el aislamiento al que el trabajador se somete o la dificultad de establecer límites entre la vida laboral y familiar.

Por último, se recoge el derecho de representación colectiva de los trabajadores a distancia, conforme a lo previsto en el Estatuto de los Trabajadores. A estos efectos dichos empleados deberán estar adscritos a un centro de trabajo concreto de la empresa.

Ante esta regulación escueta y a la espera de una norma específica que tenga presente las peculiaridades de esta forma de trabajo, debemos relacionar estas observaciones con el importante papel que los convenios colectivos de empresa desempeñan en cuanto a la regulación del teletrabajo[44]; no cabe duda, que su reducida esfera aplicativa permite a sus negociadores un conocimiento más específico de la realidad particular de cada entidad. La autonomía de la voluntad de las partes plasmada mediante acuerdos individuales o la negociación colectiva pueden ser una solución transitoria mientras se produce el tan deseado y necesario desarrollo legislativo del teletrabajo[45].

b) El Teletrabajo ante las recientes novedades legislativas

b.1) Teletrabajo y derecho de conciliación de la vida laboral, personal y familiar

Como es natural, el teletrabajo ha sido empleado por las empresas como un recurso habitual en el ejercicio del derecho de sus trabajadores a la conciliación entre su vida laboral y familiar, ya sea aplicándolo de manera permanente u ocasional. La reforma de 2012 ya acogía el teletrabajo como una herramienta profesional idónea para "optimizar la relación entre tiempo de trabajo y vida personal y familiar". Recientemente, el legislador, mediante el Real Decreto-Ley 6/2019, de 1 de marzo, de medidas urgentes para garantía de la igualdad de trato y de oportunidades entre mujeres y

---

[44]   No debemos olvidar que en España, lo más próximo a la transposición del Acuerdo Marco Europeo sobre Teletrabajo, lo encontrábamos, desde el año 2003, en los Acuerdos Interconfederales para la Negociación Colectiva.

[45]   https://bloglaboral.garrigues.com

hombres en el empleo y la ocupación, consciente de que la igualdad de género debe pasar indudablemente por la conciliación de la vida familiar y laboral, propone el trabajo a distancia como forma de trabajo idónea para la consecución de tal fin. Para ello, modifica la redacción del apartado octavo del art.34 ET, el cual señala literalmente, que "Las personas trabajadoras tienen derecho a solicitar las adaptaciones de la duración y distribución de la jornada de trabajo, en la ordenación del tiempo de trabajo y en la forma de prestación, incluida la prestación de su trabajo a distancia, para hacer efectivo su derecho a la conciliación de la vida familiar y laboral. Dichas adaptaciones deberán ser razonables y proporcionadas en relación con las necesidades de la persona trabajadora y con las necesidades organizativas o productivas de la empresa. En el caso de que tengan hijos o hijas, las personas trabajadoras tienen derecho a efectuar dicha solicitud hasta que los hijos o hijas cumplan doce años".

Por lo tanto, diremos que esta norma tiene entre sus objetivos no solo impulsar el trabajo a distancia, sino también, dando un paso más, consolidar el derecho de los trabajadores al mismo, es decir, contemplar el teletrabajo como una oportunidad real, en principio, en manos de los trabajadores. La norma en cuestión vino a modificar el art. 34.8 E.T. introduciendo el derecho de las personas trabajadoras a solicitar la adaptación de la duración y distribución de la jornada de trabajo, en la ordenación del tiempo de trabajo y en la forma de prestación, incluida expresamente la prestación de su trabajo a distancia para hacer efectivo su derecho a la conciliación de la vida laboral y familiar. El legislador deja claro que nos encontramos ante un derecho independiente de los permisos a los que tenga derecho la persona trabajadora de acuerdo con lo establecido en el art. 37.

A reglón seguido, el legislador condiciona dichas adaptaciones a que las mismas sean "razonables y proporcionadas" en relación con las necesidades de la persona trabajadora y con las necesidades organizativas o productivas de la empresa. En este sentido, entendemos que el empleo de nociones indeterminadas, carentes de traducción jurídico-laboral incuestionable, dificultaran el ejercicio del derecho que aquí se proclama. Además, debemos aclarar que se trata únicamente del derecho a solicitar una adaptación del tiempo de trabajo, en ningún caso del derecho a obtenerla, sino a solicitarla y que sea valorada de forma justificada por la empresa; dicho de otra manera, no se trata de un derecho directamente ejercitable de forma unilateral por el trabajador, sino de una petición la cual puede ser rechazada por la empresa siempre que esa negación esté justificada en razones objetivas.

La redacción del precepto reformado se presenta equívoca, principalmente por la opacidad que aporta la cláusula con la que se pone fin al apartado modificado. Nos referimos a aquella por la que se limita el disfrute del derecho declarado en líneas precedentes- por ejemplo, la petición de pasar de un régimen de trabajo presencial a un régimen de trabajo a distancia- a los trabajadores con hijos mayores de 12 años- "En el caso de que tengan hijos o hijas, las personas trabajadoras tienen derecho a efectuar dicha solicitud hasta que los hijos o hijas cumplan doce años"[46]-; resulta confuso que si bien cuando el precepto declara el derecho parece extenderse a todos los trabajadores con independencia de su condición de padres, posteriormente parece que serán estos los que vean restringido su derecho.

También cabe señalar, la desaparición de la faceta personal cuando se refiere a la conciliación; esto resulta extraño si tenemos en cuenta que de manera reiterada, tanto en el preámbulo de la norma como en el articulado de la misma se alude a los tres aspectos de la vida- personal, familiar y laboral- que se pretenden conciliar[47]. Quizás, por inercia, se deja arrastrar por el contenido de la redacción anterior, en la que el derecho que se invocaba en la mayoría de los casos venía ligado al cuidado de menores.

Acerca del minucioso procedimiento a seguir[48], si bien se encomienda a la negociación colectiva los términos del ejercicio del derecho, de nuevo la terminología empleada –"pactaran"– pudiera hacernos dudar sobre si nos encontramos ante un mandato imperativo o, por el contrario, un simple encargo susceptible de no cumplirse por parte de la autonomía colectiva. Es evidente que la segunda opción es la acertada teniendo en cuenta que el legislador prevé un procedimiento subsidiario "en ausencia" del que pudiera haber sido

---

[46]   En línea con el art. 37.6 ET.

[47]   El hecho de que un trabajador no tenga hijos, no le convierte automáticamente en un empleado con flexibilidad total para la empresa, es decir, alguien con disponibilidad total. Las empresas deben crear políticas de conciliación donde estén incluidos todos sus empleados, independientemente de su situación familiar o parental. Cantero, S., "La conciliación más allá de los hijos", Revista RRHH Digital, http://www.rrhhdigital.com/editorial/131428/La-conciliacion-mas-alla-de-los-hijos

[48]   "El tercer párrafo es el que suscita inquietud cuando establece un procedimiento de concesión que parece más desconfiado que garantista y que refuerza la malévola pero generalizada percepción de que los beneficios por cuidado de dependiente serán previsiblemente objeto de abuso en perjuicio de la empresa y del resto de trabajadores por parte de trabajadores (generalmente trabajadores) sin demasiados escrúpulos. BALLESTER PASTOR, M. A. (2019). «El RDL 6/2019 para la garantía de la igualdad de trato y de oportunidades entre mujeres y hombres en el empleo y la ocupación: Dios y el diablo en la tierra del sol". Temas laborales: Revista andaluza de trabajo y bienestar social, ISSN 0213-0750, Nº 146, 2019, pág. 36.

fijado vía convenio colectivo; en particular, dispone que la empresa abrirá un proceso de negociación con ella durante un periodo máximo de 30 días tras el cual, y por escrito, comunicará bien la aceptación de la solicitud, bien una propuesta alternativa que posibilite las necesidades de conciliación o bien su negativa, en este último caso indicando las razones objetivas de la decisión.

Las discrepancias surgidas entre la dirección de la empresa y la persona trabajadora serán resueltas por la jurisdicción social a través del procedimiento establecido en el artículo 139 de la Ley 36/2011, de 10 de octubre, Reguladora de la Jurisdicción Social.

Se pone punto y final al párrafo modificado estableciéndose el derecho de la persona trabajadora a solicitar el reingreso a su jornada o modalidad contractual anterior cuando haya terminado el periodo acordado o cuando, aun no habiendo transcurrido el periodo previsto, esté justificado por el cambio de las circunstancias. De nuevo debemos subrayar que, como ya comentamos respecto del derecho anteriormente examinado, no nos encontramos un derecho adquirido, pudiendo darse el supuesto de que el empresario rechace tal petición. Además, a diferencia de lo que ocurre con ciertas instituciones jurídicas –pongamos por caso, la excedencia por cuidado de hijo o familiar– no se reconoce el derecho a volver a las mismas condiciones de trabajo, anteriores al cambio solicitado[49].

Desde la perspectiva de la conciliación de responsabilidades laborales y familiares consideramos pertinente poner de relieve que a pesar de que, como bien recoge el informe de la OIT y Eurofound, la mayor parte de los trabajadores que emplean TIC en su desempeño profesional son hombres, las estadísticas muestran que son las mujeres quienes desarrollan en su mayoría su profesión a través del teletrabajo, con el fin de conciliar la vida laboral y la personal y familiar. Esta puntualización denota un claro componente sociocultural en el desarrollo de medidas de conciliación en las empresas, que perpetúan el rol de la mujer como principal responsable del cuidado del hogar y de quienes habitan en el mismo. En este sentido y, como apuntábamos, si bien es cierto el extraordinario y progresivo avance que se ha producido respecto a la igualdad de trato y de oportunidades en el empleo entre hombres y mujeres no podemos pasar por alto cuestiones que todavía requieren del esfuerzo de todos, es decir, de los estados, tribu-

---

[49] PASTOR MARTÍNEZ, A., "Las medidas laborales del Real Decreto-Ley 6/2019, de 1º de marzo de medidas urgentes para garantía de la igualdad de trato y de oportunidades entre mujeres y hombres en el empleo y la ocupación: Un paso hacía la efectividad de la igualdad de trato y oportunidades desde la corresponsabilidad". Iuslabor, núm. 1, 2019.

nales, agentes sociales, en general, de toda la sociedad. Uno de estos asuntos es el ateniente a la conciliación de la vida laboral y familiar y al logro efectivo del reparto equitativo de las responsabilidades del cuidado de hijos y familiares dependientes. Con respecto a lo mencionado anteriormente, debemos señalar que aunque la implantación de medidas orientadas a la consecución de tal fin data de la incorporación de la mujer al mercado laboral, pronto chocó con los esquemas tradicionales que contemplaban al sexo femenino como adjudicatario único de dichas obligaciones. Hoy por hoy, a pesar de los indiscutibles avances dirigidos a poner fin a esta cultura, de marcados roles en función del sexo, resulta innegable que, en cierto modo, continúa presente en nuestra sociedad[50].

b.2) Cambios normativos en la gestión del tiempo de trabajo: el derecho a la desconexión digital de los teletrabajadores

Aunque es verdad que el alto nivel de autonomía del que gozan los teletrabajadores hace de esta forma de trabajo una herramienta óptima para la conciliación de las responsabilidades laborales, familiares y personales, debemos poner de relieve que precisamente esta libertad, es decir, una de sus principales virtudes, es el origen de uno de sus problemas cardinales. Nos referimos a la dificultad de establecer límites entre la vida laboral y familiar[51] [52], haciendo del teletrabajo un recurso que facilita la prolongación de la jornada, y no la libertad en la gestión del tiempo[53].

---

[50]   "Informe Conciliación de la vida laboral y familiar en mujeres que trabajan con tecnologías de la información y la comunicación: un análisis psicosocial y cultural de las estrategias desplegadas", Ministerio de Igualdad, Instituto de la mujer, 2008.

[51]   En este sentido, no podemos pasar por alto las palabras de Jon Messenger de la OIT,– coautor del informe OIT y Eurofound–: "(…) el uso de las tecnologías de la comunicación modernas contribuye a conciliar mejor la vida profesional y personal pero, al mismo tiempo, también confunde los límites entre el trabajo y la vida personal, en función del lugar de trabajo y las características de las diferentes ocupaciones".

[52]   A este respecto, en el informe de la OIT y Eurofound, tantas veces aludido, se dan a conocer datos muy reveladores en torno a esta problemática; en este sentido, el informe pone de manifiesto que el 61 % de los teletrabajadores aseguran que utilizan las TIC en su tiempo libre para atender las demandas de trabajo que reciben diariamente o varias veces por semana. De estos, el 40 % asevera que se siente estresado y el 40 % dice que se despierta a menudo por la noche, o sea, que padece problemas de insomnio. Resulta incuestionable que su sugestivo título– "Trabajar a toda hora, en cualquier lugar"– se deriva, en parte, de dichos datos.

[53]   Informe de conclusiones del programa "Conciliación de la vida laboral y personal: igualdad y corresponsabilidad", ARHOE-Comisión Nacional para la Racionalización de los Horarios Españoles

Ante esta situación, recientemente, se han implementado medidas encaminadas a poner fin al trabajo intensivo, caracterizado por jornadas ininterrumpidas que si bien están dirigidas al conjunto de los trabajadores –presenciales y a distancia–, su materialización puede resultar conflictiva respecto del teletrabajo por su especial naturaleza. Nos referimos a la implantación del derecho a la desconexión digital en el uso con fines laborales de herramientas tecnológicas, y a la obligación de la empresa de garantizar el registro diario de la jornada.

Como anunciábamos en el anterior apartado, la Ley Orgánica 3/2018, de 5 de diciembre, de Protección de Datos Personales y garantía de los derechos digitales[54] como indica en su preámbulo, acomete la tarea de reconocer y garantizar un elenco de derechos digitales de los ciudadanos conforme al mandato establecido en el art. 18 de la Constitución Española[55]. En particular y de manera sucinta diremos que son objeto de regulación derechos y libertades predicables al entorno de Internet tales como la neutralidad de la Red y el acceso universal, los derechos a la seguridad y educación digital o la garantía de la libertad de expresión y el derecho a la aclaración de informaciones en medios de comunicación digitales, entre otros.

Respecto al asunto que nos compete, es decir, el reconocimiento del derecho a la desconexión digital en el marco del derecho a la intimidad en el uso de dispositivos digitales en el ámbito laboral[56], diremos que el art.88, como ya hicieran otros países[57], reconoce el derecho a la desconexión di-

---

Subvencionado por el Ministerio de Sanidad, Consumo y Bienestar Social, octubre 2019.

[54] El Reglamento General de Protección de Datos, aprobado el 14 de abril de 2016 por el Parlamento Europeo supuso que todos los países comunitarios tuviesen la obligación de modificar sus leyes de protección de datos para adaptarlas a s contenido.

[55] Art.18.4 CE: La ley limitará el uso de la informática para garantizar el honor y la intimidad personal y familiar de los ciudadanos y el pleno ejercicio de sus derechos.

[56] Las medidas de impulso a la desconexión digital buscan cuidar el bienestar de los trabajadores, evitando la aparición de síndromes y enfermedades muy comunes en el mercado laboral actual, tales como el tecnoestrés en todas sus variantes: tecnofobia o tecnoansiedad (la aparición de ansiedad y malestar en el trabajador cuando tiene que utilizar alguna TIC para el desarrollo de su trabajo); la tecnofatiga (cansancio y fatiga psicológica o cognitiva por la exposición continua a la tecnología informática) y la tecnoadicción (necesidad incontrolable de utilizar las TIC que lleva a comportamientos obsesivo-compulsivos). Informe "Influencia de las tecnologías de la información y de la comunicación (TIC) sobre la salud de los trabajadores" elaborado por la Universidad Internacional de Valencia, 2017.

[57] Valga de ejemplo, la Ley francesa n° 2016-1088 de 8 de agosto de 2016 relativa al trabajo, a la modernización del diálogo social y a la protección de las trayectorias pro-

gital a fin de garantizar, fuera del tiempo de trabajo legal o convencionalmente establecido, el respeto de su tiempo de descanso, permisos y vacaciones, así como de su intimidad personal y familiar[58]; en suma, lo que se
pretende es establecer unos límites ante la sobreexposición tecnológica
con el fin de evitar el uso del correo electrónico y del teléfono móvil con
fines laborales una vez finalizada la jornada[59]. Esta posibilidad ya fue planteada en el III Acuerdo para el Empleo y la Negociación Colectiva 2015,
2016 y 2017 donde se recomendaba a los convenios, especialmente a los
de empresa, promover "la racionalización del horario de trabajo, teniendo
en cuenta las especificidades de cada sector o empresa, con el objetivo de
mejorar la productividad y favorecer la conciliación de la vida laboral y
personal, respetando en todo caso los mínimos legales en materia de descansos diarios, semanales y anuales".

No podemos pasar por alto que este instrumento que se presume novedoso se deriva de los límites genéricos de la jornada de trabajo regulados
en los arts. 34 y ss del ET[60]; no obstante, consideramos acertada su acogida
legal teniendo en cuenta que nos encontramos ante un cambio del paradigma laboral, donde tanto empresarios como trabajadores han aceptado
en el desarrollo de su actividad el empleo de herramientas digitales que
ofrecen disponibilidad absoluta y cuyo uso abusivo puede acabar conduciendo a episodios de ansiedad, estrés, burnout o síndrome del trabajador
quemado e incluso tecnofobia.

El precepto legal no regula específicamente el contenido de este derecho, sino que deja su desarrollo a "lo establecido en la negociación colec-

---

fesionales, así como la Ley italiana nº 2016-1088. Véase CIALTI, PIERRE-HENRI, "El
derecho a la desconexión en Francia: ¿más de lo que parece?", TEMAS LABORALES
núm 137, 2017.; ALEMÁN PÁEZ, F. "El derecho de desconexión digital. Una aproximación conceptual, crítica y contextualizadora al hilo de la "Loi Travail Nº 2016-1088",
Trabajo y Derecho, 2017.

[58] La nueva Ley ha introducido un nuevo art.20 bis en el Estatuto de los Trabajadores:
"Art. 20 bis. Derechos de los trabajadores a la intimidad en relación con el entorno
digital y a la desconexión. Los trabajadores tienen derecho a la intimidad en el uso de
los dispositivos digitales puestos a su disposición por el empleador, a la desconexión
digital y a la intimidad frente al uso de dispositivos de videovigilancia y geolocalización
en los términos establecidos en la legislación vigente en materia de protección de datos personales y garantía de los derechos digitales."

[59] Véase PÉREZ CAMPOS, A. I. "La desconexión laboral en España ¿Un nuevo derecho
laboral?", Anuario jurídico y económico escurialense, nº. 52, 2019.

[60] VALLECILLO GÁMEZ, M.R., "El derecho a la desconexión ¿"Novedad digital" o es-
nobismo del "viejo" derecho al descanso?, Estudios financieros. Revista de trabajo y
seguridad social: Comentarios, casos prácticos: recursos humanos, nº. 408, 2017.

tiva o, en su defecto, a lo acordado entre la empresa y los representantes de los trabajadores". Además impone al empresario establecer, de forma precisa y detallada y con la participación de los representantes de los trabajadores, los criterios de uso y utilización de los dispositivos digitales por parte de los trabajadores; en concreto, elaborar "una política interna dirigida a trabajadores, incluidos los que ocupen puestos directivos, en la que definirán las modalidades de ejercicio del derecho a la desconexión y las acciones de formación y de sensibilización del personal sobre un uso razonable de las herramientas tecnológicas que evite el riesgo de fatiga informática". En cuanto a la materia objeto de estudio, el legislador presta especial atención a los supuestos de trabajo a distancia, entendiendo quizás que los teletrabajadores se encuentran especialmente expuestos al uso incontrolado de los dispositivos digitales.

Es evidente que la regulación planteada por la norma va a suscitar múltiples dudas; baste como muestra, la propia conceptualización del derecho, el papel de la negociación colectiva o las consecuencias que pueden derivarse de su incumplimiento. Además, entendemos que esta problemática se agudizada en el entorno del teletrabajo, donde el derecho de desconexión digital choca frontalmente con la flexibilidad horaria que lo caracteriza y lo hace atractivo a efectos de conciliación. Si bien resulta necesario que los teletrabajadores tomen conciencia de las patologías derivadas de la hiperconectividad, es evidente que el derecho de desconexión solo podrá implantarse si atendemos a la naturaleza y especialidades del fenómeno.

4. REFLEXIONES FINALES

Llegados a este punto, debemos señalar que, aunque el teletrabajo no puede calificarse de novedoso –han pasado casi cuatro décadas desde sus primeras manifestaciones– es en la denominada cuarta revolución cuando perece ser contemplado por trabajadores y empresarios como una posibilidad técnicamente real. Ante este logro que, como decimos, no ha resultado de sencilla consecución, es el momento de cimentar legalmente esta forma de trabajo, no abordada, hasta el momento, con la seriedad que requiere.

En efecto, los numerosos interrogantes que suscita el teletrabajo, demanda un marco normativo específico y no tangencial como el actual. Somos conscientes de que una norma especialmente precisa chocaría frontalmente con la heterogeneidad y flexibilidad que caracteriza al fenómeno. No obstante, consideramos necesario que se aporte un tratamiento legal que contenga reglas básicas que atiendan a sus peculiaridades y que, de modo alguno, ambicione despejar las numerosas cuestiones, hoy sin respuesta, que surgen a consecuencia de las mismas; en otras palabras, la protección de datos, la difusa frontera que separa la vida privada de la laboral, el control de la jornada, las contingencias profesionales en el contexto del teletrabajo o la prevención de riesgos laborales, requiere con urgencia un marco regulador que aporte un umbral de certeza y seguridad jurídica.

Una vez puesto de manifiesto la necesidad de establecer dichas directrices básicas, teniendo en cuenta las múltiples variantes de esta modalidad de trabajo, creemos que la negociación colectiva está llamada a desempeñar un papel importante en cuanto a la adaptación del contenido legal a las circunstancias de cada empresa.

XIII. EL CONTROL DE LA ACTIVIDAD LABORAL DEL TELETRABAJADOR

Emilio de Castro
Profesor asociado. Universidad Complutense

SUMARIO: 1. PUNTO DE PARTIDA: UNA APROXIMACIÓN CONCEPTUAL A LA FIGURA DEL TELETRABAJO. 1.1. El elemento locativo, tecnológico y temporal como criterios configuradores de la prestación laboral en régimen de teletrabajo. 1.2. Las múltiples manifestaciones del teletrabajo: Su incidencia en el control empresarial. 2. LAS REFORMAS EN MATERIA DE PROTECCIÓN DE DATOS, DERECHO A LA DESCONEXIÓN DIGITAL Y OBLIGATORIEDAD DE REGISTRO DE LA JORNADA: SU INCIDENCIA A LOS EFECTOS DEL CONTROL EMPRESARIAL. 3. EL CONTROL DE LA ACTIVIDAD LABORAL DEL TELETRABAJOR. 3.1. Punto de partida: Teletrabajo y control empresarial. 3.2 Control empresarial y derechos fundamentales: El derecho a la intimidad, al secreto de las comunicaciones y a la autodeterminación informática como límites a las facultades de vigilancia y control. 3.3. El juicio de ponderación: El necesario equilibrio entre los derechos fundamentales y el ejercicio del poder de control. 4. LOS DERECHOS DIGITALES Y EL CONTROL TECNOLÓGICO DE LA ACTIVIDAD DEL TELETRABAJADOR. 4.1. El control de los dispositivos digitales. 4.2. El uso de dispositivos de videovigilancia como medida de control empresarial. 4.3. La utilización de sistemas de geolocalización en el ámbito laboral como mecanismo de control. 4.4. Controles biométricos y control de la actividad laboral del teletrabajador. BIBLIOGRAFÍA.

1. PUNTO DE PARTIDA: UNA APROXIMACIÓN CONCEPTUAL A LA FIGURA DEL TELETRABAJO

1.1. El elemento locativo, tecnológico y temporal como criterios configuradores de la prestación laboral en régimen de teletrabajo

Desde una perspectiva teórica, el teletrabajo se ha definido como aquélla forma de organización y/o ejecución del trabajo realizado prevalentemente a distancia y mediante el uso intensivo de la informática y, en su caso, de las telecomunicaciones[1]. Así, atendiendo a la definición contenida en el Acuerdo Marco Europeo sobre la materia, *"El teletrabajo es una forma*

---

[1] PÉREZ DE LOS COBOS, F. y THIBAULT ARANDA, J.: *El teletrabajo en España. Perspectiva jurídico laboral*, Ministerio de Trabajo y Asuntos Sociales, Subdirección General de Publicaciones, Colección Informes y Estudios, núm. 15, Madrid, año 2001, pág. 20.

de organización y/o de realización del trabajo, con el uso de las tecnologías de la información, en el marco de un contrato o de una relación de trabajo, en la que un trabajo, que hubiera podido ser realizado igualmente en los locales del empleador, se efectúa fuera de estos locales de manera regular"[2]. De este modo, que la prestación laboral se desarrolle total o mayoritariamente desde un lugar distinto al del centro de trabajo de la empresa y por medio del uso intensivo de nuevas tecnologías, básicamente las herramientas informáticas y de las telecomunicaciones, se constituyen en presupuestos indispensables para la calificación de una actividad laboral como teletrabajo[3].

En un paso más, teletrabajar no es sólo trabajar a distancia y utilizando las telecomunicaciones y/o la informática sino servirse de estos elementos para trabajar de un modo diferente, hasta el punto de afirmar que no es teletrabajador todo el que emplea las TIC sino aquél que, por el hecho de utilizarlas, escapa al modelo tradicional de organización del trabajo[4]. En esta lectura[5], el teletrabajo permite una nueva forma de organización del trabajo cuya novedad radicaría precisamente en que la prestación laboral se prestaría en línea desde diferentes lugares fuera del entorno físico de la empresa con la ayuda de las nuevas tecnologías de la comunicación[6], conllevando una modificación de la estructura organizativa tradicional del trabajo y de la empresa, tanto en los aspectos físicos como materiales[7].

Sea como fuese, la prestación del trabajo a distancia y el uso de las tecnologías se configuran como presupuestos acumulativos para la califica-

---

[2]   Suscrito por la CES, UNICE/UEAPME y CEEP en Bruselas el 16 de julio de 2002 e incorporado en nuestro ordenamiento interno como Anexo al Acuerdo Interconfederal para la Negociación Colectiva 2003, B.O.E. n° 47 de fecha 24 de febrero de 2003.

[3]   SEMPERE NAVARRO, A. y SAN MARTÍN MAZUCCONI, C.: "Sobre "Nuevas Tecnologías" y Relaciones Laborales" Aranzadi Social, 2002, westlaw BIB 2002/2021.

[4]   THIBAULT ARANDA, J.: *El teletrabajo. Análisis jurídico-laboral*, CES, Colección Estudios, 2ª edición actualizada, octubre 2001, pág. 29.

[5]   Incluyendo a la organización como uno de los elementos esenciales del concepto del teletrabajo junto con los de la localización y l atecnología, USHAKOVA, T.: "Teletrabajo y relación laboral: el enfoque de la Organización Internacional Del Trabajo (OIT), en AA.VV. *Trabajo a Distancia y Teletrabajo. Estudios sobre su régimen jurídico en el derecho español y comparado*. LOURDES MELLA MÉNDEZ (Editora) ALICIA VILLALBA SÁNCHEZ (Coordinadora), Thomson Reuters, Editorial Aranzadi SA, 1ª edición, noviembre 2015, p. 248

[6]   BELZUNEGUI ERASO, A. y ERRO GARCÉS, A.: "El teletrabajo en España: regulación y experiencias piloto en empresas españolas", *Revista Iberoamericana de Ciencias Empresariales y Economía*, núm. 4, 2013, pág. 46.

[7]   SAN, de fecha 31 de mayo de 2004, rec. 207/2003.

ción de una determinada actividad laboral como teletrabajo[8], quedando como derivaciones de aquéllos elementos básicos la existencia de una red de telecomunicación que permita el contacto entre la sede central y la descentralizada, la modificación de la estructura organizativa tradicional o, como consecuencia de lo anterior, una mayor flexibilidad en la distribución, uso y gestión del trabajo[9]. Elementos caracterizadores estos a los que habría que añadir sin duda el de la habitualidad[10], máxime cuando el legislador se refiere expresamente a la preponderancia de la prestación laboral en el domicilio del trabajador o en el lugar libremente elegido por éste como un elemento consustancial del trabajo a distancia[11].

De este modo, el elemento técnico, –la utilización de las tecnologías de la información–, el elemento locativo, –fuera de los locales del empresario–, y el elemento temporal, –entendido como habitualidad y preponderancia en la prestación de servicios en régimen de teletrabajo–, se convierten en elementos característicos del teletrabajo[12].

Dicho esto, conviene señalar que teletrabajo y trabajo a distancia no son conceptos unívocos, siendo la relación entre el trabajo a distancia y el teletrabajo una relación de género-especie, de tal manera que todo teletrabajo es trabajo a distancia pero no todo trabajo desempeñado fuera de la empresa es teletrabajo[13]. En este sentido, *"El término "teletrabajo" acentúa el*

---

[8]   MARTÍN VALVERDE, A. *Derecho del Trabajo*, Civitas, Madrid, 2014, pág. 205, teletrabajo sería siempre el trabajo realizado a distancia, *"ya sea en el domicilio que elija el trabajador, ya sea en el lugar que asigne la empresa o que se acuerde con ella, y en el que su peculiaridad consistirá en el uso de medios informáticos y electrónicos en las labores desarrolladas por el trabajador"*.

[9]   MELLA MENDEZ, L.: "Sobre una nueva manera de trabajar: el teletrabajo*"*, *Revista Doctrinal Aranzadi Social,* vol. V parte Estudio, Editorial Aranzadi, S.A.U., Cizur Menor. 1998, BIB 1998\639, p. 2.

[10]   MUNÍN SÁNCHEZ, L.M.: "Los poderes del empresario ante el teletrabajo: el control y sus límites", en AA.VV. *Trabajo a Distancia y Teletrabajo. Estudios sobre su régimen jurídico en el derecho español y comparado.* LOURDES MELLA MÉNDEZ (Editora) ALICIA VILLALBA SÁNCHEZ (Coordinadora), Thomson Reuters, Editorial Aranzadi SA, 1ª edición, noviembre 2015, pág. 111: *"aquélla modalidad en la que el trabajador presta sus servicios fuera del centro de trabajo de la empresa y emplea, en su desarrollo, las Tecnologías de la Información y la Comunicación de manera habitual*".

[11]   Redacción vigente del art. 13 del Real Decreto Legislativo 2/2015, de 23 de octubre, por el que se aprueba el texto refundido de la Ley del Estatuto de los Trabajadores, que incorpora las novedades introducidas en el anterior texto legal tras modificación del precepto operada en el art. 6 de Real Decreto-ley núm. 3/2012, de 10 de febrero.

[12]   LUQUE PARRA, M. y GINÉS FABRELLAS, A.: *Teletrabajo y prevención de riesgos laborales*, CEOE, Fundación para la Prevención de Riesgos Laborales, año 2016, pág. 27.

[13]   PÉREZ DE LOS COBOS, F. y THIBAULT ARANDA, J.: *El teletrabajo en España. Perspectiva jurídico laboral*, Ministerio de Trabajo y Asuntos Sociales, Subdirección General de

aspecto del uso de las TIC, el "trabajo a distancia" pone de relieve el carácter remoto del servicio prestado, y el "trabajo a domicilio" prioriza la tarea que se lleva a cabo en la residencia habitual del trabajador autónomo o dependiente": aunque el trabajo a domicilio puede incluir la modalidad del teletrabajo, éste supone la conexión entre el empleador y el trabajador mediante las TIC, conexión que puede o no darse en el trabajo a domicilio[14]. Desde esta perspectiva, la utilización de las tecnologías de la información y de la comunicación, en cuanto característica inherente del teletrabajo, permite su diferenciación con la tradicional figura del trabajo a domicilio[15].

Y es precisamente esa utilización intensiva de las tecnologías de la información y de la comunicación la que va a multiplicar las facultades de control y fiscalización de la actividad laboral, tanto en el aspecto cuantitativo como, fundamentalmente, en el cualitativo. En este sentido, las posibilidades de monitorización de los ordenadores, el control sobre la navegación en internet o del correo electrónico, el acceso a las redes sociales o el tratamiento automatizado de información son todas ellas opciones al alcance del empresario en este tipo de prestación laboral[16]. Hasta el punto de entender que, el uso de la nuevas tecnologías, se constituye en elemento determinante a los efectos de control y vigilancia empresarial. Dicho de otro modo, la "ruptura" en el modelo tradicional de prestación de servicios en las instalaciones de la empresa, va a conllevar que el factor locativo, unido a la habitual utilización de las TIC como herramienta básica de trabajo[17],

---

Publicaciones, Colección Informes y Estudios, núm. 15, Madrid, año 2001, pág. 17: expresamente refieren como ejemplos los del trabajo a domicilio o el de los agentes comerciales.

[14]   USHAKOVA, T.: "Teletrabajo y relación laboral: el enfoque de la Organización Internacional Del Trabajo (OIT), en AA.VV. *Trabajo a Distancia y Teletrabajo. Estudios sobre su régimen jurídico en el derecho español y comparado.* LOURDES MELLA MÉNDEZ (Editora) ALICIA VILLALBA SÁNCHEZ (Coordinadora), Thomson Reuters, Editorial Aranzadi SA, 1ª edición, noviembre 2015, pág. 249.

[15]   LUQUE PARRA, M. y GINÉS FABRELLAS, A.: *Teletrabajo y prevención de riesgos laborales,* CEOE, Fundación para la Prevención de Riesgos Laborales, año 2016, pág. 21

[16]   CARDONA RUBERT, M. B.: "Trabajo a distancia y relación individual: aspectos críticos (II)", en VV.AA., *El teletrabajo en España: aspectos teórico-prácticos de interés,* Lourdes Mella Méndez (Directora), Volters Kluwer, 1ª edición, marzo 2017, pág. 141.

[17]   Nota Técnica "*NTP 412: Teletrabajo: criterios para su implantación*", Instituto Nacional de Seguridad e Higiene en el Trabajo, Ministerio de Trabajo y Asuntos Sociales, https://www.insst.es/documents/94886/326962/ntp_412.pdf/420efc83-3075-4dd7-a571-07627688d416, pág. 1 y 2 : "*En este sentido, puede decirse que el teletrabajo consiste en el desarrollo de una actividad laboral remunerada, para la que se utiliza, como herramienta básica de trabajo, las tecnologías de la información y telecomunicación y en el que no existe una presencia Las NTP son guías de buenas prácticas. Sus indicaciones no son obligatorias salvo*

potencien sobremanera las posibilidades de control tecnológico de la prestación laboral, con la posible incidencia en los derechos fundamentales del teletrabajador.

1.2. *Las múltiples manifestaciones del teletrabajo: Su incidencia en el control empresarial*

A partir de esta conceptuación, no resulta discutible que el teletrabajo abarca un amplio abanico de situaciones y prácticas, circunstancia ésta por la que, en su momento, los interlocutores sociales optaron por una definición amplia del teletrabajo que permitiera abarcar las diferentes formas de teletrabajo regular[18]. En esta línea, este enfoque general y amplio en la actual redacción del precepto del art. 13 del ET, con llamativos silencios sobre algunos de sus puntos característicos comenzando por su propia denominación, presenta la ventaja de abarcarlo todo pero también la desventaja inherente de la imprecisión con respecto a alguno de los puntos críticos del régimen jurídico de cada uno de los tipos de trabajo a distancia[19]. Máxime cuando ponemos esta circunstancia en relación con la falta de aplicación directa en nuestro ordenamiento del Acuerdo Marco Europeo, sin perjuicio de que sus especificaciones apliquen en el derecho español como concreción de diferentes principios generales[20].

Y en este contexto, el carácter multiforme del teletrabajo va a influir en las diferentes posibilidades de control empresarial de la actividad laboral.

---

que estén recogidas en una disposición normativa vigente. A efectos de valorar la pertinencia de las recomendaciones contenidas en una NTP concreta es conveniente tener en cuenta su fecha de edición. Año: 199permanente ni en el lugar físico de trabajo de la empresa que ofrece los bienes o servicios ni en la empresa que demanda tales bienes o servicios."

[18]   En este sentido, nos remitimos al Apartado 1 –Consideraciones generales–, del Acuerdo Marco Europeo sobre Teletrabajo, incorporado como Anexo al Acuerdo Interconfederal para la Negociación Colectiva para el año 2003, publicado en el BOE núm. 47, de 24 de febrero de 2003, mediante Resolución de la Dirección General de Trabajo de fecha 31 de enero de 2003, Apartado en el que ya se señalaba expresamente esta circunstancia.

[19]   MELLA MÉNDEZ, L.: "Configuración general del trabajo a distancia en el Derecho Español", en VV.AA., *El teletrabajo en España: aspectos teórico-prácticos de interés*, Lourdes Mella Méndez (Directora), Volters Kluwer, 1ª edición, marzo 2017, pág. 25.

[20]   LOUSADA AROCHENA, J.F. y RON LATAS, R.P.: "Una mirada periférica al teletrabajo, el trabajo a domicilio y el trabajo a distancia en el derecho español", en AA.VV. *Trabajo a Distancia y Teletrabajo. Estudios sobre su régimen jurídico en el derecho español y comparado.* LOURDES MELLA MÉNDEZ (Editora) ALICIA VILLALBA SÁNCHEZ (Coordinadora), Thomson Reuters, Editorial Aranzadi SA, 1ª edición, noviembre 2015, pág. 32.

En este sentido, elementos como el lugar elegido para la prestación de servicios en régimen de teletrabajo[21], –en el domicilio del trabajador o en el lugar libremente elegido por éste–, el tiempo dedicado al teletrabajo, –a jornada completa o parcial–, o el tipo de conexión entre el teletrabajador y la empresa, –on line u off line–[22], van a condicionar de manera decisiva el debate.

Así, y en lo que se refiere al lugar elegido para la prestación de servicios, no será lo mismo a estos efectos trabajar en un telecentro que en el propio domicilio del teletrabajador. En el primer escenario, prestación laboral en un centro de recursos compartidos, las posibilidades de control no diferirán en mucho de las que pudiera ejercer el empresario en el centro habitual de la empresa, no así en el escenario de opción por el domicilio como lugar de prestación de servicios, con las consecuencias inherentes a estos efectos de autorizaciones para acceso al domicilio y demás[23]. Desde esta perspectiva, el control empresarial se verá limitado por los condicionantes derivados de la inviolabilidad del domicilio y la consiguiente autorización para el acceso o el control de cámaras a fin de verificar el cumplimiento de las obligaciones en materia de prevención de riesgos, o de cualquiera de las derivadas del contrato de trabajo, o incluso para supervisar el funcionamiento del equipo informático[24].

---

[21]   En principio, según el diseño legal, la competencia para elegir el lugar corresponde al trabajador; no obstante, una vez elegido aquél, debe comunicarse al empresario, pues sobre éste recae el cumplimiento de ciertas obligaciones como las de prevención, MELLA MÉNDEZ, L.: "Configuración general del trabajo a distancia en el Derecho Español", en VV.AA., *El teletrabajo en España: aspectos teórico-prácticos de interés*, Lourdes Mella Méndez (Directora), Volters Kluwer, 1ª edición, marzo 2017, pág. 35.

[22]   A propósito de las diferentes posibilidades en función del lugar de la prestación de servicios o del tipo de conexión, se puede consultar PÉREZ DE LOS COBOS, F. y THIBAULT ARANDA, J.: *El teletrabajo en España. Perspectiva jurídico laboral*, Ministerio de Trabajo y Asuntos Sociales, Subdirección General de Publicaciones, Colección Informes y Estudios, núm. 15, Madrid, año 2001, págs.. 24 y ss, SEMPERE NAVARRO, A. y KAHALE CARRILLO, D. T.: Teletrabajo, Claves Prácticas, Ediciones Francis Lefebvre, S.A., año 2013, págs. 28 y ss, o LUQUE PARRA, M. y GINÉS FABRELLAS, A.: *Teletrabajo y prevención de riesgos laborales*, CEOE, Fundación para la Prevención de Riesgos Laborales, año 2016, pág. 28.

[23]   A propósito de la necesidad de autorización, SIERRA BENITEZ, E.M.: "*El contenido de la relación laboral en el teletrabajo*", Consejo Económico y Social de Andalucía, Sevilla, 2011, págs. 66 a 75.

[24]   MUNÍN SÁNCHEZ, L.M.: "Los poderes del empresario ante el teletrabajo: el control y sus límites", en AA.VV. *Trabajo a Distancia y Teletrabajo. Estudios sobre su régimen jurídico en el derecho español y comparado*. LOURDES MELLA MÉNDEZ (Editora) ALICIA VILLALBA SÁNCHEZ (Coordinadora), Thomson Reuters, Editorial Aranzadi SA, 1ª edición, noviembre 2015, p. 112.

A mayor abundamiento, el tiempo de trabajo dedicado a la prestación laboral en régimen de teletrabajo va a influir igualmente de manera decisiva en las posibilidades de vigilancia y control empresarial. Más aún si tenemos en cuenta que el legislador español ha optado a la hora de regular el trabajo a distancia por una opción a favor del teletrabajo siempre a tiempo parcial, alternancia entre trabajo presencial y teletrabajo que amplía las posibilidades a los efectos del control al resultar la vinculación del trabajador con la empresa más clara[25]. Alternancia que es la opción más habitual en la experiencia empresarial en aquéllas organizaciones que de manera más incisiva han optado por fomentar este tipo de prestación laboral[26]. Otra cuestión será la referida a qué debemos entender como prestación preponderante[27], dada la inconcreción del calificativo de la relevancia[28].

Por último, las diferentes opciones de teletrabajo en función del tipo de conexión van a condicionar igualmente las posibilidades de control tecnológico de la actividad del teletrabajador. En este sentido, que la prestación laboral del teletrabajador se desarrolle "off line", sin conexión directa con el sistema informático de la empresa, u "on line", en conexión directa con este sistema, va a resultar determinante. Más aún cuando tenemos en cuenta no será lo mismo a estos efectos que la conexión lo sea unidireccional, "One way line", o bidireccional, "two way line". Así, mientras que en el primer escenario la empresa no ejercerá un control directo y continuo

---

[25] MELLA MÉNDEZ, L.: "Configuración general del trabajo a distancia en el Derecho Español", en VV.AA., *El teletrabajo en España: aspectos teórico-prácticos de interés*, Lourdes Mella Méndez (Directora), Volters Kluwer, 1ª edición, marzo 2017, pág. 28.

[26] Como ejemplo ilustrativo, nos referimos al "Libro blanco del teletrabajo en Repsol", http://adapt.it/adapt-indice-a-z/wp-content/uploads/2014/05/libro_blanco_repsol. pdf, en el que se refieren hasta cuatro diferentes modalidades de teletrabajo en función de la jornada pero siempre desde el presupuesto de la parcialidad,. Y ello, según se justifica por la propia Empresa, pág. 65, a los efectos de evitar la desvinculación del trabajador con la entidad: "*En concreto, se han articulado y se ofrecen al conjunto de empleados cuatro modalidades, siempre a tiempo parcial y previo acuerdo entre el jefe y el teletrabajador. Desde el inicio del Programa, la Compañía renunció a incluir una modalidad de Teletrabajo a tiempo completo, evitando así la desvinculación del empleado de la empresa y garantizando la sensación de pertenencia y equipo. Repsol ha realizado un gran esfuerzo por mantener la vinculación del teletrabajador, estableciendo que debe permanecer en la oficina un mínimo de 16 horas semanales*"

[27] Exigiendo el 50 por 100 de la prestación de servicios en régimen de teletrabajo en aplicación de la normativa fiscal, SEMPERE NAVARRO, A. y KAHALE CARRILLO, D. T.: Teletrabajo, Claves Prácticas, Ediciones Francis Lefebvre, S.A., año 2013, pág. 12, criterio éste que, desde luego, no es el seguido en la mayoría de las empresas en las que se opta por un tiempo de prestación en régimen de teletrabajo menor.

[28] THIBAULT ARANDA, J.: *El teletrabajo. Análisis jurídico-laboral*, CES, Colección Estudios, 2ª edición actualizada, octubre 2001, pág. 179.

sobre el trabajo del teletrabajador, no va a suceder lo mismo en el segundo escenario, al resultar posible un control de trabajo en tiempo real por parte de la empresa[29].

Son muchas por tanto las cuestiones que debemos tener en cuenta a la hora de valorar las posibilidades de control empresarial. No obstante, entre todas ellas, la necesaria alternancia entre la prestación laboral en régimen de teletrabajo con la actividad en las instalaciones de la empresa va a condicionar a nuestro juicio de manera decisiva el debate. Hasta el punto de que, en el debate a propósito del necesario equilibrio entre facultades de vigilancia empresarial y derechos fundamentales de los trabajadores, la prestación presencial en paralelo al teletrabajo a distancia va a conllevar una necesaria modulación de los poderes de control tecnológico *ex* art. 20.3 ET desde la perspectiva de mayores exigencias a la hora de ponderar el juicio de necesidad toda vez que resultarán posibles modalidades de control menos lesivas de los derechos fundamentales que en el supuesto de teletrabajo a jornada completa.

2. LAS REFORMAS EN MATERIA DE PROTECCIÓN DE DATOS, DERECHO A LA DESCONEXIÓN DIGITAL Y OBLIGATORIEDAD DE REGISTRO DE LA JORNADA: SU INCIDENCIA A LOS EFECTOS DEL CONTROL EMPRESARIAL

Antes de comenzar con las cuestiones relacionadas con las efectivas posibilidades de control empresarial, resulta necesario detenernos siquiera brevemente en determinadas modificaciones legislativas en la materia que, sin duda alguna, van a incidir en las opciones de control empresarial.

En primer término, señaladamente, con un papel protagonista, la nueva regulación en materia de protección de datos, sobre todo en lo que concierne a su vertiente de garantía de los derechos digitales[30], con la expresa recepción legal del derecho a la intimidad frente al uso de dispositivos digitales en el ámbito laboral, de dispositivos de videovigilancia y de grabación de sonidos en el lugar de trabajo o de sistemas de geolocalización. Recepción

---

[29]   A estos efectos del tipo de conexión y posibilidades de control, PÉREZ DE LOS COBOS, F. y THIBAULT ARANDA, J.: *El teletrabajo en España. Perspectiva jurídico laboral*, Ministerio de Trabajo y Asuntos Sociales, Subdirección General de Publicaciones, Colección Informes y Estudios, núm. 15, Madrid, año 2001, pág. 24.

[30]   Arts. 87 a 91 de la Ley Orgánica 3/2018, de 5 de diciembre, de Protección de Datos Personales y garantía de los derechos digitales, BOE nº 294, de 6 de diciembre de 2018.

expresa del derecho a la intimidad que se ve acompañada de obligaciones legales de información previa al trabajador con respecto a la utilización de este tipo de dispositivos como contenido esencial del derecho fundamental, información con carácter previo, expresa, clara y concisa[31].

Más allá, la recepción expresa en la norma del derecho a la desconexión digital en cuanto derecho autónomo e inmediatamente ejecutivo[32], con la doble finalidad de garantizar el tiempo de descanso, permisos y vacaciones así como la intimidad personal y familiar, eleva las exigencias del control empresarial hasta el punto de convertir en obligación lo que hasta este momento podía interpretarse como una mera facultad. En este sentido, a los efectos de nuestro trabajo, esa "llamada" expresa en la Ley Orgánica a la preservación del derecho a la desconexión digital en los supuestos de realización total o parcial del trabajo a distancia, así como en el domicilio del empleado vinculado al uso con fines laborales de herramientas tecnológicas, impone al empresario importantes exigencias en materia de control de la actividad laboral que, muy probablemente, incidan decisivamente en el juicio de ponderación de la medida de control elegida.

En el mismo sentido, la introducción de un nuevo apartado 9 en el artículo 34 del Estatuto de los Trabajadores, precepto a partir del cual se garantiza al trabajador el derecho al registro diario de la jornada de trabajo[33], tras encendido debate en los Tribunales a propósito de la cuestión[34], conlleva que el control de la jornada efectiva de trabajo se convierta en una correlativa obligación empresarial, deber inexcusable que incidirá en

---

[31] No se entiende el "olvido" en este sentido en cuanto a las características de la información en el escenario del art. 87, derecho a la intimidad en el uso de dispositivos digitales.

[32] Para algunos autores, el derecho no necesitaba de positivización alguna en la medida que no deja de ser una explicitación del derecho al descanso, mientras que otros autores defienden el importante avance en su positivización, posición ésta con la que nos mostramos más de acuerdo; en este sentido, se pueden consultar diferentes referencias doctrinales en PURCALLA BONILLA, M.A.: "Control tecnológico de la prestación laboral y derecho a la desconexión de los empleados: Notas a propósito de la Ley 3/2018, de 5 de diciembre", *Revista Española de Derecho del Trabajo*, núm. 218/2019, parte Estudios, Editorial Aranzadi S.A.U., Cizur menor 2019, págs. 14 a 18.

[33] Nuevo artículo 34.9 ET tras modificación operada en el art. 10 del Real Decreto-ley 8/2019, de 8 de marzo.

[34] Señaladamente, por todas, nos referimos al controvertido criterio mantenido, entre otras, en la STS de fecha 23 de marzo de 2017, rec. 246/2017, en el que se revoca el contrario de la SAN de 4 de diciembre de 2015, rec. 301/2015, pronunciamiento que dieron lugar al planteamiento de cuestión prejudicial resuelta mediante STJUE de 14 de mayo de 2019, Asunto C-55/18 en la que se concluyó la obligación de establecer un sistema que permitiera computar la jornada laboral realizada por cada trabajador.

la posible modulación de los derechos fundamentales del trabajador. En este sentido, y si del teletrabajo hablamos, el hecho de desempeñar las tareas fuera de las instalaciones de la empresa no conlleva que esta exigencia resulte de una menor entidad, antes al contrario, toda vez que, como acabamos de exponer, el legislador ha sido expresamente exigente en este punto en relación con el derecho a la desconexión digital del teletrabajador. Previsión ésta que permite superar el desfasado debate acerca de la teledisponibilidad.

Siendo así, no podemos perder de vista la necesidad de combinar los tradicionales criterios interpretativos sobre las posibilidades de control con tan importantes novedades legislativas que, en cierta medida, van a permitir rebajar la exigencia en relación con la vulneración del derecho fundamental a la intimidad en algunos específicos supuestos de cumplimiento de las obligaciones legales, contexto en el que entendemos que resulta probablemente escasa la llamada efectuada por el legislador con respecto al papel de la negociación colectiva.

3. EL CONTROL DE LA ACTIVIDAD LABORAL DEL TELETRABAJOR

3.1. Punto de partida: Teletrabajo y control empresarial

Como premisa básica, el teletrabajo no supone el abandono absoluto de los tradicionales mecanismos de ejercicio de los poderes empresariales, antes al contrario, va a implicar su actualización[35]. Cierto es que el grado de intensidad de ese poder directivo podrá variar en función de los rasgos que presente la actividad del teletrabajador pero sin que en modo alguno quepa dudar acerca de la existencia del mismo[36]. A estos efectos, como hemos apuntado, no será lo mismo que el trabajador preste sus servicios en un telecentro o en un centro de recursos compartidos que en su propio

---

[35]   MUNÍN SÁNCHEZ, L.M.: "Los poderes del empresario ante el teletrabajo: el control y sus límites", en AA.VV. *Trabajo a Distancia y Teletrabajo. Estudios sobre su régimen jurídico en el derecho español y comparado.* LOURDES MELLA MÉNDEZ (Editora) ALICIA VILLALBA SÁNCHEZ (Coordinadora), Thomson Reuters, Editorial Aranzadi SA, 1ª edición, noviembre 2015, pág. 120.

[36]   GARCÍA QUIÑONES, J.C.: "La organización del tiempo de trabajo y descanso y la conciliación en el teletrabajo", en AA.VV. *Trabajo a Distancia y Teletrabajo. Estudios sobre su régimen jurídico en el derecho español y comparado.* LOURDES MELLA MÉNDEZ (Editora) ALICIA VILLALBA SÁNCHEZ (Coordinadora), Thomson Reuters, Editorial Aranzadi SA, 1ª edición, noviembre 2015, pág. 135.

domicilio; o que se presten los servicios uno o varias días a la semana, alternando el régimen de teletrabajo con la jornada presencial en la empresa.

En todo caso, como punto de partida, la diferente manera de llevarse a cabo la prestación laboral en que va a consistir el teletrabajo no va a alterar de partida el esquema funcional del contrato de trabajo ni la lógica del equilibrio entre poderes del empresario y la esfera de derechos del trabajador, permitiendo modular el control empresarial. En este sentido, el teletrabajo va a suponer un cambio en cuanto a la manera de desarrollar el poder de dirección y ejercer la facultad de control, hasta el punto de que, con las tecnologías de la información y de la comunicación, se van a multiplicar las posibilidades de control empresarial, no sólo desde el punto cuantitativo sino también cualitativo[37].

Dicho esto, tampoco conviene olvidar que la diferente manera de trabajar en que va a consistir el teletrabajo se va a residenciar en buena medida en la recíproca confianza. Cuestión ésta que a los efectos que nos interesan del control empresarial también va a modular el ejercicio del poder de dirección y control[38]. En este sentido, esa mayor flexibilidad, unida a la necesaria confianza recíproca, incidirán en ocasiones sobre las reglas del control empresarial, y ello en la medida que el control de la actividad se va a troncar a menudo en control del resultado[39]. En este sentido, el mecanismo de gestión que más se adecua al teletrabajo es el del trabajo por objetivos, no sólo objetivos finales sino también intermedios, de forma tal que el responsable pueda supervisar el estado de desarrollo de las tareas del teletrabajador e ir haciendo frente a las posibles eventualidades[40].

---

[37]   CARDONA RUBERT, M. B.: "Trabajo a distancia y relación individual: aspectos críticos (II)", en VV.AA., *El teletrabajo en España: aspectos teórico-prácticos de interés*, Lourdes Mella Méndez (Directora), Volters Kluwer, 1ª edición, marzo 2017, pág. 142.

[38]   MELLA MÉNDEZ, L.: "Configuración general del trabajo a distancia en el Derecho Español", en VV.AA., *El teletrabajo en España: aspectos teórico-prácticos de interés*, Lourdes Mella Méndez (Directora), Volters Kluwer, 1ª edición, marzo 2017, pág. 35: "*esta forma de trabajar requiere, también, una nueva visión de la relación laboral, más flexible, generosa y autónoma, y basada en la confianza mutua entre las partes del contrato, muy alejada de aquella que solo atiende a la presencia en el centro de trabajo y al estricto cumplimiento de un horario previo por el trabajador como única manera de medir su rendimiento*".

[39]   PÉREZ DE LOS COBOS, F. y THIBAULT ARANDA, J.: *El teletrabajo en España. Perspectiva jurídico laboral*, Ministerio de Trabajo y Asuntos Sociales, Subdirección General de Publicaciones, Colección Informes y Estudios, núm. 15, Madrid, año 2001, pág. 84.

[40]   JUNTA DE ANDALUCÍA, "Guía de recomendaciones y buenas prácticas para el impulso del teletrabajo, Consejería de Economía, Innovación y Ciencia", año 2010, https://www.juntadeandalucia.es/export/drupaljda/Guia_Teletrabajo.pdf, pág. 57 y ss

Dicho esto, los nuevos sistemas de la información y de la comunicación van a permitir incrementar las posibilidades de control empresarial hasta el punto de poder suponer una intromisión en la esfera privada del trabajador, resultando necesario a estos efectos la fijación de límites[41]. Limitaciones, aún más evidentes, en el escenario de actividad prestada desde el propio domicilio del teletrabajador[42].

De este modo, en materia de control empresarial lo relevante no será tanto con qué medios se realicen esos controles sino hasta dónde puede alcanzar dicha vigilancia[43], en un equilibrio entre poder empresarial y derechos fundamentales de los trabajadores en el que resultará muy aconsejable una mayor regulación del ejercicio de los poderes empresariales de dirección y control de la actividad laboral en el supuesto del teletrabajo[44].

En este contexto, los derechos fundamentales van a adquirir un papel sin duda protagonista, debiendo tener siempre presente que su limitación sólo resultará justificada cuando resulte estrictamente necesaria e impres-

---

[41]   ALICIA VILLALBA SÁNCHEZ (Coordinadora), Thomson Reuters, Editorial Aranzadi SA, 1ª edición, noviembre 2015, pág. 121: la autora se refiere a los sistemas de grabación o videovigilancia, a la posibilidad de controles biométricos como la huella digital,a controles sobre el ordenador, intervención de conversaciones telefónicas, controles sobre la ubicación física del trabajador mediante geolocalización, uso de tarjetas de identificación personal, etc...

[42]   MUNÍN SÁNCHEZ, L.M.: "Los poderes del empresario ante el teletrabajo: el control y sus límites", en AA.VV. *Trabajo a Distancia y Teletrabajo. Estudios sobre su régimen jurídico en el derecho español y comparado.* LOURDES MELLA MÉNDEZ (Editora) ALICIA VILLALBA SÁNCHEZ (Coordinadora), Thomson Reuters, Editorial Aranzadi SA, 1ª edición, noviembre 2015, pág. 108.

[43]   PÉREZ DE LOS COBOS, F. y THIBAULT ARANDA, J.: *El teletrabajo en España. Perspectiva jurídico laboral,* Ministerio de Trabajo y Asuntos Sociales, Subdirección General de Publicaciones, Colección Informes y Estudios, núm. 15, Madrid, año 2001, pág. 85.

[44]   MELLA MÉNDEZ, L. "Prólogo" en AA.VV. *Trabajo a Distancia y Teletrabajo. Estudios sobre su régimen jurídico en el derecho español y comparado.* LOURDES MELLA MÉNDEZ (Editora) ALICIA VILLALBA SÁNCHEZ (Coordinadora), Thomson Reuters, Editorial Aranzadi SA, 1ª edición, noviembre 2015, pág. 21: "*La instalación de mecanismos de control debería regirse por los principios ya establecidos por nuestra jurisprudencia, en orden a hacer compatibles los derechos del empresario con los del trabajador, especialmente en los aspectos fundamentales de la intimidad y privacidad de este. En tal sentido, las visitas al domicilio por razones de trabajo (instalación o revisión de equipos, evaluación de riesgos laborales, etc) deberían ser notificadas previamente, contar con el consentimiento del trabajador y limitarse a la zona dedicada al trabajo. El establecimientos de sistemas de control de la actividad laboral, bien a través de programas informáticos o dispositivos externos (por ejemplo, cámaras), debe estar justificado y ser proporcional al fin perseguido; además, el empresario debe informar previamente de todos los detalles del control a realizar, incluido el destino o tratamiento de los datos obtenidos, según lo dispuesto en la normativa de protección de datos personales.*".

cindible para satisfacer el interés empresarial y siempre que no exista otro mecanismo para satisfacerlo[45].

Siendo así, estando en juego derechos fundamentales tales como el de la intimidad, el del secreto de las comunicaciones o el derecho a la auto-determinación informativa, resulta conveniente efectuar una breve aproximación a su propia conceptuación como paso previo al posterior examen de algunos de los concretos mecanismos de control.

3.2. Control empresarial y derechos fundamentales: El derecho a la intimidad, al secreto de las comunicaciones y a la autodeterminación informática como límites a las facultades de vigilancia y control

Como no podría ser de otra manera, en el clásico conflicto entre las facultades empresariales de control y los derechos fundamentales de los trabajadores, la primera tarea debe consistir en esbozar una aproximación a estos derechos desde la perspectiva conceptual al objeto de tratar de delimitar su contenido esencial. Y ello en la medida en que éste va a operar como límite absoluto para el adecuado ejercicio de las facultades empresariales de vigilancia y control.

Así, en primer término, y en relación con el derecho a la intimidad del art. 18.1 CE, la jurisprudencia constitucional lo ha configurado como un *"derecho fundamental estrictamente vinculado a la propia personalidad y que deriva de la dignidad de la persona que el art. 10.1 CE reconoce e implica la existencia de un ámbito propio y reservado frente a la acción y el conocimiento de los demás, necesario, según las pautas de nuestra cultura, para mantener una calidad mínima de la vida humana"*[46]. Y, en este sentido, el derecho a la intimidad, del que no resulta cuestionable que resulta aplicable en el ámbito de las relaciones laborales[47], *"no sólo preserva al individuo de la obtención ilegítima de datos de su esfera íntima por parte de terceros, sino también de la revelación, divulgación o publicidad no consentida de esos datos, y del uso o explotación de los mismos sin autorización de su titular, garantizando, por tanto, el secreto sobre*

---

[45]   CARDONA RUBERT, M. B.: "Trabajo a distancia y relación individual: aspectos críticos (II)", en VV.AA., *El teletrabajo en España: aspectos teórico-prácticos de interés*, Lourdes Mella Méndez (Directora), Volters Kluwer, 1ª edición, marzo 2017, pág. 143

[46]   SSTCONST. 170/1997, de 14 de octubre, FJ 4; 231/1988, de 1 de diciembre, FJ 3; 197/1991, de 17 de octubre, FJ 3; 57/1994, de 28 de febrero, FJ 5; 143/1994, de 9 de mayo, FJ 6; 207/1996, de 16 de diciembre, FJ 3; y 202/1999, de 8 de noviembre, FJ 2, entre otras muchas.

[47]   SSTCONST. 98/2000, de 10 de abril, FFJJ 6 a 9y 186/2000, de 10 de julio, FJ 6.

la propia esfera de vida personal y, consiguientemente, veda a los terceros, particulares o poderes públicos, decidir sobre los contornos de la vida privada"[48]. A partir de aquí, y es ésta una afirmación clave a los efectos de nuestro trabajo, el Alto Tribunal señala con meridiana rotundidad que *"corresponde a cada persona acotar el ámbito de intimidad personal y familiar que reserva al conocimiento ajeno"*[49].

En lo que se refiere al derecho al secreto de las comunicaciones, este derecho *"consagra la interdicción de la interceptación o del conocimiento antijurídico de las comunicaciones ajenas, por lo que dicho derecho puede resultar vulnerado tanto por la interceptación, en sentido estricto, consistente en la aprehensión física del soporte del mensaje, con conocimiento o no del mismo, o la captación del proceso de comunicación, como por el simple conocimiento antijurídico de lo comunicado a través de la apertura de la correspondencia ajena guardada por su destinatario o de un mensaje emitido por correo electrónico o a través de telefonía móvil, por ejemplo"*[50]. Desde esta primera aproximación, no parece cuestionable que este derecho al secreto de las comunicaciones va a poder resultar afectado a través del control empresarial, bien de los dispositivos electrónicos del teletrabajador o bien por la grabación de conversaciones o imágenes del mismo. Máxime cuando el ámbito objetivo de protección del mismo va a venir delimitado no sólo por el propio contenido de la comunicación, sino también, por otros aspectos de la comunicación misma, como por ejemplo la identidad subjetiva de los posibles interlocutores[51].

En todo caso, por su posible incidencia a los efectos del control, desde una perspectiva teórica debemos destacar que *"la protección del derecho al secreto de las comunicaciones alcanza al proceso de comunicación mismo, pero finalizado el proceso en que la comunicación consiste, la protección constitucional de lo recibido se realiza en su caso a través de las normas que tutelan otros derechos"*[52]. En este sentido, debemos tener presente que la comunicación se concibe como un proceso, llegando el derecho hasta donde alcanza su curso por lo que, concluida la comunicación, desaparece la protección constitucional,

---

[48]   SSTCONST. 83/2002, de 22 de abril, FJ 5 y 70/2009, de 23 de marzo, FJ 2.
[49]   STCONST. 159/2009, de 29 de junio, FJ 3.
[50]   STCONST. 142/2012, de 2 de julio, FJ 3.
[51]   De ahí que, en su momento, se concluyera que quedaba afectado tanto por la entrega de los listados de llamadas telefónicas por las compañías telefónicas como también por el acceso al registro de llamadas entrantes y salientes grabadas en un teléfono móvil, STCONCT. 230/2007, de 5 de noviembre, FJ 2. Este mismo condicionante resulta aplicable de manera evidente a las comunicaciones vía correo electrónico.
[52]   STCONST. 70/2002, de 3 de abril, FJ 9.

sin perjuicio de su efectiva protección por otras vías[53]. Será ésta por tanto una cuestión determinante, en su caso, al objeto de valorar la posible vulneración del derecho al secreto de las comunicaciones.

Por último, y en lo que se refiere al derecho a la autodeterminación informativa, –también denominado derecho a la libertad informática o a la protección de datos–, el Tribunal Constitucional ha declarado que el art. 18.4 de la CE contiene un instituto de garantía que constituye en sí mismo un derecho o libertad fundamental, el derecho a la libertad frente a las potenciales agresiones a la dignidad y a la libertad de la persona provenientes de un uso ilegítimo del tratamiento mecanizado de datos[54].

La llamada "libertad informática" se configura así como el "*derecho a controlar el uso de los mismos datos insertos en un programa informático (habeas data) y comprende, entre otros aspectos, la oposición del ciudadano a que determinados datos personales sean utilizados para fines distintos de aquel legítimo que justificó su obtención*"[55]. De este modo, persigue garantizar a la persona un poder de control sobre sus datos personales, sobre su uso y destino, con el propósito de impedir su tráfico ilícito y lesivo para la dignidad y el derecho del afectado, permitiendo excluir ciertos datos del conocimiento ajeno garantizando a los individuos un poder de disposición sobre esos datos, resultando su objeto en este sentido más amplio que el del derecho a la intimidad, al extender su garantía no sólo a ésta última en su dimensión protegida por el art. 18.1 CE sino, más allá, a la esfera de los bienes de la personalidad que pertenezcan al ámbito de la vida privada[56].

A partir de aquí, lo decisivo a los efectos del control viene predeterminado una vez que el derecho a la protección de datos confiere a las personas el poder jurídico de abstenerse en toda intromisión en la esfera íntima de la persona y la prohibición de hacer uso de lo así conocido, toda vez que el derecho a la libertad autoinformativa confiere a su titular un haz de facultades a resultas de las cuales se van a imponer a esos terceros ciertos deberes jurídicos. En este sentido, el derecho a que se requiera el previo

---

[53] JIMÉNEZ CAMPO, J.: "La garantía constitucional del secreto de la comunicaciones", Revista Española de Derecho Constituciona,l n° 20, 1987, citado por DESDENTADO BONETE, A y DESDENTADO DAROCA, E..: "La segunda sentencia del Tribunal Europeo de Derechos Humanos en el caso Barbulescu y sus consecuencias sobre el control del uso laboral del ordenador", *Revista de Información Laboral*, núm. 1/2018, parte Artículos de Fondo, Editorial Aranzadi S.A.U., Cizur menor 2018, pág. 6.

[54] SSTCONST. 254/1993, FJ 6°; 143/1994, FJ 7°; 11/1998, FJ 4°; 94/1998, FJ 6°; o la número 202/1999, FJ 2°.

[55] SSTCONST 11/1998, FJ 5° o 94/1998, FJ 4°.

[56] Por todas, STCONST 292/2000, de 30 de noviembre, FJ 6°.

consentimiento para la recogida y uso de los datos personales, el derecho a saber y ser informado sobre el destino y uso y el derecho a acceder, rectificar y cancelar dichos datos, *"En definitiva, el poder de disposición sobre los datos personales"*[57]. De manera muy gráfica, *"De todo lo dicho resulta que el contenido del derecho fundamental a la protección de datos consiste en un poder de disposición y de control sobre los datos personales que faculta a la persona para decidir cuáles de esos datos proporcionar a un tercero, sea el Estado o un particular, o cuáles puede este tercero recabar, y que también permite al individuo saber quién posee esos datos personales y para qué, pudiendo oponerse a esa posesión o uso"*[58].

Una vez efectuada esta somera aproximación al contenido de los derechos fundamentales en juego, y antes de entrar en las concretas manifestaciones de control empresarial a disposición del empresario, resulta de todo punto necesario efectuar algunas reflexiones a propósito del preceptivo equilibrio entre los aludidos derechos fundamentales y el ejercicio de la vigilancia empresarial.

3.3. El juicio de ponderación: El necesario equilibrio entre los derechos fundamentales y el ejercicio del poder de control

Como premisa básica, ningún derecho fundamental es absoluto, pudiendo ceder ante intereses constitucionalmente relevantes. Partiendo de esta afirmación, que no por conocida debe dejar de apuntarse, la posible limitación de un derecho, en su caso, no debería obstruirlo más allá de lo razonable, condición ésta que impone que el recorte que aquél haya de experimentar se revele como necesario para lograr el fin legítimo previsto, resulte proporcionado para alcanzarlo y, en todo caso, sea respetuoso con su contenido esencial[59]. En otras palabras, no debería menoscabarlo hasta el punto de hacerlo irreconocible.

---

[57]   SSTCONST 254/1993, FJ 7°.

[58]   SSTCONST 292/2000, de 30 de noviembre de 2000, FJ 7°.

[59]   Por todas, SSTCONST 57/1994, de 28 de febrero, FJ 6°: *"no es ocioso recordar aquí que los derechos fundamentales reconocidos por la Constitución sólo pueden ceder ante los límites que la propia Constitución expresamente imponga o ante los que de manera mediata o indirecta se infieran de la misma al resultar justificados por la necesidad de preservar otros derechos o bienes jurídicamente protegidos (SSTC 11/1981, fundamento jurídico 7° y 2/1982, fundamento jurídico 5°, entre otras). Ni tampoco que, en todo caso, las limitaciones que se establezcan no pueden obstruir el derecho fundamental más allá de lo razonable (STC 53/1986, fundamento jurídico 3°). De donde se desprende que todo acto o resolución que limite derechos fundamentales ha de asegurar que las medidas limitadoras sean necesarias para conseguir el fin perseguido (SSTC 62/1982, fundamento jurídico 5° y 13/1985, fundamento jurídico 2°), ha de atender a*

En este contexto, las indiscutibles facultades de vigilancia y control de la actividad laboral que el propio ordenamiento jurídico atribuye expresamente al empresario, van a encontrar sus límites en el juego de los derechos fundamentales, más allá incluso de la propia regulación legal. En este sentido, expresamente, el respeto a la propia dignidad del trabajador: "*el poder de dirección del empresario, imprescindible para la buena marcha de la organización productiva y reconocido expresamente en el art. 20 LET, atribuye al empresario, entre otras facultades, la de adoptar las medidas que estime más oportunas de vigilancia y control para verificar el cumplimiento del trabajador de sus obligaciones laborales (art. 20.3 LET). Mas esa facultad ha de producirse en todo caso, como es lógico, dentro del debido respeto a la dignidad del trabajador, como expresamente nos lo recuerda la normativa laboral (arts. 4.2.e) y 20.3 LET)*"[60].

Siendo así, "*el empresario no queda apoderado para llevar a cabo, so pretexto de las facultades de vigilancia y control que le confiere el art. 20.3 LET, intromisiones ilegítimas en la intimidad de sus empleados en los centros de trabajo*", y ello desde la perspectiva de que sus facultades organizativas empresariales van a encontrarse limitadas, como decimos, por los derechos fundamentales del trabajador[61]. De este modo, el propio Tribunal Constitucional ha interpretado que los poderes o las facultades empresariales no pueden usarse como pretexto para quebrantar el contenido esencial de un derecho fundamental produciendo resultados inconstitucionales lesivos del mismo[62]. Todo ello desde la perspectiva de que las empresas no resultan ajenas a los principios y derechos constitucionales que informan el sistema de las relaciones de trabajo.

En este esquema, por tanto, como segunda premisa en el debate acerca de las posibilidades de control empresarial, no resulta cuestionable que esas prerrogativas empresariales de vigilancia y control no van a poder anular sin más los propios derechos constitucionales de los trabajadores[63].

---

la proporcionalidad entre el sacrificio del derecho y la situación en la que se halla aquel a quien se le impone (STC 37/1989, fundamento jurídico 7°) y, en todo caso, ha de respetar su contenido esencial (SSTC 11/1981, fundamento jurídico 10°; 196/1987, fundamentos jurídicos 4° a 6°; 120/1990, fundamento jurídico 8° y 137/1990, fundamento jurídico 6°). Por lo que ha de analizarse, a la luz de esta doctrina, si una medida como la impugnada en el presente caso se halla justificada en la protección de exigencias públicas y si, en su caso, cumple la condición de ser proporcionada en atención a la situación de aquel al que se le impone."

[60]   Por todas, STCONST. 186/2000, de 10 de julio, FJ 5°.
[61]   STCONST. 186/2000, de 10 de julio, FJ 5°.
[62]   A propósito en ése caso de la libertad sindical, STCONST. 134/1994, de 9 de mayo, FJ 5°; o, a propósito del derecho de huelga, STCONST. 123/1992, de 28 de septiembre, FJ 5°.
[63]   RODRÍGUEZ ESCANCIANO, S.: "Internet en el trabajo", *Diario La Ley*, n° 8926, Sección Dossier, 21 de febrero de 2017, Editorial Wolters Kluwer, pág. 3.

En este sentido, "*el contrato de trabajo no puede considerarse como un título legitimador de recortes en el ejercicio de los derechos fundamentales que incumben al trabajador como ciudadano, que no pierde su condición de tal por insertarse en el ámbito de una organización privada*"[64]. Si bien, como reverso de esa moneda, debemos tener también presente que la propia jurisprudencia constitucional ha señalado que "*manifestaciones del ejercicio de aquéllos que en otro contexto serían legítimas, no lo son cuando su ejercicio se valora en el marco de la relación laboral*"[65], afirmación ésta que nos sirve como parámetro de la necesidad de ponderación.

A partir de estas consideraciones previas, a la hora de enjuiciar la legalidad de una conducta empresarial de control de la actividad laboral desde la perspectiva constitucional, los órganos judiciales deberán "*preservar el necesario equilibrio entre las obligaciones dimanantes del contrato para el trabajador y el ámbito –modulado por el contrato, pero en todo caso subsistente– de su libertad constitucional*"[66]. Esto es, deberán atender al necesario equilibrio de intereses entre el ejercicio del poder empresarial y los derechos fundamentales del trabajador.

Y, si de control empresarial de la actividad laboral del teletrabajador hablamos, no parece cuestionable que, en cada caso, resultará necesario ponderar ése preceptivo equilibrio entre los derechos reconocidos en los artículos 33 y 38 CE, por un lado, y los aludidos derechos a la intimidad, al secreto de las comunicaciones o a la protección de datos reconocidos en diferentes apartados del artículo 18 CE. Modulación que sólo se podrá producir en la medida estrictamente imprescindible para el correcto y ordenado desenvolvimiento de la actividad productiva[67]. De este modo, "*la organización laboral modula aquellos derechos en la medida estrictamente imprescindible para el correcto y ordenado desenvolvimiento de la actividad productiva*"[68].

Por lo tanto, en este debate entre poder de control empresarial y derechos fundamentales, resultará necesario proceder a una adecuada ponderación que respete la correcta definición y valoración del derecho constitucional en juego y de las obligaciones que pretenden modularlo desde la perspectiva de que, las posibles restricciones del derecho, deberán ser las indispensables y estrictamente necesarias para satisfacer el interés empresarial merecedor de tutela y protección, en el caso que nos ocupa, defensa de la productividad y

---

[64]   STCONST. 88/1985, de 19 de julio, FJ 2.
[65]   STCONST 126/2003, de 30 de junio, FJ 7.
[66]   STCONST. 6/1988, de 21 de enero, FJ 8º *in fine*.
[67]   STCONST. 99/1994, de 11 de abril,
[68]   STCONST. 170/2013, de 7 de octubre, FJ 3º.

derecho a la propiedad [69]. Y ello hasta el punto de la obligatoriedad para el empresario de emplear otras medidas de control menos agresivas y afectantes para el derecho en cuestión, por supuesto para el caso de existir[70]. Ello en consonancia con la obligación empresarial de respeto a los principios de proporcionalidad y de intervención mínima[71].

Una vez efectuadas estas consideraciones de carácter general a propósito del preceptivo equilibrio entre las facultades empresariales de control y los derechos fundamentales del trabajador, la propia jurisprudencia, tanto a nivel interno como europeo, se ha encargado de ir perfilando los contornos y límites en lo referente a las concretas posibilidades de control empresarial, criterios en algunas de las ocasiones no coincidentes pero que, a estas alturas del debate, creemos que nos permiten efectuar una aproximación bastante precisa sobre el particular.

Siendo así, en las próximas líneas proponemos al lector un acercamiento a los concretos criterios interpretativos como método más adecuado para el establecimiento de una adecuada política de control empresarial que, como hemos apuntado, deberá resultar equilibrada y respetuosa con

---

[69]   A propósito de las posibles técnicas de control y sus límites, PURCALLA BONILLA, M.A.: "Control tecnológico de la prestación laboral y derecho a la desconexión de los empleados: Notas a propósito de la Ley 3/2018, de 5 de diciembre", *Revista Española de Derecho del Trabajo*, núm. 218/2019, parte Estudios, Editorial Aranzadi S.A.U., Cizur menor 2019, BIB 2019\2891: "*El límite para todas ellas es el mismo, en línea de principio: el poder de vigilancia y control del empresario (art. 38 de la Constitución Española –CE–, art. 20 del Estatuto de los Trabajadores –ET–), como legítimo interés en aras a supervisar el correcto cumplimiento de la prestación laboral por el trabajador, debe ponderarse, en cada caso concreto, con los derechos fundamentales y libertades públicas del empleado (dignidad, intimidad, propia imagen, protección de datos personales), lo cual debe ser encauzado a través del test de proporcionalidad entre el sacrificio que se le impone al derecho fundamental restringido y su límite, argumentando la idoneidad de la medida, su necesidad y el debido equilibrio entre el sacrificio sufrido por el derecho fundamental limitado y la ventaja que se obtendrá del mismo (Preciado, 2017)*".

[70]   STCONST. 98/2000, de 10 de abril, FJ 5°.

[71]   En relación con el denominado como "juicio de proporcionalidad", por todas, STCONST. 186/2000, de 10 de julio, FJ 5°: "*A los efectos que aquí importan, basta con recordar que (como sintetizan las SSTC 66/1995, de 8 de mayo, FJ 5; 55/1996, de 28 de marzo, FFJJ 6, 7, 8 y 9; 207/1996, de 16 de diciembre, FJ 4 e), y 37/1998, de 17 de febrero, FJ 8) para comprobar si una medida restrictiva de un derecho fundamental supera el juicio de proporcionalidad, es necesario constatar si cumple los tres requisitos o condiciones siguientes: si tal medida es susceptible de conseguir el objetivo propuesto (juicio de idoneidad); si, además, es necesaria, en el sentido de que no exista otra medida más moderada para la consecución de tal propósito con igual eficacia (juicio de necesidad); y, finalmente, si la misma es ponderada o equilibrada, por derivarse de ella más beneficios o ventajas para el interés general que perjuicios sobre otros bienes o valores en conflicto (juicio de proporcionalidad en sentido estricto)*".

los derechos fundamentales a la intimidad, al secreto de las comunicaciones y a la protección de datos en juego.

4. LOS DERECHOS DIGITALES Y EL CONTROL TECNOLÓGICO DE LA ACTIVIDAD DEL TELETRABAJADOR

Partiendo de estas consideraciones, analizamos a continuación algunas de las concretas manifestaciones de control empresarial del teletrabajador en el ámbito tecnológico en relación con la posible incidencia en la esfera de los derechos fundamentales del teletrabajador. En concreto, y por ser aquéllos mecanismos de control objeto de regulación en la recientemente promulgada Ley Orgánica de protección de datos, nos vamos a referir a continuación al control efectuado en dispositivos digitales, a los dispositivos de videovigilancia y grabaciones de sonidos, a la utilización de sistemas de geolocalización o a los controles biométricos en cuanto controles "emergentes".

4.1. El control de los dispositivos digitales

Como punto de partida, vaya por delante que, a los efectos del control de la actividad laboral del teletrabajador a través de los dispositivos digitales, no se aprecian en principio diferencias significativas entre la prestación laboral que pudiéramos denominar como "común" a estos efectos, –en el centro de trabajo de la empresa–, y la prestación de servicios a distancia, –en el lugar elegido por el teletrabajador, bien en telecentro, bien en el domicilio–. En buena medida porque la facultad de control de los dispositivos digitales se va a efectuar en ambos escenarios a través de la tecnología en remoto, bien a través de los servidores de la empresa, bien, en su caso, mediante la instalación al efecto de los correspondientes programas informáticos específicos de control en los propios dispositivos. Por lo tanto, desde esta perspectiva, el estudio de esta modalidad de control de la actividad laboral del teletrabajador nos remite a las reglas generales aplicables a cualquier trabajador por cuenta ajena con independencia del lugar donde aquél preste sus servicios.

En lo que se refiere a las facultades de control en sí de los propios dispositivos digitales, –monitorización empresarial del uso del ordenador, control del acceso a la navegación por internet, control de tablets u otros dispositivos similares como teléfonos móviles etc…–, debemos comenzar por afirmar que, en esta modalidad de control, los problemas se presentan como más complejos: en primer término, porque lo que se pretende controlar no es una realidad que se manifieste externamente "*sino que es algo interno, que no se expone al exterior y que no es observable directamente sin entrar en el instrumento productivo que lo contiene*"; en segundo lugar, porque cuando el control afecta al mail "*ya no está implicado solo el derecho fundamental a la intimidad o a la protección de datos, sino que queda afectado también el secreto a las comunicaciones y ello provoca, por último, que aparezca un tercero respecto del cual el control ya no puede explicarse en principio a través de las facultades que se atribuyen al empresario por el contrato de trabajo*"[72].

A partir de esta afirmación, contamos con un consolidado cuerpo de jurisprudencia ordinaria y constitucional que, a lo largo de los años, se ha ido encargando de perfilar los contornos en relación con las posibilidades de control empresarial. Todo ello en ocasiones en un diálogo con la jurisprudencia de Estrasburgo que, del mismo modo, ha tenido la ocasión de pronunciarse sobre el particular.

En este contexto, en una primera fase, la construcción doctrinal en el Tribunal Europeo de Derechos Humanos va a girar en torno a lo que se denominó como la "expectativa razonable de confidencialidad o privacidad". Partiendo de la afirmación en el sentido de que tanto las llamadas telefónicas, como los mails o el uso de internet debían incluirse dentro de los conceptos de "vida privada" y de "correspondencia" a efectos de lo prevenido en el artículo 8.1 del Convenio Europeo de Derechos Humanos, la existencia del derecho de toda persona al respeto de su vida privada y de su correspondencia, unida a cierta tolerancia en el uso personal de estos instrumentos productivos, condujo a concluir que existía una vulneración del derecho a la intimidad y de la correspondencia con la consiguiente infracción de lo prevenido en el artículo 8 del Convenio Europeo en aquéllos supuestos en los que el empresario no hubiera procedido a determinar las reglas de uso de esos dispositivos mediante instrucciones concretas,

---

[72] DESDENTADO BONETE, A y DESDENTADO DAROCA, E..: "La segunda sentencia del Tribunal Europeo de Derechos Humanos en el caso Barbulescu y sus consecuencias sobre el control del uso laboral del ordenador", *Revista de Información Laboral*, núm. 1/2018, parte Artículos de Fondo, Editorial Aranzadi S.A.U., Cizur menor 2018, pág. 2, trabajo en el que se efectúa un muy recomendable recorrido por la evolución experimentada en la doctrina judicial en la materia antes de Barbulescu II, en lo que los autores califican como un "*punto de equilibrio inestable entre un garantismo moderado en el uso personal de los medios informáticos de las empresas y la consagración, más o menos orwelliana, de un amplio poder de control empresarial en este ámbito*".

con prohibiciones, en su caso, sobre su uso extralaboral[73]. A partir de esta interpretación, la unificación en nuestra doctrina se va a producir en tres sentencias de la Sala de lo Social del Tribunal Supremo en las que se van a apuntalar los criterios hermenéuticos sobre el particular[74].

En esencia, y muy resumidamente por elementales razones de espacio, el Alto Tribunal va a concluir como punto de partida que las garantías y los límites del artículo 18 del ET no van a resultar aplicables al control de los medios informáticos, expresión esta última que en terminología actual podemos equiparar a los dispositivos digitales. Al ser el ordenador un instrumento empresarial, del que es titular el empresario, las medidas de control sobre esos medios informáticos puestos a disposición de los trabajadores se encuentran, en principio, dentro del ámbito normal de los poderes de control del art. 20.3 ET. Lo que no es el caso del art. 18 ET, supuesto éste en el que empresario actúa de forma exorbitante y excepcional fuera del marco contractual de esos poderes de control, en una especie de función de "policía privada" o de "policía empresarial" que la Ley vincula a la defensa de su patrimonio o del patrimonio de otros trabajadores de la empresa[75]. A partir de esta afirmación, el control de los ordenadores se justifica por la necesidad de coordinar y garantizar la continuidad de la actividad laboral en los supuestos de ausencias de los trabajadores (pedidos, relaciones con clientes..), por la protección del sistema informático de la empresa, que puede ser afectado negativamente por determinados usos, y por la prevención de responsabilidades que para la empresa pudieran derivar también algunas formas ilícitas de uso frente a terceros, no necesitando una justificación específica caso por caso. Y ello así desde la perspectiva de que la legitimidad del control va a derivar directamente del artículo 20.3 del ET, a diferencia de lo que sucede con los supuestos del artículo 18 del ET. A partir de aquí, el Alto Tribunal va a efectuar dos importantes matizaciones.

La primera, de conformidad con la doctrina constitucional a la que hemos hecho referencia líneas arriba, el ejercicio del control empresarial se encuentra sometido a determinados límites, debiendo guardar en la adopción y aplicación de esas medidas de vigilancia y control la consideración debida a la dignidad del trabajador. Partiendo de un hábito social generalizado de tolerancia en el uso personal moderado de los medios infor-

---

[73]   STEDH de fecha 25 de junio de 1997, Caso Halford contra Reino Unido, así como la STEDH de fecha 3 de abril de 2007, Asunto Copland contra Reino Unido.

[74]   STS de fecha 26 de septiembre de 2007, r.c.u.d. 966/2006, STS de 8 de marzo de 2011, r.c.u.d. 1826/2010 y STS de 6 de octubre de 2011, r.c.u.d. 4053/2010.

[75]   FJ 3º de la STS de fecha 26 de septiembre de 2007, r.c.u.d. 966/2006.

máticos, y de la denominada expectativa general de confidencialidad[76], el Tribunal concluye que, en aras de la buena fe, el empresario debe determinar las reglas de de uso de esos medios, con aplicación en su caso de prohibiciones absolutas o parciales para, a continuación, proceder a informar a los trabajadores de la posible existencia del control así como de los medios que habrán de aplicarse en orden a la comprobación en la corrección de los usos. De este modo, si el medio se utiliza para usos privados en contra de esas prohibiciones y con conocimiento de los controles y medidas aplicables, no podría entenderse que se estuvieran vulnerando esas expectativas de razonable intimidad al realizarse el control.

En segundo lugar, el Alto Tribunal va a afirmar que el correo electrónico se encuentra incluido no solo en el ámbito de protección del derecho a la intimidad sino, además, dentro de la protección adicional que deriva de la garantía constitucional del secreto de las comunicaciones, acceso a archivos temporales incluido[77].

A partir de estas concluyentes afirmaciones, la existencia de una prohibición absoluta en el uso empresarial de estos dispositivos para fines particulares se va a constituir en el presupuesto determinante para la declaración de la vulneración, o no, de los derechos fundamentales.

De este modo, cuando la prueba del posible incumplimiento del trabajador hubiera sido obtenida por la empresa a partir de una auditoría interna en las redes de información pero sin haber establecido previamente algún tipo de reglas para el uso de dichos medios, incluyendo prohibiciones absolutas o parciales, y sin haber informado a los trabajadores sobre la posibilidad de proceder al citado control, por mucho que pudiera entenderse lícito el objetivo de revisar la seguridad del sistema y detectar posibles anomalías en la utilización de los medios informáticos puestos a disposición de los empleados, el ejercicio del control empresarial no va a resultar ajustado a derecho dada la vulneración de los aludidos derechos[78].

En sentido contrario, la existencia de una prohibición absoluta y válida sobre el uso de medios de la empresa (ordenadores, móviles, internet, etc.) para fines propios, tanto dentro como fuera del horario de trabajo, no supone en sí misma a juicio del Supremo una vulneración del derecho a la intimidad del trabajador. En estos términos, la "cuestión clave" consistirá en determinar si existe o no un derecho del trabajador a que se respete su

---

[76] Asunto Halford y Asunto Copland contra Reino Unido.
[77] FJ 4º de la STS de fecha 26 de septiembre de 2007, r.c.u.d. 966/2006.
[78] STS de 8 de marzo de 2011, r.c.u.d. 1826/2010, FJ 4º.

intimidad cuando, en contra de la prohibición del empresario o con una advertencia expresa o implícita de control, utiliza el ordenador para fines personales. A partir de esta premisa básica, "*si no hay derecho a utilizar el ordenador para usos personales, no habrá tampoco derecho para hacerlo en unas condiciones que impongan un respeto a la intimidad o al secreto de las comunicaciones, porque, al no existir una situación de tolerancia del uso personal, tampoco existe ya una expectativa razonable de intimidad y porque, si el uso personal es ilícito, no puede exigirse al empresario que lo soporte y que además se abstenga de controlarlo*"[79].

En este contexto interpretativo la conclusión resulta evidente, resultando de todo punto necesario, primero, establecer una adecuada política empresarial a estos efectos, en segundo término, informar a los trabajadores sobre las posibilidades de control de esos concretos medios de producción. Reglas de uso en las que, en cuanto "sistemas de organización y control del trabajo" de los que se refieren en el art. 64.5 f) ET, deberán participar los representantes de los trabajadores a los efectos de la preceptiva información y consulta lo que, por otra parte, redundará en una reducción de la litigiosidad en la materia una vez que se diseñen unas normas claras al respecto y se informe a los empleados sobre la existencia de tal control[80].

Una vez sentado el criterio en la doctrina del Tribunal Supremo, la jurisprudencia constitucional va a tener la oportunidad de pronunciarse sobre el particular hasta en dos ocasiones, resoluciones ambas en las que se van a sentar dos premisas iniciales básicas en clara sintonía con el criterio del Alto Tribunal[81]. En primer lugar, también en el ámbito laboral las comunicaciones electrónicas registradas en los ordenadores quedan en principio protegidas por los derechos al secreto de las comunicaciones y a la intimidad. En segundo lugar, el máximo intérprete constitucional valora la presencia en el conflicto del poder de dirección empresarial, considerado como imprescindible para la buena marcha de la organización productiva, proyectando en el debate su doctrina clásica sobre la posible modulación de los derechos fundamentales. A partir de aquí, va a considerar admisible la regulación u ordenación del uso de los medios informáticos reconociendo, en coherencia, la facultad de vigilancia y control[82]. En este contexto,

---

[79]   STS de 6 de octubre de 2011, r.c.u.d. 4053/2010, FJ 4°.

[80]   RODRÍGUEZ ESCANCIANO, S.: "Internet en el trabajo", *Diario La Ley*, n° 8926, Sección Dossier, 21 de febrero de 2017, Editorial Wolters Kluwer, pág. 3.

[81]   STCONST 241/2012, de 17 de diciembre y STCONST 170/2013, de 7 de octubre.

[82]   PÉREZ DE LOS COBOS, F. y GARCÍA RUBIO, M. A.: "El control empresarial sobre las comunicaciones electrónicas del trabajador: criterios convergentes de la jurisprudencia del Tribunal Constitucional y del Tribunal Europeo de Derechos Humanos",

"En el marco de dichas facultades de dirección y control empresariales no cabe duda de que es admisible la ordenación y regulación del uso de los medios informáticos de titularidad empresarial por parte del trabajador, así como la facultad empresarial de vigilancia y control del cumplimiento de las obligaciones relativas a la utilización del medio en cuestión, siempre con pleno respeto a los derechos fundamentales"[83].

No obstante, a mayor abundamiento, el Tribunal Constitucional va a introducir en el debate ciertas precisiones en relación con el derecho al secreto de las comunicaciones del art. 18.3 CE. Así, en primer término, va a señalar que *"En ese ámbito, aunque pudiera caber la pretensión de secreto de las comunicaciones, actúa a su vez legítimamente el poder directivo, con la posibilidad consiguiente de establecer pautas de flujo de la información e instrucciones u órdenes del empresario que aseguren, sin interferir injustificadamente el proceso de comunicación y sus contenidos, el acceso a los datos necesarios para el desarrollo de su actividad, al igual que ocurre en otros escenarios en los que, sin control directo del empresario, los trabajadores a su servicio desarrollan la actividad laboral ordenada en contacto con terceros y clientes"*, afirmación ésta a partir de la cual va a resultar esencial determinar si el acceso a los contenidos informáticos vulnera el art. 18.3 CE, *"para lo que habrá de estarse a las condiciones de puesta a disposición"*[84]. Así, aunque la atribución de espacios individualizados o exclusivos pudiera tener relevancia desde el punto de vista de la actuación empresarial de control, –señaladamente, y a los efectos que nos interesan, cuentas personales de correo electrónico–, va a concluir afirmando que *"los grados de intensidad o rigidez con que deben ser valoradas las medidas empresariales de vigilancia y control son variables en función de la propia configuración de las condiciones de disposición y uso de las herramientas informáticas y de las instrucciones que hayan podido ser impartidas por el empresario a tal fin"*. Es ésta a nuestro juicio una de las conclusiones probablemente más determinantes a los efectos del debate, conclusión que, sin embargo, ha sido muy criticada desde cierto sector doctrinal [85].

Revista Española de Derecho del Trabajo, núm. 196/2017, parte Estudios, Editorial Aranzadi S.A.U., Cizur menor 2017, pág. 4.

[83]   STCONST. 241/2012, de 17 de diciembre, F.J. 5.

[84]   STCONST. 241/2012, de 17 de diciembre, F.J. 5.

[85]   Con una crítica frontal a esta conclusión, PRECIADO DOMENECH, C.H.: "Comentario de urgencia a la STEDH de 5 de septiembre de 2017, caso Barbulescu contra Rumanía (Gran Sala).- Recuperando la dignidad en el trabajo", *Jurisdicción Social*, 5 de septiembre de 2017, pág. 7, para quien el *"principio de variabilidad del alcance del poder de vigilancia"* resulta *"cuando menos sorprendente, puesto que hace depender el secreto de las comunicaciones y su tutela de la titularidad del medio y de que ese medio deje o no rastro informático de lo comunicado"*.

A mayor abundamiento, partiendo de la afirmación en el sentido de que lo que el art. 18.3 CE protege son únicamente ciertas comunicaciones, –esto es, las que se realizan a través de determinados medios o canales cerrados–, la expresa prohibición del uso extra laboral del correo, y la consiguiente limitación a fines profesionales[86], con la implícita facultad de la empresa de controlar su utilización al objeto de verificar el cumplimiento por el trabajador de sus obligaciones y deberes laborales, va a conducir a interpretar que el control, con análisis de remisión de mensajes incluido, se llevó a cabo a través de un canal de comunicación *"abierto al ejercicio del poder de inspección reconocido al empresario"*, máxime cuando el proceso de comunicación podía entenderse ya finalizado[87]. De este modo, en clara sintonía con lo mantenido anteriormente en la Sala IV del Supremo, el establecimiento de esas reglas concretas, unido a la transmisión de información sobre las posibilidades de efectuar el control, se constituyen en los presupuestos determinantes para descartar la vulneración de los derechos fundamentales, tanto del derecho a la intimidad como del secreto a las comunicaciones.

Y en este contexto interpretativo, la Sala de lo Social del Supremo va a tener la ocasión de volverse a pronunciar sobre la cuestión en determinada resolución en la que, con plena remisión a la doctrina ordinaria y constitucional previa, se va a reafirmar plenamente en su anterior conclusión en relación con las posibilidad de control del ordenador. Eso sí, siempre y cuando en el supuesto analizado se superara el juicio de proporcionalidad, esto es, el juicio de idoneidad, de necesidad y de estricta proporcionalidad[88].

No obstante, en este contexto interpretativo razonablemente pacifico[89], irrumpe en el debate con enorme impacto determinada jurisprudencia desde el Tribunal de Estrasburgo[90] que, a su vez, vino a rectificar el propio criterio del Tribunal Europeo mantenido un año antes[91]. Lectura ésta a

---

[86]   Dejando al margen el controvertido debate en el sentido de si la prohibición podía o no derivarse de la previsión convencional como infracción del uso extralaboral del ordenador, previsión ésta que, a fecha de hoy, no sería posible considerar como suficiente con la nueva LOPD en mano.

[87]   STCONST 130/2013, de 7 de octubre de 2013, F.J. 4.

[88]   STS de 13 de septiembre de 2016, r.c.u.d. 206/2015.

[89]   La STCONST. 241/2012, de 17 de diciembre contó con un voto particular discrepante que cuestionó la decisión mayoritaria al entender que las facultades de control excedieron los límites de los derechos constitucionales en juego en la medida que los mensajes estaban cerrados y la empresa no se limitó a comprobar la existencia de uso personal o no sino que fue más allá examinando el contenido de las comunicaciones.

[90]   STEDH (Gran Sala), de 5 de septiembre de 2017, asunto Barbulescu II.

[91]   STEDH, (Sección 4ª), de 12 de enero de 2016, asunto Barbulescu I.

resultas de la cual una buena parte de la doctrina vino a interpretar una rectificación de la doctrina del Supremo y del Constitucional.

De manera sucinta, a propósito de la aplicación al supuesto de autos del art. 8 del Convenio Europeo de Derechos Humanos, el Tribunal Europeo de Derecho Humanos afirma que, partiendo de la prohibición expresa de la empresa empleadora del uso de las herramientas informáticas para uso privado, así como de la información al trabajador respecto de estas reglas, no resultaba tan claro que al trabajador se le hubiera informado de que sus comunicaciones estaban siendo supervisadas antes de que se pusiera en marcha la actividad de vigilancia, en concreto, "*del alcance y la naturaleza de la supervisión efectuada por su empleador o de la posibilidad de acceder al contenido de sus comunicaciones*". Conclusión ésta alcanzada, eso sí, no sin importantes contradicciones en lo que se refiere al relato fáctico en ambas sentencias, todo hay que decirlo. A partir de aquí, estando las comunicaciones que el demandante realizó desde su lugar de trabajo comprendidas en los conceptos de "vida privada" y "correspondencia", el Tribunal va a afirmar que "*las instrucciones de una empresa no pueden anular el ejercicio de la privacidad social en el puesto de trabajo*", desde la perspectiva de que el respeto a la privacidad y a la confidencialidad de las comunicaciones siguen siendo necesarias aunque pudieran limitarse dentro de las medidas de necesidad[92].

Una vez sentada por tanto la aplicabilidad del art. 8 del Convenio al supuesto enjuiciado, en lo referente al cumplimiento o incumplimiento del mismo, a la hora de valorar la posible vulneración del derecho al respeto de la vida privada y de la correspondencia en el contexto de las relaciones laborales, el Tribunal Europeo va a configurar como elementos esenciales la proporcionalidad y las garantías procesales contra el carácter arbitrario en el ejercicio del poder de control empresarial[93]. A partir de aquí, para valorar esa proporcionalidad y ese respeto o no de las garantías, el Tribunal afirma que corresponderá a las autoridades nacionales determinar si se habían cumplido o no con una serie de factores, en lo que se ha venido a denominar como el "test Barbulescu". Destacando a nuestro juicio entre todos ellos las matizaciones acerca del alcance y la naturaleza del control como requisito de información previa, la distinción entre el control del flujo de comunicaciones y el de su contenido o la posibilidad de haber introducido medidas menos lesivas.

---

[92] Considerando 80 de la STEDH (Gran Sala), de 5 de septiembre de 2017, asunto Barbulescu II.

[93] Considerando 120 de la STEDH (Gran Sala), de 5 de septiembre de 2017, asunto Barbulescu II.

A resultas de esta resolución, que muy probablemente no se identifique de manera absoluta con la mantenida poco tiempo después por el mismo Tribunal en el Asunto Libert[94], autorizada doctrina calificó la interpretación como una "solución intermedia" entre dos posiciones opuestas, la de quienes sostenían que la prohibición el uso personal era en sí misma legítima, desapareciendo la expectativa de confidencialidad, por lo que no habría lesión de derecho alguno, y la de quienes mantenían que la empresa no podía prohibir de forma general a sus empleados el uso privado del ordenador y de la red de internet de la empresa, considerando inadmisible una política de control sobre dicho uso. A juicio de estos autores, en Barbulescu II el Tribunal Europeo establecía una exigencia adicional a la prohibición de control consistente en la advertencia de control en cuanto garantía adicional y a resultas de la cual el empresario debería informar al trabajador de que la empresa se reservaba la posibilidad de controlar el uso por los trabajadores de sus recursos tecnológicos[95].

Sea como fuere, se interprete que la denominada doctrina "Barbulescu II" suponía una rectificación o no de nuestra anterior jurisprudencia interna o, más allá, se valore como una solución intermedia, la realidad es que con posterioridad a tan importante resolución el Tribunal Supremo vuelve a tener la oportunidad de enfrentarse a la cuestión, concluyendo con rotundidad en el sentido de que la interpretación del Tribunal Europeo de Derecho Humanos coincidía sustancialmente con la doctrina constitucional sobre el particular.

Así, aun partiendo de la existencia de importantes diferencias en uno u otro supuesto en lo que se refiere al relato fáctico, nuestro Tribunal Supremo va a afirmar que "... *el norte de su resolución estriba en la ponderación de los intereses en juego, al objeto de alcanzar un justo equilibrio entre el derecho del trabajador al respeto de su vida privada y de su correspondencia, y los intereses de la empresa empleadora (así, en los apartados 29, 30, 57, 99, 131 y 144). Y al efecto —resumimos— son decisivos factores a tener en cuenta: a) el grado de intromisión del empresario; b) la concurrencia de legítima razón empresarial justificativa de la monitorización; c) la inexistencia o existencia de medios menos intrusivos para la consecución del mismo objetivo; d) el destino dado por la empresa al resultado del control; e) la previsión de garantías para el trabajador*". De conformidad con

---

94   STEDH de 22 de febrero de 2018, caso Libert.
95   DESDENTADO BONETE, A y DESDENTADO DAROCA, E..: "La segunda sentencia del Tribunal Europeo de Derechos Humanos en el caso Barbulescu y sus consecuencias sobre el control del uso laboral del ordenador", *Revista de Información Laboral*, núm. 1/2018, parte Artículos de Fondo, Editorial Aranzadi S.A.U., Cizur menor 2018.

esta lectura, la Sala del Alto Tribunal concluye afirmando que tales consideraciones nada sustancial añaden a la doctrina tradicional tanto de la propia Sala como del Constitucional, "*pues sin lugar a dudas los factores que acabamos de relatar y que para el TEDH deben tenerse en cuenta en la obligada ponderación de intereses, creemos que se reconducen básicamente a los tres sucesivos juicios de "idoneidad", "necesidad" y "proporcionalidad""* [96].

En estos tan contundentes términos, poco se puede añadir, salvo la circunstancia de que, en el supuesto de autos, se trataba de un hallazgo casual y que el concreto control del ordenador se calificó por los Tribunales como "ponderado" desde la perspectiva de que se efectuó desde el servidor de la empresa y utilizando parámetros en la búsqueda informática orientados a limitar la invasión en la intimidad. Circunstancias ambas que, probablemente, en cualquier otro supuesto deban ser valoradas, sin perjuicio de que consideramos que en eso consiste precisamente el juicio de proporcionalidad.

A partir de aquí, si ponemos estos criterios interpretativos en relación con la nueva regulación del artículo 87 de la Ley Orgánica de protección de datos, –derecho a la intimidad y el uso de dispositivos digitales en el ámbito laboral–, parece que la norma responde con carácter general al esquema general al que acabamos de aludir, si bien son observables algunas carencias y deficiencias técnicas.

En este sentido, el legislador refiere en la norma que el empresario podrá controlar la actividad laboral del trabajador accediendo, literalmente, a los contenidos derivados del uso de medios digitales facilitados a los trabajadores, siempre que el presupuesto de la vigilancia lo fuera a los solos efectos de controlar el cumplimiento de las obligaciones laborales o estatutarias o de garantizar la integridad de dichos dispositivos. Eso sí, siempre que el empresario cumpliera con dos presupuestos inexcusables: en primer lugar, que hubiera establecido previamente los concretos criterios de utilización de los dispositivos digitales, respetando en todo caso los estándares mínimos de protección de su intimidad de acuerdo con los usos sociales y los derechos reconocidos constitucional y legalmente, con participación de los representantes de los trabajadores; en segundo término, siempre que, además, hubiera informado a los trabajadores acerca de tales criterios de uso. No obstante, se nos plantean con la redacción de la norma ciertas dudas en lo que se refiere, sobre todo, al acceso al contenido de las comunicaciones, pero también en relación con la omisión legal respecto

---

[96]   STS de 8 de febrero de 2018, r.c.u.d. 1121/2015, FJ 7°.

a la garantía adicional de advertencia del control empresarial y de la finalidad de la medida. Y en este contexto, salvo mejor criterio, creemos que
estas posibles carencias deberían suplirse mediante una lectura integrada
de la misma con la jurisprudencia aludida descartando una interpretación
exclusivamente literal.

Así, en lo que se refiere al acceso al contenido de las comunicaciones,
no creemos que pueda deducirse sin más que ésta pueda ser la regla general; antes al contrario, creemos que se impone una lectura integrada del
precepto en relación con la doctrina constitucional en la que, en todo caso,
debe jugar un papel determinante la superación del juicio de proporcionalidad. Por tanto, en el debate entre el control del flujo de las comunicaciones *vs* el control de su contenido, la primera de la opciones debería ser
la regla general, quedando a nuestro juicio el control sobre el contenido
de los mensajes reservado para situaciones realmente excepcionales previa superación inexcusable del juicio de necesidad. En todo caso, a mayor
abundamiento, en la medida de lo posible deberá optarse por un control
selectivo de los mensajes a través de la posible identificación de palabras
clave y demás dado el menor impacto en el derecho fundamental.

En esta línea restrictiva, la norma regula expresamente la posibilidad
de uso de los dispositivos digitales con fines privados, eso sí, siempre que
se especifiquen de modo preciso los usos autorizados y que se establezcan
garantías para preservar la intimidad de los trabajadores, tales como, en
su caso, la determinación de los períodos en que los dispositivos podrán
utilizarse para fines privados. ¿Quiere esto decir que, *a sensu contrario*, podemos interpretar que la regla general es la de prohibición de uso para
fines particulares? A nuestro juicio la respuesta a este interrogante debe
ser negativa, no pudiendo servir esta previsión a modo de "carta de naturaleza" para deducir de la norma, sin más, la prohibición absoluta, debiendo nuevamente integrarse el precepto legal con la jurisprudencia sobre el
particular. Ciertamente la redacción es defectuosa, pero creemos que en
modo alguno pudiera servir para eliminar la exigencia de advertencia expresa de imposibilidad de uso particular de los dispositivos, en su caso, con
la garantía adicional de la información al trabajador.

En conclusión, el control de los dispositivos digitales del teletrabajador
va a resultar posible, pero siempre y cuando se base en el establecimiento
de reglas concretas sobre su uso, implementadas previa información y consulta con los representantes de los trabajadores, y con la posterior información a los mismos sobre su existencia con la advertencia expresa sobre las
posibilidades de control. Derecho de información que se configura en la

nueva Ley de Protección de Datos como contenido esencial del derecho a la intimidad y a la autodeterminación informativa y no como mera obligación desde la perspectiva de la legalidad ordinaria a tenor de las obligaciones de información y consulta *ex* art. 64 ET.

A partir de estas premisas, la justificación del control de los dispositivos digitales del teletrabajador deberá analizarse caso por caso atendiendo al necesario equilibrio entre los derechos en juego y siempre con la necesaria superación del juicio de proporcionalidad.

4.2. El uso de dispositivos de videovigilancia como medida de control empresarial

La cuestión de la utilización de dispositivos de videovigilancia a los efectos del control de la actividad laboral es una cuestión que, de antiguo, se presenta como problemática a la vista del complicado equilibrio entre poder de dirección y derecho a la intimidad y, más allá, a la autodeterminación informativa. Dicho esto, si nos referimos en concreto al uso de estos dispositivos de grabación para el control del teletrabajador, varias son las especificidades derivadas de la prestación de servicios en régimen de teletrabajo en relación con la prestación laboral presencial en las instalaciones de la empresa que debemos ponderar. Así, en primer término, desde la perspectiva del tipo de teletrabajo, no puede resultar lo mismo a estos efectos el hecho de que la prestación laboral se desarrolle en un centro de recursos compartidos que en el propio domicilio del trabajador. Mientras que en el primer escenario las posibilidades de control empresarial serán similares a las de la prestación de servicios de manera presencial en la empresa, con matizaciones, en el supuesto de la opción por el teletrabajo en el domicilio la instalación de las cámaras o de los equipos de grabación quedará mucho más restringida desde la óptica de la inviolabilidad del domicilio. En segundo término, aún en el supuesto de prestación del teletrabajo en un centro de recursos compartidos, los poderes de organización y control de la actividad laboral van a quedar condicionados por el titular del centro, quien será el que en primer término detente las facultades de disposición sobre sus instalaciones, resultando preceptiva la coordinación entre el empresario del teletrabajador y el titular del centro a los efectos de posible instalación de un dispositivo de grabación. Por último, la instalación de cámaras de seguridad por cuestiones relacionadas con la protección de las instalaciones o de las personas queda claramente descartada en el caso de prestación del teletrabajo en el domicilio particular. Salvadas estas importantes distancias, debemos remitirnos a los criterios interpretativos en la jurisprudencia ordinaria y constitucional en relación con las posibilidades de control empresarial a través de los dispositivos de videovigilancia, vaivenes jurisprudenciales incluidos[97].

Como punto de partida, el debate con respecto a la legalidad o no del control empresarial mediante la instalación de cámaras de vigilancia desde la perspectiva constitucional oscila a nivel doctrinal entre lo que podemos convenir como dos tesis enfrentadas. Por un lado, la de quienes ponen todo el énfasis en la necesidad de respetar al máximo el denominado derecho a la autotutela informativa, en cuanto derecho autónomo, imponiendo unas muy exigentes obligaciones en materia de información previa, –tesis que podemos nominar como restrictiva–. Por otro, la de quienes flexibilizan el cumplimiento de las mencionadas obligaciones de información en determinados supuestos desde la perspectiva del derecho de autodeterminación informativa para, en un segundo estadio, analizar la viabilidad del control empresarial desde la perspectiva del derecho a la intimidad a través de la superación, o no, del denominado como juicio de proporcionalidad, –tesis que podemos calificar como flexibilizadora–.

En este contexto, nuestra jurisprudencia constitucional tuvo la oportunidad de acercarse en un primer momento a la cuestión en dos supuestos: uno primero, en el que se trataba de analizar la instalación de aparatos de captación y de grabación del sonido en un centro de trabajo en el que se consideró que esa instalación no era indispensable para la seguridad o el buen funcionamiento de la empresa[98]; una segunda resolución, en la que se sometió al recurso de amparo la instalación de determinadas cámaras ante la existencia de fundadas sospechas de actuación irregular, cámaras instaladas por una empresa de seguridad contratada al efecto, a través de circuito cerrado, y que enfocaban únicamente a tres de las cajas registradoras y al mostrador de paso dado que era ése el radio de acción aproximado donde se sospechaban las irregularidades[99]. Pues bien, a los efectos que nos interesan, la cuestión es que el Tribunal Constitucional se aproxima en un primer momento a la cuestión exclusivamente desde la perspectiva de la posible vulneración del derecho a la intimidad, residenciando la diferente solución

---

[97]   DESDENTADO BONETE, A y DESDENTADO DAROCA, E..: "La segunda sentencia del Tribunal Europeo de Derechos Humanos en el caso Barbulescu y sus consecuencias sobre el control del uso laboral del ordenador", *Revista de Información Laboral*, núm. 1/2018, parte Artículos de Fondo, Editorial Aranzadi S.A.U., Cizur menor 2018, pág. 2.
[98]   STCONST 98/2000, de 10 de abril.
[99]   STCCONST 186/2000, de 10 de julio.

en cada caso en la estricta aplicación de los principios de proporcionalidad y de intervención mínima, esto es, en la preceptiva superación del triple juicio de idoneidad, de necesidad y de proporcionalidad en sentido estricto.

En este contexto, no es sino hasta bastantes años después que el Tribunal Constitucional da un paso más en el debate, al poner a partir de este momento todo el énfasis en la posible vulneración del derecho a la autotutela informativa, incluso sin entrar a valorar la cuestión desde la perspectiva del derecho a la intimidad[100]. En esta interpretación, muy rigurosa respecto de la exigencia de información previa[101], el Tribunal va a concluir que no era suficiente la existencia de distintivos anunciando la instalación de cámaras y la captación de imágenes en el recinto ni que se hubiera notificado la creación del fichero a la Agencia Española de Protección de Datos, resultando en todo caso necesaria la información previa y expresa, precisa, clara e inequívoca a los trabajadores de la finalidad de control de la actividad laboral a la que esa captación podía ser dirigida, una información que debía concretar las características y el alcance del tratamiento de datos que iba a realizarse[102]. De conformidad con esta lectura, se abre paso en la jurisprudencia Constitucional una nueva tesis en la que se plantea la legitimidad de los actos de control empresarial desde la perspectiva del derecho a la protección de datos como un derecho suficiente y autónomo del de intimidad, lo que supone un nuevo enfoque del problema de los límites a la instalación y uso de la videovigilancia en la empresa[103].

No obstante, superando lo que se calificó desde algún sector como "formalismo enervante"[104], el panorama vuelve a cambiar al reinterpretar el

---

[100]   STCONST 29/2013, de 11 de febrero, Sala 1ª.

[101]   DESDENTADO BONETE, A y DESDENTADO DAROCA, E..: "La segunda sentencia del Tribunal Europeo de Derechos Humanos en el caso Barbulescu y sus consecuencias sobre el control del uso laboral del ordenador", *Revista de Información Laboral*, núm. 1/2018, parte Artículos de Fondo, Editorial Aranzadi S.A.U., Cizur menor 2018, pág. 2.

[102]   La Sentencia cuenta con un interesante voto particular del Magistrado Andrés Ollero en el que, entre otras cuestiones, y a los efectos que nos interesan, se alega al carácter instrumental del derecho a la protección de datos al servicio de otros derechos por lo que, desde esta perspectiva, se cuestiona que pueda incluso atribuírsele más peso que al adjudicado en el caso enjuiciado al derecho a la intimidad.

[103]   RODRÍGUEZ ESCANCIANO, S.: "Posibilidades y límites en el uso de cámaras de videovigilancia dentro de la empresa. A propósito de la sentencia del Tribunal Constitucional de 3 de marzo de 2016", *Diario La Ley*, nº 8747, Sección Tribuna, 22 de abril de 2016, Ref. D-171, Editorial La Ley, pág. 4.

[104]   DESDENTADO BONETE, A y MUÑOZ RUIZ, A.B.: "Trabajo, videovigilancia y controles informáticos. Un recorrido por la jurisprudencia", *Revista General de Derecho del Trabajo y de la Seguridad Social*, n°. 39, 2014, pág. 16.

Constitucional su exégesis sobre la vulneración del derecho a la protección de datos[105]. En este sentido, la excepción del consentimiento previo en aquéllas cuestiones relacionadas con el contrato de trabajo, unida a la acreditación de la exigencia de finalidad legítima para el tratamiento de los datos en el ámbito laboral al amparo de las facultades de control empresarial del art. 20.3 ET, van a conllevar que el Tribunal concluya a favor del cumplimiento de las exigencias de información previa a través de la colocación del distintivo informativo de la AEPD por el que se advertía de la instalación de las cámaras. Una vez descartada la vulneración del derecho de autodeterminación informativa, concluirá en el supuesto analizado a favor de la justificación de la medida desde la perspectiva del derecho a la intimidad al existir razonables sospechas de apropiación de dinero, y ello desde la perspectiva de la idoneidad de la grabación para la finalidad pretendida, de la necesidad de la misma y de su carácter equilibrado, al limitarse la grabación a determinada zona. En este contexto, el Constitucional descarta lesión alguna del derecho a la intimidad personal consagrado en el art. 18.1 CE[106].

Es esta una lectura, la de la tesis que hemos denominado como "flexibilizadora", que va a terminar por imponerse de manera pacífica en la jurisprudencia de la Sala IV del Supremo, superando así una anterior conclusión coincidente con el criterio mantenido en la aludida Sentencia del año 2013, esto es, necesaria información previa y expresa, precisa, clara e inequívoca a los trabajadores de la finalidad de control de la actividad laboral, información que debía concretar las características y el alcance del tratamiento de datos que iba a realizarse[107]. En esta tesitura, el Alto Tribunal evoluciona su criterio hacia una doctrina menos formalista en lo que respecta al requisito de información previa y la posible vulneración del derecho a la protección de datos, considerando cumplida en determinadas circunstancias esta exigencia a través del denominado distintivo de la AEPD, quedando a partir de ahí el debate acerca de la posible vulneración del derecho a la intimidad sujeto a la superación del juicio de proporcionalidad[108]. En todo caso, el propio Tribunal Supremo se encarga de afirmar

---

[105]   STCONST 39/2016, de 3 de marzo.
[106]   La sentencia contiene un voto particular, ponente el Magistrado Fernando Valdés Dal-Ré, al que se adhiera la Magistrada Adela Asua Batarrita , y otro del Magistrado Juan Antonio Xiol Ríos que, en esencia, discrepan sobre la funcionalidad del distintivo para dar por cumplimentado el deber de información previa.
[107]   STS de fecha 13 de mayo de 2014, r.c.u.d. nº 1685/2013.
[108]   STS de 7 de julio de 2016, r.c.u.d. nº 3233/2014; STS de 31 de enero de 2017, r.c.u.d. nº 3331/2015, dictada en Pleno; STS de 1 de febrero de 2017, r.c.u.d. nº 3262/2015, en Pleno; STS de 2 de febrero de 2017, en r.c.u.d. nº 554/2016, en Pleno.

que *"No hay una única doctrina sobre la licitud de la grabación por la empresa de comportamientos irregulares de sus trabajadores a través de cámaras instaladas sin conocimiento y consentimiento de los mismos, sino que su validez depende de las circunstancias de cada concreto supuesto. O mejor dicho, hay una doctrina constitucional en la que se nos dice que la grabación es ajustada a derecho cuando concurren determinadas circunstancias, y es en cambio ilícita si esa actuación empresarial se produce en otras condiciones diferentes"*[109].

Hasta este punto, en el debate entre lo que hemos denominado como la tesis "restrictiva" y la tesis "flexibilizadora", cuando parecía que esta última se encontraba asentada, el Tribunal Europeo de Derechos Humanos procede a dictar determinada resolución que convulsiona el panorama mantenido hasta entonces [110]. En estos términos, la videovigilancia encubierta ante la existencia de fundadas sospechas de robo, no cumplía a juicio del Tribunal Europeo con las exigencias de la Ley Orgánica de Protección de Datos vigente en aquél momento desde la perspectiva de la falta de cumplimiento de las obligaciones de información, aún constando la existencia del distintivo obligatorio. De este modo, el Tribunal afirma no poder compartir la opinión de los tribunales nacionales sobre la proporcionalidad de las medidas adoptadas por el empresario con el objetivo legítimo de proteger el interés del empresario en la protección de sus derechos propietarios, tampoco con la obligación de informar previamente a los interesados de modo expreso, preciso e inequívoco sobre la existencia y características particulares de un sistema de recogida de datos de carácter personal. No obstante, en un giro de 180 grados, el propio Tribunal Europeo va a revisar su propio criterio concluyendo que, a la vista de las circunstancias aplicables al caso, las autoridades nacionales no incumplieron sus obligaciones positivas en virtud del artículo 8 del Convenio, pese a que se considera incumplida la obligación de información con respecto a las denominadas "cámaras ocultas"[111].

Y, en este recorrido, irrumpe en el debate la promulgación de la nueva Ley Orgánica de Protección de Datos[112], normativa ésta en la que se va a especificar de manera expresa que el tratamiento de los datos obtenidos mediante la instalación de cámaras o videocámaras va a exigir dos condi-

---

[109]   STS de 21 de julio de 2016, r.c.u.d. nº 318/2015
[110]   STEDH de 9 de enero de 2018, asunto López Ribalda I.
[111]   STEDH de 17 de octubre de 2019, Gran Sala, asunto López Ribalda y otros contra España.
[112]   Art. 89 de la Ley Orgánica 3/2018, de 5 de diciembre, de Protección de Datos Personales y garantía de los derechos digitales, BOE nº 294, de 6 de diciembre de 2018.

ciones: una primera, que la finalidad de la grabación lo sea para el ejercicio de las funciones de control establecidas en el art. 20.3 ET; una segunda, que los empresarios informen acerca de estas medidas a los trabajadores y, en su caso, a sus representantes con carácter previo y de forma expresa, clara y concisa, no resultando admisible en ningún caso la instalación de sistemas de grabación de sonidos ni de videovigilancia en lugares destinados al descanso o esparcimiento. A partir de estas premisas, con una muy deficiente técnica jurídica, en la propia norma se refiere textualmente que, *"En el supuesto de que se haya captado la comisión flagrante de un acto ilícito por los trabajadores o los empleados públicos se entenderá cumplido el deber de informar cuando existiese al menos el dispositivo al que se refiere el artículo 22.4 de esta ley orgánica"*, afirmación esta que abre más interrogantes de los que resuelve en la medida que no se especifica qué habrá de entenderse por acto ilícito.

En este contexto, a partir de la entrada en vigor de la norma, el legislador opta por un modelo en el que, como regla general, se ampara el tratamiento de los datos personales consistentes en las imágenes con la específica y concreta finalidad de control de la actividad laboral, eso sí, siempre que el tratamiento venga precedido de la información con carácter previa, y de forma expresa, clara y concisa, exceptuándose los lugares destinados al descanso o esparcimiento, quedando como modulación de las obligaciones de información el supuesto de comisiones fragrantes de actos ilícitos en las que se entenderá cumplida la obligación a través de distintivo de seguridad del art. 22 de la Ley. En todo caso, la lectura de la norma debe a nuestro juicio integrarse con los criterios interpretativos asentados en la jurisprudencia sobre el particular, señaladamente, con los principios de intervención mínima, de justificación de la medida y con la necesaria superación del juicio de proporcionalidad, descartando que pueda efectuarse una lectura de la norma en la que se posibilite una facultad videovigilancia permanente del trabajador.

Y si trasladamos este esquema general al ámbito del teletrabajo, las posibilidades se reducen a nuestro juicio a los supuestos de alternancia de la prestación laboral en la empresa y en un centro de recursos compartidos, pues no creemos que en el escenario de llevarse a cabo la actividad en el domicilio particular pudiera ampararse la instalación de cámaras de videovigilancia dada la inviolabilidad del mismo. Máxime cuando la prestación laboral en régimen de teletrabajo debe imperativamente efectuarse en régimen de alternancia entre las instalaciones de la empresa y el lugar elegido por el trabajador, con lo que desde esta perspectiva una medida tan restrictiva de los derechos fundamentales no superaría el juicio de necesidad en la medida que existirían alternativas menos gravosas, quedando en este contexto el uso de dispositivos de videovigilancia como una medida ciertamente residual. Imposibilidad que resultará extensible al supuesto de instalación de apartados de grabación de sonidos en el domicilio particular toda vez que el legislador ha optado en la norma por limitarlos a los supuestos de riesgos relevantes para la seguridad de las instalaciones, bienes y personas derivados de la actividad que se desarrolle en el centro de trabajo.

4.3. *La utilización de sistemas de geolocalización en el ámbito laboral como mecanismo de control*

Avanzando en las concretas opciones de control, la utilización de dispositivos de geolocalización se ha convertido en determinadas actividades en un instrumento de control de la actividad del trabajador, opción que desde una perspectiva teórica podría resultar extensible para el supuesto del teletrabajador en la medida que permite al empresario localizar al trabajador a distancia en todo momento. Dicho esto, resulta necesario efectuar una aproximación a la utilización de este tipo de sistemas de control en el ámbito laboral desde la perspectiva de la posible afectación de los derechos a la intimidad y a la protección de datos antes de efectuar una conclusión con respecto a su posible utilización en el ámbito del teletrabajo.

Como punto de partida, el tratamiento de la información obtenida a partir de aparatos de geolocalización con la finalidad de vigilancia y control de la actividad laboral encuentra su acomodo y legitimación en lo prevenido en el art. 20.3 del Estatuto de los Trabajadores[113]. Dicho esto, en la medida en que nos encontramos ante un dato de carácter personal, –más en concreto, ante un "dato de localización"–[114], no es discutible que la empresa va a poder disponer de información sobre algunos aspectos de la vida del trabajador que responden a su estricta intimidad[115]. En este sentido, el tratamiento de la información obtenida mediante dispositivos de geolocalización GPS o GSM va a afectar a una de las manifestaciones del derecho

---

[113] Informe 193/2008 de la Agencia Española de Protección de Datos en relación a consulta planteada con respecto al procedimiento para el tratamiento de datos emitidos por el sistema de GPS instalados en los vehículos para actuar de conformidad con la Ley Orgánica 15/1999, de 13 de diciembre, de Protección de datos de Carácter Personal.

[114] Art. 2 de la Directiva 2002/58/CE del Parlamento Europeo y del Consejo, de 12 de julio de 2002, relativa al tratamiento de los datos personales y a la protección de la intimidad en el sector de las comunicaciones electrónicas: *"cualquier dato tratado en una red de comunicaciones electrónicas que indique la posición geográfica del equipo terminal de un usuario de un servicio de comunicaciones electrónicas disponible para el público"*.

[115] STSJ de Cataluña, de 24 de abril de 2015, rec. 715/2015, F.J. 5º.

a la intimidad, que los demás no sepan dónde se está en cada momento, esto es, el derecho a no estar permanentemente localizado[116]. De ahí que, para su tratamiento, resulten de plena aplicación los principios que rigen la normativa en materia de protección de datos[117].

Con anterioridad a la promulgación de la vigente Ley Orgánica en materia de protección de datos, diferentes Tribunales de suplicación han tenido la oportunidad de pronunciarse sobre la licitud o ilicitud de la utilización de este tipo de dispositivos en cuanto instrumentos de control de la actividad laboral, habiéndose elaborado un cuerpo de doctrina al respecto de algunas de las cuestiones más controvertidas en relación con su válida utilización, esencialmente, en vehículos de la empresa En este sentido, como punto de partida, se ha venido concluyendo que el uso de medios y dispositivos tipo GPS no se podría considerar ilícito en la medida que existiría un interés empresarial en la localización de los mismos pero, también, en la seguridad del trabajador[118].

Como común denominador a todas estas resoluciones, el presupuesto válido para la válida utilización de estos sistemas de control se reside en la información previa al trabajador[119]. Y no sólo sobre la existencia de este tipo de dispositivos sino, más allá, sobre la finalidad de los mismos[120]. De este modo, desde la perspectiva de la vulneración del derecho a la protección de datos, la falta de información va a conducir a la declaración de la vulneración del derecho a la intimidad del trabajador[121]. A partir de aquí, a nuestro juicio con acertado criterio, la superación del triple juicio de idoneidad, necesidad y proporcionalidad se convierte en el presupuesto para la declaración de la inexistencia de vulneración del derecho a la intimidad en algún concreto supuesto[122].

---

[116] PURCALLA BONILLA, M.A.: "Control tecnológico de la prestación laboral y derecho a la desconexión de los empleados: Notas a propósito de la Ley 3/2018, de 5 de diciembre", *Revista Española de Derecho del Trabajo*, núm. 218/2019, parte Estudios, Editorial Aranzadi S.A.U., Cizur menor 2019.

[117] Informe 90/2009 de la Agencia Española de Protección de Datos, en relación a consulta respecto a la adecuación a la Ley Orgánica 15/1999, de 13 de diciembre, de Protección de Datos de Carácter Personal, del tratamiento, por parte de una empresa de seguridad, de los datos de localización de sus empleados en tareas de escolta obtenidos a través del teléfono que les proporciona que dispone de localizador GPS.

[118] STSJ de Galicia, de 6 de junio de 2014, rec. 903/2014, F.J. 4°.

[119] STSJ de Andalucía, de 19 de julio de 2017, rec. 2776/2016, F.J. 3°.

[120] STSJ Cataluña, de 24 de abril de 2015, rec. 715/2015, F.J. 5°:

[121] STSJ de Madrid, de 29 de septiembre de 2014, rec. 1993/2013, F.J. 5°.

[122] STSJ de la Comunidad Valenciana, de 2 de mayo de 2017, rec. 3689/2016, F.J. 2°. 2

Sentada la obligatoriedad de información, la inexistencia de consentimiento expreso de los trabajadores para el control más allá de la jornada laboral va a conducir a la declaración de la vulneración del derecho fundamental en aquéllos supuestos en los que las empresas no hubieran dispuesto de un sistema para la desactivación de los dispositivos fuera de aquélla jornada[123], no pudiendo ser el trabajador ser objeto de seguimiento durante todos los días de su vida laboral, tanto durante la jornada como fuera de ella[124].

Como hemos apuntado, es ésta una interpretación que se efectúa en nuestros Tribunales con anterioridad a la promulgación de la vigente Ley Orgánica de Protección de Datos, normativa en la que expresamente se confirma el derecho a la intimidad ante la utilización de sistemas de geolocalización en el ámbito laboral[125]. En este sentido, en cuanto a la finalidad de la medida, el legislador va a confirmar la pertinencia del tratamiento de los datos obtenidos a través de sistemas de geolocalización para el ejercicio de funciones de control de la actividad laboral, eso sí, siempre y cuando estas funciones se ejerzan dentro de su marco legal y con los límites inherentes al mismo. De este modo, como primera conclusión, el régimen jurídico aplicable a estos efectos no resulta ser algo aislado, debiendo integrarse con los criterios tanto jurisprudenciales como los derivados de los informes y resoluciones desde la Agencia Española de Protección de Datos sobre el particular. A estos efectos, estando en juego derechos fundamentales, el respeto de su contenido esencial o la superación del juicio de proporcionalidad se convierten en límites inexcusables para el control empresarial.

A partir de aquí, el diseño legal residencia las posibilidades de control en la exigencia previa de información expresa, clara e inequívoca a los trabajadores acerca de la existencia y características de estos dispositivos, debiendo informar igualmente sobre las posibilidades de ejercicio de los derechos de acceso, rectificación, limitación del tratamiento y supresión. En este sentido, aún conviniendo respecto de lo acertado de la previsión legal, sí que llama la atención que la regulación resulte más completa que para el supuesto del uso de dispositivos digitales.

De conformidad con esta redacción legal, en la medida que el legislador vincula expresamente el tratamiento de estos datos con la finalidad del artículo 20.3 ET de control de la actividad laboral, el debate en torno

---

[123] STSJ de Asturias, de 27 de diciembre de 2017, rec. 2241/2017.
[124] STSJ Castilla La Mancha de 10 de junio de 2014, rec. 1162/2013, F.J. 4º.
[125] Art. 90 de la Ley Orgánica 3/2018, de 5 de diciembre, de Protección de Datos Personales y garantía de los derechos digitales, BOE nº 294, de 6 de diciembre de 2018.

a la utilización de los dispositivos más allá de la jornada laboral queda cerrado, máxime cuando lo ponemos en relación con el derecho a la desconexión digital en el ámbito laboral regulado como derecho autónomo en la referida norma. Por otra parte, las exigentes obligaciones en materia de información con carácter previo, convierten a este requisito en contenido esencial del derecho, hasta el punto de que no podría concluirse, en su caso, en el sentido de una simple infracción de los derechos de información y consulta del art. 64 ET desde la perspectiva de la legalidad ordinaria. Por lo tanto, esta obligación de información expresa, clara e inequívoca a los trabajadores acerca de la existencia y características de los dispositivos, en cuanto presupuesto inexcusable para el ejercicio de las facultades de control empresarial, se convierte en un correlativo derecho del trabajador que en modo alguno puede ser vulnerado.

A partir de este diseño legal, las opciones de control de la actividad laboral del teletrabajador a través de instrumentos de geolocalización van a depender en buena medida del tipo de dispositivo a través del cual se lleve a cabo este control. A estos efectos, no es cuestionable que la incidencia en el derecho a la intimidad del trabajador no va a ser la misma si el dispositivo GPS va instalado en un vehículo de la empresa que, por ejemplo, mediante la descarga de una aplicación en un teléfono móvil o similar en lo que se ha venido a denominar como weareables o "ponibles". Del mismo modo, tampoco va a resultar indiferente el hecho de que, en este segundo escenario, el dispositivo sea propiedad de la empresa y, por tanto, de uso exclusivamente laboral o, por el contrario, propiedad del trabajador.

En este contexto, por más que la prestación del trabajo a distancia presente a estos efectos particularidades que, en buena medida, abundarían en la idoneidad de este tipo de control empresarial, cualquier intento de localización del teletrabajador mediante este tipo de dispositivos debería residirse, siempre y en todo caso, en la necesaria desconexión del sistema de localización una vez terminada la jornada laboral como condición inexcusable para el necesario respeto del derecho a la intimidad del teletrabajador. En otros términos, aunque pudiera convenirse, en su caso, en el carácter idóneo o, más allá aún, adecuado de la medida, la permanente conexión del trabajador no superaría el juicio de proporcionalidad a la vista de los intereses en juego. Circunstancia ésta que nos lleva a desaconsejar la utilización de teléfonos móviles particulares del trabajador como dispositivos de control vía geolocalización (BYOD)[126], resultando preferible la

---

[126]   A propósito de la problemática derivada de la utilización para fines laborales de dispositivos particulares propiedad del trabajador, puede consultarse MUÑOZ RUÍZ, A.B.:

opción por descargar una aplicación en el ordenador empresarial, tablet o similar, máxime cuando en el art. 87.1 de la Ley Orgánica el legislador se refiere a dispositivos puestos a disposición por el empleador[127].

4.4. *Controles biométricos y control de la actividad laboral del teletrabajador*

Desde una perspectiva operacional, la utilización de los datos biométricos del trabajador captados mediante la utilización de dispositivos y programas instalados al efecto puede constituir un mecanismo adecuado para el control de la actividad laboral, teletrabajador incluido. A título ilustrativo, el reconocimiento de la huella dactilar, del iris de los ojos, de la retina o de la mano a los efectos de control la jornada laboral; el reconocimiento de escritura de teclado para la medición de la frecuencia en el uso del ordenador; o el reconocimiento facial del trabajador a través de programas al efecto, –social mapper, open face, bippar–, entre otros. Dicho esto, una cosa es que los avances tecnológicos permitan estas diferentes opciones desde una perspectiva meramente tecnológica y, otra diferente, que su utilización se acomode al necesario equilibrio y ponderación entre el poder de vigilancia y control y los derechos fundamentales.

Partiendo de esta realidad, cada vez más problemática desde la perspectiva del derecho a la intimidad a la vista de los avances tecnológicos, el Reglamento Europeo en materia de protección de datos define a los datos biométricos cómo aquéllos "*datos personales obtenidos a partir de un tratamiento técnico específico, relativos a las características físicas, fisiológicas o conductuales de una persona física que permitan o confirmen la identificación única de dicha persona, como imágenes faciales o datos dactiloscópicos*"[128]. Conceptuación ésta que conlleva que en su tratamiento resulten de plena aplicación las garantías y principios establecidos en la normativa europea en materia de protección de datos.

"La práctica "Bring your own device" y su incidencia en la relación de trabajo: ¿tecnología a coste cero para la empresa?", *El Foro de Labos*, 10 de septiembre de 2019.

[127]   En este sentido, traemos a colación la SAN de 6 de febrero de 2019, rec. 318/2018, en la que se declara la nulidad de determinada medida empresarial consistente en la obligatoria aportación por el trabajador de teléfono móvil de su propiedad a los efectos de control de seguimiento de pedidos al vulnerarse el derecho a la privacidad de los trabajadores al poder haber optado por medidas menos injerentes en los derechos fundamentales de los trabajadores, señaladamente, instalación de los sistemas de localización GPS en las motocicletas.

[128]   Art. 4.14 del Reglamento 2016/679 del Parlamento Europeo y del Consejo de fecha 27 de abril de 2016.

Dicho esto, con anterioridad a la promulgación de la vigente Ley Orgánica de Protección de Datos, determinadas resoluciones judiciales habían tenido ocasión de pronunciarse en relación con la utilización de la huella digital a los efectos de control de jornada. En este sentido, la Sala de lo Contencioso-Administrativo del Supremo concluyó que, el establecimiento de un sistema de control horario que identificara al personal por la lectura de la mano mediante infrarrojos, no vulneraba ni el derecho a la intimidad ni el derecho a la integridad física o moral del trabajador, respondiendo el sistema de control a una finalidad legítima que podía considerarse adecuada, pertinente y no excesiva[129]. Este criterio es seguido en posteriores resoluciones judiciales siempre a propósito de la instalación de sistemas de control de acceso mediante lectores biométricos, fundamentando la inexistencia de vulneración del derecho fundamental en el tratamiento adecuado, pertinente y no excesivo en relación con la finalidad legítima[130], o en los criterios de idoneidad, necesidad y proporcionalidad en sentido estricto[131]. Así, partiendo de esta doctrina en el sentido de que la "versión digital" de una huella dactilar no expresa ningún aspecto concreto de la personalidad, no teniendo los datos biométricos mayor trascendencia que los datos relativos a un número de identificación personal, o de una ficha personal, los empleadores pueden emplear tecnologías de reconocimiento biométrico en el control horario al no revestir caracteres de intromisión ilegítima en la esfera de la intimidad, cuestión distinta la de que la empresa deba informar a los trabajadores de la existencia del registro de esos datos y de los derechos de rectificación, cancelación, etc...[132].

La propia Agencia Española de Protección de Datos se pronunció en fechas no muy lejanas a favor de la viabilidad de sistemas de control de acceso eso sí, "*exigiendo una especial atención no sólo a la proporcionalidad sino a la*

---

[129] STS, CA, de fecha 2 de julio de 2007, F.J. 5º: "*La captación por infrarrojos de una imagen tridimensional de la mano que acaba convertida en un registro de nueve bytes válido para, mediante tratamiento informático que lo relaciona con otros datos, identificar a los empleados públicos del Gobierno de Cantabria y así controlar el cumplimiento del horario de trabajo, no responde al patrón de las intromisiones ilegítimas en la esfera de la intimidad, tanto por la parte del cuerpo utilizada, como por las condiciones en que se usa*".

[130] STSJ Murcia, de fecha 25 de enero de 2010, rec. 1071/2009.

[131] STSJ de Canarias, CA, Santa Cruz de Tenerife, de fecha 3 de junio de 2013, rec. contencioso-administrativo 391/2009.

[132] PURCALLA BONILLA, M.A.: "Control tecnológico de la prestación laboral y derecho a la desconexión de los empleados: Notas a propósito de la Ley 3/2018, de 5 de diciembre", *Revista Española de Derecho del Trabajo*, núm. 218/2019, parte Estudios, Editorial Aranzadi S.A.U., Cizur menor 2019, pág. 12.

propia minimización del datos; es decir, que el dato sólo sea objeto de tratamiento en tanto éste resulte completamente imprescindible para el cumplimiento de la finalidad perseguida", con la importante matización en el sentido de que, en el caso analizado, los datos correspondientes al algoritmo de la huella digital se almacenaban en el sistema de forma encriptada y asociados a un número de matrícula distinto a los datos directamente identificativos de las personas, de forma que el reconocimiento de la huella almacenada se vincularía originariamente con esos datos no directamente identificativos[133].

Ahora bien, dicho esto, resulta necesario señalar que no todos los datos biométricos van a poder ser tratados por igual. Así, por ejemplo, en lo que se refiere al reconocimiento facial, se ha apuntado que su tratamiento implica mayores riesgos para los titulares de los datos, precisando en este sentido de una mayor protección a través de la cual se vean preservados los principios de legalidad, necesidad, proporcionalidad y minimización[134]. O, por ejemplo, en relación a la conservación de muestras celulares, perfiles de ADN y huellas dactilares, partiendo de la consideración de todos ellos como datos personales, el propio Tribunal Europeo de Derechos Humanos ha diferenciado entre unos y otros. Con independencia de que, partiendo de una noción amplia del concepto de "vida privada", la memorización de datos relativos a la vida privada de la persona constituye una injerencia en el sentido del artículo 8 del Convenio Europeo de Derechos Humanos, por lo que su posible justificación vendría dada a partir de la superación de los requisitos de previsión legal, finalidad legítima y necesidad (proporcionalidad)[135].

En todo caso, el propio Reglamento Europeo otorga un especial estatus a los datos biométricos dirigidos a identificar de manera unívoca a una persona física, esto es, cuando el dato personal se distinga en cada persona, calificándolos como una categoría especial dentro de los datos personales. Y ello a pesar de que, en el art. 9. 1.2 b) del Reglamento, se establece que la prohibición de su tratamiento no será de aplicación cuando el tratamiento sea necesario para el cumplimiento de obligaciones y el ejercicio de derechos específicos del responsable del tratamiento o del interesado, entre otros, en el ámbito del Derecho Laboral[136], incluyendo

---

[133] Informe de la AEPD nº 65/2015.
[134] MUÑOZ RUÍZ, A.B.: "El uso de la tecnología facial de los empleados en la empresa: una medida de control excepcional", *El Foro de Labos*, 22 de octubre de 2019.
[135] STEDH de 4 de diciembre de 2008, Asunto Marper contra Reino Unido.
[136] En nuestro caso, presupuesto legal en el art. 20.3 ET, a los efectos del poder de vigilancia y control de la actividad laboral, o el art. 34.9 ET a los efectos de registro y control de la jornada.

en el art. 9.4 del Reglamento la previsión para los Estados miembros de mantener o introducir condiciones adicionales, inclusive limitaciones, con respecto al tratamiento de datos genéticos, biométricos o datos relativos a la salud.

Es más, la propia Autoridad Española en materia de protección de datos, en su listado de tratamientos de datos que requieran de la preceptiva evaluación de impacto de conformidad con lo prevenido en el art. 35.4 del Reglamento Europeo, y a la vista del alto riesgo que entraña el tratamiento de los mismos para los derechos y libertades de las personas físicas, expresamente ha incluido en el citado listado a aquéllos datos que impliquen una valoración o perfilado de sujetos que cubran varios aspectos de su personalidad o sobre sus hábitos, –datos biométricos de segunda generación–, al tratamiento de datos relativos a las categorías especiales de datos a las que se refiere el artículo 9.1 del Reglamento Europeo, o al tratamiento que implique el uso de datos biométricos con el propósito de identificar de manera única a una persona física. Evaluación en la que se deberá enjuiciar, en particular, el origen, la naturaleza, la particularidad y la gravedad del riesgo y que incumbe al responsable del tratamiento.

Siendo así, el panorama cambia de manera sensible con respecto a las posibilidades de tratamiento de este tipo de datos especiales tras la entrada en vigor del Reglamento Europeo, pudiendo el empresario utilizarlos siempre y cuando se efectuara con carácter previo la correspondiente evaluación de impacto de su tratamiento, se consultara a los representantes de los trabajadores y se informara a los trabajadores acerca del tratamiento de esos concretos datos, además del necesario registro de actividades de tratamiento.

En este contexto, el tratamiento de este tipo de datos biométricos deberá estar siempre presidida por los principios de minimización y de proporcionalidad, aún si cabe con mayores exigencias que en el supuesto de datos de carácter personal que no tengan la consideración como "especiales". Siendo así, aún cumpliendo la empresa con las previsiones a las que acabamos de hacer referencia, la utilización permanente y durante toda la jornada laboral, de dispositivos para el tratamiento de datos biométricos a los efectos del control de la actividad laboral del teletrabajador no creemos que superara el juicio de proporcionalidad. Conclusión distinta para el supuesto de control del inicio y finalización de la jornada laboral.

BIBLIOGRAFÍA

BELZUNEGUI ERASO, A. y ERRO GARCÉS, A.: "El teletrabajo en España: regulación y experiencias piloto en empresas españolas", *Revista Iberoamericana de Ciencias Empresariales y Economía*, núm. 4, 2013.

CARDONA RUBERT, M. B.: "Trabajo a distancia y relación individual: aspectos críticos (II)", en VV.AA., *El teletrabajo en España: aspectos teórico-prácticos de interés*, Lourdes Mella Méndez (Directora), Volters Kluwer, 1ª edición, marzo 2017.

CASTRO ARGÜELLES, M.A.: "Protección de datos de carácter personal en el ámbito laboral", en VV.AA., *Nuevas tecnologías y protección de datos personales en las relaciones de trabajo*, (Coord. GARCÍA MURCIA, J.), Gobierno del Principado de Asturias-Universidad de Oviedo.

DESDENTADO BONETE, A y MUÑOZ RUIZ, A.B.: "Trabajo, videovigilancia y controles informáticos. Un recorrido por la jurisprudencia", *Revista General de Derecho del Trabajo y de la Seguridad Social*, n°. 39, 2014.

DESDENTADO BONETE, A y DESDENTADO DAROCA, E..: "La segunda sentencia del Tribunal Europeo de Derechos Humanos en el caso Barbulescu y sus consecuencias sobre el control del uso laboral del ordenador", *Revista de Información Laboral*, núm. 1/2018, parte Artículos de Fondo, Editorial Aranzadi S.A.U., Cizur menor 2018.

ESCUDERO RODRÍGUEZ, R.: "Teletrabajo", Ponencia Temática III, X Congreso Nacional de Derecho del Trabajo y de la Seguridad Social, Zaragoza, 28 y 29 de mayo de 1999.

GALA DURÁN, C.: "Teletrabajo y sistema de seguridad social", *Relaciones Laborales, Revista crítica de teoría y práctica*, n° 2, año 2001.

GARCÍA QUIÑONES, J.C.: "La organización del tiempo de trabajo y descanso y la conciliación en el teletrabajo", en AA.VV. *Trabajo a Distancia y Teletrabajo. Estudios sobre su régimen jurídico en el derecho español y comparado*. LOURDES MELLA MÉNDEZ (Editora) ALICIA VILLALBA SÁNCHEZ (Coordinadora), Thomson Reuters, Editorial Aranzadi SA, 1ª edición, noviembre 2015.

GARCÍA ROMERO, B.: *El Teletrabajo*, Editorial Civitas, Colección Monografías, año 2012.

GONZÁLEZ FUSTER, G.: "TEDH –Sentencia de 04.12.2008, S. y Marper C. Reino Unido, 30562/04 y 30566/04 -Artículo 8 Convenio europeo de Derechos Humanos-Vida privada-Ingerencia en una sociedad democrática-Los límites del tratamiento de datos biométricos de personas no condenadas", *Revista de Derecho Comunitario Europeo*, n° 33, mayo/agosto 2009.

IGARTÚA MIRÓ, Mª. T.: "Teletrabajo y prevención de riesgos laborales. Problemas y propuestas de soluciones", en Asociación Española de Derecho del Trabajo, *Descentralización productiva y nuevas formas organizativas del Trabajo*, X Congreso

Nacional de Derecho del Trabajo y de la Seguridad Social, Ministerio de Trabajo y Asuntos Sociales, Madrid, 2000.

JIMÉNEZ CAMPO, J.: "La garantía constitucional del secreto de la comunicaciones", Revista Española de Derecho Constituciona,l n° 20, 1987.

Junta de Andalucía: "Guía de recomendaciones y buenas prácticas para el impulso del teletrabajo, Consejería de Economía, Innovación y Ciencia", año 2010, https://www.juntadeandalucia.es/export/drupaljda/Guia_Teletrabajo.pdf

LOUSADA AROCHENA, J.F. y RON LATAS, R.P.: "Una mirada periférica al teletrabajo, el trabajo a domicilio y el trabajo a distancia en el derecho español", en AA.VV. *Trabajo a Distancia y Teletrabajo. Estudios sobre su régimen jurídico en el derecho español y comparado.* LOURDES

LUQUE PARRA, M. y GINÉS FABRELLAS, A.: *Teletrabajo y prevención de riesgos laborales*, CEOE, Fundación para la Prevención de Riesgos Laborales, año 2016

MARTÍN VALVERDE, A. *Derecho del Trabajo*, Civitas, Madrid, 2014

MARTÍNEZ FENOLL, S.: *El tiempo de trabajo*, CISS, Valencia, 1996

MELLA MÉNDEZ (Editora) ALICIA VILLALBA SÁNCHEZ (Coordinadora), Thomson Reuters, Editorial Aranzadi SA, 1ª edición, noviembre 2015

MELLA MÉNDEZ, L.: "Prólogo" en AA.VV. *Trabajo a Distancia y Teletrabajo. Estudios sobre su régimen jurídico en el derecho español y comparado.* LOURDES MELLA MÉNDEZ (Editora) ALICIA VILLALBA SÁNCHEZ (Coordinadora), Thomson Reuters, Editorial Aranzadi SA, 1ª edición, noviembre 2015

MELLA MÉNDEZ, L.: "La seguridad y salud en el teletrabajo" en AA.VV. *Trabajo a Distancia y Teletrabajo. Estudios sobre su régimen jurídico en el derecho español y comparado.* LOURDES MELLA MÉNDEZ (Editora) ALICIA VILLALBA SÁNCHEZ (Coordinadora), Thomson Reuters, Editorial Aranzadi SA, 1ª edición, noviembre 2015

MELLA MÉNDEZ, L.: "Configuración general del trabajo a distancia en el Derecho Español", en VV.AA., *El teletrabajo en España: aspectos teórico-prácticos de interés*, Lourdes Mella Méndez (Directora), Volters Kluwer, 1ª edición, marzo 2017.

MONEREO PÉREZ, J.L y GORELLI HERNÁNDEZ, J.: *Tiempo de trabajo y ciclos vitales. Estudio crítico del modelo normativo*, Editorial Comares, año 2009

MUNÍN SÁNCHEZ, L.M.: "Los poderes del empresario ante el teletrabajo: el control y sus límites", en AA.VV. *Trabajo a Distancia y Teletrabajo. Estudios sobre su régimen jurídico en el derecho español y comparado.* LOURDES MELLA MÉNDEZ (Editora) ALICIA VILLALBA SÁNCHEZ (Coordinadora), Thomson Reuters, Editorial Aranzadi SA, 1ª edición, noviembre 2015

MUÑOZ RUÍZ, A.B.: "La práctica "Bring your own device" y su incidencia en la relación de trabajo: ¿tecnología a coste cero para la empresa?", *El Foro de Labos*, 10 de septiembre de 2019.

MUÑOZ RUÍZ, A.B.: "El uso de la tecnología facial de los empleados en la empresa: una medida de control excepcional", *El Foro de Labos*, 22 de octubre de 2019.

ORTEGA GIMÉNEZ, A.: "Cuestiones prácticas laborales en materia de protección de datos de carácter personal tras el nuevo reglamento general de protección de datos de la UE", *Revista Española de Derecho del Trabajo*, núm. 216/2019, parte Estudios, Editorial Aranzadi S.A.U., Cizur menor 2019

PÉREZ DE LOS COBOS, F. y THIBAULT ARANDA, J.: *El teletrabajo en España. Perspectiva jurídico laboral*, Ministerio de Trabajo y Asuntos Sociales, Subdirección General de Publicaciones, Colección Informes y Estudios, núm. 15, Madrid, año 2001

PÉREZ DE LOS COBOS, F. y GARCÍA RUBIO, M. A.: "El control empresarial sobre las comunicaciones electrónicas del trabajador: criterios convergentes de la jurisprudencia del Tribunal Constitucional y del Tribunal Europeo de Derechos Humanos", *Revista Española de Derecho del Trabajo*, núm. 196/2017, parte Estudios, Editorial Aranzadi S.A.U., Cizur menor 2017

PRECIADO DOMENECH, C.H.: "Comentario de urgencia a la STEDH de 5 de septiembre de 2017, caso Barbulescu contra Rumanía (Gran Sala).- Recuperando la dignidad en el trabajo", *Jurisdicción Social*, 5 de septiembre de 2017.

PURCALLA BONILLA, M.A.: "Control tecnológico de la prestación laboral y derecho a la desconexión de los empleados: Notas a propósito de la Ley 3/2018, de 5 de diciembre", *Revista Española de Derecho del Trabajo*, núm. 218/2019, parte Estudios, Editorial Aranzadi S.A.U., Cizur menor 2019

RODRÍGUEZ ESCANCIANO, S.: "Posibilidades y límites en el uso de cámaras de videovigilancia dentro de la empresa. A propósito de la sentencia del Tribunal Constitucional de 3 de marzo de 2016", *Diario La Ley*, nº 8747, Sección Tribuna, 22 de abril de 2016, Ref. D-171, Editorial La Ley

RODRÍGUEZ ESCANCIANO, S.: "Internet en el trabajo", *Diario La Ley*, nº 8926, Sección Dossier, 21 de febrero de 2017, Editorial Wolters Kluwer

SEMPERE NAVARRO, A. y KAHALE CARRILLO, D. T.: Teletrabajo, Claves Prácticas, Ediciones Francis Lefebvre, S.A., año 2013

SEMPERE NAVARRO, A. y SAN MARTÍN MAZUCCONI, C.: "Sobre "Nuevas Tecnologías" y Relaciones Laborales" Aranzadi Social, 2002, westlaw BIB 2002/2021

SERRANO GARCÍA, J. Mª: "El teletrabajo parcial como instrumento para la conciliación en la negociación colectiva", *Revista de Derecho Social*, nº 45, 2009

SIERRA BENITEZ, E. M.: "Trabajo a distancia y relación individual: aspectos críticos (I)", en VV.AA., *El teletrabajo en España: aspectos teórico-prácticos de interés*, Lourdes Mella Méndez (Directora), Volters Kluwer, 1ª edición, marzo 2017.

SOLÀ MONELLS, X.: "El deber empresarial de protección en los supuestos de teletrabajo: contenido y alcance", págs. 211-232 en VVAA, *Nuevas tecnologías de*

la información y la comunicación y derecho del trabajo, Manuel Ramón Alarcón Caracuel (coord.), Ricardo Esteban Legarreta (coord.), Editorial Bomarzo, Año
2004

THIBAULT ARANDA, J.: *El teletrabajo. Análisis jurídico-laboral*, CES, Colección Estudios, 2ª edición actualizada, octubre 2001

USHAKOVA, T.: "Teletrabajo y relación laboral: el enfoque de la Organización
Internacional Del Trabajo (OIT), en AA.VV. *Trabajo a Distancia y Teletrabajo. Es-
tudios sobre su régimen jurídico en el derecho español y comparado.* LOURDES MELLA
MÉNDEZ (Editora) ALICIA VILLALBA SÁNCHEZ (Coordinadora), Thomson
Reuters, Editorial Aranzadi SA, 1ª edición, noviembre 2015.

XIV. TRATAMIENTO CONVENCIONAL DEL TELETRABAJO EN ESPAÑA

Mónica Llano Sánchez
Profesora Titular de Derecho del Trabajo
y de la Seguridad Social. UCM

SUMARIO: 1. LEY Y AUTONOMÍA COLECTIVA EN LA REGULACIÓN DEL TELETRABAJO. 2. DEFINICIÓN, ENFOQUE Y MODALIDADES DE TELETRABAJO. DEL TELETRABAJO AL SMART WORKING. 3. EL CARÁCTER VOLUNTARIO DEL TELETRABAJO Y SU FORMALIZACIÓN. EL NUEVO DERECHO A SOLICITAR EL TELETRABAJO EX ART. 34.8 ET. 4. VIGENCIA DEL ACUERDO DE TELETRABAJO Y CARÁCTER REVERSIBLE DEL TRABAJO A DISTANCIA. 5. EL PRINCIPIO DE EQUIPARACIÓN DE DERECHOS EN LA NEGOCIÓN COLECTIVA. 6. TIEMPO DE TRABAJO Y DESCANSOS. EL REGISTRO DIARIO DE LA JORNADA EN EL TELETRABAJO. 7. RÉGIMEN SALARIAL, EQUIPAMIENTOS Y GASTOS DERIVADOS DEL TELETRABAJO. 8. DERECHO A LA FORMACIÓN, PROMOCIÓN PROFESIONAL Y PREVENCIÓN DE RIESGOS LABORALES DEL TELETRABAJADOR. 9. CONTROL EMPRESARIAL DE LA ACTIVIDAD, PROTECCIÓN DE DATOS Y DERECHOS DIGITALES EN EL TELETRABAJO. 10. EJERCICIO DE DERECHOS DE REPRESENTACIÓN COLECTIVA. 11. BALANCE FINAL Y RETOS DE FUTURO PARA LA NEGOCIACIÓN COLECTIVA. BIBLIOGRAFÍA.

1. LEY Y AUTONOMÍA COLECTIVA EN LA REGULACIÓN DEL TELETRABAJO

El art. 13 del Estatuto de los Trabajadores, en su texto original de 1980, regulaba el contrato de trabajo a domicilio. Este precepto estatutario, ubicado en la Sección Cuarta del Título I, dedicado a las "modalidades de contrato", se configuraba como una norma de derecho necesario absoluto, innegociable colectiva o individualmente, en cuatro de sus cinco apartados[1]: el primero, que delimitaba el objeto del contrato, exigiendo que la prestación laboral se realizase en el domicilio del trabajador, o en lugar libremente elegido por éste y sin vigilancia del empresario; el segundo, que exigía la formalización del contrato por escrito, debiendo aparecer el lugar de prestación de los servicios; el apartado cuatro, que imponía

---

[1] AAVV (Dir. SALA FRANCO): *Los límites legales al contenido de la negociación colectiva. El alcance imperativo o dispositivo de las normas del Estatuto de los Trabajadores*, Madrid, CCNCC, págs. 50 y 51.

al empresario la obligación de entregar al trabajador un documento de control de la actividad laboral en el que debían consignarse unos datos mínimos fijados por el precepto, que en todo caso admitía la inclusión de otros datos que pudieran ser de interés para las partes, y que podían precisarse bien por convenio colectivo o por contrato; por último, el apartado quinto, que garantizaba a los trabajadores a domicilio la posibilidad de ejercer los derechos de representación conforme a las previsiones legales, salvo que se tratara de un grupo familiar. El apartado tercero, sin embargo, quedaba diseñado como un precepto de derecho necesario relativo, por cuanto garantizaba al trabajador a domicilio un salario, al menos igual al de un trabajador de categoría equivalente en el sector, dejando abierta la posibilidad de la mejora salarial por la vía del convenio colectivo o el contrato de trabajo.

Este exiguo marco legal dejaba un amplio margen a la negociación colectiva, que podía asumir un protagonismo decisivo en la regulación de esta forma de trabajo, aunque la práctica negocial española en la década de los 90 fue poco receptiva a esta todavía incipiente modalidad de trabajo[2]. La integración del teletrabajo en el ámbito de esta modalidad contractual ha planteado dificultades, ya que no encajaba correctamente en el concepto legal, bien porque no concurría la exigencia de ausencia de vigilancia del empresario o porque se desarrollaba en lugares no elegidos libremente por el trabajador[3].

En el año 1996 la OIT adopta el Convenio sobre Trabajo a Domicilio (núm. 177), complementado con la Recomendación (núm. 184). En dicho Convenio se invita a los Estados miembros que lo ratifiquen a desarrollar una política nacional que, consultada con los interlocutores sociales, y articulada a través de la ley o la negociación colectiva, debe estar dirigida a me-

---

[2]   Vid. en este sentido RODRÍGUEZ-PIÑERO ROYO, M.: "La negociación colectiva en la actividad del teletrabajo" en *Nuevas Actividades y Sectores Emergentes: El Papel de la Negociación colectiva*, CCNCC, 2001, estudio realizado en el año 2000 sobre una realidad negocial de tres o cuatro convenios colectivos.

[3]   Para un estudio monográfico de esta modalidad de contrato, su evolución histórica y regulación jurídica nos remitimos, entre otros, a: GALLARDO MOYA, R.: *El viejo y el nuevo trabajo a domicilio: de la máquina de hilar al ordenador*, Madrid, Ibidem, 1998; THIBAULT ARANDA, J.: *El teletrabajo*, CES, Madrid, 2000, PÉREZ DE LOS COBOS ORIHUEL, F. y THIBAULT ARANDA, J.: *El teletrabajo en España. Perspectiva Jurídica-Laboral*, Madrid, MTSS, 2001; SIERRA BENITEZ, E.: *El contenido de la relación laboral en el teletrabajo*, Sevilla Consejo Económico y Social de Andalucía, 2011; MELLA MENDEZ, L (Dir.).: *Trabajo a distancia y teletrabajo*, Pamplona, Aranzadi, 2015; DE LAS HERAS GARCÍA, A.: *El teletrabajo en España: un análisis crítico de normas y prácticas*, Madrid, Centro de Estudios Financieros, 2016.

jorar las condiciones de trabajo y a promover el principio de igualdad. La norma entró en vigor en el 22 de abril de 2000, pero España, al igual que otros muchos países, no lo ha ratificado, posiblemente porque su enfoque conceptual es restringido y algo obsoleto y no facilita un avance sustancial en la regulación de las nuevas formas de trabajo a distancia [4].

Hay que esperar a comienzos del siglo XXI para que el teletrabajo comience a dejar de ser una actividad desregulada. El impulso decisivo viene del ámbito comunitario, y es fruto del diálogo social. Un primer gran texto europeo sobre teletrabajo fue el Acuerdo Europeo sobre Directrices para Teletrabajo en el Sector de Comercio, acordado en 2001 por la UNI Europa y EUROCOMMERCE, con el que se quiere promocionar y ordenar el teletrabajo como mecanismo para integrar las nuevas tecnologías en los sistemas productivos de este sector[5]. Poco después, los interlocutores sociales –CES, UNICE, UNICE/UEAPME y CEEP– firmaron en 2002 el "Acuerdo Marco Europeo sobre Teletrabajo" (AMET)[6]. En este acuerdo se aporta una definición amplia y flexible de esta modalidad de trabajo, que permite abarcar distintas formas y prácticas de trabajo remoto o a distancia; el teletrabajo es entendido así como una forma de organización y/o de realización del trabajo utilizando las tecnologías de la información, en el marco de un contrato o de una relación laboral, en la que un trabajo, que también podría haberse realizado en los locales del empresario, se ejecuta habitualmente fuera de esos locales. Además, este Acuerdo establece las condiciones de trabajo de los teletrabajadores: carácter voluntario y reversible, principio de equiparación de derechos con los trabajadores presenciales, respeto a la vida privada y protección de datos, régimen de los equipamientos, organización del trabajo, seguridad y salud, y ejercicio de derechos colectivos. El AMET tiene por objeto establecer un marco general a nivel europeo que sea de aplicación para las organizaciones miembros de las partes firmantes, "según los procedimientos y las prácticas nacionales específicas para los interlocutores sociales". Esta modalidad de aplicación del AMET exime a los Estados miembros de su aplicación direc-

---

[4]   Un estudio detenido del Convenio y la Recomendación de la OIT en USHAKOVA, T.: "Teletrabajo y relación laboral: el enfoque de la Organización Internacional de Trabajo (OIT)", en AAVV (Dir. MELLA MENDEZ): *Trabajo a distancia y Teletrabajo*, Aranzadi, Pamplona, 2015, págs. 243 y ss.

[5]   Este acuerdo ha sido revisado y actualizado en 2018 como "Acuerdo europeo sobre directrices para el teletrabajo y trabajo TIC-móvil (T/ICTM) en Comercio".

[6]   Con posterioridad al AMET, los interlocutores sociales europeos del sector asegurador acordaron la "Declaración relativa al teletrabajo" suscrita el 10 de febrero de 2015, y que ha servido de referente para la negociación colectiva en el sector.

ta y de su transposición. Se trata, en definitiva, de un acuerdo de origen convencional que exige también un desarrollo convencional[7].

La recepción de este Acuerdo Marco en el contexto del diálogo social en España tiene su primera manifestación en el Acuerdo Interconfederal para la Negociación Colectiva 2003, que dedica un capítulo específico al teletrabajo, en el que se incorpora como anexo el texto del acuerdo europeo y se asume el compromiso de dar difusión al AMET e implementar sus disposiciones en España por la vía de la negociación colectiva, y en este sentido consideró prioritarios tres aspectos: el concepto de teletrabajo, la voluntariedad del mismo y la garantía de igualdad de derechos del teletrabajador. Con posterioridad los sucesivos Acuerdos Interconfederales para la negociación colectiva (2005, 2007) y los posteriores Acuerdos para el Empleo y la Negociación Colectiva (2010-12 y 2012-14) vuelven a recoger estos mismos compromisos en la difusión y aplicación convencional del AMET. Con todo, esta recepción del AMET en el diálogo social español no implica su automática incorporación al Derecho interno a través de la negociación colectiva, ya que dichos acuerdos sobre negociación colectiva solo tienen eficacia obligacional para las partes que lo suscriben. La inexistencia de un instrumento normativo jurídicamente exigible, unido al hecho de la tímida presencia en nuestro país de la realidad del teletrabajo explica que su regulación convencional fuera inicialmente muy limitada. Como constataron los propios interlocutores sociales en un Informe de 2006, de diez convenios con referencias al teletrabajo, solo la mitad de ellos tenían en cuenta el Acuerdo, bien reproduciendo directamente su texto, o incluyendo uno similar, o desarrollando proyectos piloto que acogían los principios contenidos en él[8]. Los estudios realizados sobre la negociación colectiva 2008-2010, constatan ya un incremento significativo de

---

[7]   Sobre las bases competenciales, procedimiento y contenido de este Acuerdo puede verse con detalle: JURADO SEGOVIA, A., y THIBAULT ARANDA, J.: "Algunas consideraciones en torno al Acuerdo Marco Europeo sobre teletrabajo", Temas Laborales, n° 72, 2003, págs. 35 y ss.

[8]   Véase en este sentido, "Informe sobre la aplicación en España del Acuerdo Marco Europeo sobre Teletrabajo", Madrid, 12 mayo 2016, realizado por UGT, CCOO, CEOE y CEPYME, en desarrollo de lo previsto en el apartado 12 del AMET. Analizan el Convenio General de la Industria Química, Convenio Estatal Prensa Diaria, Convenios provinciales de Oficinas y Despachos, o convenios de empresa como el de Telefónica, ibermática, Siemens Nixdorf Sistemas de Información, DHL Internacional España, entre otros. También resulta de interés la actualización a 2006 de la investigación realizada por RODRÍGUEZ PIÑERO en Nuevas Actividades y Sectores Emergentes: El Papel de la Negociación colectiva, CCNCC, ya citado en su primera versión de 2001, en el que advierte que existe en nuestro país un creciente recurso al teletrabajo y también una

convenios que abordan el teletrabajo, siendo la mayoría de ellos de ámbito empresarial, aunque se advierte el parco tratamiento convencional y una excesiva remisión a la autonomía individual entre empresa y trabajador para concretar las condiciones de trabajo del teletrabajador[9].

En ese proceso progresivo, pero lento, de regulación convencional del teletrabajo, han tenido especial protagonismo los acuerdos, compromisos o convenios suscritos por algunas de las grandes empresas españolas, como Repsol, Telefónica o BBVVA, que son pioneras en la implantación del teletrabajo como forma de trabajo que permite incrementar la productividad y procurar una mayor flexibilidad para facilitar la conciliación de la vida laboral y familiar[10]. También es significativa la función promotora ejercida por las administraciones públicas, que aprobaron normativas específicas dirigidas a promocionar experiencias de teletrabajo en el ámbito público[11]. Con posterioridad, se aprueba la Ley 7/2007, de 12 de abril, por la que se regula el Estatuto Básico del Empleado Público, que abre la posibilidad de la implantación del teletrabajo en el ámbito público, aunque no

---

mayor preocupación por su problemática en la negociación colectiva sobre todo a nivel empresarial.

[9] ARAGÓN GÓMEZ, C.: "El teletrabajo en la negociación colectiva", en AAVV (Coord. ESCUDERO RODRÍGUEZ): *Observatorio de la Negociación Colectiva: empleo público, igualdad, nuevas tecnologías y globalización,* Ed. Cinca, Madrid, 2010, págs. 334-351. Se realiza un análisis de 27 convenios de empresa, y cinco convenios sectoriales, estatales como el de Prensa Diaria, Perfumería y Afines, o de Comunidad Autónoma como el de Oficinas y Despachos de Navarra o el provincial de este último sector en Valencia.

[10] Desde el convenio Telefónica 2001-2002, donde ya se recoge el compromiso de promocionar el teletrabajo, esta empresa ha negociado diversos acuerdos para desarrollar programas pilotos. En el 2005, y en 2006 se firmó el Acuerdo de Teletrabajo en Telefónica de España, seguido en 2010 de otro Acuerdo sobre teletrabajo en Telefonía Móviles España. El Grupo Repsol firma en 2009 un acuerdo de implantación progresiva del teletrabajo y después, en el Acuerdo Marco del Grupo Repsol IPF 2009, se prevé seguir avanzando en la implantación de esta medida. Por su parte el banco BBVA firma en 2011 un acuerdo colectivo sobre las condiciones de prestación de servicios en el banco en régimen de teletrabajo.

[11] Así la primera norma de promoción es la OM APU/1981/2006, de 21 junio, por la que se promueve la implantación de Programas Piloto en los departamentos del Ministerio de Administraciones Públicas, a la que le siguieron otras normas autonómicas dirigidas a la misma finalidad, siendo la primera de ellas el Decreto Castilla y León 9/2011, 17 marzo, por el que se regula la jornada de trabajo no presencial a través del teletrabajo en la Administración de dicha Comunidad Autónoma. Un estudio completo de la regulación del teletrabajo en el ámbito público como medida que facilita la conciliación en QUINTANILLA NAVARRO, R.Y.: "Teletrabajo y conciliación de la vida personal, familiar y laboral", en Revista Ministerio de Empleo y Seguridad Social, nº 113 (monográfico Conciliación de la vida personal y familiar con el trabajo), págs. 343 y ss.

establece un régimen jurídico de tal modalidad de trabajo, ni se pronuncia expresamente sobre el alcance que puede tener la negociación colectiva en la regulación de esta materia[12].

Como es sabido, la Ley 3/2012 modifica la redacción del art.13 ET, que pasa a regular el "trabajo a distancia" [13]. El reformado precepto estatutario no se refiere expresamente al teletrabajo, pero como explica la Exposición de Motivos de la citada ley de reforma, el motivo de la revisión del precepto estatutario es el deseo de promover nuevas formas de desarrollar la actividad laboral, y más en concreto, de "dar cabida, con garantías, al teletrabajo". A estos efectos se revisa la denominación y el propio concepto contenido en el precepto legal y se suprime el requisito de la falta de la ausencia de la vigilancia empresarial, facilitando así de forma implícita que el teletrabajo quede incorporado a la regulación del trabajo a distancia. En todo caso, la intervención del legislador español es discreta, ya que no sigue a otros países europeos que han optado por aprobar una ley sobre teletrabajo, y tampoco configura esta modalidad de trabajo como una relación laboral de carácter especial, como había propuesto la doctrina científica[14]. El nuevo art. 13 ET modifica y amplía la regulación legal, pero con alcance limitado, pues no están reflejados en el nuevo texto todos los contenidos del AMET, y quedan lagunas en el estatuto protector del teletrabajador, que debe ser completado con la remisión a otras normas legales en materias como la prevención de riesgos laborales o protección de datos. El nuevo art. 13 ET no expresa mandatos o llamadas a la negociación colectiva, pero deja no obstante un amplio margen a la autonomía colectiva, y ello porque el precepto legal contiene escasas reglas de derecho necesario que admiten que el convenio cumpla una función de mejora y complemento. En definitiva, el legislador, en consonancia con los planteamientos del AMET, sigue permitiendo un amplio juego a la negociación colectiva para regular esta nueva realidad del teletrabajo.

---

[12]   En este sentido los términos del art. 14 y 37 EBEP permiten implícitamente incluir el teletrabajo como mecanismo para la conciliación de la vida laboral y familiar y como materia negociable en convenio colectivo.

[13]   Un análisis de los cambios introducidos en el art. 13 ET en SÁNCHEZ-URÁN AZAÑA, Y.: "Apoyo al empleo estable y modalidades de contratación", en AAVV Dir. MONTOYA MELGAR Y GARCÍA MURCIA): *Comentario a la Reforma Laboral 2012*, Aranzadi, Pamplona, 2012, págs. 84-100; GARCÍA RUBIO, A.: "Nuevas perspectivas sobre fórmulas flexibles de trabajo: trabajo a tiempo parcial y trabajo a distancia", en AAVV (Dir.THIBAULT ARANDA, JURADO SEGOVIA): *La reforma laboral de 2012: nuevas perspectivas para el Derecho del Trabajo*, La Ley, Madrid, 2012 págs. 185-207.

[14]   Vid en este sentido, THIBAULT ARANDA, J.: *El teletrabajo*, cit. pág. 285.

Los primeros estudios realizados sobre la regulación del teletrabajo en la negociación colectiva tras la reforma laboral del 2012, confirman que el convenio de empresa es el instrumento protagonismo en la regulación de esta materia. Por el contrario, la negociación sectorial mantiene la resistencia a regular esta forma de trabajo, de tal modo que siguen siendo muy pocos los convenios que en este ámbito incluyen referencias o regulaciones sobre el teletrabajo. Se señala igualmente la escasa imaginación de los negociadores, que con frecuencia recurren al expediente de copiar el nuevo texto del art. 13 ET o alguna de las cláusulas del AMET[15].

En las páginas que siguen tenemos el propósito de analizar los convenios colectivos de sector y de empresa publicados en el BOE en los años 2018-2019, para estudiar la más reciente evolución del tratamiento convencional del teletrabajo y su aplicación en la empresa privada.

2. DEFINICIÓN, ENFOQUE Y MODALIDADES DE TELETRABAJO. DEL TELETRABAJO AL SMART WORKING

El nuevo art. 13 ET lleva por título "trabajo a distancia", y desaparece de todos sus apartados el término "contrato", apareciendo en su lugar la referencia al "acuerdo por el que se establezca el trabajo a distancia". Esta opción del legislador podría interpretarse en el sentido de que el precepto estatutario ha dejado de regular una modalidad de contrato de trabajo para pasar a referirse a una mera condición de trabajo que afecta al lugar y la forma en que se prestan los servicios, y ello en línea con la previsión del AMET que define el teletrabajo como "una forma de organización y/o de realización del trabajo"[16]. Sin embargo, el precepto en su nueva regulación del trabajo a distancia conserva intacta su ubicación, en la Sección 4ª,

---

[15]   Véase el estudio de MELLA MENDEZ, L.: "Las cláusulas convencionales en materia de trabajo a distancia: contenido general y propuestas de mejora", Revista Derecho Social y Empresa, nº 6 diciembre 2016; FERREIRO REGUEIRO, C.: "La conformación del teletrabajo en la negociación colectiva", en AAVV (Ed. MELLA MENDEZ y Coord. VILLALBA SÁNCHEZ): *Trabajo a distancia y teletrabajo*, Aranzadi, 2015, pág. 47 y ss. Esta última autora estudia los 38 convenios colectivos de sector estatal que habían entrado en vigor tras la promulgación de la Ley 3/2012, y otros 34 convenio de empresa, más 22 de empresas pertenecientes al IBEX 35; de todos ellos solo 8 convenios estatales de sector y 2 convenios de empresa de Repsol Petróleo S.A y Telefónica Móviles SAU, tratan con cierta amplitud el teletrabajo como modalidad del trabajo a distancia regulado en el art. 13 ET.

[16]   Esta cuestión fue planteada por uno de los primeros estudios realizados en torno a la reforma laboral 2012. Véase en este sentido CAMPS RUIZ, L.M.: "Contratación, for-

Capítulo I, Título I ET, en la que se regulan las "Modalidades de contrato de trabajo", lo que permite entender que estamos ante un tipo y régimen contractual específico. En este sentido, la mayoría de los convenios colectivos que regulan el teletrabajo ubican correctamente dicha ordenación en el capítulo dedicado a la contratación o modalidades de contratación[17]. Sin embargo, no faltan convenios que ofrecen un tratamiento del teletrabajo como una forma de prestación de servicios y ubica su regulación en el capítulo relativo a "condiciones laborales[18], "organización del trabajo y nuevas tecnologías[19], o lo encaja sin más en el capítulo de retribuciones[20] o en tiempos de trabajo[21]. Cada vez con es más frecuente el acoplamiento del teletrabajo en el capítulo relativo a la conciliación de la vida laboral o familiar[22] o en el Plan de Igualdad de la empresa[23], lo que en ocasiones lleva a identificar expresamente esta modalidad de contrato con la mujer trabajadora[24]. Una opción muy razonable para dotar al teletrabajo de un régimen completo es dedicarle un capítulo específico dentro del convenio colectivo[25].

La conformación del trabajo a distancia como modalidad contractual es competencia del legislador y no de la negociación colectiva. El legislador expresa tres presupuestos que definen el "género" trabajo a distancia, y

---

mación y empleo en el RDL 3/2012", en AAVV: *La reforma laboral en el Real Decreto-Ley 3/2012,* Tirant lo Blanch, Valencia, 2012, págs. 78y 81.

[17] Entre otros, Convenio colectivo estatal del sector de prensa diaria; Convenio colectivo de la industria del calzado; Convenio colectivo estatal de perfumería y afines; Convenio Colectivo estatal para el sector de entidades de seguros, reaseguros, y mutuas colaboradoras con la Seguridad Social; Convenio colectivo Europcar IB, S.A; Convenio colectivo Logirail S.A.U; Convenio colectivo de Médicos Mundi, SL; II Convenio colectivo estatal Claro Sol Facilities SLU.

[18] I Convenio colectivo de Radio Ecca, Fundación Canaria.

[19] Convenio general de la Industria Química; Convenio colectivo del sector de empresas de publicidad; Convenio colectivo del Grupo Axa.

[20] Convenio colectivo de "BP OIL ESPAÑA SAU".

[21] Convenio colectivo de Thyssenkrupp Elevadores, SLU; Convenio colectivo Grupo Parcial Cepsa; Convenio colectivo empresas vinculadas a Telefónica de Españas SAU, Telefónica Móviles España SAU, Telefónica soluciones de Informática y Comunicaciones SAU.

[22] Entre otros, Convenio colectivo Thales España GRP, SAU; Convenio colectivo Siemens SA; Convenio Repsol Química S.A.

[23] Entre otros muchos, Plan de Igualdad de Fidelis Servicios Integrales SLU; XII Convenio colectivo de Repsol Petróleo SA; Convenio colectivo de Repsol Lubricanes y Especialidades, SA; Convenio de Repsol Comercial de Productos Petrolíferos, SA.

[24] Plan de Igualdad de Oesia Networks SL, que permite el teletrabajo a mujeres embarazadas a partir de la semana 24 de gestación.

[25] IV Convenios colectivo Orange Espagne.

que por tanto deben conformar cualquiera de la especies o tipos, entre ellos el teletrabajo. En primer lugar, el trabajo debe ejecutarse en el domicilio del trabajador o en el lugar libremente elegido por él; además se exige que el trabajo fuera del centro se realice de "modo alternativo" a su desarrollo presencial en el centro de trabajo; por último, el trabajo fuera de los locales de la empresa tiene que desarrollarse "de forma preponderante". A partir de estos elementos de configuración de derecho necesario, la negociación colectiva puede configurar la prestación de servicios a distancia en la modalidad de teletrabajo. Hay convenios colectivos que siguen regulando la modalidad de trabajo a domicilio en su sentido más clásico[26], y otros acogen la nueva y más amplia expresión del trabajo a distancia, bien reproduciendo, sin más, el nuevo tenor literal del art. 13 ET[27], o añadiendo algún dato más allá de la ley para cubrir algún aspecto concreto referido al teletrabajo[28]. En todo caso, puede apreciarse que cada vez son más los convenios, sectoriales y de empresa, que regulan directa y exclusivamente el teletrabajo. Los convenios que optan por el teletrabajo como una forma de trabajo a distancia lo definen incluyendo un elemento que no aparece en el art. 13 ET, y que de acuerdo con el AMET, es consustancial a esta forma de trabajo, cual es la utilización de las nuevas tecnologías de la información[29].

La negociación colectiva puede precisar el sentido y alcance de los tres pilares que conforman el teletrabajo según el art. 13 ET. En cuanto al lugar de prestación de servicios, aunque el art. 13 ET establece una alternativa, refiriéndose al domicilio del trabajador o al lugar libremente elegido por él, hay muchos convenios que definen el teletrabajo con referencia exclusiva al domicilio fijado por el trabajador, evitando cualquier referencia

---

[26]   Convenio Colectivo del grupo de marroquinería, cueros repujados y similares de Madrid, Castilla-La Mancha, La Rioja, Cantabria, Burgos, Soria, Segovia, Ávila, Valladolid y Palencia; Convenio Colectivo de Industrias del Calzado.

[27]   Convenio Sector Prensa Diaria, Convenio colectivo sector de las industrias del frio industrial; Convenio Colectivo Estatal Claro Sol Facilities SLU.

[28]   Convenio Colectivo de Philips Lighting Spain, SLU, que añade que los trabajadores a distancia deben quedar dotados de los medios suficiente para el desarrollo de las funciones, en iguales condiciones que el personal que realiza las mismas funciones en el centro de trabajo, haciendo referencia a los medios informáticos, telefonía, conexión de datos.

[29]   Convenio Colectivo mayorista e importadores de productos químicos industriales y de droguería, perfumería y anexos; Convenio Colectivo Estatal Perfumería y Afines; Convenio de sector de Entidades Seguros y Reaseguros y Mutuas Colaboradoras con la Seguridad Social; Convenio General de la Industria Química; Convenio Colectivo Estatal para Empresas de Publicidad.

a otro posible lugar de ejecución de la relación laboral fuera del centro de trabajo. Esta opción convencional, que evita la libre elección por el trabajador más allá de su propio domicilio, supone un claro refuerzo del poder de control empresarial, pues permite soslayar el teletrabajo móvil o itinerante o el trabajo en lugares que la empresa pueda considerar poco apropiados[30].

En relación con la exigencia del "modo alternativo" de esta forma de trabajar, algunos convenios colectivos aclaran que "no se considera teletrabajo, si la naturaleza de la actividad laboral principal desempeñada justifica por sí misma la realización del trabajo habitualmente fuera de las instalaciones de la empresa, siendo los medios informáticos y de comunicación utilizados por el trabajador meros elementos de auxilio y facilitación de dicha actividad"[31]. Esto supone que a la hora de determinar qué puestos de trabajo pueden ser objeto de teletrabajo, el convenio impone la necesidad de atender al dato de que sus funciones admitan la modalidad de ejecución presencial y remota, pero sin que ello suponga necesariamente que el teletrabajo acordado con el trabajador tenga que ajustarse a un modelo mixto, que compagine el modo remoto y el presencial. Por lo que se refiere al carácter "preponderante" de la prestación de servicios fuera del centro de trabajo, hay convenios, especialmente los de empresa, que precisan parámetros concretos para delimitar la existencia de la modalidad de teletrabajo frente al contrato común. Así algunos regulan distintas modalidades de teletrabajo según el número de días a la semana, o porcentaje de jornada diaria o tardes a la semana en las que se teletrabaja[32], o se ofrece una horquilla entre un día y cuatro días a la semana para teletrabajar [33]. También se establece un tope máximo en la dedicación al teletrabajo (hasta un máximo del 80% de la jornada semanal) y luego se remite al pacto individual para concretar el porcentaje y/o los días de la semana[34]. También pueden encontrarse cláusulas contractuales que no concretan los criterios de duración y se remiten a la autonomía individual[35]. La indeterminación

---

[30]   Se refieren solo al domicilio del trabajador, entre otros, Convenio colectivo de Empresas vinculadas a Telefónica de España, SAU, Telefónica Móviles España, SAU, y Telefónica Soluciones de Informática y Comunicaciones, SAU; Convenio Estatal Perfumerías y Afines.

[31]   Convenio Colectivo de Mayoristas e importadores de Productos Químicos Industriales y de Droguería, perfumes y anexo; Convenio General de la Industria Química.

[32]   IV Convenio Marco Repsol.

[33]   Convenio Colectivo de empresas vinculadas a Telefónica de España, SAU, Telefónica Móviles España, SAU Telefónica Soluciones de Informática y Comunicaciones, SAU.

[34]   Plan de Igualdad de Fidelis Servicios Integrales, SLU.

[35]   Convenio Nokia Transformation Engineering &Consulting Services Spain, SLU.

legal en la exigencia legal de la preponderancia está permitiendo una ordenación convencional muy flexible, al punto en que el tiempo dedicado a teletrabajar se lleva a extremos mínimos o al máximo. Así se conceptúa como trabajo a distancia el trabajo no presencial que se desarrolla tan solo un solo día a la semana[36]. En otros casos, por el contrario, se define el teletrabajo teniendo en cuenta que la "totalidad de la jornada pactada" se desarrolla en el domicilio del trabajador[37]. Igualmente flexible es el planteamiento de admitir el teletrabajo con la totalidad o una parte de la jornada de forma no presencial[38]. En definitiva, la negociación colectiva interpreta la expresión legal "de forma preponderante" en un sentido más temporal que cuantitativo, de tal manera que lo importante para calificar el contrato de teletrabajo no es tanto el número de horas o días en que se teletrabaja, como la habitualidad o regularidad del trabajo remoto, en línea con las previsiones del AMET, que en su definición del teletrabajo se refiere a aquel que se ejecuta "habitualmente" fuera de los locales de la empresa.

Pero más allá de una interpretación flexible de los elementos de configuración legal del teletrabajo, algunos convenios colectivos de estos últimos años empiezan a recoger diversas fórmulas o modalidades de trabajo remoto con la pretensión de dejarlas al margen del régimen de trabajo a distancia ex art. 13 ET. El I Convenio colectivo del Grupo Parcial Cepsa, regula el trabajo remoto distinguiendo dos supuestos. Por un lado, prevé el trabajo en remoto desde el domicilio particular, que puede disfrutarse hasta ocho días al año, y que queda reservado para atender determinadas necesidades personales o familiares (cuidado de familiares hasta el 2º grado y festivos escolares de menores de hasta 12 años) y circunstancias de fuerza mayor que dificulten el acceso al centro (huelga, manifestaciones, climatología). Pero además el convenio advierte que estos supuestos, reconducibles al art. 13 ET, no limitan la posibilidad de un acuerdo entre el mando y el empleado para la realización del trabajo en remoto, cuando así lo consideren y lo pacten "siempre y cuando no pueda considerarse trabajo a distancia"[39]. En definitiva, pues, en este caso el desarrollo convencional del art. 13 ET es muy restringido, pues solo está previsto para casos tasados, y ello parece que con la finalidad de sacar del art.13 ET, y de dejar en

---

[36]   Convenio colectivo Philips Ibérica SAU.
[37]   Convenio colectivo BP Oil España SAU, para sus centros de trabajo en Madrid y Las Palmas.
[38]   Convenio colectivo de Médicos del Mundo; Convenio colectivo de Radio Ecca, Fundación Canaria; XIV Convenio colectivo de Logirail SAU; Convenio Europcar IB, S.A; Convenio colectivo de Sector de Empresas de Publicidad.
[39]   Art. 9 (Horarios de Trabajo) I Convenio colectivo del Grupo Parcial Cepsa.

manos de la autonomía individual, la determinación de las condiciones de ejecución del trabajo ejecutado fuera de la empresa y con otras posibles singularidades que impidan el encaje en el art. 13 ET (porque el trabajo a distancia no tenga carácter preponderante, porque el lugar donde se ejecute no es el domicilio del trabajo sino un lugar decidido por la empresa, etc.).

En ocasiones el convenio utiliza términos o conceptos, que no define, pero que permiten contemplar el trabajo a distancia o más específicamente el teletrabajo. Así el X Convenio colectivo de Siemens S.A, dentro del artículo dedicado a la conciliación, hace una mención a lo que llama el "Mobile working", entendido como "posibilidad de trabajar basada en las nuevas tecnologías que favorecen el uso flexible del tiempo y el espacio, favoreciendo, a su vez, las necesidades de conciliación de los colaboradores/as permitiendo así de una forma total satisfacer las necesidades de conciliación…".

El I Convenio colectivo del Grupo Vodafone, ha dedicado un capítulo específico al "Smart working (trabajo remoto)" donde se constata la experiencia piloto ya realizada en la empresa y se ponen las bases para regular procedimientos que faciliten su implementación en diferentes Áreas de la compañía. Los principios que regirán el Smart working son: carácter voluntario, con aprobación de la compañía, reversible, con mantenimiento de condiciones de trabajo y con un máximo de un día a la semana para garantizar la vinculación con el entorno habitual en el trabajo, formación especialmente en materia de prevención de riesgos y seguridad de la información. En principio, pues, el llamado Smart working es una modalidad de trabajo que en este caso podría ajustarse sin problemas a las previsiones del art. 13 ET sobre trabajo a distancia. Sin embargo, debe advertirse que el denominado Smart working tiende a concebirse como una forma de trabajar no siempre identificable con la figura legal del teletrabajo. En este sentido puede entenderse las previsiones contenidas en el VIII Convenio colectivo de "Bb Oil España S.A.U". El convenio constriñe el teletrabajo a los supuestos en que el empleado desarrolla la totalidad de su jornada laboral pactada en y desde su domicilio. Pero además prevé las políticas de Agile working en el sentido de que "la compañía promoverá, en la medida de lo posible, una cultura flexible de trabajo, de forma que los empleados puedan trabajar en remoto en momentos concretos en los que pueda resultar necesario o aconsejable, y siempre que la organización del trabajo lo permita y así se autorice. En tales casos, será de aplicación la política de Agile Working vigente en la compañía en cada momento, la cual regula precisamente esta materia"[40]. Esta previsión supone una recepción de ciertas prácticas conocidas en empresas de Estados Unidos, Inglaterra e Italia y que se están ya implantando en empresas españolas. Se trata de una metodología de trabajo basada en la confianza del trabajador, que trabaja por objetivos, y con gran libertad en la gestión del tiempo, la forma y lugar de trabajo gracias al uso intensivo de nuevas tecnologías, y en el que la subordinación o dependencia se traduce en el control empresarial de los resultados[41]. En todo caso, debe advertirse que las fronteras entre teletrabajo y trabajo ágil no son claras. El Smart working supone que el trabajo pueda desarrollarse fuera de la empresa, pero además permite que el trabajador se organice el tiempo y la forma de trabajar con gran libertad, algo que también es posible en algunas opciones de teletrabajo. Por ello quizá la característica más singular del trabajo ágil, y que puede distinguirlo del teletrabajo es, sobre todo, que el trabajo fuera de la empresa puede no estar planificado, y tener un carácter más informal, imprevisible, irregular, episódico o accesorio con respecto al realizado presencialmente en la empresa.

El II Convenio Colectivo de Empresas vinculadas a Telefónica resulta novedoso, por dos razones: por un lado, porque no se limita a citar o reconocer el trabajo ágil o flexible sino que lo define, y además lo equipara en sus condiciones al teletrabajo. En efecto, el art. 89 regula el teletrabajo y lo que llama "Flexwork". Como indica el propio convenio, el trabajo en movilidad o Flexwork no es un sustituto del teletrabajo sino una modalidad complementaria, una nueva forma de trabajar que está basada en flexibilidad, movilidad, inmediatez, dinamismo, versatilidad y conciliación de la vida laboral y familiar, y que para el trabajador supone "autonomía para la decisión del lugar y horario de trabajo, aunque sujeta a los condicionantes de la actividad, así como el disfrute de los beneficios vinculados con la conciliación de la vida laboral con la personal". Lo más significativo es que esta modalidad de trabajo se rige por las mismas condiciones que el teletrabajo, si bien los contratos individuales deben adaptarse a los condicionantes que perfilan esta nueva opción de trabajo flexible: la actividad desarrollada debe estar referida a proyectos específicos, donde la movilidad y flexibilidad sea acorde con las necesi-

---

[40] Art. 64 del VII Convenio colectivo de "BP OIL ESPAÑA, SAU".

[41] El país que ha formalizado y regulado con más intensidad este fenómeno ha sido Italia con la aprobación de la Ley 81/2017, 22 de mayo, que regula el Smart working o trabajo ágil Vid. un análisis de esta norma en MARTONE, M.: "El Smart working o Trabajo ágil en el ordenamiento italiano", *Derecho de las Relaciones Laborales*, n°1, 2018, págs. 88 y ss.

dades cambiantes de cada cliente o negocio; se trata de un trabajo orientado a resultados y a la consecución de objetivos, quedando conectada la duración y el tiempo de flexwork a la propia duración del proyecto aplicable a cada caso. El resto de las condiciones serán las mismas que las del teletrabajo, en cuanto a aspectos de procedimiento, implantación, efectividad, seguimiento del acuerdo, voluntariedad, reversibilidad, formación, protección de datos, y otras condiciones reguladas en el Anexo V del convenio.

3. EL CARÁCTER VOLUNTARIO DEL TELETRABAJO Y SU FORMALIZACIÓN. EL NUEVO DERECHO A SOLICITAR EL TELETRABAJO EX ART. 34.8 ET

En consonancia con las previsiones del AMET, el art. 13 ET reconoce implícitamente el carácter voluntario del teletrabajo, al exigir que sea fruto de un acuerdo entre empresa y trabajador que además debe formalizarse por escrito, con aplicación de las reglas contenidas en el art. 8.4 ET para la copia básica del contrato. Este carácter voluntario se da en un doble sentido, pues el trabajador puede solicitar el teletrabajo, pero la empresa también puede ofrecerlo, tanto al inicio de la relación laboral como en un momento posterior. Todos los convenios colectivos contemplan el teletrabajo como una opción voluntaria para ambas partes del contrato, y en sentido prevén la figura del "Acuerdo individual de Teletrabajo", en el que se deben expresar las condiciones en que se prestará el teletrabajo. En ocasiones el convenio expresa el contenido mínimo de tal acuerdo, en cuanto a jornada y horarios, condiciones económicas, formación y otras condiciones de trabajo[42], mientras que otros establecen que la condiciones del teletrabajo se negociarán con cada trabajador afectado, sin que el convenio establezca reglas mínimas al respecto[43]. En pocas ocasiones el convenio enfoca el pacto de teletrabajo como una "modalidad" de contrato de trabajo, que puede someterse a acuerdos novatorios cuando el teletrabajo

---

[42]   Vid. al respecto II Convenio colectivo de empresas vinculadas a Telefónica de España S.A, Telefónica Móviles España, SAU y Telefónica Soluciones de Informática y Comunicaciones SAU; Convenio colectivo Médicos del Mundo S.L; Convenio colectivo Logirail S.A.U; Convenio colectivo Ibermática SA; Convenio Radio Ecca, Fundación Canaria; Convenio General de la Industria Química.

[43]   Convenio Nokia Transformation Engineering &Consulting Services Spain, SLU; Convenio del sector de empresas de publicidad.

es una opción sobrevenida[44], y es más frecuente que se conciba como un pacto que se formaliza como anexo al contrato de trabajo[45].

En caso de que sea el empresario el que proponga la opción de teletrabajo, una vez iniciada la relación laboral, la negativa del trabajador ante la propuesta del empresario no puede tener consecuencias negativas para él. Por eso son acertadas algunas previsiones convencionales que recuerdan que "el rechazo por parte del trabajador a prestar sus servicios en régimen de teletrabajo no es en sí motivo de rescisión de la relación laboral ni de modificación de las condiciones de empleo de este trabajador"[46].

Por lo que se refiere al derecho del trabajador a solicitar la prestación de su trabajo a distancia queda ahora recogido expresamente en el art. 34.8 ET, tras su modificación por el art. 10 del Real Decreto-Ley 8/2019, de 8 de marzo. El texto estatutario hace una remisión expresa a la negociación colectiva para que fije los términos de su ejercicio, aunque marca dos pautas que deben ser respetadas en todo caso: una, que la solicitud debe estar orientada a hacer efectivo el derecho a la conciliación de la vida laboral y familiar; y dos, que los criterios y sistemas convencionales deben garantizar la inexistencia de discriminación, directa o indirecta, por razón de sexo. La reforma del texto legal establece ahora un nuevo expediente que refuerza la efectividad real del derecho a las adaptaciones por razón de la conciliación ex art. 34.8 ET cuando falta la previsión convencional. En efecto, la ausencia de un régimen convencional sobre el derecho a solicitar la opción de teletrabajo, tiene una nueva consecuencia: la obligación de la empresa de abrir un proceso de negociación con el trabajador solicitante durante un máximo de 30 días, y terminado el mismo se impone el deber de comunicar por escrito la aceptación de la propuesta, plantear una propuesta alternativa que facilite los mismos fines de conciliación, o bien la negativa a la propuesta del trabajador, que deberá ser en todo caso motivada. Aclara ahora el art. 34.8 ET, que las discrepancias entre empresa y trabajador serán resueltas judicialmente a través del procedimiento establecido en el art. 139 LRJS.

---

[44]   Se refiere al "contrato de trabajo a distancia" el Convenio Europcar IB. S.A que exige el acuerdo novatorio cuando sobreviene con posterioridad al inicio de la relación laboral. El Plan de I Plan de Igualdad de Fidelis Servicios Integrales, SLU habla de suscribir contratos indefinidos o temporales incluyendo el pacto de trabajo a distancia y, en su caso, firma de acuerdo de novación contractual cuando el teletrabajo es sobrevenido.

[45]   Por ejemplo, Convenio Thales España GRP, S.A.U; Convenio colectivo Radio Ecca, Fundación Canaria.

[46]   Convenio Colectivo de mayoristas e importadores de productos químicos industriales y de droguería, perfumería y anexos; Convenio General de la Industria Química.

La mayoría de los convenios colectivos negociados con anterioridad a la reforma legal del art. 34.8 ET carecen de regulación sobre los términos del ejercicio del derecho, o bien la ordenación prevista es insuficiente, y ello les va a exigir adaptarse a las nuevas previsiones legales si quieren evitar que los vacíos convencionales desemboquen en una obligada negociación individual con la empresa. Hay convenios que se limitan a señalar que "si el trabajador expresa el deseo de pasar al teletrabajo, la empresa puede aceptar o rechazar esta petición"[47], o tiene como única previsión que "en caso de negativa la Dirección argumentará razonadamente dicha negativa por escrito[48], o solo exigen que el trabajador motive su solicitud y establece alguna regla puntual para resolver posibles solicitudes concurrentes de trabajadores de un mismo departamento[49]. Algunos convenios contienen referencias al procedimiento que debe seguir el trabajador que quiere efectuar la solicitud: por ejemplo, que la solitud se tramite por email al departamento de recursos humanos, y una vez recibida, será la dirección de la empresa quien tenga la competencia exclusiva para valorar, en un plazo de 30 días, la concesión o no, y en el caso de denegación se comunicará el motivo al trabajador afectado y al Comité de empresa[50]. Adviértase que en este caso el propio convenio colectivo permite que una decisión unilateral de la empresa adoptada en el plazo máximo de 30 días sustituya a la negociación que empresa-trabajador deben realizar durante 30 días, según el art. 34.8 ET, cuando no hay previsiones convencionales. Sin embargo, también se ha regulado algún procedimiento en el que, tras la solicitud, se da audiencia al empleado para que junto con la empresa se valore la viabilidad de la medida, si bien la decisión última corresponde en todo caso a la empresa[51]. En otros casos, el convenio se remite a la empresa para que fije los aspectos procedimentales, aunque establece algunas pautas generales: así el II Convenio colectivo de empresas vinculadas a Telefónica establece que el procedimiento que fije la empresa será un procedimiento informatizado que recogerá de forma automática y uniforme la solicitud, tramitación, autorización y formalización en su caso del acuerdo individual, así como las prórrogas y el control de las personas trabajadoras, y exigiendo que se informe a los representantes de los trabajadores de todas las fases de dicho proceso.

---

[47]   Convenio colectivo general de la Industria Química; Convenio estatal perfumería y afines; Convenio Colectivo de mayoristas e importadores de productos químicos industriales y de droguería, perfumería y anexos, entre otros.

[48]   Convenio colectivo Médicos del Mundo, SL.

[49]   Convenio Grupo Parcial Cepsa.

[50]   Convenio colectivo ThyssenKrupp Elevadores, SLU.

[51]   Acuerdo de Teletrabajo Parcial de Deutsche Bank, SAE.

La regulación convencional del derecho a solicitar el teletrabajo, en relación con los "términos de su ejercicio", puede ir más allá de los aspectos de procedimiento y regular la exigencia del cumplimiento de requisitos de fondo; organizativos (valoración por la empresa si el puesto o la actividad a desarrollar admite el teletrabajo,); requisitos relativos al perfil profesional del trabajador (antigüedad, habilidades informáticas, capacidad de autogestión, disciplina y motivación, entre otros) [52]. Cuando el convenio colectivo opta por una regulación restrictiva del trabajo a distancia, en el sentido de que solo se prevé para atender determinadas necesidades y/o solo se permite su disfrute durante un número de horas o días determinados, puede considerarse que ese tipo previsiones son "términos" para el ejercicio del derecho y juegan como condicionantes para resolver la solicitud de teletrabajo[53].

4. VIGENCIA DEL ACUERDO DE TELETRABAJO Y CARÁCTER REVERSIBLE DEL TRABAJO A DISTANCIA

El acuerdo de teletrabajo puede tener la duración que las partes decidan. No obstante, en algunos convenios existen cláusulas sobre la vigencia del acuerdo. Así en el supuesto de trabajadores de nueva contratación en la modalidad de trabajo a distancia, se dice en algún caso que se podrán realizar contratos de trabajo indefinidos o temporales de acuerdo con la legislación vigente[54]. Pero también hay convenios que someten dicho pacto a una duración máxima, habitualmente un año, con posibilidad en su caso de prórrogas condicionadas, y se declara el derecho del trabajador a mantener la modalidad de teletrabajo durante ese periodo de tiempo[55]. En otros casos, el convenio somete el pacto de teletrabajo a un término final, que estará vinculado a la finalización de los proyectos específicos ejecutados con trabajadores en régimen de teletrabajo o Flexwork [56], o bien a la finalización de la situación empresarial o familiar excepcional que impide

---

[52]   IX Acuerdo Marco Grupo Repsol; Convenio colectivo Philips Ibérica, SAU; II Convenio empresas asociadas a Telefónica, todos ellos con profusa regulación sobre los requisitos que condicionan la aceptación de la solicitud.

[53]   Por ejemplo, el Convenio colectivo del Grupo Parcial Cepsa, que limita el trabajo a distancia, en el domicilio del trabajador, 8 días al año, para supuestos tasados.

[54]   Plan de Igualdad de Fidelis Servicios Integrales SLU.

[55]   Convenio Thyssenkrupp Elevadores, SLU; Convenio Telefónica Empresas vinculadas.

[56]   II Convenio colectivo Telefónica y empresas vinculadas.

el trabajo presencial[57]. También en alguna regulación de empresa se configura el acuerdo de teletrabajo como temporal, pero, en todo caso, sometido a un periodo inicial de prueba que permita valorar la adaptación del trabajador al proyecto de teletrabajo, pudiendo desistir cualquiera de las dos partes de la iniciativa, preavisando[58].

Sin embargo, lo más habitual es que el régimen convencional del teletrabajo no se pronuncie sobre la duración del pacto, pero la indefinición en la vigencia del mismo queda en todo caso supeditada al carácter reversible del teletrabajo[59]. Los convenios de sector apenas se pronuncian sobre el derecho a la reversión, y si lo hacen se limitan a señalar que el teletrabajo "será reversible por acuerdo individual o colectivo[60]. La referencia al acuerdo colectivo debe ser entendida en el sentido de que puede establecerse una regulación colectiva con los representantes de los trabajadores sobre las condiciones y modalidades de reversión, pero en todo caso, será necesaria una iniciativa individual y voluntaria de empresa o trabajador para volver al trabajo presencial. Por otra parte, los convenios suelen limitar el derecho a la reversibilidad del trabaja a distancia para el supuesto de que dicha forma de trabajo no forme parte de la descripción inicial del puesto[61]; sin embargo, nada impide que el pacto colectivo o individual permita el cambio o novación en sentido contrario, esto es, cuando el contrato se configura inicialmente como modalidad a distancia, en cuyo caso habría que precisar cuál es la modalidad de contrato y las condiciones de trabajo con las que el trabajador a distancia pasaría a prestar servicios en modo presencial.

La mayoría de los convenios prevén el ejercicio de la reversibilidad para ambas partes del contrato[62], y ello en consonancia con el AMET que confi-

---

[57]   Convenio colectivo Grupo Parcial Cepsa.
[58]   Acuerdo de Teletrabajo Parcial de Deutsche Bank, SAE.
[59]   Entre otros muchos, el IV Convenio colectivo Orange Espagne (2019-2022), que prevé la duración indefinida del pacto, aunque regula la posibilidad de denunciar el pacto en cualquier momento por empresa o trabajador.
[60]   Convenio general de la Industria Química; Convenio de mayoristas e importadores de productos químicos industriales y de droguería, perfumería y anexos; Convenio colectivo del sector de empresas de publicidad.
[61]   Acuerdo colectivo sobre las condiciones de la prestación de servicios en el BBVA en régimen de teletrabajo; II Convenio Telefónica y empresas vinculadas; Convenio general de la Industria Química; Convenio de mayoristas e importadores de productos químicos industriales y de droguería, perfumería y anexos; Convenio colectivo del sector de empresas de publicidad.
[62]   Convenio General del ámbito estatal para el sector de entidades de seguros y reaseguros y mutuas colaboradoras con las Seguridad Social.

gura el teletrabajo como una forma de trabajo voluntaria para el trabajador y la empresa. En algunos convenios se establece que el teletrabajo es reversible "en cualquier momento para cualquiera de las dos partes"[63], o se dice que esta modalidad es reversible en todo momento, pero no especifica quién puede tomar la decisión de volver al trabajo presencial[64]. Excepcionalmente, en algún acuerdo colectivo se prevé una reversión forzosa y exclusiva de la Dirección de la empresa, "que podrá extinguir la/s situaciones de teletrabajo en cualquier momento, pudiendo volver todos los trabajadores a desarrollar permanentemente su trabajo en los locales del empleador"[65].

Cuando el convenio no reconoce el derecho del trabajador a revertir, o no se pronuncia sobre la reversibilidad, o sobre sus titulares, debe aplicarse en todo caso la nueva previsión del art. 34.8 ET, que reconoce expresamente que la persona trabajadora tiene derecho a solicitar el regreso a su jornada o modalidad contractual anterior una vez concluido el periodo acordado o cuando el cambio de las circunstancias así lo justifique, aun cuando no hubiese transcurrido el periodo previsto.

Las previsiones convencionales sobre la exigencia o no de justificar la decisión de revertir el trabajo a distancia son diversas. Hay muchos convenios que omiten cualquier referencia sobre esta cuestión, dejando a la simple voluntad de la parte interesada la posibilidad de revertir la modalidad de trabajo[66]. También hay convenios que exigen justificación objetiva solo cuando es la empresa la que promueve la reversión, pero no al trabajador; la justificación que se le requiere a la empresa suele estar referida a razones de organización del trabajo, causas productivas o tecnológicas, cambio de actividad o de puesto de trabajo de la persona teletrabajadora, o falta de adecuación al perfil requerido para el teletrabajo[67]. Con independencia de que se imponga o no justificación para la reversión, sí es frecuente que el convenio exija preavisar a la otra parte[68], a veces por escrito[69]; y en ocasio-

---

[63] I Convenio colectivo Grupo Vodafone España; IX Acuerdo Marco Grupo Repsol.

[64] Convenio Estatal Perfumería y Afines; Convenio colectivo Logirail S.A.U.

[65] IX Acuerdo Marco Grupo Repsol.

[66] VIII Convenio colectivo nacional de universidades privadas, centros universitarios privados y centros de formación de postgraduados (Anexo I para Universidades online); Convenio colectivo Thyssenkrupp Elevadores SLU; IX Acuerdo Marco Grupo Repsol, entre otros.

[67] II Convenio Telefónica empresas asociadas; Acuerdo colectivo sobre las condiciones de la prestación de servicios en el BBVA en régimen de teletrabajo.

[68] Acuerdo Colectivo sobre condiciones de la prestación de servicios en BBVA en régimen de teletrabajo.

[69] Convenio Médicos del Mundo, SL; IV Convenio Colectivo Orange Espagne (2019-2022).

nes el plazo de preaviso es mayor para la empresa que para el trabajador[70]. También se refuerzan las garantías en las situaciones de reversibilidad, exigiendo información de las mismas a la representación de los trabajadores[71]. En algunos convenios se aclara que la denuncia y conclusión del acuerdo de teletrabajo en ningún caso implica el derecho a percibir indemnización o compensación alguna entre las partes[72].

Es posible que el convenio colectivo condicione la reversibilidad al transcurso de un cierto tiempo, posibilidad que ahora recoge expresamente el art. 34.8 ET. Es una opción con la que se procura que las decisiones de vuelta al trabajo presencial se adopten con fundamento y tras un cierto tiempo que permita valorar adecuadamente la experiencia. Así, en algún convenio se establece que si el derecho de reversibilidad se ejerce durante los seis primeros meses desde el inicio de la prestación de servicios en régimen de teletrabajo, la vuelta al trabajo presencial no se hará efectiva hasta que transcurran los primeros seis meses[73]. En otros casos no se somete el derecho de reversibilidad a un periodo mínimo de espera sino a un periodo máximo para su ejercicio, y ello con la finalidad de evitar situaciones de inseguridad o incertidumbre en la organización del trabajo en la empresa, de tal manera que se impone al trabajador –no a la empresa– el condicionante de que la reversión "se aplicará durante los dos primeros meses, transcurrido el cual el trabajador quedaría sometido al desarrollo de su actividad laboral mediante teletrabajo hasta transcurrido un año de la firma del Acuerdo Individual"[74]. En cualquier caso, no puede ignorarse que el art. 34.8 ET establece, tras su reforma, que el derecho a solicitar el regreso a la jornada o modalidad contractual anterior puede hacerse efectivo aun cuando no haya transcurrido el periodo acordado, "cuando el cambio de circunstancias así lo justifique". El convenio colectivo puede precisar qué tipo de cambios (personales o familiares, cambio en el puesto de trabajo) pueden justificar la vuelta al trabajo presencial antes del cumplimiento del

---

[70] Plan de Igualdad de Fidelis Servicios Integrales SLU, que establece un plazo de 2 meses para la empresa y 1 mes para el trabajador.

[71] II Convenio de Telefónica para empresas vinculadas; Plan de Igualdad de Fidelis Servicios Integrales, SLU.

[72] IV Convenio colectivo Orange Espagne (2019-2022).

[73] Acuerdo colectivo sobre las condiciones de la prestación de servicios en el BBVA en régimen de teletrabajo.

[74] II Convenio Telefónica empresas vinculadas. En todo caso el convenio establece la posibilidad de que no se exijan estos plazos cuando concurran circunstancias excepcionales que deben ser valoradas por RRHH en coordinación con su Unidad de pertenencia.

periodo acordado, pero sin que tales previsiones puedan dejar sin efecto el derecho que ahora reconoce la ley[75].

5. EL PRINCIPIO DE EQUIPARACIÓN DE DERECHOS EN LA NEGOCIÓN COLECTIVA

El art. 13.3 ET establece que los trabajadores a distancia tendrán los mismos derechos que los trabajadores que prestan sus servicios en el centro de trabajo de la empresa. Con ello el ET garantiza un principio de equiparación de derechos en relación los trabajadores presenciales, y lo hace en consonancia con las previsiones del AMET. Para hacer efectivo este derecho de igualdad el punto de referencia será el centro de trabajo donde prestan servicios los trabajadores presenciales. Si el trabajador tiene un régimen mixto de trabajo, y combina trabajo presencial y remoto, no habrá problemas para determinar el centro de referencia para garantizar la equiparación. Sin embargo, el precepto estatutario no ofrece criterios para determinar el centro de trabajo que puede servir de referencia a estos efectos cuando hay en la empresa diversos centros de trabajo o cuando en todo caso el trabajador presta la totalidad de sus servicios en modalidad remota. El art. 13.5 ET exige la adscripción del trabajador a distancia a un centro de trabajo concreto de la empresa, pero solo a los efectos de que los trabajadores puedan ejercer los derechos de representación colectiva; con todo, es posible considerar que dicha adscripción puede ser también el punto de referencia para determinar los derechos que corresponden al teletrabajador por equiparación con los presenciales. Los convenios colectivos en su mayoría no contienen previsiones sobre esta cuestión, salvo algún convenio sectorial que señala que, salvo acuerdo expreso en contrario, los trabajadores "deberán ser adscritos al centro de trabajo de la empresa más cercano a su domicilio en el que pudiera estar funcionalmente integrados"[76].

---

[75] En el II Convenio colectivo Telefónica y empresas vinculadas se dice que la reversibilidad a instancia de la persona trabajadora "podrá tener lugar durante los dos primeros meses o, en su caso, al finalizar el periodo del año, salvo que concurran circunstancias excepcionales que serán convenientemente valoradas por RRHH en coordinación con su unidad de pertenencia".

[76] Convenio General de la Industria Química; Convenio colectivo de mayoristas e importadores de productos químicos industriales y de droguería, perfumería y anexos. También en el Convenio colectivo Europcar IB, S.A, que señala que, a efectos de los derechos electorales y de representación, el trabajador a distancia estará adscrito al

El art. 13.3 ET establece una excepción a la regla de equiparación, de tal manera que impone la igualdad de derechos "salvo aquellos que sean inherentes a la realización de la prestación laboral en el mismo de manera presencial". Algunos convenios sectoriales modifican el sentido de la excepción legal y así prevén la garantía de igualdad de condiciones de empleo "salvo las que se deriven de la propia naturaleza del trabajo realizado fuera de estas últimas"[77]. Con esta fórmula se prevé, no ya la exclusión de derechos vinculados al carácter presencial de los servicios, como apunta el texto estatutario, sino la posibilidad de reconocer condiciones de trabajo especiales por razón del carácter remoto de los servicios. En algún caso el convenio colectivo hace referencia a cuáles son los derechos de los trabajadores presenciales que pueden quedar al margen del trabajo remoto[78], pero en lo no previsto habrá que estar a los términos pactados en el acuerdo individual, tanto si se ha pactado que la totalidad de la jornada se desarrolle en modo remoto como en aquellos otros casos en los que hay un régimen mixto o de alternancia. En punto al reconocimiento de derechos de los teletrabajadores, y especialmente para los casos en que el trabajo a distancia se acuerda una vez existente la relación laboral, es frecuente encontrar cláusulas convencionales que garantizan que los derechos y obligaciones inherentes al contrato de trabajo se mantendrán con independencia del lugar donde se realice la prestación[79], o que el teletrabajo no modifica la relación laboral preexistente, ni las condiciones laborales y económicas de los trabajadores[80].

6. TIEMPO DE TRABAJO Y DESCANSOS. EL REGISTRO DIARIO DE LA JORNADA EN EL TELETRABAJO

En materia de tiempos de trabajo, como regla general los teletrabajadores tienen la jornada laboral prevista en el convenio colectivo para todos los trabajadores, quedando igualmente sometido a los tiempos de descanso

---

centro de trabajo geográfico más cercano a su domicilio dentro de la misma Comunidad Autónoma, o si no lo hubiera, al que corresponda por su actividad.

[77] Convenio General de la Industria Química; Convenio colectivo de mayoristas e importadores de productos químicos industriales y de droguería, perfumería y anexos.

[78] Por ejemplo, puede quedar fuera el abono por manutención correspondiente a los días de teletrabajo. En este sentido Convenio colectivo Thales España GRP, SAU.

[79] Convenio colectivo de Thyssenkrupp Elevadores SLU.

[80] Acuerdo colectivo sobre las condiciones de la prestación de servicios en el BBVA en régimen de teletrabajo; en términos parecidos se pronuncia el Convenio Thales España GRP, SAU.

obligatorios y a los procedimientos ordinarios para la fijación de las vacaciones[81]. No son frecuentes las cláusulas convencionales relativas a los tiempos de descanso, permisos y vacaciones de los teletrabajadores, más allá de proclamar el principio de equiparación con los trabajadores presenciales o la aplicación de las previsiones del convenio[82].

Por lo que se refiere al horario, el trabajador puede quedar equiparado al personal presencial, exigiéndole "el horario general de su Unidad de pertenencia"[83], o se le puede garantizar igual distribución de jornada y horario tanto en los días de trabajo presencial como aquellos otros que trabaje en remoto[84]. Son pocos los convenios que reconocen expresamente la "flexibilidad horaria total" en el teletrabajo[85]. En ocasiones, la modalidad de teletrabajo (Mobile working) se define precisamente atendiendo a la posibilidad de un uso flexible del tiempo de trabajo orientado expresamente a la atención de las necesidades de conciliación de la vida laboral o familiar del teletrabajador[86]. Sin embargo, la mayoría de los convenios tienden a establecer reglas que acotan los tiempos de teletrabajo, por ejemplo, estableciendo franjas horarias específicas para la distribución de la jornada de trabajo a distancia[87], o exigiendo un tiempo mínimo para teletrabajar de varias horas continuadas de trabajo[88]. Con todo, también hay convenios que prevén márgenes de flexibilidad en la distribución de la jornada y la determinación de los horarios en el teletrabajo, bien que orientada casi siempre a atender las necesidades de la empresa. Así para facilitar la realización del trabajo a distancia en régimen parcial, se permite acordar con el trabajador una jornada semanal distinta a la resultante de la distribución irregular de la jornada prevista en convenio[89]; se admite cierta flexibilidad para cambiar los días de la semana asignados al teletrabajo para atender necesidades del servicio o asistir a cursos de formación[90]; se prevé las variaciones en días y horarios pactados para el desarrollo del teletrabajo para atender las necesidades organizativas, si bien con respeto a la

---

[81] En este sentido, entre otros, IV Convenio Orange Espagne (2019-2022); Convenio colectivo Orange España comunicaciones fijas SLU.
[82] Plan de Igualdad de Fidelis Servicios Integrales SLU; Acuerdo de Teletrabajo Parcial de Deutsche Bank SAE.
[83] II Convenio Telefónica y empresas vinculadas.
[84] Acuerdo Teletrabajo Parcial en Deutsche Bank, SAE.
[85] Convenio colectivo de Ibermática S.A.
[86] Convenio colectivo Siemens SA.
[87] IV Convenio Orange Espagne (2019-2022);
[88] Convenio Colectivo Orange España comunicaciones fijas SLU.
[89] Convenio colectivo Radio Ecca, Fundación Canaria.
[90] IX Acuerdo Marco Repsol.

jornada laboral y a los horarios del centro[91]; se toleran cambios en función de la actividad y compromisos profesionales propios del puesto de traba-jo[92]; a veces se exige el mismo horario que el trabajo presencial pero con las variaciones que exijan sus funciones y los proyectos que tenga asignados al teletrabajador[93].

Con independencia del tipo de gestión del tiempo de teletrabajo, más o menos flexible según los casos, es lo cierto que es frecuente el recurso a una cláusula convencional que preserva en todo caso el interés empre-sarial, a saber: aquella que establece la obligación del teletrabajador de acudir a los locales o centros de trabajo cuando sea requerido para ello por el empresario para atender necesidades de coordinación o asignación de tareas, evaluación de tareas u objetivos,[94] asistencia a reuniones con preaviso de 24 horas[95], sustitución de compañeros que están de baja o de vacaciones u otros imprevistos[96]. No obstante, también hay convenios que prevén este llamamiento empresarial para que el teletrabajador acuda al centro de trabajo, pero ahora con otro planteamiento diferente que, al me-nos formalmente, mira más al interés del trabajador y a su salud; se dice así que "con el objetivo de favorecer la comunicación y evitar situaciones de aislamiento o de no pertenencia a la empresa, se establecerán, con carácter obligatorio y periodicidad semanal, reuniones de contacto con el equipo de trabajo y con el responsable directo"[97], o se establece que para evitar la desvinculación con la empresa se les puede convocar para que asistan e intervengan presencialmente en reuniones, formación, actividades o pro-yectos que requieran interactuar en la sede en forma presencial[98].

La prestación de servicios en remoto es un forma de trabajo que puede prestarse a ciertos abusos en la gestión del tiempo de trabajo: así, la empre-sa puede exigir trabajo más allá de los límites legales o convencionales, y ello aprovechando el uso intensivo de las nuevas tecnologías e impidiendo

---

[91]   Acuerdo colectivo sobre las condiciones de la prestación de servicios en el BBVA en régimen de teletrabajo.

[92]   Convenio colectivo Logirail SAU; Convenio colectivoThales España GRP, SAU; Conve-nio colectivo Nokia Spain SA.

[93]   Plan de Igualdad de Igualdad de Fidelis Servicios Integrales, SLU.

[94]   IX Acuerdo Marco Repsol; Convenio colectivo Thyssenkrupp Elevadores, SLU.

[95]   IV Convenio colectivo Orange Espagne (2019-2022).

[96]   II Convenio colectivo Telefónica y empresas vinculadas; Acuerdo colectivo sobre las condiciones de la prestación de servicios en el BBVA en régimen de teletrabajo.

[97]   Plan de Igualdad de Fidelis Servicios Integrales, SLU.

[98]   VIII Convenio Colectivo nacional de universidades privadas, centros universitarios pri-vados y centros de formación de postgraduados.

la desconexión digital del trabajador; por su parte, el trabajador, si no está sujeto a determinados controles, puede aprovechar esta forma de trabajo para realizar jornadas extraordinarias en su domicilio con la finalidad de incrementar su retribución. La realización de horas extraordinarias sin control por los teletrabajadores es una preocupación que aparece reflejada en algunos convenios colectivos: así en algún caso se advierte expresamente que el trabajo a distancia no puede suponer aumento de la jornada anual establecida en el Convenio colectivo[99], o se dice que el teletrabajo no puede utilizarse como instrumento para generar derecho a nuevas compensaciones por trabajo realizado más allá del horario de oficinas[100]. Sobre la realización de horas extraordinarias por los trabajadores a distancia ya se ha pronunciado en alguna ocasión los tribunales. Así, la STSJ Castilla y León, 3 febrero 2016 (rec.2229/2015) consideró que "si la empresa ha establecido pautas claras sobre el tiempo de trabajo respetuosas con la regulación legal y convencional sobre jornada y descansos, y si además establece, de acuerdo con el trabajador, instrumentos de declaración y control del tiempo de trabajo a distancia, entonces sería posible admitir que una conducta del trabajador en el interior de su domicilio en vulneración de dichas pautas y omitiendo los instrumentos de control empresarial pudiera dar lugar a exceptuar el pago el pago de las correspondientes horas y su cómputo como tiempo de trabajo. Pero en ausencia de esas pautas y criterios y de unos mínimos instrumentos de control no puede admitirse tal exceptuación, que sería equivalente a crear un espacio de total impunidad y alegalidad en el trabajo a distancia y en el domicilio".

Como es sabido, el art. 34.9 ET, tras la reforma operada por el Real Decreto-Ley 8/2019, 8 marzo, impone ahora al empresario la obligación de garantizar el registro diario de la jornada, que debe incluir el horario concreto de inicio y fin de la jornada de trabajo de todos los trabajadores, sin perjuicio de la flexibilidad horaria y la distribución irregular de la jornada que pueda estar prevista convencionalmente o impuesta por la empresa a falta de convenio o acuerdo de empresa. La organización y documentación del sistema de control horario admite autorregulación convencional, a través del convenio colectivo o acuerdo de empresa, y ello como alternativa a la decisión unilateral de la empresa previamente consultada con los representantes del personal. El registro de la jornada diaria del teletrabajador es perfectamente posible, lo sea a tiempo completo o parcial, y puede incluir las reglas específicas o criterios de flexibilidad previstas para regular

---

[99]   Convenio colectivo Radio Ecca, Fundación Canaria.
[100] II Convenio Telefónica y empresas vinculadas.

su tiempo de teletrabajo. Para ello es posible utilizar sistemas de registro o fichaje digital (a través de App y Web), o cualquier solución online u offline, siempre que el sistema sea proporcional a los fines perseguidos, y respetuoso con el derecho a la intimidad y a la inviolabilidad del domicilio. Además, el sistema de control mediante dispositivos o software no puede suponer coste alguno para el trabajador, ni exigir la utilización de medios propiedad del trabajador ni el uso de datos de carácter personal como el número privado de teléfono o la dirección de correo electrónico[101]. Se puede admitir incluso sistemas manuales de autogestión individual del tiempo de trabajo, siempre que el empresario pueda garantizar el control de veracidad de la declaración unilateral del trabajador, como así reconoce la *Guía sobre el registro de jornada* publicada por el Ministerio de Trabajo, Migraciones y Seguridad Social.

Un convenio colectivo pionero en la regulación del registro de la jornada laboral es el último Convenio colectivo marco de la Unión General de Trabajadores (2019-2020), que opta por permitir un sistema de registro diversificado para cada Organismo y ello con la finalidad de que se pueda atender a las múltiples situaciones especiales y espacios físicos que se derivan de la actividad laboral. El convenio marco exige en todo caso una serie de requisitos en orden a garantizar el correcto registro de la jornada: asegurar la fiabilidad e invariabilidad de los datos e imposibilitar su manipulación, garantizar una gestión objetiva y facilitar el acceso de los trabajadores a la información almacenada. Pero en líneas generales puede decirse que los convenios colectivos, especialmente los de sector, no regulan todavía esta materia, o establecen alguna previsión puntual en el capítulo que empieza a dedicarse ahora a las nuevas tecnologías y derechos digitales: así, por ejemplo, se dice que el tratamiento de datos biométricos dirigidos a identificar de manera unívoca a una persona, requerirá el consentimiento de esta, "salvo que ese tratamiento sea necesario para cumplir con la obligación del control diario de la jornada"[102]. Igualmente, los convenios de empresa contienen, por el momento, escasas previsiones sobre controles de la actividad laboral que en todo caso no permiten cubrir adecuadamente el deber de registro diario de la jornada que impone ahora el precepto estatutario. Así se puede encontrar alguna

---

[101] En este sentido resulta de interés la SAN 13/2019, 6 febrero, que declara nulo, por vulnerar el derecho a la privacidad de los trabajadores, un sistema de control con geolocalización implantado por Telepizza que exige la descarga de una App de la empresa en el móvil con conexión a internet de propiedad del trabajador.

[102] Convenio colectivo estatal para las industrias del curtido, correas y cueros industriales y curtición de pieles para peletería (2019-2021).

referencia genérica al control y supervisión de la actividad laboral a través de medios telemáticos, informáticos y electrónicos[103]. Algún convenio colectivo de empresa anuncia la futura implantación de sistemas de control que deberán ser comunicados con antelación y claridad y que en todo caso respetarán el derecho a la intimidad, limitándose por el momento a exigir al trabajador la obligación de comunicar por el sistema habitual las incidencias de vacaciones, IT o cualquier otra que deba ser comunicada a la empresa a través del sistema de incidencias[104]. En algún otro caso se establecen sistemas de control facultativos para la empresa, como en el Acuerdo sobre Teletrabajo de BBVA, que prevé la posibilidad de que la empresa realice controles no solo remotos sino también presenciales con el objeto de verificar el correcto cumplimiento de las obligaciones del empleado[105].

El acuerdo o pacto de empresa es seguramente el instrumento convencional más adecuado para regular con detalle el deber de registro de la jornada diaria atendiendo a la diversidad de cada organización, su actividad o tipo de plantilla. Resulta de interés en este sentido el Acuerdo alcanzado por Telefónica con las organizaciones sindicales para regular el registro diario de la jornada[106]. En dicho acuerdo se establecen reglas especiales para el teletrabajo: así, salvo los días en que se acuda al centro de trabajo, se exceptúa para el teletrabajo el sistema general de fichaje a través de Tarjeta de Identificación Personal (TIP), y se prevé "la implementación de un sistema de registro telemático, el cual no implicará, necesariamente, geolocalización". Adviértase que el acuerdo no especifica el sistema concreto que será utilizado, ni descarta la geolocalización, y tampoco precisa las garantías que tendrá el teletrabajador para preservar su derecho a la intimidad. En todo caso, las partes negociadoras reconocen que el acuerdo no es definitivo y, por tanto, es revisable. El acuerdo se completa con unas

---

[103]   Plan de Igualdad de Fidelis Servicios Integrales, SLU.

[104]   IX Acuerdo Marco Repsol.

[105]   El Acuerdo establece que, a estos efectos el empleado autoriza a la empresa a realizar al menos una Auditoría con carácter anual de los sistemas informáticos de comunicación y de seguridad del empleado, posibilitando el acceso al domicilio particular a los auditores que preavisarán con al menos 48 horas de antelación, y con el deber de facilitarles las pruebas que soliciten para cubrir el objetivo de la auditoría. En relación con esta previsión, parece claro que el convenio no puede establecer una presunción general de que el teletrabajador presta su consentimiento para que se realice la auditoria presencial en su domicilio, de tal manera que será necesario en todo caso el consentimiento expreso de cada trabajador afectado, preservando de esta manera su derecho a la intimidad y a la inviolabilidad del domicilio.

[106]   El Acuerdo se firma el 17 julio de 2019 por Telefónica, UGT y CCOO.

directrices de política empresarial sobre las horas extras: se dice expresamente que serán excepcionales, y que se podrán realizar siempre que sean previamente autorizadas por escrito por el superior jerárquico. En definitiva, pues, la obligación de registro diario de jornada puede llevar, como en este caso, a formalizar políticas empresariales de contención clara de las jornadas extraordinarias de trabajo.

7. RÉGIMEN SALARIAL, EQUIPAMIENTOS Y GASTOS DERIVADOS DEL TELETRABAJO

El tratamiento convencional del régimen salarial del trabajo a distancia es muy escaso, particularmente en los convenios de sector, que se limitan a garantizar, como mínimo, la retribución total establecida conforme al grupo profesional y funciones realizadas en los mismos términos que el art. 13.3 ET[107], o prevén alguna regla aislada sobre el cálculo del salario por unidad de obra en el trabajo a domicilio[108], o se establece un jornal diario para el trabajo a domicilio, en un sistema de retribución de todo incluido[109]. Igualmente parco es el tratamiento de esta materia en los convenios y pactos de empresa: en líneas generales se garantiza que el teletrabajo no va a suponer cambios en la retribución del trabajador y en la estructura de su salario[110], o se establece como declaración general que el teletrabajo no puede suponer detrimento alguno a nivel salarial o de cualquier otra mejora[111]. En este sentido, algún convenio aclara expresamente que se mantiene la ayuda para manutención en el teletrabajo[112], en tanto que otros la excluyen en los días de teletrabajo[113]. Como ya se dijo, en ocasiones se conecta el tiempo de trabajo y el horario general con el salario del teletrabajador, y ello con el objeto de limitar las retribuciones: así se advierte expresamente que el teletrabajo no puede utilizarse como instrumento para generar derecho a nuevas compensaciones por trabajo realizado más

---

[107]   Convenio colectivo estatal del sector de Prensa Diaria.
[108]   Convenio colectivo del Grupo de marroquinería, cueros repujados y similares de Madrid, Castilla-La Mancha, la Rioja, Cantabria, Burgos, Soria, Segovia, Ávila, Valladolid y Palencia.
[109]   Convenio colectivo de la Industria del Calzado.
[110]   Convenio Telefónica y empresas vinculadas; Plan de Igualdad de Fidelis Servicios Integrales SLU.
[111]   Acuerdo de Teletrabajo Parcial de Deutsche Bank, SAE.
[112]   IV Convenio colectivo Orange Espagne.
[113]   Convenio colectivo Thales España GRP, SAU.

allá del horario de oficinas[114], o se aclara expresamente que "no se abonará compensación alguna por la participación en el régimen de teletrabajo[115].

Es muy frecuente que los convenios se pronuncien sobre una cuestión relevante en el teletrabajo cual es la relativa a los gastos derivados de esta especial forma de trabajar. Algún convenio establece como regla general que "la implementación del proceso de teletrabajo no supondrá coste adicional alguna para la empresa"[116]. Se trata de una premisa razonable siempre que se interprete en el sentido de que el teletrabajo no debe exigir a la empresa la inversión en nuevos instrumentos o herramientas de trabajo más allá de las que el trabajador utiliza normalmente en el trabajo presencial. En esta línea, se puede establecer que los teletrabajadores deben ser dotados con los medios suficientes para el desarrollo de sus funciones, lo que supondrá proporcionarles los mismos medios que tiene el personal que realiza las mismas funciones en los centros de trabajo[117].

Cuestión distinta es que los costes adicionales que pueden derivar del trabajo fuera del centro de trabajo se desplacen de la empresa al teletrabajador. En algunos casos, la fórmula utilizada por el convenio es muy clara en este punto: se dice así que "todos los costes asociados a la adaptación o mejora de las instalaciones domiciliarias, a las condiciones de trabajo y ambientales, así como los gastos de electricidad, agua, calefacción, etc., correrán por cuenta del empleado"[118]. Este tipo de cláusulas resultan abusivas, ya que parten de la idea de que el teletrabajo es una opción voluntaria y que responde a los intereses personales o familiares del trabajador y, por tanto, se entiende que debe ser él quien asuma los costes adicionales derivados del uso de su domicilio. Sin embargo, este planteamiento es criticable, pues los gastos derivados del trabajo debe asumirlos el empresario, que en ningún caso debería plantearse el teletrabajo como una fórmula que le permite ahorrar costes por desplazamiento de los mismos al trabajador.

Frente a este tipo de planteamientos, hay que tomar como referente de un tratamiento adecuado de los costes indirectos derivados del teletrabajo las previsiones convencionales que regulan un "complemento por teletrabajo", esto es, una cantidad fija y periódica que recibe el teletrabajador destinada a compensar los gastos derivados de su adscripción a la modalidad de teletrabajo (incomodidad de tener la oficina en casa, gastos ordinarios

---

[114] II Convenio Telefónica y empresas vinculadas.
[115] Convenio colectivo Thales España GRP, SAU.
[116] Convenio colectivo Nokia Transformation Engineering &Consulting Services Spain, SL.
[117] Convenio colectivo de Philips Lighting Spain, SLU.
[118] Convenio colectivo Telefónica y empresas vinculadas.

de luz, calefacción, limpieza u otros similares) y que lógicamente dejaría de percibir en el momento en que cese en esta modalidad de prestación de servicios[119]. En algún caso, la cantidad destinada a cubrir los gastos generales se fija como un porcentaje calculado sobre el salario del trabajador, y se establece que ese incremento porcentual no se cobrará el día en que se carezca de trabajo por causas no imputables a las personas[120]. Dicho complemento o partida debe recibir el tratamiento de extrasalarial[121], aunque algunos convenios los incluyan incorrectamente en el apartado de salarios[122].

La misma problemática se plantea en relación con los costes directamente relacionados con esta modalidad de trabajo, y más concretamente, con los equipamientos necesarios para desarrollarlo adecuadamente. En este sentido, resulta también criticable la previsión convencional que traslada al trabajador los gastos derivados de las instalaciones necesarias para el uso de los medios tecnológicos, exigiendo que corran a su cargo "los gastos de ADSL, telefonía, internet y cualquier otro similar"[123], o la que exige al trabajador que disponga del equipamiento y mobiliario necesario para poder prestar servicios desde su domicilio[124]. En algunos casos, se regulan fórmulas mixtas, de reparto de costes para ambas partes: la empresa suministra parte del equipo (software y móvil) pero exige al trabajador que disponga de un ordenador propio compatible con el entorno informático de la empresa y de conexión propia a internet para poder conectarse a su puesto de trabajo virtual[125]. También hay convenios que ofrecen fórmulas alternativas en cuanto a la aportación de equipamientos, pero siempre con asunción de costes por la empresa: así la empresa puede aportar el equipa-

---

[119]   Convenio colectivo de BP Oil España, SAU, para sus centros de trabajo en Madrid y Las Palmas. Este convenio regula dos complementos; uno de "teletrabajo", para el teletrabajador que desarrolla la totalidad de la jornada en su domicilio; otro complemento "casa-oficina", para empleados presenciales, que, por necesidades organizativas u operativas del negocio, pasen a prestar servicios en su domicilio.

[120]   Convenio colectivo Industria del Calzado, que prevé para las personas que trabajan a domicilio, recibirán el mismo salario según las tablas del convenio, pero incrementado en un 10% del mismo salario en concepto de gastos generales.

[121]   Así es calificado correctamente en el Acuerdo colectivo sobre las condiciones de la prestación de servicios en el BBVA en régimen de teletrabajo.

[122]   Convenio colectivo de BP Oil España, SAU, para sus centros de trabajo en Madrid y Las Palmas; Convenio colectivo Industria del Calzado.

[123]   Convenio Médicos del Mundo SL; en términos similares el Convenio colectivo Thyssenkrup Elevadores SLU; Convenio colectivo Telefónica y empresas vinculadas.

[124]   Convenio colectivo de Philips Ibérica, SAU.

[125]   Acuerdo de Teletrabajo Parcial de Deutsche Bank, SAE.

miento, su instalación y mantenimiento, pero también se admite el pacto con el trabajador para que utilice su propio equipo, aunque en este último caso la empresa cubre los costes directamente originados por el trabajo, en particular los ligados a las comunicaciones, incluyendo un servicio de apoyo técnico[126], o se prevé que se acordará con el trabajador su régimen de utilización y amortización, siendo la empresa la que asuma los gastos de puesta en marcha y mantenimiento[127]. Sin ninguna duda, las cláusulas convencionales más adecuadas, y que mejor se ajustan a las previsiones del AMET, son aquellas que garantizan que la empresa facilite e instale todos los equipos necesarios para desarrollar el teletrabajo, incluyendo la asistencia técnica y mantenimiento de los mismos, cubriendo los costes de la pérdida o deterioro de los equipos por su uso normal, y todo ello sin perjuicio de la posibilidad de que la empresa tenga facultad para sustituirlos en cualquier momento, o suprimirlos cuando los mismos no resulten necesarios para desarrollar la actividad contratada[128]. Al mismo tiempo, parece lógico que se exija al trabajador un uso adecuado de los equipos e instrumentos de trabajo, y que el convenio establezca normas claras para su correcta utilización, advirtiendo de la prohibición o limitación en el uso privado o no profesional de dichos medios (acceso a programas de la empresa, correo electrónico, etc.)[129]. También es interesante completar el régimen del equipamiento con la previsión convencional que establece que, en caso de avería, interrupción del funcionamiento del sistema u otra interrupción en el circuito telemático, debido a causas accidentales y no imputables al trabajador, esta situación no implicará la exigencia de ningún tipo de recuperación por parte del teletrabajador[130].

8. DERECHO A LA FORMACIÓN, PROMOCIÓN PROFESIONAL Y PREVENCIÓN DE RIESGOS LABORALES DEL TELETRABAJADOR

La garantía general de equiparación de derechos de los trabajadores a distancia con los de los trabajadores presenciales prevista en el art. 13 ET, incluye una especial mención al derecho a acceder a la formación profe-

---

[126]   Convenio colectivo Estatal Perfumería y Afines; Convenio colectivo Europcar IB S.A; Convenio colectivo Logirail SAU; Convenio Colectivo La Voz de Galicia S.A.

[127]   Convenio colectivo estatal del sector de prensa diaria.

[128]   IX Acuerdo Marco Repsol.

[129]   Convenio colectivo del Grupo Axa.

[130]   Acuerdo de Teletrabajo Parcial de Deutsche Bank, SAE.

sional para el empleo con el fin de facilitar su promoción profesional. La mayoría de los convenios se limitan a reproducir estas previsiones legales, sin mayores precisiones. No obstante, hay convenios que completan esta garantía legal teniendo en cuenta la expresa previsión contenida en el AMET, que además del derecho general al acceso a la formación, también se refiere al derecho de los teletrabajadores a recibir "una formación apropiada, centrada en los equipos técnicos puestos a su disposición y en las características de esta forma de organización del trabajo". En esta línea algún acuerdo colectivo sobre teletrabajo prevé un Plan Formativo específico para los trabajadores que inician la experiencia del teletrabajo, dirigido al trabajador, pero también a sus directivos, y que tiene por objeto capacitar para el uso de las herramientas básicas para el teletrabajo, muy especialmente en relación con el correo electrónico, los entornos de trabajo corporativo y en las cuestiones psicosociales precisas para una correcta adecuación al nuevo entorno laboral[131]. La formación específica para los teletrabajadores a veces queda limitada a la formación en materia de prevención de riesgos laborales[132]. En algún convenio se incluye expresamente como materia formativa la seguridad de la información[133]. En pocos casos se especifica cómo se convoca al trabajador a los cursos de formación, y la modalidad de la formación que se va a impartir, bien presencial y/o a distancia[134]. El convenio no siempre garantiza una formación específica para el teletrabajo, sino que en algún caso exige, como condición previa para que el trabajador pueda solicitar esta modalidad de trabajo, que tenga ya las habilidades tecnológicas e informáticas suficientes para poder trabajar en remoto y garantizar la conexión a distancia[135]. También se hace alusión a la asistencia a cursos de formación como mecanismo que permite evitar la desvinculación o el aislamiento del teletrabajador[136]. En algún convenio se exige la flexibilidad en el cambio de días destinados al teletrabajo para garantizar si es necesario la asistencia a cursos de formación[137].

El art. 13.3 ET también se refiere al derecho de los teletrabajadores a ser informados de la existencia de vacantes en puestos presenciales con la fi-

---

[131]   Convenio colectivo Telefónica y empresas vinculadas.
[132]   Plan de Igualdad de Fidelis Servicios Integrales, SLU.
[133]   I Convenio colectivo Grupo Vodafone España.
[134]   Acuerdo colectivo sobre las condiciones de la prestación de servicios en el BBVA en régimen de teletrabajo, admite las dos modalidades de formación.
[135]   Convenio colectivo Philips Ibérica, SAU.
[136]   Convenio colectivo nacional de universidades privadas, centros universitarios privados y centro de formación de postgraduados.
[137]   IX Acuerdo Marco Repsol.

nalidad de facilitar su movilidad y promoción. La mayoría de los convenios reproducen el texto legal, aunque alguna cláusula de garantía de acceso a la formación se completa con una previsión que reproduce el AMET, y en la que se garantiza también que los teletrabajadores quedan sujetos "a las mismas políticas de evaluación que el resto de los empleados"[138]. En definitiva, con este tipo de cláusula se garantiza que el teletrabajo no se considere devaluado de cara a la carrera profesional del trabajador cuando aspire a cambiar de puesto de trabajo y/ promocionarse en la empresa.

Frente a la parquedad del tratamiento convencional sobre formación y promoción profesional, la materia relativa a la prevención de riesgos laborales tiene un mayor protagonismo en la negociación colectiva. Los convenios colectivos suelen reproducir las previsiones del AMET, en el sentido de recordar que es el empresario el responsable de la seguridad y salud del teletrabajador, y que éste, como dice el art. 13 ET, tiene derecho a una adecuada protección de acuerdo con la normativa vigente en esta materia. En todo caso, los negociadores de convenios no ignoran el hecho de que la elección del domicilio como lugar de trabajo exige al teletrabajador un mayor compromiso e implicación en la prevención, por lo que en algún convenio se recuerda que el trabajador remoto debe responsabilizarse, junto con la empresa, en el cumplimiento de las normas de prevención de riesgos laborales[139], cumpliendo y haciendo cumplir todas las normas legales y convencionales que resulten de aplicación en cada momento[140].

Los convenios centran el tratamiento de la prevención de riesgos laborales muy especialmente en el lugar donde se van a prestan servicios en modo remoto. La normativa convencional de empresa, en línea con la regulación contenida en la normativa autonómica sobre teletrabajo, a veces exige una suerte de autoevaluación o autocomprobación del propio trabajador, de tal manera que se prevé la obligación del servicio de prevención de riesgos laborales de informar a los trabajadores sobre los requisitos que debe cumplir, y por su parte el trabajador se compromete a cumplir y hacer cumplir las normas de seguridad y salud, así como realizar los cambios que pudieran ser necesarios para que el lugar donde se prestan los servicios cumpla con los requisitos que en esta materia exija la ley o el convenio[141]. En otros casos, se exige al teletrabajador el compromiso de garantizar que

---

[138]   Convenio colectivo Thales España GRP, SAU.
[139]   Acuerdo de Teletrabajo Parcial de Deutsche Bank, SAE.
[140]   Convenio Colectivo Orange España Comunicaciones Fijas SLU.
[141]   Convenio colectivo Orange España comunicaciones fijas SLU; IV Convenio colectivo Orange Spagne.

el lugar de trabajo cumple con las condiciones mínimas en materia de prevención, sin especificar si hay o no previamente algún tipo de inspección con el fin de comprobar su adecuación a las exigencias en materia de prevención, y si se proporciona o no información y formación previa al trabajador [142]. Sin embargo, es más frecuente que el convenio se sitúe en línea con las previsiones del AMET, que establece que será el empresario, los representantes de los trabajadores y las autoridades competentes las que efectúen dicha evaluación previo acceso al lugar del teletrabajo, con los límites previstos en la ley y en el convenio colectivo. Por ello, teniendo en cuenta los derechos consagrados en el art. 18 CE, los convenios prevén la necesaria autorización del trabajador para acceder a su domicilio, con previo aviso y concertando la fecha de la visita, y si lo solicita el trabajador con la asistencia de un delegado de prevención, y ello con el objetivo de efectuar una evaluación previa y de comprobar la correcta aplicación de la normativa de prevención de riesgos[143].

La prevención de riesgos también se dirige a los equipos de trabajo, de tal manera que la norma convencional impone el deber del empresario de informar de las condiciones para el uso seguro de los mismos[144] o prevé la elaboración de protocolos para el uso adecuado de los medios tecnológicos[145]. Con cierta frecuencia se hace expresa referencia al cumplimiento de la normativa vigente sobre las condiciones referentes a los puestos de trabajo con pantallas de visualización de datos, con la obligación de la empresa de informar al trabajador de dichas condiciones y exigiendo la declaración del empleado de tener conocimiento de las mismas[146].

Pero además de los riesgos físicos que pueden tener su origen en el espacio físico destinado al trabajo y los relacionados con los equipos de trabajo, los convenios empiezan también a preocuparse de los posibles riesgos psíquicos o psicosociales derivados del sistema de comunicación que pueda existir entre la empresa y el teletrabajador y de las características personales y profesionales del trabajador que presta servicios remotos. En

---

[142] Convenio colectivo Thyssenkrupp Elevadores SLU; Médicos del Mundo SL.
[143] Acuerdo de Teletrabajo Parcial de Deutsche Bank, SAE; en términos parecidos Convenio estatal Perfumería y Afines; Convenio colectivo de mayoristas e importadores de productos químicos industriales y de droguería, perfumería y anexos; Convenio General de la Industria Química; IX Acuerdo Marco Grupo Repsol.
[144] Convenio colectivo Logirail SAU.
[145] Plan de Igualdad de Fidelis Servicios Integrales, SLU.
[146] Acuerdo colectivo sobre las condiciones de prestación de servicios en el BBVA en régimen de teletrabajo; II Convenio colectivo Telefónica y empresas vinculadas; Convenio estatal Perfumería y Afines.

este sentido, los convenios de sector suelen hacen referencia al deber de la empresa de adoptar medidas para prevenir el aislamiento de la persona trabajadora en relación con el resto de la plantilla, sin especificar en qué consisten dichas medidas[147], aunque en el algún caso se aclara que a estos efectos se establecerán, con carácter obligatorio y periodicidad semanal, reuniones de contacto con el equipo de trabajo y con el responsable directo[148], o se hace alusión a la asistencia a cursos de formación o participación en proyectos u otras actividades que requieran interactuar en el centro de forma presencial como mecanismo que permite evitar la desvinculación o el aislamiento del teletrabajador[149]. Por otra parte, algunos convenios establecen criterios para facilitar la adecuada elección de los trabajadores que van a prestar servicios en modalidad remota, y ello con la finalidad de evitar riesgos psíquicos o psicosociales, como el denominado *tecnoestrés*, derivados de la falta de habilidades o competencias para trabajar con un uso intensivo de las nuevas tecnologías; así en algunos casos se exige como requisitos relativos al perfil personal y profesional del trabajador, acreditar una cierta antigüedad en el puesto, tener habilidades informáticas, capacidad de autogestión, disciplina y motivación, entre otros [150]. Por otra parte, la reciente recepción convencional del derecho a la desconexión digital se conecta con la conciliación de la vida laboral y familiar, pero sobre todo se vincula a la garantía del descanso, y por tanto debe asociarse con la necesaria prevención de riesgos como la *tecnoadicción*, derivados de la tendencia a la conectividad permanente del teletrabajador[151].

Algunos convenios colectivos configuran el teletrabajo como un mecanismo que facilita el trabajo a determinados colectivos especialmente sensibles, como las trabajadoras embarazadas[152] o las personas con discapacidad o personas con problemas graves de salud o movilidad[153], pero no existe tratamiento convencional de las posibles especialidades en punto a la evaluación de riesgos y la planificación preventiva en estos casos.

---

[147]   Convenio estatal Perfumería y Afines; Convenio colectivo de mayoristas e importadores de productos químicos industriales y de droguería, perfumería y anexos; Convenio General de la Industria Química.

[148]   Plan de Igualdad de Fidelis Servicios Integrales, SLU.

[149]   Convenio colectivo nacional de universidades privadas, centros universitarios privados y centro de formación de postgraduados.

[150]   IX Acuerdo Marco Grupo Repsol; Convenio colectivo Philips Ibérica, SAU; II Convenio empresas asociadas a Telefónica, todos ellos con profusa regulación sobre los requisitos que condicionan la aceptación de la solicitud.

[151]   En este sentido, IV Convenio colectivo Orange Espagne.

[152]   Plan de Igualdad de Oesia Networks SL.

[153]   Convenio colectivo Grupo Axa.

Por lo que se refiere a las concretas medidas de prevención y protección en el teletrabajo, además de la información y formación a los trabajadores, también en algún caso se hace mención a la vigilancia periódica de la salud con reconocimientos médicos[154].

A falta de previsiones legales, los convenios no aportan elementos que permitan clarificar la calificación de los accidentes y enfermedades producidos en el trabajo en remoto, limitándose a señalar que en esta modalidad de trabajo se mantiene la cobertura por accidente de trabajo y enfermedad profesional[155], o que dichos accidentes "recibirán la calificación que conforme al ordenamiento jurídico corresponda"[156].

9. CONTROL EMPRESARIAL DE LA ACTIVIDAD, PROTECCIÓN DE DATOS Y DERECHOS DIGITALES EN EL TELETRABAJO

En la negociación colectiva posterior a la publicación de la LO 3/2018, 5 de diciembre, sobre Protección de Datos Personales y Garantía de Derechos Digitales (LPDP), pueden encontrarse ya convenios que dedican un capítulo específico a los derechos digitales, aunque con escasas o nulas previsiones específicas en relación con el teletrabajo[157], o bien clausulas dispersas sobre la materia que en todo caso no se conectan directamente con el teletrabajo[158]. También hay convenios publicados con anterioridad a dicha ley que contienen regulaciones sobre protección de datos y derechos digitales referidos en particular al teletrabajo, y que permiten dar cumplimiento, al menos en parte, a las nuevas previsiones legales[159].

En materia de protección de datos, algunos de los convenios colectivos analizados contienen previsiones, de limitado alcance, referidas a los datos manejados por el teletrabajador en su actividad laboral: así en algún caso, se declara que la empresa será la responsable de la implantación de las me-

---

[154] Convenio colectivo Telefónica y empresas vinculadas.
[155] Convenio colectivo Nokia Spain SA; Convenio General Industria Química.
[156] Convenio colectivo del Grupo Parcial Cepsa.
[157] Convenio colectivo estatal para las industrias del curtido, correas y cueros industriales y curtición de pieles para la peletería; Convenio Colectivo Marco de la Unión General de Trabajadores.
[158] Convenio colectivo estatal Perfumería y afines.
[159] Plan de Igualdad de Fidelis Servicios Integrales SLU.

didas necesarias para el cumplimiento de la Ley de Protección de Datos[160]; en otros convenios se exige al teletrabajador el conocimiento y cumplimiento de la normativa interna publicada en el intranet y el compromiso de adoptar todas las medidas adecuadas para garantizar la protección de los datos de carácter personal a los que, con ocasión de su trabajo, tenga acceso por cuenta del empleador[161], y se requiere una declaración personal del trabajador reconociendo que conoce los derechos y obligaciones en esta materia[162]. También se prevé la incorporación en el Acuerdo Individual de Teletrabajo de los derechos y obligaciones en materia de protección y confidencialidad de datos[163]. Con un enfoque diferente, algún convenio establece como requisito del lugar de trabajo elegido por el teletrabajador, que garantice la privacidad, protección y confidencialidad de los datos mediante el uso de medios electrónicos[164].

En relación con la protección de los datos personales del teletrabajador, en algún convenio se alude a la comunicación al trabajador de la existencia de ficheros con sus datos personales y se recuerda al trabajador la posibilidad de ejercitar los derechos de acceso, rectificación, cancelación y oposición[165].

El tratamiento convencional de las garantías de los derechos digitales en el ámbito laboral todavía es incipiente, y prácticamente inexistente para los teletrabajadores. En todo caso, la negociación colectiva está claramente condicionada por el enfoque del legislador en el nuevo art. 20. bis ET, que contempla los medios tecnológicos como instrumentos para facilitar el ejercicio del poder de dirección y control de la actividad laboral[166]. Por lo que se refiere al control y supervisión empresarial de la actividad del teletrabajador, en algún convenio se prevé expresamente su realización a través de medios telemáticos, informáticos y electrónicos, con la posibilidad de realizar videoconferencias con los representantes de la empresa, y dando por supuesto que ello no supondrá vulneración del derecho constitucional

---

[160]   Convenio colectivo de La Voz de Galicia S.A.
[161]   IX Acuerdo Marco Repsol
[162]   Convenio Colectivo de Thales España GRP, SAU; Convenio colectivo Nokia Spain SA.
[163]   II Convenio colectivo Telefónica y empresas vinculadas.
[164]   Convenio Médicos del Mundo SL.
[165]   Plan de Igualdad de Fidelis Servicios Integrales SLU.
[166]   Un análisis de los nuevos derechos digitales de contenido laboral en MERCADER UGUINA, J.: *Protección de datos y garantía de los derechos digitales en las relaciones laborales*, Madrid, Francis Lefebvre, 3ª edic., 2019; PÉREZ DE LOS COBOS ORIHUEL, F.: "Poderes del empresario y derechos digitales del trabajador", *Trabajo y Derecho* 59/2019 (noviembre).

a la inviolabilidad de domicilio. También se prevé la posibilidad de que los representantes de la empresa visiten el domicilio del trabajador para celebrar reuniones, con previa notificación y autorización del teletrabajador. En las reuniones de seguimiento de la actividad laboral se informará al teletrabajador de los medios utilizados para su control y de sus resultados[167]. En otros casos, el convenio remite al Acuerdo Individual de Teletrabajo para fijar en él los sistemas de control y seguimiento de la actividad[168].

Los convenios empiezan ya a regular con mayor detalle los protocolos para la utilización de los dispositivos digitales, con cierta tendencia a limitar su uso con fines exclusivamente profesionales[169], aunque se echa en falta contenidos y garantías adicionales para el teletrabajo. En relación con la regulación de reglas específicas sobre el uso de dispositivos digitales en el teletrabajo, puede encontrarse alguna cláusula que prevé la elaboración por parte de la empresa de un protocolo de utilización de los medios tecnológicos, aunque se exige que con carácter previo a su aplicación debe ser consultado con los representantes del personal a través de la comisión paritaria de teletrabajo, y sin perjuicio de que la norma colectiva advierta en todo caso de la prohibición del uso del correo electrónico y el acceso a internet de la empresa para fines ajenos a la actividad profesional[170].

Cuestión también pendiente de desarrollo convencional es el derecho a la desconexión digital reconocido en el nuevo art. 20 bis del Estatuto de los Trabajadores y en el art. 88 LPDP[171]. Dentro del reducido grupo de convenios colectivos que regulan el teletrabajo, alguno de ellos ha sido pionero en el reconocimiento del derecho a la desconexión digital, entendido como derecho de los trabajadores a no responder a los mails o mensajes profesionales fuera de su horario de trabajo, salvo causa de fuerza mayor o circunstancias excepcionales[172]. En el ámbito sectorial, algún convenio recoge ya expresamente el derecho a la desconexión, aunque se limita a reproducir las previsiones legales[173]. En otros casos, el convenio anuncia que, previa audiencia de los representantes legales de los trabajadores, se

---

[167] Plan de Igualdad de Fidelis Servicios Integrales SLU.
[168] Convenio colectivo Médicos del Mundo SL.
[169] Convenio colectivo Grupo AXA; Convenio colectivo Nokia Spain SA.
[170] Plan de Igualdad de Fidelis Servicios Integrales SLU.
[171] Una aproximación a la configuración y contenido de este derecho en AGUILERA IZ-QUIERDO, R. y CRISTOBAL RONCERO, R.: "Nuevas tecnologías y tiempo de trabajo: el derecho a la desconexión tecnológica", en *El futuro del trabajo que queremos. Conferencia Nacional Tripartita, Iniciativa Centenario OIT,* Volumen II, 2017.
[172] Convenio colectivo del Grupo Axa.
[173] Convenio colectivo estatal Perfumería y Afines.

elaborará una política interna en la que se especificará las modalidades de ejercicio del derecho a la desconexión, especialmente en el supuesto de trabajo a distancia o en el domicilio, así como acciones de formación y sensibilización sobre un uso razonable de las herramientas tecnológicas que evite el riesgo de fatiga informática[174]; o se recoge el compromiso de "buenas prácticas" que posibiliten la desconexión real del empleado fuera de su horario de trabajo, desarrollando una política que permita gestionar la utilización de las herramientas digitales en un entorno de respeto a los tiempos de descanso[175].

En definitiva, pues, por el momento, hay una cierta tendencia de los convenios colectivos a dejar el tema de la desconexión digital en el ámbito de la política interna empresarial. Nuevamente, son los acuerdos de empresa los instrumentos más adecuados no ya para reconocer y formalizar el derecho a la desconexión, que ya está reconocido legalmente, sino para dar un paso más y proceder a regular de forma detallada el derecho y sus modalidades de ejercicio. En este sentido, resulta de interés entre otros, el Acuerdo alcanzado en Telefónica relativo a los principios generales del derecho a la desconexión dentro del Grupo empresarial[176].

El acuerdo incluye a los trabajadores a distancia o con contrato a domicilio, pero no establece reglas especiales para los teletrabajadores. La desconexión digital consiste, según el acuerdo, en el derecho a no responder a ninguna comunicación, fuere cual fuere el medio utilizado, una vez finalizada la jornada laboral, salvo circunstancias de fuerza mayor o urgencia temporal de la empresa, en cuyo caso la empresa deberá contactar con el trabajador preferentemente por teléfono, y este tiempo de trabajo se considerará hora extraordinaria. El derecho se ejercerá no solo en tiempo de descanso diario y semanal, sino también mientras duren las vacaciones, permisos, incapacidades o excedencias. En estas situaciones el trabajador

---

[174] Convenio colectivo estatal para las industrias de curtidos, correas y cueros industriales y curtición de pieles para peletería.

[175] IV Convenio colectivo Orange Espagne (2019-2020).

[176] Con fecha de 23 noviembre 2018 Telefónica, UGT y CCOO, firmaron un manifiesto de intenciones de ámbito nacional para promover el derecho a la desconexión digital con el compromiso de hacerlo extensivo a todos los países en que la compañía realice su actividad. Posteriormente, el 28 de enero de 2019, Telefónica, el sindicato internacional UNI Global Union, UGT y CCOO firmaron un Anexo al Acuerdo Marco Internacional que tienen suscrito, en el que se recogen los principios sobre el derecho a la desconexión aplicable a las operaciones globales de Telefónica. Otras empresas, como el Banco Santander o IKea, han incorporado en acuerdos de empresa el compromiso de defensa del derecho a la desconexión.

debe dejar un mensaje de aviso en el correo electrónico con la mención de "ausente", indicando los datos de contacto de la persona que les sustituye. Se excluye del derecho a la desconexión aquellas personas que permanezcan a disposición de la Compañía y perciban por ello un complemento de "disponibilidad". El acuerdo aclara que la desconexión digital es un derecho, pero no una obligación, de tal manera que los trabajadores pueden libremente realizar comunicaciones fuera del horario establecido, pero asumiendo que no tendrán respuesta alguna hasta el día hábil posterior. Se asume el compromiso de la empresa a no sancionar disciplinariamente con ocasión del ejercicio del derecho, y a que su disfrute en ningún caso pueda repercutir negativamente en el desarrollo profesional de los empleados. El derecho se completa con reglas sobre horarios para celebrar reuniones o cursos de formación con garantías de respeto a los tiempos de descanso. Por último, se exige a los trabajadores el compromiso de un uso adecuado de los medios informáticos y tecnológicos puestos a disposición de la empresa.

10. EJERCICIO DE DERECHOS DE REPRESENTACIÓN COLECTIVA

Los convenios colectivos no aportan contenidos adicionales a la previsión contenida en el art. 13.5 ET, que al igual que el AMET, garantiza el ejercicio de los derechos colectivos de los teletrabajadores en las mismas condiciones legales que el resto de los trabajadores. Algunos convenios declaran que el teletrabajador continuará en la mismas condiciones de participación y elegibilidad en las elecciones sindicales[177], aclarando que el día de la votación será considerado presencial, y se garantiza el acceso a las comunicaciones con los representantes del personal, en los mismos términos que el resto del personal[178]. Por lo demás, la mayoría de los convenios colectivos se limitan a recordar, de forma genérica, la necesidad de que los teletrabajadores queden adscritos a un concreto centro de trabajo, y solo en algún caso se aclara que dicho centro de adscripción será, salvo acuerdo expreso en contrario, el más cercano al domicilio del trabajador en el que pudieran estar funcionalmente integrados[179], y se garantiza que, en caso de

---

[177]   Convenio Estatal de Perfumería y Afines;

[178]   Acuerdo Colectivo sobre condiciones de la prestación de servicios en el BBVA en régimen de teletrabajo.

[179]   Convenio General de la Industria Química; Convenio colectivo mayorías e importadores de productos químicos

que la situación del trabajo a distancia derive de una novación contractual, se mantendrá la adscripción originaria al centro de trabajo donde venía prestando servicios[180].

11. BALANCE FINAL Y RETOS DE FUTURO P ARA LA NEGOCIACIÓN COLECTIVA

El estudio de los convenios colectivos publicados en el BOE en los años 2018-2019 permite concluir que la regulación convencional del teletrabajo sigue avanzando, pero lentamente. Se puede constatar un incremento del número de convenios colectivos que abordan el teletrabajo, aunque sigue siendo poco significativo si se tiene en cuenta el volumen considerable de convenios publicados en estos dos últimos años. En el ámbito sectorial estatal se confirma nuevamente la clásica resistencia a regular esta modalidad de trabajo, aunque hay nuevos convenios que en este ámbito han ido incorporado previsiones sobre teletrabajo. Los representantes sindicales siguen mostrando cierto recelo hacia esta forma de trabajo y consideran que sería necesaria una cobertura legal más completa para garantizar la calidad en las condiciones en que se presta el trabajo a distancia. En el actual sistema de negociación colectiva, que promociona el convenio de empresa, el convenio y acuerdo de empresa siguen ganando protagonismo en la regulación del teletrabajo, y es en este ámbito donde pueden encontrarse los progresos más significativos. Se ha advertido también una cierta tendencia a incorporar el teletrabajo en los Planes de Igualdad, que incluyen cada vez con más frecuencia el trabajo a distancia como uno de los mecanismos que facilitan la conciliación de la vida personal, familiar y laboral, y alguno de ellos ofrece una regulación detallada sobre los términos de su ejercicio.

Los contenidos convencionales sobre teletrabajo siguen siendo en líneas generales muy pobres, con contadas excepciones. Muchos de los convenios que han incorporado recientemente cláusulas sobre el teletrabajo se limitan a asumir el compromiso de estudiar la posibilidad de implantar esta forma de trabajo o promover experiencias piloto, o incluso reconocen la existencia de prácticas empresariales de teletrabajo, pero sin llegar a incorporar al convenio una regulación específica. Otros muchos convenios reconocen ya esta forma de trabajo, pero la mayoría de ellos no han sido capaces de ir más allá de la mera reproducción literal de las previsiones legales. Todavía son pocos los convenios o acuerdos de empresa que regulan

---

[180]   Convenio colectivo Europcar IB S.A.

con cierto detalle el régimen del teletrabajo. A lo largo del estudio se recogen las conclusiones obtenidas del análisis de las distintas cláusulas convencionales sobre teletrabajo. Se ha visto que los convenios dedican cada vez un mayor espacio a definir diversas modalidades de teletrabajo; con todo, las cláusulas más frecuentes son las dedicadas al carácter voluntario y a la reversibilidad del teletrabajo, la fijación de criterios sobre distribución de la jornada en el teletrabajo en régimen parcial y el horario dedicado al trabajo remoto, la aportación de equipamiento y gastos derivados de esta forma de trabajo y la prevención de riesgos laborales.

El reconocimiento legal del derecho a solicitar el trabajo a distancia para hacer efectivo el derecho a la conciliación ha de suponer en el futuro próximo un decisivo impulso al tratamiento convencional del teletrabajo. La mayoría de los convenios colectivos vigentes carecen de una regulación sobre los términos del ejercicio de este derecho o, en todo caso, tienen una ordenación insuficiente, lo que va a exigir un esfuerzo de adaptación a las nuevas previsiones legales, y ello si se quiere evitar que los vacíos convencionales desemboquen en la obligada negociación individual con la empresa, posiblemente muy conflictiva. La fijación convencional de los "términos" del ejercicio del derecho a solicitar el teletrabajo exige el diseño de un procedimiento para la solicitud del trabajador, su tramitación y resolución. En este sentido, es conveniente que el convenio concrete en qué medida la dirección de la empresa puede decidir unilateralmente sobre la solicitud, o si debe contar con la audiencia del trabajador o con la participación de otras instancias –Jefaturas, Departamento de Recursos Humanos– y con los representantes del personal. Ahora bien, la regulación convencional del derecho a solicitar el teletrabajo debe ir más allá de los aspectos procedimentales, abordando también la ordenación de requisitos de fondo que pueden condicionar el disfrute del derecho: en este sentido, resulta de máximo interés que el convenio fije criterios para determinar los puestos de trabajo que admiten esta modalidad, sin descartar la posibilidad de que el propio convenio excluya esta forma de trabajo con carácter general; también es conveniente que la norma convencional se pronuncie sobre los perfiles requeridos al trabajador (experiencia, habilidades informáticas, etc.) y otras aspectos, como las condiciones exigibles al lugar de trabajo elegido por el trabajador o el régimen de aportación de equipamiento y de costes. En todo caso, cualquier condición impuesta por convenio para admitir el teletrabajo solicitado debe ser razonable y proporcional en relación con las necesidades del trabajador, pero también deben atender a las necesidades organizativas y productivas de la empresa. Los convenios tendrán que afinar la regulación, evitando supeditar la concesión del teletrabajo a exigencias abusivas, como las que hemos registrado en algún convenio, que exige que los gastos derivados del teletrabajo se desplacen forzosamente, y en todo caso, de la empresa al trabajador solicitante. En definitiva, pues, una regulación convencional más completa y equilibrada permitirá justificar, con la mayor objetividad posible, la concesión o denegación de la solicitud efectuada por el trabajador, reduciendo la conflictividad en la empresa.

La flexibilidad que se busca con el teletrabajo no está reñida con una regulación convencional más o menos cerrada sobre los aludidos aspectos formales y materiales del nuevo derecho de solicitud del teletrabajo ex art. 34.8 ET. Ahora bien, la necesidad de regular convencionalmente los términos del ejercicio de este derecho puede determinar que en el futuro las exigencias de conciliación de la vida laboral y familiar se atiendan o resuelvan con las opciones más clásicas del teletrabajo, a saber: ejecución del trabajo en el domicilio del trabajador y no en cualquier lugar elegido por él, realizado en determinados días, con franjas horarias fijadas en el convenio, y para atender circunstancias personales o familiares tasadas en la norma convencional. Frente a este tipo de teletrabajo, se ha visto que algunos convenios empiezan ya a regular nuevas fórmulas de teletrabajo, denominadas Smart working, Flexwork o Agile working, vinculadas a una metodología de trabajo basada en la confianza del empleado, que trabaja por objetivos, y en las que la flexibilidad y la movilidad se vincula ahora a las necesidades cambiantes del cliente o del negocio, quedando conectado la duración y el tiempo de trabajo ágil a la propia duración de un proyecto. En definitiva, se trata de versiones más flexibles del teletrabajo tradicional cuyo principal objetivo es atender, no tanto las exigencias de conciliación, que también, sino sobre todo las necesidades organizativas empresariales, que pueden requerir un trabajo muy flexible fuera de la empresa y que, frente al modelo legal clásico, tiene un carácter más informal, imprevisible o irregular. La negociación colectiva española empieza a reconocer estas prácticas, tratando en algunos casos de huir del tratamiento legal del teletrabajo tradicional, si bien en el futuro los convenios deberían introducir reglas claras sobre esta forma de organizar el trabajo y no abandonarlo al exclusivo ámbito del poder de organización empresarial y a la autonomía individual.

La regulación convencional del sistema de registro diario de la jornada y su documentación constituye todavía una cuestión pendiente para los futuros negociadores, que deben hacer un esfuerzo para que el convenio o el pacto de empresa establezcan un marco de seguridad jurídica tanto para la empresa como para el trabajador. El sistema de registro de jornada pactado puede ser igual para todos los trabajadores, pero es muy conveniente que incluya pautas o reglas especiales para el teletrabajo que permitan atender al método de trabajo y sistema de comunicación que pueda existir en cada caso entre la empresa y el trabajador. La falta de previsión convencional sobre el registro de la jornada diaria no exime al empresario del cumplimiento de la obligación legal, de tal manera que en ausencia de regulación convencional tendrá que informar al teletrabajador sobre el método de registro de la jornada diaria que va a utilizar o incluirlo en el Acuerdo Individual de Teletrabajo, y ello tras la ineludible consulta a los representantes del personal, si los hubiera. Además, la documentación sobre el registro debe estar y ser accesible en el centro de trabajo al que esté adscrito el teletrabajador a efectos de ejercer los derechos de representación colectiva.

Un importante reto para la futura negociación colectiva sobre teletrabajo será abordar con mayor decisión el tratamiento y las garantías de todos los derechos previstos en el art. 18 CE: derecho a la intimidad personal y familiar, inviolabilidad del domicilio, secreto de las comunicaciones, y muy especialmente completar la regulación de los llamados derechos digitales como límites al uso de las nuevas tecnologías por la empresa. No puede ignorarse que esta forma de trabajo exige un tratamiento convencional reforzado –garantías adicionales como dice el art. 91 LOPDP– para asegurar con mayor eficacia estos derechos constitucionales. La intimidad y la inviolabilidad del domicilio aparecen en algunos convenios como límites para la empresa a lo hora de acceder al domicilio del trabajador para efectuar ciertos controles de la actividad laboral, pero sobre todo para garantizar la prevención de riesgos laborales. En todo caso, no se ha utilizado todavía el amplio margen que la ley deja a la autonomía colectiva para reforzar los derechos de información del trabajador y el establecimiento de límites a medidas de control –incluido el registro diario de la jornada– que impliquen el uso de dispositivos digitales, videovigilancia, grabación de sonidos y sistemas de geolocalización en el ámbito del teletrabajo.

Por lo que se refiere al control del uso de los dispositivos digitales puestos a disposición del teletrabajador, los pocos convenios que abordan esta cuestión lo hacen desde la óptica de la protección del interés empresarial, con una clara tendencia a consagrar la solución menos problemática para la empresa, esto es, prohibir como regla general el uso extralaboral de los dispositivos digitales. En el futuro habrá que avanzar en la protección de los derechos digitales de los teletrabajadores, con contenidos convencionales que precisen el alcance del control empresarial del uso de las herramientas digitales y, en su caso, las garantías específicas para el caso de que se hayan determinado periodos de utilización privada de las mismas. La utilización de dispositivos de videovigilancia y de grabación de sonidos en el lugar de trabajo requiere un tratamiento específico para el teletrabajo, pues la instalación de dichos dispositivos por motivos de seguridad no resulta proporcional, como regla general, cuando el trabajo se desarrolla en el domicilio del trabajador. Si las grabaciones son necesarias para controlar determinadas prestaciones de servicios de comunicación (telemarketing, información telefónica, etc.), el convenio puede establecer garantías adicionales, exigiendo al empresario que utilice la opción tecnológica que menor impacto tenga sobre los derechos del art. 18 CE, con especial protección para los supuestos en que el teleoperador pueda realizar llamadas privadas desde el dispositivo de la empresa.

El trabajo remoto, ejecutado fuera del domicilio del trabajador, puede requerir la implantación de sistemas de geolocalización, dirigidos a facilitar la organización del trabajo, y que también pueden servir a la finalidad de control empresarial del cumplimiento de las obligaciones laborales. En estos casos las empresas pueden asumir por convenio o pacto de empresa el compromiso de garantizar una aplicación o *software* que permita preservar la intimidad del teletrabajador, muy especialmente cuando dichos mecanismos de geolocalización se implantan en dispositivos, como el móvil, que pueden ser de uso privado para el teletrabajador.

El derecho a la desconexión digital de los teletrabajadores también debe ser objeto de mayor atención por parte de los negociadores de convenios. Es necesario precisar los contenidos de este derecho y definir las distintas modalidades para su ejercicio, teniendo en cuenta, entre otras variables, las distintas formas de conexión de la empresa con el teletrabajador, el carácter parcial o total del trabajo remoto, la forma de organizar el tiempo de trabajo y el horario, o el lugar de prestación del teletrabajo. El derecho a la desconexión puede requerir un tratamiento específico para las nuevas fórmulas de teletrabajo, las que se aproximan al trabajo ágil, y ello porque al tratarse de un trabajo organizado y retribuido por resultados y objetivos, la garantía del descanso puede resultar más problemática. En todo caso, la negociación de protocolos sobre uso adecuado de los instrumentos tecnológicos, una regulación convencional más completa de las horas extras y una buena gestión del registro diario de la jornada del teletrabajador facilitarán la efectividad de este derecho. Es conveniente evitar que el convenio o acuerdo de empresa permita que el trabajador pueda renunciar a su derecho a la desconexión a cambio de un plus de disponibilidad, ya que con esta política salarial se frustra el objetivo pretendido por el legislador de proteger el descanso y la salud del trabajador, y además con ello se fomenta la generación de una posible brecha salarial entre trabajadores por razón de su nivel de conectividad con la empresa.

BIBLIOGRAFÍA

AAVV (Dir. SALA FRANCO): *Los límites legales al contenido de la negociación colectiva. El alcance imperativo o dispositivo de las normas del Estatuto de los Trabajadores*, Madrid, Comisión Consultiva Nacional de Convenios Colectivos, MTSS, págs. 50 y 51.

AAVV (Ed. MELLA MENDEZ y Coord. VILLALBA SÁNCHEZ): *Trabajo a distancia y teletrabajo*, Pamplona, Aranzadi, 2015.

AGUILERA IZQUIERDO, R. y CRISTOBAL RONCERO, R.: "Nuevas tecnologías y tiempo de trabajo: el derecho a la desconexión tecnológica", en *El futuro del trabajo que queremos. Conferencia Nacional Tripartita, Iniciativa Centenario OIT*, Volumen II, 2017.

ARAGÓN GÓMEZ, C.: "El teletrabajo en la negociación colectiva", en AAVV (Coord. ESCUDERO RODRÍGUEZ): *Observatorio de la negociación colectiva: empleo público, igualdad, nuevas tecnologías y globalización*, Madrid, Cinca, 2010.

CAMPS RUIZ, L.M.: "Contratación, formación y empleo en el RDL 3/2012", en AAVV: *La reforma laboral en el Real Decreto-Ley 3/2012*, Valencia, Tirant lo Blanch, 2012.

DE LAS HERAS GARCÍA, A.: *El teletrabajo en España: un análisis crítico de normas y prácticas,* Madrid, Centro de Estudios Financieros, 2016.

FERREIRO REGUEIRO, C.: "La conformación del teletrabajo en la negociación colectiva", en AAVV (Ed. MELLA MENDEZ): *Trabajo a distancia y teletrabajo*, Pamplona, Aranzadi, 2015

GALLARDO MOYA, R.: *El viejo y el nuevo trabajo a domicilio: de la máquina de hilar al ordenador*, Madrid, Ibidem, 1998.

GARCÍA RUBIO, A.: "Nuevas perspectivas sobre fórmulas flexibles de trabajo: trabajo a tiempo parcial y trabajo a distancia" en AAVV (Dir. THIBAULT ARANDA y JURADO SEGOVIA): *La reforma laboral de 2012: nuevas perspectivas para el Derecho del Trabajo*, Madrid, La Ley, 2012.

JURADO SEGOVIA, A. y THIBAULT ARANDA, J.: "Algunas consideraciones en torno al Acuerdo Marco Europeo sobre teletrabajo", Temas Laborales, nº 72, 2003.

MARTONE, M.: "El Smart working o Trabajo ágil en el ordenamiento italiano", *Derecho de las Relaciones Laborales*, nº 1, 2018.

MELLA MENDEZ, L.: "Las cláusulas convencionales en materia de trabajo a distancia: contenido general y propuestas de mejora", *Revista de Derecho Social y de la Empresa*, nº 6, 2016.

MERCADER UGUINA, J.: *Protección de datos y garantía de los derechos digitales en las relaciones laborales*, Madrid, Francis Lefebvre, 3ª edic., 2019.

PÉREZ DE LOS COBOS ORIHUEL, F.: "Poderes del empresario y derechos digitales del trabajador", *Trabajo y Derecho* nº 59/2019.

PÉREZ DE LOS COBOS ORIHUEL, F y THIBAULT ARANDA, J.: *El teletrabajo en España. Perspectiva jurídico-Laboral,* Madrid, MTSS, 2001.

QUINTANILLA NAVARRO, R.Y.: "Teletrabajo y conciliación de la vida personal, familiar y laboral", en Revista Ministerio de Empleo y Seguridad Social, nº 113 (monográfico Conciliación de la vida personal y familiar con el trabajo).

RODRÍGUEZ-PIÑERO ROYO, M.: "La negociación colectiva en la actividad del teletrabajo", en *Nuevas Actividades y Sectores Emergentes: El papel de la negociación colectiva,* Comisión Consultiva Nacional de Convenios Colectivos, 2001.

SÁNCHEZ-URÁN AZAÑA, Y.: "Apoyo al empleo estable y modalidades de contratación", en AAVV (Dir. MONTOYA MELGAR y GARCÍA MURCIA): *Comentario a la Reforma Laboral 2012,* Pamplona, Aranzadi, 2012.

SIERRA BENITEZ, E.: *El contenido de la relación laboral en el teletrabajo,* Sevilla, Consejo Económico y Social Andalucía, 2011.

THIBAULT ARANDA, J.: *El teletrabajo,* Madrid, Consejo Económico y Social, 2000.

USHAKOVA, T.: "Teletrabajo y relación laboral: el enfoque de la Organización Internacional de Trabajo (OIT)", en AAVV (Dir. MELLA MENDEZ): *Trabajo a distancia y teletrabajo,* Pamplona, Aranzadi,2015.

RELACIÓN DE CONVENIOS COLECTIVOS ANALIZADOS

a) **Convenios colectivos de ámbito sectorial estatal**

- Convenio colectivo estatal para las industrias del curtido, correas y cueros industriales y cutidos de pieles para peletería 2019-2021 (BOE 2 octubre 2019).
- Convenio colectivo de la industria del calzado (BOE 22 julio 2019).
- Convenio colectivo General de trabajo de la industria textil y de la confección (BOE 16 julio 2019).
- Convenio colectivo estatal de perfumería y Afines (BOE 20 agosto 2019).
- Convenio colectivo General de la Industria Química (BOE 8 agosto 2019).
- Convenio colectivo estatal del sector de prensa diaria (BOE 27 agosto de 2019).

– Convenio colectivo de mayoristas e importadores de productos químicos industriales y de droguería, perfumería y anexos (BOE 21 septiembre 2018).

– Convenio colectivo del grupo de marroquinería, cueros repujados y similares de Madrid, Castilla-La Mancha, La Rioja, Cantabria, Burgos, Soria, Segovia, Avila, Valladolid y Palencia (BOE 12 diciembre 2018).

– Convenio colectivo del sector de las industrias del frío industrial (BOE 10 octubre 2018).

– Convenio colectivo General de ámbito estatal para el sector de entidades de seguros y reaseguros y mutuas colaboradoras con la Seguridad Social (BOE 1 junio 2017).

– Convenio colectivo del sector de empresas de publicidad (BOE 10 febrero 2016).

b) **Convenios colectivos de empresa (ámbito estatal), grupos de empresa y acuerdos de empresa**

– Convenio colectivo de empresas vinculadas para Telefónica de España, SAU, Telefónica Móviles España SAU y Telefónica Soluciones Informáticas y Comunicaciones de España SAU (BOE 13 noviembre 2019).

– Convenio colectivo de la Voz de Galicia S.A (BOE 21 noviembre 2019).

– Convenio colectivo Nokia Spain S.A. (BOE 18 octubre 2019).

– Convenio colectivo Europcar IB S.A. (BOE 20 agosto 2019).

– Convenio colectivo Volkswagen Finance S.A. (BOE 20 agosto 2019).

– Convenio colectivo de Ibermática, S.A. (BOE 16 julio 2019).

– Convenio colectivo de Quirón Prevención, SLU (BOE 25 junio 2019).

– Convenio colectiva de Retevisión I, SAU (BOE 1 mayo 2019).

– Convenio colectivo nacional de universidades privadas, centros universitarios privados y centros de formación de postgraduados (BOE 14 septiembre 2019).

– Convenio colectivo Logirail SAU (BOE 22 abril de 2019).

– I Convenio colectivo intercentros de la empresa Navantia S.A, S.M.E (BOE 7 febrero 2019).

– Convenio colectivo del Grupo Prisa Radio (BOE 24 enero 2019).

– Convenio colectivo Severiano Servicio Móvil S.A (BOE 8 febrero 2019).

– Plan de Igualdad de Oesia Networks, SL (BOE 4 enero 2019).

– II Plan de Igualdad del Grupo Champion (BOE 4 febrero 2019).

– Plan de Igualdad de Ibermutuamur, Mutua colaboradora de la Seguridad Social nº 274 (BOE 4 enero 2019).

- Plan de Igualdad de Philips Lighting Spain, SLU (BOE 2 enero 2019).

- II Convenio Volkswagen Group España Distribución (BOE 6 julio 2018).

- Convenio colectivo de la empresa Durr Systems Spain, S.A. (BOE 12 diciembre 2018).

- Plan de Igualdad de Fidelis Servicios Integrales SLU (BOE 25 mayo 2018).

- Plan de Igualdad para el colectivo del personal de tierra de Iberia LAE, SA-Operadora SU (BOE 25 mayo 2018).

- Convenio colectivo Severiano Servicios Móvil S.A.

- Convenio colectivo estatal Claro Sol Facilities, SLU (BOE 1 febrero 2018).

- Convenio colectivo de Nokia Transformation Engineering &Consulting Services Spain, SLU (BOE 25 septiembre 2018).

- Convenio colectivo Philips Lighting Spain S.L. (BOE 3 septiembre 2018).

- Convenio colectivo de Thyssenkrupp Elevadores, SLU (BOE 6 marzo 2018).

- Convenio colectivo Grupo Parcial Cepsa (BOE 20 febrero 2018).

- Convenio colectivo BP Oil España, SAU, para sus centros en Madrid y Las Palmas (BOE 6 de febrero 2018).

- Convenio colectivo de Radio Ecca, Fundación Canaria (BOE 28 febrero 2018).

- Convenio colectivo de Siemens, S.A (BOE 23 noviembre 2018).

- Convenio colectivo de Philips Ibérica, SAU (BOE 8 diciembre 2018).

- IX Acuerdo Marco Grupo Repsol (BOE 19 diciembre 2017).

- I Convenio colectivo Grupo Vodafone España 2016-2019 (BOE 7 octubre 2016).

- Convenio colectivo del Grupo Axa (BOE 21 septiembre 2017).

- Acuerdo de Teletrabajo parcial de Deutsche Bank, SAE.

- Acuerdo Colectivo sobre condiciones de la prestación de servicios en el BBVA en régimen de teletrabajo.

XV. TELETRABAJO, CONCILIACIÓN Y GÉNERO*

CARMEN TATAY PUCHADES
Profesora Titular Derecho del Trabajo y de la Seguridad Social
Universidad de Valencia

SUMARIO: 1. NUEVAS TECNOLOGÍAS Y TELETRABAJO. 1.1. Aportaciones del profesor Pérez de los Cobos y posteriores derroteros. 1.2. La escasa implementación del teletrabajo: ¿un antes y un despues de la pandemia provocada por el virus SARS-CoV-2? 1.3. El teletrabajo: ¿Mecanismo para conciliar o cuestión de género? 2. ¿REGULACIÓN DEL TELETRABAJO EN EL ESTATUTO DE LOS TRABAJADORES? 2.1. El alcance del art. 13 ET: algunas objeciones. 2.2. Reglas posteriores para los trabajadores a distancia. 3. EL TELETRABAJO REGULADO AL MARGEN DEL ART. 13 ET. 3.1. Acuerdos y declaraciones para negociar aspectos del teletrabajo. 3.2. Normativa sobre teletrabajo en el ámbito de la Administración. 3.2.1. Experiencias en la Administración General del Estado a través de los Planes de Igualdad. 3.2.2. Normativa de Comunidades Autónomas y otras. BIBLIOGRAFÍA.

1. NUEVAS TECNOLOGÍAS Y TELETRABAJO

1.1. Aportaciones del profesor Pérez de los Cobos y posteriores derroteros

Como bien ha apuntado la doctrina, cada vez que un «*nuevo avance tecnológico*» se ha proyectado sobre la organización del trabajo, se ha producido un «*replanteamiento de los límites de la laboralidad*», en el que el profesor Pérez de los Cobos ha terciado con acierto, apostando por una recomposición de los indicios de la subordinación[1]. Primero, según sus propias palabras, «*arriesgando hipótesis*»; pero, una década después, «*consultando los repertorios jurisprudenciales*» al constatar cómo «*los jueces entran a valorar la*

---

*   Con este capítulo, además de querer contribuir al homenaje a Paco Pérez de los Cobos, se rinde cuenta de la incorporación al Proyecto de I+D+i titulado «*Análisis jurídico y sociológico de las brechas de género en las transiciones trabajo-jubilación-trabajo: factores de desigualdad y propuestas normativas*» (RTI2018-095888-B-I00/SIMO NOGUERA, CX.).

[1]   De ese modo lo indican GOERLICH PESET, JMª. y GARCÍA RUBIO, MªA. "Indicios de autonomía y de laboralidad en los servicios de los trabajadores en plataforma". AAVV (Dir. F. Pérez de los Cobos). *El trabajo en plataformas digitales. Análisis sobre su situación jurídica y regulación futura*. Madrid, 2018, Ed. Wolters Kluver, p. 40.

trascendencia de la utilización de las nuevas tecnologías de la información y de las telecomunicaciones a efectos calificadores»[2].

Y es que, a principios de los años noventa del pasado siglo, el citado autor prioritariamente identificaba las nuevas tecnologías introducidas en el mundo del trabajo con «*la utilización masiva de videoterminales*», deduciendo de este fenómeno y entre otros efectos: «*nuevos focos de nocividad y nuevas situaciones patológicas*» que la regulación de seguridad y salud en el trabajo debía atender; «*nuevas posibilidades del control*» del empresario sobre la prestación del trabajador dado que el «*operador*» permitía memorizar el número de operaciones realizadas, los errores cometidos, el tiempo empleado o las interrupciones; y, en fin, ciertas transformaciones en la profesionalidad, distinguiendo entre quienes podrían controlar el desarrollo tecnológico y quienes, contrariamente, se convertirían en un mero instrumento del mismo[3].

Mientras que, una década después y ante el desarrollo de las telecomunicaciones y las insospechadas posibilidades que brindó la red, el mismo profesor, junto con Thibault, entendieron que la manifestación «*más visible*» de las profundas transformaciones que se estaban produciendo en la sociedad de la información se situaba en el «*teletrabajo*», definido por ambos como «*una forma de organización y/o ejecución del trabajo realizado prevalentemente a distancia y mediante el uso intensivo de la informática y, en su caso, de las telecomunicaciones*»[4].

Es cierto que, en esa concreta forma de ejecutar el trabajo, dichos autores vieron: «*un medio precioso para mejorar la vida de muchos trabajadores*» por las posibilidades que el teletrabajo parecía abrir para conciliar el trabajo con las obligaciones familiares; una oportunidad para el empleo, por los puestos de trabajo nuevos que el teletrabajo semejaba que podía generar y por su capacidad para insertar en el mercado a colectivos desfavorecidos; y, en fin, un instrumento favorecedor del desarrollo regional y local[5]. Pero, no es menos verdad que, los mismos autores alertaron sobre la «*faz amarga*» del teletrabajo por varios motivos: porque podía deteriorar las condiciones

---

[2]   Así lo afirma PÉREZ DE LOS COBOS Y ORIHUEL, F. "La subordinación jurídica frente a la innovación tecnológica". *Relaciones laborales. Revista crítica de teoría y práctica*, 2005, n° 1, p. 1317.

[3]   Son palabras de PÉREZ DE LOS COBOS Y ORIHUEL, F. *Nuevas tecnologías y relaciones de trabajo*. Valencia, 1990, Ed. Tirant lo Blanch, pp. 52, 72-73 y 98.

[4]   De esa forma lo señalan PÉREZ DE LOS COBOS Y ORIHUEL, F. y THIBAULT ARANDA, J. *El teletrabajo en España. Perspectiva jurídico-laboral*. Madrid, 2001, Ed. MTAS, pp. 11 y 20, respectivamente.

[5]   Así lo sostienen PÉREZ DE LOS COBOS Y ORIHUEL, F. y THIBAULT ARANDA, J. *El teletrabajo...* cit., pp. 27, 29 y 30, respectivamente.

de vida, al diluir las fronteras entre trabajo y reposo o entre vida laboral y vida familiar, máxime cuando dicho modo de trabajar comportaba tiempos de «*teledisponibilidad*»; porque podía dificultar la promoción del teletrabajador y reportarle menores niveles de protección; y porque el teletrabajo entrañaba riegos para la seguridad y salud de los trabajadores, tanto de índole físico, como mental[6]. No en balde ya durante el año 1994 el entonces Instituto Nacional de Seguridad e Higiene en el Trabajo (hoy, INSST) había elaborado una Nota Técnica de Prevención sobre "*Teletrabajo: criterios para su implantación*" (NTP 412)[7].

Es más, sobre esos riesgos físicos y psíquicos se ha escrito en extenso con posterioridad[8], detectándose cómo los teletrabajadores se quejan por encima de la media de sufrir «*problemas de visión, cefaleas, dolores de estómago, insomnio, irritabilidad y percepción de padecer de estrés*»[9]. Síntomas comprensibles a la luz de aquellos estudios empíricos que evidencian cómo dichos trabajadores acusan «*sobrecarga de actividades durante el día y la noche*», alargamiento de las «*jornadas de trabajo entre un 10% y 20%*», «*aislamiento social*» o «estan-

---

[6]　Ib. Idem., pp. 27-28, 50, 66 y 76-81, quienes, entre los riesgos físicos apuntaban, los problemas osteomusculares y de vista; y, entre los riesgos psicológicos, destacaban los problemas de sobrecarga mental por la prolongación de la jornada al establecerse sistemas retributivos por resultados o a destajo, la ansiedad, el estrés y la corrosión del carácter, así como otras afecciones nerviosas derivadas del aislamiento del trabajador.

[7]　Nota Técnica de Prevención o guía de buenas prácticas accesible en https://www.insst. es/documents/94886/326962/ntp_412.pdf/420efc83-3075-4dd7-a571-07627688d416 (consultado 6/12/2019).

[8]　En España, incidiendo en distintos riesgos físicos y otros psicosociales tales como la tecnoansiedad, tecnofatiga, tecnoadicción o tecnofobia: MELLA MÉNDEZ, L. "La seguridad y salud en el teletrabajo", en AA.VV (Ed. L. Mella Méndez y Coord. A. Villalba Sánchez). *Trabajo a Distancia y Teletrabajo. Estudios sobre su régimen jurídico en el derecho español y comparado.* Cizur Menor (Navarra), 2015. Ed. Thomson Reuters-Aranzadi, pp. 187 y ss., así como, de la misma autora, con posterioridad, "Configuración general del trabajo a distancia en el derecho español", en AA.VV (Dir. L. Mella Méndez). *El teletrabajo en España: aspectos teórico-prácticos de interés.* Las Rozas (Madrid), 2017. Ed. Wolters Kluver, pp. 66-82.
　　En cambio, en Latinoamérica, entre otros: GARECA, M., VERDUGO, R., BRIONES, JL. y VERA, A. "Salud Ocupacional y Teletrabajo". *Ciencia & Trabajo*, 2007, n° 25, pp. 85-88; así como CATAÑO RAMÍREZ, SL. y GÓMEZ RÚA, NE. "El concepto de teletrabajo: aspectos para la seguridad y salud en el empleo". *Rev. CES Salud Pública*, 2014, n° 5, pp. 82-91.

[9]　Resultados obtenidos partiendo de la, entonces, «*Cuarta Encuesta Europea de Condiciones de Trabajo (2005)*» por PINILLA GARCÍA, FJ. Efectos contrapuestos de la flexibilidad: el caso de los teletrabajadores europeos". *Abaco: Revista de cultura y ciencias sociales*, 2011, vol. 1, n° 67, p. 45, http://www.revistasculturales.com/xrevistas/PDF/72/1420.pdf (consultado 28/10/2019).

camiento profesional[10]. Aunque no han faltado análisis que insisten en la relevancia del «*perfil psicológico*» de los individuos, ya a efectos de acusar las apuntadas afecciones o ya, diversamente, al objeto de mejorar «*su calidad de vida tanto personal como profesional si hicieran el tránsito hacia el teletrabajo*»[11].

Por otro lado, en una economía globalizada de la que el profesor Pérez de los Cobos entresacaba ejemplos de «*deslocalización*» a los que recurrían las empresas para aumentar su competitividad[12], dicho autor, junto con Thibault, entendían que como el «*teletrabajo transfronterizo*» permite acceder a otros mercados sin crear filiales ni desplazar a trabajadores, entonces bajo este teletrabajo transnacional yacía una nueva dimensión del dumping social que encubría «*libérrimas condiciones de trabajo*» en terceros países[13]. De hecho, no es infrecuente que desde lugares como, por ejemplo, Colombia, se ofrezca «*soporte a usuarios de algún producto o servicio que estén en España*»[14]. Pero el fenómeno también se produce a la inversa. O, cuanto menos, así parece deducirse al comprobar las reiteradas consultas planteadas a fin de dirimir si se tributa por IRPF en España cuando se teletrabaja desde aquí para empresas ubicadas en el extranjero[15]. Siendo igualmente significativa la existencia de una amplia gama de portales web que brindan la posibilidad de trabajar de forma remo-

---

[10]   Dando cuenta de diversos estudios empíricos que han destacado esos factores, SIERRA CASTELLANOS, Y., ESCOBAR SÁNCHEZ, S. y MERLO SANTANA, A. "Trabajo en casa y calidad de vida: una aproximación conceptual". *Cuadernos Hispanoamericanos de Psicología*, 2014, vol. 14, nº 1, p. 62, https://dialnet.unirioja.es/servlet/articulo?codigo=5493098 (consultado 27/10/2019).

[11]   En ese factor insisten, entre otros, FRANCO JARAMILLO, A. y RESTREPO BUSTAMANTE, FA. "El perfil del teletrabajador y su incidencia en el éxito laboral". *Revista virtual. Universidad Católica del Norte*, 2011, nº 33, pp.1-7, disponible en https://www.redalyc.org/articulo.oa?id=194218961001 (consultado 28/10/2019). E igualmente, abogando por la realización de pruebas de personalidad previas o de la necesaria realización de una selección adecuada del teletrabajador, MELLA MÉNDEZ, L. "Configuración general del trabajo...", cit., pp. 41 y 49.

[12]   Más ampliamente, PÉREZ DE LOS COBOS Y ORHIUEL, F. "Problemas laborales de la deslocalización de empresas". *Actualidad Laboral*, 2006, nº 3, pp. 242-264.

[13]   Así lo indican PÉREZ DE LOS COBOS Y ORIHUEL, F. y THIBAULT ARANDA, J. *El teletrabajo...* cit., pp. 108-110 y 112.

[14]   Son palabras de SIERRA CASTELLANOS, Y., ESCOBAR SÁNCHEZ, S. y MERLO SANTANA, A. "Trabajo en casa...", cit., p. 60.

[15]   Entre otras muchas consultes vinculantes, en la resuelta por la Dirección General de Tributos (consulta núm. V0906/17, de 11 abril; JUR 2017\137489), se atiende a dónde consta la residencia fiscal y si es en España, entonces "*al obtener rentas del trabajo derivadas de realizar teletrabajo desde un domicilio privado en España, se entenderá que el empleo se ejerce en España (siendo irrelevante que los frutos del trabajo se perciban por una empresa estadounidense), por lo que dichas rentas solamente tributarán en España, como rendimientos del trabajo del artículo 17.1 de la LIRPF, al derivar de una relación laboral*".

ta desde España para empresas ubicadas en otros países, en tareas propias de marketing, diseño, creación de páginas web, fotografía, asistencia virtual, consultoría, traducción, ingeniería, servicios técnicos..., etc.[16], exigiendo que se disponga de una buena conexión a internet y de tecnologías de la información y la comunicación (TIC, en adelante) –móviles o no– y ofreciendo, en no pocas ocasiones, trabajos como «*freelance*» o por cuenta propia[17].

Y, en fin, mientras que -atendiendo a los datos estadísticos de entonces sobre la implantación del teletrabajo- Pérez de los Cobos y Thibault concluían que España presentaba la tasa «*más baja de Europa*»[18]; contrariamente –y a la vista de los estudios realizados en los últimos tiempos sobre utilización de plataformas digitales– el profesor Pérez de los Cobos destacaba que España se hallaba a la cabeza, secundando sólo al Reino Unido.[19]

1.2. *La escasa implementación del teletrabajo: ¿un antes y un después de la pandemia provocada por el virus SARS-CoV-2?*

Aunque resulta extremadamente frustrante intentar obtener una respuesta concluyente a la cuestión de cuántas personas teletrabajan en España, hasta hace bien poco algunas voces difundían por la red que «*como los reyes magos el teletrabajo no existe*»[20]. Y si bien dicha aseveración no parecía cierta, tampoco semejaba defendible, la afirmación de Pérez de los Cobos

---

[16]   De este modo en portales web como: Flexjobs, Weworkremotely, Careerbuilder, Angel. co, Infojobs, Workingnomads, Remote.Co, Skipthedrive, Remotive, Jobspresso, Virtual vocations, Europeremotely, Remoteok o WFH, entre otros.

[17]   Mucha más información, entre otras páginas, en https://trabajarporelmundo.org/ (consultado 12/12/2019).

[18]   De esa forma lo afirmaban PÉREZ DE LOS COBOS Y ORIHUEL, F. y THIBAULT ARANDA, J. *El teletrabajo...* cit., pp. 31-32 y 131.)

[19]   Así lo señala PÉREZ DE LOS COBOS Y ORIHUEL, F. "Prologo", en AAVV (Dir, F. Pérez de los Cobos). *El trabajo en plataformas digitales. Análisis sobre su situación jurídica y regulación futura.* Madrid, 2018, Ed. Wolters Kluver, p. 7.

[20]   Noticia del 28/03/2019 en https://www.larazon.es/economia/el-teletrabajo-no-existe-HH22617653 (consultado 25/11/2019), en la que se enfatiza, acudiendo a datos del año 2018 publicados por el INE, que el «*teletrabajo no despega en España*» dado que sólo un 4,3% de ocupados se acoge a la modalidad de teletrabajo más de la mitad de sus días laborales. Asimismo, como noticias del 14/07/2019, se reitera idéntico porcentaje, destacándose que todavía el 91,5% de ocupados nunca han teletrabajado, aunque 7,5% dijeron haber trabajado desde casa ocasionalmente, en: https://www.burgosconecta.es/economia/trabajo/teletrabajo-espana-europa-20190714182901-ntrc.html, así como en: https://www.lavozdegalicia.es/noticia/economia/2019/07/14/teletrabajo-emerge-espana-arrasa-europa/0003_201907G14P24993.htm (consultado 24/10/2019).

y Thibault, que en su día ya entendieron que ya no cabía alegar que «*hay más personas estudiando el teletrabajo que teletrabajando*»[21].

De otro modo, hasta la alarma decretada por la enfermedad del COVID-19, los niveles de teletrabajo no habían progresado de forma proporcional a la numerosa bibliografía que iba acumulándose alrededor de dicho fenómeno. Pudiéndose apreciar que, en torno al teletrabajo, se estaba generando una especie de espejismo, por oírse mucho ruido, pero recogerse pocas nueces. Ciertamente, además de que la extensión del teletrabajo a los espacios rurales no había cosechado grandes resultados[22], cabía sospechar a que esa forma de prestar servicios tampoco lograba desarrollarse como mecanismo favorecedor de la conciliación entre la vida laboral y familiar[23]. Y ello, no solo porque algunas de las cláusulas genéricas sobre el teletrabajo que se recogían en la negociación colectiva quedaban en papel mojado, sino fundamentalmente porque las previsiones relativas a dicha figura que se contenían en diversas normas aplicables a las administraciones públicas no conseguían implementarse.

Ahora bien, al declararse por la Organización Mundial de la Salud (OMS) que la situación en relación al COVID-19 suponía una emergencia de salud pública de importancia internacional y al aparecer los primeros casos en España, a los que inicialmente se respondía con el RDLey 6/2020[24], el Ministerio de Trabajo y Economía Social se apresuraba por elaborar una *"Guía para la actuación en el ámbito laboral en relación al nuevo coronavirus"*[25], apelando al «teletrabajo»

---

[21]   PÉREZ DE LOS COBOS Y ORIHUEL, F. y THIBAULT ARANDA, J. *El teletrabajo…* cit., p. 12, quienes atribuyen esa célebre «*boutade*» a Manuel Castells en su obra: *La era de la información: Economía, sociedad y cultura: I. La sociedad red.* 1997, Ed. Alianza. Aunque algún otro autor atribuye esa misma elocuencia a W.J. Steinle, en la obra: KORTE, WB. ROBINSON, S y STEINLE, WJ. *Telework: Present Situation and Future Development of a New Form of Work Organization* (International Conference sponsored by the Commission of the European Communities and the German Federal Ministry of Research and Technology held at the Wissenschaftszentrum, Bonn, Mar. 18-20, 1987), 1988, Pub. Elsevier Science.

[22]   CÀNOVES VALIENTE, G. y BLANCO ROMERO, A. "Teletrabajo, género y gentrificación o elitización en los espacios rurales: Nuevos usos y Nuevos protagonistas. Los casos de Cataluña y Ardèche (Francia)", *Geographicalia*, 2006, n° 50, pp. 27-44, disponible en https://www.researchgate.net/publication/277264177.

[23]   Insistiendo en las posibilidades del teletrabajo como «*instrumento idóneo*» para facilitar la conciliación y achacando su poco desarrollo en parte a «*la falta de una regulación concreta*» sobre el mismo, porque ello abre un amplio margen de inseguridad jurídica, ROMERO BURRILLO, AMª. "Trabajo, género y nuevas tecnologías: algunas consideraciones". *IUSlabor,* 2019, n° 1, pp. 224 y 226.

[24]   RDLey 6/2020, de 10 de marzo, por el que se adoptan determinadas medidas urgentes en el ámbito económico y para la protección de la salud pública (BOE 11/03/20).

[25]   http://www.mitramiss.gob.es/ficheros/ministerio/inicio_destacados/Gua_Definitiva.pdf (consultado 15/03/2020).

como «*medida temporal organizativa*» que podía «*adoptarse por acuerdo colectivo o individual, con un carácter excepcional, para el desarrollo de tareas imprescindibles que no puedan desarrollarse en el centro físico habitual…*». Solución por la que igualmente empezaron a decantarse diversas administraciones autonómicas para su personal tras ordenarse la paralización de actividades, según después se indicará.

Y al elevarse por la OMS la situación a pandemia internacional y decretarse el estado de alarma en España[26], por art. 5 RDLey 8/2020[27] se ha apostado por el carácter *"preferente"* del –ahora denominado– *"trabajo a distancia"* con el objetivo de *"garantizar que la actividad empresarial y las relaciones de trabajo se reanuden con normalidad tras la situación de excepcionalidad sanitaria"*, debiendo mientras tanto las empresas establecer *"sistemas de organización que permitan mantener la actividad…, por medio del trabajo a distancia…, si ello es técnica y razonablemente posible y si el esfuerzo de adaptación necesario resulta proporcionado"*, como mecanismo prioritario *"frente a la cesación temporal o reducción de la actividad"*. Esto es, frente a los ERTEs, bien por fuerza mayor, o bien por causas económicas, técnicas, organizativas o de producción, a los que se refieren los arts. 22 y 23 del mismo RDLey 8/2020. Anunciándose que, precisamente para apoyar a las empresas a implementar las formas organizativas de trabajo no presencial *"se pondrá en marcha un programa de financiación del material correspondiente mediante la activación de ayudas y créditos para PYMEs dentro del programa ACELERA PYME de la empresa pública RED.ES"* (Exp. Motivos y DA 8ª RDLey 8/2020).

Pero sólo el paso del tiempo desvelará si, superada la pandemia ocasionada por el virus SARS-CoV-2, se han modificado las pautas habituales del modo de trabajar en España, intensificándose o no el teletrabajo.

1.3. El teletrabajo: ¿mecanismo para conciliar y/o cuestión de género?

Hasta hace relativamente poco tiempo, de los datos del INE, se desprendía que, para las mujeres con hijos, uno de los mayores valores del trabajo, es que éste admita medidas de conciliación (teletrabajo, flexibilidad en el horario, en las vacaciones…), por detrás sólo del ítem de sus buenas condiciones económicas, pero por delante de otros factores tales como la estabilidad o la satisfacción

---

[26] Por RD 463/2020, de 14 de marzo, se declaraba el estado de alarma para la gestión de la situación de crisis sanitaria ocasionada por el COVID-19 (14/03/2020), en términos que modificaba el RD 465/2020, de 17 de marzo (BOE 18/03/2020) y que han ido sucesivamente prorrogándose.

[27] RDLey 8/2020, de 17 de marzo, de medidas urgentes extraordinarias para hacer frente al impacto económico y social del COVID-19 (BOE 18/03/20).

personal y profesional[28]. Pero de los datos del INE no parecía que pudiera deducirse el porcentaje de personas –y, en su caso, de mujeres– que efectivamente teletrabajan, si esas cifras se hacían depender de los resultados que arroja la siguiente doble pregunta: «*Usuarios de Internet en los últimos 12 meses que usan TIC en el trabajo y frecuencia de trabajo realizado desde su casa en los últimos 12 meses*».

En todo caso, las respuestas a la primera cuestión se muestran más sensibles al nivel de estudios, que a variables tales como el género o a la edad, aunque la franja de población que más utiliza las tecnologías de la información y comunicación se sitúa entre los 35 a los 44 años de edad. Y si los resultados se distinguen por género, entonces curiosamente el uso es más frecuente entre los hombres. O, al menos, la oscilación entre la máxima y la mínima frecuencia de utilización de las TICs se sitúa: para mujeres, las utilizarían diariamente el 11,8%, mientras no los usarían nunca el 60,2%; y, para hombres, oscilaría entre un 12,5% que las utilizarían diariamente y un 56,1% que no las usarían nunca. E igualmente, ante la pregunta sobre «*Uso de internet para trabajar desde casa*», también paradójicamente se advierte que las mujeres recurrirían menos que los hombres.

Y similar situación se advierte a nivel europeo, al intentar acercarse a los porcentajes sobre empleados que realizan teletrabajo- ya mediante TICs tradicionales, o ya a través de ulteriores tecnologías móviles (T/TICM)-, entendido como tal el trabajo realizado fuera de las instalaciones de la empresa y mediante teléfonos inteligentes, tablets, ordenadores portátiles o de sobremesa. En este ámbito, se concluye que, a pesar de apreciarse muchas diferencias que apuntan una oscilación en su uso del 2% al 40% (dependiendo del país, profesión, sector o frecuencia de utilización), sí pueden alcanzarse algunas consideraciones genéricas. A saber: que es mayor el porcentaje de personas que recurren al teletrabajo de forma ocasional que regular; que su desarrollo es más común entre los profesionales y los directivos, aunque también es significativo en tareas administrativas y en ventas; y que, en cuanto al género, curiosamente «*es más probable que sean los hombres los que realicen T/TICM*», *aun cuando las mujeres –obedeciendo a roles de género– optan más por el «teletrabajo en casa*».[29]

---

[28] Series publicadas en abril de 2019 por el INE sobre Ocupación e ingresos, https://www.ine.es/jaxi/tabla.do?type=pcaxis&path=/t20/p317/a2018/def/p01/e01/l0/&file=04008.px (consultado 29/10/2019). Diversamente, las preferencias de las mujeres sin hijos se equipararían a las de los hombres, siendo las medidas de conciliación poco valoradas por éstos, tanto si tiene hijos como si no los tienen.

[29] MESSENGER, J., VARGAS LLAVE, O., GSCHWIND, L., BOEHMER, S., VERMEYLEN, G. y WILKENS, M. *Working anytime, anywhere: The effects on the world of work*, 2017. Informe conjunto OIT-EUROFOND, que sintetiza una investigación realizada por ambas

Ahora bien, no faltan estudios que se preocupan por destacar cómo el teletrabajo para la mujer supone «*una doble carga*», porque trabajando en dos ámbitos, su jornada es «*más extensa y extenuante que la del hombre*»[30]. O, cuanto menos, que, entre quienes realizan dicho trabajo, se evidencian «*paradojas*», pues bastantes personas hallan «*bienestar*» al poder organizar sus propios horarios de trabajo para conciliar, pero a cambio de un «*alto costo debido a las largas jornadas de trabajo por la alternancia de las responsabilidades familiares*» con «*las derivadas del empleo*»[31]. En este sentido, un estudio empírico realizado en España (con una muestra de 73 madres teletrabajadoras que realizaban su trabajo desde casa y la mayoría de ellas sólo algunos días, pero seleccionadas con independencia de si trabajaban por cuenta ajena o por cuenta propia), igualmente concluía con una valoración «*ambivalente*», en tanto que el teletrabajo «*libera y esclaviza, es una trampa y una oportunidad, realiza personalmente y puede significar una renuncia*», junto a elementos que compensan por la «*independencia y autonomía para decidir cómo distribuir el tiempo, las tareas, el espacio*», se añade una «*sobrecarga*» o un «*exceso de actividad durante el día –y en muchos casos también durante la noche–*»[32]. O asimismo se ha alertado de la «*doble*» trampa que puede afectar a las mujeres empleadas en las administraciones públicas que se acojan al teletrabajo como me-

---

instituciones en 15 países, incluyendo a diez países entonces de la UE (Alemania, Bélgica, España, Finlandia, Francia, Hungría, Italia, los Países Bajos, Suecia y el Reino Unido) así como Argentina, Brasil, Estados Unidos, India y Japón, disponible en https://www.eurofound.europa.eu/sites/default/files/ef_publication/field_ef_document/ef1658en.pdf (Consultado 29/10/2019). Con anterioridad, apuntando también un uso creciente en mujeres de las TIC, pero inferior al desplegado por los hombres, EUROFOUND. Sexta Encuesta europea sobre las condiciones de trabajo. EWCS, 2015, en https://www.eurofound.europa.eu/es/data/european-working-conditions-survey.

[30]   De este modo, OSIO HAVRILUK, L. y DELGADO DE SMITH,Y. "Mujer, cyberfeminismo y teletrabajo". *Compendium*, 2010, n° 24, pp. 73 y 74, disponible en https://dialnet.unirioja.es/descarga/articulo/3424076.pdf (consultado 27/10/2019).

[31]   Así lo indican SIERRA CASTELLANOS, Y., ESCOBAR SÁNCHEZ, S. Y MERLO SANTANA, A. "Trabajo en casa..." cit. p. 69. Y, en igual sentido, SALAZAR SOLÍS, M. "Telework: conditions that have a positive and negative impact on the work-family conflict". *Academia Revista Latinoamericana de Administración*, 2016, vol. 29, n° 4, pp.435-449, link permanente https://doi.org/10.1108/ARLA-10-2015-0289

[32]   Son palabras de PÉREZ SÁNCHEZ, C. y GÁLVEZ MOZO, AMª. "Teletrabajo y vida cotidiana: Ventajas y dificultades para la conciliación de la vida laboral, personal y familiar". *Athenea Digital*, 2009, n° 15, 2009, pp. 60-61 y 74, en https://atheneadigital.net/article/view/n15-perez-galvez/597-pdf-es. Asimismo, con posterioridad, PÉREZ SÁNCHEZ, C. "El teletrabajo: ¿Más libertad o una nueva forma de esclavitud para los trabajadores?" en: VI Congreso Internet. Derecho y Política. Cloud Computing: El Derecho y la Política suben a la nube (monográfico en línea). *Revista de Interned, Derecho y Política (IDP)*, 2010, n° 1, pp. 24-33.

dida de conciliación[33]. Cuestionándose si, al favorecer que la mujer realice el teletrabajo para conciliar, no se está incurriendo en el riesgo de volver a recluirla en el hogar[34]. O preguntándose, más recientemente, si el teletrabajo es una «*herramienta de corresponsabilidad*» o un «*foco de segregación*»[35].

2. ¿REGULACIÓN DEL TELETRABAJO EN EL ESTATUTO DE LOS TRABAJADORES?

2.1. *El alcance del art. 13 ET: algunas objeciones*

Resulta sobradamente conocido que el legislador español reformó, con cierta tardanza, el entonces art. 13 ET/1995[36] que contenía "*la ordenación del tradicional trabajo a domicilio, para dar acogida… al trabajo a distancia basado en el uso intensivo de las nuevas tecnologías*" y conseguir, de ese modo, "*dar cabida, con garantías, al teletrabajo*" (Exp. Motivos RDLey 3/2012, convertido después en Ley 3/2012)[37]. Pero igualmente es sabido que el precepto estatutario ya modificado fue decepcionante y que las objeciones que en su día pudo suscitar, hoy son predicables del art. 13 ET[38], mientras éste no sea alterado (DA 1ª RDLey 8/2019)[39]. Y, más concretamente, entre otras deficiencias que ha ido poniendo de relieve la doctrina, cabe entresacar, al menos, cuatro.

---

[33]   De esta forma lo advierte GALA DURÁN, C. "Las «trampas» de las medidas de conciliación de la vida laboral y familiar en el caso del personal al servicio de las Administraciones públicas". *RIDEG: revista Interdisciplinar de Estudios de Género*, 2011, n° 1, pp. 63-65, íntegramente disponible en https://ddd.uab.cat/pub/rideg/rideg_a2011m12n1/rideg_a2011m12n1p49.pdf.

[34]   En este sentido, MELLA MÉNDEZ, l. "Configuración general del trabajo…", p. 43.

[35]   Véase FERNÁNDEZ PROL, F. "Teletrabajo en clave de género: ¿herramienta de corresponsabilidad o foco de segregación?". *El futuro del trabajo: cien años de la OIT. XXIX Congreso Anual de la Asociación Española de Derecho del Trabajo y de la Seguridad Social (Co*

[36]   Art. 13 del Texto refundido de la Ley del Estatuto de los Trabajadores, aprobado por RDLeg. 1/1995, de 24 de marzo (BOE 29/03/95) que, entre las modalidades del contrato de trabajo, se ocupaba del "*Contrato de trabajo a domicilio*", manteniendo inalterado el tenor del precedente art. 13 Ley del Estatuto de los Trabajadores de 1980.

[37]   RDLey 3/2012, de 10 de febrero, de medidas urgentes para la reforma del mercado laboral (BOE 11/02/12), convertido– tras la oportuna tramitación parlamentaria– en Ley 3/2012, de 6 de julio, de igual nombre (BOE 07/07/12).

[38]   Actual Texto refundido de la Ley del Estatuto de los Trabajadores, aprobado por RDLeg. 2/2015, de 23 de octubre (BOE 24/10/15).

[39]   Asumiendo la previsión de la DA 108ª del frustrado Proyecto de LPGE para 2019, el Gobierno que lo elaboró y antes de su disolución, aprobó, entre otros, el RDLey 8/2019, de 8 de marzo, de medidas urgentes de protección social y de lucha contra la precariedad laboral en la jornada de trabajo (BOE 12/03/19), insertando en él

En primer lugar, el art. 13 ET –que se rubrica *"trabajo a distancia"*– ni alude expresamente al teletrabajo, ni se refiere al uso de las TIC, como elemento caracterizador del mismo, probablemente para seguir dando cobijo a aquel trabajo a domicilio que no utilice las apuntadas tecnologías[40].

En segundo lugar, de las palabras que usa el apartado 1 del art. 13 ET para acotar qué se entiende por trabajo a distancia, se ha deducido que varios teletrabajadores resultan expulsados de dicho concepto. En efecto, además de no albergar lógicamente a quienes usan las TIC para ofrecer obras o servicios ejecutados por cuenta propia, quedan excluidos del precepto un par de colectivos. De un lado, quienes no realizan «*al menos el 51% de la actividad... fuera*» de «*las instalaciones del empleador*»[41], dado que literalmente se requiere que la prestación de la actividad laboral se desarrolle *"de manera preponderante"* en el domicilio del trabajador o un espacio *"alternativo a su desarrollo presencial en el centro de trabajo"*. Y, de otro lado, quienes prestan servicios «*obligatoriamente*» en «*telecentros...*, *o en oficinas satélites*» o teletrabajan de forma móvil o itinerante sin poder decidir sus itinerarios, en tanto que expresamente se habla del *"lugar libremente elegido"* por los trabajadores[42]. Albergándose dudas razonables respecto a si la locución *"de manera preponderante"*, también expulsa a quien trabaja exclusivamente fuera de las instalaciones del empresario, sin alternar el teletrabajo con el trabajo presencial[43].

---

la DA 1ª relativa al *"Grupo de expertos y expertas para la propuesta de un nuevo Estatuto de los Trabajadores"* que tenía que haberse constituido *"con anterioridad al 30 de junio de 2019"*, entendiendo que, entre otros problemas y factores *"las transformaciones que se están produciendo... como consecuencia de la digitalización, la globalización, los cambios demográficos y la transición ecológica hacen necesario... la elaboración de un nuevo Estatuto de los Trabajadores que adapte su contenido a los retos y desafíos del siglo XXI"* (Exp. Motivos RDLey 8/2019).

[40] De ese modo, entre otros muchos, MUÑOZ RUIZ, AB. "Trabajo a distancia", en AAVV (Dir I. García Perrote Escartín y J. Mercader Uguina). *Reforma laboral 2012, Análisis práctico del RDL 3/2012, de medidas urgentes para la reforma del mercado laboral* (Dir. García Perrote Escartín, I. y J. Mercader Uguina), Valladolid, 2012, Ed. Lex Nova, p. 117; o DE LAS HERAS GARCÍA, A. *El teletrabajo en España: un análisis crítico de normas y prácticas.* Madrid, 2016. Ed. CEF, p. 33.

[41] Son palabras de DE LA VILLA GIL, LE. *"Trabajo a distancia"*, en AA.VV (Coord. JMª Goerlich Peset). *Comentarios al Estatuto de los Trabajadores (Libro Homenaje a Tomás Sala Franco).* Valencia, 2016. Ed. Tirant Lo Blanch, p. 311.

[42] Así lo indica LOUSADA AROCHENA, JF. "Una mirada periférica al teletrabajo, el trabajo a domicilio y el trabajo a distancia en el derecho español", en AA.VV (Ed. L. Mella Méndez y Coord. A. Villalba Sánchez). *Trabajo a Distancia y Teletrabajo. Estudios sobre su régimen jurídico en el derecho español y comparado.* Cizur Menor (Navarra), 2015. Ed. Thomson Reuters-Aranzadi, p. 43.

[43] En este sentido, interpretando la alternancia implícita en el tenor del art. 13 ET, MELLA MÉNDEZ, L. "El nuevo trabajo a distancia en España: configuración general", AA.VV (Coord. L. Mella Méndez). *Conciliación de la vida laboral y familiar y crisis económica: estudios*

En tercer lugar, se ha criticado la generalidad en que incurren los apartados 3 al 5 del art. 13 ET al reiterar para los trabajadores a distancia algunos derechos laborales que enuncia el art. 4.2 ET u otros preceptos del mismo texto normativo sin incorporar a penas matizaciones[44]. En este sentido, se les garantiza la equiparación de derechos con quienes trabajan de forma presencial –aunque sin perjuicio de los derechos *"inherentes"* a la *"realización de la prestación laboral"* de estos últimos–, remarcándose para los trabajadores a distancia el derecho a percibir *"como mínimo, la retribución total establecida conforme a su grupo profesional y funciones"* y a gozar del *"acceso efectivo... a la formación... para... favorecer su promoción profesional"*, además del acceso a la información sobre *"la existencia de puestos de trabajo vacantes"* para su prestación presencial en los centros de trabajo (art. 13.3 ET). O, de forma similar, a los trabajadores a distancia se les permite ejercer *"los derechos de representación colectiva"* debiéndoseles asignar *"a un centro de trabajo concreto de la empresa"* (art. 13.5 ET). O, de igual modo, se les reconoce el derecho a *"una adecuada protección en materia de seguridad y salud resultando de aplicación, en todo caso, lo establecido en la Ley 31/1995, de 8 de noviembre, de Prevención de Riesgos Laborales, y su normativa de desarrollo"* (art 13.4 ET). Y es en esta última previsión –que se ha entendido completada mediante los RRDD 488/1997[45] y 299/2016[46]– donde más se han echado en especificaciones tendentes a salvar las dificul-

---

desde el derecho internacional y comparado, 2015, Ed. Delta Publicaciones Universitarias, pp. 485-488. Por el contrario, TASCÓN LÓPEZ, R. "El teletrabajo como forma de presente y de futuro de prestación de servicios: experiencias en la negociación colectiva". *El futuro del trabajo: cien años de la OIT. XXIX Congreso Anual de la Asociación Española de Derecho del Trabajo y de la Seguridad Social (Comunicaciones)*. Madrid, 2019. Ed. MTMSS, p. 1628, aludiendo al art. 13 ET, entiende que «*no sería descabellado pensar en fórmulas completamente a distancia*».

[44]   Criticando la ausencia de las peculiaridades que requería la regulación del trabajo a distancia, entre otros, SIERRA BENÍTEZ, EM. "La nueva regulación del trabajo a distancia". *Revista Internacional y Comparada de Relaciones Laborales y Derecho del Empleo*, 2013, vol.1, n° 1, pp. 24-30, en http://ejcls.adapt.it/index.php/rlde_adapt/article/view/84/136.

[45]   RD 488/1997, de 14 de abril, sobre disposiciones mínimas de seguridad y salud relativas al trabajo con equipos que incluyen pantallas de visualización (BOE 23/04/1997), con el que se traspone la Directiva del Consejo, de 29 de mayo de 1990, referente a las disposiciones mínimas de seguridad y de salud relativas al trabajo con equipos que incluyen pantallas de visualización (quinta Directiva específica con arreglo al apartado 1 del artículo 16 de la Directiva 89/391/CEE).

[46]   RD 299/2016, de 22 de julio, sobre la protección de la salud y la seguridad de los trabajadores contra los riesgos relacionados con la exposición a campos electromagnéticos (BOE 29/07/2016), por la que se transpone la Directiva 2013/35/UE del Parlamento Europeo y del Consejo, de 26 de junio de 2013, sobre las disposiciones mínimas de salud y seguridad relativas a la exposición de los trabajadores a los riesgos derivados de agentes físicos (campos electromagnéticos) (vigésima Directiva específica con arreglo al artículo 16, apartado 1, de la Directiva 89/391/CEE).

tades para garantizar la seguridad y la salud de los trabajadores a distancia[47]. En ocasiones, porque el trabajo se ejecutará en su propio domicilio,, gozando éste de inviolabilidad; pero otras veces porque la prestación de servicios se realizará remotamente en centros o lugares ajenos al ámbito empresarial o en espacios de titularidad compartida entre diversos empresarios. Debe considerarse además que, con carácter temporal y excepcional, y a fin *"de facilitar el ejercicio de la modalidad de trabajo a distancia en aquellos sectores, empresas o puestos de trabajo en las que no estuviera prevista"* con anterioridad a la situación de emergencia ocasionada por la pandemia del COVID-19, *"se entenderá cumplida la obligación de efectuar la evaluación de riesgos"* en los términos que exige el art. 16 de la Ley 31/1995, mediante la mera *"autoevaluación realizada voluntariamente por la propia persona trabajadora"* (art. 5 RDLey 8/2020).

Es más, no será infrecuente que la ausencia de matizaciones para salvaguardar las medidas de seguridad y salud cuando se trabaja en el domicilio –o, en su caso, en otros espacios– pueda, a su vez, generar cierta complejidad a la hora de tramitar y reconocer algunas prestaciones de Seguridad Social. Piénsese, por ejemplo, que no resultará sencillo desplegar las reglas del art. 26 de la Ley 31/1995, sobre embarazo y lactancia natural, a las trabajadoras a distancia[48]. Y que, de su adecuada aplicación, dependerá que se acceda o no a las oportunas prestaciones de Seguridad Social. O asimismo considérese que si no siempre será fácil discernir cuándo la contingencia sufrida por un trabajador a distancia merece ser calificada como accidente de trabajo[49] o como enfermedad profesional[50]. Y que, a esta úl-

---

[47]   Echando en falta *«alguna prescripción explícita para los trabajadores a distancia»*, entre otros muchos, DE LA VILLA GIL, LE. *"Trabajo a distancia…"* cit., p. 319. Y, más recientemente, insistiendo en las dificultades para garantizar a los teletrabajadores la correcta aplicación y seguimiento de las medidas preventivas SELMA PENALVA, A. "El accidente de trabajo en el teletrabajo. Situación actual y nuevas perspectivas". Temas Laborales: Revista andaluza de trabajo y bienestar social, 2016, nº 134, pp. 136-138.

[48]   Aludiendo igualmente a la dificultad para aplicar el art. 26 de la Ley 31/1995, SIERRA BENÍTEZ, EM. "Trabajo a distancia y relación individual: aspectos prácticos (I)", en AA.VV (Dir. L. Mella Méndez). *El teletrabajo en España: aspectos teórico-prácticos de interés.* Las Rozas (Madrid), 2017. Ed. Wolters Kluwer, p. 115.

[49]   Abundando en esas dificultades al hilo de los teletrabajadores, entre las últimas revisiones: CERVILLA GARZÓN, MªJ. y JOVER RAMÍREZ, C. "Teletrabajo y delimitación de las contingencias profesionales". *Revista Internacional y Comparada de Relaciones Laborales y Derecho del Empleo*, 2015, vol. 3, nº 4, pp. 17-25; POQUET CATALÁ, R. "Accidente de trabajo in itinere en el teletrabajo: su difícil conjunción. *Revista Internacional y Comparada de Relaciones Laborales y Derecho del Empleo*, 2017, vol. 5, nº 4, pp. 40-57; y SELMA PENALVA, A. "El accidente de trabajo…", cit. pp. 142 y ss.

[50]   Más concretamente, a propósito de teleoperadoras, se estima que es enfermedad profesional la disfonía, derivada de alteraciones en la mucosa y edema de las cuerdas

tima problemática, podrá añadirse la de dirimir si procede imputar al empresario el recargo de las prestaciones por incumplimiento de las medidas de seguridad y salud en el trabajo[51].

En cuarto lugar y último lugar, si bien cabe deducir la *«voluntariedad»* del *«pacto expreso»* que ha de mediar entre empresa y trabajador para que el trabajo a distancia exista, dado que expresamente se indica que *"el acuerdo"* por el que el mismo se establezca debe formalizarse por escrito y sujetarse a las reglas previstas para la copia básica del contrato de trabajo (art. 13.2 ET)[52]; se ha objetado que otros aspectos relativos a la forma de ejecutar la prestación de servicios que tipifica el art. 13 ET quedan sin solución legal. Así, por ejemplo, nada se dice respecto a quién debe poner los medios o asumir los costes del trabajo a distancia. Ni tampoco se determina si la retribución ha de guardar relación con los resultados o con el tiempo de trabajo, indicándose solamente –según ya se ha avanzado– que el trabajador debe percibir *"como mínimo, la retribución total establecida conforme a su grupo profesional y funciones"* (art. 13.3 ET). Y, en fin, ninguna regla se destina, en particular, a delimitar la jornada y sus descansos[53], habiéndose concluido en sede judicial que, para un trabajador a distancia, son *«horas extraordinarias»* las que exceden de la jornada ordinaria (STSJ Castilla y León de 3 de febrero de 2016; rec. 2229/2015)[54]. Conclusión a la que, a partir del

---

        vocales, como patología del aparato fonador que precede a la formación de nódulos, que están reconocidos en el catálogo de enfermedades profesionales, en STSJ Castilla y León (Valladolid), de 17 enero 2018 (rec. 1931/2017). Y, en ese sentido, apuntando –entre otras– como enfermedad profesional de las teleoperadoras, los nódulos de las cuerdas vocales, DE LAS HERAS GARCÍA, A. *El teletrabajo...*, cit., p. 305; así como SIERRA BENÍTEZ, EM. "Trabajo a distancia..." cit., p. 132.

[51]   Más ampliamente, proponiendo distintas soluciones en función de cuál sea el lugar en que se ejecuta el trabajo: GALA DURÁN, C. "Teletrabajo y sistema de Seguridad Social". Relaciones laborales: *Revista crítica de teoría y práctica*, 2001, n° 2, pp. 1204-1214; PÉREZ DE LOS COBOS Y ORIHUEL, F. y THIBAULT ARANDA, J. "El teletrabajo y la seguridad social", en AAVV. *La seguridad social y las nuevas formas de organización del trabajo: las carreras de seguro atípicas (Seminario de Toledo, 25 y 26 de abril de 2002).* MTAS (Madrid), 2003, pp. 47-56; y SIERRA BENÍTEZ, EM. "Trabajo a distancia..." cit., pp. 128-131.

[52]   De este modo LAHERA FORTEZA, J. "El impacto del teletrabajo en el derecho del trabajo a la luz de la nueva regulación española", *Revista Jurídica*, 2014, vol. 2, n° 35, pp. 60-61, disponible también como: https://doi.org/10.6084/m9.figshare.1305091.v1

[53]   Sobre tales ausencias, GARCÍA QUIÑONES, JC. "La organización del tiempo de trabajo y descanso y la conciliación en el teletrabajo", en AA.VV (Ed. L. Mella Méndez y Coord. A. Villalba Sánchez). *Trabajo a Distancia y Teletrabajo. Estudios sobre su régimen jurídico en el derecho español y comparado.* Cizur Menor (Navarra), 2015, pp. 153-160.

[54]   Esta sentencia confirma la de instancia que consideró acreditado lo que figuraba en el acta de la Inspección de Trabajo sobre los horarios realizados por el trabajador, condenando a la empresa a abonarle horas extraordinarias. Véase, comentando esta

RDLey 8/2019, semeja más factible llegar, dada la obligación que dicha norma introduce respecto del "*registro diario de jornada*", en los términos que se indican a continuación.

2.2. *Reglas posteriores para los trabajadores a distancia*

Al menos cuatro cambios normativos han afectado a quienes realicen el "*trabajo a distancia*" que regula el art. 13 ET. Ciertamente, en primer término, cabe apuntar que, a pesar de la supuesta flexibilidad horaria que caracteriza a quienes trabajan de forma remota, al menos teóricamente también frente a ellos tendrá que garantizarse el "*registro diario de jornada, que deberá incluir el horario concreto de inicio y finalización de la jornada de trabajo de cada persona trabajadora*"[55], debiéndose conservar dichos registros que estarán a disposición, entre otros, de la "*Inspección de Trabajo y Seguridad Social*" (art. 34.9 ET, añadido por art. 10.Dos RDLey 8/2019). De hecho, no parece casual que, tras el RDLey 8/2019 y el Criterio Técnico 101/2019 sobre actuación de la Inspección de Trabajo y Seguridad social en materia de registro de jornada[56], hayan proliferado los anuncios de aplicaciones apps para favorecer el control y el registro horario de los teletrabajadores.

Evidentemente a nivel reglamentario podría introducirse alguna especialidad "*en las obligaciones de registro de jornada*" al hilo, por ejemplo, de quienes trabajen a distancia, como novedosa habilitación a favor del Gobierno que se ha añadido a la ya tradicional de "*establecer ampliaciones o limitaciones en la ordenación y duración de la jornada de trabajo y de los descansos*" para aquellos sectores, trabajos y –ahora también– categorías profesionales que, por sus peculiaridades, así lo requieran (art. 34.7 ET, conforme a redacción dada por art. 10.Uno RDLey 8/2019). Sin embargo, por ahora, un par de motivos inducen a pensar que dichos trabajadores carecerán de singularidades. De

---

resolución judicial: MIRÓ MORROS, D. "El control de la jornada y el teletrabajo". *Actualidad Jurídica Aranzadi*, 2016, nº 920 (BIB\2016\3966); así como POQUET CATALÁ, R. "De nuevo sobre el control de las horas extraordinarias, pero en la modalidad de teletrabajo: STSJ Castilla y León, de 3 de febrero de 2016, rec. núm. 2229/2015". *Temas laborales: Revista andaluza de trabajo y bienestar social*, 2016, nº 134, pp. 259-274.

[55] Incidiendo en que probablemente y «*de facto*» se mantenga la ampliación de las jornadas por el uso de las TICs tras el RDLey 8/2019, MARÍN ALONSO, I. "La obligación empresarial de registro de la jornada ordinaria de trabajo ante el derecho de la Unión Europea y el derecho interno". *Revista General de Derecho del Trabajo y de la Seguridad Social*, 2019, nº 53, pp. 115 y 126-128.

[56] Disponible en https://www.laboral-social.com/sites/laboral-social.com/files/CRITERIO_TECNICO_101_2019_REGISTRO_JORNADA.pdf (consultado 25/11/2019).

un lado, porque precisamente cuando se agotó la vigencia del antiguo art. 3 RD 2001/1983[57] (DT 5ª ET/1995) –a cuyo tenor "*el contrato de trabajo a domicilio*" no se sometía a "*las disposiciones contenidas*" en la misma norma–, el subsiguiente RD 1561/1995[58] no estableció peculiaridad alguna al hilo de los trabajadores no presenciales, más allá de indicar genéricamente que por "*convenio colectivo o, en su defecto, por acuerdo entre la empresa y los representantes legales de los trabajadores*" cabía adaptar las disposiciones del ET/1995 a las necesidades específicas de otras actividades no relacionadas en la norma reglamentaria caracterizadas "*bien por el alejamiento entre el lugar de trabajo y el de residencia del trabajador, bien por el aislamiento del centro de trabajo por razones de emplazamiento o climatología, computándose los descansos entre jornadas y semanal por períodos que no excedan de ocho semanas*" y debiéndose garantizar "*salvo situaciones excepcionales..., un descanso entre jornadas de diez horas*" (art. 21 RD 1561/1995). Y, de otro lado, porque precisamente desde la ley se efectúa una remisión a la "*negociación colectiva o acuerdo de empresa o, en su defecto, decisión del empresario previa consulta con los representantes legales de los trabajadores en la empresa*" a propósito de la organización y documentación del registro de jornada (art. 34.9 ET, añadido por RDLey 8/2019). En este sentido, por ejemplo, el grupo el Grupo mercantil TELEFÓNICA en España ya ha firmado con UGT y CCOO, un documento con instrucciones sobre registro de jornada a fin de cumplir con el art. 34.9 ET, pero "*sin limitar el desarrollo de formas de trabajo que estén basadas en la flexibilidad laboral y permitan el desarrollo de las nuevas formas de trabajo del siglo XXI*"[59]. De ahí que no sólo se haya matizado que, "*en el caso de que el centro de trabajo de la persona trabajadora sea móvil o itinerante..., estos desplazamientos se computarán como tiempo de trabajo efectivo*", sino que, más en particular, "*en relación con los supuestos especiales en los que las personas trabajadoras no prestan sus servicios físicamente en el centro de trabajo (por ejemplo, teletrabajo, trabajo en cliente, viajes profesionales, etc.)..., TELEFÓNICA se compromete a la implementación de un sistema de registro telemático, el cual no implicará, necesariamente, geolocalización, mediante el cual la persona trabajadora procedería al registro diario de su jornada*". Remarcándose que, a pesar de los controles por exigencias de legalidad, la empresa "*mantendrá su espíritu innovador, tratando*

---

[57]   RD 2001/1983, de 28 de julio, sobre regulación de la jornada de trabajo, jornadas especiales y descansos (BOE 29/07/83).

[58]   RD 1561/1995, de 21 de septiembre, sobre jornadas especiales de trabajo (BOE 26/09/95), que se adoptó atendiendo especialmente a las prescripciones contenidas en la Directiva 93/104/CE, del Consejo, de 23 de noviembre, y cuya DD única dejó expresamente sin efecto al anterior RD 2001/1983.

[59]   Documento fechado el 17 de julio de 2019, disponible en http://www2.fsc.ccoo.es/comunes/recursos/17466/2448680-Acuerdo_sobre_registro_horario .pdf (consultado 25/11/2019).

de fomentar formas de flexibilidad laboral basadas en la confianza mutua, generadoras de un alto compromiso y productividad".

En segundo término, frente a todos los trabajadores se proclama el derecho a "*la desconexión digital... en los términos establecidos en la legislación vigente en materia de protección de datos personales y garantía de los derechos digitales*" (art. 20 bis ET introducido por DF 13ª LO 3/2018[60]). Y conforme a esa legislación si, con alcance general, se obliga al empresario a elaborar "*una política interna*" en la que se definan "*las modalidades de ejercicio del derecho a la desconexión y las acciones de formación y de sensibilización... sobre un uso razonable de las herramientas tecnológicas que evite el riesgo de fatiga informática*"; precisamente, más en particular, se enfatiza el deber empresarial de preservar el derecho a la desconexión digital "*en los supuestos de realización total o parcial del trabajo a distancia así como en el domicilio del empleado vinculado al uso con fines laborales de herramientas tecnológicas*" (art. 88.3 LO 3/2018). De ahí que, siguiendo con el ejemplo del grupo TELEFÓNICA, también en el documento al que antes se ha hecho referencia, se recuerda que "*se garantizará el derecho a la desconexión digital de las personas trabajadoras, de conformidad con los acuerdos alcanzados con las organizaciones sindicales mayoritarias y con UNI Global Union, en fechas de 23 de noviembre de 2018 y 28 de enero de 2019, respectivamente*"[61].

En tercer término, junto a la anterior posibilidad de adaptar la duración y distribución de la jornada de trabajo para hacer efectiva la conciliación de la vida familiar y laboral, se ha introducido el derecho de las personas trabajadoras a "*solicitar las adaptaciones... en la forma de prestación*" de su trabajo, "*incluida la prestación... a distancia*" (art. 34.8 ET, tras RDLey 6/2019[62]). Y ello inspirándose en el proyecto de la que ahora ya es Directiva (UE) 2019/1158, del Parlamento Europeo y del Consejo[63], que queriendo facilitar a los "*hombres y mujeres*" que sean "*progenitores o cuidadores la conciliación de la vida familiar y profesional*", "*establece derechos individuales relacionados*",

---

[60] LO 3/2018, de 5 de diciembre, de Protección de Datos Personales y garantía de los derechos digitales (BOE 06/12/2018).

[61] Véanse las notas a los pactos sobre desconexión digital y registro de jornada en el grupo Telefónica, en http://www.eduardorojotorrecilla.es de 24 de julio de 2019.

[62] RDLey 6/2019, de 1 de marzo, de medidas urgentes para garantía de la igualdad de trato y de oportunidades entre mujeres y hombres en el empleo y la ocupación (BOE 7/03/2019), convalidado por Acuerdo publicado mediante Resolución del Congreso de los Diputados de 3 de abril de 2019 (BOE 10/04/2019).

[63] Directiva (UE) 2019/1158 del Parlamento Europeo y del Consejo, de 20 de junio, relativa a la conciliación de la vida familiar y la vida profesional de los progenitores y los cuidadores, por la que se deroga la Directiva 2010/18/UE del Consejo (DOUE 12/07/19).

entre otros aspectos, con el uso de *"fórmulas de trabajo flexible"* (art. 1.b Directiva 2019/1158). Entendiéndose, por tales fórmulas: *"la posibilidad de los trabajadores de adaptar sus modelos de trabajo acogiéndose a fórmulas de trabajo a distancia, calendarios laborales flexibles o reducción de las horas de trabajo"* (art. 3.1.f Directiva 2019/1158). En realidad, en su versión inglesa la Directiva habla de *"remote work"*, atribuyéndole probablemente un alcance no muy distinto al *"telework"* al que se refería el antiguo Acuerdo Marco Europeo sobre Teletrabajo (AMET, en lo sucesivo)[64].

No obstante, el ejercicio del derecho a acogerse al trabajo a distancia por razones de conciliación sólo semeja viable «*en aquellos puestos de trabajo en los que quepa materialmente ese modo de realización de la prestación*»[65], por más que de las adaptaciones a las que se refiere el art. 34.8 ET se predique que *"deberán ser razonables y proporcionadas en relación con las necesidades de la persona trabajadora"*, que concurrirán, entre otros supuestos, cuando se tengan hijos o hijas y hasta que *"cumplan doce años"* –superando el mínimo de ocho años de edad que establece el art. 9.1 Directiva 2019/1158–. Máxime cuando dichas adaptaciones igualmente han de guardar razonabilidad y proporcionalidad *"con las necesidades organizativas o productivas de la empresa"*, efectuándose –como ya se realizaba con anterioridad– una remisión a la *"negociación colectiva"* para pactar los términos de su ejercicio, pero regulándose con mayor detalle –y, ante la posible carencia de previsión en la negociación colectiva– el *"proceso de negociación con la persona trabajadora"* durante un periodo de treinta días –

---

[64]   Acuerdo Marco Europeo sobre Teletrabajo, suscrito el 16 de julio de 2002, por UNICE/UEAPME, CEEP y CES (incluyendo representantes del Comité de Enlace CEC/Eurocuadros) que define el teletrabajo como *"una forma de organizar o realizar un trabajo, utilizando las tecnologías de la información, en el marco de una relación laboral por cuenta ajena en la que un trabajo, que también hubiera podido ser realizado en las instalaciones de la empresa, se realiza fuera de esas instalaciones de manera regular*. Más ampliamente, sobre este AMET, entre otros: MELLA MÉNDEZ, L. *"Comentario general al Acuerdo Marco sobre el Teletrabajo"*, *Relaciones laborales: Revista crítica de teoría y práctica*, 2003, nº 1, pp. 177-208; así como THIBAULT ARANDA, J. y JURADO SEGOVIA, A. "Algunas consideraciones en torno al Acuerdo Marco Europeo sobre Teletrabajo". *Temas laborales: Revista andaluza de trabajo y bienestar social*, 2003, nº 72, pp. 35-67

[65]   Son palabras de LÓPEZ BALAGUER, M. "El derecho de adaptación de jornada y de modificación de la prestación", en FERNÁNDEZ PRATS, C., GARCÍA TESTAL, E. y LÓPEZ BALAGUER, M. *Los derechos de conciliación en la empresa (Actualizado al RDLey 6/2019, de 1 de marzo de medidas urgentes para garantía de la igualdad de trato y de oportunidades entre mujeres y hombres en el empleo y la ocupación)*. Valencia, 2019. Ed. Tirant lo blanch, pp. 101-102. Y, en igual sentido, LÓPEZ ÁLVAREZ, Mª J. "Flexibilidad en la ordenación del tiempo de trabajo como medida de conciliación de la vida familiar y laboral". *El futuro del trabajo: cien años de la OIT. XXIX Congreso Anual de la Asociación Española de Derecho del Trabajo y de la Seguridad Social (Comunicaciones)*. Madrid, 2019. Ed. MTMSS, pp. 660 y 664.

de un *"plazo razonable"* habla el art. 9.2 Directiva 2019/1158–. De forma que, finalmente, el empresario escogerá una de estas tres opciones, comunicándoselo por escrito al trabajador: 1) aceptar su petición de trabajar a distancia; 2) plantearle una propuesta alternativa que posibilite sus necesidades de conciliación; o 3) negarle el ejercicio de esa forma de prestar servicios, indicándole las razones objetivas en las que sustenta su decisión. Además, de pactarse el trabajo a distancia, se prevé –en términos similares a los previstos por art. 9.3 Directiva 2019/1158 y por el citado AMET– la reversibilidad de la medida *"una vez concluido el periodo acordado"*, pero también con anterioridad cuando *"el cambio de las circunstancias así lo justifique"*. Remitiéndose, en fin, el legislador al procedimiento previsto por el art. 139 de la Ley 36/2011[66], a efectos de que el juez de lo social dirima las discrepancias surgidas entre la dirección de la empresa y la persona trabajadora. Y echándose en falta que el mismo legislador no haya introducido medidas para *"prohibir que los trabajadores reciban un trato menos favorable por haber... ejercido los derechos previstos en el artículo 9"* de la Directiva (art. 11 Directiva), mientras que sí lo ha previsto para garantizar otras medidas de conciliación[67].

Y, en cuarto y último término, aunque sea de forma temporal y excepcional por la situación de emergencia provocada por el COVID-19, no sólo se han flexibilizado -según ya se ha anticipado- las obligaciones empresariales respecto de la evaluación de riesgos de quienes empiecen a trabajar a distancia (art. 5 RDLey 8/2020), sino que también se ha insistido en el derecho a la adaptación de la jornada de quienes *"acrediten deberes de cuidado respecto del cónyuge o pareja de hecho, así como respecto de los familiares por consanguinidad hasta el segundo grado"*. Y ello: bien por ser *"necesaria la presencia de la persona trabajadora"* para prestarles *"por razones de edad, enfermedad o discapacidad"* un *"cuidado personal y directo como consecuencia directa del COVID-19"*; bien porque el cuidado obedezca a *"decisiones adoptadas por las Autoridades gubernativas"* relacionadas con dicha enfermedad *"que impliquen cierre de centros educativos o de cualquier otra naturaleza que dispensaran cuidado o atención a la persona necesitada de los mismos"*; o bien, en fin, porque deba reemplazarse a quienes hubieran venido dedicándose al *"cuidado o asistencia directos de cónyuge o familiar hasta segundo grado de la persona trabajadora"* y no pudieran seguir haciéndolo por causas relacionadas con el COVID-19 (art. 6.1 RDLey 8/2020). De tal forma que, en cualquiera de los apuntados supuestos, el derecho a la adaptación de

---

[66]   Ley 36/2011, de 10 de octubre, Reguladora de la Jurisdicción Social (BOE 11/1011).

[67]   Similar crítica en IGUARTUA MIRÓ, MªT. "Conciliación y ordenación flexible del tiempo de trabajo. La nueva regulación del derecho de adaptación de jornada ex art. 34.8 ET". *Revista General de derecho del Trabajo y de la Seguridad Social*, 2019, nº 53, pp. 92 y 96-98.

la jornada –que se considera *"una prerrogativa cuya concreción inicial corresponde a la persona trabajadora, tanto en su alcance como en su contenido, siempre y cuando esté justificada, sea razonable y proporcionada, teniendo en cuenta las necesidades concretas de cuidado..., y las necesidades de organización de la empresa"*– precisamente puede consistir, entre otras posibilidades, en un *"cambio en la forma de prestación del trabajo, incluyendo la prestación de trabajo a distancia"* (art. 6.2 RDLey 8/2020).

3. EL TELETRABAJO REGULADO AL MARGEN DEL ART. 13 ET

Que en el art. 13 ET (o anterior art. 13 ET/1995) no tengan cabida todas las formas de teletrabajo o que dicho precepto no concrete muchos aspectos para quienes trabajan por cuenta ajena en un lugar diferente del centro del trabajo y en virtud de TICs (equipos informáticos, *"tablets"*, teléfonos móviles...), no significa que no exista otro trabajo a distancia que pueda ser denominado y regulado como teletrabajo a través de otras fuentes de ordenación[68]. Antes al contrario, en la «*normativa... genérica..., imprecisa y parca*» que contiene dicho precepto, no sólo se ha visto una llamada a «*la negociación colectiva*»[69], sino que, fundamentalmente se ha intuido una deliberada «*regulación de mínimos para dejar campo a la autonomía de la voluntad*»[70]. Es más, al pacto individual y al convenio colectivo, se sumará el régimen jurídico previsto para el teletrabajo a través de diversas normas adoptadas al hilo de las condiciones de trabajo en las administraciones públicas.

3.1. Acuerdos y declaraciones para negociar aspectos del teletrabajo

Dejando a un lado los posibles pactos individuales, basta con ojear publicaciones recientes del BOE para detectar sucesivas alusiones al teletra-

---

[68]   Refiriéndose expresamente a «*la conformación del teletrabajo al margen del artículo 13 ET*», FERREIRO REGUEIRO, C. "La conformación del teletrabajo en la negociación colectiva", en AA.VV (Ed. L. Mella Méndez y Coord. A. Villalba Sánchez) *Trabajo a Distancia y Teletrabajo. Estudios sobre su régimen jurídico en el derecho español y comparado.* Cizur Menor (Navarra), 2015. Ed. Thomson Reuters-Aranzadi, p. 52.

[69]   De ese modo lo señala TASCÓN LÓPEZ, R. "El teletrabajo como forma de presente y de futuro...", cit., p. 1618.

[70]   Son palabras de LOUSADA AROCHENA, JF. "Una mirada periférica al teletrabajo..." cit., p. 42.

bajo tanto en algunos convenios colectivos sectoriales[71], como, sobre todo, en convenios colectivos de empresas[72], al margen de encontrar paradójicas referencias al *"contrato de trabajo en la modalidad online"*[73]. Se trata de una regulación sobre el teletrabajo que, con mayor o menor detalle[74], ha ido instrumentándose a través de la negociación colectiva –según se aborda en otro capítulo de esta obra– al socaire del ya citado AMET, al que sucesivamente

[71] En este sentido, entre otros: el art. 15 del Convenio colectivo estatal de perfumería y afines, registrado y publicado por Resolución de 8 de agosto de 2019, de la Dirección General de Trabajo (BOE 20/08/19); o el art. 10 bis del XIX Convenio colectivo general de la industria química, registrado y publicado por Resolución de 26 de julio de 2018, de la Dirección General de Trabajo (BOE 8/08/18).

[72] Así, por ejemplo, en el V Convenio colectivo de Safety-Kleen España, SA, publicado y registrado por Resolución de 22 de noviembre de 2019, de la Dirección General de Trabajo (BOE 3/12/2019), a la vez que prevé *"celebrar contratos a distancia"* conforme a lo establecido en el art. 13 ET (art. 13 Convenio), dispone que *"las partes acuerdan negociar el protocolo para el desarrollo del teletrabajo en el ámbito de la empresa antes del 31 de diciembre de 2019. Una vez alcanzado el acuerdo, se incorporará al convenio colectivo de la empresa"* (DA 2ª Convenio). O asimismo, en el XXIII Convenio colectivo interprovincial de la empresa Nokia Spain, SA, publicado y registrado por Resolución 7 de octubre de 2019, de la Dirección General de Trabajo (BOE 18/10/2019), mientras que su art. 43 regula y ordena el teletrabajo, indicando que *"la distribución durante la semana de las jornadas a trabajar en el domicilio y en la Empresa se establecerá de mutuo acuerdo entre el empleado y su supervisor"*, su art. 44 se destina al *"Trabajo a distancia"* realizado de forma *"permanente"*. Y, en fin, con bastante detalle se regula el *"Trabajo remoto"* o teletrabajo en el art. 40 del Convenio colectivo de Orange España Comunicaciones Fijas, SLU., que también se publica y registra por Resolución de 7 de octubre de 2019, de la Dirección General de Trabajo (BOE 18/10/19).

[73] El art. 12. h) del VIII Convenio colectivo nacional de universidades privadas, centros universitarios privados y centros de formación de postgraduados, registrado y publicado por Resolución de 27 de agosto de 2019, de la Dirección General de Trabajo (BOE 14/09/19), contempla la posibilidad de formalizar un *"Contrato de trabajo en la modalidad online"* para las universidades online. Se trata de una figura que podría haberse denominado *"trabajo a distancia"* y haberse remitido al art. 13 ET, pero que anecdóticamente no lo hace. Y ello porque por *"trabajo online"* se entiende aquel en el que *"la prestación de la actividad laboral se realice, al menos, más del 50% de la jornada en el domicilio del trabajador o en el lugar libremente elegido por éste, de modo alternativo a su desarrollo presencial en el centro de trabajo de la Universidad"* (art. 2, Anexo I, Convenio). Véase, llamando la atención sobre esta previsión, https://baylos.blogspot.com de 30 de septiembre de 2019.

[74] Habla de una «*veintena de convenios colectivos de ámbito sectorial*» que fijan un marco bastante genérico para el teletrabajo, frente a «*unas reglas concretas*» en planes, acuerdos o convenios suscritos por grandes empresas (Telefónica, Repsol, BBVA), PRECIADO PÉREZ, I. "El teletrabajo: luces y sombras de una herramienta de flexibilidad laboral aún por explorar", *Diario La Ley*, 2018, nº 9159. Y abordando, con más profundidad, el concepto de teletrabajo en los convenios colectivos de empresa, DE LAS HERAS GARCÍA, A. *El teletrabajo...*, cit., pp. 46 a 50, además de analizar otras condiciones negociadas sobre el teletrabajo a lo largo de la misma obra.

han aludido los interlocutores sociales en España. De hecho, como el vigente IV Acuerdo para el Empleo y la Negociación Colectiva (AENC, en lo sucesivo) de los años 2018 a 2020[75], prorroga –en lo que no se le oponga– el anterior AENC para los ejercicios 2015 a 2017[76], entonces siguen sirviendo las pautas relativas al teletrabajo contenidas en el apartado 4 del Capítulo IV de este último[77]. A saber, que, reconociendo que dicho fenómeno es "*un medio de modernizar la organización del trabajo*", se considera "*oportuno establecer algunos criterios que pueden ser utilizados por las empresas y por los trabajadores y sus representantes*". Apuntándose, más concretamente, los criterios siguientes: "*el carácter voluntario y reversible del teletrabajo, tanto para el trabajador como para la empresa*"; "*la igualdad de derechos, legales y convencionales, de los teletrabajadores respecto a los trabajadores comparables que trabajan en las instalaciones de la empresa*"; y "*la conveniencia de que se regulen aspectos como la privacidad, la confidencialidad, la prevención de riesgos, las instalaciones, la formación, etc*". Criterios a lo que se entiende que debe añadirse el contenido del AMET "*suscrito por los interlocutores sociales europeos en julio de 2002, y revisado en 2009, en el que se recogen pautas relativas al desarrollo del teletrabajo*". Se trata de expresiones que prácticamente reproducen lo convenido previamente en el II AENC para los años 2012 a 2014[78], así como en el precedente ANEC para 2010 a 2012[79]. Y ello en tanto que este último vino a sustituir a los anteriores Acuerdos Interconfederales para la negociación colectiva (ANC, a partir de aquí) que igualmente vinie-

---

[75]   IV AENC, suscrito el 5 de julio de 2018, entre, de una parte, la CEOE y la CEPYME y, de otra, CCOO y UGT, y cuyo texto fue registrado y publicado por Resolución de 17 de julio de 2018, de la Dirección General de Trabajo (BOE 18/07/18).

[76]   III AENC para 2012, 2013 y 2014, suscrito el 25 de enero de 2012, de una parte, por la CEOE y la CEPYME y, de otra, por CCOO y la UGT, cuyo texto fue publicado y registrado mediante Resolución de 30 de enero de 2012, de la Dirección General de Empleo (BOE 6/02/12).

[77]   Aludiendo también a los sucesivos AENC, entre otros, DE LAS HERAS GARCÍA, A. *El teletrabajo…, cit., pp.45-46.*

[78]   II AENC para 2012, 2013 y 2014, suscrito el 25 de enero de 2012, de una parte, por la CEOE y la CEPYME y, de otra, por CCOO y la UGT, cuyo texto se publicó y registró mediante Resolución de 30 de enero de 2012, de la Dirección General de Empleo (BOE 6/02/12). Y, más concretamente, el apartado 4 del Capítulo II de este Acuerdo también consideró al teletrabajo como "*una de las formas innovadoras de organización y ejecución de la prestación laboral derivada del propio avance de las nuevas tecnologías…, que permite la realización de la actividad laboral fuera de las instalaciones de la empresa*".

[79]   AENC para 2010, 2011 y 2012, suscrito con fecha 9 de febrero de 2010, de una parte, por la CEOE y la CEPYME, y, de otra, por CCOO y la UGT, cuyo texto fue registrado y publicado por Resolución de 11 de febrero de 2010, de la Dirección General de Trabajo (BOE 22/02/10). Y, más en particular, del teletrabajo trataba el apartado 4 del Capítulo I de este Acuerdo.

ron refiriéndose al AMET desde que el ANE para el año 2003[80] lo incorporara como un Anexo[81].

Ahora bien, los firmantes del ANC para 2003 compartían el citado AMET "*en su totalidad*", reconociendo, por ello, en el teletrabajo una doble instrumentalidad: un medio "*de modernizar la organización del trabajo para las empresas*"; y un modo de "*conciliar vida profesional y personal para los trabajadores*". No obstante, la alusión a la conciliación –que fue reiterándose en los ANC de ejercicios sucesivos[82]– dejó de mencionarse a partir del ANE de 2007[83], en el que el teletrabajo ya sólo pasó a reconocerse como una forma "*de modernizar la organización del trabajo para hacer compatible la flexibilidad para las empresas y la seguridad para los trabajadores*" (apartado 3, Capítulo V del ANE 2007).

En todo caso, en el impulso dado por los interlocutores sociales europeos para que se negocien aspectos del teletrabajo, se han integrado algunas declaraciones sectoriales más específicas. Entre ellas, la antigua Declaración conjunta sobre teletrabajo entre la Plataforma patronal del Consejo de Municipios y Regiones de Europa (CMRE) y la Federación Sindical Europea de Servicios Públicos de Europa (FSESP), en la que, partiendo del AMET, se quiso alentar a su utilización "*en la formulación política y en la concertación de convenios sobre teletrabajo en el sector de administración local, de acuerdo con los procedimientos y prácticas nacionales propios de los interlocutores sociales*"[84]. O asimismo la posterior Declaración relativa al teletrabajo de los interlocutores sociales europeos del sector seguros, en la que, asumiendo el concepto del AEMT, se

---

[80] ANC para el año 2003, cuya inscripción en el registro y publicación se dispuso por Resolución de 31 de enero de 2003, de la Dirección General de Trabajo (BOE 24/02/03). Este Acuerdo fue prorrogado para 2004, conforme acuerdo registrado y publicado por Resolución de 23 de diciembre de 2003, de la Dirección General de Trabajo (BOE 31/12/03).

[81] Más concretamente el AMET se añadió como Anexo al ANE para 2003 con la intención de "*promover la adaptación y el desarrollo de su contenido a la realidad española, teniendo especialmente en cuenta aquellos ámbitos en los que puede existir más interés, de manera que se impulse una mayor y adecuada utilización del teletrabajo, favorable tanto a las empresas como a los trabajadores*".

[82] Así en el Capítulo V del ANC para 2005, cuya inscripción en el registro y publicación se dispuso por Resolución de 7 de marzo de 2005, de la Dirección General de Trabajo (BOE 16/03/05). También este Acuerdo fue objeto de prórroga para el año 2006, disponiéndose su inscripción en el registro y publicación por Resolución de 31 de enero de 2006, de la Dirección General de Trabajo (BOE 10/02/06).

[83] ANC para 2007, que se registró y publicó a través de Resolución de 9 de febrero de 2007, de la Dirección General de Trabajo (BOE 24/02/07). Este Acuerdo igualmente fue prorrogado para 2008, registrándose y publicándose el Acta de prórroga mediante Resolución de 21 de diciembre de 2007, de la Dirección General de Trabajo (BOE 14/01/08).

[84] Declaración disponible en https://www.epsu.org/sites/default/files/article/files/CEMR-EPSU_SP_joint_statement_on_Telework.pdf (consultado 30/10/2019). En ella se preveía una evaluación de su aplicación a partir del ejercicio 2005.

equiparó el teletrabajo a "*una forma de trabajo flexible en base al cual un empleado o una empleada desarrolla sus funciones en un local de trabajo concertado pero distinto del lugar donde el empleado o la empleada trabajaría normalmente*", cubriendo tanto a los "*trabajadores de plantilla que trabajan a distancia con regularidad*", como a los "*comerciales o trabajadores de ventas móviles y los peritos que evalúan los daños*"[85], aunque poco después esta Declaración tuvo que ser completada por otra sobre los efectos sociales de la digitalización en el sector de los seguros[86]. O, en fin, la más tardía Declaración conjunta sobre el impacto de la digitalización en el empleo en el sector bancario, en la que no sólo se apunta cómo en "*esta era de digitalización y automatización*" deben mejorarse "*las habilidades humanas*" tendentes a realizar las cosas que "*las computadoras y los robots no pueden*", sino que también se advierte que se necesitan "*nuevas formas de trabajo, incluyendo horarios de trabajo flexibles y teletrabajo*"[87].

Y todo ello sin ignorar que, con carácter previo a las apuntadas iniciativas adoptadas por los interlocutores sociales europeos a instancias de la propia Comisión Europea, ésta ya había recomendado la ratificación del Convenio núm. 177 de la OIT sobre el trabajo a domicilio a los Estados miembros que todavía no lo hubieran ratificado, por considerar que la naturaleza de dicho trabajo estaba evolucionando rápidamente con la introducción de nuevas tecnologías de la información, y que ello hacía más necesaria una protección apropiada de los trabajadores a domicilio, que en esa época sí eran mayoritariamente mujeres que recurrían a dicha forma de trabajo para combinar sus ingresos con el cuidado de personas a su cargo[88].

---

[85]   Declaración adoptada el 10 de febrero de 2015. Disponible en https://www.insuranceeurope.eu/sites/default/files/attachments/Joint%20declaration%20on%20telework%20-%20Spanish.pdf (consultado 30/10/2019). Y precisamente a los contenidos de esta Declaración se refiere, regulando el teletrabajo, el art. 20 del Convenio colectivo general de ámbito estatal para las entidades de seguros, reaseguros y mutuas colaboradoras con la seguridad social, para los años 2016 a 2019, registrado y publicado por Resolución de 18 de mayo 2017, de la Dirección General de Empleo (BOE 1/06/17).

[86]   Declaración conjunta sobre los efectos sociales de la digitalización por parte de los interlocutores sociales europeos en el sector de los seguros, firmada el 12 de octubre de 2016, https://insuranceeurope.eu/sites/default/files/attachments/Joint%20declaration%20on%20the%20social%20effects%20of%20digitalisation.pdf (consultado 21/11/2019).

[87]   Declaración adoptada el 30 de noviembre de 2018, entre, por un lado, las organizaciones sindicales asociadas a UNI Europa Finanzas y, por otro lado, las asociaciones patronales europeas del sector bancario (European Banking Federation, Banking Committee for European Social Affairs, the European Association of Co-operative Banks and the European Savings and Retail Banking Group), en https://www.ebf.eu/wp-content/uploads/2018/12/JD-on-Digitalisation-30-November-2018-Signed.pdf (consultado 30/10/2019)

[88]   Recomendación de la Comisión, de 27 de mayo de 1998, relativa a la ratificación del Convenio núm. 177 de la OIT sobre el trabajo a domicilio de 20 de junio de 1996

3.2. Normativa sobre teletrabajo en el ámbito de la Administración

3.2.1. Experiencias en la Administración General del Estado a través de los Planes de Igualdad

Amparándose en las entonces Leyes 30/1984[89] y 39/1999[90], por Acuerdo de Consejo de Ministros de 4 de marzo de 2005, se aprobó un Plan para la igualdad de género en la Administración General del Estado[91]. Y, entre los distintos tipos de medidas que recogió este plan, unas se dirigieron a "*la conciliación de la vida personal, familiar y laboral*" de quienes trabajaban en la Administración General del Estado (AGE, en adelante), en los términos que se negociaran entre ésta y las organizaciones sindicales[92]. De forma que, tras el oportuno proceso de negociación, se alcanzó un Acuerdo sobre medidas retributivas y mejora de las condiciones de trabajo y la profesionalización de los empleados públicos[93], que incluyó hasta 16 puntos con medidas dirigidas a hacer efectiva la conciliación entre las responsabilidades profesionales y la vida personal y familiar, así como a colaborar en la construcción y consolidación de una cultura de corresponsabilidad entre ambos sexos («*Plan Concilia*», al que aludió la Exp. Motivos del Acuerdo). Y precisamente en el marco de este «*Plan Concilia*» y refiriéndose al AMET, el entonces "*Ministerio de Administraciones Públicas*" desarrolló un denominado "*Plan Piloto para la Aplicación de Técnicas de Teletrabajo para los empleados públicos con la finalidad de favorecer la conciliación de la vida labo-*

(DOCE 10/06/1998, Referencia: DOUE-L-1998-81016). El citado convenio entró en vigor 22 abril 2000 y muy pocos países lo han ratificado. España no lo ha hecho.

[89] Ley 30/1984, de 2 de agosto, de medidas para la reforma de la Función Pública (BOE 3/08/84).

[90] Ley 39/1999, de 5 de noviembre, para promover la conciliación de la vida familiar y laboral de las personas trabajadoras (BOE 6/11/99).

[91] Acuerdo publicado por Orden APU/526/2005, de 7 de marzo (BOE 8/03/05).

[92] Y, más concretamente, se recogieron tres medidas a favor de dicha conciliación, habilitando a la Secretaría General para la Administración Pública a fin de que, previa negociación con las organizaciones sindicales, estableciera: 1) una modalidad específica de jornada a tiempo parcial, con la correspondiente disminución retributiva, a la que podrían acogerse quienes tuvieran a su cargo a personas mayores, hijos menores de 12 años o personas con discapacidad; 2) la posibilidad de que las autoridades competentes concedieran, con carácter personal y temporal, la modificación del horario fijo de los empleados y empleadas públicos; y 3) que en las bases de los concursos para la provisión de puestos de trabajo, y a efectos de valoración de méritos, se tuvieran en cuenta las razones de guarda legal de menores o atención a personas mayores.

[93] Acuerdo alcanzado en fecha 7 de diciembre de 2005 entre la Administración del Estado y las Organizaciones Sindicales UGT, CSI-CSIF y SAP sobre medidas retributivas y mejora de las condiciones de trabajo y la profesionalización de los empleados públicos, publicada por Orden APU/3902/2005, de 15 de diciembre (BOE 16/12/05).

ral, familiar y personal", de forma que, tras comprobar que sus resultados fueron "*altamente positivos, tanto para el propio Ministerio como para los empleados públicos participantes*", se aprobó "*como paso previo a una posterior regulación de esta forma de organización del trabajo*" la posibilidad de extender ese tipo de experiencias piloto a otros Departamentos, adoptándose por ello la Orden APU/1981/2006, de 21 de junio[94] (Exp. Motivos de esta norma). En esta Orden se definió el teletrabajo como "*toda modalidad de prestación de servicios de carácter no presencial en virtud de la cual un empleado de la Administración General del Estado puede desarrollar parte de su jornada laboral mediante el uso de medios telemáticos desde su propio domicilio, siempre que las necesidades del servicio lo permitan y en el marco de la política de conciliación de la vida personal y familiar y laboral de los empleados públicos*" (apartado primero). Matizándose además que los "*criterios generales sobre jornada y horarios... de trabajo del personal civil al servicio*" de la AGE no serían aplicables "*al personal que participe en alguno de los programas piloto de teletrabajo*", puesto que cada programa "*determinará..., la jornada y horario aplicable a los empleados públicos que participen en el mismo*" (apartado tercero). Y previéndose que, una vez concluyeran los programas, "*los diferentes departamentos y organismos*" participarían al Ministerio de Administraciones Públicas "*la evaluación de sus resultados, a fin de efectuar un análisis global integrado sobre su implantación*" (apartado cuarto)[95].

Se desconoce si el análisis integrado llegó a realizarse, pero sí se sabe que a principios de 2007 se redactó un proyecto de Real Decreto por el que se regulaba el teletrabajo en el ámbito de la AGE[96], que no llegó a ver la luz y que suscitó ciertos reparos por parte del Consejo Económico y Social de España (CES, en adelante)[97]. Ciertamente, entre otras objeciones, en el Dictamen del CES se alegó: la omisión de la audiencia previa a las organizaciones y asociaciones representativas; la ausencia de evaluaciones previas que sustentaran las ventajas a que se aludía en la Memoria aportada y cuya elaboración precisamente ya se había previsto en la citada Orden APU/1981/2006; y, en fin, su falta de coherencia con los objetivos acordados en el marco de

---

[94] Orden APU/1981/2006, de 21 de junio, por la que se promovió la implantación de programas piloto de teletrabajo en los departamentos ministeriales (BOE 23/06/06).

[95] Más ampliamente, comentando esa Orden, entre otros: BELZUNEGUI ERASO, A. "Teletrabajo en España, acuerdo marco y administración pública". *Revista Internacional de Organizaciones (RIO)*, 2008, n° 1, pp. 131 y 143-147; así como VILLALBA SÁNCHEZ, A. "El teletrabajo en las Administraciones Públicas", *Lan Harremanak: Revista de Relaciones Laborales*, 2017, n° 36, pp. 220-223.

[96] Analizando pormenorizadamente esa propuesta de Real Decreto, GALA DURÁN, C. "Las «trampas» de las medidas de conciliación...", cit. pp. 60-63.

[97] Dictamen 3/2007, de 21 de marzo, del CES, sobre el Proyecto de Real Decreto por el que se regula el teletrabajo en la Administración General del Estado. Consúltese en http://www.ces.es/documents/DIC/2007/03.

la elaboración del que, por entonces, se aventuraba como futuro Estatuto Básico del Empleado Público[98]. Y si bien es cierto que en la Exp. Motivos del Estatuto Básico del Empleado Público (EBEP/2007)[99], se señaló que el "*sistema de empleo público*" debía poder "*atraer los profesionales que la Administración necesita*", facilitando "*una gestión racional y objetiva, ágil y flexible del personal, atendiendo al continuo desarrollo de las nuevas tecnologías*"; no es menos verdad que, en ningún momento, el EBEP/2007 aludió a la modalidad de prestación de servicios de carácter no presencial o teletrabajo, aunque sí asumió las medidas que ya había avanzado el citado Plan Concilia.

Es más, aunque igualmente pasó al olvido la habilitación al "*Ministerio de Administraciones Públicas*" para que "*en colaboración*" con los "*Ministerios de Economía y Hacienda, de Industria, Turismo y Comercio y de Trabajo y Asuntos Sociales*" regularan las condiciones del teletrabajo en la AGE "*antes de 1 de marzo de 2008*" (DF 6ª Ley 11/2007[100]), no obstante, de conformidad con el art. 64 LO 3/2007[101], se dispuso que "*las Administraciones Públicas deberán elaborar y aplicar un plan de igualdad a desarrollar en el convenio colectivo o acuerdo de condiciones de trabajo del personal funcionario que sea aplicable*" (DA 8ª.2 EBEP/2007). Y, al amparo del citado art. 64 LO 3/2007, se aprobó el I Plan de Igualdad entre mujeres y hombres en la AGE y en sus Organismos Públicos[102], que se articuló sobre siete ejes de actuación. De tal modo que precisamente el eje relativo a la "*ordenación del tiempo de trabajo, corresponsabilidad y medidas de conciliación de la vida personal, familiar y laboral*", entre otras medidas, expresamente aludió a "*realizar un informe que analice las posibilidades y viabilidad... en el ámbito de la AGE... del teletrabajo*".

---

[98]   Sobre esas objeciones, BELZUNEGUI ERASO, A. "Teletrabajo en España..." cit. pp. 146-147.

[99]   Aprobado por Ley 7/2007, de 12 de abril (BOE 13/0407).

[100]   Ley 11/2007, de 22 de junio, de acceso electrónico de los ciudadanos a los Servicios Públicos (BOE 23/06/2007).

[101]   Ley Orgánica 3/2007, de 22 de marzo, para la igualdad efectiva de mujeres y hombres (BOE 23/03/07), cuyo art. 64 sigue indicando que "*El Gobierno aprobará, al inicio de cada legislatura, un Plan para la Igualdad entre mujeres y hombres en la Administración General del Estado y en los organismos públicos vinculados o dependientes de ella*" en el que se establecerán "*los objetivos a alcanzar en materia de promoción de la igualdad de trato y oportunidades en el empleo público, así como las estrategias o medidas a adoptar para su consecución*", debiendo ser "*objeto de negociación, y en su caso acuerdo, con la representación legal de los empleados públicos en la forma que se determine en la legislación*" y cuyo "*cumplimiento será evaluado anualmente por el Consejo de Ministros*".

[102]   I Plan aprobado por Acuerdo del Consejo de Ministros de 28 de enero de 2011, y publicado por Resolución de 20 de mayo de 2011, de la Secretaría de Estado para la Función Pública (BOE 1/06/11).

No se ha accedido a ese informe, pero sí existen algunos datos sobre la puesta en marcha del teletrabajo al amparo del I Plan de Igualdad. O, al menos, a los mismos se refiere el subsiguiente II Plan para la Igualdad entre mujeres y hombres en la AGE y en sus organismos públicos, como último plan que, por ahora, se mantiene[103]. Ciertamente, a efectos de su elaboración, se llevó a cabo un diagnóstico de la situación partiendo de los resultados del informe de evaluación del Plan anterior. De forma que, además de un análisis cuantitativo, se elaboró otro cualitativo durante el año 2004 por la Dirección General de la Función Pública en colaboración con el Instituto de la Mujer y para la igualdad de oportunidades, partiendo de la información recabada en virtud de la encuesta remitida a las Unidades de Gestión de Recursos Humanos de los distintos Ministerios. Entre otras cuestiones, se solicitaban datos "*sobre las actuaciones llevadas a cabo para favorecer un uso más racional del tiempo para facilitar la conciliación*". Y, como dato significativo en relación a estas actuaciones, precisamente se destacó que "*se han desarrollado medidas de Teletrabajo o la utilización de nuevas tecnologías como medidas específicas para favorecer la conciliación de la vida personal, familiar y laboral en el Ministerio del Interior, Industria, Energía y Turismo, Justicia, Agricultura, Alimentación y Medio Ambiente y Asuntos Exteriores y Cooperación*", poniéndose en marcha un total de "*40 experiencias en estos Ministerios, en las que han participado 1087 personas de las que más del 60% (656) han sido mujeres y el resto (431) hombres*". Tratándose, por tanto, de una experiencia de alcance bastante limitado[104].

Ahora bien, al amparo del vigente EBEP[105] y a tenor nuevamente del art. 64 LO 3/2007, el ya nombrado II Plan para la Igualdad entre mujeres y hombres en la AGE y en sus organismos públicos, también se articula sobre siete ejes, destinándose el cuarto al "*tiempo de trabajo, conciliación y corresponsabilidad de la vida personal, familiar y laboral*" y pretendiéndose con él alcanzar el objetivo de "*fomentar la implantación de medidas que permitan conciliar la vida personal, laboral y familiar de hombres y mujeres y reducir las diferencias entre ambos sexos*". A tales efectos, se incluyen diversas medidas de carácter transversal para toda la AGE y sus organismos públicos, entre las

---

[103]   II Plan aprobado por Acuerdo del Consejo de Ministros de 20 de noviembre de 2015, y publicado por Resolución de 26 de noviembre de 2015, de la Secretaría de Estado de Administraciones Públicas (BOE 10/12/15).

[104]   El número de persones participantes supondrían aproximadamente el 0,21% de los funcionarios que se estima que dependen del Estado a fecha 1 de enero de 2019, según https://www.lainformacion.com/economia-negocios-y-finanzas/cuantos-funcionarios-hay-espana/6509211 (consultado 6/06/20).

[105]   Por RDLeg. 5/2015, de 30 de octubre, se aprueba el actual texto refundido de la Ley del Estatuto Básico del Empleado Público (BOE 31/10/15).

que se incorpora *"el desarrollo de experiencias de trabajo en red mediante la utilización de las nuevas tecnologías"*, *"con el fin de favorecer la conciliación y una mejor organización y racionalización del tiempo de trabajo"* (medida 33, Eje 4). Y como medidas específicas a desarrollar en concretos Ministerios, se establece que en el –entonces llamado– de *"Industria, Energía y Turismo"* se impulsarán *"las medidas específicas de trabajo en red para favorecer la conciliación de la vida personal, laboral y familiar"* (E. 44) y que en el –por esos momentos denominado– de *"Agricultura, Alimentación y Medio Ambiente"* a partir del primer semestre de 2015 se pondría *"en marcha un proyecto piloto de trabajo en red"*.

De ahí que, al menos hasta la alarma desatada por el virus SARS-CoV-2, todavía era defendible que, según se afirmó hace ya doce años, «*la implementación del teletrabajo en la Administración General del Estado se encuentra en un momento que podríamos llamar experimental*». Y ello, quizá porque el «*desarrollo del teletrabajo como modalidad de prestación en la Administración pública puede encontrarse con los mismos problemas que su expansión en el ámbito de las empresas privadas*» y con el peligro adicional de que su aplicación «*esté exclusivamente en manos de los responsables del servicio concreto*» en lugar de incorporarse con el aval «*de un estudio pormenorizado de los servicios y actividades que pueden acoger dicha modalidad de trabajo*»[106]. Pocos avances en la implementación del teletrabajo que llaman la atención, no sólo porque los expedientes administrativos *"tendrán formato electrónico"* y se impulsarán e instruirán *"a través de medios electrónicos"* (arts. 70.2, 71.1 y 75.1 Ley 39/2015[107]), sino por los numerosos trámites que los ciudadanos deben realizar telemáticamente para comunicarse con la Administración, sin que quepa ya la posibilidad de realizarlos físicamente o de forma presencial. Aunque las previsiones relativas al *"registro electrónico de apoderamientos, registro electrónico, registro de empleados públicos habilitados, punto de acceso general electrónico de la Administración y archivo único electrónico"* previstos en la Ley 39/2015, todavía *"producirán efectos a partir del día 2 de octubre de 2020"* (art. 6 RDLey 11/2018[108]). Se

---

[106] Son palabras de BELZUNEGUI ERASO, A. "Teletrabajo en España...", cit., pp. 145 y 147, respectivamente.

[107] Ley 39/2015, de 1 de octubre, del Procedimiento Administrativo Común de las Administraciones Públicas (BOE 2/10/15).

[108] Por RDLey 11/2018, de 31 de agosto, de transposición de directivas en materia de protección de los compromisos por pensiones con los trabajadores, prevención del blanqueo de capitales y requisitos de entrada y residencia de nacionales de países terceros y por el que se modifica la Ley 39/2015, de 1 de octubre, del Procedimiento Administrativo Común de las Administraciones Públicas (BOE 4/09/18), se modifica la DF 7ª Ley 39/20015, sobre su entrada en vigor.

trata de una situación que, obviamente, está cambiando como consecuencia de la situación generada por el COVID-19.

En todo caso, de desarrollarse el teletrabajo en la AGE, a su personal también deberá reconocérsele el derecho a "*la desconexión digital en los términos establecidos en la legislación vigente en materia de protección de datos personales y garantía de los derechos digitales*" (art. 14.j bis EBEP, añadido por DF 14 LO 3/2018, de 5 de diciembre). Sin que este texto refundido haya sido modificado por el RDLey 6/2019 a los efectos de introducir expresamente el "*derecho a solicitar las adaptaciones… en la forma de prestación, incluida la prestación de su trabajo a distancia*" y sin que el RDLey 8/2019 lo haya alterado para exigir que se garantice "*el registro diario de jornada*". Ausencias comprensibles dado el derecho de los empleados públicos a "*la adopción de medidas que favorezcan la conciliación de la vida personal, familiar y laboral*" (art. 14.j EBEP) y habida cuenta de que son materias objeto de negociación las relativas a "*horarios, jornadas…, así como los criterios generales sobre la planificación estratégica de los recursos humanos, en aquellos aspectos que afecten a condiciones de trabajo de los empleados públicos*" (art. 37.m EBEP). Pero no cabe olvidar que al hilo del "*régimen de jornada de trabajo*" del personal laboral "*se estará a lo establecido*" en el EBEP, pero también en "*la legislación laboral correspondiente*" (art. 51 EBEP).

3.2.2. Normativa de Comunidades Autónomas y otras

Tratándose de las Administraciones autonómicas, no han faltado normas que se han ocupado de regular el teletrabajo. No obstante, hasta la emergencia sanitaria provocada por el virus SARS-CoV-2, algunas de ellas –tal y como parece haber sucedido en el ámbito de la AGE– no han pasado de ser papel mojado por faltar la instrumentación necesaria para su efectiva puesta en práctica. Así, siguiendo un orden de modernidad, cabe destacar la normativa específica aprobada para Cataluña[109], la Región de Murcia[110], el Principado

---

[109]   Por Acuerdo GOV/28/2020, de 18 de febrero, se adoptan medidas aplicables al personal de la Administración de la Generalidad y sus organismos autónomos que se trasladan al Distrito Administrativo de la Generalidad de Cataluña, y de ratificación del Acuerdo de la Mesa Sectorial de Negociación del Personal de Administración y Técnico de 16 de diciembre de 2019 (DOGC 20/02/20), en el que se negociaron varias medidas de racionalización con el objetivo de facilitar la movilidad, la conciliación de la vida familiar y laboral, y la implementación la prestación de servicios en la modalidad de teletrabajo, previéndose que "El personal que presta servicios en las dependencias administrativas que se trasladan al Distrito Administrativo de la Generalidad de Cataluña puede solicitar que le sea autorizada la prestación de servicios en régimen de teletrabajo, como medida de organización del trabajo", estableciéndose los requisitos para dicha prestación.

de Asturias[111], Castilla y León[112], Extremadura[113], la Comunidad Valenciana[114], la ciudad autónoma de Ceuta[115], Aragón[116], Galicia[117], La Rioja[118], Castilla-La Mancha[119], las Islas Baleares[120] y el País Vasco[121].

---

[110] 106 Mediante Resolución de 31 de enero 2020, se dispone la publicación del Acuerdo de Consejo de Gobierno de 26 de diciembre de 2019, por el que ratifica el Acuerdo de la Mesa Sectorial de Administración y Servicios de 22 de noviembre de 2019, por el que aprueba el II Plan para la Igualdad entre mujeres y hombres en la Administración Pública de la Región de Murcia 2020-2021 del ámbito de Administración y Servicios (BORM 12/02/20). Y, entre las acciones y medidas que recoge su anexo y que se articulan alrededor de una de las nueve líneas estratégicas (la consistente en la Ordenación del tiempo de trabajo, corresponsabilidad y medidas de conciliación de la vida personal, familiar y laboral), se señala que "Una vez finalizado y evaluado el «proyecto piloto de Teletrabajo» se regulará esta modalidad de prestación de servicios con carácter permanente que incluirá, entre otros objetivos, la ampliación del número de participantes y el mantenimiento del plazo de solicitud abierto mientras existan vacantes". Pues, previamente y de forma experimental, por Orden de 25 de noviembre de 2018, de la Consejería de Hacienda, se convocó la segunda fase de un proyecto piloto de teletrabajo en la Administración Pública Regional de Murcia (BORM 10/12/18), aunque, con anterioridad, por Orden de 6 de febrero de 2018, de la misma Consejería (BORM 14/02/18) se había autorizado la prórroga del proyecto piloto experimental de teletrabajo en la Administración Pública Regional de Murcia que originariamente se convocó por Orden de 3 de octubre de 2016, de idéntica Consejería (BORM 10/10/16).

[111] Por Resolución de 13 de mayo de 2019, de la Presidencia del Consorcio Asturiano de Servicios Tecnológicos, se regula la prestación del servicio en la modalidad no presencial, mediante la fórmula del teletrabajo, en el Consorcio Asturiano de Servicios Tecnológicos (BOPA 30/05/2019). Y ello conforme a la competencia que el art. 12 de los estatutos del Consorcio atribuyen a su Presidencia, habida cuenta de que dicha figura no se regula ni en el D 72/2013, de 11 de septiembre, ni en la Resolución de 4 de septiembre, de la Consejería de Hacienda y Sector Público, como normas que rigen en materia de jornada, horario, vacaciones y permisos de los funcionarios de la Administración del Principado de Asturias, sus organismos y entes públicos.

[112] El D 16/2018, de 7 de junio, regula la modalidad de prestación de servicios en régimen de teletrabajo en la Administración de la Comunidad de Castilla y León (BOCyL 13/06/2018), desplazando la normativa previa sobre la materia (D 9/2011, de 17 de marzo) y buscando dotar de mayor eficacia a ese sistema de trabajo una vez detectados sus puntos débiles puestos de relieve en la auditoría realizada por Inspección General de Servicios dentro de su Plan de actuación para el 2016. Además, con anterioridad, por Orden ADM/2154/2009, de 17 de noviembre, se había establecido un Programa Experimental de Teletrabajo «*Trabaja desde Casa*» en la Administración de la Comunidad de Castilla y León (BOCL 20/11/09).

[113] Por D 1/2018, de 10 de enero, se regula la prestación del servicio en la modalidad no presencial, mediante la fórmula del teletrabajo, en la Administración de la Comunidad Autónoma de Extremadura (DOE 15/01/18 y correc. 9/02/18).

[114] Mediante D 82/2016, de 8 de julio, del Consell, se regula la prestación de servicios en régimen de teletrabajo del personal empleado público de la Administración de la Generalitat Valenciana (DOGV 14/07/2016), al amparo de la DA 10ª de la Ley 10/2010, de 9 de julio, de ordenación y gestión de la Función Pública Valenciana

(DOGV 14/07/2010; BOE 6/08/2010), que preveía que reglamentariamente se definirían "*los ámbitos funcionariales o colectivos en los que pueda ser posible el teletrabajo*". Y en el citado Decreto por teletrabajo se entiende "*la modalidad de prestación de los servicios profesionales de carácter no presencial en virtud de la cual el personal empleado público puede desarrollar parte de su jornada laboral fuera de las dependencias administrativas, mediante el uso de las tecnologías de la información y la comunicación y bajo la dirección, coordinación y supervisión de su superior jerárquico*" (art. 2.1 D 82/2016).

[115] Por D de 16 de diciembre de 2015, se aprueba que los empleados públicos de esa Administración y de sus Organismos Autónomos puedan prestar sus servicios en la modalidad no presencial mediante la fórmula de teletrabajo (BOCCE 22/12/15).

[116] En virtud de la Instrucción de 6 de agosto de 2014, del Director General de la Función Pública y Calidad de los Servicios, se implantó el programa piloto de la modalidad de teletrabajo en la Administración de la Comunidad Autónoma de Aragón (BOA 18/08/14).

[117] A través de la Orden de 20 de diciembre de 2013, conjunta de la Vicepresidencia y Conselleria de Presidencia, Administraciones Públicas y Justicia y de la Conselleria de Hacienda, se regula la acreditación, la jornada y el horario de trabajo, la flexibilidad horaria y el teletrabajo de los empleados públicos en el ámbito de la Administración general y del sector público de la Comunidad Autónoma de Galicia (DOG 31/12/2013), en términos que desarrolla la Resolución conjunta de 8 de agosto de 2014, de la Dirección General de Evaluación y Reforma Administrativa y de la Dirección General de la Función Pública (DOG 18/08/2014). Si bien el art. 6 de la citada Orden de 20 de diciembre de 2013, relativo a la franja de flexibilidad horaria, fue modificada por la posterior Orden conjunta de 5 de septiembre de 2016, de la Vicepresidencia y Conselleria de Presidencia, Administraciones Públicas y Justicia y de la Conselleria de Hacienda (DOG 16/09/16).

[118] Por D 45/2013, de 5 de diciembre, se regula la prestación del servicio en la modalidad no presencial mediante la fórmula del teletrabajo para el personal funcionario y laboral al servicio de la Administración General de la Comunidad Autónoma de La Rioja y sus Organismos Autónomos (BOLR 13/12/2013). Aunque con anterioridad sucesivas Ordenes de la Consejería de Administración Pública y Hacienda fueron prorrogando la inicial Orden nº 61/2010, de 19 de noviembre de 2010, de dicha Consejería, que convocó el programa de teletrabajo para el personal funcionario de carrera y laboral fijo al servicio de la Administración General de la Comunidad Autónoma de La Rioja y sus organismos autónomos (*BOLR* 19/01/2011).

[119] El D 57/2013, de 12 de agosto de 2013, regula la prestación de servicios de los empleados públicos en régimen de teletrabajo en la Administración de Junta de Comunidades de Castilla-La Mancha (DOCM 16/08/2013).

[120] Por D 36/2013, de 28 de junio, se regula la modalidad de prestación de servicios mediante teletrabajo en la Administración de la Comunidad Autónoma de las Illes Balears (BOIB 29/06/2013). Es más, en el ámbito de esta Comunidad Autónoma, el más reciente D 7/2020, de 31 de enero, del Consejo de Gobierno, regula los permisos, las licencias, las vacaciones y otras medidas de conciliación de la vida personal, familiar y laboral del personal funcionario al servicio de la Administración de la Comunidad Autónoma de las Illes Balears (BOIB 1/02/20), actualizando el marco normativo autonómico. Y, al hacerlo, alude expresamente a las vacaciones del personal que presta servicios mediante la modalidad de teletrabajo (art. 24).

[121] El D 92/2012, de 29 de mayo, aprobó el Acuerdo sobre la prestación del servicio en la modalidad no presencial mediante la fórmula del teletrabajo para el personal emplea-

Muchas de esas previsiones normativas ya han sido analizadas por la doctrina que no sólo ha detectado algunas de sus deficiencias[122], sino que también ha puesto de relieve las numerosas coincidencias entre las distintas regulaciones autonómicas, sobre todo a la hora de definir el teletrabajo y de apuntar las finalidades perseguidas mediante su utilización[123]. Más concretamente, y sin perjuicio de algunas particularidades, dichas normas coinciden «*en identificar el teletrabajo con aquél desarrollado desde el domicilio del trabajador*», probablemente porque las mismas «*comparten el afán de propiciar la conciliación de la vida personal, familiar y laboral*», además de regular «*la alternancia del teletrabajo con la prestación de servicios presencial, a fin de evitar el aislamiento del trabajador*»[124].

Previsiones autonómicas a las que, en su caso, se han sumado algunas arbitradas a nivel local[125], donde no es infrecuente que funcionarios tales como Secretarios de Ayuntamiento, puedan firmar y despachar documen-

---

do público de la Administración General de la Comunidad Autónoma de Euskadi y sus Organismos Autónomos (BOPV 7/06/12).

[122] En este sentido, más ampliamente, SIERRA BENÍTEZ, EM. "Valoración crítica y propuesta de mejora de la regulación del trabajo a distancia en la normativa estatal y autonómica", *Trabajo y derecho: nueva revista de actualidad y relaciones laborales*, 2017, n° 29, pp. 56-74.

[123] Destacando la finalidad del teletrabajo para favorecer la conciliación en las normas autonómicas: QUINTANILLA NAVARRO, RY. "Teletrabajo y conciliación de la vida personal, familiar y laboral". *Revista MESS*, 2017, n° 133, pp. 353-3595; así como VILLALBA SÁNCHEZ, A. "El teletrabajo en las Administraciones…", cit., pp. 223 y ss., y, con posterioridad, de la misma autora y profundizando en el ámbito de la Comunidad Autónoma de Galicia, "Nuevas tecnologías e integración de la vida personal, familiar y laboral: un breve análisis del teletrabajo en la Administración pública gallega". *Administración & Cidadanía (A&C)*, 2018, vol. 13, n° 2, pp. 214-217.

[124] Son palabras de VILLALBA SÁNCHEZ, A. "El teletrabajo en las Administraciones…", cit., p. 245.

[125] Es el caso del Ayuntamiento de Ávila, que aprobó el Reglamento regulador sobre teletrabajo, de 23 de noviembre de 2016 (BOPAV 28/11/2016), atendiendo, entre otros referentes, al AMET y a los ya sustituidos D 9/2011, de 17 de marzo, que reguló la jornada de trabajo no presencial mediante teletrabajo en la Administración de la Comunidad de Castilla y León, así como Orden ADM/2154/2009, de 17 de noviembre, que aprobó el Programa Experimental de Teletrabajo en la Administración de dicha Comunidad. En todo caso, conforme al apuntado reglamento, se entiende por teletrabajo "*aquella modalidad de prestación de servicios en la que el contenido competencial del puesto de trabajo se desarrolla fuera de las dependencias de la Administración a través de la utilización de las nuevas tecnologías de la información y comunicación*", y su finalidad consiste en "*conseguir una mejor y más moderno desempeño del puesto de trabajo a través del fomento del uso de nuevas tecnologías y la gestión por objetivos, así como contribuir a la conciliación de la vida personal, familiar y laboral u otras circunstancias personales que lo aconsejen, consiguiendo con ello un mayor grado de satisfacción laboral*".

tos mediante instrumentos electrónicos desde cualquier lugar y hora, esté o no previsto de ese modo en la negociación colectiva, siempre que medie el oportuno acuerdo con el alcalde u órgano de gobierno. Y, en fin, a las experiencias de la Administración local, cabe añadir aquellas otras que concurren en ámbitos propensos a la realización del trabajo remoto, como el desplegado, por ejemplo, por el personal docente e investigador de las Universidades Públicas. De hecho, ya, ha sido objeto de atención la implementación del teletrabajo y su ordenación, tanto para el personal de administración y servicios, como para el personal docente, en las Universidades de Zaragoza, UNED, Almería, Alicante, las Islas Baleares, Burgos, del País Vasco/Euskal Herriko Unibertsitatea, Universidad Miguel Hernández, de Elche, la de Castilla-La Mancha y la Universidad Carlos III[126].

Evidentemente el escenario descrito ha cambiado sustancialmente durante la situación de excepcionalidad que ha generado el COVID-19, aprobándose diversas normas de ámbito autonómico para implementar el teletrabajo o el trabajo no presencial. Así, siguiendo ahora un criterio de antigüedad y sin ánimo de exhaustividad, pueden entresacarse las medidas adoptadas para la Comunidad Autónoma de Madrid[127], La Rioja[128], Castilla

---

[126] Más ampliamente, DE LAS HERAS GARCÍA, A. y MARTÍN RODRÍGUEZ, MªO. "El teletrabajo de los empleados públicos en las universidades". *Revista General de Derecho del Trabajo y de la Seguridad Social*, 2019, nº 4, pp. 285-310.

[127] La Orden 338/2020, de 9 de marzo, de la Consejería de Sanidad, adopta medidas preventivas y recomendaciones de salud pública en la Comunidad de Madrid como consecuencia de la situación y evolución del coronavirus (COVID-19) (BOCM 10/03/20), incluyéndose, entre las recomendaciones en el ámbito laboral, la "promoción por parte de las empresas para que se realice la actividad laboral mediante el sistema de teletrabajo". Y, en su desarrollo, la Resolución de 13 de marzo 2020, de la Dirección General de Función Pública, dicta instrucciones de teletrabajo (BOCM 13/03/20), con el fin de establecer "la modalidad de Teletrabajo de manera habitual como consecuencia de la situación y evolución del coronavirus (COVID-19)" (apartado 1), en relación con el personal incluido dentro del ámbito del Acuerdo Sectorial sobre condiciones de trabajo del personal funcionario de administración y servicios de la Comunidad de Madrid (2018-2020) y del Convenio Colectivo Único para el personal laboral al servicio de la Administración de la Comunidad de Madrid para 2018-2020 (apartado 2), fijando "como modo habitual el teletrabajo con los medios tecnológicos disponibles" de tal modo que el "Secretario General Técnico, con el visto bueno del titular del centro directivo, determinará el modo de teletrabajar del personal a su cargo, salvaguardando la continuidad del Servicio de la Unidad Organizativa", así como "cuándo se debe requerir la presencia física por prestar un servicio esencial" (apartado 3).

[128] Por Resolución de 10 de marzo de 2020, se dispone la publicación del Acuerdo del Consejo de Gobierno adoptado em su reunión de 10 de marzo de 2020 sobre medidas preventivas y recomendaciones relacionadas con la infección del coronavirus (CO-

y León[129] –que incluso ha optado por el régimen del teletrabajo para algunos servicios de centros e instituciones sanitarias[130]–, Andalucía[131], Casti-

---

VID-19) (BOR 11/03/20), incluyéndose igualmente, entre las recomendaciones en el ámbito laboral, la realización "de teletrabajo siempre que sea posible".

[129] Conforme al Acuerdo 9/2020, de 12 de marzo, de la Consejería de Presidencia, entre las "Medidas a adoptar en los centros de trabajo dependientes de la Administración de la Comunidad Autónoma con motivo del COVID-19" (BOCL 13/03/20), se señala que "se facilitarán modalidades no presenciales de trabajo, previa autorización de los titulares de las Secretarías Generales de las Consejerías en los Servicios Centrales y en el ámbito territorial por los Delegados Territoriales, con el objetivo de garantizar la prestación esencial de los servicios públicos", exceptuándose así lo previsto con carácter general en orden a tales autorizaciones por D 16/2018, de 7 de junio, por el que se regula la modalidad de prestación de servicios en régimen de teletrabajo en la Administración de la Comunidad de Castilla y León.

[130] Así, a tenor de la Orden SAN/307/2020, de 13 de marzo, que adopta medidas para el personal que presta servicios en los centros e instituciones sanitarias de la Gerencia Regional de Salud en relación con el COVID 19 (BOCL 14/03/20), se apuesta por el teletrabajo para los servicios de "suministros de material y farmacéuticos, así como a las unidades de nómina", "personal de los servicios asistenciales cuyas funciones sean compatibles con esta modalidad de trabajo, con la finalidad de garantizar la existencia de un remanente de personal sanitario disponible en cualquier momento", facilitándose "el trabajo telemático a los servicios de informática teniendo en cuenta que siempre tiene que haber personal realizando el trabajo de forma presencial en los equipos y en los horarios habituales de trabajo, con capacidad suficiente para cubrir las necesidades de los centros" (apartado 2).

[131] El art. 2 de la Orden de 15 de marzo de 2020, de la Consejería de la Presidencia, Administración Pública e Interior, por la que se determinan los servicios esenciales de la Administración de la Junta de Andalucía con motivo de las medidas excepcionales adoptadas para contener el COVID-19 (BOJA 15/03/20), establece con carácter general y al hilo de las formas de organización del trabajo "la modalidad no presencial para la prestación de servicios en el ámbito de la Administración General de la Junta de Andalucía y sus entidades instrumentales y consorcios adscritos", de tal modo que "el órgano competente en materia de personal en cada Consejería y entidad instrumental o consorcio, a propuesta de la persona titular de cada centro directivo, determinará el modo de teletrabajar del personal a su cargo, salvaguardando la continuidad del servicio de cada unidad administrativa" (apartado 1), aunque si "interés general" lo exigiera "se podrá requerir a los empleados públicos en régimen de trabajo no presencial la realización en régimen presencial de actividades administrativas específicas que resulten imprescindibles para la adecuada prestación de los servicios" que se recogen en el Anexo de la misma Orden como esenciales (apartado 2), articulándose "las medidas necesarias para que los empleados públicos puedan disponer de los expedientes administrativos en los términos previstos en el artículo 111 de la Ley 9/2007, de 22 de octubre, de la Administración de la Junta de Andalucía" (apartado 3) y señalándose que si el personal no pudiera "acceder a su centro o unidad de trabajo por cierre del mismo o suspensión temporal de actividades" sin posibilidad de su reubicación en otros, en tal caso "la permanencia en su domicilio tendrá la consideración de tiempo de trabajo efectivo".

lla-La Mancha[132], y, en fin, las Illes Balears, donde expresamente se matiza que *"siempre que sea posible,… las personas con cargas familiares queden excluidas de los turnos rotatorios y se acojan al teletrabajo"*[133]. Se trata de previsiones extraordinarias que también se han desplegado para favorecer la docencia y formación no presencial en muy diversos ámbitos[134].

BIBLIOGRAFÍA

BELZUNEGUI ERASO, A. "Teletrabajo en España, acuerdo marco y administración pública". Revista Internacional de Organizaciones (RIO), nº 1, 2008, pp. 129-148.

CÀNOVES VALIENTE, G. y BLANCO ROMERO, A. "Teletrabajo, género y gentrificación o elitización en los espacios rurales: Nuevos usos y Nuevos protagonistas. Los casos de Cataluña y Ardèche (Francia)", *Geographicalia*, 2006, nº 50, pp. 27-44.

---

[132] Igualmente el art. 2 de la Orden 34/2020, de 15 de marzo, de la Consejería de Hacienda y Administraciones Públicas, por la que se regula la prestación de servicios en la Administración General de la Junta de Comunidades de Castilla-La Mancha en desarrollo de las medidas adoptadas como consecuencia de la declaración del estado de alarma para la gestión de la situación de crisis sanitaria ocasionada por el COVID-19 (DOCLM 15/03/20), establece "como modo habitual de prestación de servicios, la modalidad no presencial, sin perjuicio de que en cualquier momento puedan requerirse modalidades presenciales cuando sea necesario", debiendo las personas "titulares de las Secretarías Generales o de los órganos correspondientes de los organismos autónomos" determinar "el modo de prestar servicios en modalidades no presenciales del personal a su cargo… el adecuado funcionamiento de los servicios públicos" (apartado 1).

[133] Así se desprende del Acuerdo de 16 de marzo 2020 del Consejo de Gobierno, por el que se concretan las medidas de carácter organizativo y de prestación de servicios públicos de la Administración de la Comunidad Autónoma y del sector público instrumental, en el marco de lo que disponen el RD 463/2020, de 14 de marzo de 2020, por el que declara el estado de alarma para la gestión de la situación de crisis sanitaria ocasionada por la COVID-19, y el Acuerdo del Consejo de Gobierno de 13 de marzo de 2020, por el que aprueba el Plan de Medidas Excepcionales para Limitar la Propagación y el Contagio de la COVID-19 (BOIB 16/03/20), delegando la competencia para autorizar la prestación de servicios en la modalidad de "teletrabajo coronavirus" en los secretarios generales de cada Consejería, de forma tal que las personas "que durante este periodo hagan teletrabajo extraordinario deben fichar como trabajo externo, motivo: «teletrabajo coronavirus»".

[134] Cabe recordar que, al margen de la numerosa normativa autonómica adoptada en esos ámbitos, el mismo art. 9.2 RD 463/2020, por el que se iniciaba el estado de alarma -después sucesivamente prorrogado-, señalaba que durante el "período de suspensión se mantendrán las actividades educativas a través de las modalidades a distancia y «on line», siempre que resulte posible".

CATAÑO RAMÍREZ, SL. y GÓMEZ RÚA, NE. "El concepto de teletrabajo: aspectos para la seguridad y salud en el empleo". *Rev. CES Salud Pública*, 2014, nº 5, pp. 82-91.

CERVILLA GARZÓN, MªJ. y JOVER RAMÍREZ, C. "Teletrabajo y delimitación de las contingencias profesionales". *Revista Internacional y Comparada de Relaciones Laborales y Derecho del Empleo*, 2015, vol. 3, nº 4, http://ejcls.adapt.it/index.php/rlde_adapt/article/view/334/430

DE LAS HERAS GARCÍA, A. *El teletrabajo en España: un análisis crítico de normas y prácticas*. Madrid, 2016. Ed. CEF.

DE LAS HERAS GARCÍA, A. y MARTÍN RODRÍGUEZ, MªO. "El teletrabajo de los empleados públicos en las universidades". *Revista General de Derecho del Trabajo y de la Seguridad Social*, 2019, nº 4, pp. 285-310.

DE LA VILLA GIL, LE. "Trabajo a distancia", en AA.VV (Coord. JMª Goerlich Peset). *Comentarios al Estatuto de los Trabajadores (Libro Homenaje a Tomás Sala Franco)*. Valencia, 2016. Ed. Tirant Lo Blanch, pp. 305-323.

FERNÁNDEZ PROL, F. "Teletrabajo en clave de género: ¿herramienta de corresponsabilidad o foco de segregación?". *El futuro del trabajo: cien años de la OIT. XXIX Congreso Anual de la Asociación Española de Derecho del Trabajo y de la Seguridad Social (Comunicaciones)*. Madrid, 2019. Ed. MTMSS, pp. 575-574.

FERREIRO REGUEIRO, C. "La conformación del teletrabajo en la negociación colectiva", en AA.VV (Ed. L. Mella Méndez y Coord. A. Villalba Sánchez) *Trabajo a Distancia y Teletrabajo. Estudios sobre su régimen jurídico en el derecho español y comparado*. Cizur Menor (Navarra), 2015. Ed. Thomson Reuters-Aranzadi, pp. 47-59.

FRANCO JARAMILLO, A. y RESTREPO BUSTAMANTE, FA. "El perfil del teletrabajador y su incidencia en el éxito laboral". *Revista virtual. Universidad Católica del Norte*, 2011, nº 33, pp. 1-7, en https://www.redalyc.org/articulo.oa?id=194218961001

GALA DURÁN, C.

— "Teletrabajo y sistema de Seguridad Social ". *Relaciones laborales: Revista crítica de teoría y práctica*, 2001, nº 2, pp. 1189-1214.

— "Las «trampas» de las medidas de conciliación de la vida laboral y familiar en el caso del personal al servicio de las Administraciones públicas". *RIDEG: revista Interdisciplinar de Estudios de Género*, 2011, nº 1, pp. 49-70.

GARCÍA QUIÑONES, JC. "La organización del tiempo de trabajo y descanso y la conciliación en el teletrabajo", en AA.VV (Ed. L. Mella Méndez y Coord. A. Villalba Sánchez). *Trabajo a Distancia y Teletrabajo. Estudios sobre su régimen jurídico en el derecho español y comparado*. Cizur Menor (Navarra), 2015, pp. 129-170.

GARECA, M., VERDUGO, R., BRIONES, JL. y VERA, A. "Salud Ocupacional y Teletrabajo". *Ciencia & Trabajo*, 2007, nº 25, pp. 85-88.

IGUARTUA MIRÓ, Mª T. "Conciliación y ordenación flexible del tiempo de trabajo. La nueva regulación del derecho de adaptación de jornada ex art. 34.8 ET".
Revista General de derecho del Trabajo y de la Seguridad Social, 2019, n° 53,
pp. 66-98.

LAHERA FORTEZA, J. "El impacto del teletrabajo en el derecho del trabajo a la luz
de la nueva regulación española". *Revista Jurídica*, 2014, vol. 2, n° 35, pp. 57-74.

LÓPEZ ÁLVAREZ, MªJ. "Flexibilidad en la ordenación del tiempo de trabajo como
medida de conciliación de la vida familiar y laboral". *El futuro del trabajo: cien
años de la OIT. XXIX Congreso Anual de la Asociación Española de Derecho del Trabajo
y de la Seguridad Social (Comunicaciones)*. Madrid, 2019. Ed. MTMSS, pp. 653- 667.

LÓPEZ BALAGUER, M. "El derecho de adaptación de jornada y de modificación
de la prestación", en FERNÁNDEZ PRATS, C., GARCÍA TESTAL, E. y LÓPEZ
BALAGUER, M. *Los derechos de conciliación en la empresa (Actualizado al RDLey
6/2019, de 1 de marzo de medidas urgentes para garantía de la igualdad de trato y de
oportunidades entre mujeres y hombres en el empleo y la ocupación)*. Valencia, 2019. Ed.
Tirant lo blanch, pp. 95-116.

LOUSADA AROCHENA, JF. "Una mirada periférica al teletrabajo, el trabajo a domicilio y el trabajo a distancia en el derecho español", en AA.VV (Ed. L. Mella Méndez y
Coord. A. Villalba Sánchez). *Trabajo a Distancia y Teletrabajo. Estudios sobre su régimen
jurídico en el derecho español y comparado*. Cizur Menor (Navarra), 2015, pp. 31-46.

MARÍN ALONSO, I. "La obligación empresarial de registro de la jornada ordinaria de trabajo ante el derecho de la Unión Europea y el derecho interno". *Revista General de Derecho del Trabajo y de la Seguridad Social*, 2019, n° 53, pp. 99-126.

MELLA MÉNDEZ, L.

— "Comentario general al Acuerdo Marco sobre el Teletrabajo", *Relaciones Laborales: Revista crítica de teoría y práctica*, 2003, n° 1, pp. 177-208.

— "El nuevo trabajo a distancia en España: configuración general", AA.VV
(Coord. L. Mella Méndez). *Conciliación de la vida laboral y familiar y crisis
económica: estudios desde el derecho internacional y comparado*, 2015, Ed. Delta
Publicaciones Universitarias, pp. 483-500.

— "La seguridad y salud en el teletrabajo", en AA.VV (Ed. L. Mella Méndez y
Coord. A. Villalba Sánchez). *Trabajo a Distancia y Teletrabajo. Estudios sobre su
régimen jurídico en el derecho español y comparado*. Cizur Menor (Navarra), 2015.
Ed. Thomson Reuters-Aranzadi, pp.171-207.

— "Configuración general del trabajo a distancia en el Derecho español", en
AA.VV (Dir. L. Mella Méndez). *El teletrabajo en España: aspectos teórico-prácticos
de interés*. Las Rozas (Madrid), 2017. Ed. Wolters Kluver, pp. 19-82.

MESSENGER, J., VARGAS LLAVE, O., GSCHWIND, L., BOEHMER, S., VER-
MEYLEN, G. y WILKENS, M. *Working anytime, anywhere: The effects on the world of
work*, 2017.

MIRÓ MORROS, D. "El control de la jornada y el teletrabajo". *Actualidad Jurídica Aranzadi*, 2016, nº 920 (BIB\2016\3966).

MUÑOZ RUÍZ, AB. "Trabajo a distancia", en AAVV (Dir I. García Perrote Escartín y J. Mercader Uguina). *Reforma laboral 2012, Análisis práctico del RDL 3/2012, de medidas urgentes para la reforma del mercado laboral* (Dir. García Perrote Escartín, I. y J. Mercader Uguina), Valladolid, 2012, Ed. Lex Nova, pp. 113-134.

OSIO HAVRILUK, L. y DELGADO DE SMITH, Y. "Mujer, cyberfeminismo y teletrabajo". *Compendium*, 2010, nº 24, pp. 61-78.

PÉREZ DE LOS COBOS Y ORIHUEL, F.

— *Nuevas tecnologías y relaciones de trabajo*. Valencia, 1990, Ed. Tirant lo Blanch.

— "La subordinación jurídica frente a la innovación tecnológica". *Relaciones laborales: Revista crítica de teoría y práctica*, 2005, nº 1, pp. 1315-1338.

— "Problemas laborales de la deslocalización de empresas". *Actualidad Laboral*, 2006, nº 3, pp. 242-264.

PÉREZ DE LOS COBOS Y ORIHUEL, F. y THIBAULT ARANDA, J.

— *El teletrabajo en España. Perspectiva jurídico-laboral*. Madrid, 2001, Ed. MTAS.

— "El teletrabajo y la seguridad social", en AAVV. *La seguridad social y las nuevas formas de organización del trabajo: las carreras de seguro atípicas (Seminario de Toledo, 25 y 26 de abril de 2002)*. MTAS (Madrid), 2003, pp. 47-56.

PÉREZ SÁNCHEZ, C. "El teletrabajo: ¿Más libertad o una nueva forma de esclavitud para los trabajadores?" en: VI Congreso Internet. Derecho y Política. Cloud Computing: El Derecho y la Política suben a la nube (monográfico en línea). *Revista de Interned, Derecho y Política (IDP)*, 2010, nº 1, pp. 24-33.

PÉREZ SÁNCHEZ, C. y GÁLVEZ MOZO, AMª. "Teletrabajo y vida cotidiana: Ventajas y dificultades para la conciliación de la vida laboral, personal y familiar". *Atenea Digital*, 2009, nº 15, pp. 57-79.

PINILLA GARCÍA, FJ. Efectos contrapuestos de la flexibilidad: el caso de los teletrabajadores europeos". *Abaco: Revista de cultura y ciencias sociales*, 2011, vol. 1, nº 67, pp. 39-48.

POQUET CATALÀ, R.

— "De nuevo sobre el control de las horas extraordinarias, pero en la modalidad de teletrabajo: STSJ Castilla y León, de 3 de febrero de 2016, rec. núm. 2229/2015". *Temas laborales: Revista andaluza de trabajo y bienestar social*, 2016, nº 134, pp. 259-274.

— "Accidente de trabajo in itinere en el teletrabajo: su difícil conjunción. *Revista Internacional y Comparada de Relaciones Laborales y Derecho del Empleo*, 2017, vol. 5, nº 4, pp. 40-57.

PRECIADO PÉREZ, I. "El teletrabajo: luces y sombras de una herramienta de flexibilidad laboral aún por explorar", *Diario La Ley*, 2018, nº 9159.

QUINTANILLA NAVARRO, RY. "Teletrabajo y conciliación de la vida personal, familiar y laboral". *Revista MESS*, 2017, nº 133, pp. 343-365.

ROMERO BURRILLO, AMª. "Trabajo, género y nuevas tecnologías: algunas consideraciones". *IUSlabor,* 2019, nº 1, pp. 210-232.

SELMA PENALVA, A. "El accidente de trabajo en el teletrabajo. Situación actual y nuevas perspectivas". *Temas Laborales: Revista andaluza de trabajo y bienestar social,* 2016, nº 134, pp. 129-166.

SIERRA BENÍTEZ, EM.

— "La nueva regulación del trabajo a distancia". *Revista Internacional y Comparada de Relaciones Laborales y Derecho del Empleo,* 2013, vol.1, nº 1, en http://ejcls.adapt.it/index.php/rlde_adapt/article/view/84/136

— "Trabajo a distancia y relación individual: aspectos prácticos (I)", en AA.VV (Dir. L. Mella Méndez). *El teletrabajo en España: aspectos teórico-prácticos de interés.* Las Rozas (Madrid), 2017. Ed. Wolters Kluve, pp. 83-139.

— "Valoración crítica y propuesta de mejora de la regulación del trabajo a distancia en la normativa estatal y autonómica", *Trabajo y derecho: nueva revista de actualidad y relaciones laborales,* 2017, nº 29, pp. 56-74.

SIERRA CASTELLANOS, Y., ESCOBAR SÁNCHEZ, S. y MERLO SANTANA, A. "Trabajo en casa y calidad de vida: una aproximación conceptual". *Cuadernos Hispanoamericanos de Psicología*, 2014, vol. 14, nº 1, pp. 57-72.

TASCÓN LÓPEZ, R. "El teletrabajo como forma de presente y de futuro de prestación de servicios: experiencias en la negociación colectiva". *El futuro del trabajo: cien años de la OIT. XXIX Congreso Anual de la Asociación Española de Derecho del Trabajo y de la Seguridad Social (Comunicaciones).* Madrid, 2019. Ed. MTMSS, pp. 1615 -1635.

THIBAULT ARANDA, J. y JURADO SEGOVIA, A. "Algunas consideraciones en torno al Acuerdo Marco Europeo sobre Teletrabajo". *Temas laborales: Revista andaluza de trabajo y bienestar social,* 2003, nº 72, pp. 35-6.

VILLALBA SÁNCHEZ, A.

— "El teletrabajo en las Administraciones Públicas" *Lan Harremanak: Revista de Relaciones Laborales,* 2017, nº 36, pp. 216-246.

— "Nuevas tecnologías e integración de la vida personal, familiar y laboral: un breve análisis del teletrabajo en la Administración pública gallega". *Administración & Cidadanía (A&C),* 2018, vol. 13, nº 2, pp. 207-219.

XVI. NUEVAS TECNOLOGÍAS Y TIEMPO DE TRABAJO

Rosario Cristóbal Roncero
Profesora Titular de Derecho del Trabajo y de la Seguridad Social
Universidad Complutense Madrid)

SUMARIO: 1. CONSIDERACIONES GENERALES. 2. LA NOCIÓN DEL TIEMPO DE TRABAJO EFECTIVO. 3. EL REGISTRO DE JORNADA, COMO GARANTÍA DEL DERECHO AL DESCANSO DEL «TRABAJADOR DIGITAL». 4. LA DESCONEXIÓN DIGITAL, COMO GARANTÍA DEL DERECHO AL DESCANSO DEL «TRABAJADOR TECNOLÓGICO».

1. CONSIDERACIONES GENERALES

"Intentar un análisis de las repercusiones que la introducción de las nuevas tecnologías están provocando en la relación de trabajo continua siendo arriesgado porque persisten las dificultades de primera hora"[1]. Estas palabras no son mías, las tomo prestadas del Prof. Pérez de los Cobos Orihuel que, ya en los años noventa tuvo la visión y la avidez jurídicas para advertir las trascendentes implicaciones de las nuevas tecnologías en las relaciones laborales.

En un contexto dominado por la tecnología el trabajador tendrá que adaptarse a la flexibilidad y a la innovación como pautas y criterios que caracterizan la nueva cultura empresarial. El debate sobre el tiempo de trabajo sigue siendo hoy día una cuestión de indudable interés. En este sentido, las nuevas tecnologías han hecho surgir nuevas formas de organización del trabajo y con ellas nuevos problemas en relación con el tiempo de trabajo[2].

---

[1] F. PÉREZ DE LOS COBOS ORIHUEL: *Nuevas tecnologías y relación individual de trabajo,* Ed. Tirant lo Blanch, 1990, pág.1.

[2] En efecto, como señala el Informe de la OIT, *Iniciativa del centenario relativa al futuro del trabajo,* si bien las tecnologías de la información y la comunicación aumentan las posibilidades de trabajar a distancia y permiten conciliar mejor las responsabilidades familiares y personales, "la desaparición de la fronteras espaciales y temporales entre las esfera laboral y privada suscita inquietudes en diferentes ámbitos, y evoca formas de organización del trabajo del período preindustrial. Los procesos de cambio que permiten que el individuo pase más tiempo en su casa que en el trabajo, pero que también

La ordenación del tiempo de trabajo constituye una cuestión trascendental en el ámbito de las relaciones laborales. El factor temporal es uno de los elementos esenciales de la relación laboral. La incidencia de las nuevas tecnologías diseña un modelo de relaciones laborales en el que cada vez es más complicado determinar el comienzo y el final de la jornada. Las nuevas formas de trabajo, en las que el lugar y el tiempo se difuminan, están propiciando nuevos efectos y retos en la configuración del tiempo de trabajo.

El uso de las nuevas tecnologías plantea diferentes problemas ya sea la jornada laboral a distancia o presencial. Cuando la jornada laboral es presencial el trabajador puede sentirse obligado, directa o indirectamente, a continuar en contacto con la empresa a través de los distintos dispositivos tecnológicos que existen, de manera que ese tiempo de disponibilidad, durante el cual sigue vinculado a la empresa, puede plantear la duda de si no debería ser considerado como tiempo de trabajo. Cuando la jornada laboral es a distancia es difícil establecer una diferencia clara entre tiempo de trabajo y tiempo de descanso.

Asimismo, el uso de las nuevas tecnologías ha hecho aparecer nuevos riesgos y nuevas enfermedades profesionales derivadas precisamente de esta sobreexposición tecnológica en el entorno laboral. Las nuevas tecnologías están provocando que se desdibuje, y en ocasiones casi desaparezca, la línea divisoria entre la vida personal y laboral del trabajador, de manera que "la eliminación de la rígida frontera entre tiempo de trabajo y descanso puede terminar generando una situación en la que el trabajo (...) lo invada todo y el trabajador ya no disponga de un tiempo de descanso genuino y propio"[3].

Las legislaciones nacional y europeas respetan la limitación de la jornada de trabajo de los trabajadores, así como también reconocen los períodos de descanso, las pausas necesarias en jornadas superiores a seis horas, el tiempo de trabajo nocturno, el trabajo a turno y el ritmo de trabajo. Sin embargo, la presencia de las nuevas tecnologías en el ámbito laboral, su directa incidencia en las nuevas formas de trabajo que amplían las posibilidades de conectividad permanente e incontrolada, configuran un escenario

---

pase más tiempo trabajando en casa, podrían ser un arma de doble filo para algunos", en R. AGUILERA IZQUIERDO/ R. CRISTÓBAL RONCERO: "Nuevas tecnologías y tiempo de trabajo: el derecho a la desconexión tecnológica", *Conferencia Tripartita: el futuro del trabajo que queremos*, Vol. II, 2017, 333-334.

[3] L. MELLA MÉNDEZ: "Nuevas tecnologías y nuevos retos para la conciliación y la salud de los trabajadores" (I), *Trabajo y Derecho*, núm. 16, 2016, pág. 2.

de incertidumbre legal sobre cuál debe ser la normativa aplicable a estas nuevas situaciones, en las que el tiempo de trabajo puede prolongarse más allá de los límites establecidos legal o convencionalmente[4].

De la trascendencia que la regulación del tiempo de trabajo tiene para la determinación de la relación laboral da idea su reconocimiento en el texto de la Constitución como principio rector de la política económica y social en el art. 40. 2. En desarrollo de este mandato constitucional, la ordenación del tiempo de trabajo (duración y distribución) se encuentra regulada en los arts. 34, 35, 36 ET, complementada por las reglas especiales sobre el tiempo de trabajo establecidas en el RD 1561/1995, de 21 de septiembre, sobre jornadas especiales de trabajo y los preceptos específicos sobre prevención de riesgos laborales en los aspectos en que la jornada incide en la salud de los trabajadores.

En relación con el ordenamiento comunitario debe tenerse en cuenta la Directiva 2003/88, de 4 de noviembre, relativa a determinados aspectos de la ordenación del tiempo de trabajo, que modifica la regulación contenida en las anteriores Directivas, 1993/104, de 23 de noviembre y la Directiva 2000/34, de 22 de junio, y establece, finalmente, las disposiciones mínimas de seguridad y salud en el materia de ordenación del tiempo de trabajo[5]; aplicable a todos los sectores de actividad, privados y públicos, a excepción de la gente del mar[6].

La norma comunitaria nació con la pretensión de establecer disposiciones mínimas para la seguridad y salud de los trabajadores en materia de ordenación de tiempo de trabajo, y tras esta nueva codificación se armonizan las legislaciones nacionales relativas a la duración de la jornada, desde la ordenación del trabajo (duración máxima del trabajo) y sobre todo, del régimen de vacaciones y descansos (fijando tiempo mínimos para éstos).

---

[4]   En este nuevo contexto laboral, la jurisprudencia también está llamada a desempeñar un papel protagonista sobre la interpretación del tiempo de trabajo y la prestación laboral en el ámbito de las nuevas tecnologías.

[5]   Tanto a los período mínimos de descanso diario, semanal y vacaciones anuales, así como las pausas y duración máxima del trabajo semanal, como a determinados aspectos del trabajo nocturno y del ritmo de trabajo, en A MARTÍN VALVERDE/J. GARCÍA MURCIA (Dir. y Coord.): *Tratado práctico de Derecho del Trabajo*, Vol. II, Aranzadi, 2008, pág. 1540.

[6]   En efecto, el ámbito comunitario europeo, la jornada de trabajo también se prevé en la Directiva 1999/63, que regula el tiempo de trabajo de la gente del mar, mientras que la Directiva 2012/15/CE ordena el tiempo de trabajo de las personas que realizan actividades móviles de transporte por carretera.

Precisamente, el actual modelo de trabajo, en el que están cada vez más presentes las nuevas formas de organización del trabajo –entre otras: teletrabajo, trabajo a domicilio, trabajo por cuenta propia, plataformas digitales–, conjuga dos aspectos de la ordenación del tiempo de trabajo. Por un lado, la constante exigencia de preservar la salud y seguridad de los trabajadores, protegiendo su derecho a un tiempo de trabajo razonable, y por otro, las necesidades de flexibilidad de los empleadores para responder con su mano de obra a las cambiantes circunstancias económicas.

Para dar respuesta a estas profundas trasformaciones que se vienen produciendo en el entorno productivo, económico y social, que se instaura como consecuencia de las innovaciones tecnológicas, las normas nacionales y europeas ofrecen alternativas para una gestión más flexible del tiempo de trabajo, que debe, en todo caso, facilitar el equilibrio entre la vida laboral y personal, la salvaguarda de la seguridad y salud en el trabajo y la mejora de la productividad[7].

Ciertamente, el sistema procura esta flexibilidad, ya que, en principio, resulta lícita toda prestación laboral que se ejecute respetando tanto los períodos de referencia fijados para los topes máximos de jornada, los mínimos de descanso, así como el mínimo absoluto de descanso diario de 12 horas ininterrumpida entre jornadas[8]. La dificultad reside en la propia noción de tiempo de trabajo que no termina de encajar para situaciones mixtas de descanso y actividad como los tiempos de localización, disponibilidad, presencia o desplazamiento de los trabajadores[9]; al tiempo que plantea notables incertidumbres para aquellos trabajadores digitales que realizan sus tareas y servicios en cualquier lugar y en cualquier momento. Se ha pasado de la flexibilidad del tiempo de trabajo en función de la producción a la permanente disponibilidad del trabajador, como herramienta principal del trabajo a distancia[10].

---

[7]   E. MONREAL BRINGSVAERD: " El cómputo del tiempo de trabajo", *REDT*, núm. 128, 2005, págs. 471-475.

[8]   "Con la condición añadida de que exista pacto previo entre las partes, se respete lo establecido en el convenio colectivo aplicable y se incluya la posibilidad de que, a pesar de los pactado, sea posible la alteración de la jornada a través de la horas extraordinarias o de las distribución irregular", en O. FERNÁNDEZ MARQUEZ; "Flexiseguridad y tiempo de trabajo en la ordenación de la actividad asalariada" *Revista del Ministerio de Empleo y Seguridad Social*, núm. Extra 135, 2018, pág. 191.

[9]   N. SERRANO ARGÜELLO: "La ordenación del tiempo de trabajo desde la perspectiva del Derecho Comunitario y su jurisprudencia. Especial atención a su repercusión en el sector sanitario", en: http://uvadoc.uva.es/handle/10324/11325, pág.105.

[10]   A. I. PÉREZ CAMPOS: "Economía colaborativa y tiempo de trabajo: ¿es necesario un cambio legislativo?, en: G. GARCÍA GONZÁLEZ/M.R. REDINHA: *Relaciones contractuales en la economía colaborativa y en la sociedad digital*, Ed. Dykinson, 2019, pág. 140.

A esta dificultad de configurar una noción equilibrada de tiempo de trabajo efectivo en la era de la digitalización, se suman las nuevas obligaciones y derechos que el legislador ha incorporado para recoger, de modo específico y expreso, el derecho a la limitación de la jornada, vinculando una serie de medidas conexas que son las realmente novedosas: la obligación de las empresas de realizar "un registro diario de jornada, que deberá incluir el horario concreto de inicio y finalización de la jornada de trabajo de cada persona trabajadora", así como "la obligación de contar con una política empresarial de desconexión y la programación de actividades de formación y sensibilización"[11].

De este modo, el registro de jornada y el derecho a la desconexión se configuran como nuevas garantías del derecho al descanso.

2. LA NOCIÓN DEL TIEMPO DE TRABAJO EFECTIVO

La idea básica de la regulación legal es establecer una duración máxima del tiempo de trabajo (art. 34 ET). La determinación de este tiempo máximo de trabajo presupone la fijación de un momento inicial y de un momento final para el cómputo del mismo[12]. De esta forma, solo el tramo temporal que alcance la consideración de tiempo de trabajo efectivo computará dentro de los límites máximos de la jornada (art. 34 ET).

Por su parte, el art. 2 de la Directiva 2003/88, al perfilar la noción de tiempo de trabajo, precisa también de la determinación del tiempo de descanso. En este sentido, se define el tiempo de trabajo como "todo período durante el cual el trabajador permanezca en el trabajo, a disposición del empresario y en ejercicio de su actividad o de sus funciones de conformidad con las legislaciones y/o prácticas nacionales". Por lo que, se entiende que el tiempo de trabajo efectivo, a los mencionados efectos, será aquel durante el cual el trabajador:

– permanezca en el trabajo, es decir, en el lugar de trabajo,

– se encuentre a disposición del empresario y

– esté en ejercicio de su actividad o funciones

---

[11]   C. SAN MARTÍN MAZZUCCONI: "El derecho a la desconexión digital en el ámbito laboral", *Revista del Ministerio de Trabajo, Migraciones y Seguridad Social*, núm. 148., *en prensa*.

[12]   A. MARTÍN VALVERDE/ F. RODRÍGUEZ SAÑUDO, J. GARCÍA MURCIA: *Derecho del Trabajo*, 28ª ed., Ed. Tecnos, Madrid, 2019, pág. 613.

Una regla similar para determinar el momento exacto que se debe tener en cuenta como inicio y final del tiempo que el trabajador dedica a su prestación, la encontramos en el art. 34.5 ET. En efecto, este precepto dispone que "el tiempo de trabajo se computará de modo que tanto al comienzo como al final de la jornada diaria el trabajador se encuentre en su puesto de trabajo".

De esta forma, y por lo general, se entiende que las actividades relacionadas "ex ante" o "ex post" con la prestación laboral, pero independientes de ellas, quedan excluidas del cómputo de la jornada. Por ejemplo, cabe citar los desplazamientos desde o hasta el lugar de trabajo, el tiempo invertido para el cambio de ropa o el tiempo para el aseo personal.

Con todo, esta regla de cómputo presupone la existencia de un centro de trabajo fijo y de una jornada desarrollada en su integridad en el mismo centro, presupuestos que no concurren en determinados empleos, como el teletrabajo, el trabajo a distancia, el trabajo externo, el trabajo por tarea[13]. Incluso también la negociación colectiva introduce en este aspecto regulaciones más favorables para los trabajadores[14].

Precisamente es en torno a estos supuestos, que representan situaciones mixtas de actividad y descanso (tiempos de localización, disponibilidad, presencia o desplazamiento de los trabajadores), en donde se planten las dudas y dificultades. Además, la jurisprudencia comunitaria ha vertido una doctrina sobre tiempo de trabajo que contribuye a sembrar la incertidumbre sobre la propia noción. Así, por un lado incluye dentro del concepto tiempo de trabajo el invertido en los desplazamientos y, por otro lado, computa como tiempo de trabajo el tiempo de disponibilidad.

a) Tiempo de trabajo efectivo, tiempo de trabajo por desplazamiento. El Tribunal Justicia de la Unión Europea, en su sentencia de 10 de septiembre de 2015 (Asunto C-266/14, TYCO), considera tiempo de trabajo el utilizado para desplazarse diariamente entre el domicilio y los centros del primer y último cliente, cuando el trabajador carece de centro de trabajo fijo o habitual.

Los trabajadores técnicos de TYCO se dedicaban a la instalación y mantenimiento de los aparatos de seguridad en domicilios y establecimientos

---

[13]   A. MARTÍN VALVERDE/ F. RODRÍGUEZ SAÑUDO, J. GARCÍA MURCIA: *Derecho del Trabajo*, 28ª ed., cit.,, pág. 615.

[14]   A. MONTOYA MELGAR (Dir.)/VVAA: *La negociación colectiva en el sector sanitario*, 2º ed., en http://www.mitramiss.gob.es/es/sec_trabajo/ccncc/descargas/Negociacion-Colectiva_SectorSanitario_2008.pdf

industriales y comerciales sitos en la zona territorial a la que están adscritos, que comprende la totalidad o parte de la provincia donde trabajan o, en ocasiones, varias provincias. Cada uno de estos trabajadores tenía a su disposición un vehículo de la empresa con el que se desplazaban diariamente desde su domicilio a los centros donde debían realizar las tareas de instalación o mantenimiento de los aparatos de seguridad y con el que volvían a su domicilio al terminar su jornada. La distancia desde el domicilio de un trabajador hasta el centro donde debía llevar a cabo una intervención era muy variable, siendo a veces superior a 100 kilómetros. Había trabajadores que, debido a la densidad del tráfico, empleaban tres horas de tiempo de desplazamiento domicilio-clientes.

Para desempeñar sus funciones, los trabajadores disponían de un teléfono móvil con el que se comunicaban a distancia con las oficinas centrales de Madrid. En dicho teléfono estaba instalada una aplicación mediante la cual recibían el día anterior la hoja de ruta diaria de los distintos centros que deben visitar en cada jornada (dentro de su zona territorial de intervención), con los horarios en que debían presentarse ante los clientes. Mediante otra aplicación, los mencionados trabajadores rellenaban los datos de las intervenciones realizadas y los transmitían a TYCO, a efectos de registrar las incidencias que han atendido y las operaciones que habían realizado. Sin embargo, TYCO no contabilizaba como tiempo de trabajo el tiempo de desplazamiento domicilio-clientes, considerándolo de este modo tiempo de descanso.

La Audiencia Nacional entendió que al ser informados los trabajadores en su teléfono móvil del trayecto que debían realizar y de los servicios concretos que debían prestar a los clientes unas horas antes de la cita, implicaba que ya no tenían la opción de adaptar su vida privada y su lugar de residencia en función de la cercanía al centro de trabajo, puesto que ese centro variaba cada día. Por tanto, no podían disponer de este tiempo para su vida privada; de ahí que tales trayectos debían como tiempo de trabajo y no podía considerarse como período de descanso.

Toda vez que los desplazamientos son consustanciales a la condición de trabajador que carece de centro de trabajo fijo o habitual, el centro de trabajo de estos trabajadores no puede reducirse a los lugares de intervención física de estos trabajadores en los centros de los clientes de su empresario. Los trabajadores hacen uso de un vehículo de empresa para dirigirse desde su domicilio a un cliente asignado por su empresario o para regresar a su domicilio desde el centro de tal cliente y para desplazarse de un cliente a otro durante su jornada laboral.

El tiempo de desplazamiento debe considerarse tiempo de trabajo, TYCO libre es para determinar la retribución del tiempo de desplazamiento domicilio-clientes; de forma que la retribución salarial puede ser diferente para el tiempo de desplazamiento.

Este planteamiento que considera tiempo de trabajo efectivo el tiempo de trabajo por desplazamientos, ha de ceñirse, en principio, a los supuestos de trabajadores móviles del sector de transportes terrestres. Así, lo ha entendido nuestro Tribunal y en este sentido, se ha pronunciado, en su STS de 4 de diciembre de 2018, en donde reitera la doctrina ya recogida en su anterior sentencia de 1 de diciembre de 2015.

En efecto, en la STS de diciembre de 2018 se reclamaba por la Federación Sindical FeSP-UGT que se declarara, que el tiempo que las personas trabajadoras, incluidas en el III Convenio Colectivo Regional, para la actividad de Ayuda a Domicilio dedicaban a los desplazamientos diarios entre su domicilio y los centros del primer y último cliente que les asigna su empresario, constituía tiempo de trabajo.

En realidad, lo que se pretendía en la sentencia era trasladar el contenido y alcance general de la STJUE de 10 de septiembre de 2015, TYCO, en el sentido otorgado para el supuesto concreto de trabajadores móviles del sector de transportes terrestres, en el que el Tribunal había determinado que "la jornada de trabajo comenzaba en el domicilio del trabajador cuando éste prestaba servicios en otro domicilio". Sin embargo, nuestro TS entendió que las circunstancias fácticas que se presentaban en el Asunto TYCO no constaban acreditadas en el asunto objeto de controversia, por lo que dicha doctrina no resultaba de aplicación. De hecho, el Tribunal Supremo, tanto en este sentencia como en la anterior, interpretaron que tal doctrina solo podía aplicarse a casos análogos a los de TYCO.

b) Tiempo de trabajo efectivo y tiempo de disponibilidad. En efecto, la jurisprudencia del TJUE, en su sentencia de 3 de octubre de 2010, Asunto C-308/98, SIMAP, computó como tiempo de trabajo el tiempo de disponibilidad.

Esta sentencia da respuesta a la cuestión prejudicial que, sobre este particular, fue planteada por el Tribunal Superior de Justicia de Valencia a tenor de un litigio entre un sindicato médico y la Consejería de Sanidad y consumo de la Generalidad Valenciana.

El TJUE resuelve, aunque sin despejar del todo las dudas sobre los tiempos que transcurren entre el trabajo efectivo y el descanso. Para ello, se pronuncia, por un lado, sobre el carácter cumulativo (o no) de los tres requisitos contenidos en la definición de tiempo de trabajo de la Directiva 2000/38 (permanecer o estar en el trabajo, a disposición del empresario y en ejercicio de su actividad o de sus funciones), y por otro, interpreta lo que debe entenderse por "estar a disposición del empresario" y "en el ejercicio efectivo de sus funciones".

En relación con las guardias médicas con presencia física en el lugar de trabajo, el Tribunal consideró que tales períodos de atención continuada debían ser considerados como de trabajo efectivo, ya que este concepto se concibe en contraposición al de período de descanso, al excluirse mutuamente ambos conceptos.

Mayores dudas de interpretación se plantean en torno a la concurrencia del requisito, "estar en el ejercicio efectivo de las funciones". El TJUE no termina de aclarar, si los tres requisitos de la definición de tiempo de trabajo efectivo tienen carácter acumulativo o no, sin embargo, señala que la obligación de los médicos de estar presentes en el lugar de trabajo para atender posibles urgencias debe equipararse al ejercicio efectivo de sus funciones. Es decir, el TJUE considera que la disponibilidad de los médicos en el lugar de trabajo es un aspecto más de sus funciones habituales, y por tanto, equivale a estar en el ejercicio efectivo de las mismas[15].

Las guardias presenciales son tiempo de trabajo porque en el desempeño de las mismas "el trabajador está obligado a estar físicamente en el lugar determinado por el empresario y a permanecer a disposición de éste para poder realizar de manera inmediata las prestaciones adecuadas en caso de necesidad" (localización y disponibilidad"), permitiendo estas circunstancias entender que también hay desempeño de "actividad", o, en todo caso, "de ejercicio de sus funciones" (la tercera condición de tiempo de trabajo que exige la Directiva"[16]. Como ya señaló, el Prof. Pérez de los Cobos Orihuel[17], "la presencia del trabajador en su lugar de trabajo activa una presunción iuris tantum de existencia de trabajo efectivo".

---

[15]	Señala el TJUE que "la obligación impuesta a los médicos de estar presentes y disponibles en los centros de trabajo para prestar sus servicios profesionales debe considerarse comprendida en el ejercicio de sus funciones".

[16]	O. FERNÁNDEZ MÁRQUEZ: "Ordenación del tiempo de trabajo", en J. GARCÍA MURCIA (Dir.) *Condiciones de Empleo y Relaciones de Trabajo en el Derecho de la Unión Europea. Un estudio de Jurisprudencia del Tribunal de Justicia.* cit.,pág.191.

[17]	F. PÉREZ DE LOS COBOS ORIHUEL/ E.MONREAL BRINGSVAERD: "La regulación de la jornada de trabajo en el Estatuto de los Trabajadores", *Revista del Ministerio de Trabajo y Asuntos Sociales,* núm. 58, 2005, pág.65.

Precisamente "estar vigilante, dispuesto y en condiciones de actuación inmediata" es el objeto de la prestación que asumen los médicos en las guardias presenciales[18].

Muy diferente es el tratamiento que según el TJUE debe darse al "tiempo de localización". En este sentido, entiende el Tribunal que no puede ser considerado como tiempo de trabajo efectivo, el tiempo de atención continuada en régimen de localización y no de presencia en el centro de trabajo. "Están a disposición de su empresario, puesto que deben estar localizables, *pero* los médicos pueden organizar su tiempo con menos limitaciones y dedicarse a sus asuntos personales". En este punto, el TJUE no termina aún de precisar si estos tiempos "de espera" "sin presencia en el centro de trabajo" han de considerarse como tiempo de descanso o han de excluirse de tal cómputo, sobre todo, a efectos de determinar si el trabajador puede disfrutar de un período de descanso total, sin que tenga que estar "condicionado por la eventual llamada del empresario"[19].

En todo caso, la doctrina que sienta la sentencia SIMAP sobre el concepto de tiempo de trabajo, ha implicado importantes consecuencias en la ordenación de la jornada del sector sanitario en España y en el resto de países de nuestro entorno europeo, y de hecho, ha suscitado el planteamiento de nuevas cuestiones prejudiciales a fin de aclarar la interpretación de tal concepto.

Estas diferencias de tratamiento y la diferente naturaleza de las guardias de presencia física y de localización se subrayan en la STJUE de 9 de septiembre de 2003, Asunto C 151/02, Jäeger, en la que el Tribunal avanza en la configuración de la noción "tiempo de trabajo efectivo". En concreto, se pronuncia sobre la situación de los médicos de equipos de atención primaria que prestan la "atención continuada en régimen localización", sin que su presencia en el centro sanitario sea obligatoria [20].

---

[18]   B. RODRÍGUEZ SANZ DE GALDEANO: "La ordenación del tiempo de trabajo: el caso del SIMAP", *RMEYSS,* núm., 200, 2013, pág. 151

[19]   B. RODRÍGUEZ SANZ DE GALDEANO: "La ordenación del tiempo de trabajo: el caso del SIMAP", cit., pág. 152

[20]   En la legislación alemana se distingue entre "servicios de permanencia", "servicios de atención continuada" y "servicios de alerta localizada". El "servicio de permanencia" obliga al trabajador a permanecer en el lugar de trabajo a disposición del empresario y preparado para intervenir en cualquier momento, la situación de "servicios de atención continuada" exige al trabajador a permanecer en un lugar determinado por el empresario y preparado para intervenir pero se le permite descansar mientras no sea requerido, por último, en la "situación de alerta localizada", únicamente se obliga al trabajador a estar localizable y a responder a la eventual llamada del empresario.

El TJUE entiende que estos médicos de "atención continuada en régimen localización" se encuentran en diferente situación a las anteriores. Si bien están a disposición de su empresario, puesto que deben estar localizables, pueden organizar su tiempo con menos limitaciones y dedicarse a sus asuntos personales. Por tanto, en estas circunstancias, sólo debe considerarse tiempo de trabajo, en el sentido de la Directiva, el correspondiente a la prestación efectiva de servicios de atención primaria. En definitiva, se trata de distinguir la diferente dedicación del trabajador en las guardias presenciales y en las guardias de localización, en las que a tenor de la restricción del grado de libertad de uso del tiempo por parte del mismo, "permite entender que en un caso cabe presumir que hay efectivamente trabajo y en el otro no, salvo que se acredite la realización efectiva del mismo"[21].

Esta doctrina, que se cimenta en el ámbito sanitario, se reproduce en la en la STJUE de 5 de octubre de 2004, Asuntos acumulados C-397/01 a C-403/01, Pfeiffer, referida a la ordenación del tiempo de trabajo en los servicios de socorro. En esta ocasión, el Tribunal vuelve a insistir en que los períodos de permanencia de los socorristas han de considerarse tiempo de trabajo efectivo, aunque durante los mismos haya fases de inactividad.

También, la STJUE de 1 de diciembre de 2005, Asunto C-14/04, Dellas, se pronuncia, de nuevo, sobre determinadas reglas especiales para el cómputo de las guardias. En este caso, el período de residencia en la habitación de guardia dedicado a la actividad de vigilancia en residencias privadas no se computaba en su totalidad, a efectos de determinar la jornada máxima y a efectos de remuneración y cómputo de horas extraordinarias. Una vez más, el Tribunal nos recuerda que todas las horas de presencia física han de computarse como tiempo de trabajo efectivo a los efectos de la Directiva.

Por último, la STJUE de 21 de enero de 2019, Asunto C-518/15, Matzak, considera como trabajo "el tiempo de guardia" (disponibilidad y localización) de un bombero que se encuentra en su domicilio con la obligación de responder a las convocatorias de su empresario en un plazo de ocho minutos. Este plazo, entiende el Tribunal, restringe considerablemente la posibilidad de realizar otras actividades y, por tanto, debe considerarse como "tiempo de trabajo". En esta sentencia, el Tribunal traza una línea nítida entre los tiempos que han de computarse como "tiempo de descanso" y

---

[21] O. FERNÁNDEZ MÁRQUEZ: "Ordenación del tiempo de trabajo", en J. GARCÍA MURCIA (Dir.) *Condiciones de Empleo y Relaciones de Trabajo en el Derecho de la Unión Europea. Un estudio de Jurisprudencia del Tribunal de Justicia.* Aranzadi, 2017, pág.192.

"los que no lo son", porque el trabajador carece de margen de disposición y organización del tiempo para dedicarse a sus asuntos personales..

En fin, los factores que determinan que una concreta situación del trabajador (entre otras, tiempo de desplazamiento, tiempo de disponibilidad, guardias médicas con presencia física en el lugar de trabajo, régimen de localización no presencial, etc..) sea considerada como "tiempo de trabajo efectivo" suponen la exclusión del "tiempo de descanso" para el trabajador, es decir, en esas situaciones sus opciones para desarrollar actividades personales. se han de restringir de forma muy considerable.

En definitiva "tiempo de trabajo" o "tiempo de descanso" son conceptos, según el TJUE, "mutuamente excluyentes"[22]. El trabajo efectivo se realiza en el lugar de trabajo e implica estar a disposición del empresario y el tiempo de descanso se define, por exclusión, como el tiempo en el que el trabajador no se encuentra en el lugar de trabajo a disposición del empresario[23].

---

[22]   O. FERNÁNDEZ MÁRQUEZ advierte, con acierto, que estas diferencias responden a una conceptuación del tiempo de trabajo en el Derecho Comunitario, entendido bien como una "conceptuación *bin-aria,* de dos fases o tiempos –tiempo de trabajo/ tiempo de descanso, *tertium non datur*–, o bien como una "conceptuación *n–aria, multifase* o de varios tiempos, en la que entre los extremos de la completa dedicación al trabajo y el completo descanso habría situaciones intermedias con grados distintos de involucración de trabajo/descanso" .Continua el autor en su consideración, indicando que la primera solución implicaría "rigidez en el tratamiento del tiempo de trabajo, en cuanto obliga a considerar que o bien hay trabajo o bien hay descanso, mientras que la segunda conceptuación, en su opinión, sería más flexible pues entiende el tiempo de trabajo como "un concepto análogo en el que son posible soluciones intermedias o graduales y mucho más amplias, tantas concretamente como significados distintos puedan entenderse englobados en él por su conexión con el ejercicio o realización de la actividad laboral" en "Ordenación del tiempo de trabajo", en J. GARCÍA MURCIA (Dir.) *Condiciones de Empleo y Relaciones de Trabajo en el Derecho de la Unión Europea,* cit., pág,189.

[23]   El reconocimiento del tiempo de presencia sólo es posible como categoría específica para determinadas actividades excluidas del ámbito de aplicación de la Directiva 2003/88 o que cuenten con una regulación específica, como es el caso de sector del transporte. En el año 2002 se aprobó la Directiva específica sobre ordenación de la jornada en el ámbito del transporte terrestre, Directiva 2002/15 del Consejo, de 11 de marzo, sobre ordenación del tiempo de trabajo de las personas que realizan actividades móviles del transporte por carretera. Esta directiva reconoce como categoría específica, diferente del "tiempo de trabajo efectivo" y "de descanso", el tiempo de presencia. En nuestro Ordenamiento interno, el RD 15615/1995, de 21 de septiembre, sobre jornadas especiales ha recogido esta regulación específica para el ámbito del transporte y define el "tiempo de presencia". Es decir, fuera de estas actividades relacionadas con el sector del transporte y que cuenta con una regulación comunitaria

3. EL REGISTRO DE JORNADA, COMO GARANTÍA DEL DERECHO AL DESCANSO DEL «TRABAJADOR DIGITAL»

El art. 34.9 ET obliga a las empresas a realizar un registro diario de la jornada de cada trabajador, incluyendo el horario concreto y la finalización de la jornada de trabajo de cada trabajador. Hasta la aprobación del RDL 8/2019, de 8 de marzo, esta obligación solo se limitaba a las horas extraordinarias y a algunos contratos a tiempo parcial, pero con la inclusión de esta nueva disposición, la obligatoriedad se extiende a todos los trabajadores de todas las empresas, con independencia del contrato y del tamaño de la empresa[24].

El objetivo de la obligación del registro de la jornada de trabajo, según se desprende del Preámbulo de la norma, consiste en garantizar, por un lado, el cumplimiento de los límites en materia de jornada y, por otro, trata de crear un marco de seguridad jurídica tanto para los trabajadores como para las empresas.

Este marco de seguridad jurídica se configura sobre las reglas de limitación de la jornada laboral, entendida como uno de los elementos que están en el origen del Derecho del Trabajo. La jornada "forma parte del corazón mismo de la relación jurídica"[25], por lo que su adecuada regulación resulta clave para equilibrar la contraposición de intereses de trabajadores

---

propia, no es posible el reconocimiento del "tiempo de presencia". El resto de sectores de actividad se rigen por la Directiva general sobre ordenación del tiempo de trabajo, que solo diferencia entre tiempo de trabajo y tiempo de descanso, en B. RODRÍGUEZ SANZ DE GALDEANO: "La ordenación del tiempo de trabajo: el caso del SIMAP", cit., págs. 157-158

[24] En efecto, la ausencia en el Estatuto de los Trabajadores de una obligación clara por parte de las empresas del registro de la jornada que realizan los trabajadores, impulsó, desde la Audiencia Nacional (Auto AN 19-1-2018) una cuestión prejudicial ante el Tribunal de Justicia de la Unión Europea, en la que se planteaba, si el Reino de España había adoptado las medidas necesarias para garantizar la efectividad de las limitaciones de la duración de la jornada de conformidad con la Directiva 2003/88/CE. A mayor abundamiento, cuestionaba al TJUE, si los arts. 34 y 35 ET se oponían al art. 31.2 Carta de Derechos Fundamentales de la Unión Europea y a la Directiva 89/31/CEE al no exigirse un registro de jornada. Pues bien, la STJUE 14 de mayo de 2019 entendió que "para garantizar el efecto útil de los derechos recogidos en la Directiva 2003/88 y del derechos fundamental consagrado en el art. 31, apartado 2, de la Carta, los Estados miembros deben imponer a los empresarios la obligación de imponer un sistema objetivo, fiable y accesible que permita computar la jornada laboral diaria realizada por cada trabajador

[25] A. I. PÉREZ CAMPOS: "Economía colaborativa y tiempo de trabajo: ¿es necesario un cambio legislativo?, cit., pág. 143.

y empleadores, habida cuenta de las distintas y nuevas modalidades de organización del trabajo (teletrabajo, trabajo a domicilio, trabajo por cuenta propia, economías digitales).

En efecto, se protege a los trabajadores a través del establecimiento legal de una jornada máxima de trabajo[26], pero también se requiere cierta flexibilidad horaria para adaptar las necesidades de la empresa a las de la producción y el mercado – a través, por ejemplo, de mecanismos y fórmulas, tales como: la distribución irregular de la jornada, la jornada a turnos o las horas extraordinarias.

Además de este equilibrio *inter partes*, la obligación de registro permite comprobar el cumplimiento efectivo de los límites máximos de trabajo y los períodos mínimos de descanso previstos en la norma, al objeto de garantizar la seguridad y salud de los trabajadores y proteger, de forma eficaz y adecuada, sus condiciones de vida y trabajo. Este objetivo entronca con el espíritu de la Directiva 2033/88, que se ocupa, a la par, de proteger la salud del trabajador y de permitir la gestión eficaz del tiempo de trabajo[27], mediante el establecimiento de unos límites genéricos a la duración máxima de la jornada y unos mínimos en materia de vacaciones y descansos[28].

El registro de jornada se convierte, además de garantía del derecho al descanso del trabajador, en un instrumento de la política de prevención de riesgos laborales de la empresa y de conciliación de la vida laboral familiar y personal. Por un lado, el ajuste de la jornada de trabajo al límite máximo previsto legal o convencionalmente puede contribuir, de forma efectiva, a evitar o disipar, en cierta medida, los efectos negativos que la prolongación de la jornada pudiera provocar en la salud física y psicológica del trabajador. E igualmente, puede favorecer un mayor control entre la actividad profesional y la vida personal y familiar de los trabajadores en aras de delimitar el tiempo de trabajo efectivo. En este sentido, como tendremos después ocasionar de analizar, el derecho a la desconexión tecnológica del trabajador constituye también un instrumento adecuado para garantizar el derecho al descanso del trabajador[29].

---

[26] El preámbulo del RDL 8/2019 se refiere también al carácter de indisponible de la jornada máxima de trabajo para las partes del contrato; se configura como un norma
[27] F. PÉREZ DE LOS COBOS ORIHUEL/ E.MONREAL BRINGSVAERD: "La regulación de la jornada de trabajo en el Estatuto de los Trabajadores", cit., pág.58.
[28] En este sentido, se ha manifestado el TJUE en distintos pronunciamientos STJUE 1-12-05, asuntos Dellas, C-14/04; STJUE 14-5-19, asunto Deutsche Bank, C-85/18.
[29] M.J. LÓPEZ ALVÁREZ: *Jornada laboral, control horario, desconexión, flexibilidad y conciliación*. Claves Prácticas. Francis Lefebvre, Madrid, 2019, pág. 16.

Cierto es que la nueva regulación supone un avance sustancial en el control de la jornada, sin embargo, son muchos los matices, de fondo y de forma, que aún se deben abordar. Así, por ejemplo, hay que establecer mecanismos de control horario, la negociación para su establecimiento, la ponderación del sistema de control y tratamiento de datos personales, el propio control en empresas con horarios flexibles a la realidad y a los nuevos cambios sociales[30]. A día de hoy, a pesar de ser un instrumento que trata de proteger al trabajador, son más los problemas que genera que las soluciones que plantea.

En efecto, la norma no precisa el modelo a seguir para el registro de la jornada. El criterio técnico de la Inspección de Trabajo y Seguridad Social 101/2019 establece que será el modelo que la empresa "elija libremente", siempre que garantice "la fiabilidad e invariabilidad de los datos", pero a través de mecanismos difícilmente conciliables con los actuales modelos de organización del trabajo.

Se prevé, en todo caso, que este modelo de registro se organice y documente mediante la negociación colectiva o acuerdo de empresa o, en su defecto, decisión del empresario previa consulta con los representantes de los trabajadores. El legislador sitúa a los interlocutores sociales, a través de la negociación colectiva, como pilar fundamental para la ordenación del tiempo de trabajo y la gestión equilibrada del registro de jornada.

Por tanto, se dota a la negociación colectiva de la permeabilidad suficiente para adaptar el contenido de esta obligación de registro a la compleja realidad empresarial. En este sentido, la innovación tecnológica también puede servir de apoyo a la adaptación y ajuste de los límites máximos de la jornada. Así, los modelos de control de registro pueden promover nuevas compensaciones a los trabajadores gracias al uso de fichaje en ordenadores, apps de imputación de horas de trabajo con reportes automáticos online, sistemas de geolocalización u otros específicos para el control de teletrabajadores o trabajadores a distancia[31]. Es decir, se demanda un esfuerzo para renovar las formas de negociación colectiva y los estilos de gestión que se vayan a aplicar en los modelos de registro de jornada.

---

[30]   A. I. PÉREZ CAMPOS: "Economía colaborativa y tiempo de trabajo: ¿es necesario un cambio legislativo?, en: G. GARCÍA GONZÁLEZ/M.R. REDINHA: *Relaciones contractuales en la economía colaborativa y en la sociedad digital*, cit. pág. 144.

[31]   A. I. PÉREZ CAMPOS: "Economía colaborativa y tiempo de trabajo: ¿es necesario un cambio legislativo?, en: G. GARCÍA GONZÁLEZ/M.R. REDINHA: *Relaciones contractuales en la economía colaborativa y en la sociedad digital*, cit. pág. 145.

En pocos meses, las empresas se han visto obligadas a contar con protocolos de actuación en materia de registro de jornada. Las inminentes consecuencias sancionatorias[32] están propiciando su inmediata aprobación. La obligación de registro afecta a todas las empresas, con independencia de su tamaño, sector de actividad o modelo de organización, y alcanza, por tanto, a todos los trabajadores incluidos en el ámbito de aplicación que define el art. 1.1 ET[33]. Cierto es que el legislador ha previsto, a la espera de un futuro desarrollo reglamentario, excepciones en la obligación de registro "para aquellos, sectores, trabajos y categorías profesionales que así lo requieran" (art. 34.9 ET). Sin embargo, las exigencias de cumplimiento para la articulación del sistema han obligado a las empresas a adoptar estos protocolos a partir de un ámbito de aplicación general, es decir, de obligación para todos los trabadores, sin perjuicio de las especialidades y peculiaridades que, poco a poco, se puedan ir perfilando para algunos.

La obligación de registro no depende de previsión o regulación concreta en la negociación colectiva o acuerdo de empresa, sino que es exigible en todo caso. Tanto si se concluye acuerdo con los representantes de los trabajadores como si no se alcanza, –ya sea por imposibilidad de acuerdo, por impugnación o por ausencias de representación legal de los trabajadores en la empresa–, el art. 34. 9 ET exige la regulación e implantación del control horario.

El análisis de las primeras experiencias en la negociación colectiva sobre el sistema de registro permite concluir que estos modelos se han negociado, en su mayoría, con el acuerdo de los representantes de los trabajadores y que se ha realizado un esfuerzo por negociar e identificar las circunstancias particulares de cada empresa o sector de actividad. De los acuerdos de grandes empresas o sectores de actividad que hemos analizado, se dibuja la siguiente situación:

a)   Sistema de registro negociado en convenio colectivo o acuerdo de empresa. Dentro de esta categoría, hemos observado tres modalidades de acuerdos de registro de control de jornada:

  –   Sistema genérico, que registra el inicio y la finalización de la jornada[34].

---

[32]   M.J. LÓPEZ ALVÁREZ: *Jornada laboral, control horario, desconexión, flexibilidad y conciliación.cit.*,págs. 49-57.

[33]   No existe, sin embargo, obligación de registro para los estudiantes en prácticas o aquéllos que se encuentren concernidos bajo la figura de "prácticas no laborales". Su obligación de registro supondría un indicio de laboralidad.

[34]   Instrucciones de registro de jornada acordadas por la Empresa Telefónica o El Corte Inglés, Acuerdo colectivo BBVA

- Sistema "autodeclarativo puro"[35], en el que es el propio trabajador el que debe registrar su "hora de inicio, hora de finalización, número de horas trabajadas, descontando toda pausa que
no pueda considerarse tiempo de trabajo efectivo".

- Sistema rígido[36], en el que se establecen reglas exhaustivas
sobre lo que es jornada de trabajo y ha de computarse como
tiempo de trabajo. Y, a partir de la configuración expresa de la
categoría tiempo de trabajo efectivo, el "sistema de control de
jornada" se establecerá en cada empresa, previa consulta con
los representantes de los trabajadores.

b) Sistema de registro impuesto unilateralmente por la empresa.
Como ya se ha señalado, lo razonable sería utilizar el camino de la
negociación colectiva para determinar el alcance práctico y equilibrado de la obligación empresarial de registro de la jornada ordinaria de trabajo, pero la empresa tiene obligación de implantarlo.
Este es el caso de la empresa Zurich que, a pesar de que su modelo
de registro, a día de hoy, está impugnado por el sindicato UGT, ha
cumplido con la obligación legal de establecimiento del sistema,
que se caracteriza por los siguientes parámetros: registro automático del inicio y del final de la jornada, al conectarse y desconectarse
el trabajador del entorno digital de la compañía, registro mediante
aplicación móvil, si se trabaja fuera de las dependencias; del tiempo
resultante se deben descontar dos horas diarias en jornada partida
y treinta minutos en jornada continuada. Si hay exceso de horas se
recuperan en 4 meses. Y sólo se compensan como horas extras si se
autoriza por empleado y empresa.

En definitiva, y habida cuenta de la obligación legal de cumplimiento
del sistema de registro de jornada y de las consecuencias sancionadoras
que se desprenden de su incumplimiento, se advierte un ánimo real por
regular con relativa precisión las instrucciones que se adopten en el seno
de la empresa o sector de actividad.

Su virtual aplicabilidad como límite o garantía al descanso del trabajador está todavía por determinar, a la luz del cumplimiento efectivo de las
especialidades concretas que se diseñen para los distintos niveles y situacio-

---

[35] Convenio colectivos en el sector de Cajas y Entidades de Ahorro, Acuerdo colectivo
BBVA
[36] Acuerdo de convenio colectivo de empresas de enseñanza privada sostenida con fon-
dos públicos.

nes de prestaciones de servicios laborales y de la concreción de aspectos tan definitorios a efectos de la determinación del tiempo de trabajo efectivo, sobre los que surgen evidentes dudas: desplazamiento: ¿se registra como "viaje de trabajo" y se consideran cumplidas las horas habituales, sin perjuicio de su validación posterior por la empresa y trabajador?, E incluso, las horas extraordinarias ¿son voluntarias para empresa y trabajador? ¿necesitan autorización por parte de la empresa? ¿se aconsejan o, más bien, se desaconsejan?

4. LA DESCONEXIÓN DIGITAL, COMO GARANTÍA DEL DERECHO AL DESCANSO DEL «TRABAJADOR TECNOLÓGICO»

Junto a la obligación empresarial de registro de jornada, se establece también el derecho a la desconexión del trabajador. El empresario tiene el deber de proteger la salud de los trabajadores y, en consecuencia, debe respetar de manera efectiva su derecho al descanso.

En relación con las nuevas tecnologías, es necesario controlar los límites de la jornada laboral y garantizar un tiempo mínimo de descanso al trabajador. El uso constante de herramientas tecnológicas de información y comunicación ha propiciado la regulación específica del derecho a la desconexión digital de los trabajadores en el art. 88 de la Ley Orgánica 3/2018, de 5 de diciembre, de Protección de Datos Personales y Garantía de los Derechos Digitales[37].

De esta forma, el derecho a la desconexión digital viene a ser "una subespecie del derecho a la limitación de la jornada, ya recogido en la regulación del tiempo de trabajo"[38]. Aunque este derecho a desconectar ya existía, ahora "se reconoce de un modo específico y expreso", "anudándolo a la obligación de contar con una política empresarial de desconexión y la programación de acciones formativas y de sensibilización"[39].

---

[37]　Sobre los antecedentes del derecho a la desconexión digital: R. AGUILERA IZQUIERDO/ R. CRISTÓBAL RONCERO: "Nuevas tecnologías y tiempo de trabajo: el derecho a la desconexión tecnológica",cit.,335-337.

[38]　C. SAN MARTÍN MAZZUCCONI: "El derecho a la desconexión digital en el ámbito laboral", *Revista del Ministerio de Trabajo, Migraciones y Seguridad Social*, núm. 148., *en prensa*.

[39]　C. SAN MARTÍN MAZZUCCONI: "El derecho a la desconexión digital en el ámbito laboral", *Revista del Ministerio de Trabajo, Migraciones y Seguridad Social*, núm. 148., *en prensa*.

Por tanto, será la empresa la que fije las modalidades del ejercicio del derecho a la desconexión digital, en torno a dos ejes principales:

– Política empresarial de desconexión, en la que se debe incluir la determinación de la naturaleza y el objeto de la regulación laboral, el derecho a la conciliación de la actividad laboral y la vida personal y familiar, y la observancia y sujeción de lo establecido en la negociación colectiva[40].

– Programación de acciones formativas y de sensibilización, es decir, la empresa debe formar en materia preventiva para conocer y hacer frente a todos los riesgos que pueden derivar de estos nuevos instrumentos de trabajo y, al mismo tiempo, debe promover acciones de concienciación y formación para un uso razonable de las herramientas de comunicación digitales por parte de sus empleados, ya sean trabajadores presenciales o a distancia. Empresas y trabajadores deben tomar conciencia de los riesgos físicos y psíquicos que conlleva el exceso del tiempo de trabajo y la dependencia tecnológica.

En definitiva, el derecho a la desconexión digital del trabajo en el tiempo libre del trabajador se presenta como una consecuencia natural del principio de limitación de la jornada[41]. En efecto, la regulación legal de este derecho constituye una garantía adicional a los márgenes de distinción entre tiempo de trabajo y tiempo de descanso. Pero, lo cierto es que la irrupción de las nuevas tecnologías digitales desdibuja estos márgenes claros de distinción entre vida laboral y personal, pues ¿quién no contesta a una llamada fuera de su horario de trabajo o escribe un correo electrónico o, simplemente, se conecta a la intranet de su empresa? e incluso, ¿cuáles son, en ocasiones, las represalias de no atender a estas obligaciones?

---

[40] Lo razonable sería explorar la vía del acuerdo con los representantes de los trabajadores. Sin embargo, la norma no lo exige. El empresario es el que está obligado a diseñar una política de desconexión, que habrá de someterse a los acuerdos alcanzados al respecto, pero que podrían no existir. No obstante, es importante tener en cuenta que le art. 88 LOPD vincula la política de desconexión a la potenciación de la conciliación de la vida laboral y familiar (art. 64.7.d ET). Como señala con acierto, C. SAN MARTÍN MAZZUCCONI: "aunque la colaboración no tiene porqué identificarse con negociación y acuerdo, no hay duda que una política concertada con los representantes de los trabajadores, garantizaría el cumplimiento de la política interna de desconexión digital", en "El derecho a la desconexión digital en el ámbito laboral", *Revista del Ministerio de Trabajo, Migraciones y Seguridad Social,* núm. 148., *en prensa.*

[41] A. MARTÍN VALVERDE/ F. RODRÍGUEZ SAÑUDO, J. GARCÍA MURCIA: *Derecho del Trabajo,* 28ª ed., Ed. Tecnos, Madrid, 2019, pág. 616.

Por tanto, será necesario aplicar pautas de razonabilidad y proporcionalidad en el desarrollo de las políticas internas de la empresa para determinar el alcance y los contornos del derecho a la desconexión en un modelo de trabajo, como el actual, en el que la línea entre la vida laboral y personal es cada vez más difusa, ya que existe la posibilidad real de estar permanentemente conectado al trabajo, lo que hace imprescindible la regulación autónoma del derecho a la desconexión del trabajador.

Y a este panorama no exento de imprecisiones, se suman nuevas obligaciones conexas con el derecho a la desconexión que vienen a generar una situación de incertidumbre. En efecto, la obligación de las empresas de implantar un sistema de registro, en el que se indique el inicio y la finalización de la jornada, puede colisionar o incidir en los protocolos internos de desconexión[42]. Pero, además, no podemos olvidar la jurisprudencia comunitaria sobre tiempo de trabajo, que entiende que el tiempo de "atención continuada en régimen de localización y no de presencia en el centro de trabajo, no puede ser considerado como tiempo de trabajo efectivo" (STJUE de 3 de octubre de 2010, Asunto C-308/98, SIMAP).

En definitiva, "estar en contacto puede suponer estar conectado, y la disponibilidad tecnológica se situará a un lado u a otro de los límites de la jornada según los perfiles del supuesto concreto[43]. Se propone, por tanto, avanzar en la configuración de este derecho creando variables para la actividad del mismo según sea la actividad económica, el volumen de trabajo, así como el grado de innovación tecnológica que tenga la empresa.

La compleja delimitación entre tiempo de trabajo efectivo y descansos, la obligación del registro de jornada y el ejercicio del derecho a la desconexión digital han supuesto cambios de enorme calado en las políticas de organización del trabajo en las empresas, a los que deben atender no solo los empleadores e interlocutores sociales, sino también, y de forma muy especial, el legislador español, adecuando el ordenamiento jurídico laboral a la innovación digital y a la nuevas tecnologías.

---

[42]   Un análisis sobre las primeras políticas empresariales de desconexión, en: C. SAN MARTÍN MAZZUCCONI: "El derecho a la desconexión digital en el ámbito laboral", *Revista del Ministerio de Trabajo, Migraciones y Seguridad Social*, núm. 148., *en prensa*, en el que la autora concluye que "se ha optado por pautas bastante genéricas, no albergándose ánimo de regular con precisión las circunstancias particulares, lo que es natural teniendo en cuenta lo novedoso de la norma y lo difuso de sus contornos"

[43]   C. SAN MARTÍN MAZZUCCONI: "El derecho a la desconexión digital en el ámbito laboral", *Revista del Ministerio de Trabajo, Migraciones y Seguridad Social*, núm. 148., *en prensa*.

XVII. EL DERECHO A LA DESCONEXIÓN DIGITAL DEL TRABAJO

Erik Monreal Bringsvaerd

Profesor Titular –acreditado a Catedrático–
de Universidad de Derecho del Trabajo y de la Seguridad Social
Universidad de las Islas Baleares

SUMARIO: 1. INTRODUCCIÓN. 2. TIEMPO DE TRABAJO Y DESCONEXIÓN DIGITAL: BIENES JURÍDICOS TUTELADOS. 2.1. Consideraciones generales. 2.2. Ausencia de vinculación del derecho a la desconexión digital con el artículo 18 CE. 2.3. La salud y el tiempo libre del trabajador. 2.4. Desconexión digital y conciliación de la vida familiar y la vida laboral. 3. TIEMPO DE TRABAJO, DESCONEXIÓN DIGITAL Y PREVENCIÓN DE RIESGOS LABORALES. 4. MODALIDADES DE EJERCICIO DEL DERECHO. 4.1. La naturaleza y el objeto de la relación laboral. Papel de la negociación colectiva y de la iniciativa empresarial. 4.2. Trabajadores convencionales. 4.3. Trabajadores digitales. BIBLIOGRAFÍA.

1. INTRODUCCIÓN

Decía mi maestro en el año 1990 que el jurista iuslaboralista no puede refugiarse en el análisis formal de las instituciones y por supuesto tiene que alejarse de la tentación de la futurología[1]. Aplicando esta pauta metodológica, dice mi maestro ahora, casi treinta años después, que el nuevo derecho del trabajador a la desconexión digital, cuyo análisis constituye el objeto de estas páginas, no es ni retórico, ni propagandístico, ni carece de contenido real sino que más bien redefine y confirma, a la luz del desarrollo tecnológico, el ámbito de la prestación laboral debida y paralelamente los límites del poder de dirección y control del empresario[2].

El derecho del trabajador a la desconexión digital figura en el artículo 20.bis del Real Decreto-Legislativo 2/2015, de 23 de octubre, por el que se aprueba el texto refundido de la Ley del Estatuto de los Trabajadores (ET) desde que fue introducido por la disposición final decimotercera de la Ley

---

[1]   Vid., F. PÉREZ DE LOS COBOS ORIHUEL: *Nuevas tecnologías y relación de trabajo*, Valencia, 1990, pág. 15.
[2]   Vid., F. PÉREZ DE LOS COBOS ORIHUEL: 'Poderes del empresario y derechos digitales del trabajador', Trabajo y Derecho, núm. 59, 2019, págs.. 12-13.

orgánica 3/2018, de 5 de diciembre, de Protección de Datos Personales y Garantía de Derechos Digitales (LOPDP). Dispone el artículo 20.bis ET que "*Los trabajadores tienen derecho a la intimidad en el uso de los dispositivos digitales puestos a su disposición por el empleador, a la desconexión digital y a la intimidad frente al uso de dispositivos de videovigilancia y geolocalización en los términos establecidos en la legislación vigente en materia de protección de datos personales y garantía de los derechos digitales*". La legislación vigente a la que se remite este inciso es la propia LOPDP, cuyos artículos 87, 88, 89 y 90 establecen respectivamente pautas sobre el "*Derecho a la intimidad y uso de dispositivos digitales en el ámbito laboral*", el "*Derecho a la desconexión digital en el ámbito laboral*", el "*Derecho a la intimidad frente al uso de dispositivos de videovigilancia y de grabación de sonidos en el lugar de trabajo*" y el "*Derecho a la intimidad ante la utilización de sistemas de geolocalización en el ámbito laboral*".

La ubicación del derecho a la desconexión digital como apéndice del precepto legal que reconoce al empresario su poder de *Dirección y control de la actividad laboral* –art. 20 ET– dice mucho acerca de que efectivamente, la función jurídico política de este derecho tiene que ver con circunscribir el ámbito del regular ejercicio por parte del empresario de sus facultades directivas. Y esto significa, de acuerdo con el artículo 88.1 LOPDP, que las órdenes e instrucciones empresariales sobre conectividad y/o conexión digital del trabajador no pueden proyectarse "… *fuera del tiempo de trabajo legal o convencionalmente establecido…*".

En el panorama comparado, nuestro derecho legal a la desconexión digital cuenta con los precedentes de la legislación francesa[3] y la italiana[4]. En Francia, la ley no concibe un auténtico derecho individual del trabajador sino que exige que en la negociación anual sobre igualdad de mujeres y hombres se traten las modalidades de pleno ejercicio por el trabajador de su derecho a la desconexión y la puesta en marcha por la empresa de dispositivos de regulación de la utilización de los dispositivos digitales[5]. En Italia, la dinámica de la desconexión se introduce en el tratamiento de nuevas formas de trabajo denominadas ágiles o flexibles –*Smart work*–, a modo de

---

[3]   Derecho previsto por la Ley núm. 2016-1088, de 8 de agosto, que incorporó un nuevo apartado 7° al artículo L 2242-8 del Código de Trabajo.

[4]   Ley 81/2017, de 22 de mayo de 2017, relativa a las medidas de tutela del trabajo autónomo y medidas para favorecer una articulación flexible del tiempo y lugar de trabajo por cuenta ajena (arts. 18 a 24).

[5]   Vid., al respecto, P. NIETO ROJAS: 'La flexibilidad en el tiempo y en el lugar de trabajo como elemento de mantenimiento de las trabajadoras con responsabilidades familiares en el mercado de trabajo', en AA.VV., *Los ODS como punto de partida para el fomento de la calidad del empleo femenino*, E. BLÁZQUEZ AGUDO (dtra), Madrid, 2018, pág. 67.

teletrabajo a tiempo parcial[6]. Mientras que la ley francesa, adoptada con el denominado *Informe Mettling* de trasfondo[7], hace de la autonomía colectiva la llave de este derecho[8], el modelo italiano, consistente en una especial modalidad de prestar trabajo subordinado[9], descansa en la autonomía individual tanto para dar paso a esta forma de trabajar como para establecer los tiempos de descanso y articular las consiguientes medidas técnicas y organizativas para asegurar la desconexión por parte del trabajador de los instrumentos tecnológicos de trabajo [10].

La fisionomía de la norma española –art. 88 LOPDP– está más cerca del modelo francés que del italiano, con importantes salvedades. En Francia, el derecho a la desconexión aparece implícitamente formulado y en España lo está de forma expresa –art. 88.1 LOPDP–. Tanto en Francia como en España – art. 88.2 LOPDP– la ley llama a la negociación colectiva para establecer sus modalidades de ejercicio, aunque en España el derecho en sí queda formalmente reconocido de forma autónoma e independiente del llamamiento dirigido a la negociación colectiva para que diseñe sus modalidades de ejercicio. Nuestro formato legal, por tanto, confiere un plus de ejecutividad al derecho especialmente importante en caso de ausencia de convenio colectivo o de regulación

---

[6]   Vid., P. CHARRO BAENA: 'Cambios tecnológicos y tiempo de trabajo', AA.VV., *Derechos fundamentales y tecnologías innovadoras*, Actas del III Encuentro internacional sobre Transformaciones del Derecho del Trabajo Ibérico, C. SAN MARTÍN MAZZUCCONI (dtra), Madrid, 2017, edición digital, pág. 27, manifestando que dicha legislación posibilita que trabajador y empresario pacten voluntariamente esta modalidad de trabajo consistente en combinar tiempos de presencia en la empresa con tiempos de trabajo fuera de ella, con la posible utilización de instrumentos tecnológicos para el de desarrollo de la actividad laboral.

[7]   Vid., T. USHAKOVA: 'De la conciliación a la desconexión tecnológica. Apuntes para el debate', Revista española de Derecho del Trabajo, núm. 192, 2016, edición digital, pág. 11, explicando que el Ministerio de Trabajo, del Empleo y de la Formación profesional francés encargó un informe con vistas a la elaboración de un Proyecto de Ley. El informe (Informe Mettling) sentó las bases para la elaboración del Proyecto del Ley El Khomi, que prevé en su Título III, la modificación del Código de Trabajo francés. Su Capítulo II contiene el artículo 25, que contempla el derecho a la desconexión tecnológica (Punto de negociación relativo a la calidad de vida en el trabajo, que acentúa la necesidad de asegurar un derecho efectivo al descanso).

[8]   Vid., C. MOLINA NAVARRETE: 'Jornada laboral y tecnologías de la info-comunicación: <Desconexión digital>: garantía del derecho al descanso', Temas Laborales, núm. 138, 2017, edición digital, pág. 23.

[9]   Vid., M. MARTONE: 'El *Smart working* o Trabajo ágil en el ordenamiento italiano', Derecho de las Relaciones Laborales, núm. 1, 2018, edición digital, pág. 1.

[10] Vid., P. CHARRO BAENA: 'Cambios tecnológicos y tiempo de trabajo', cit, pág. 27. También, D. LANTARÓN BARQUÍN: 'La seducción de los horizontes: reflexiones sobre el derecho a la desconexión digital del trabajador', en la web cielolaboral.com.

convencional[11]. Otra diferencia entre ambos modelos concierne al plano de los bienes jurídicos tutelados. En Francia, el derecho a la desconexión digital tiene que negociarse en los planes de igualdad y queda por tanto vinculado de forma expresa con el principio de igualdad y no discriminación por razón de sexo. Nuestro legislador podría haber modificado el artículo 46.2 de la Ley orgánica 3/2007, para la Igualdad efectiva de Mujeres y Hombres (LOI), incluyendo este nuevo contenido de los planes de igualdad que hay que negociar en las empresas españolas ex artículos 85.1.2º ET y 45 LOI. Dado que éste no ha sido el caso, la vinculación de nuestro derecho legal a la desconexión digital con el principio de igualdad y no discriminación no es directa sino incidental, consecuencia de la existencia de una relación de instrumentalidad entre el fomento del ejercicio corresponsable de las tareas familiares de cuidado y la lucha contra la discriminación por razón de sexo.

2. TIEMPO DE TRABAJO Y DESCONEXIÓN DIGITAL: BIENES JURÍDICOS TUTELADOS

2.1. Consideraciones generales

El hilo conductor del derecho a la desconexión digital es el tiempo de trabajo –jornada y descansos–, añeja institución laboral que está en los orígenes mismos del ordenamiento jurídico laboral y que constituye un elemento esencial del contrato de trabajo porque forma parte de su objeto. El trabajador está obligado a cumplir con su prestación durante el tiempo cierto que delimita su jornada de trabajo. Por este motivo, los descansos laborales no forman parte de la prestación debida y el empresario, salvo excepciones como puede ser el caso de las horas extraordinarias cuando éstas se configuran como obligatorias –art. 35.4 ET– o las propias horas extraordinarias por fuerza mayor –art. 35.3 ET–, no puede exigir que el trabajador ejecute actividad laboral alguna[12]. Ni actividad física o material, por así decirlo, ni actividad en formato digital, atendiendo desde cualquier parte y/o en cualquier momento requerimientos empresariales, de clientes o de otros trabajadores

---

[11]   En contra, E. RODRÍGUEZ: 'Derechos y deberes de los empleados públicos laborales: una aproximación general', en AA.VV., *Las relaciones laborales en el sector público*, M. LÓPEZ BALAGUER y Á. BLASCO PELLICER (coords.), Valencia, 2019, edición digital, pág. 43, dudando sobre un trabajador puede reclamar individualmente el reconocimiento de este derecho a la desconexión cuando no exista un pacto colectivo que recoja esta posibilidad.

[12]   Vid., M. R. ALARCÓN CARACUEL: *La ordenación del tiempo de trabajo*, Madrid, 1988, pág. 98.

gracias a la posibilidad de conexión permanente con el entorno de la empresa que hacen realidad las nuevas tecnologías aplicadas al mundo del trabajo.

La esencia de este derecho del trabajador que ahora reconoce la ley había sido reconocida con anterioridad por nuestros Tribunales con base en el propio artículo 20 ET y en el grupo normativo regulador de la jornada de trabajo. En la sentencia de 17 de julio de 1997[13], que se presenta como un precedente judicial del derecho a la desconexión[14], la Audiencia Nacional razonó en clave de que obligar a los trabajadores a mantener una conexión ininterrumpida de sus teléfonos móviles con los de la empresa implica sobrepasar el ejercicio regular del poder directivo del empresario. Por su parte, en la más reciente sentencia del Tribunal Superior de Justicia de Castilla y León de 3 de febrero de 2016[15], la ratificación de la condena a la empresa al pago de horas extraordinarias a un trabajador que trabajaba desde su domicilio utilizando medios informáticos sobre la base de la inexistencia de control empresarial de la jornada, no hace sino confirmar en la práctica que el tiempo de conexión digital indebida del trabajador fuera de la jornada –o el tiempo de conexión digital con la empresa durante el periodo de descanso– computa como tiempo de trabajo y puede generar la aparición de horas extraordinarias –afirma el Tribunal que el tiempo de trabajo en el domicilio es tiempo de trabajo exactamente igual que el realizado fuera del mismo, que el control del tiempo de trabajo es responsabilidad de la empresa y que el respeto de los límites de jornada y descansos forma parte del derecho del trabajador a la protección de su seguridad y salud, que es responsabilidad del empresario–. Una vez que este derecho ha quedado refrendado en la legislación positiva, por consiguiente, no es dudoso que el tiempo de conexión digital con la empresa queda sometido al mismo tratamiento legal que se sigue de los artículos 34 y 35 ET respecto del tiempo de trabajo y de los descansos.

2.2. *Ausencia de vinculación del derecho a la desconexión digital con el artículo 18 CE*

Durante el tiempo de descanso los trabajadores disfrutan de su vida privada[16]. Caso de injerencia empresarial en este tiempo de descanso, por

---

[13]   Procedimiento 120/1997.
[14]   Vid., J. R. MERCADER UGUINA: *El futuro del trabajo en la era de la digitalización y la robótica*, Valencia, 2017, capítulo IV, edición digital, pág. 15.
[15]   Recurso número 229/2015.
[16]   Vid., J. GALLEGO MONTALBÁN: '¿Deben considerarse las guardias domiciliarias o de localización tiempo de trabajo? (Comentario a la sentencia del Tribunal de Justicia

ejemplo mediante *WhatsApp*, parte de nuestra doctrina científica opina que el artículo 18.1 CE atribuye al trabajador un poder de autodeterminación cuando está en su vida privada que le garantiza el derecho a no estar disponible para su empleador[17]. Se apoya esta argumentación en una remisión a la sentencia del Tribunal Constitucional 192/2013, sobre vacaciones anuales, para afirmar que toda concepción que considere el tiempo libre del trabajador como tiempo vinculado, de una u otra manera, al interés productivo del empleador es inconstitucional, extrayendo de ahí un poder de oposición del trabajador a conductas y prácticas empresariales que lo obstaculicen que activaría toda la gama de medidas de tutela efectiva ligadas a la eficacia de los derechos fundamentales[18]. Si se adopta este entendimiento, creo que el siguiente paso del razonamiento sería afirmar que el despido de un trabajador que incumple una orden ilícita del empresario de conexión digital, que excede el ejercicio regular de sus facultades directivas, sería un despido nulo, por aplicación de los artículos 18.1 CE, 17 ET, 55 ET y 182 LRJS.

En mi opinión, sin embargo, manejar dicha sentencia constitucional en relación con el artículo 18 CE para resolver el problema de la calificación de este tipo de despidos disciplinarios no resulta oportuno[19]. Salvando to-

---

de la Unión Europea de 21 de febrero de 2018. Asunto Matzak. C-518/15)', Revista de Derecho Social, núm. 52, 2018, edición digital, pág. 7.

[17]   Vid., C. MOLINA NAVARRETE: 'Jornada laboral y tecnologías de la info-comunicación...', cit. págs. 26-27.

[18]   Ibidem.

[19]   El problema que resuelve la citada sentencia no tiene nada que ver con el derecho fundamental a la intimidad sino con el derecho fundamental a la tutela judicial efectiva, por el carácter arbitrario de la fundamentación de las resoluciones judiciales impugnadas en cuanto a la aplicación del art. 54.2 d) ET –se imputaba a las resoluciones judiciales impugnadas una extensión indebida del concepto de buena fe o lealtad que no habría tenido en cuenta para su fundamentación y aplicación al caso la obligada integración de valores constitucionales y derechos fundamentales, por lo que no se trataría de resoluciones fundadas en Derecho–. De hecho, en el caso que dio origen a este pronunciamiento ni se alegó vulneración del art. 18 CE, ni este artículo ni su texto son citados por el Tribunal en los fundamentos de su sentencia. El debate constitucionalmente resuelto se circunscribió a ventilar si el despido por transgresión de la buena fe contractual de un trabajador que se dedicó a trabajar para otro empresario durante sus vacaciones debía ser declarado procedente o improcedente, no nulo, como hubiera debido ser el caso de mediar la necesidad de tutela del citado derecho fundamental. Incluso, a mayor abundamiento, el Ministerio Fiscal estimaba que la cuestión planteada era de mera legalidad ordinaria, cuyo conocimiento queda vedado al Tribunal Constitucional. El Tribunal, sin embargo, entendió que el canon aplicable al examen constitucional de las resoluciones judiciales desde la perspectiva del art. 24.1 CE se encuentra sujeto a un mayor rigor cuando queda afectado otro derecho reconocido

das las distancias existentes entre ambos supuestos –sanción disciplinaria por prestación de trabajo en vacaciones para otro empresario *vs* sanción disciplinaria por incumplimiento de orden empresarial de conexión digital irregularmente dictada[20]–, entiendo que la doctrina de esta sentencia efectivamente sirve para fundamentar desde la Carta Magna que el trabajador tiene derecho a desconectar digitalmente y a que no le despidan por desconectar una vez finalizada su jornada, pero no sirve para ir más allá. Esta sentencia constitucional razona en clave de la dignidad de la persona y el libre desarrollo de su personalidad –art. 10 CE– en relación con la protección del derecho constitucional, no fundamental, al trabajo –art. 35.1 CE– y no sirve para vincular la tutela del derecho a la desconexión digital con la tutela constitucional y legalmente prevista para los derechos fundamentales. El despido de un trabajador que se niega a cumplir una orden de conexión digital irregularmente dictada por el empresario atenta contra las normas legales que establecen la duración de la jornada y de los descansos y atenta también contra el derecho constitucional al trabajo; sin embargo, lo que no supone es un atentado contra los derechos fundamentales a la intimidad y/o a la protección de datos. La calificación adecuada de este despido, por ende, igual que la calificación de los despidos producidos tras una negativa a realizar horas extraordinarias cuando éstas son voluntarias, en el sentido del artículo 35.4 ET, no es otra que la declaración de improcedencia[21], con todas las consecuencias legales inherentes a la misma[22] –art. 56 ET–.

---

por la Constitución y que eso es lo que ocurría en ese caso, dado que la declaración de procedencia del despido podría afectar a la libertad de trabajo comprendida en el derecho al trabajo que reconoce el art. 35.1 CE.

[20]   Lo que hace el Tribunal Constitucional es valorar en clave constitucional unas sentencias judiciales en las que late la concepción de las vacaciones como un derecho-deber en el que las mismas se configuran como una obligación laboral del trabajador que vincula el derecho a este descanso con la fidelidad al empresario y, consiguientemente, con las facultades disciplinarias de éste, supuesto muy alejado de la dinámica del derecho a la desconexión digital.

[21]   Vid., STS 09.06.1987 (RJ 1987/4312): "… *la orden que se negó a obedecer el actor fue motivada por no querer efectuar horas extraordinarias, que (…) son de carácter voluntario para el trabajador; porque si el empresario se excede de los límites de autoridad que tiene marcados por las normas legales, puede el trabajador desobedecer legítimamente sin incurrir en infracción, pues el derecho de dirección no es, absoluto sino que ha de ejercerse dentro de las normas jurídicas que regulan la relación de trabajo de que se trata, como una función social, alejada del posible abuso de aquel derecho de dirección por el patrono…*". En nuestra doctrina judicial, STSJ Comunidad valenciana 09.12.2009 (rec. núm. 3486/2008); STSJ Baleares 31.07.1995 (AS 1995/2942).

[22]   Este tipo de despidos improcedentes pueden llegar a transformarse en despidos nulos en aquellos casos en los que el trabajador que se niega a conectar digitalmente en su

Al margen de la citada sentencia del Tribunal Constitucional, también hay doctrina que aprecia que la relación entre el derecho a la desconexión digital y el artículo 18 CE viene de la mano de la propia legislación sobre derechos digitales, señalando que los derechos de los artículos 87, 88, 89 y 90 LOPDP mantienen todos una estrecha relación con el derecho fundamental a la intimidad –art. 18.1 CE– y en el caso de la desconexión digital también con el derecho fundamental a la protección de datos personales[23] –art. 18.4 CE–. A mi juicio, sin embargo, el derecho a desconectar digitalmente del trabajo está tan alejado del derecho fundamental a la intimidad, incluida la intimidad familiar[24], como lo están los artículos 34 y siguientes

---

tiempo de descanso se halla previamente blindado a través de la garantía de indemnidad –art. 24 CE– por la reclamación previa frente a la orden irregular de conexión digital, vid., R. TASCÓN LÓPEZ: 'El derecho de desconexión del trabajador (potencialidades en el ordenamiento español)', Trabajo y Derecho, núm. 41, 2018, edición digital, pág. 7. En todo caso, sin embargo, a la vista de pronunciamientos tan rigurosos como la STSJ Las Palmas 13.02.2015 –rec. núm. 1247/2014–, parece que este tipo de reclamaciones previas del trabajador habrán de discurrir por la senda judicial o extrajudicial, no plantearse de modo informal a través de un mero escrito remitido a la empresa donde consta la voluntad de negarse a realizar horas extraordinarias que el convenio colectivo contempla como voluntarias. Afirma el Tribunal canario en su sentencia que "... *para que concurra la vulneración de la garantía de indemnidad amparada en el artículo 24.1 de la Constitución se requiere la realización por el trabajador, cuando menos, de actos preparatorios o previos que resultan necesarias para el ejercicio de una acción judicial en defensa de lo que considere su derecho y de los que se derive la conducta empresarial discriminatoria o represiva. Y en este caso el actor vino a comunicar a la empresa el día 28-10-2012 su voluntad de no realizar horas extraordinarias (...) sin que haya iniciado acción o acto preparatorio alguno en defensa de su derecho más allá de su demanda de 19-12-2012 en reclamación del importe de las horas extraordinarias efectuadas...*".

[23]   Vid., R. MARTÍN JIMÉNEZ: 'Desconexión digital: un apunte laboral', Legaltoday, 2018, edición digital; J. GARCÍA MURCIA e I. A. RODRÍGUEZ CARDO: 'La protección de datos personales en el ámbito de trabajo: una aproximación desde el nuevo marco normativo', Revista española de Derecho del Trabajo, núm. 216, 2019, edición digital, pág. 25. También, A. BAYLOS GRAU: Una nota sobre el papel de la negociación colectiva en la configuración de los derechos derivados de la Ley de protección de datos personales y garantía de los derechos digitales', Ciudad del Trabajo, núm. 14, 2019, edición digital, pág. 158, afirmando que el derecho a la desconexión conecta con el derecho a la intimidad y vida privada. Hay incluso quien presenta el derecho a la desconexión como una subcategoría del derecho fundamental a la protección de datos, vid., G. MINERO ALEJANDRE: 'Nuevas tendencias en materia de protección de datos personales. La nueva Ley Orgánica y la jurisprudencia más reciente', Anuario jurídico y económico escurialense, LII, (2019), 125-148, edición digital, pág. 13.

[24]   Vid., Mª. E. CASAS BAAMONDE: 'Conciliación de la vida familiar y laboral: Constitución, legislador y juez', derecho de las Relaciones Laborales, núm. 10, 2018, pág. 4, explicando que el derecho al respeto de la vida familiar que se reconoce en los arts. 8.1 CEDH y 7 CDFUE se sitúa en nuestra Constitución en los principios de libre desarrollo de la personalidad de su art. 10 y de protección social, económica y jurídica de la fami-

del ET. No en vano, la disposición final 1ª LOPDP establece que el artículo 88 LOPDP tiene carácter de ley ordinaria, no de ley orgánica, dato suficientemente indicativo de que no existe relación directa alguna entre los artículos 88 LOPDP y 18.1 CE[25]. Igualmente, la vinculación del artículo 88 LOPDP con el derecho fundamental a la protección de datos personales es también inexistente[26]. El supuesto de la desconexión digital no tiene que ver con la autodeterminación informativa del trabajador y tampoco es una garantía frente al tratamiento empresarial de sus datos personales[27]; es, más bien, una forma de garantizar el efectivo respeto del descanso laboral. El artículo 88 LOPDP ni es una norma pensada para regular el tráfico de los datos personales ni, por la misma razón, está pensada, como sí lo están los derechos anclados a este artículo 18.4 CE[28], para facilitar el flujo de los mismos.

2.3. *La salud y el tiempo libre del trabajador*

De forma coherente con la imbricación fáctica del derecho a la desconexión digital en la normativa sobre tiempo de trabajo, el artículo 88.1 LOPDP liga este derecho del trabajador con la garantía de su *"tiempo de*

---

   lia, de su art. 39, mientras que el derecho fundamental a la intimidad familiar del art. 18.1 CE no comprende, como una de sus dimensiones, el derecho a la vida familiar, sino el poder de la persona de resguardar un ámbito reservado para sí y su familia.

[25] Similarmente, D. LANTARÓN BARQUÍN: 'La seducción de los horizontes: reflexiones sobre el derecho a la desconexión digital del trabajador', cit.

[26] Vid., Vid., J. GARCÍA MURCIA e I. A. RODRÍGUEZ CARDO: 'La protección de datos personales...', cit. pág. 28, afirmando que sólo desde una perspectiva muy reducida puede considerase que la desconexión digital es un ingrediente o un componente más del derecho a la protección de datos. En el mismo sentido, J. BAZ RODRÍGUEZ: 'La Ley orgánica 3/2018 como marco embrionario de garantía de los derechos digitales laborales. Claves para un análisis sistemático', Trabajo y Derecho, núm. 54, 2019, edición digital, págs. 3-4.

[27] Vid., J. L. GOÑI SEIN: 'Nuevas tecnologías digitales, poderes empresariales y derechos de los trabajadores: Análisis desde la perspectiva del Reglamento europeo de protección de datos de 2016', Revista de Derecho Social, núm. 78, 2017, edición digital, pág. 7, explicando que la intimidad entendida como ámbito propio y reservado frente al conocimiento de los demás constituye una realidad en declive ya que en la sociedad de las redes lo que adquiere valor es la privacidad en sentido amplio, entendido como concepto que permite a la persona conocer cómo y con qué fines se están utilizando sus datos y decidir en consecuencia con el propósito de impedir su tráfico ilícito y lesivo de su dignidad

[28] Vid., explicando que estos son los presupuestos de los derechos ligados al artículo 18.4 CE, J. GARCÍA MURCIA e I. A. RODRÍGUEZ CARDO: 'La protección de datos personales...', cit. pág. 2.

descanso, permisos y vacaciones" y también con la garantía de su "*intimidad personal y familiar*". Los bienes jurídicos que tutela esta institución del derecho a la desconexión digital, por tanto, son los mismos que siempre han constituido el epicentro de las normas tuitivas existentes en materia de jornada[29], esto es, la salud del trabajador y la salvaguarda de su tiempo libre, para dedicar a sus asuntos personales. En nuestra Constitución, estos bienes jurídicos están en estrecha relación con la obligación pública de garantizar el descanso de los trabajadores mediante la limitación de la jornada[30] –art. 40.2 CE– y con otras obligaciones públicas de la misma naturaleza, especialmente las referidas a velar por la seguridad e higiene en el trabajo –art. 40.2 CE– y a procurar protección social y jurídica a la familia –art. 39.1 CE–.

En su sentencia de 14 de mayo de 2019[31], el Tribunal de Luxemburgo ha afirmado, con base en el artículo 31 de la Carta de los derechos fundamentales de la Unión Europea (CDFUE), que el derecho del trabajador a la limitación de la duración máxima del tiempo de trabajo y a periodos de descanso diario y semanal es un derecho fundamental. Esta sentencia, sin embargo, tiene que ser valorada prudentemente en este aspecto porque el artículo 6.1. del Tratado de la Unión Europea establece que la Carta tiene el mismo valor jurídico que los Tratados y establece también que las disposiciones de la Carta no amplían las competencias de la Unión tal como se definen en los Tratados. Esto fuerza a interpretar que el reconocimiento como derecho fundamental del derecho al descanso que hace el Tribunal de Luxemburgo no trasmuta la naturaleza que el derecho al descanso laboral tiene entre nosotros. El derecho del trabajador, por consiguiente, a la limitación de la duración máxima del tiempo de trabajo y a periodos de descanso diario y semanal, incluidos los descansos digitales, está configurado en nuestra Carta magna como un principio rector de la política social y económica del Estado, totalmente desconectado del catálogo constitucional de derechos fundamentales y de sus mecanismos de tutela[32].

---

[29]   Vid., G. L. BARRIOS BAUDOR: 'El derecho a la desconexión digital en el ámbito laboral español: primeras aproximaciones', Revista Aranzadi doctrinal, núm. 1, 2019, edición digital, pág. 2.

[30]   Vid., J. BAZ RODRÍGUEZ: 'La Ley orgánica 3/2018…', cit. pág. 27.

[31]   Asunto C-55/18.

[32]   Vid., J. MOLINS GARCÍA-ATANCE: 'El registro de la jornada de trabajo', Trabajo y Derecho, núm. 59, 2019, edición digital, pág. 9, afirmando que los derechos recogidos en la Carta son derechos fundamentales en la terminología del Derecho de la UE. Pero ello no significa que se trate de derechos asimilables a los derechos fundamentales de los arts. 15 a 29 CE.

El precepto central del grupo normativo de la jornada de trabajo –art. 34 ET– es en gran parte una transposición de las reglas de la Directiva comunitaria sobre tiempo de trabajo del año 1993, posteriormente codificada en la Directiva 2003/88. La Directiva, como nuestro precepto legal, no aborda expresamente el problema de las consecuencias de las nuevas tecnologías sobre la ordenación del tiempo de trabajo[33]. Sin embargo, lo que sí hace la Directiva es asegurar el derecho al descanso –el mismo derecho que quiere asegurar el art. 88.1 LOPDP– a todos los trabajadores[34], independientemente de si son trabajadores convencionales, cuya prestación de servicios queda sujeta a los clásicos parámetros de espacio y tiempo que siempre han servicio para delimitar la deuda de actividad del trabajador, o trabajadores digitales, cuya prestación de servicios se realiza a distancia por medios telemáticos y de forma móvil, sin un puesto de trabajo prefijado[35].

No es previsible que la Directiva sobre tiempo de trabajo vaya a ser reformada para dar respuesta a las cuestiones que en materia de tiempo de trabajo suscita la utilización de las nuevas tecnologías[36]. De hecho, a falta de esta regulación general, las nuevas Directivas comunitarias sobre condiciones laborales transparentes y previsibles –Directiva 2019/1152– y sobre conciliación de la vida familiar y la vida profesional de los progenitores –Directiva 2019/1158– sí que abordan de forma tangencial e indirecta el binomio nuevas tecnologías/tiempo de trabajo e inciden ambas, cada una desde su respectivo plano, en la dinámica del derecho a la desconexión digital.

---

[33] Vid., F. LIBERAL FERNANDES: 'Cambios tecnológicos y tiempo de trabajo', AA.VV., *Derechos fundamentales y tecnologías innovadoras*, Actas del III Encuentro internacional sobre Transformaciones del Derecho del Trabajo Ibérico, C. SAN MARTÍN MAZZUCCONI (dtra), Madrid, 2017, edición digital, pág. 28.

[34] Vid., similarmente, T. USHAKOVA: 'De la conciliación a la desconexión tecnológica. Apuntes para el debate', cit. pág. 10.

[35] En general, se trata de prestaciones de servicios que pueden encuadrarse en un modelo de 'trabajo móvil conectado a una red', vid., M. SERRANO ARGÜESO: '<Always on>. Propuestas para la efectividad del derecho a la desconexión digital en el marco de la economía 4.0', Revista internacional y comparada de Relaciones Laborales y Derecho del Empleo, volumen 7, núm. 2, 2019, edición digital, pág. 9.

[36] Esta cuestión de la reforma de la Directiva sobre tiempo de trabajo largo ha que está sobre la mesa y siempre ha generado la oposición de la Confederación Europea de Sindicatos –vid., ETUC, Hoja informativa, *Los derechos fundamentales y la Directiva sobre tiempo de trabajo*, 2011, edición digital– y tensión entre la Comisión y el Parlamento europeo, que es quien hubiera debido refrendar la propuesta de reforma –como es sabido, la aprobación del denominado *Informe Cercas* por mayoría absoluta del Parlamento europeo en diciembre de 2008 supuso el rechazo definitivo de dicho órgano a la propuesta de modificación de la Directiva sobre tiempo de trabajo presentada por la Comisión–.

Por eso, desde un punto de vista de política del Derecho, el reconocimiento legal del derecho a la desconexión digital significa dar un paso adelante en la construcción de un régimen sobre tiempo de trabajo adaptado a las características de la economía digitalizada[37]. Haber explicitado en la ley lo que antes estaba implícito en la legislación sobre tiempo de trabajo –el trabajador tiene derecho a no atender requerimientos empresariales fuera de su horario de trabajo– es bueno porque constituye un impulso para lograr una mejor ordenación del tiempo de trabajo[38] –las pautas por donde deberían discurrir algunas actuaciones en este terreno las indica la propia Comisión europea[39]– y/o para modernizar el derecho al descanso[40].

---

[37]   Vid., Mª. E. CASAS BAAMONDE: 'Soberanía sobre el tiempo de trabajo e igualdad de trato y de oportunidades entre mujeres y hombres', Derecho de las Relaciones Laborales, núm. 3, 2019, edición digital, págs. 6-7, señalando que el informe elaborado por la Comisión mundial de la OIT sobre el futuro del trabajo *Trabajar para un futuro más prometedor* se indica que una posible vía eficaz de limitación del tiempo de trabajo máximo en la era digital es el reconocimiento del derecho a la desconexión digital.

[38]   Vid., E. E. TALENS VISCONTI: 'La desconexión digital en el ámbito laboral: un deber empresarial y una nueva oportunidad de cambio para la negociación colectiva', Revista de información laboral, núm. 4, 2018, edición digital, pág. 2; A. I. PÉREZ CAMPOS: 'La desconexión digital en España: ¿un nuevo derecho laboral', Anuario jurídico y económico escurialense, LII, (2019), 101-124, edición digital, pág. 4.

[39]   La Comisión apunta al límite de cuatro meses aplicable al cálculo de la duración máxima del tiempo de trabajo semanal, que se sigue superando en España porque el art. 34.2 ET utiliza un periodo de referencia de doce meses que además es también susceptible de ser rebasado merced a la figura de los saldos interanuales de horas, vid., Informe de la Comisión al Parlamento Europeo, al Consejo, al Comité Económico y Social Europeo y al Comité de las Regiones relativo a la aplicación por los Estados miembros de la Directiva 2003/88/CE, 2017, edición digital, pág. 8. La Comisión también apunta a la regulación de los descansos compensatorios de los excesos de jornada, pues en nuestro caso no queda asegurado que el reconocimiento de dicho descanso se haga con la inmediatez que exige la sentencia del Tribunal de Luxemburgo de 9 de septiembre de 2003, vid., Informe de la Comisión al Parlamento Europeo, al Consejo, al Comité Económico y Social Europeo y al Comité de las Regiones relativo a la aplicación por los Estados miembros de la Directiva 2003/88/CE, 2010, págs. 5-7. Desde el entorno de Eurofound también se apunta que la Directiva sobre tiempo de trabajo tiene un potencial que no está siendo aprovechado y que se traduce en estadísticas lamentables –en torno al 11 % de los trabajadores de la UE28 declaran que realizan jornadas de más de 48 horas semanales; en torno al 16 % de los trabajadores varones y el 6 % de las trabajadoras no disfrutan de un período de descanso de 11 horas entre dos jornadas laborales; en torno al 55 % de los trabajadores varones y el 58 % de las trabajadoras en la UE cumplen horarios establecidos por la empresa, sin posibilidad de cambio–, vid., J. CABRITA: 'Hacer realidad el potencial de la Directiva sobre la ordenación del tiempo de trabajo', en Editorial, Foundation Focus, *El equilibrio entre trabajo y vida personal: crear soluciones para todos*, núm. 1, 2016, edición digital, págs. 6-7.

[40]   Vid., R. TASCÓN LÓPEZ: 'El derecho de desconexión…', cit. pág. 17.

En el apartado dedicado al régimen jurídico de la desconexión digital se volverá sobre la cuestión referida a la forma de instrumentar los mecanismos o resortes jurídicos necesarios para conseguir una ordenación satisfactoria del tiempo de trabajo, incluido el tiempo de conexión digital, y el tiempo de descanso de los trabajadores. Ahora cabe adelantar, porque tiene que ver con el asunto de los bienes jurídicos tutelados, que una eventual acción legislativa de reforma del régimen jurídico del tiempo de trabajo para acomodarlo mejor al presente escenario de la economía digitalizada debería considerar que actualmente el uso laboral de las nuevas tecnologías hace que la prestación subordinada de servicios pueda responder al modelo del trabajador clásico o convencional, sujeto a una jornada mayoritariamente presencial, en las instalaciones de la empresa o en el lugar designado por ésta, pero también pueda responder al nuevo modelo del trabajador digital, que presta sus servicios prevalentemente a distancia, incluido su propio domicilio –art. 13 ET–, utilizando medios telemáticos. Las pautas legales sobre ordenación del tiempo de trabajo, del tiempo de conexión digital y de los descansos deberían, en mi opinión, tener en cuenta esta circunstancia y establecer las correspondientes especifidades aplicativas.

En el caso de los trabajadores convencionales, la práctica de llevarse el trabajo a casa una vez finalizada la jornada existe desde antes de que las nuevas tecnologías irrumpieran en la escena laboral y afecta especialmente a directivos y mandos intermedios[41]. Hay estudios que señalan que

---

[41] Quienes en ocasiones por devoción y en la mayoría de veces por obligación –la orden empresarial de permanecer conectado al término de la jornada no suele exteriorizarse expresamente sino de forma implícita, a modo de insinuación, vid., R. TASCÓN LÓPEZ: 'El derecho de desconexión...', cit. pág. 7– continúan en casa lo que no han podido hacer en la oficina. Gracias a las nuevas tecnologías, a la posibilidad que ofrece Internet de comunicación directa con la empresa y transmisión de datos en tiempo real, es fácil que los trabajadores analógicos de hoy persistan en esta práctica, acercándose a un modelo de 'trabajador metafísico' –vid., T. USHAKOVA: 'De la conciliación a la desconexión tecnológica...', cit. pág. 5–. Aquí, el peligro viene representado por la realidad de jornadas de trabajo inacabables –el Informe elaborado por la OIT y Eurofound *Working anytime, anywhere: The effects on the world of work*, Research report, 2017, edición digital, pág. 27, señala que en España, el 68% de los trabajadores confirma que reciben correos electrónicos fuera de horario laboral–, con el agravante de que a menudo el tiempo de conexión digital fuera del horario no se considera tiempo de trabajo –ni en el sentido del art. 2.1 D 2003/88 ni en el sentido del art. 34.1.2° ET– y consiguientemente no se retribuye, vid., R. AGUILERA IZQUIERDO Y R. CRISTÓBAL RONCERO: 'Nuevas tecnologías y tiempo de trabajo: El derecho a la desconexión tecnológica', AA.VV., OIT, Conferencia nacional tripartita, *El futuro del trabajo que queremos*, Volumen II, 2017, edición digital, pág. 335; Mª. L. RODRÍGUEZ

el 65 por ciento de los trabajadores españoles se siente requerido por su empresa fuera del horario laboral, cifra que asciende hasta el 90 por ciento entre los trabajadores que ocupan puestos de dirección[42]. Ello tiene que ver con que más del 90 por ciento de las grandes empresas españolas y el 30 por ciento de las de menos de diez trabajadores facilitan a su plantilla el acceso remoto al correo electrónico, a documentos de trabajo y a aplicaciones fuera del trabajo[43]. La desconexión del trabajo de estos trabajadores es analógica, por así decirlo, porque con carácter general bastará con el mero abandono del lugar de trabajo –instalaciones de la empresa o lugar designado por ésta–. Lo que hay que asegurar en estos casos es que no existan alargamientos indebidos de jornada mediante una conexión digital a distancia que vulneren el derecho al descanso de los trabajadores.

La prestación de servicios de los trabajadores digitales, sin embargo, tiene particularidades radicalmente diferentes. El derecho a la desconexión digital de estos trabajadores tiene que articularse entreverado con el denominado tiempo de trabajo no convencional[44], propio de nuevas formas de trabajar en red caracterizadas porque la prestación objeto del contrato puede ser potencialmente ejecutada por un número indeterminado de trabajadores y/o porque herramientas electrónicas como las *Apps* incluidas en móviles, tabletas u ordenadores personales consiguen acercar la producción lo máximo posible a la demanda existente sobre un determinado bien o servicio[45]. Las nuevas tecnologías en el entorno laboral provocan, en efecto, un desplazamiento hacia modelos de trabajo a demanda donde no es claro en perspectiva jurídica que el tiempo de trabajo, incluido el tiempo de conexión digital, siga constituyendo un elemento absolutamente esencial del –objeto del– contrato de trabajo. La jornada digital y el consiguiente tiempo de conexión responden a un modelo de flexibilidad

---

FERNÁNDEZ: 'Clásicos y nuevos desafíos del trabajo en la economía 4.0', AA.VV., OIT, Conferencia nacional tripartita, *El futuro del trabajo que queremos*, Volumen II, 2017, edición digital, pág. 293. También, F. LIBERAL FERNANDES: 'Cambios tecnológicos y tiempo de trabajo', cit. pág. 30.

[42] Vid., el estudio de la empresa Edenred y la consultoría Ipsos, citado en una noticia de Actualidad de la OUC, *Una conexión digital permanente puede causar estrés, insomnio y síndrome de agotamiento profesional*, 2017, en https://www.uoc.edu/portal/es/news/actualitat/2017/236-descone

[43] Datos extraídos de la *Encuesta sobre el uso de las TIC* efectuada por el Instituto Nacional de Estadística, según relata la UOC en la página citada en nota anterior.

[44] Vid., Mª. E. CASAS BAAMONDE: 'Soberanía sobre el tiempo…', cit. pág. 5.

[45] Vid., F. TRILLO PÁRRAGA: 'Economía digitalizada y relaciones de trabajo', Revista de Derecho Social, núm. 76, 2016, pág. 67.

mucho más acusado que el de los trabajadores convencionales porque importa más el resultado de las tareas que los procesos que configuran su desarrollo[46]. Estos trabajadores, en fin, quedan sujetos a un canon de conectividad permanente[47] que puede tener consecuencias nefastas, más que en su derecho a disfrutar de jornadas limitadas, en su derecho a disfrutar de tiempo libre, para dedicar a sus asuntos personales[48].

2.4. *Desconexión digital y conciliación de la vida familiar y la vida laboral*

De un tiempo hasta esta parte, la protección del tiempo libre del trabajador es un valor incorporado a la lucha feminista por acabar con la histórica situación de inferioridad en la vida social y jurídica de la mujer[49]. Ello ha propiciado un giro de las instituciones laborales, incluidas las normas relativas al tiempo de trabajo, hacia la tutela de la situación laboral

---

[46] Vid., G. CEDROLA SPREMOLLA: 'Reflexiones sobre el impacto de la digitalización en el trabajo, la regulación laboral y las relaciones laborales', Revista internacional y comparada de Relaciones Laborales y Derecho del Empleo, volumen 5, núm. 1, 2017, edición digital, pág. 19. También, F. LIBERAL FERNANDES: 'Cambios tecnológicos…', cit. pág. 31, explicando que el mayor grado de autonomía de que gozan los trabajadores digitales hace que el control se desplace de la monitorización del tiempo de trabajo a los resultados de su actividad.

[47] Vid., P. CHARRO BAENA: 'Cambios tecnológicos y tiempo de trabajo', cit. págs. 20-21. Canon que origina la figura de un trabajador hiperconectado, según S. DEL REY GUANTER: 'Sobre el futuro del trabajo: Modalidades de prestaciones de servicios y cambios tecnológicos', AA.VV., OIT, Conferencia nacional tripartita, *El futuro del trabajo que queremos*, Volumen II, 2017, edición digital, págs. 366-367.

[48] El modelo del trabajo digital, especialmente en plataformas virtuales que posibilitan sistemas de 'trabajo a demanda vía *apps*' –vid., A. CÁMARA BOTÍA: 'La prestación de servicios en plataformas digitales: ¿trabajo dependiente o autónomo?', Revista española de Derecho del Trabajo, núm. 222, 2019, edición digital, pág. 7–, obliga a los trabajadores a estar disponibles más tiempo y a ocuparse de un mayor número de encargos para poder incrementar ingresos –vid., M. RODRÍGUEZ-PIÑERO ROYO: 'El jurista del trabajo frente a la economía colaborativa', en AA.VV., *Economía colaborativa y trabajo en plataformas: realidades y desafíos*, M. RODRÍGUEZ-PIÑERO ROYO (dtor), Albacete, 2017, pág. 214–, algo que explica que la proporción de trabajadores móviles que basan su actividad en las tecnologías de la información y de la comunicación y declaran un equilibrio deficiente entre trabajo y vida personal (26 %) sea superior a la de otros trabajadores (18 %), según, Foundation Focus, Editorial, *El equilibrio entre trabajo y vida personal: crear soluciones para todos*, núm. 1, 2016, edición digital, pág. 3.

[49] Vid., C. PRIETO: 'El futuro del trabajo (decente): De la hegemonía a su crisis, de la centralidad exclusiva a una centralidad compartida (con los ciudadanos)', AA.VV., OIT, Conferencia nacional tripartita, *El futuro del trabajo que queremos*, Volumen II, 2017, edición digital, pág. 235.

de las mujeres[50]. Este giro no puede pasar desapercibido en este análisis del derecho a la desconexión digital puesto que, de un lado, el artículo 88.1 LOPDP establece que su objeto es garantizar la *"intimidad personal y familiar"* del trabajador y, de otro lado, el artículo 88.2 LOPDP declara que las modalidades de ejercicio de este derecho *"potenciarán el derecho a la conciliación de la actividad laboral y la vida personal y familiar"*. El artículo 34.8 ET, recientemente reformado por el RD-Ley 6/2019, de medidas urgentes para garantía de la igualdad de trato y de oportunidades entre mujeres y hombres en el empleo y la ocupación, es un precepto legal dirigido a fomentar la corresponsabilidad familiar mediante la adaptación del tiempo de trabajo de las personas con responsabilidades de esta índole. El supuesto de hecho de este precepto está directamente conectado con el artículo 88.1 LOPDP en la medida en que la adaptación del tiempo de conexión digital del trabajador con la empresa constituye uno de los diversos supuestos que puede originar el derecho del trabajador *"a solicitar las adaptaciones de la duración y distribución de la jornada de trabajo, en la ordenación del tiempo de trabajo y en la forma de prestación, incluida la prestación de su trabajo a distancia"*, que prevé el artículo 34.8.1° ET.

El máximo intérprete de nuestra Carta Magna ha apreciado en varias ocasiones que los derechos de conciliación existentes en materia de tiempo de trabajo, incluido el derecho del artículo 34.8 ET[51], tienen una di-

---

[50]   Impulsada por la Directiva original sobre permiso parental –D 96/34, relativa al Acuerdo marco sobre el permiso parental–, la ley 39/1999, para promover la Conciliación de la vida familiar y laboral de las personas trabajadoras, resultó importante en este terreno de la lucha antidiscriminatoria por razón de sexo. Entre otras medidas consistentes en el reconocimiento de distintos derechos de ausencia –permisos y suspensiones–, esta Ley introdujo la nulidad del despido motivado en el ejercicio de los derechos asociados a la maternidad y al embarazo y, con ello, vinculó la protección del embarazo y de la maternidad con el derecho a la no discriminación por razón de sexo –art. 14 CE–. Más adelante, la Ley orgánica 3/2007, en transposición de las normas comunitarias sobre igualdad y no discriminación por razón de sexo, consagró el *"fomento de la corresponsabilidad en las labores domésticas y en la atención a la familia"* como criterio general de actuación de los Poderes públicos en materia de lucha contra la discriminación por razón de sexo –art. 14.8 LOI–. El legislador de 2007, consciente de que ciertos derechos de conciliación han de quedar forzosamente reservados para el disfrute de la mujer pero al mismo tiempo sabedor de que un catálogo de derechos exclusivamente de ausencia puede tener repercusiones desfavorables para su inclusión laboral, introdujo pautas legales consistentes en fomentar no la reducción sino la adaptación del tiempo de trabajo a las necesidades familiares de los trabajadores, con independencia de su sexo.

[51]   Vid., STConst. 24/2011. En nuestra doctrina judicial, vid., por ejemplo, STSJ Islas canarias (Las Palmas) 20.05.2019 (rec. núm. 190/2019): "... *los supuestos en los que solo se ejerce el derecho a concreción horaria, sin ir acompañados de una reducción de jornada, aunque*

mensión constitucional que excede el principio rector del artículo 39.1 CE y se vincula con el artículo 14 CE[52]. Esta dimensión constitucional de los derechos de conciliación ha hecho incluso posible que la sentencia del Tribunal Constitucional 26/2001 dibuje un escenario de discriminación directa del trabajador –varón[53]– por motivos referidos al cuidado y atención de hijos menores en el terreno de la gestión empresarial del tiempo de trabajo[54]. Esta lectura constitucional del artículo 34.8 ET está en sintonía con la Directiva 2019/1158, relativa a la conciliación de la vida familiar y la vida profesional de los progenitores y los cuidadores, que incorpora la novedad con respecto a sus precedentes de obligar a los Estados miembros a adoptar medidas necesarias para "*garantizar que los trabajadores con hijos de hasta una edad determinada, que será como mínimo de ocho años, y los cuidadores, tengan derecho a solicitar fórmulas de trabajo flexible para ocuparse de sus obligaciones de cuidado*" –art. 9.1 D 2019/1158–. El interés del derecho a solicitar fórmulas de trabajo flexible –trabajo a distancia, calendarios laborales flexibles o reducción de las horas de trabajo (art. 3.1.f] D 2019/1158)– a efectos de este análisis radica en que el citado derecho del ordenamiento comunitario, existente entre nosotros en el artículo 34.8 ET[55], se acompaña de la garantía que supone la declaración referida a que los Estados miembros tienen

---

deben ser analizados en cada caso concreto ponderando los derechos de la persona trabajadora y los derechos organizativos de la empresa, es lo cierto que también tienen un impacto constitucional, al redundar sobre el derecho a la conciliación laboral y familiar, lo que exige que su análisis judicial se haga desde una perspectiva constitucional".

[52] Vid., STConst. 3/2007.

[53] El sexo masculino del trabajador no fue en esa ocasión obstáculo para apreciar existente dicha discriminación, algo que como poco sorprende. Así, el voto particular formulado a la STConst. 26/2001 argumenta que no es posible discriminar a un varón por circunstancias familiares porque tener hijos nunca ha situado a los varones en una situación contraria a la dignidad humana.

[54] Vid., STConst. 26/2011. Al respecto, considerando que el enjuiciamiento de este asunto sobre conciliación desde la perspectiva del derecho fundamental a la no discriminación por razón de circunstancias familiares consistentes en el cuidado de hijos menores, tratándose de un derecho no alegado expresamente por el trabajador recurrente, constituye una práctica que desborda el debate constitucional más allá de los límites fijados por las partes, cuestionable porque desplaza el debate hacia ámbitos argumentativos respecto de los que las partes no han podido efectuar ninguna consideración ni argumentación jurídica, vid., J. GIL PLANA: 'La STC núm. 26/2011, de 14 de marzo, relativa al derecho del progenitor a conciliar la vida laboral y el cuidado de hijos menores y la configuración de esta circunstancia personal como factor discriminatorio', Revista española de Derecho del Trabajo, núm. 154, 2012, edición digital, pág. 10.

[55] Vid., Mª. A. BALLESTER PASTOR: 'El RDL 6/2019 para la garantía de igualdad de trato y de oportunidades entre mujeres y hombres en el empleo y la ocupación: Dios y el diablo en la tierra del sol', Temas Laborales, núm. 146, 2019, edición digital, págs. 25-26, quien considera que la reforma del art. 34.8 ET llevada cabo por el RD-Ley 6/2019

que adoptar las medidas necesarias para prohibir el despido y cualquier preparación para el despido de un trabajador por haber ejercitado el derecho a solicitar fórmulas de trabajo flexible –art. 12.1 y 2 D 2019/1158[56]–.

La vinculación entre el derecho del artículo 34.8 ET a la adaptación del tiempo de trabajo por motivos de conciliación y el derecho del artículo 88 LOPDP a disfrutar de tiempos de conexión y desconexión digital adaptados a las circunstancias familiares del trabajador es una circunstancia que puede trasladar hasta el ámbito del derecho a la desconexión digital la dinámica de la tutela antidiscriminatoria que se sigue tanto de nuestra jurisprudencia constitucional como de la Directiva sobre conciliación del año 2019. Conviene, en todo caso, dejar bien subrayado que ni la Directiva ni el artículo 34.8 ET contemplan un auténtico derecho subjetivo a la adaptación del tiempo de trabajo por motivos de conciliación y por la misma razón tampoco es posible hablar de un verdadero derecho subjetivo de origen legal a la adaptación del tiempo de conexión digital por motivos de conciliación. Lo que existe tanto en la Directiva como en la ley es una expectativa de derecho a disfrutar de esta adaptación –el convenio colectivo puede reconocer este derecho y/o el trabajador está legalmente legitimado para solicitar al empresario y negociar con él el disfrute de un régimen sobre tiempo de trabajo adaptado a sus intereses familiares–. En la práctica, por tanto, la protección contra el despido de un trabajador que incumple órdenes empresariales de conexión digital alegando motivos familiares se articulará de diferente forma, en función de las variables

---

viene a suponer la transposición adelantada a nuestro ordenamiento del derecho de adaptación de jornada previsto en el art. 9 de la Directiva de 2019.

[56] En su redacción española, el art. 12 D 2019/1158 es confuso porque su primer párrafo establece literalmente que "*Los Estados miembros adoptarán las medidas necesarias para prohibir el despido y cualquier preparación para el despido de un trabajador por haber solicitado o disfrutado uno de los permisos contemplados en los artículos 4, 5 y 6, o el tiempo de ausencia del trabajo previsto en el artículo 9*", debiendo quedar advertido que el art. 9 de la Directiva no prevé un 'tiempo de ausencia al trabajo', algo que es materia de su art. 8, sino que lo que prevé el art. 9 es el derecho a solicitar fórmulas de trabajo flexible. Que la intención del legislador comunitario es obligar a los Estados a que ordenen un sistema de protección contra el despido de los trabajadores que soliciten o disfruten de fórmulas de trabajo flexible queda claro en los Considerandos 40 y 41 de la Directiva, que respectivamente establecen que "*Los trabajadores que ejercen su derecho a acogerse a un permiso o a fórmulas de trabajo flexible según lo previsto en la presente Directiva deben estar protegidos contra la discriminación o contra cualquier trato menos favorable por este motivo*" y que "*Los trabajadores que ejercen su derecho a acogerse a los permisos o a las fórmulas de trabajo flexible contemplados en la presente Directiva deben estar protegidos contra el despido y contra cualquier medida de preparación para un posible despido por haber solicitado tales permisos o haberse acogido a ellos, o por haber ejercido su derecho a solicitar tales fórmulas de trabajo flexible...*".

referidas a la existencia o no de un verdadero derecho subjetivo a la adaptación del tiempo de conexión digital por motivos familiares –tanto en la Directiva, que habla de hijos de hasta 8 años, como en la ley, que aumenta la edad a 12 años, tener hijos menores constituye un valor añadido para hacer valer el derecho a solicitar la adaptación del tiempo de trabajo por motivos familiares– y al propio carácter regular o irregular de la orden empresarial de conexión digital.

En la práctica, el despido de un trabajador que disfruta ex artículo 34.8 ET de un auténtico derecho –reconocido por el convenio colectivo, pactado con el empresario o atribuido por el juez en el marco del procedimiento del art. 34.8.6° ET– a un régimen de tiempo de trabajo y conexión digital adaptado a sus necesidades familiares por negarse a cumplir una orden del empresario de conexión digital fuera de su horario de trabajo, durante su tiempo de descanso, puede ser, tal y como confirma nuestra doctrina judicial[57], un despido nulo, por vulnerar un derecho atribuido por el convenio colectivo ligado, según el Tribunal Constitucional, al artículo 34.8 ET y a los artículos 14 CE y 39 CE, y por aplicación asimismo de la última Directiva sobre conciliación. Por la misma razón, si el trabajador tiene responsabilidades familiares distintas de las que cubre el convenio colectivo –por ejemplo hijos de 15 años cuando el convenio dice que la edad máxima de los hijos que habilita para disfrutar del derecho de adaptación del tiempo de conexión digital es de 14 años–, la negativa del trabajador a la conexión digital dentro de su tiempo de descanso no daría lugar a un despido nulo, sino improcedente[58]. Lógicamente, por otro lado, los in-

---

[57] Vid., STSJ Comunidad valenciana 17.07.2018 (rec. núm. 1697/2018): "... *la sala no abriga duda alguna de que la decisión de despido tuvo por causa la negativa del actor a trabajar el domingo día 27 de agosto, día que disfrutaba del derecho de visitas con su hija menor, régimen acordado en convenio regulador de divorcio, y previo acuerdo con la empresa de que no trabajaría, es decir, que disfrutaría de su día libre el domingo coincidente con la visita de su hija menor, tal y como se desprende de su conversación por WhatsApp con el encargado de la empresa. De dicha conversación (…) se desprende, que la empresa, que considera insuficiente su ofrecimiento de dejar a su hija con un amigo y acudir entre las 19 y las 21 horas del domingo 28 de agosto, le da de baja en la Seguridad con efectos de ese mismo día, comunicándole el despido por carta el siguiente lunes día 29 (…) Por tanto, estimamos que la decisión empresarial ha conculcado de forma directa el derecho de conciliación de la vida familiar y laboral del actor, acordado con la empresa de forma expresa, que ha sido infringido por la dicha empresa contrariando los arts. 34.8 del Estatuto de los Trabajadores, la Disposición Adicional 11a.3 de la LO 3/2007 de 22 de marzo, y el art 44.1 de ésta ultima, en relación con los arts. 14 y 39 de la CE, por lo que procede declarar la nulidad del despido*".

[58] El juicio de constitucionalidad efectuado por los negociadores del convenio colectivo habría determinado en este caso que el derecho de dimensión constitucional a la adaptación del tiempo de trabajo y de conexión digital por motivos familiares alcance

cumplimientos de órdenes lícitas de conexión digital, adoptadas de forma regular por el empresario, serán, y es algo que nuevamente confirma nuestra doctrina judicial[59], incumplimientos susceptibles de ser sancionados en clave disciplinaria en la medida en que constituyen, pese a las responsabilidades familiares del trabajador, auténticos incumplimientos contractuales.

3. TIEMPO DE TRABAJO, DESCONEXIÓN DIGITAL Y PREVENCIÓN DE RIESGOS LABORALES

El artículo 88.3 LOPDP hace recaer sobre el empleador la obligación de elaborar una política interna dirigida a los trabajadores para concienciarles de que los excesos de conexión digital generan "*riesgo de fatiga informática*". Este concepto legal subraya un específico riesgo laboral de naturaleza psicosocial asociado al uso de las nuevas tecnologías aglutinador de episodios como cansancio, agotamiento mental y cognitivo, compulsiones adictivas, imposibilidad de seguir el ritmo y asimilar la información, *burn out* y otros daños psíquicos o enfermedades mentales y depresivas[60]. Si bien se mira, esta política interna que tiene que elaborar el empresario, "*previa audiencia de los representantes de los trabajadores*" –art. 88.3 LOPDP–, no es más que una forma de prevenir este riesgo laboral y por tanto una de entre otras posibles actividades que el empresario tiene que planificar, con la Ley 31/1995, de Prevención de Riesgos Laborales (LPRL) en la mano, cuando los resultados de la evaluación de los riesgos

---

a los trabajadores con hijos de hasta 14 años, no de 15, impidiendo que estos últimos trabajadores se beneficien en estos pleitos por despido de las garantías de tutela reforzada inherentes al derecho fundamental a la no discriminación.

[59] La STSJ Cataluña 15.01.2019 (rec. núm. 5609/2018) confirma el despido disciplinario de una teletrabajadora que trabajaba desde su propio domicilio y que disfrutaba de una jornada reducida y horario adaptado por cuidado de hijos por la transgresión de la buena fe contractual que supone incumplir el horario de asesoramiento on line a los clientes pactado con la empresa alegando la necesidad de atender esas mismas responsabilidades, razonando en el sentido de que "… *per bé que és cert que no s'ha acreditat una afectació negativa a la prestació laboral, també ho és que la demandant exercí una mena d'autotutela, disposant unilateralment del seu temps de treball, sense el consentiment de l'empresari. En conseqüència, l'actora incomplí amb el temps de treball pactat amb l'empresa, feni-ne un ús particular, la qual cosa comportà queixes de clients que motivaren la investigació empresarial. És obvi que la dita conducta és contrària a la bona fe negocial, impedint la continuació de la relació laboral en afectar al contingut patrimonialístic essencial del contracte de treball*".

[60] Vid., J. Mª. QUÍLEZ MORENO: 'La garantía de derechos digitales en el ámbito laboral: el nuevo artículo 20 bis del Estatuto de los Trabajadores', Revista española de Derecho del Trabajo, núm. 217, 2019, edición digital, pág. 12.

laborales que el artículo 16.2.b) LPRL le impone realizar ponen de relieve que existen riesgos de esta naturaleza.

La configuración normativa de la desconexión digital como derecho del trabajador –art. 88.1 LOPDP– corre paralela a la realidad de que la garantía del descanso laboral es una responsabilidad del empresario. Como también es responsabilidad del empresario, y ahora no en aplicación de la normativa sobre tiempo de trabajo sino de la normativa sobre salud laboral, implantar el correspondiente plan preventivo de desconexión digital cuando la evaluación de riesgos laborales descubre que hay trabajadores expuestos al riesgo de fatiga informática. La evaluación de este tipo de riesgo psicosocial y la articulación posterior de los correspondientes sistemas de desconexión digital deviene así una actuación obligada del empresario en materia de salud laboral cuyo incumplimiento puede acarrear la correspondiente infracción administrativa de naturaleza grave tipificada en el RD-Legislativo 5/2000, por el que se aprueba el texto refundido de la Ley sobre Infracciones y Sanciones en el Orden Social (LISOS), ya sea por no llevar a cabo la evaluación del riesgo de fatiga informática –art. 12.1.b) LISOS– o por incumplir o no realizar el seguimiento de la obligación de efectuar la planificación de la actividad preventiva que deriva de la evaluación del riesgo practicada previamente –art. 12.6 LISOS–.

En el grupo normativo de la jornada de trabajo, la garantía del descanso laboral está articulada desde la reforma efectuada por el RD-Ley 8/2019, de medidas urgentes de protección social y de lucha contra la precariedad laboral en la jornada de trabajo, en torno a la obligación empresarial de registrar la jornada diaria de los trabajadores –art. 34.9 ET–. Por lo que importa en este análisis, esta obligación de registro tiene que alcanzar al tiempo de conexión digital cuando este tiempo forme con carácter general parte de la jornada de trabajo, generando en su caso la aparición de horas extraordinarias. En materia de registro de la jornada, a mayor abundamiento, el legislador concibe una auténtica obligación empresarial cuyo incumplimiento da lugar a la consiguiente responsabilidad administrativa –art. 7.5 LISOS–. De alguna manera, por tanto, la obligación empresarial de registrar la jornada de trabajo también actúa como una garantía del derecho a la desconexión digital porque cumple la función de coadyuvar a que no existan conexiones digitales indebidas del trabajador con la empresa. Por otro lado, además de por la obligación de registro, la garantía laboral de no exposición al riesgo de fatiga informática asociado a un exceso de conexión digital con la empresa queda articulada en el grupo normativo de la prevención de riesgos laborales mediante concretas obligaciones del

empresario referidas a evaluar este riesgo psicosocial y a planificar y realizar el seguimiento de las medidas de desconexión digital.

Parte de nuestra doctrina científica considera que la opción legal consistente en reconocer un derecho del trabajador a la desconexión digital en
lugar de una obligación empresarial de implantar sistemas de desconexión
digital es poco afortunada[61], que más adecuado hubiera sido recoger de
forma expresa la obligación empresarial específica de implantar sistemas
de desconexión digital, y que la tipificación en la normativa administrativa de la infracción empresarial consistente en no implantar estos sistemas de desconexión digital permitiría a la Inspección de trabajo actuar y
sancionar a los empresarios incumplidores[62]. En mi opinión, sin embargo,
lo desafortunado hubiera sido reconocer una obligación empresarial de
estas características, por dos motivos. De una parte, semejante obligación
empresarial sería más propia de la legislación sobre salud laboral que de
la legislación sobre derechos digitales o sobre tiempo de trabajo. De otra
parte, cuando la evaluación de riesgos pone de manifiesto que los trabajadores están expuestos al riesgo de fatiga informática, la no elaboración por
parte del empresario del correspondiente plan preventivo de desconexión
digital constituye un ilícito empresarial que actualmente está tipificado en
la normativa administrativa como infracción grave y que se acompaña de
su correspondiente sanción, por lo que no tiene sentido prever una sanción específica.

Se ha afirmado que el reconocimiento legal del derecho a la desconexión digital carece del efecto disuasorio frente a los incumplimientos
empresariales que tiene la posibilidad de actuación y sanción de la Inspección de Trabajo[63]. Esta afirmación, a mi modo de ver, tiene que ser
matizada. De hecho, cabe incluso representarse la posibilidad de que los
incumplimientos empresariales consistentes en exigir conexión digital a
sus trabajadores durante el tiempo de descanso originen en la práctica
hasta tres tipos de infracciones administrativas diferentes del empresario,

---

[61]   Porque impone al trabajador la carga de hacer valer el citado derecho mediante un
        proceso declarativo que en el caso de que sea favorable desembocará en una sentencia
        condenatoria a una obligación de hacer –no emitir órdenes de conexión digital en
        tiempo de descanso–, y como tal difícilmente ejecutable. vid., D. MONTOYA MEDI-
        NA: 'Nuevas relaciones de trabajo, disrupción tecnológica y su impacto en las condi-
        ciones de trabajo y empleo', Revista de treball, economía y societat, núm. 92, 2019,
        edición digital, pág. 17.
[62]   Vid., E. E. TALENS VISCONTI: 'La desconexión digital en el ámbito laboral...', cit.
        pág. 6.
[63]   Vid., D. MONTOYA MEDINA: 'Nuevas relaciones de trabajo...', cit. pág. 17.

sancionables de forma autónoma e independiente unas de otras, y por tanto tres tipos de actuaciones inspectoras del citado organismo. El empresario, efectivamente, podría cometer dos infracciones "*en materia de relaciones laborales individuales y colectivas*"[64] –una porque el tiempo de conexión digital indebida forma parte de la jornada y ocasiona la realización de horas extraordinarias y otra porque este tiempo de conexión digital no habrá sido objeto de registro por parte del empresario– y una infracción más "*en materia de prevención de riesgos laborales*"[65] –porque el empresario no ha planificado acciones de prevención frente al riesgo de fatiga informática–.

4. MODALIDADES DE EJERCICIO DEL DERECHO

4.1. *La naturaleza y el objeto de la relación laboral. Papel de la negociación colectiva y de la iniciativa empresarial*

El artículo 88.2 LOPDP establece que las "*modalidades de ejercicio*" del derecho a la desconexión digital "*atenderán a la naturaleza y objeto de la relación laboral*". Parece ésta una alusión velada a las relaciones laborales especiales del artículo 2 ET, en cuyo caso el derecho a la desconexión de los trabajadores sujetos a este tipo de relaciones laborales especiales será efectivo cuando o bien haya remisión expresa y específica a la aplicación de este derecho por parte del Decreto correspondiente o bien el Decreto en cuestión efectúe una remisión genérica a la aplicación supletoria de la legislación laboral común en los aspectos no previstos en la legislación reglamentaria especial. Esto que se afirma significa en la práctica que pese a que el artículo 88.2 LOPDP incide especialmente en la necesidad de salvaguardar la desconexión digital del personal directivo, es prudente interpretar que la relación laboral especial de alta dirección queda fuera del ámbito objetivo de esta norma en la medida en que dicha relación laboral especial también queda excluida de la aplicación de las normas sobre tiempo de trabajo previstas en los artículos 34 y siguientes de la Ley del Estatuto de los Trabajadores –art. 7 RD 1382/1985–.

Por otra parte, y nuevamente de acuerdo con el artículo 88.2 LOPDP, las "*modalidades de ejercicio*" del derecho a la desconexión digital "*se sujetarán a lo establecido en la negociación colectiva o, en su defecto, a lo acordado entre la empresa y los representantes de los trabajadores*". Esta llamada que hace el artículo

---

[64]   Capítulo II LISOS, sección 1ª, subsección 1ª.
[65]   Capítulo II LISOS, sección 2ª.

88.2 LOPDP a la negociación colectiva para establecer las modalidades de ejercicio de este derecho tiene que cohonestarse con la previsión del artículo 88.3 LOPDP, referida a que el empresario "*previa audiencia a los representantes de los trabajadores*", tiene que elaborar "*una política interna dirigida a trabajadores, incluidos los que ocupen puestos directivos, en la que definirán las modalidades de ejercicio del derecho a la desconexión y las acciones de formación y de sensibilización del personal sobre un uso razonable de las herramientas tecnológicas que evite el riesgo de fatiga informática*". Ya se ha dicho que el derecho a la desconexión digital, como el derecho a negarse a realizar horas extraordinarias cuando éstas no son obligatorias, es un derecho directamente eficaz y reclamable por el trabajador sin necesidad del concurso de la negociación colectiva. La ley confía en la negociación colectiva no para reconocer el derecho al trabajador sino, más limitadamente, para regular sus modalidades de ejercicio. Modalidades de ejercicio que más adelante tienen que ser definidas por el empresario, tal y como manda el artículo 88.3 LOPDP, en la política interna que éste tiene que elaborar, previa audiencia de los representantes de los trabajadores, y dirigir a todos los trabajadores, especialmente a los que ocupan puestos de trabajo directivos –pero no de alta dirección–.

Parte de nuestra doctrina entiende que la alusión legal a una política interna sobre desconexión digital establecida unilateralmente por la empresa es contradictoria con la regla general que se remite a la negociación colectiva para establecer las modalidades de ejercicio de este derecho[66]. A mí, sin embargo, no me parece que haya contradicción alguna. Lo que sucede es que los apartados 2 y 3 del artículo 88 LOPDP están abordando el asunto de la desconexión digital de los trabajadores desde planos distintos e incluso subordinados. El apartado 2 desde el plano principal de la gestión de las condiciones de trabajo y el apartado 3 desde el plano particular de la prevención de riesgos laborales. Lo que quiere el artículo 88.2 LOPDP es que la negociación colectiva sobre el tiempo de trabajo incluya necesariamente contenidos referidos a los tiempos de conexión digital de los trabajadores con el entorno de la empresa y que de esta forma quede garantizado el respeto a los tiempos descanso previstos en la ley. Lo que quiere el artículo 88.3 LOPDP no es tanto garantizar el descanso de los trabajadores cuanto que el empresario, que es el sujeto responsable en materia de salud laboral, tome como base la organización del tiempo de trabajo previamente establecida por la negociación colectiva para desa-

---

[66]   Vid., A. BAYLOS GRAU: 'Una nota sobre el papel de la negociación colectiva...', cit. pág. 158.

rrollar después, preferiblemente mediante acuerdo con los delegados de prevención[67], un plan de prevención frente al riesgo de fatiga informática asociado a los excesos de conexión digital.

4.2. *Trabajadores convencionales*

Para establecer por convenio colectivo o por acuerdo subsidiario de empresa las modalidades de ejercicio del derecho a la desconexión digital de los trabajadores convencionales, los sujetos negociadores tienen que considerar la multiplicidad de situaciones posibles que abre la existencia de conceptos como 'tiempo de trabajo', 'trabajo efectivo', 'tiempo de disponibilidad' o 'tiempo de localización'[68]. No es lo mismo, en efecto, hablar del derecho a la desconexión digital de un trabajador sujeto a una jornada exclusivamente presencial en las instalaciones de la empresa o en el lugar designado por ésta, que hablar de este derecho cuando el trabajador, además de cumplir con su jornada presencial, pacta con su empresario la cesión remunerada de un tiempo de disponibilidad horaria en su propio domicilio o en otro lugar libremente elegido por el propio trabajador, con la obligación de incorporarse a la empresa caso de ser requerido para ello. Por descontado, durante este tiempo de localización domiciliaria, que se añade al tiempo ya trabajado dentro de la jornada ordinaria, el trabajador permanece a disposición del empresario y éste puede exigirle dicha conexión digital[69]. El problema es determinar si este concreto tiempo de conexión digital domiciliaria –esa zona gris entre el tiempo de trabajo y el tiempo de descanso[70]–, que es tiempo remunerado, tiene a su vez que computar como tiempo de trabajo efectivo, lo que implica que consumiría la jornada máxima legal o pactada y en su caso generaría la realización de horas extraordinarias. Esto es un problema porque si se aplica la regla general, extraída de la ya citada sentencia Jaeger, el tiempo de conexión digital

---

[67] Similarmente, J. Mª. QUÍLEZ MORENO: 'La garantía de derechos digitales…', cit. pág. 16.

[68] Vid., M. SERRANO ARGÜESO: '<Always on>…', cit. pág. 9. También, P. Charro Baena: 'Cambios tecnológicos…', cit. pág. 24.

[69] Incluso hay sentencias que afirman que "… *el hecho de que mientras un trabajador se encuentre en situación de localización no pueda realizar ingestas alcohólicas o el consumo de sustancias estupefacientes como el 'haschis' o cannabis, aun cuando sea de forma moderada, no constituye una intromisión ilegítima en la intimidad del trabajador protegida en el art. 18 CE*", vid., SAN 22.02.2019 (sentencia núm. 27/2019).

[70] Vid., R. POQUET CATALÁ: 'Consideración de la guardia de localización como posible tiempo de trabajo efectivo a la luz de la doctrina judicial comunitaria', Temas Laborales, núm. 146, 2019, edición digital, pág. 12.

domiciliaria no quedaría incluido dentro de la jornada ni ocasionaría en su caso la aparición de horas extraordinarias, mientras que si se aplica la regla especial, extraída de la sentencia Matzak[71], el tiempo de conexión digital domiciliaria sí que tendría que quedar incluido dentro de la jornada máxima legal o pactada[72] –de acuerdo con esta última sentencia, por tanto, es posible afirmar que el tiempo que transcurre en el domicilio particular del trabajador convencional mientras éste permanece conectado digitalmente con la empresa puede ser tiempo de trabajo sin necesidad de recurrir a las categorías del teletrabajo o del trabajo a distancia[73]–.

El supuesto de los trabajadores convencionales que realizan su actividad en las instalaciones de la empresa cliente o en el domicilio de los usuarios de los servicios proporcionados es también sintomático de las dificultades que puede entrañar la adecuada implantación de un sistema de desconexión digital. Así, mientras que la sentencia Tyco[74] afirma que el tiempo que el trabajador invierte en desplazarse desde su domicilio al del primer cliente es tiempo de trabajo efectivo y por tanto puede existir obligación laboral de conexión digital con el empresario –la presencia del trabajador en el vehículo se asimila a presencia en el puesto de trabajo, además de que en los trayectos el empresario puede exigir intervenciones para clientes distintos de los inicialmente previstos[75]–, nuestro Alto Tribunal dice sin embargo lo contrario[76], dando a entender con ello que en estos tiempos de desplazamiento no puede existir obligación de conexión digital[77]. Este

---

71   Vid., STJUE 21.02.2018.

72   Vid., J. GALLEGO MONTALBÁN: '¿Deben considerarse las guardias domiciliarias o de localización tiempo de trabajo?...', cit. pág. 4, explicando que en este caso el elemento de inmediatez –8 minutos para presentarse– se convierte en la clave de la resolución, permitiendo valorar como tiempo de trabajo las guardias de localización o domiciliarias.

73   Esta sentencia acoge los argumentos de las Conclusiones de la Abogada General que rechaza que el lugar de trabajo –el elemento locativo– sea el factor determinante del análisis y centra su razonamiento en la calidad del tiempo de descanso afectado por la guardia de localización, vid., al respecto, E. RODRÍGUEZ RODRÍGUEZ: 'La trascendencia de la disponibilidad horaria del trabajador en el contexto de las plataformas digitales', Temas Laborales, núm. 146, 2019, edición digital, pág. 23.

74   STJUE 10.09.2015.

75   Vid., C. MOLINA NAVARRETE: 'Jornada laboral...', cit. pág. 16.

76   Vid., STS 04.12.2018 (rec. núm. 188/2017)

77   Muy crítico con esta sentencia es I. BELTRÁN DE HEREDIA RUÍZ: 'El tiempo de desplazamiento entre el domicilio hasta el primer cliente o desde el último al domicilio no es tiempo de trabajo (STS 4/12/2018)', en su blog, Una mirada crítica a las relaciones laborales, 2019, afirmando que hay que aplicar el criterio establecido en Tyco porque por mucho que el Tribunal Supremo estime que los factores que concurren en

mismo problema se plantea también a la hora de esclarecer si estos tiempos tienen o no que ser registrados por el empresario, en cumplimiento de la obligación que le impone el artículo 34.9 ET, siendo, en cualquier caso, posible afirmar que no va a ser fácil que el derecho a la desconexión digital se articule cabalmente entre nosotros hasta que nuestro legislador no resuelva los innumerables problemas que plantea la interpretación del acervo normativo, comunitario y estatal, existente en materia de cómputo del tiempo de trabajo[78].

La diversidad de situaciones laborales y la enorme variedad de las distintas realidades relacionadas con el tiempo de trabajo –distribución irregular de la jornada a lo largo del año, posibilidad de prestar trabajo fuera de la jornada mediante las horas extraordinarias, horarios flexibles, tiempos de disponibilidad...– hacen que el derecho a la desconexión digital de los trabajadores convencionales no pueda articularse de manera uniforme y que desde luego pierda sentido aplicándose de manera genérica[79], entendido como un cierre total de los servidores y equipos informáticos de la empresa[80]. Lo ideal sería ajustar estructuralmente los tiempos de conexión y desconexión digital de los trabajadores convencionales a las pautas que rigen la organización del trabajo en función de las características del ámbito de actividad donde estos desarrollan la prestación de sus servicios. Para realizar este ajuste, tal y como refrenda el artículo 88.2 LOPDP, el mejor instrumento posible es la negociación colectiva[81]. Así, por ejemplo, la Audiencia Nacional admite que los negociadores de un convenio colectivo pueden establecer cláusulas de disponibilidad domiciliaria en el marco de

---

Tyco son constitutivos, los mismos son colaterales porque no emanan del art. 2.1 de la Directiva.

[78] Vid., J. CRUZ VILLALÓN: 'Las transformaciones de las relaciones laborales ante la digitalización de la economía', Temas Laborales, núm. 138, 2017, edición digital, pág. 18, explicando que en la economía digitalizada hay que atender a factores diferentes de la presencia del trabajador en el puesto de trabajo a efectos del cómputo del tiempo de trabajo.

[79] Vid., J. Mª. QUÍLEZ MORENO: 'La garantía de derechos digitales...', cit. pág. 15.

[80] Vid., R. TASCÓN LÓPEZ: 'El derecho de desconexión...', cit. pág. 11; P. NIETO ROJAS: 'La flexibilidad en el tiempo y en el lugar de trabajo como elemento de mantenimiento de las trabajadoras con responsabilidades familiares en el mercado de trabajo', en AA.VV., *Los ODS como punto de partida para el fomento de la calidad del empleo femenino*, E. BLÁZQUEZ AGUDO (dtra), Madrid, 2018, pág. 67.

[81] En el mismo sentido, J. R. MERCADER UGUINA: *El futuro del trabajo..., cit.* pág. 16; L. GORDO GONZÁLEZ: 'El Derecho del Trabajo 2.0: la necesidad de actualizar el marco de las relaciones laborales a las nuevas tecnologías', Revista de Información Laboral, núm. 12, 2017, edición digital, pág. 9; J. GARCÍA MURCIA e I. A. RODRÍGUEZ CARDO: 'La protección de datos...', cit. pág. 28.

un acuerdo global sobre distribución anual de la jornada, lo que en la práctica conlleva que el tiempo de conexión digital domiciliaria es obligatorio para el trabajador pese a que ni es tiempo de trabajo efectivo ni computa como tal[82].

4.3. *Trabajadores digitales*

Las nuevas tecnologías en el entorno laboral posibilitan adoptar planteamientos económico productivos que resultan terreno especialmente apto para la aparición de figuras contractuales genéticamente flexibles. El modelo de trabajo a resultado es difícilmente compatible con la opción político legislativa que apuesta por la reducción de las modalidades contractuales[83], abriendo en su lugar un escenario de microempleos, contratos a llamada –el trabajo *on call* del sistema italiano, convalidado por el Tribunal de Luxemburgo[84]– y/o contratos a cero horas, entre otras posibilidades, que si bien emergen como fórmulas contractuales adecuadas para satisfacer el interés empresarial[85], también exigen, por la misma razón, la adopción de cautelas normativas para conjurar los riesgos de precarización

---

[82]   Vid., SAN 20.09.2018 (sentencia núm. 137/2018): "… *sentado que las horas de mera disponibilidad por encontrarse el trabajador en guardia localizada no se corresponden horas de trabajo efectivo si no llega a producirse una intervención del trabajador, y contemplándose en el texto del acuerdo de 2.005 que cada hora de intervención (…) se compensa con una hora de descanso (…) no puede hablarse que la ejecución de las mismas implique la realización de horas extraordinarias (…) debe considerarse en todo caso que el Acuerdo de disponibilidades (…) no es otra cosa que un acuerdo de distribución irregular de la jornada de los previstos en el art. 34.2 del E.T, sin que la ejecución las intervenciones durante las guardias de disponibilidad haya de implicar la realización de horas extraordinarias*".

[83]   Vid., S. DEL REY GUANTER: 'Sobre el futuro del trabajo…', cit. pág. 364, explicando que las tendencias que desencadenan los cambios tecnológicos no son favorables a una reducción de tipos contractuales y que hay considerar con enorme flexibilidad las distintas posiciones contractuales que pueden originarse.

[84]   Vid., STJUE 19.07.2017. En nuestra doctrina, E. ROJO TORRECILLA: 'Jóvenes y contrato de trabajo intermitente. ¿Acceso al primer empleo, política formativa o simplemente un coste laboral fácil de suprimir? (Nota crítica a la sentencia del TJUE de 19 de julio de 2017)', en el blog de dicho autor, señala que con esta sentencia el TJUE da un muy amplio margen a las políticas nacionales para flexibilizar al máximo la contratación.

[85]   Vid., A. ESTEVE-SEGARRA: '*Zero hours contracts*: Hacia la flexibilidad absoluta del trabajo en la era digital', Revista de Derecho Social, núm. 82, 2018, edición digital, pág. 3, advirtiendo que en España es previsible un acercamiento a este molde mediante contratos laborales con pactos contractuales de trabajo a llamada donde los parámetros de lugar, tiempo y control del trabajo se moverían fuera del marco clásico.

laboral que entraña su utilización inadecuada por parte del empresario[86]. En el plano del tiempo de trabajo, la digitalización de la jornada conlleva la necesidad de establecer unas muy particulares condiciones de conexión en red como presupuesto necesario para la eficaz ejecución de las tareas contratadas, cuestión que enlaza con el reclamo que hace la Comisión mundial sobre el futuro del trabajo a los Estados miembros de la OIT para que adopten medidas urgentes dirigidas a facilitar que los que denomina trabajadores 'por llamada' tengan opciones reales de controlar sus horarios[87].

En nuestro caso, el legislador español tiene pendiente la transposición de la nueva Directiva 2019/1152, relativa a unas condiciones laborales transparentes y previsibles en la Unión Europea, llamada a constituir el marco de referencia para encajar en los ordenamientos estatales las nuevas condiciones de ejecución de la prestación laboral, especialmente tiempo de trabajo y tiempo de conexión digital –la Directiva incorpora derechos que inciden en la disponibilidad del tiempo[88]–, inherentes a la *gig economy*[89]. Motivos de espacio no permiten analizar aquí con detalle el contenido concreto de esta Directiva y el impacto que a buen seguro producirá en nuestro ordenamiento jurídico. Lo que sí es posible señalar es que esta Directiva (considerando 8) piensa en *"trabajadores domésticos"*, *"a demanda"*, *"intermitentes"*, *"trabajadores retribuidos mediante vales"* y *"trabajadores de las plataformas en línea"* –además de trabajadores en prácticas y aprendices– y reconoce la situación *"especialmente vulnerable"* de aquellos trabajadores sujetos a un contrato de cero horas o a un contrato a demanda, por carecer de un tiempo de trabajo garantizado (considerando 12) y por resultar estos contratos *"particularmente imprevisibles para el trabajador"* (considerando 35).

El considerando número 19 de la Directiva 2019/1152 es un claro punto de encuentro entre la misma y el derecho a la desconexión digital porque expresa que la información relativa al tiempo de trabajo que el empre-

---

[86] Vid., J. CRUZ VILLALÓN: 'Las transformaciones de las relaciones laborales...', cit. págs. 17 a 25.

[87] Vid., Informe de la Comisión mundial de la OIT sobre el futuro del trabajo, *Trabajar para un futuro más prometedor*, pág. 42, disponible en https://www.ilo.org/wcmsp5/groups/public/—dgreports/—cabinet/documents/publication/wcms_662442.pdf

[88] Vid., F. J. GÓMEZ ABELLEIRA: 'Flexibilidad del tiempo de trabajo y nueva Directiva europea sobre condiciones laborales transparentes y previsibles', en el blog El foro de Labos.

[89] Vid., al respecto, C. JOVER RAMÍREZ: 'El fenómeno de la «gig economy» y su incidencia en el derecho del trabajo: aplicabilidad del ordenamiento jurídico laboral británico y español', Revista española de Derecho del Trabajo núm. 209, 2018, edición digital, pág. 14.

sario tiene que trasladar a los trabajadores "*debe ser coherente con la Directiva 2003/88*" y "*debe incluir información sobre las pausas, períodos de descanso diario y semanal y la duración de las vacaciones*". Los apartados l) y m) del artículo 4.2 de la Directiva 2019/1152, por tanto, referidos a la información que el empresario debe proporcionar a los trabajadores en función de que el 'patrón de trabajo' –tal y como define este concepto el art. 2.c) D 2019/1152[90]– sea total o mayoritariamente previsible[91] o imprevisible[92], han de interpretarse en el sentido de que el empresario tiene que proporcionar a los trabajadores digitales información sobre las condiciones de conectividad digital, por afectar plenamente a la variable tiempo de trabajo/tiempo de descanso. Estas condiciones de conexión digital, por otro lado, deberán ser coherentes tanto con las específicas pautas de ejecución temporal del trabajo que la Directiva 2019/1152 impone adoptar en materia de "*Previsibilidad mínima del trabajo*" –art. 10 D 2019/1152– como con sus "*Medidas complementarias para los contratos a demanda*" –art. 11 D 2019/1152–. Estas medidas son especialmente importantes pensando en el ordenamiento español porque aunque entre nosotros no existe un tipo contractual formalmente denominado así, el trabajo a demanda de hecho se presenta bajo fórmulas contractuales diversas que reconocen amplia libertad al empleador para llamar al trabajador para que trabaje cómo y cuándo sea necesario[93].

Las reglas de la Directiva sobre condiciones de trabajo transparentes en materia de previsibilidad mínima del trabajo y contratos a demanda originan, en síntesis, un derecho del trabajador referido a pactar con el empresario períodos de disponibilidad y plazos de preaviso en materia de tiempo

---

[90]   Art. 2.c) D 2019/1152: "*A los efectos de la presente Directiva, se entenderá por: «patrón de trabajo»: la forma de organización del tiempo de trabajo y su distribución con arreglo a un determinado patrón determinado por el empleador*".

[91]   Art. 4.2.l) D 2019/1152: "*La información a que se hace referencia en el apartado 1 incluirá, al menos, los siguientes elementos: si el patrón de trabajo es total o mayoritariamente previsible, la duración de la jornada laboral ordinaria, diaria o semanal, del trabajador, así como cualquier acuerdo relativo a las horas extraordinarias y su remuneración y, en su caso, cualquier acuerdo sobre cambios de turno*".

[92]   Art. 4.2.m) D 2019/1152: "*La información a que se hace referencia en el apartado 1 incluirá, al menos, los siguientes elementos: si el patrón de trabajo es total o mayoritariamente imprevisible, el empleador informará al trabajador sobre: i) el principio de que el calendario de trabajo es variable, la cantidad de horas pagadas garantizadas y la remuneración del trabajo realizado fuera de las horas garantizadas, ii) las horas y los días de referencia en los cuales se puede exigir al trabajador que trabaje, iii) el período mínimo de preaviso a que tiene derecho el trabajador antes del comienzo de la tarea y, en su caso, el plazo para la cancelación a que se refiere el artículo 10, apartado 3*".

[93]   Vid., F. J. GÓMEZ ABELLEIRA: 'Flexibilidad del tiempo de trabajo...', cit.

de trabajo[94]. Este derecho a la disponibilidad del tiempo reconocido en el ordenamiento comunitario constituye el canal por donde tiene que fluir el derecho a la desconexión de los trabajadores digitales del artículo 88 LOP-DP. Al respecto, cabe señalar que existen informes de Eurofound que apuntan que hay teletrabajadores a los que este derecho comunitario a la disponibilidad del tiempo se les queda corto porque en la práctica ya disfrutan de regímenes adaptados a sus intereses personales[95]. En estos casos, por tanto, el derecho a la desconexión digital es más bien un derecho a disfrutar de la conexión elegida[96]. En la práctica, no obstante, predominan los patrones de trabajo imprevisibles, en cuyo caso el derecho a la desconexión digital tiene, al menos, dos manifestaciones posibles –art. 10.1 D 2019/1152[97]–. En primer lugar, el derecho a la desconexión digital rige plenamente fuera de las horas y los días de referencia previamente determinados para que el empresario pueda exigir la prestación de servicios. En segundo lugar, el derecho a la desconexión digital rige plenamente una vez transcurrido el periodo de tiempo, o plazo de preaviso, que la propia Directiva 2019/1152 quiere que exista entre el momento en que el empresario encarga al trabajador la realización de tarea y el momento en que el trabajador cumple la orden.

BIBLIOGRAFÍA

AGUILERA IZQUIERDO R y CRISTÓBAL RONCERO, R: "Nuevas tecnologías y tiempo de trabajo: El derecho a la desconexión tecnológica", AA.VV., OIT, Conferencia nacional tripartita, *El futuro del trabajo que queremos*, Volumen II, 2017

ALARCÓN CARACUEL, M.R: *La ordenación del tiempo de trabajo*, Madrid, 1988

BALLESTER PASTOR, Mª.A: "El RDL 6/2019 para la garantía de igualdad de trato y de oportunidades entre mujeres y hombres en el empleo y la ocupación: Dios y el diablo en la tierra del sol", Temas Laborales, núm. 146, 2019

---

[94] Vid., Mª. E. CASAS BAAMONDE: 'Soberanía sobre el tiempo de trabajo…', cit. págs. 5-6.

[95] Vid., OIT-Eurofound: *Working anytime, anywhere: The effects on the world of work*, Research report, 2017, edición digital, pág. 7.

[96] Vid., D. LANTARÓN BARQUÍN: 'La seducción de los horizontes…', cit.

[97] Art. 10.1. D 2019/1152: "*Si el patrón de trabajo de un trabajador es total o mayoritariamente imprevisible, los Estados miembros garantizarán que el empleador no obligue a trabajar al trabajador a menos que se cumplan las dos condiciones siguientes: a) el trabajo tiene lugar en unas horas y unos días de referencia predeterminados, según lo mencionado en el artículo 4, apartado 2, letra m), inciso ii), y b) el empleador informa al trabajador de una tarea asignada con un preaviso razonable establecido de conformidad con la legislación, los convenios colectivos o la práctica nacionales, según lo mencionado en el artículo 4, apartado 2, letra m), inciso iii)*".

BARRIOS BAUDOR, G.L: "El derecho a la desconexión digital en el ámbito laboral español: primeras aproximaciones", Revista Aranzadi doctrinal, núm. 1, 2019

BAYLOS GRAU, A: "Una nota sobre el papel de la negociación colectiva en la configuración de los derechos derivados de la Ley de protección de datos personales y garantía de los derechos digitales", Ciudad del Trabajo, núm. 14, 2019

BAZ RODRÍGUEZ, J: "La Ley orgánica 3/2018 como marco embrionario de garantía de los derechos digitales laborales. Claves para un análisis sistemático", Trabajo y Derecho, núm. 54, 2019

BELTRÁN DE HEREDIA RUÍZ, I: "El tiempo de desplazamiento entre el domicilio hasta el primer cliente o desde el último al domicilio no es tiempo de trabajo (STS 4/12/2018)", en el blog, *Una mirada crítica a las relaciones laborales*, 2019

CABRITA, J: "Hacer realidad el potencial de la Directiva sobre la ordenación del tiempo de trabajo", en Editorial, Foundation Focus, *El equilibrio entre trabajo y vida personal: crear soluciones para todos*, núm. 1, 2016

CÁMARA BOTÍA, A: "La prestación de servicios en plataformas digitales: ¿trabajo dependiente o autónomo?", Revista española de Derecho del Trabajo, núm. 222, 2019

CASAS BAAMONDE, Mª.E: "Conciliación de la vida familiar y laboral: Constitución, legislador y juez", Derecho de las Relaciones Laborales, núm. 10, 2018

CASAS BAAMONDE, Mª.E: "Soberanía sobre el tiempo de trabajo e igualdad de trato y de oportunidades entre mujeres y hombres", Derecho de las Relaciones Laborales, núm. 3, 2019

CHARRO BAENA, P: "Cambios tecnológicos y tiempo de trabajo", AA.VV., *Derechos fundamentales y tecnologías innovadoras*, Actas del III Encuentro internacional sobre Transformaciones del Derecho del Trabajo Ibérico, C. San Martín Mazzucconi (dtra), Madrid, 2017

CEDROLA SPREMOLLA, G: "Reflexiones sobre el impacto de la digitalización en el trabajo, la regulación laboral y las relaciones laborales", Revista internacional y comparada de Relaciones Laborales y Derecho del Empleo, volumen 5, núm. 1, 2017

CRUZ VILLALÓN, J: "Las transformaciones de las relaciones laborales ante la digitalización de la economía", Temas Laborales, núm. 138, 2017

DEL REY GUANTER, S: "Sobre el futuro del trabajo: Modalidades de prestaciones de servicios y cambios tecnológicos", AA.VV., OIT, Conferencia nacional tripartita, *El futuro del trabajo que queremos*, Volumen II, 2017

ESTEVE-SEGARRA, A: "*Zero hours contracts*: Hacia la flexibilidad absoluta del trabajo en la era digital", Revista de Derecho Social, núm. 82, 2018

GALLEGO MONTALBÁN, J: "¿Deben considerarse las guardias domiciliarias o de localización tiempo de trabajo? (Comentario a la sentencia del Tribunal de Justicia de la Unión Europea de 21 de febrero de 2018. Asunto Matzak. C-518/15)", Revista de Derecho Social, núm. 52, 2018

GARCÍA MURCIA, J y RODRÍGUEZ CARDO, I.A: "La protección de datos personales en el ámbito de trabajo: una aproximación desde el nuevo marco normativo", Revista española de Derecho del Trabajo, núm. 216, 2019

GIL PLANA, J: "La STC núm. 26/2011, de 14 de marzo, relativa al derecho del progenitor a conciliar la vida laboral y el cuidado de hijos menores y la configuración de esta circunstancia personal como factor discriminatorio", Revista española de Derecho del Trabajo, núm. 154, 2012

GÓMEZ ABELLEIRA, F.J: "Flexibilidad del tiempo de trabajo y nueva Directiva europea sobre condiciones laborales transparentes y previsibles", en el blog El foro de Labos

GOÑI SEIN, J.L: "Nuevas tecnologías digitales, poderes empresariales y derechos de los trabajadores: Análisis desde la perspectiva del Reglamento europeo de protección de datos de 2016", Revista de Derecho Social, núm. 78, 2017

GORDO GONZÁLEZ, L: "El Derecho del Trabajo 2.0: la necesidad de actualizar el marco de las relaciones laborales a las nuevas tecnologías", Revista de Información Laboral, núm. 12, 2017

JOVER RAMÍREZ, C: "El fenómeno de la «gig economy» y su incidencia en el derecho del trabajo: aplicabilidad del ordenamiento jurídico laboral británico y español", Revista española de Derecho del Trabajo núm. 209, 2018

LANTARÓN BARQUÍN, D: "La seducción de los horizontes: reflexiones sobre el derecho a la desconexión digital del trabajador", en la web cielolaboral.com

LIBERAL FERNANDES, F: "Cambios tecnológicos y tiempo de trabajo", AA.VV., *Derechos fundamentales y tecnologías innovadoras*, Actas del III Encuentro internacional sobre Transformaciones del Derecho del Trabajo Ibérico, C. San Martín Mazzucconi (dtra), Madrid, 2017

MARTÍN JIMÉNEZ, R: "Desconexión digital: un apunte laboral", Legaltoday, 2018

MARTONE, M: "El *Smart working* o Trabajo ágil en el ordenamiento italiano", Derecho de las Relaciones Laborales, núm. 1, 2018

MERCADER UGUINA, J.R: *El futuro del trabajo en la era de la digitalización y la robótica*, Valencia, 2017

MINERO ALEJANDRE, G: "Nuevas tendencias en materia de protección de datos personales. La nueva Ley Orgánica y la jurisprudencia más reciente", Anuario jurídico y económico escurialense, LII, (2019)

MOLINA NAVARRETE, C: "Jornada laboral y tecnologías de la info-comunicación: <Desconexión digital>: garantía del derecho al descanso", Temas Laborales, núm. 138, 2017

MOLINS GARCÍA-ATANCE, J: "El registro de la jornada de trabajo", Trabajo y Derecho, núm. 59, 2019

MONTOYA MEDINA, D: "Nuevas relaciones de trabajo, disrupción tecnológica y su impacto en las condiciones de trabajo y empleo", Revista de treball, economía y societat, núm. 92, 2019

NIETO ROJAS, P: "La flexibilidad en el tiempo y en el lugar de trabajo como elemento de mantenimiento de las trabajadoras con responsabilidades familiares en el mercado de trabajo", en AA.VV., *Los ODS como punto de partida para el fomento de la calidad del empleo femenino*, E. Blázquez Agudo (dtra), Madrid, 2018

PÉREZ CAMPOS, A.I: "La desconexión digital en España: ¿un nuevo derecho laboral", Anuario jurídico y económico escurialense, LII, (2019).

PÉREZ DE LOS COBOS ORIHUEL, F.: *Nuevas tecnologías y relación de trabajo*, Valencia, 1990

PÉREZ DE LOS COBOS ORIHUEL, F: "Poderes del empresario y derechos digitales del trabajador", Trabajo y Derecho, núm. 59, 2019

POQUET CATALÁ, R: "Consideración de la guardia de localización como posible tiempo de trabajo efectivo a la luz de la doctrina judicial comunitaria", Temas Laborales, núm. 146, 2019

PRIETO, C: "El futuro del trabajo (decente): De la hegemonía a su crisis, de la centralidad exclusiva a una centralidad compartida (con los ciudadanos)", AA.VV., OIT, Conferencia nacional tripartita, *El futuro del trabajo que queremos*, Volumen II, 2017

QUÍLEZ MORENO, J.Mª: "La garantía de derechos digitales en el ámbito laboral: el nuevo artículo 20 bis del Estatuto de los Trabajadores', Revista española de Derecho del Trabajo, núm. 217, 2019

RODRÍGUEZ, E: "Derechos y deberes de los empleados públicos laborales: una aproximación general", en AA.VV., *Las relaciones laborales en el sector público*, M. López Balaguer y Á. Blasco Pellicer (coords.), Valencia, 2019.

RODRÍGUEZ FERNÁNDEZ, Mª.L: "Clásicos y nuevos desafíos del trabajo en la economía 4.0", AA.VV., OIT, Conferencia nacional tripartita, *El futuro del trabajo que queremos*, Volumen II, 2017.

RODRÍGUEZ-PIÑERO ROYO, M: "El jurista del trabajo frente a la economía colaborativa", en AA.VV., *Economía colaborativa y trabajo en plataformas: realidades y desafíos*, M. Rodríguez-Piñero Royo (dtor), Albacete, 2017.

RODRÍGUEZ RODRÍGUEZ, E: "La trascendencia de la disponibilidad horaria del trabajador en el contexto de las plataformas digitales", Temas Laborales, núm.

146, 2019.lllllROJO TORRECILLA, E: "Jóvenes y contrato de trabajo intermitente. ¿Acceso al primer empleo, política formativa o simplemente un coste laboral fácil de suprimir? (Nota crítica a la sentencia del TJUE de 19 de julio de 2017)", en el blog de dicho autor.

SERRANO ARGÜESO, M: "<Always on>. Propuestas para la efectividad del derecho a la desconexión digital en el marco de la economía 4.0", Revista internacional y comparada de Relaciones Laborales y Derecho del Empleo, volumen 7, núm. 2, 2019.

TALENS VISCONTI, E.E: "La desconexión digital en el ámbito laboral: un deber empresarial y una nueva oportunidad de cambio para la negociación colectiva", Revista de información laboral, núm. 4, 2018

TASCÓN LÓPEZ, R: "El derecho de desconexión del trabajador (potencialidades en el ordenamiento español)", Trabajo y Derecho, núm. 41, 2018.

TRILLO PÁRRAGA, F: "Economía digitalizada y relaciones de trabajo", Revista de Derecho Social, núm. 76, 2016.

USHAKOVA, T: "De la conciliación a la desconexión tecnológica. Apuntes para el debate", Revista española de Derecho del Trabajo, núm. 192, 2016, edición digital.

XVIII. LA PREVENCIÓN DE RIESGOS LABORALES ANTE LA DIGITALIZACIÓN Y LA ROBOTIZACIÓN*

José María Goerlich Peset

Catedrático. Universitat de València -Estudi General-

1. UN IMPACTO AMBIVALENTE

La cuestión del impacto de las nuevas tecnologías en la seguridad y salud laborales no es en modo alguno novedosa. Ya fue estudiada por Francisco Pérez de los Cobos dentro del que fuera análisis de referencia de la temática a principios de los 90. Hace treinta años, en su monografía sobre *Nuevas tecnologías y relación de trabajo,* había resaltado los "efectos ambivalentes" que las nuevas tecnologías producen en los ambientes de trabajo. De un lado, el incremento del papel de los robots en el proceso productivo habría de implicar normalmente "una mejora sustancial de las condiciones de trabajo" al ser eliminados los "trabajos monótonos y pesados" y quedar liberadas las personas "de ambientes insalubres, nocivos y peligrosos". De otro, y en sentido contrario, la evolución técnica supondría la aparición de "nuevos focos de nocividad y nuevas situaciones patológicas" [1].

---

*   Trabajo realizado en el marco del proyecto I+D Violencia, Trabajo y Género (VITRAGE), Ref. PGC2018-094912-B-I00. Programa Estatal de Generación de Conocimiento y fortalecimiento científico y tecnológico. Ministerio de Ciencia, Innovación e Universidades.

[1]   PÉREZ DE LOS COBOS ORIHUEL, F., *Nuevas tecnologías y relación de trabajo*, Valencia (Tirant lo Blanch), 1990, pp. 52 y 53.

Esta doble virtualidad de la innovación tecnológica continúa afirmándose en los análisis más recientes[2], incluyendo diferentes documentos e informes elaborados desde las más relevantes instituciones en los distintos ámbitos internacionales o nacionales[3]. Por lo que se refiere, en primer lugar, a la indicada eliminación de riesgos se hace hincapié en dos fenómenos. De un lado, se destaca el potencial de digitalización y robótica, en sus diferentes manifestaciones, para la eliminación de tareas arriesgadas o para mejorar la protección de las personas que deben acometerlas[4]. En líneas generales, puede, pues, hablarse de una desaparición de los riesgos relacionados con seguridad e higiene industriales. De otro, implica una sustancial mejora de los instrumentos a disposición de los profesionales de la prevención, con la consiguiente mejora del impacto de su actividad. Cabe pensar, en esta línea, que los nuevos sistemas de obtención y tratamiento de información en relación con los riesgos o la situación de la salud de las personas afectadas por ellos tendrán tales resultados[5].

En contraposición a estas ventajas, la creciente digitalización y automatización de las organizaciones empresariales implica, en segundo lugar, una variación del panorama de riesgos al que debe hacerse frente mediante la acción preventiva. Si bien, como acabo de indicar, apuntan hacia la mejora de las condiciones de seguridad e higiene industriales por la asunción de

---

[2]   Por ejemplo, ORVI, N., CUERVO, T., FERNÁNDEZ, I., Y ARCE, S., "Reflexión sobre la situación actual de la seguridad y salud de los trabajadores en la sociedad de las TIC", actas *Congreso Prevencionar 2017,* § 13, en http://congreso.prevencionar.com/actas-congreso-prevencionar.pdf; GONZÁLEZ VIDALES, C., "Seguridad y salud de los trabajadores 4.0", *International Journal of Information Systems and Software Engineering for Big Companies (IJISEBC),* 6(1), pp. 126 ss.; IGARTÚA MIRÓ, T., "El impacto de la robótica en el mundo laboral: nuevos retos para la seguridad y salud del trabajo", RGDTSS, 55, (2020), pp. 42 ss.

[3]   En el ámbito internacional, cabe llamar la atención sobre el informe de la OIT, *Seguridad y salud en el centro del futuro del trabajo. Aprovechar 100 años de experiencia,* 2019, pp. 33 y 34. Por su parte, la Agencia Europea para la Seguridad y la Salud en el Trabajo ha hecho público un *Estudio prospectivo sobre los riesgos nuevos y emergentes para la seguridad y salud en el trabajo asociados a la digitalización en 2025,* cuyo resumen resalta ambas facetas (pp. 8 ss.). En España puede verse el informe 3/2018 del CES sobre *El futuro del trabajo,* p. 89.

[4]   ZAMBRANA, A. y PARDO, M.C., "Drones: tecnología a disposición de la seguridad y salud", actas *Congreso Prevencionar 2017,* § 13, en http://congreso.prevencionar.com/actas-congreso-prevencionar.pdf.

[5]   Cfr. OCHAGAVÍAS COLÁS, J.I., "Una panorámica de las nuevas tecnologías aplicadas al ámbito de la salud: a propósito del m-Health y sus interacciones jurídicas", *DS : Derecho y salud* 26, 2016 (Ejemplar dedicado a: *XXV Congreso 2016: El avance de las Ciencias de la Salud y las incertidumbres del Derecho),* pp. 276 ss. o ROMERO, C., DORTA, L., VILLAR, H., Y PÉREZ, M. "Gestión integral de incidencias en centros de trabajo: La innovación tecnológica al servicio de la integración de la prevención", actas *Congreso Prevencionar 2017,* § 20, en http://congreso.prevencionar.com/actas-congreso-prevencionar.pdf).

las tareas de mayor exposición a riesgos por parte los robots, no puede desconocerse que la evolución tecnológica implica la aparición de nuevos riesgos. En su ya citada monografía, Pérez de los Cobos aludía a los derivados de la incorporación de robots al proceso productivo. Ya entonces no era "una creación literaria sino un dato estadístico" la posibilidad de un "accidente de trabajo mortal provocado por un acto imprevisible del robot o por su puesta en marcha accidental" (p. 53). Volveré luego sobre este tema que plantea problemas específicos. Ahora interesa destacar, de un lado, la incorporación a los procesos productivos de nuevas realidades cuya eventual peligrosidad no es todavía completamente conocida; y, de otro, la conexión entre las nuevas TIC y la aparición e incremento de nuevos riesgos de carácter psicosocial[6].

2. NUEVOS RIESGOS EN EL AMBIENTE LABORAL

Por lo que se refiere a la presencia de nuevos riesgos en los centros de trabajo, se han señalado, de un lado, los relacionados con la presencia de radiaciones en los lugares de trabajo y, si se me apura, en el conjunto del espacio urbano, como consecuencia de la generalización de la transmisión inalámbrica de datos; y, de otro, los vinculados a la incorporación de nanomateriales a la actividad empresarial.

Respecto de los primeros, existen normas reguladoras de esta nueva realidad, tanto en el ámbito europeo como en nuestro ordenamiento interno[7]. Pero en ellas se reconoce expresamente la limitación de los cono-

---

[6] Véanse, entre otros, DEL VALLE, J.M., y LÓPEZ AHUMADA, J.E., "Innovación tecnológica y contrato de trabajo (I): prevención de nuevos riesgos laborales", *Anuario Facultad de Derecho – Universidad de Alcalá*, I (2008) pp. 323 ss., p. 329, o MOLINA NAVARRETE, C., "La «gran transformación» digital y bienestar en el trabajo: riesgos emergentes, nuevos principios de acción, nuevas medidas preventivas", *Revista de Trabajo y Seguridad Social. CEF,* número extraordinario 2019, pp. 5 ss.

[7] En efecto, existen normas relacionadas con las radiaciones ionizantes: actualmente, Directiva 2013/59/EURATOM del Consejo, de 5 de diciembre de 2013, por la que se establecen normas de seguridad básicas para la protección contra los peligros derivados de la exposición a radiaciones ionizantes, y se derogan las Directivas 89/618/Euratom, 90/641/Euratom, 96/29/Euratom, 97/43/Euratom y 2003/122/Euratom; en España, RD 783/2001, de 6 de julio, por el que se aprueba el Reglamento sobre protección sanitaria contra radiaciones ionizantes. A ellas se han añadido, con posterioridad, las relacionadas con las no ionizantes, vinculadas, entre otras, a TV, telefonía móvil y wifi: Directiva 2013/35/UE del Parlamento Europeo y del Consejo, de 26 de junio de 2013, sobre las disposiciones mínimas de salud y seguridad relativas a la exposición de los trabajadores a los riesgos derivados de agentes físicos (campos electro-

cimientos sobre los efectos a largo plazo. Tanto la Directiva que se ocupa de la prevención de riesgos laborales por exposición a campos electromagnéticos como la norma reglamentaria que la traspone a nuestro Ordenamiento (RD 299/2016) afirman de forma explícita en sus preámbulos que no consideran "los posibles efectos a largo plazo de la exposición a campos electromagnéticos, ya que actualmente no existen datos científicos comprobados que establezcan un nexo causal", previendo su revisión "si apareciesen dichos datos científicos comprobados" (preámbulo Directiva 2013/35/UE, § 7).

En esta incertidumbre, han comenzado a aparecer los primeros pronunciamientos judiciales valorando como riesgo laboral la electrohipersensibilidad, entendida como "alergia que provoca en quien la padece pérdida de tolerancia inducida por, a modo de focos más recurrentes, la contaminación radioeléctrica, teléfonos inalámbricos, antenas de telefonía móvil, WIFI, que obliga a quien lo padece a reducir al máximo su exposición en los entornos doméstico y laboral y evitar lugares con contaminación electromagnética"[8]. Sin embargo, conviene tener presente que estos efectos de la presencia de este tipo de radiaciones electromagnéticas no cuentan con el aval de las entidades científicas y técnicas especializadas[9].

Problemas similares se detectan, en segundo lugar, como consecuencia de la incorporación de la nanotecnología[10], si bien su potencial de genera-

---

magnéticos) (vigésima Directiva específica con arreglo al artículo 16, apartado 1, de la Directiva 89/391/CEE), y por la que se deroga la Directiva 2004/40/CE, incorporada a nuestro sistema por RD 299/2016, de 22 de julio, sobre la protección de la salud y la seguridad de los trabajadores contra los riesgos relacionados con la exposición a campos electromagnéticos.

[8]   La STSJ Madrid 588/2016, de 6 de julio, de la que se toma el inciso transcrito, consideró "razonable" declararla constitutiva de incapacidad permanente para la profesión habitual. Más recientemente, STSJ Aragón 691/2018, de 5 diciembre, aun reconociendo que, en el ámbito del centro de trabajo, se respetaban los límites legales en materia de campos electromagnéticos, ha considerado que puede derivar de accidente de trabajo si es posible establecer una conexión entre electrohipersensibilidad y ambiente laboral –en el supuesto resuelto, se halló en el incremento de las existentes por cambio de los equipos–.

[9]   Referencias en MERCADER UGUINA, J.R., "Riesgos laborales y transformación tecnológica: hacia una empresa tecnológicamente responsable", *Teoría&Derecho* 23(2018), pp. 103 y 104. Cfr. también *Guía de actualización en la valoración de fibromialgia, síndrome de fatiga crónica, sensibilidad química múltiple, electrosensibilidad y trastornos somatomorfos*, 2ª ed., 2019, editada por la Secretaría de Estado y Seguridad Social (en http://www. seg-social.es/wps/portal/wss/internet/Conocenos/Publicaciones/28156/47075/7ecbb7ec-8875-4ddc-a786-2777ed1127ec), pp. 130 ss., con abundante información.

[10] MERCADER, "Riesgos laborales y transformación tecnológica" cit., p. 98; OIT, *Seguridad y salud en el centro del futuro del trabajo* cit., pp. 34 ss.

ción de riesgos no está sujeto a discusión, como ocurre en el caso anterior. No es posible en efecto descartar la toxicidad de las nanopartículas bien por su aspiración y acceso al sistema respiratorio, bien por vía epidérmica o a través del sistema digestivo, debiendo desarrollarse una adecuada política preventiva. Aunque la presencia de nanopartículas en el ambiente de trabajo se está generalizando muy rápidamente, en muchas ocasiones, ni siquiera empresas y trabajadores son conscientes de su presencia. En todo caso, no se conocen suficientemente sus posibles repercusiones sobre la salud laboral. Se ha apuntado en este sentido la existencia de un "enorme desfase entre el conocimiento en las aplicaciones de la nanotecnología y el de su impacto en la salud" que tardará tiempo en solventarse[11].

Por otro lado, a diferencia de las radiaciones, no existen normas específicamente dedicadas a ellas, lo que no impide que resulten de aplicación el conjunto de las previstas para la protección frente a agentes químicos[12]. Con todo, mientras se solventa la brecha existente entre el efectivo uso de estos nanomateriales y el conocimiento acerca de su real incidencia en la salud de los trabajadores, la práctica judicial muestra ya los primeros pronunciamientos que han de juzgar cuestiones relacionadas con aquellos en un contexto de incertidumbre[13].

---

[11]   Un análisis de conjunto en GALERA, A., "El impacto de la nanotecnología sobre la seguridad y la salud laboral", *ORP journal*, Vol.2 (febrero 2015), pp. 31 ss. Véase también el documento del Instituto Nacional de Seguridad e Higiene en el Trabajo sobre *Seguridad y salud en el trabajo con nanomateriales,* 2015 (https://www.insst.es/documents/94886/96076/sst+nanomateriales/bd21b71f-d5ec-4ee8-8129-a4fa58480968).

[12]   Cfr. la hoja informativa de la Agencia Europea para la Seguridad y Salud en el Trabajo sobre *Nanomateriales manufacturados en el lugar de trabajo,* 2018., en https://osha.europa.eu/es/tools-and-publications/publications/manufactured-nanomaterials-workplace/view.

[13]   Sumamente interesante es, en este sentido, la STSJ Navarra 30/2018, de 8 de febrero, que resuelve una acción de resarcimiento entablada por un trabajador frente a servicio de prevención que informó desfavorablemente su contratación con base en la presencia de nanomateriales en el lugar de trabajo y su posible repercusión en su salud, a la vista de su estado sanitario. El pronunciamiento desestima la pretensión, sobre la base de las dificultades de dar una solución segura a la cuestión: "Es cierto que los informes médicos obrantes en autos coinciden en que en la actualidad no existen datos suficientes para establecerlos efectos concretos que las "nanopartículas" provocan en la función renal al no poder medirse en la actualidad tal parámetro, sin embargo no es menos cierto que nadie discute su potencial toxicidad, surgiendo aquí serias discrepancias médicas entre los facultativos, existiendo opiniones encontradas entre los que opinan que el actor puede trabajar con "nanopartículas" y los que consideran que tal trabajo conlleva un riesgo".

3. NUEVA RELEVANCIA DE LOS RIESGOS PSICOSOCIALES

El segundo gran fenómeno al que la política de prevención de riesgos laborales ha de hacer frente en el nuevo contexto tecnológico es un notable incremento de los de carácter psicosocial. Aunque no quepa descartar que puedan tener también negativos impactos de carácter físico[14], la masiva digitalización del proceso productivo tiene como inmediata consecuencia el aumento de la exposición de los trabajadores a aquel tipo de riesgos[15].

En efecto, las nuevas tecnologías de información y comunicación repercuten intensamente en distintas facetas de la organización empresarial. Afectan, en primer lugar, al modo en que esta se estructura. Es posible descentralizarla de formas impensables en el pasado, tanto por lo que se refiere al espacio como a las parcelas del proceso productivo susceptibles de externalización. Permite asimismo recurrir a prestaciones de servicios diferentes a las tradicionales, que encajan difícilmente en la noción consolidada de trabajo subordinado o en las coordenadas espaciotemporales que han sido habituales hasta ahora. La digitalización de los puestos de trabajo implica, en segundo lugar, exigencias diferentes para la prestación de servicios: aparte de los nuevos requisitos de capacitación necesarios para desarrollarla, son las TIC las que organizan y secuencian la prestación humana. En fin, abren la posibilidad de nuevas formas de comunicación entre los trabajadores distintas al *vis a vis*.

Cualquiera de estas nuevas realidades es apta para generar riesgos de carácter psicosocial. Se ha señalado, en primer lugar, el impacto que despliegan en este terreno las nuevas formas de organizar la empresa a las que se ha hecho referencia, así como la expansión de las prestaciones laborales atípicas[16]. No es fácil descartar, en efecto, la existencia de negativos efectos

---

14   Al respecto, MOLINA, "La «gran transformación» digital" cit., pp. 21 ss.

15   Se trata de un lugar común. Aparte las referencias que se exponen a continuación, véase QUÍLEZ MORENO, J.M., "Conciliación laboral en el mundo de las TIC. Desconectando digitalmente", *Revista general de Derecho del Trabajo y de la Seguridad Social* 51 (2018), pp. 305 ss., en pp. 309 ss.

16   Son interesantes en este sentido varias de las aportaciones en el volumen *Tiempos de cambio y salud mental de los trabajadores* (Albacete [Bomarzo], 2017), dirigido por FERNÁNDEZ DOMÍNGUEZ, J.J. y RODRÍGUEZ ESCANCIANO, S. Véanse, en concreto, ÁLVAREZ CUESTA, H., "La prevención de riesgos psicosociales en la economía colaborativa: los e-nómadas", pp. 53 ss., ORDÓÑEZ PASCUA, N., "Los riesgos psicosociales en la contratación temporal", pp. 119 ss., TASCÓN LÓPEZ, R., "Los riesgos psicosociales en el trabajo a tiempo parcial", pp. 141 ss. y FERNÁNDEZ FERNÁNDEZ, R., "Prevención de riesgos psicosociales y descentralización productiva: un binomio habitualmente olvidado y de difícil combinación", pp. 165 ss.

en este terreno de los nuevos modos de organizar las prestaciones laborales, en régimen de aislamiento personal, sin fronteras temporales delimitadas y con importantes riesgos en punto a la suficiencia de las retribuciones y la continuidad de sus percepciones.

Por lo que se refiere, en segundo lugar, a las consecuencias en este terreno de las nuevas exigencias derivadas de la digitalización de los puestos de trabajo, existe una extensa literatura sobre las dificultades de adaptación a los cambios y su repercusión en forma de estrés laboral u otros problemas psicosociales[17]. El llamado tecnoestrés, en efecto, se relaciona con diferentes facetas de la incorporación de las TIC al proceso productivo. A veces, este tiene un componente de «tecnofobia», pues resulta ser una consecuencia de las dificultades de adquirir las habilidades necesarias para afrontar las modificaciones de la forma de desarrollar la prestación. Pero, incluso si no existen estos problemas de capacitación, el estrés puede surgir: aparte de que la «tecnofilia» podría generar problemas de adicción a la tecnología con las consiguientes dificultades de separar la actividad profesional de la vida privada, entre los efectos de la digitalización de los puestos de trabajo cabría pensar en mayores dificultades para la humanización profesional o en una más intensa presión sobre el ritmo de trabajo[18]. Son diversas, en este sentido, las situaciones estresantes asociadas a la digitalización de los puestos de trabajo que han sido descritas por los especialistas[19].

Finalmente, aunque los distintos aspectos relacionados con la violencia en el trabajo no son patrimonio exclusivo de las nuevas organizaciones digitalizadas, lo cierto es que las TIC abren espacio a nuevas formas de acoso, sea sexual o laboral. Como se constata en algunos episodios recientes, la utilización de las redes sociales, aparte de posibilitar que se produzca de

---

[17]   DEL VALLE y LÓPEZ AHUMADA, "Innovación tecnológica y contrato de trabajo" cit., pp. 323 ss.

[18]   Cfr. ALFARO DE PRADO SAGRERA, A. y RODRÍGUEZ SÁNCHEZ-COLLADO, "Estrés laboral y tecnoestrés: un nuevo reto para los recursos humanos", *Trabajo 14-U. Huelva 2004,* pp. 171 ss., ARAGÜEZ VALENZUELA, L., "El impacto de las tecnologías de la información y de la comunicación en la salud de los trabajadores: el tecnoestrés", *e-Revista Internacional de la protección social,* II-2 (2017), pp. 169 ss. o GONZÁLEZ COBALEDA, E., "Digitalización, factoresa y riesgos laborales: estado de situación y propuestas de mejora", *Revista de Trabajo y Seguridad Social. CEF,* número extraordinario 2019, pp. 85 ss. TODOLÍ SIGNES, A., "En cumplimiento de la primera Ley de la robótica: Análisis de los riesgos laborales asociados a un algoritmo/inteligencia artificial dirigiendo el trabajo", en prensa, 2019, ha reflexionado detalladamente sobre el impacto de la incorporación de algoritmos a la gestión de recursos humanos.

[19]   ALFARO DE PRADO SAGRERA, A., "Estrés tecnológico: medidas preventivas para potenciar la calidad de la vida laboral", *Temas laborales* 102/2009, pp. 123 ss.

forma anónima, añade nuevas formas de malignidad al acoso por la mayor publicidad de vejaciones o invasiones de la privacidad. Se hace preciso, por tanto, considerar esta faceta como un nuevo riesgo psicosocial que ha de ser objeto de prevención, por más que se encuentre en la frontera entre lo laboral y lo privado[20].

4. ¿ES ADECUADA LA ACTUAL CONFIGURACIÓN NORMATIVA DE LA PREVENCIÓN DE RIESGOS LABORALES?

Tres décadas atrás, en su ya citada monografía sobre las nuevas tecnologías, Pérez de los Cobos, tras la reflexión sobre los nuevos riesgos, concluía la insuficiencia de las normas entonces vigentes en materia de seguridad e higiene en el trabajo para afrontar con éxito los desafíos que las nuevas tecnologías planteaban. Caracterizadas por su "anacronismo"[21], estaban necesitadas "de una actualización para responder a los focos de nocividad y a las nuevas patologías que nacen de la reconversión tecnológica"[22].

Seguramente, a treinta años de distancia, esta conclusión no puede compartirse. Recuérdese que, entonces, el núcleo de la normativa preventiva venía constituido por la Ordenanza General de Seguridad e Higiene en el Trabajo, aprobada por orden de 9 de marzo de 1971. Es verdad que en el ámbito europeo ya se había abierto el proceso de renovación de este sector del ordenamiento: estaba ya en vigor mediante la aprobación de la Directiva 89/391, de 12 de junio de 1989, relativa a la aplicación de medidas para promover la mejora de la seguridad y de la salud de los trabajadores en el trabajo, conocida a como Directiva marco sobre salud y seguridad en el trabajo, y estaban en trámite algunas de las relacionadas con aspectos concretos. Pero todavía no se había cerrado el proceso de incorporación de aquella a nuestro ordenamiento interno, acometido por la Ley 31/1995, de 8 de noviembre, de prevención de Riesgos Laborales.

Una vez completado tal proceso, el diagnóstico es mucho más matizado. La Directiva marco de 1989 ya parte de una visión dinámica de la prevención de riesgos laborales, que posibilita y aun fuerza una adaptación permanente de las medidas preventivas en función de la evolución tecno-

---

[20]   Véase, extensamente, MOLINA NAVARRETE, C., "Redes sociales digitales y gestión de riesgos profesionales: prevenir el ciberacoso sexual en el trabajo, entre la obligación y el desafío", *Diario La Ley*, 9452, 9 de Julio de 2019.

[21]   PÉREZ DE LOS COBOS, *Nuevas tecnologías* cit., p. 56.

[22]   PÉREZ DE LOS COBOS, *Nuevas tecnologías* cit., p. 61.

lógica. La obligación preventiva empresarial no se agota con la adopción de las medidas necesarias para la protección de la seguridad y la salud de los trabajadores, sino que se extiende a su adaptación "a fin de tener en cuenta el cambio de las circunstancias" (art. 6.1). Indudablemente, en esta referencia, ha de incluirse, entre otras, "la evolución de la técnica", cuya consideración se incluye entre los principios generales de prevención (art. 6.2.e]). Asimismo, se contemplan determinados aspectos procedimentales de "la planificación y la introducción de nuevas tecnologías" que se ha de procurar que "sean objeto de consultas con los trabajadores y/o sus representantes, por lo que se refiere a las consecuencias para la seguridad y la salud de los trabajadores, relacionadas con la elección de los equipos, el acondicionamiento de las condiciones de trabajo y el impacto de los factores ambientales en el trabajo" (art. 6.3.c]).

Estos, y otros criterios normativos que pueden estar relacionados con el tema que nos ocupa[23], han quedado incorporados, como no podía ser de otra manera, a la Ley de Prevención de Riesgos Laborales, vigente desde 1995[24]. De entrada, el segundo párrafo del art. 14.2 LPRL incluye en el deber empresarial de protección la necesidad de desarrollar "una acción permanente de seguimiento de la actividad preventiva" y de disponer "lo necesario para la adaptación de las medidas de prevención señaladas en el párrafo anterior a las modificaciones que puedan experimentar las circunstancias que incidan en la realización del trabajo". Asimismo, entre los principios de la acción preventiva, se incluye el de "tener en cuenta la evolución de la técnica" (art. 15.1.e]). La consideración de los cambios en las circunstancias en general y de las técnicas en particular tiene, por otro lado, específicas concreciones. Así, se prevé la necesidad de revisión de la evaluación de riesgos si cambian las condiciones de trabajo (art. 16.2.a]) y la necesidad de que la formación en materia preventiva se adapte "a la evolución de los riesgos y a la aparición de otros nuevos" (art. 19.2, segundo párrafo). En fin, de manera más incisiva que la Directiva –que utiliza el verbo "procurar"–, la LPRL obliga al empresario a consultar, "con la debida antelación", entre otros aspectos, "la introducción de nuevas tecnologías, en todo lo relacionado con las consecuencias que éstas pudieran tener para la seguridad y la salud de los trabajadores" (art. 33.1.a]).

---

[23]　Cfr. PÉREZ DE LOS COBOS, *Nuevas tecnologías* cit., pp. 61 ss.

[24]　Para un análisis de la LPRL en esta clave, véanse DEL VALLE, y LÓPEZ AHUMADA, "Innovación tecnológica y contrato de trabajo" cit., pp. 334 ss., o GONZÁLEZ VIDALES, C., "Seguridad y salud de los trabajadores 4.0" cit., pp. 128 ss. o IGARTÚA, "El impacto de la robótica…" cit., pp. 50 ss.

Como he anticipado, sobre la base de estas ideas, es posible alcanzar en este momento una conclusión diferente a la de hace tres décadas. La normativa preventiva incluye ahora elementos suficientes para forzar la adaptación permanente del marco preventivo de la organización. Contiene, más que un conjunto de medidas concretas aplicables con carácter general que han de ser objeto de revisión normativa permanente, un sistema de detección de los riesgos existentes en cada organización y de determinación de las medidas adecuadas de prevención, con permanente puesta al día de unos y otros en función de evolución de la propia organización. Y, por tanto, es posible pensar que continúa siendo válido para combatir los riesgos derivados de digitalización y robotización.

Creo, sin embargo, que tampoco es posible alcanzar una conclusión en exceso simple sobre el problema que nos ocupa. Aun reconociendo la capacidad de adaptación que tiene el sistema preventivo instaurado en la década de los 90, los cambios técnicos son tan intensos que abren importantes desafíos. En algunos casos, estos podrán ser afrontados con los sistemas y procedimientos que conocemos a condición de que seamos capaces de adaptarlos para dar cabida a las nuevas realidades; en otros, será necesarias las oportunas modificaciones normativas puesto que, en caso contrario, el sistema tendrá dificultades para su operatividad. El análisis que sigue pretende mostrar los principales interrogantes que se plantean al respecto.

5. INCORPORACIÓN DE PRINCIPIOS Y TÉCNICAS AL DISEÑO DE LA ACCIÓN PREVENTIVA

En primer lugar, parece necesario incorporar principios y técnicas al diseño de la acción preventiva que hasta el momento no se han considerado o han permanecido en un segundo plano a la hora de proceder a organizarla. De entrada, las reflexiones más detalladas sobre el tema que nos ocupa han propuesto la incorporación a la acción preventiva de un principio extraído de otros sectores del ordenamiento, el principio de precaución o cautela. En este sentido, se ha indicado que la empresa tecnológicamente responsable que se debe construir en el nuevo horizonte tecnológico ha de descansar en este principio, como forma de asegurar los riesgos poco conocidos que debemos enfrentar. Es este un principio que ha formulado en la normativa europea, inicialmente en el ámbito del derecho ambiental (art. 191.2 TFUE), aunque luego se ha extendido a la legislación alimentaria. Asimismo, en el ámbito de la prevención, se ha hecho referencia al principio de cautela en alguna Directiva como la 2004/37/CE, relativa a la protección de los trabajadores contra los riesgos relacionados con la exposición a agentes carcinógenos o mutágenos durante el trabajo. Este principio, aplicable en los casos de incertidumbre sobre la existencia y alcance de un determinado riesgo derivado de la tecnología, implica que, en tanto no pueda descartarse de forma completa su existencia, debe prevalecer la prudencia. Ello implica que lo racional es actuar "como si lo peor fuera a pasar", de modo que el empresario, como deudor de seguridad, a la hora de planificar la prevención debería optar por la alternativa que mayor seguridad proporcione a los trabajadores[25].

Aunque no se encuentra aludido expresamente por nuestra normativa interna, el principio de precaución puede sustentarse en la literalidad de las normas que configuran el deber empresarial de protección. Después de todo, esta viene expresamente calificada con el adjetivo "eficaz" (art. 14.1 LPRL) hasta llegar a "garantizar la seguridad y la salud de los trabajadores a su servicio en todos los aspectos relacionados con el trabajo (art. 14.2).

En otro orden de consideraciones, la transformación de los riesgos en presencia en los puestos de trabajo, con la mayor prevalencia de los de carácter psicosocial a la que se ha hecho relevancia más arriba, obliga a cambiar la óptica y a añadir nuevas dimensiones a la acción preventiva o, cuando menos, reforzar su presencia en ella. Ya no se trata solo de introducir medidas colectivas o individuales de protección frente a determinados riesgos físicos o químicos presentes en el medio de trabajo. Es preciso además actuar sobre la organización del trabajo y la dinámica de las relaciones sociales que se establecen alrededor de su prestación pues una y otra son las que generan los riesgos. Así, por ejemplo, gran parte de las medidas que se asocian a la correcta prevención de los riesgos derivados de la creciente presencia de algoritmos en la gestión de los procesos de trabajo se mueven en esta línea[26].

Por supuesto, la incorporación de esta dimensión a la acción preventiva no requiere especiales modificaciones normativas. La vigente LPRL y su desarrollo reglamentario ofrecen sobrado fundamento para entender que la previsión de estas técnicas de prevención de riesgos psicosociales está incluida en el deber de protección empresarial. Con independencia de que en la práctica puedan no encontrarse tan extendidas, lo cierto es

---

[25]   Un análisis detallado del principio, con referencias adicionales, en MERCADER, "Riesgos laborales y transformación tecnológica" cit., pp. 104 y 105. Véanse también MOLINA, "La «gran transformación» digital y bienestar en el trabajo" cit., pp. 24 y 25.

[26]   TODOLÍ, "En cumplimiento de la primera ley de la robótica" cit., pp. 22 ss.

que este tipo de riesgos se encuentra presente en la normativa preventiva (por ejemplo, arts. 15.1.d] o g] LPRL; arts. 18.2 o 34 RSP). Más aún, si no fuera así, nuestra legislación incumpliría las exigencias comunitarias[27]. No hay que descartar, sin embargo, que puedan ser convenientes específicas intervenciones legislativas de impulso de la actuación empresarial en este terreno. Esta puede ser una de las claves que explica alguna de las recientes reformas en materia de tiempo de trabajo. Aunque no entraré en detalle, pues es objeto de otra de las intervenciones de este volumen, el nuevo derecho a la desconexión digital se mueve, entre otras, en esta línea. Por supuesto, el incremento de la conectividad posibilita la desaparición de la frontera entre la jornada de trabajo y los momentos de descanso, relacionados con la vida privada; y ello ha de desplegar efectos, aparte en la intimidad (art. 88.1 LO 3/2018), en el desarrollo de una adecuada política preventiva. No en vano, en este último sentido, el art. 88.3 LO 3/2018 asocia este derecho a la evitación del riesgo de "fatiga informática". Igualmente, es posible traer a colación las reglas en materia de control del tiempo de trabajo establecidas en el art. 34.9 ET, tras su reforma por el RDL 8/2019[28].

En fin, en relación con cualquiera de los temas que se han contemplado en este apartado, es muy posible que haya paulatinamente que proyectar los nuevos principios y determinar las especialidades de las nuevas técnicas sobre plantillas paulatina y constantemente envejecidas. El envejecimiento parece ser el destino inexorable de las sociedades occidentales y, si bien no es fácil pronosticar con seguridad la situación del empleo en el medio plazo ni saber cómo evolucionarán las políticas laborales en relación con los trabajadores de edad, cabe pensar que aquel se proyectará también en el mercado de trabajo y en las empresas. Ello obligará a adaptar las políticas preventivas a esta circunstancia[29]. Mas de nuevo las previsiones vigentes parecen adecuadas para dar cobertura a esta transformación (por ejemplo, arts. 15.1.d], 16.2.a] o 25.1 LPRL).

---

[27]   STJCE de 15 de noviembre de 2001, C-49/00, *Comisión contra Italia*.

[28]   Para un análisis de estas reglas en la clave que nos interesa, véanse DE LA CASA QUESADA, S., "Tiempo de trabajo y bienestar de los trabajadores: una renovada relación de conflicto en la sociedad digital", *Revista de Trabajo y Seguridad Social. CEF*, número extraordinario 2019, pp. 113 ss. y MOLINA, "La «gran transformación» digital y bienestar en el trabajo" cit., pp. 14 ss.
La conexión entre control del tiempo de trabajo y prevención de la salud viene confirmada en la reciente STJUE de 14 de mayo de 2019, C-55/18, *Federación de Servicios de Comisiones Obreras (CCOO) y Deutsche Bank, S.A.E.*, §§ 61 ss.

[29]   Un análisis en esta clave, en MORENO DÍAZ, J.M., "La gestión del envejecimiento de la población trabajadora en materia laboral y de seguridad y salud", *Temas laborales*, 136/2017, pp. 99 ss.

6. LA ORGANIZACIÓN DE LA PREVENCIÓN EN LAS EMPRESAS 4.0

También la fisonomía de las organizaciones empresariales 4.0 plantea nuevos desafíos a la política preventiva. Sin entrar con detalle en los cambios que la digitalización imprime en las empresas, basta señalar, a los efectos que aquí interesan, la disolución de sus estructuras al posibilitar la fragmentación infinitesimal de los procesos productivos. Cabe así recurrir de forma prácticamente ilimitada a la descentralización, así como a prestaciones individuales novedosas y atípicas a las que se encomiendan las tareas resultantes de aquella. A la postre, la propia tecnología permite la reconstrucción unitaria de la producción; pero, por el camino, han desaparecido las coordenadas tradicionales de la estructura empresarial, un lugar y un tiempo comunes de trabajo.

Estos fenómenos de «licuación» de las estructuras empresarias plantean problemas diferentes desde la perspectiva de prevención de riesgos laborales. De entrada, afectan a las organizaciones que, en el interior de las empresas, protagonizan la acción preventiva o coadyuvan a su efectividad. En efecto, el volumen de empleo de la empresa es trascendente tanto para determinar la entidad qué deben tener los servicios de prevención como para concretar los mecanismos de participación de los trabajadores en las políticas preventivas. Por lo que se refiere a lo primero, el volumen de la plantilla es relevante para saber si el empresario puede o no asumir directamente las funciones de asesoramiento y ejecución de tales políticas (art. 30.5 LPRL), concretar el número de trabajadores designados a estos efectos que resultan necesarios (art. 30.2) o determinar si este mecanismo es insuficiente y debe recurrirse a la constitución de un servicio de prevención (arts. 31.1 LPRL y 14 RSP). Esta primera afectación, sin embargo, tiene importancia limitada. Todos estos preceptos, en efecto, no establecen una vinculación exclusiva y excluyente entre tamaño de la empresa y organización preventiva en la empresa: imponen también la valoración de "los riesgos a que estén expuestos los trabajadores y la peligrosidad de las actividades" (art. 30.5 LPRL). De este modo, el adelgazamiento de las estructuras empresariales solo tiene un impacto limitado sobre la obligación de sostenerla.

Con todo, no puede descartarse que en el nuevo contexto la organización preventiva en la empresa pueda experimentar problemas de funcionamiento. Por un lado, las empresas 4.0 tienen en muchos casos una organización que se dispersa en el territorio, lo que puede dificultar la planificación y efectividad de las políticas preventivas; incluso se complica el acceso por parte de los trabajadores designados o por los componentes del servicio de prevención a la totalidad de los espacios de trabajo. Volveré de inmediato sobre esta idea. Por otro, en muchas ocasiones el lugar de trabajo resulta ser común para varias organizaciones empresariales que colaboran entre sí. Esto plantea, como es sabido, específicos problemas en materia preventiva (cfr. art. 24 LPRL y RD 171/2004). Pero también abre la posibilidad de imponer o abrir posibilidades a las empresas que lo comparten para combinar sus estructuras preventivas[30]. En esta línea se mueve el art. 21.1 RSP, sobre el que quizá sea necesario desarrollar una reflexión crítica dirigida a determinar si, en su actual configuración, satisface o no las exigencias de las nuevas realidades.

Mayores problemas plantea, en otro orden de consideraciones, el impacto de la transformación de la organización empresarial sobre las entidades representativas de los trabajadores a las que se confía la participación en la elaboración y puesta en marcha de las políticas preventivas. Se trata de un problema que se ha apuntado en el análisis comparado[31] pero que probablemente adquiere perfiles agravados en nuestro sistema jurídico. Ello es así, de un lado, porque, a diferencia de lo que ocurre con la organización anteriormente considerada, la configuración de la representación especializada en materia preventiva descansa exclusivamente en el volumen de empleo, como se advierte en los arts. 35.2 y 38.2 LPRL, en relación respectivamente con los delegados de prevención y el comité de seguridad y salud. De otro, y sobre todo, porque el citado art. 35 LPRL establece una relación bastante rígida entre el sistema representativo general y el especializado en materia preventiva, de modo que cabe pensar que las insuficiencias que existen en el primero, que con toda probabilidad se incrementan como consecuencia de la transformación tecnológica, contaminan al segundo[32].

---

[30] Véase sobre estas cuestiones, recientemente, SANGUINETI RAYMOND, W., *Redes empresariales y Derecho del Trabajo,* Granada (Comares), 2016, pp. 63 ss., en relación con los problemas, y 113 ss., sobre las soluciones normativas.

[31] PASCUCCI, P., "Nuevas formas de organización del trabajo y seguridad y salud de los trabajadores y trabajadoras, o por una concepción no fordista de la prevención", *Documentación laboral* 177(2019), p. 114.

[32] Respecto a estas cuestiones, véanse FITA ORTEGA, F., "La incidencia de la descentralización productiva sobre las estructuras de representación en la empresa", *Documentación laboral* 107(2016), pp. 29 ss., y, desde una perspectiva más general, SALA FRANCO, T., y LAHERA FORTEZA, J., "La representación de los trabajadores en la empresa", en SALA, T. (dir.), *Propuestas para un debate sobre la reforma laboral,* Madrid (F. Lefebvre), 2018, pp. 37 ss.

Ello hace que sea conveniente repensar la configuración de la representación especializada en materia preventiva pues su continuidad parece particularmente necesaria en el nuevo horizonte tecnológico, en el que un adecuado nivel formativo de los órganos representativos resulta esencial[33]. Que su marco de referencia sea el centro de trabajo, como se desprende del art. 35.2 LPRL, puede ponerla en riesgo en el contexto del adelgazamiento de las estructuras empresariales que estamos considerando. Cabría pues reconsiderar este aspecto. Por otro lado, como en el tema anterior, convendría repensar las vías de colaboración entre las representaciones especializadas en los casos de concentración de trabajadores de varias empresas en un espacio común de trabajo. Es verdad que existen reglas al respecto (cfr. arts. 39.3 LPRL, sobre reuniones conjuntas de los comités de seguridad y salud, o 15 RD 171/2004, sobre actuación de los representantes de unas empresas en relación con los trabajadores de otras). Pero requieren una reflexión detallada sobre su alcance y su adecuación a las nuevas realidades que permita determinar si es necesario una eventual modificación de su alcance.

En todo caso, no hay que olvidar que tanto en relación con la organización con los servicios de prevención como respecto de los representantes especializados en la materia las normas legales y reglamentarios abren espacios de actuación a la negociación colectiva. Por un lado, el ya citado art. 21.1 RSP le permite acordar la constitución de servicios de prevención mancomunados entre "empresas pertenecientes a un mismo sector productivo o grupo empresarial o que desarrollen sus actividades en un polígono industrial o área geográfica limitada". Por otro lado, el art. 35.4 LPRL permite a los convenios actuar sobre las relaciones entre delegados de prevención y representación unitaria, cambiando la forma de selección o, sobre todo, estableciendo sistema de representación especializada diferentes. En concreto, se autoriza a los convenios colectivos a transferir las competencias de aquellos a "órganos específicos creados en el propio convenio (que) podrán asumir, en los términos y conforme a las modalidades que se acuerden, competencias generales respecto del conjunto de los centros de trabajo incluidos en el ámbito de aplicación del convenio". Existe asimismo una específica habilitación para que los convenios puedan establecer sistemas de coordinación de la acción representativa en los casos de concurrencia de actividades empresariales (cfr. disp. adic. 2ª RD 171/2004). Cabe por tanto apuntar que las tareas de reflexión crítica a las

---

[33]   PASCUCCI, "Nuevas formas de organización del trabajo y seguridad y salud" cit., p. 114.

que se ha hecho referencia pueden afrontarse también por los interlocutores sociales.

7. ACCIÓN PREVENTIVA EN LAS NUEVAS FORMAS DE PRESTACIÓN DE SERVICIOS

Las empresas 4.0 recurren, por otra parte, a prestaciones de servicios que han perdido su relación con las coordenadas tradicionales del trabajo subordinado: la existencia de un espacio y un tiempo común para su desarrollo. Algunos de los problemas que esta nueva realidad plantea desde la óptica preventiva se sitúan en línea con otros que ya han sido considerados. La desaparición de la regularidad temporal del trabajo tradicional, en combinación con las formidables posibilidades de comunicación entre la empresa y el trabajador a través de la tecnología, pueden tener un impacto considerable en la generación de riesgos psicosociales. El control de la efectiva aplicación de las reglas sobre tiempo de trabajo y de la desconexión digital resultan, de nuevo, herramientas de interés en la garantía de un ambiente laboral adecuado en el nuevo horizonte tecnológico.

Además, la irregularidad espacio-temporal de las nuevas organizaciones empresariales hace aparecer prestaciones de servicios separadas de aquellas coordenadas y que, por tanto, se confunden con la vida ordinaria de las personas[34]. La labor preventiva se complica en un doble sentido. Un primer problema se relaciona con la propia determinación de los riesgos que deben ser prevenidos –o, en su caso, reparados–. Las guías que nos han servido históricamente para afrontar esta tarea y que, tras una evolución secular, han cristalizado en normas positivas dejan de ser útiles. La conexión con el trabajo a través del momento y el lugar en el que se presta difícilmente pueden servir en el nuevo contexto tecnológico si el trabajo se presta fuera de un centro y en momentos variados. Es más, las normas que utilizan estas circunstancias como criterio delimitador pueden resultar un obstáculo para una correcta atención de los riesgos laborales[35]. Frente

---

[34] PASCUCCI, "Nuevas formas de organización del trabajo y seguridad y salud" cit., p. 109.

[35] Así lo ha indicado MOLINA, "La «gran transformación» digital y bienestar en el trabajo" cit. p. 24, en relación con los límites espacio temporales de la presunción de accidente de trabajo indicando la necesidad de superarlos. En esta misma línea, se ha valorado el sistema de la enfermedad profesional y la dificultad para incorporar al mismo las vinculadas a los riesgos psicosociales (cfr. GARCÍA COCA, O., "La gestión de las enfermedades profesionales en el marco de las Nuevas Tecnologías", *Lex social* vol. 3, núm. 2/2013, p. 182, o CAVAS MARTÍNEZ, F., "Aspectos jurídicos de la enfermedad

a ello, parece necesario abrir un proceso interpretativo de reflexión acerca de los límites de los riesgos para la salud e integridad de las personas de los trabajadores, más allá de los desaparecidos, o en trance de desaparición, espacio y tiempo de trabajo. Habrá que dar cabida a todos aquellos que "se pueden conectar de manera razonable y predecible" con la prestación de servicios[36].

El segundo problema hace referencia a la forma en que debe desarrollarse la acción preventiva cuando los trabajadores no prestan sus servicios simultáneamente y, sobre todo, en el mismo lugar de trabajo. La acción preventiva tradicional se basa en la existencia de una posibilidad real de control inmediato por el empresario del espacio de trabajo. Pero la misma desaparece a medida que la organización empresarial se «licúa». Aparece de este modo como desafío el de "lograr el mismo nivel de protección", cuando no pueden utilizarse las mismas medidas, sino que aquel ha de alcanzarse "a través de medidas diferenciales", que, con toda probabilidad, han de descansar en un mayor protagonismo del trabajador, suficientemente capacitado en materia preventiva, así como en su interacción con la empresa y su organización preventiva[37].

Este planteamiento es particularmente relevante en relación con la prevención de riesgos en los supuestos de trabajo a distancia. Aunque a la vista del art. 13.4 ET no puede ponerse en cuestión la entera aplicabilidad de las normas de la LPRL, lo cierto es que no es fácil proyectarla de forma automática en la medida en que no sólo es más complejo el control empresarial directo sino porque resulta directamente imposible por vulneración del derecho a la intimidad. Es verdad que en las aproximaciones de carácter general se tiende a excluir que las peculiaridades del teletrabajo puedan ser utilizadas para diluir el alcance de las obligaciones preventivas del empresario[38]. Sin embargo, quienes se acercan al tema desde un punto de vista más concreto, suelen aceptar que la aplicación de la LPRL viene matizada por la referencia del art. 13.3 ET respecto de los derechos estrictamente presenciales. A la postre, la aplicación de la LPRL se resuelve

---

profesional: estado de la cuestión y propuestas de reforma", *Medicina y seguridad del trabajo* 2016, supl. extraord., pp. 78 ss.).

[36] PASCUCCI, "Nuevas formas de organización del trabajo y seguridad y salud" cit., p. 112.

[37] PASCUCCI, "Nuevas formas de organización del trabajo y seguridad y salud" cit., p. 111 ss.

[38] Estas cautelas ya en thibault aranda, j., *El teletrabajo*, 2ª ed., Madrid (CES), 2001, pp. 165 ss. Véanse, más recientemente, SIERRA BENÍTEZ, E.M., *El contenido de la relación laboral en el teletrabajo,* Sevilla (CES), 2011, pp. 251 ss., o DE LAS HERAS GARCÍA, A., *El teletrabajo en España: un análisis crítico de normas y prácticas,* Madrid (CEF), 2016, pp. 231 ss.

asignando un papel esencial al teletrabajador en la disposición y ejecución de las medidas preventivas. El empresario, como deudor de seguridad, tiene fundamentalmente obligaciones formativas e informativas para guiarlo y debe establecer sistemas de supervisión/comunicación entre aquél y la estructura preventiva de la empresa[39].

Con toda probabilidad, los resultados alcanzados en relación con el teletrabajo pueden ser extendidos a otros supuestos en los que no exista control directo por parte del empleador. Tal puede ser el caso de modalidades contractuales que no encajen claramente en el art. 13 ET o, incluso, de otros aspectos diferentes. Es muy significativo en este sentido que la efectividad del nuevo derecho a la desconexión digital descansa, entre otras cosas, en las "acciones de formación y de sensibilización del personal sobre un uso razonable de las herramientas tecnológicas" (art. 88.3 LO 3/2018).

8. ACERCA DE LA REVISIÓN DE LA FRONTERA SUBJETIVA DE LAS NORMAS PREVENTIVAS

En realidad, el problema suscitado en el apartado anterior puede plantearse en una perspectiva más amplia que afecta a la propia frontera subjetiva de las normas sobre prevención de riesgos laborales. Con toda probabilidad, la misma ha de ser desplazada hasta dar entrada en su ámbito de aplicación al trabajo autónomo. Es verdad que en su configuración tradicional aquellas descansan sobre la existencia de subordinación, lo que impide proyectarlas sobre un trabajo en el que la misma no está presente. Pero también es verdad que existen razones teóricas y, sobre todo, de orden práctico, que aconsejan dar el paso. Al margen aquellas[40], conviene reparar, de entrada, en que los trabajadores por cuenta propia, cuando prestan directa y personalmente sus servicios, tienen problemas de prevención de riesgos laborales similares a los que aquejan a los asalariados. Por otro lado, y sin entrar en la polémica de si este tipo de trabajo está llamado o no a adquirir una mayor importancia cuantitativa en el futuro, existe consenso respecto a que, en el nuevo horizonte tecnológico, crecen las dificultades

---

[39]   ÁLVAREZ VÁZQUEZ, M.I., "La prevención de riesgos laborales en los puestos de teletrabajo. Experiencia en la Administración General de la Comunidad Autónoma del País Vasco", *Revista Vasca de Gestión de Personas y Organizaciones Públicas* 6(2014), pp. 82 ss; Orvi *et al.* , "Reflexión sobre la situación actual" cit.; o SABADELL/GARCÍA, "La difícil conciliación de la obligación empresarial" cit..

[40]   Al respecto, véase GONZÁLEZ ORTEGA, S., "El tratamiento de los riesgos de trabajo de los trabajadores autónomos", *Temas laborales* 285(2006), pp. 151 ss.

para deslindar prestaciones por cuenta propia o por cuenta ajena. Es esta una lógica consecuencia de la forma en que las nuevas empresas 4.0 integran las prestaciones de servicios en su organización, que implica una ulterior, y quizá definitiva, difuminación de los criterios que tradicionalmente se usan para separar las unas de las otras[41].

La combinación de estas ideas ha hecho que paulatinamente la protección de seguridad y salud de los trabajadores autónomos haya ido pasando a primer plano, tanto en el plano internacional como en el europeo. Si durante el siglo XX no ha sido cuestión que haya sido objeto de atención a estos niveles, las tornas han cambiado con el cambio de siglo. Por lo que se refiere a la actuación normativa de la OIT se detectan, en este sentido, significativas diferencias entre el Convenio sobre seguridad y salud de los trabajadores, 1981 (núm. 155), anclado en la visión tradicional que asocia la prevención al trabajo subordinado (arts. 2 y 3) y el posterior Convenio sobre la seguridad y la salud en la agricultura, 2001 (núm. 184), cuya recomendación contempla expresamente la extensión de las políticas preventivas a los trabajadores por cuenta propia (arts. 12 ss. Recomendación sobre la seguridad y la salud en la agricultura, 2001, núm. 192).

Del mismo modo, aunque a nivel europeo solo se han establecido reglas preventivas aplicables a los trabajadores autónomos en algunas normas de alcance sectorial[42], diversos documentos de diferente trascendencia jurídica se han movido en esta línea. Ya la Recomendación del Consejo, de 18 de febrero de 2003, relativa a la mejora de la protección de la salud y la seguridad en el trabajo de los trabajadores autónomos, aun reconociendo que el trabajo autónomo quedaba fuera del ámbito de aplicación de la Directiva Marco de 1989, recordaba que "la salud y la seguridad de los trabajadores autónomos, independientemente de si trabajan solos o junto a trabajadores por cuenta ajena, pueden estar sometidas a riesgos similares a los que experimentan los trabajadores por cuenta ajena"; y, sobre la base de ello formulaba una serie de recomendaciones a los estados miembros respecto al fomento de políticas preventivas dirigidas a los trabajadores por cuenta propia. Más recientemente, en 2017, una comunicación de la Comisión a Parlamento, Consejo, Comité Económico y Social y Comité de las Regiones ha vuelto a insistir en

---

[41]   Por ejemplo, CES, *El futuro del trabajo* cit., p. 95.
[42]   Arts. 2 y 6 Directiva 92/57/CEE del Consejo, de 24 de junio de 1992, relativa a las disposiciones mínimas de seguridad y de salud que deben aplicarse en las obras de construcción temporales o móviles; art. 2.1 Directiva 2002/15/CE del Parlamento Europeo y del Consejo, de 11 de marzo de 2002, relativa a la ordenación del tiempo de trabajo de las personas que realizan actividades móviles de transporte por carretera.

este tema. Se trata de la titulada "Trabajo más seguro y saludable para todos - Modernización de la legislación y las políticas de la UE de salud y seguridad en el trabajo" (COM/2017/012 final). En el punto que nos interesa no aporta novedades espectaculares: sigue constando las dificultades de extensión de reglas pensadas para los casos de existencia de una relación de trabajo subordinado, pero considera que resulta necesaria; por eso, tras constatar la expansión de reglas y políticas en los Estados miembros desde 2003, insiste en los contenidos de la Recomendación de 2003 (p. 15). A los efectos de este trabajo, es particularmente llamativa una consideración que se hace al cierre del tema que relaciona la necesidad de extender la normativa preventiva con un "mercado laboral rápidamente cambiante, con la aparición de nuevas formas de trabajo y la creciente incertidumbre en cuanto a la situación de los trabajadores por cuenta ajena y por cuenta propia" (p. 16).

Nuestra legislación interna, en fin, ha evolucionado en la misma línea. A pesar de las dificultades para configurar un Derecho de la Prevención referido a los trabajadores autónomos, lo cierto es que ya la LPRL de 1995 dio los primeros pasos en esta línea; y, con posterioridad, en 2007 el Estatuto del Trabajo Autónomo avanzó decididamente en ella. Por lo que se refiere a la primera, además de la expresa asimilación de algún tipo de trabajo autónomo al subordinado (cfr. art. 3.1 *in fine*), se abrió la posibilidad de que se extendieran algunos derechos y obligaciones a los trabajadores autónomos en el caso de la coordinación de actividades empresariales tanto por acción de las normas de alcance general (art. 24.5 LPRL) como por ministerio de algunas referidas a determinados sectores (cfr. RD 1627/1997, de 24 de octubre, por el que se establecen disposiciones mínimas de seguridad y de salud en las obras de construcción). Por su parte, la Ley 20/2007 que aprobó el Estatuto del Trabajo Autónomo dio un impulso adicional. De entrada, reconoció, entre los derechos profesionales de los autónomos, el derecho "a su integridad física y a una protección adecuada de su seguridad y salud en el trabajo" (art. 4.3.e]). Un extenso artículo, el octavo, establece después un régimen jurídico detallado del alcance del indicado derecho. En paralelo, las normas de Seguridad Social han ido evolucionando en la línea de reconocer la oportuna cobertura de las contingencias profesionales: inicialmente inexistente, pasó a ser voluntaria a partir de 2003, estableciéndose después algunos casos en los que debía suscribirse obligatoriamente. El reciente Real Decreto-ley 28/2018, de 28 de diciembre, para la revalorización de las pensiones públicas y otras medidas urgentes en materia social, laboral y de empleo ha cerrado este proceso evolutivo estableciendo la obligatoriedad, bien que manteniendo especialidades en cuanto a su alcance (cfr. art. 316 LGSS).

Por supuesto, en el vigente marco positivo, el alcance de la prevención en materia de autónomos se basa en principios diferentes a los que alumbran tradicionalmente las normas preventivas referidas al trabajo subordinado. No existiendo un deudor de seguridad, resulta difícil extenderlas sin más. De ahí que la acción preventiva descanse en buena medida en la acción pública, comprometida *ex lege* a la "promoción de la prevención, asesoramiento técnico, vigilancia y control del cumplimiento por los trabajadores autónomos de la normativa de prevención de riesgos laborales" (art. 8.1 LETA) y a la de la "formación en prevención específica y adaptada a las peculiaridades de los trabajadores autónomos" (art. 8.2 LETA). Estas últimas actuaciones, por lo demás, a desarrollar en un contexto de participación de las organizaciones representativas en la planificación de los programas de formación e información (disp. adic. 12ª LETA). Con todo, sí que se produce una extensión de las reglas establecidas para el trabajo subordinado en ciertos casos. En línea con un criterio que, como se ha indicado, había anticipado ya la LPRL (art. 24.5), la LETA obliga al empresario cliente a colaborar en la prevención de riesgos respecto del prestador autónomo si aquel presta sus servicios en su espacio de trabajo (art. 8.3) –con mayor intensidad si además estos corresponden a la propia actividad (art. 8.4)–; igualmente, existen obligaciones cuando deba utilizar "maquinaria, equipos, productos, materias o útiles proporcionados por la empresa", aunque la prestación se desenvuelva fuera del centro de trabajo (art. 8.5). Si estas obligaciones no se cumplen y ello supone que se produzcan daños para el trabajador autónomo, el empresario cliente debe repararlos (art. 8.6). Asimismo, se reconoce el *ius resistentiae* en los casos en los que la prestación de la actividad implique riesgo grave e inminente para aquel (art. 8.7).

Es probable que la limitada extensión de las normas preventivas que deriva de las reglas que acaba de ser examinada tenga cierta razonabilidad. A falta de una relación de subordinación que permite construir un deber de protección, se hace preciso hallar algún tipo de fundamento para imponerlo al empresario cliente. En este terreno, la presencia del autónomo en su centro de trabajo así como la utilización de efectos suministrados por él posibilitan encontrar una suerte de "dependencia profesional" sobre la que descansan sus obligaciones preventivas[43]. Pero, entonces, en todos los casos de prestación autónoma de servicios en los que no concurran estas circunstancias, la prevención queda a discreción del trabajador, ayudado

---

[43]   MARTÍNEZ BARROSO, R., "Prevención de riesgos laborales y sistema de responsabilidad por accidente en el trabajo autónomo", *Revista de Derecho social* 43(2008), p. 119, con otras referencias.

solo por las acciones de fomento emprendidas por los poderes públicos. Este estado de cosas ha sido objeto de críticas por los comentaristas del Estatuto del Trabajo Autónomo[44]. Y estas críticas han de ser compartidas y aun intensificadas en el horizonte 4.0 pues, como consecuencia de la digitalización van desapareciendo los espacios comunes de trabajo y la accesibilidad de los dispositivos informáticos posibilita igualmente la práctica desaparición de "maquinaria, equipos, productos, materias o útiles proporcionados por la empresa".

Con toda probabilidad, se hace necesario avanzar en la extensión de garantías preventivas a favor de los autónomos y a cargo de la empresa cliente más allá de los casos de "dependencia profesional". Probablemente, la noción de trabajador autónomo económicamente dependiente pueda ser útil a estos efectos. Por lo que aquí interesa, a pesar de que del conjunto de las normas aplicables apuntan en el sentido de que el empresario cliente es deudor de seguridad, lo cierto es que el alcance de sus obligaciones queda completamente desdibujado[45]. La expresa proyección del derecho a la interrupción de la actividad en caso de riesgo grave e inminente (art. 16.1.c] LETA) apunta en efecto en la primera dirección. Pero no existen específicas reglas sobre el alcance de los deberes preventivos del cliente más allá de la muy genérica referencia a los mismos como posible contenido del contrato: de acuerdo con el art. 4.3.d) RD 197/2009, de 23 de febrero, cabe prever en el contrato "la manera en que las partes mejorarán la efectividad de la prevención de riesgos laborales, más allá del derecho del trabajador autónomo económicamente dependiente a su integridad física y a la protección adecuada de su seguridad y salud en el trabajo, así como su formación preventiva de conformidad con en el artículo 8 del Estatuto del Trabajo Autónomo". Un importante avance en el nuevo contexto podría ser la revisión de esta regla, configurando específicas obligaciones. Podría implicar una importante mejora de la situación si viniera además acompañada de una revisión de la figura del TRADE que, hasta el momento, no se ha implantado suficientemente.

---

[44]   Aun reconociéndose la aportación que supuso la LETA a la extensión de las normas preventivas al trabajo autónomo, es un lugar común entre sus comentaristas la estrechez del marco en que aquella se produce (por ejemplo, CABERO MORÁN, E. y CORDERO GONZÁLEZ, J., "Trabajo autónomo y prevención de riesgos laborales", *Documentación laboral* 85(2009), p. 65; OLARTE ENCABO, S., "Prevención de riesgos laborales en el trabajo autónomo: balance de situación y retos pendientes", *Revista General de Derecho del Trabajo y Seguridad Social,* 47(2017), pp. 180 y 181).

[45]   Al respecto, véanse MARTÍNEZ BARROSO, Prevención de riesgos laborales y sistema de responsabilidad" cit, p. 139, con referencias ulteriores, o CABERO/CORDERO, "Trabajo autónomo y prevención de riesgos laborales" cit., pp. 86 y 87

9. INTELIGENCIA ARTIFICIAL, ROBOTIZACIÓN Y PREVENCIÓN DE RIESGOS

No puedo cerrar esta reflexión sobre la prevención de riesgos laborales sin hacer alguna referencia adicional al impacto del binomio inteligencia artificial/robotización sobre ella en el próximo futuro. El punto de partida de estas últimas consideraciones es, desde luego, el que encabeza el trabajo. Cabe notar, en efecto, que las reflexiones de Pérez de los Cobos que lo han abierto en relación con el impacto de la robotización en la prevención se recogen, como advertí, en los textos más recientes. En este sentido, por ejemplo, el Parlamento Europeo, en su Resolución de 16 de febrero de 2017, con recomendaciones destinadas a la Comisión sobre normas de Derecho civil sobre robótica [2015/2103(INL)], "constata el enorme potencial de la robótica a la hora de mejorar la seguridad en el entorno laboral mediante la transferencia a los robots de una serie de tareas peligrosas y perjudiciales que desempeñan actualmente los seres humanos"; pero, a la vez, "advierte del peligro que podría entrañar la robotización en el sentido de crear una serie de nuevos riesgos como consecuencia del creciente número de interacciones entre los seres humanos y los robots en el lugar de trabajo". Como lógica consecuencia se subraya "la importancia de aplicar normas estrictas y orientadas hacia el futuro que regulen las interacciones entre los seres humanos y los robots, a fin de garantizar la salud, la seguridad y el respeto de los derechos fundamentales en el lugar de trabajo" (§ 41).

Es claro, en este último sentido, que la masiva y creciente incorporación de robots a los centros de trabajo que se está produciendo abre nuevas necesidades en materia preventiva cuando los mismos interactúan con trabajadores humanos. Los robots, en cuanto máquinas que multiplican la potencia humana, son peligrosos. Asimismo, inasequibles al cansancio o al aburrimiento, pueden imprimir al trabajo ritmos inalcanzables para las personas. En el actual estadio de la evolución de la robotización, no se puede decir que la normativa preventiva vigente no sea suficiente para hacer frente a los indicados riesgos. La LPRL contiene, como hemos visto, preceptos lo suficientemente abiertos y dinámicos como para imponer la adopción de medidas adecuadas que prevengan los peligros que puedan generar los robots, tanto en el terreno de la seguridad como en el plano de los riesgos psicosociales[46].

---

[46] De hecho, los criterios técnicos que deben cumplir los robots para ser seguros empiezan a ser codificados en normas ISO (MERCADER, "Riesgos laborales y transforma-

Sin embargo, estamos a la espera de que se produzca un salto «cualitativo» en inteligencia artificial y robotización. Seguramente, en este momento, estamos considerando solo dispositivos automáticos gobernados por un algoritmo, que pueden interaccionar a velocidades extraordinarias con un conjunto de datos prácticamente infinito. Se trata, sin duda, de capacidades sobrehumanas, pero diseñadas y controladas por los seres humanos. Ahora bien, la evolución de la inteligencia artificial parece conducir, en un plazo que aún está por determinar, a un nuevo estadio, en el que las máquinas estarán dotadas de una inteligencia similar a la de las personas, aunque con capacidades que no están al alcance de estas últimas. Serán capaces no solo de, a la vista de la totalidad de los datos, repetir procesos a mayor velocidad y con mejor rendimiento que los humanos sino también de aprender, decidir y crear de forma autónoma[47].

En este estadio superior de la inteligencia artificial, se abren serios interrogantes desde la perspectiva de la prevención de riesgos laborales. De un lado, a medida que la inteligencia artificial permita el funcionamiento autónomo del robot, resultará esencial incorporar en ella criterios morales. Es inevitable la evocación las leyes fundamentales de la robótica alumbradas por Asimov a mediados del pasado siglo, de obligada cita por quienes se aproximan al tema desde un plano muy general. Lo que hace falta saber es si y el modo en qué las mismas pueden ser efectivamente incorporadas en los robots[48]. Si estas cuestiones no tienen una respuesta satisfactoria, aparecerán problemas preventivos inéditos, que nos trasladan a visiones distópicas que hasta el momento venimos considerando ciencia ficción. De otro lado, habrá que abrir el debate sobre el alcance subjetivo del deber de protección. Este se basa en la capacidad directa de control del medio ambiente de trabajo por el empresario directo del trabajador y otros empresarios que interactúan con él compartiendo el indicado medio (art. 24 LPRL) o suministrando los efectos que se utilizan (art. 41 LPRL). La aparición de robots, máquinas inteligentes en sentido real y dotadas de plena autonomía, incide sobre tal panorama. Será necesario articular-

---

ción tecnológica" cit., pp. 100 ss. o GONZÁLEZ VIDALES, "Seguridad y salud de los trabajadores 4.0" cit., p. 128). Sobre las exigencias que los algoritmos deben cumplir para evitar los riesgos psicosociales, véase el ya citado trabajo de TODOLÍ, "En cumplimiento de la primera ley de la robótica", cit. Pp. 22 ss.

[47]   LATORRE, J.I., *Ética para máquinas*, Barcelona (Ariel), 2019.

[48]   VEGA IRACELAY, J.J., "Inteligencia artificial y derecho: principios y propuestas para una gobernanza eficaz", *Informática y derecho. Revista iberoamericana de derecho informático*, 5 (2018), pp. 13 ss.

lo, decidiendo si procede dotarles de personalidad o abrir o modificar el espectro de deudores de seguridad para darle una respuesta coherente[49].

No es fácil dar una respuesta a estas cuestiones; para mi, es directamente imposible en este momento. La reflexión sobre el impacto de la evolución tecnológica en el ámbito preventivo no podrá pues cerrarse en el futuro inmediato.

BIBLIOGRAFÍA

AGENCIA EUROPEA PARA LA SEGURIDAD Y LA SALUD EN EL TRABAJO, *Estudio prospectivo sobre los riesgos nuevos y emergentes para la seguridad y salud en el trabajo asociados a la digitalización en 2025. Resumen.*

ALFARO DE PRADO SAGRERA, A. y RODRÍGUEZ SÁNCHEZ-COLLADO, "Estrés laboral y tecnoestrés: un nuevo reto para los recursos humanos", *Trabajo 14-U. Huelva 2004*, pp. 171 ss.

ALFARO DE PRADO SAGRERA, A., "Estrés tecnológico: medidas preventivas para potenciar la calidad de la vida laboral", *Temas laborales* 102/2009, pp. 123 ss.

ÁLVAREZ CUESTA, H., "La prevención de riesgos psicosociales en la economía colaborativa: los e-nómadas", en FERNÁNDEZ DOMÍNGUEZ, J.J. y RODRÍGUEZ ESCANCIANO, S. (dirs.), *Tiempos de cambio y salud mental de los trabajadores* (Albacete [Bomarzo], 2017), pp. 53 ss.

ÁLVAREZ VÁZQUEZ, M.I., "La prevención de riesgos laborales en los puestos de teletrabajo. Experiencia en la Administración General de la Comunidad Autónoma del País Vasco", *Revista Vasca de Gestión de Personas y Organizaciones Públicas* 6(2014), pp. 82 ss.

ARAGÜEZ VALENZUELA, L., "El impacto de las tecnologías de la información y de la comunicación en la salud de los trabajadores: el tecnoestrés", *e-Revista Internacional de la protección social*, II-2(2017), pp. 169 ss.

CABERO MORÁN, E. y CORDERO GONZÁLEZ, J., "Trabajo autónomo y prevención de riesgos laborales", Documentación laboral 85(2009), pp. 51 ss.

CAVAS MARTÍNEZ, F., "Aspectos jurídicos de la enfermedad profesional: estado de la cuestión y propuestas de reforma", *Medicina y seguridad del trabajo* 2016, supl. extraord., pp. 78 ss.

---

[49]   Una primera aproximación de los problemas relacionados con la responsabilidad por acciones de los robots en Diferentes problemas en SANTOS GONZÁLEZ, M.J., "Regulación legal de la robótica y la inteligencia artificial. Retos de futuro", *Revista Jurídica de la Universidad de León*, 4 (2017), pp. 25 ss.

CONSEJO ECONÓMICO Y SOCIAL, *El futuro del trabajo*, informe 3/2018.

DE LA CASA QUESADA, S., "Tiempo de trabajo y bienestar de los trabajadores: una renovada relación de conflicto en la sociedad digital", *Revista de Trabajo y Seguridad Social. CEF*, número extraordinario 2019, pp. 113 ss.

DE LAS HERAS GARCÍA, A., *El teletrabajo en España: un análisis crítico de normas y prácticas*, Madrid (CEF), 2016

DEL VALLE, J.M., y LÓPEZ AHUMADA, J.E., "Innovación tecnológica y contrato de trabajo (I): prevención de nuevos riesgos laborales", *Anuario Facultad de Derecho – Universidad de Alcalá*, I (2008) pp. 323 ss., p. 329.

FERNÁNDEZ FERNÁNDEZ, R., "Prevención de riesgos psicosociales y descentralización productiva: un binomio habitualmente olvidado y de difícil combinación", en FERNÁNDEZ DOMÍNGUEZ, J.J. y RODRÍGUEZ ESCANCIANO, S. (dirs.), *Tiempos de cambio y salud mental de los trabajadores* (Albacete [Bomarzo], 2017), pp. 165 ss.

FITA ORTEGA, F., "La incidencia de la descentralización productiva sobre las estructuras de representación en la empresa", *Documentación laboral* 107(2016), pp. 29 ss.

GALERA, A., "El impacto de la nanotecnología sobre la seguridad y la salud laboral", *ORP journal*, Vol.2 (febrero 2015), pp. 31 ss.

GARCÍA COCA, O., "La gestión de las enfermedades profesionales en el marco de las Nuevas Tecnologías", *Lex social* vol. 3, núm. 2/2013.

GONZÁLEZ ORTEGA, S., "El tratamiento de los riesgos de trabajo de los trabajadores autónomos", *Temas laborales* 285(2006), pp. 149 ss.

GONZÁLEZ VIDALES, C., "Seguridad y salud de los trabajadores 4.0", *International Journal of Information Systems and Software Engineering for Big Companies (IJI-SEBC)*, 6(1), pp. 123 ss.

LATORRE, J.I., *Ética para máquinas*, Barcelona(Ariel), 2019.

MARTÍNEZ BARROSO, R., "Prevención de riesgos laborales y sistema de responsabilidad por accidente en el trabajo autónomo", Revista de Derecho social 43(2008), p. 119.

MERCADER UGUINA, J.R., "Riesgos laborales y transformación tecnológica: hacia una empresa tecnológicamente responsable", *Teoría&Derecho* 23(2018), pp. 92 ss.

MOLINA NAVARRETE, C., "La «gran transformación» digital y bienestar en el trabajo: riesgos emergentes, nuevos principios de acción, nuevas medidas preventivas", *Revista de Trabajo y Seguridad Social. CEF*, número extraordinario 2019, pp. 5 ss.

MOLINA NAVARRETE, C., "Redes sociales digitales y gestión de riesgos profesionales: prevenir el ciberacoso sexual en el trabajo, entre la obligación y el desafío", *Diario La Ley*, 9452, 9 de Julio de 2019.

MORENO DÍAZ, J.M., "La gestión del envejecimiento de la población trabajadora en materia laboral y de seguridad y salud", *Temas laborales* 136/2017, pp. 99 ss.

OCHAGAVÍAS COLÁS, J.I., "Una panorámica de las nuevas tecnologías aplicadas al ámbito de la salud: a propósito del m-Health y sus interacciones jurídicas", *DS : Derecho y salud* 26, 2016 (Ejemplar dedicado a: *XXV Congreso 2016: El avance de las Ciencias de la Salud y las incertidumbres del Derecho*), pp. 276 ss.

OIT, *Seguridad y salud en el centro del futuro del trabajo. Aprovechar 100 años de experiencia,* 2019, pp. 33 y 34 (https://www.ilo.org/wcmsp5/groups/public/—dgreports/—dcomm/documents/publication/wcms_686762.pdf).

OLARTE ENCABO, S., "Prevención de riesgos laborales en el trabajo autónomo: balance de situación y retos pendientes", *Revista General de Derecho del Trabajo y Seguridad Social,* 47(2017).

ORDÓÑEZ PASCUA, N., "Los riesgos psicosociales en la contratación temporal", en FERNÁNDEZ DOMÍNGUEZ, J.J. y RODRÍGUEZ ESCANCIANO, S. (dirs.), *Tiempos de cambio y salud mental de los trabajadores* (Albacete [Bomarzo], 2017), pp. 119 ss.

ORVI, N., CUERVO, T., FERNÁNDEZ, I., y ARCE, S., "Reflexión sobre la situación actual de la seguridad y salud de los trabajadores en la sociedad de las TIC", actas *Congreso Prevencionar 2017,* § 13, en http://congreso.prevencionar.com/actas-congreso-prevencionar.pdf.

PASCUCCI, P., "Nuevas formas de organización del trabajo y seguridad y salud de los trabajadores y trabajadoras, o por una concepción no fordista de la prevención", *Documentación laboral* 177(2019), pp. 107 ss.

PÉREZ DE LOS COBOS ORIHUEL, F., *Nuevas tecnologías y relación de trabajo,* Valencia (Tirant), 1990.

QUÍLEZ MORENO, J.M., "Conciliación laboral en el mundo de las TIC. Desconectando digitalmente", *Revista general de Derecho del Trabajo y de la Seguridad Social* 51 (2018), pp. 305 ss.

ROMERO, C., DORTA, L., VILLAR, H., y PÉREZ, M. "Gestión integral de incidencias en centros de trabajo: La innovación tecnológica al servicio de la integración de la prevención", actas *Congreso Prevencionar 2017,* § 20, en http://congreso.prevencionar.com/actas-congreso-prevencionar.pdf).

SABADELL I BOSCH, M., y García González-Castro, G., "La difícil conciliación de la obligación empresarial de evaluar los riesgos con el teletrabajo", *Dossier «Prevención de riesgos laborales: tendencias en tiempo de crisis», Oikonomics* 4(2015).

SALA FRANCO, T., y LAHERA FORTEZA, J., "La representación de los trabajadores en la empresa", en SALA, T. (dir.), *Propuestas para un debate sobre la reforma laboral,* Madrid (F. Lefebvre), 2018, pp. 37 ss.

SANGUINETI RAYMOND, W., *Redes empresariales y Derecho del Trabajo,* Granada (Comares), 2016.

SANTOS GONZÁLEZ, M.J., "Regulación legal de la robótica y la inteligencia artificial. Retos de futuro", *Revista Jurídica de la Universidad de León,* 4 (2017), pp. 25 ss.

SIERRA BENÍTEZ, E.M., *El contenido de la relación laboral en el teletrabajo,* Sevilla (CES), 2011.

TASCÓN LÓPEZ, R., "Los riesgos psicosociales en el trabajo a tiempo parcial", en FERNÁNDEZ DOMÍNGUEZ, J.J. y RODRÍGUEZ ESCANCIANO, S. (dirs.), *Tiempos de cambio y salud mental de los trabajadores* (Albacete [Bomarzo], 2017), pp. 141 ss.

THIBAULT ARANDA, J., *El teletrabajo,* 2ª ed., Madrid (CES), 2001

TODOLÍ SIGNES, A., "En cumplimiento de la primera Ley de la robótica: Análisis de los riesgos laborales asociados a un algoritmo/inteligencia artificial dirigiendo el trabajo", en prensa, 2019.

VEGA IRACELAY, J.J., "Inteligencia artificial y derecho: principios y propuestas para una gobernanza eficaz", *Informática y derecho. Revista iberoamericana de derecho informático,* 5 (2018), pp. 13 ss.

ZAMBRANA, A. y PARDO, M.C., "Drones: tecnología a disposición de la seguridad y salud", actas *Congreso Prevencionar 2017,* § 13, en http://congreso.prevencionar.com/actas-congreso-prevencionar.pdf.

XIX. EL DESPIDO TECNOLÓGICO: LA INTRODUCCIÓN DE INNOVACIONES TECNOLÓGICAS EN LA EMPRESA COMO CAUSA TÉCNICA Y/U ORGANIZATIVA DE DESPIDO

ÁNGEL JURADO SEGOVIA
Profesor Ayudante Doctor –acreditado como Profesor Titular–
Universidad Complutense de Madrid

1. INTRODUCCIÓN

Un vistazo al índice de la monografía publicada, en 1990, por el Prof. Pérez de los Cobos: *Nuevas tecnologías y relación de trabajo,* permite observar que las cuestiones allí abordadas –nuevas tecnologías y descentralización productiva, nuevas tecnologías y subordinación laboral, nuevas tecnolo-gías y privacidad del trabajador, entre otras–, seguramente resulten muy familiares para quienes en la actualidad acometen el análisis del impacto de la denominada digitalización sobre las instituciones jurídico-labores. Ello, además de atestiguar la lucidez del Prof. Pérez de los Cobos para identificar anticipadamente aquellos ámbitos de la ordenación de las re-laciones laborales más requeridos de atención como consecuencia de las transformaciones tecnológicas, puede también ser puesto de relieve como una muestra, quizá anecdótica pero expresiva, de que la preocupación y el análisis sobre las repercusiones del cambio tecnológico constituyen, en buena medida, un *"continuum"* en el Derecho del Trabajo.

No en balde, la emergencia del Derecho del Trabajo fue una de las res-puestas a los profundos cambios tecnológicos que trajo consigo la llamada revolución industrial[1]. Asimismo, en la posterior evolución de la rama jurídico-laboral ha influido, sin duda, la necesidad de preservar su compleja funcionalidad ante las diversas transformaciones tecnológicas[2]. Bien mirado, lo que se ha producido a lo largo de la historia no han sido tanto varias revoluciones tecnológicas cuanto una continua evolución tecnológica con un impacto gradual en los sistemas económicos, sociales y jurídicos[3]. Y es que, en la línea de lo que ya advirtiera el Prof. Pérez de los Cobos, toda reflexión y actuación relativa a las repercusiones de las transformaciones tecnológicas sobre el ordenamiento laboral debe ir acompañada de buenas dosis de prudencia: la que aconseja la gradualidad de los cambios experimentados en los sistemas productivos y la que enseña la historia del Derecho del Trabajo, como resultado de un "secular *bricolage*"[4].

Lo anterior sin perjuicio de destacar los particulares rasgos del cambio tecnológico en curso, que probablemente le imprimen un mayor calado en comparación con anteriores transformaciones. Se alude, en este sentido, a su conexión con la globalización de la economía y a la universalidad y celeridad de los cambios[5]. El avance de la globalización de la economía y de profundos cambios tecnológicos son fenómenos que, en buena medida, se retroalimentan. La globalización de los mercados se extiende con rapidez gracias a la digitalización de la economía y, a su vez, la globalización comporta que los actuales cambios tecnológicos, por contraste con otros precedentes, tengan una incidencia más generalizada en las economías y en los diversos sectores productivos. La digitalización no parece, en efecto, un fenómeno circunscrito a sectores emergentes o a la producción de determinados bienes o servicios. Y muy unido a todo lo anterior se presenta, en fin, otro rasgo particular de la digitalización, cual es la velocidad de los cambios que imprime y su continua evolución. Los cambios tecnológicos penetran rápidamente en los diversos sectores económicos y sociales y prácticamente sin solución de continuidad se observan nuevos perfiles de las transformaciones en acto[6].

---

[1]   Cfr. ALONSO OLEA, M.: "La revolución industrial y la emergencia del Derecho del Trabajo", Revista de Trabajo, n° 32, 1970, pág. 5.

[2]   Cfr. CRUZ VILLALÓN, J.: "Las transformaciones de las relaciones laborales ante la digitalización de la economía", *Temas Laborales*, n° 138, 2017, págs. 26 y 27.

[3]   Esta perspectiva de análisis en MERCADER UGUINA, J. R.: *El futuro del trabajo en la era de la digitalización y la robótica*, Tirant lo Blanch, Valencia, 2017, pág. 24 y ss.

[4]   *Nuevas tecnologías y relación de trabajo*, Tirant lo Blanch, Valencia, 1990, pág. 12.

[5]   Sigo en este punto a CRUZ VILLALÓN, J.: "Las transformaciones...", cit. pág. 15 y ss.

[6]   Destacando también la "virulencia" y "velocidad" como elementos característicos de las actuales transformaciones tecnológicas, MERCADER UGUINA, J. R.: *El futuro...*, cit., págs. 32 y 218.

Dicho esto, también es cierto, como se apuntaba más arriba, que se observa una cierta continuidad en los debates económicos, sociales y, como no podía ser de otro modo, jurídico-laborales que el cambio tecnológico de nuevo cuño pone sobre la mesa. En este sentido, en el análisis de los efectos de la digitalización están notablemente presentes, como lo estuvieron en el análisis de otras transformaciones tecnológicas, cuestiones tales como la de su impacto sobre las capacidades profesionales requeridas en los trabajadores y la de sus efectos sobre los niveles de empleo. La historia ha desmentido en varias ocasiones pronósticos sobre el fuerte descenso del empleo que traerían consigo las innovaciones tecnológicas[7] y, sin perjuicio de que las características del vigente cambio tecnológico parecen augurar que cada vez más un buen número de tareas se irán automatizando, lo cierto es que en el prolijo y heterogéneo debate sobre la digitalización y el futuro del trabajo y el empleo[8] no parece haberse llegado a un consenso claro y amplio sobre cuáles serán los efectos a corto-medio plazo[9]. Y es que no parece, a este respecto, que el diagnóstico pueda simplificarse con afirmaciones –que pueden ser consideradas falaces desde el punto de visto económico– del tipo: si las máquinas hacen el trabajo habrá obviamente menos empleo[10].

Pues bien, en cierta conexión con el debate apuntado, pero asumiendo una perspectiva de análisis jurídico-positiva, el presente trabajo tiene por objeto examinar en qué medida la introducción de innovaciones tecnológicas en la empresa puede justificar la extinción de contratos de trabajo en virtud de aquellas disposiciones vigentes en nuestro ordenamiento que aluden a la concurrencia de ciertas circunstancias tipificadas como "causas económicas,

---

[7]   Reflexionando en este sentido, GOERLICH PESET, J. M.: "¿Repensar el derecho del trabajo? Cambios tecnológicos y empleo", *Gaceta Sindical*, nº 27, 2016, pág. 177.

[8]   Al que están contribuyendo organizaciones como la OIT y la Comisión Europea, así como otras instituciones de diversa naturaleza y académicos de varias disciplinas, proyectándose visiones más o menos "tecnopesimistas" o "tecnoptimistas". En la doctrina laboralista, reseñando algunas de estas visiones y pronósticos sobre los efectos del actual cambio tecnológico, véase, entre otros, GOERLICH PESET, J. M.: "¿Repensar...", cit., pág. 176 y ss.; MERCADER UGUINA, J. R.: *El futuro...*, cit., pág. 225 y ss.; USHAKOVA, T.: "De la maquina al trabajador y viceversa. Un ensayo sobre la implicación de las nuevas tecnologías en el mundo laboral", *Revista internacional y comparada de relaciones laborales y derecho del empleo*, nº 1, 2018, pág. 123 y ss.; MONTOYA MEDINA, D.: "Nuevas relaciones de trabajo, disrupción tecnológica y su impacto en las condiciones de trabajo y empleo", *Revista de treball, economia i societat*, nº 92, 2019, pág. 2 y ss.

[9]   En esta línea, CRUZ VILLALÓN, J.: "Las transformaciones...", cit. pág. 18, 19, 30 y 31.

[10]   En este sentido, subrayando que detrás de este tipo de argumentos se encuentra lo que la ciencia económica conoce como falacia de la cantidad fija de trabajo, consistente en creer que hay una cantidad de trabajo preestablecida, sin tener en cuenta factores como la inversión y la productividad, MERCADER UGUINA, J. R.: *El futuro...*, cit., pág. 234 y 235.

técnicas, organizativas o de producción" en la regulación de los despidos colectivos e individuales o plurales *ex* arts. 51 y 52 c) ET. En particular, una ojeada rápida a la doctrina de los tribunales de justicia permite establecer, *prima facie*, una ligazón entre la codificación legal de unas "causas técnicas" y la puesta a disposición de un mecanismo que permita a las empresas acometer ajustes de empleo a raíz de la introducción de innovaciones tecnológicas en los medios o procesos productivos. Así, a modo de ejemplo y sin entrar en los pormenores del caso y de su lectura judicial, se ha entendido que concurrían causas técnicas cuando una empresa de la industria alimentaria adquiere una nueva máquina de selección de vegetales, que opera mediante lectura fotométrica de colores, formas y volúmenes[11]; o en el caso de una empresa del sector de la construcción, que realiza inversiones tecnológicas que permiten que la información obtenida *in situ* por los topógrafos se traslade, sin necesidad de adicionales intervenciones humanas, al sistema informático de la empresa[12]. Pero junto con las causas técnicas, también la *ratio* de las llamadas "causas organizativas" parece que puede ponerse particularmente en relación con los cambios tecnológicos y sus consecuencias en términos de acomodo del volumen de trabajo en la empresa. La implantación de un cambio técnico en la empresa pueda conllevar, a su vez, otros cambios que incidan sobre la organización del trabajo en el seno de la misma, justificando tales cambios organizativos la extinción de relaciones laborales[13]. Además, las innovaciones tecnológicas parecen haber influido y estar influyendo notablemente en la expansión de los fenómenos de descentralización productiva o de externalización de actividades[14]; decisiones empresariales que, como se verá, también cabe invocar como causa organizativa[15].

Dicho lo anterior, seguramente el mejor modo de seguir abordando y profundizando en la materia objeto de estudio sea adoptar una perspectiva

---

[11]   STSJ Castilla-La Mancha 27-3-2002 (Rec. 141/2002).

[12]   STSJ Castilla-León 17-12-2009 (Rec. 742/2009).

[13]   En la doctrina judicial reciente, véase, por ejemplo, STSJ Andalucía 17-5-2016 (Rec. 1385/2015) y STSJ Madrid 7-2-2019 (Rec. 933/2018).

[14]   Cfr. PÉREZ DE LOS COBOS ORIHUEL, F.: *Nuevas...*, cit., págs. 18 y 19; BLASCO PELLICER, C.: "Incidencia de las nuevas tecnologías de la información y la comunicación (TICS) en las reestructuraciones de las empresas", *Aranzadi Social*, nº 15, 2009, págs. 5 y 6 de la versión de internet; GOERLICH PESET, J. M.: "¿Repensar...", cit., págs. 182 y 183.

[15]   Valgan, en ese sentido, como ejemplo aquellos pronunciamientos judiciales que han admitido la concurrencia de causas organizativas para despedir en supuestos en que la empresa ante la decisión de renovar los sistemas informáticos decide también externalizar la gestión y mantenimiento de los mismos. Cfr. STSJ Castilla-La Mancha 5-11-2003 (Rec. 1733/2003); STSJ Cataluña 28-5-2013 (Rec. 3742/2013).

diacrónica, toda vez que el sentido y alcance de la vigente regulación en punto a tales causas técnicas y organizativas, justificativas de los despidos *ex* arts. 51 y 52 c) ET, se comprende mucho mejor como el resultado de una larga y, en buena medida, ambigua evolución legal e interpretativa.

2. PERSPECTIVA HISTÓRICA: UN MARCO REFRACTARIO AL DESPIDO TECNOLÓGICO

2.1. *Los antecedentes y las reformas de los 90*

En nuestro ordenamiento laboral, sin perjuicio de algún antecedente plasmado en la normativa de los denominados "subsidios de paro", el reconocimiento más explícito de la posibilidad de extinguir contratos de trabajo por causas "tecnológicas" se remonta al Decreto 3090/1972, encargado de regular el procedimiento de autorización administrativa al que quedaban sujetos, sin excepción, este género de despidos. Tales causas extintivas se unían a la referencia hecha también a las "causas económicas", claramente herederas del concepto de "despido por crisis" originario de normas precedentes y reflejado en la Ley de Contrato de 1944 todavía vigente en aquel momento. Este esquema, sin perjuicio de diversas modificaciones de orden procedimental, se trasladó posteriormente a la adecuada ordenación por el RD-Ley de Relaciones de Trabajo de 1977 y por el Estatuto de los Trabajadores (ET) de 1980[16].

En ninguna de estas normas se precisó, no obstante, que cabía entender por tales causas, si bien en su aceptación por parte de la doctrina administrativa y judicial, como presupuesto habilitante del despido, latían siempre motivos de orden económico[17]; quizá en el caso de la causas tecnológicas con una rigurosidad algo menor en comparación con las causas econó-

---

[16]   Cfr. BRIONES GONZÁLEZ, C.: *La extinción del contrato de trabajo por causas objetivas*, MTAS, Madrid, 1995, pág. 206 y ss. Véase también sobre la evolución histórica en la tipificación legal de estas causas de despido, GARCÍA MURCIA, J.: "Las causas de despido colectivo: causas técnicas, organizativas y de producción", en (GODINO REYES, M. Coord.): *Tratado de despido colectivo*, Tirant lo Blanch, 2016, pág. 1 y ss. de la versión on-line.

[17]   En este sentido, subrayando que, durante aquel periodo, no se aceptaban unas causas tecnológicas de los despidos muy distintas a las causas económicas, GARCÍA FERNÁNDEZ, M.: "Razones económicas, técnicas, organizativas y de producción en las decisiones empresariales de modificación y extinción del contrato de trabajo: determinación, formalización, prueba y control judicial", *Actualidad Laboral*, nº 1, 1995, pág. 70. Véase también BRIONES GONZÁLEZ, C.: *La extinción...*, cit., págs. 259 y 260.

micas, entendidas éstas predominantemente como una situación de crisis estructural e incluso, a menudo, irreversible[18]; pero, en todo caso, concebidas las causas tecnológicas como aquellas que dificultaban la continuidad de la empresa y de los puestos de trabajo como consecuencia de la obsolescencia e ineficacia de los medios de producción a causa del progreso científico-tecnológico[19]. Esta caracterización de las causas tecnológicas se proyectó también sobre la noción de despido individual por necesidades de funcionamiento de la empresa recogido en el RD-Ley de Relaciones de Trabajo de 1977 y, más tarde, de despido objetivo por amortización de un puesto de trabajo individualizado *ex* art. 52 c) del ET de 1980, que sustrajeron determinadas extinciones contractuales del procedimiento de despido colectivo autorizado administrativamente. Bajo ambos regímenes, las interpretaciones doctrinales y judiciales preponderantes afirmaron, en efecto, la unidad causal de ambos mecanismos extintivos -despidos colectivos e individuales-[20].

Pues bien, como es sabido, uno de los aspectos relevantes de la importante reforma laboral de 1994 radicó en una nueva ordenación de los despidos por causas relacionadas con el funcionamiento de las empresas. Junto con el hecho de que el art. 52 c) ET pasase a albergar no sólo despidos individuales sino también a los denominados despidos plurales, destacó, asimismo, que la referencia a causas *"económicas y tecnológicas"* fuese sustituida por la de causas *"económicas, técnicas, organizativas o de producción"*, con el aparente objetivo de flexibilizar la rígida interpretación que se venía haciendo en el marco normativo anterior, muy anclada en la idea de crisis empresarial[21]. Tal innovación fue acompañada, sin embargo, de otras que, aunque parecían orientadas en esa misma dirección, lo cierto es que en la práctica frustraron, en buena medida, el objetivo de flexibilización e introdujeron altos márgenes de incertidumbre en la calificación de estos despidos[22]. El legislador, con una técnica normativa inédita hasta aquel

---

[18]   Cfr. BRIONES GONZÁLEZ, C.: *La extinción...,* cit., pág. 252.

[19]   Resoluciones de la Dirección General de Empleo de 17-2-1981 y 30-9-1981 citadas en GARCÍA TENA, J. y ALARCÓN BEIRA, F.: *Regulación de empleo. Jurisprudencia,* MTAS, 1984, pág. 52. Asimismo, señalando que esta fue la tesis de la doctrina administrativa durante largo tiempo, BRIONES GONZÁLEZ, C.: *La extinción...,* cit., pág. 261.

[20]   Cfr. BRIONES GONZÁLEZ, C.: *La extinción...,* cit., pág. 189 y ss.

[21]   Cfr. DURÁN LÓPEZ, F. "El despido objetivo: causas, forma y efectos", *Revista Española de Derecho del Trabajo,* nº 100, 2000, pág. 1097.

[22]   Cfr. DESDENTADO BONETE, A.: "El despido objetivo económico entre dos reformas: 1994 y 1997", *Relaciones Laborales,* Tomo-2, 1998, págs. 445 y 456. En esta misma línea, MONTOYA MEGAR, A.: "El nuevo artículo 52 c) del Estatuto de los trabajadores: primeras interpretaciones", *Aranzadi Social,* Tomo-I, 1996, pág. 2611 y 2612.

momento y utilizando unos términos excesivamente "prolijos y equívocos"[23], añadió al nuevo elenco de causas extintivas un elemento finalista al que debían responder los despidos; particularmente en el caso de las causas técnicas u organizativas los despidos debían *contribuir a (...) garantizar la viabilidad futura de la (...) (empresa) y del empleo en ella, a través de una más adecuada organización de los recursos*. Este tenor legal permitió un cierto continuismo de las tesis tradicionales apegadas a la idea de crisis. Un sector mayoritario de la doctrina judicial interpretó el mandato de que las extinciones contribuyeran garantizar la viabilidad futura de la empresa exigiendo una viabilidad comprometida como punto de partida para poder despedir[24], sin que los pronunciamientos del TS, interpretando el alcance de la reforma de 1994, comportasen una lectura resueltamente censora de tal entendimiento[25].

En este contexto, difícilmente se hacía reconocible un mecanismo extintivo del contrato de trabajo que descansase fundamental y principalmente en la necesidad de ajustar el volumen de mano de obra a la situación resultante de la introducción de innovaciones tecnológicas en la empresa. La aparente diferencia entre las causas económicas y las restantes causas recogidas por la ley resultó ser más bien inexistente, reconduciéndose todas ellas a problemas de rentabilidad económica. En este sentido, resulta ilustrativo el razonamiento de alguna doctrina judicial dictada en aplicación de la reforma de 1994, según la cual *"resulta indudable desde una perspectiva atinente tan sólo a la competitividad y al beneficio empresarial que cualquier proceso de automatización, robotización o, en fin, racionalización de los medios de producción contribuye genérica y abstractamente a la viabilidad de la empresa, puesto que cualquier medida cuyo designio sea un mayor beneficio empresarial comporta, por definición, una mayor viabilidad; (...). De ahí que, si los Tribunales ponderaran tan sólo el factor optimización de los recursos, inatacable resultaría la lógica empresarial y, siguiendo la misma, pro-*

---

[23]   PÉREZ DE LOS COBOS ORIHUEL, F. y ROQUETA BUJ, R.: "Las llamadas <<causas económicas, técnicas, organizativas o productivas>>", *Documentación Laboral*, n° 51, 1997, pág. 43.

[24]   Cfr. DESDENTADO BONETE, A.: "El despido...", cit. pág. 461. Véase, por ejemplo, STSJ Galicia 8-2-1995 (Rec. 63/1995); STSJ Asturias 26-5-1995 (Sentencia 1171/1995); STSJ País Vasco 21-7-1995 (Rec. 1107/1995); SSTSJ Cataluña 17-11-1995 (Sentencia 6261/1995) y 16-2-1996 (Sentencia 1000/1996); STSJ Andalucía 18-10-1996 (Rec. 708/1996).

[25]   La doctrina jurisprudencial relativa al despido por causas técnicas u organizativas no pasó de algunas consideraciones en *obiter dicta* de las que se podían colegir también una concepción defensiva de estos despidos, como mecanismo para hacer frente a dificultades de rentabilidad o eficiencia empresarial. Cfr. SSTS 14-6-1996 (Rec. 3099/1995) y 21-3-1997 (Rec. 3755/1996).

cedentes de los despidos. Pero no existen términos hábiles para suponer que el legislador quiso desvincular tal proceso de optimización de un factor de viabilidad más concreto, limitado y tangible alcance"; razonamiento éste que llevó a que se calificase como improcedente el despido acometido por una empresa con beneficios, considerándose tal circunstancia suficiente para no entrar a valorar si tras la implantación del nuevo sistema informático y de robotización resultaban o no prescindibles los servicios los trabajadores despedidos[26].

Que la reforma de 1994 no resultó satisfactoria en términos de reconocer un mayor margen de actuación a los despidos por razones de reorganización productiva, lo demuestra el hecho de que este fuera uno de los puntuales temas que abordó, no demasiado tiempo después, la reforma laboral de 1997, fruto del acuerdo entre los agentes sociales. Dicha reforma dio una nueva redacción al art. 52 c) ET y, en cambio, dejó intacto el art. 51 ET, de modo tal que regulación de los despidos objetivos pasó a contener una tipificación propia de la justificación de las extinciones contractuales individuales o plurales no coincidente con la de los despidos colectivos. No obstante, el legislador insistió en la técnica normativa de vincular los despidos a un elemento finalista y, por ende, se reprodujeron, en buena medida, los defectos de los que adolecía la regulación precedente. Con la reforma de 1997, para justificar despidos, individuales o plurales, por causas técnicas u organizativas se debía acreditar que los mismos contribuían "*a superar las dificultades que impidan el buen funcionamiento de la empresa, ya sea por su posición competitiva en el mercado o por exigencias de la demanda, a través de una mejor organización de los recursos*". Es cierto que este nuevo elemento teleológico, dada su alusión a la competitividad y a la mejora de la organización empresarial, comportó una jurisprudencia que subrayó la necesidad de suavizar las exigencias, no requiriéndose la acreditación de una situación de tal entidad como para comprometer la viabilidad empresarial[27]; pero no es menos cierto que, sobre la base de las "dificultades" referidas en tal elemento finalista, se siguieron exigiendo problemas de funcionamiento o eficiencia empresarial reflejados, por ejemplo, en resultados negativos en las cuentas, en escasa productividad, retraso tecnológico respecto a los

---

[26] STSJ Cataluña 21-2-1997 (Sentencia 1515/1997). En esa misma línea, SSTSJ Cataluña 18-4-1996 (Sentencia 2510/1996) y 2-9-1997 (Sentencia 5631/1997).

[27] Parte de la doctrina interpretó incluso con un mayor alcance el nuevo elemento finalista, entendiendo procedentes los despidos acometidos con el fin optimizar la organización productiva, sin necesidad de acreditar una situación dificultad de partida. En esta línea, ALBIOL MONTESIONES, I.: "La extinción del contrato por causas objetivas", en (AAVV): *La reforma laboral de 1997*, Tirant lo Blanch, Valencia, 1997, pág. 71; DURÁN LÓPEZ, F. "El despido...", cit., pág. 1109.

competidores, pérdida de cuota de mercado, etc.[28]. De la doctrina del TS se desprendía, en efecto, que tanto los cambios técnicos-organizativos introducidos, como los despidos consecuencia de tales cambios, debían responder a problemas de gestión o eficiencia actuales, perceptibles y acreditados[29], llegándose a afirmar, a efectos del contenido que debía reunir la "carta de despido", que esas concretas dificultades eran las que debían quedan reflejadas como *"causas motivadoras"* del despido[30]. Tras este entendimiento jurisprudencial latía, a la postre, la idea de que decisiones como la implantación de procesos de automatización o la externalización de actividades, en tanto que provenientes de la voluntad exclusiva del empresario, no podían admitirse, sin más, como situación de desajuste justificativa de la amortización de puestos de trabajo[31].

Por tanto, con la reforma de 1997 seguía siendo insuficiente con acreditar que la implantación de un cambio tecnológico en la empresa había generado un exceso de personal. De hecho, en la doctrina de suplicación posterior a la reforma de 1997 se podía observar una notable inercia aplicativa de pautas hermenéuticas anteriores a la misma. En algunos supuestos, se siguió exigiendo una viabilidad empresarial amenazada para justificar que la introducción de cambios tecnológicos pudiera comportar un ahorro de costes mediante la reducción de personal[32]. Y en otros casos, se operó una mutación meramente formal del test empleado: la referencia al riesgo para la viabilidad empresarial se sustituía por las "dificultades" aludidas en la ley, pero con el mismo resultado de entender procedentes los despidos sólo si, además del cambio técnico-organizativo, quedaban acreditadas otras circunstancias con ciertos perfiles patológicos, tales como unas notables y acumuladas pérdidas económicas, una continuada pérdida de cuota de mercado, un incremento significativo de los gastos para acometer necesarias obras de mantenimiento o una manifiesta obsolescencia o ineficacia de la maquinaria, equipos o sistemas reemplazados[33].

---

[28]   Cfr., por todas, STS 10-5-2006 (Rec. 725/2005).

[29]   Cfr., entre otras, SSTS 21-7-2003 (Rec. 4454/2002); 11-10-2006 (Rec. 3148/2004); 23-1-2008 (Rec. 1575/2007) y 2-3-2009 (Rec. 1605/2008).

[30]   Cfr., entre otras, SSTS 30-3-2010 (Rec. 1068/2009) y 1-7-2010 (Rec. 3439/2009).

[31]   En este sentido, valorando negativamente esta orientación jurisprudencial, RODRÍGUEZ-PIÑERO BRAVO-FERRER, M.: "Control judicial y despido", *Relaciones Laborales*, nº 10, 2010, pág. 9.

[32]   Cfr., entre otras, SSTSJ Asturias 24-7-1998 (Sentencia 1993/1998) y 8-10-1999 (Rec. 1504/1999); STSJ Islas Canarias 20-9-2004 (Rec. 635/2004); STSJ Navarra 9-6-2006 (Rec. 25/2006).

[33]   Cfr. STSJ Islas Canarias 22-5-2002 (Rec. 923/2001); STSJ Castilla-La Mancha 5-11-2003 (Rec.1733/2003); STSJ Islas Canarias 27-2-2009 (Rec. 973/2006); STSJ Madrid 17-4-

Sin la concurrencia de este tipo circunstancias, se entendía que el despido derivado, por ejemplo, de la instalación de un sistema automatizado de atención al cliente, que dejaba vacío de contenido el puesto de telefonista, respondía no a una "necesidad", sino a una estrategia de mera "conveniencia" empresarial dirigida al incremento de beneficios[34]. Y, por poner otro ejemplo, un entendimiento semejante se sostuvo en el caso de una empresa de transportes que había incorporado a su actividad unas "PDA's" que permitían registrar en línea y tiempo real la prueba de entrega de los envíos, considerándose que la *"mera incorporación de los mencionados medios informáticos, sin que se haya acreditado que tuviesen relación con problemas reales en el funcionamiento de la Delegación, no basta para justificar la procedencia de la decisión extintiva, aunque haya provocado una reducción considerable de la carga de trabajo de la actora"*[35]. En una línea convergente se pronunciaba también un sector de la doctrina, antes y después de la reforma de 1997, llegándose a proponer una distinción entre la innovación tecnológica "agresiva" y la "defensiva", en el sentido de que la primera tendría por objeto producir más barato o ganar más cuota de mercado, lo que podría legitimar otras medidas laborales, pero no el despido, que sí que cabría en el caso de una innovación "defensiva", entendida como aquella que necesariamente debe acometerse para adaptarse a exigencias productivas y evitar así un peligro para la viabilidad del proyecto empresarial[36].

Estas lecturas judiciales y doctrinales planteaban, a mi juicio, un dicotomía bastante maniquea y poco fundamentada, pues que no exista una apremiante "necesidad" de despedir para superar problemas de rentabilidad o gestión empresarial no significa que, en el marco de un sistema de libertad de empresa (art. 38 CE), no sea legítima la "conveniencia" empre-

---

2009 (Rec. 667/2009); STSJ Galicia 5-10-2010 (Rec. 2424/2010).

[34]   STSJ La Rioja 1-3-2005 (Rec. 39/2005). En esta misma línea, entre otras, STSJ Asturias 24-7-1998 (Sentencia 1993/1998); STSJ Comunidad Valenciana 11-11-1998 (Rec. 3752/1997) y 28-2-2003 (Rec. 3588/2002); SSTSJ Cataluña 20-9-1999 (Sentencia 6278/1999); 10-2-2003 (Rec. 7784/2002) y 9-2-2005 (Rec. 8361/2004); STSJ Islas Canarias 20-9-2004 (Rec. 635/2004); STSJ Navarra 9-6-2006 (Rec. 25/2006).

[35]   STSJ País Vasco 30-5-2006 (Rec. 998/2006).

[36]   Cfr. LÓPEZ GÓMEZ, J. M.: "Las causas económicas y empresariales de despido", en AAVV (Dir. CRUZ VILLALÓN, J.): *Los despidos por causas económicas y empresariales*, Universidad de Cádiz, 1996, pág. 59. En esta misma línea, ÁLVAREZ DEL CUVILLO, A.: "La adaptación de los trabajadores a los cambios tecnológicos en la pequeña empresa", *Revista de Contratación Electrónica*, nº 93, 2008, pág. 29-31. En contra de estas posturas, que circunscribían la legitimidad del despido tecnológico a situaciones más bien patológicas, se manifestaba otro sector de la doctrina. Véase PÉREZ DE LOS COBOS ORIHUEL. F. y ROQUETA BUJ, R.: "Las llamadas...", cit., pág. 50 y 51; BLASCO PELLICER, C.: "Incidencia...", cit. pág. 17 de la versión de internet.

sarial de introducir, en cualquier momento, innovaciones tecnológicas y mejorar la organización de sus recursos suprimiendo un puesto de trabajo "redundante"[37]. Esta orientación, reconocedora de un mayor margen de actuación a los poderes extintivos del empresario, también se podía constatar en alguna otra doctrina judicial relativa a los despidos acometidos aduciendo como causa la introducción de cambios tecnológicos[38].

2.2. La reforma de 2010

El marco jurídico sucintamente expuesto fue el orden de referencia durante finales del siglo pasado y principios del presente; un marco, como se ha visto, más bien refractario a la aceptación de un despido por causas estrictamente tecnológicas y, en todo caso, caracterizado por un elevado grado de incertidumbre en cuanto calificación judicial de este tipo despidos. Y no fue hasta 2010, cuando el legislador volvió a intervenir sobre las causas legitimadoras de este mecanismo extintivo de las relaciones laborales. La reforma laboral de 2010 recuperó la unidad causal entre los despidos *ex* arts. 51 y 52 c) ET y procedió a una reordenación que afectó tanto a las causas económicas[39] cuanto, y a los efectos que aquí más interesan, a las causas de orden técnico-organizativo, incorporando una descripción, no exhaustiva y extraída de la jurisprudencia, de los supuestos en que cabía entender concurrentes tales causas; a saber: *"causas técnicas cuando se produzcan cambios, entre otros, en el ámbito de los medios o instrumentos de producción; causas organizativas cuando se produzcan cambios, entre otros, en el ámbito de los sistemas y métodos de trabajo del personal (...)"*.

A este respecto, quizá lo más destacable fuese que las causas pasasen a identificarse como "cambios", lo que podía interpretarse como un reconocimiento legal de que resultaba indistinto que en el origen último de las causas técnicas y organizativas estuviera en factores más o menos exógenos o endógenos a la voluntad empresarial, pudiendo obedecer tales causas a decisiones de pura iniciativa o gestión empresarial; esto es, tomadas dentro

---

[37]   En esta línea crítica con la dicotomía entre "necesidad" y "conveniencia", RODRÍ-GUEZ-PIÑERO BRAVO-FERRER, M.: "Control...", cit., pág. 8.

[38]   Cfr., entre otras, STSJ Cataluña 14-1-2008 (Rec. 497/2006); STSJ Madrid 28-11-2008 (Rec. 4330/2008); STSJ Castilla-León 17-12-2009 (Rec. 742/2009); STSJ Galicia 3-11-2010 (Rec. 2860/2010).

[39]   Con el objetivo de superar la lectura judicial mayoritaria que las identificaba con pérdidas cuantiosas y sostenidas en el tiempo. Cfr. GOERLICH PESET, J. M.: "La reforma de la extinción del contrato de trabajo", *Temas Laborales*, n° 107, 2010, pág. 272 y 273.

del circulo de autonomía del empresario, quien, por razones de estrategia competitiva, planificación o similares, "*crea circunstancias que pueden motivar el despido*"[40]. Ello, unido a que, con la reforma de 2010, estos despidos ya no quedasen vinculados a fines relativos a garantizar la viabilidad de la empresa o a superar dificultades, podía probablemente invocarse para considerar superado aquel entendimiento jurisprudencial, según el cual los cambios técnico-organizativos introducidos por el empresario no justificarían por sí mismos extinciones de contratos de trabajo sino iban dirigidos a solventar preexistentes problemas de rentabilidad o eficiencia empresarial.

La redefinición, en efecto, del elemento finalista de estos despidos acometida por la reforma de 2010 –el empresario debía justificar que de las causas acreditadas se deducía "*la razonabilidad de la decisión extintiva para contribuir a prevenir una evolución negativa de la empresa o a mejorar la situación de la misma a través de una más adecuada organización de los recursos, que favorezca su posición competitiva en el mercado o una mejor respuesta a las exigencias de la demanda*"– parecía admitir el despido como mecanismo para la mejora de la competitividad, aunque no hubiesen signos externos de problemas de rentabilidad o gestión empresarial[41]. Adicionalmente, que la "conexión de funcionalidad" –en expresión acuñada por la jurisprudencia anterior– de los despidos fuese acompañada de la alusión a un juicio de razonabilidad –algo también presente en dicha jurisprudencia[42]–, se valoraba como un mensaje a los órganos judiciales en el sentido de que no cabía exigir una prueba plena sobre tal "conexión", bastando con una mera argumentación sobre el carácter razonable de los despidos para mejorar la organización empresarial, sin que el control judicial pudiese entrar, además, en valoraciones acerca de si las decisiones empresariales adoptadas eran las más adecuadas para los fines perseguidos o si cabían otras medidas alternativas[43].

---

[40]　Cfr., destacando la referencia legal a "cambios" y propugnando una caracterización de las causas técnicas y organizativas en el sentido apuntado, GARCÍA MURCIA, J.: "Las causas…"., cit., págs. 5-7 de la versión on-line. En esta misma línea, MARTÍN VALVERDE, A.: "Razonabilidad o proporcionalidad en el control judicial de la justificación del despido colectivo", en (GODINO REYES, M. Coord.): *Tratado de despido colectivo*, Tirant lo Blanch, 2016, pág. 5 de la versión on-line.

[41]　Cfr. DESDENTADO BONETE, A.: "La reforma del despido en el Real Decreto-Ley 10/2010", en AAVV: *La reforma laboral de 2010. Aspectos prácticos*, Lex Nova, Valladolid, 2010, pág. 92 y 97; BLASCO PELLICER, A.: "La reforma de la extinción del contrato de trabajo", en AAVV: *La reforma laboral en el Real Decreto-Ley 10/2010*, Tirant lo Blanch, 2010, pág. 57; GOERLICH PESET, J. M.: "La reforma…", cit., pág. 278 y 279.

[42]　Cfr. STS 14-6-1996 (Rec. 3099/1995).

[43]　Cfr. DEL REY GUANTER, S.: "El despido por causas empresariales en la Ley 35/2010: los nuevos arts. 51 y 52 c) del ET, *Relaciones Laborales*, n° 21, 2010, pág. 7 de la versión

Sin embargo, la continuidad en el método empleado por el legislador, manteniendo la "confusión causas-fines"[44] operada a partir de la reforma de 1994, hacia muy incierto que se mitigase el elevado grado de inseguridad jurídica en torno a estos despidos y que se produjese un cambio muy significativo en su exégesis judicial. Que la ley señalase que la decisión extintiva debía ser razonable *"para contribuir a prevenir una evolución negativa de la empresa o a mejorar la situación de la misma"*, podía dar pie a que las amenazas o dificultades para una evolución positiva de la empresa siguieran desplegando una fuerte *vis attractiva* en la calificación de estos despidos. No faltaron, este sentido, decisiones judiciales y comentaristas que hicieron, de nuevo, una lectura de la reforma claramente apegada a los criterios jurisprudenciales previos a la misma[45]. En particular, respecto a los despidos aduciendo razones de carácter tecnológico, aunque el corto periodo de vigencia de la reforma de 2010 comportó un número no demasiado significativo de pronunciamientos en aplicación de la misma, de varios de ellos cabía deducir que seguía considerándose fundamental la existencia de unas dificultades empresariales a las que debían responder los cambios técnico-organizativos y las consecuentes medidas extintivas[46]. Además, como se verá más adelante, la referencia legal a la razonabilidad

---

de internet. En esta misma línea, analizando los despidos por causas económicas, DESDENDATO BONETE, A.: "La reforma...", cit., pág. 96; BLASCO PELLICER, A.: "La reforma...", cit., pág. 58. Asimismo, considerando que la reforma de 2010 trasladó la idea de que el despido no tenía que ser concebido como *ultima ratio*, RODRÍGUEZ-PIÑERO Y BRAVO FERRER, M.: "La reforma laboral y el dinamismo del contrato de trabajo", *Relaciones Laborales*, n° 21, 2010, p. 13 de la versión de internet.

[44]   PÉREZ DE LOS COBOS ORIHUEL. F. y ROQUETA BUJ, R.: "Las llamadas...", cit., pág. 42.

[45]   Cfr. SJS n° 1 Ciudad Real 25-1-2011 (Rec. 1043/2010); STSJ Castilla y León 14-6-2012 (Rec. 369/2012). En la misma línea, véanse los comentarios de los Magistrados de lo Social FOLGUERA CRESPO, J. A.: "El despido objetivo individual en la reforma del mercado de trabajo", *Diario La Ley*, n° 7488, 2010, pág. 7 de la versión de internet; y GONZÁLEZ GONZÁLEZ, C.: "Reforma laboral 2010: notas sobre las causas del despido por necesidades empresariales", *Aranzadi Social*, n° 10, 2011, págs. 11, 13 y 14 de la versión de internet.

[46]   En tales decisiones judiciales, se dio, en efecto, relevancia para justificar la procedencia del despido al hecho de que, junto con las modificaciones técnico-organizativas, quedasen acreditadas otras circunstancias más de orden económico-productivo, tales como pérdidas económicas durante varios ejercicios, un significativo descenso de ventas o la necesidad de ajustar el producto elaborado por la empresa a las características y precios más demandados en el sector. Cfr. STSJ Islas Canarias 25-11-2011 (Rec. 713/2011); STSJ Cataluña 27-5-2014 (Sentencia 3865/2014); STSJ Castilla y León 8-10-2014 (Rec. 695/2014).

del despido se exponía a diversas y divergentes lecturas sobre el alcance del control judicial en estos casos (véase *infra* 3.2.2).

A la postre, la justificación finalista de los despidos podía seguir sirviendo de coartada para que los tribunales se pronunciasen a veces sobre la base de criterios de oportunidad[47]. En este sentido, varios autores, pese a subrayar la orientación menos restrictiva del elemento finalista formulado por la reforma de 2010, entendían que el mismo remitía a un control judicial en que las decisiones empresariales debían ponderarse en términos de eficiencia técnico-organizativa o productiva, lo que, por ejemplo, debería llevar a negar la procedencia de aquellos despidos fundados en una descentralización de actividades que tuviera como principal objetivo lograr un abaratamiento de costes laborales o un incremento de los beneficios empresariales[48]. Con ello, a mi modo de ver, se reproducía, en buena medida, la infundada dicotomía que se venía planteando anteriormente entre "necesidad" y "conveniencia" en la justificación de estos despidos. Tras la reforma de 2010 parecía admitirse la "conveniencia" en términos de eficiencia organizativa o productiva y no aquella que fuese esencialmente económica, otorgándose al órgano judicial la facultad de decidir si concurría una u otra circunstancia, cuando parece claro que toda medida reorganizativa tiene un trasfondo económico. Por tanto, ante la cuestión que planeaba como consecuencia de la divergencia de orientaciones observada en la doctrina de los tribunales, acerca de si el control judicial debía ceñirse a comprobar el nexo causal entre el cambio técnico-organizativo y el concreto despido acometido, o si podía ir más lejos, valorando también las

---

[47]   Una tendencia ya observada desde que la reforma de 1994 introdujera la valoración causas-fines en esta institución normativa. Cfr. PÉREZ DE LOS COBOS ORIHUEL. F. y ROQUETA BUJ, R.: "Las llamadas…", cit., pág. 57-59.

[48]   Así, DESDENTADO BONETE, A.: "La reforma…", cit., pág. 97, señalaba que *"la novedad está en la justificación de las medidas extintivas (…) que rompen la formulación restrictiva de la norma anterior y, por tanto, cierran el debate sobre la distinción entre "conveniencia" y "necesidad" (…). Ahora los despidos (…) también podrán utilizarse simplemente para "mejorar la situación de la empresa" en términos de eficiencia y competitividad empresarial (…). Pero sigue planteándose la necesidad de un límite al juego de estas causas. El límite está en su consistencia en términos de eficiencia empresarial: no vale el recurso a una contrata para abaratar el coste de la mano de obra mediante salarios más bajos"*. En esta misma línea, SALA FRANCO, T. y PEDRAJAS MORENO, A.: "La configuración de las causas justificativas de decisiones empresariales modificativas, suspensivas y extintivas", *Actualidad laboral*, nº 10, 2011, pág. 18 y 19; COSTA REYES, A.: "Las causas económicas, técnicas, organizativas y de producción en el despido objetivo tras la Ley 35/2010", *Temas Laborales*, nº 109, 2011, pág. 26. También judicialmente se mantuvo este entendimiento, arguyéndose que *"si, tras la reforma de 2010, la intención del legislador hubiese sido otra "(…) la norma se hubiese redactado con una mayor claridad (…)"*, SJS nº 3 Pamplona 24-2-2011 (Rec. 875/2010).

medidas reorganizativas en términos de gestión empresarial[49], la reforma de 2010 parecía decantarse por la segunda de las opciones[50].

3. NORMATIVA VIGENTE: EL DESPIDO TECNOLÓGICO EN UN MARCO QUE RECONOCE SUSTANTIVIDAD PROPIA A LAS CAUSAS TÉCNICAS Y ORGANIZATIVAS

3.1. Los objetivos de la reforma de 2012 en relación con los despidos por causas técnico-organizativas

En el contexto arriba descrito fue en el que se aprobó la última gran reforma de la legislación laboral, del año 2012, que, como es sabido, volvió a intervenir sobre la ordenación de los despidos por causas económicas, técnicas, organizativas o de producción. Antes de entrar en la caracterización de las causas de orden técnico-organizativo derivada de esta última reforma, conviene destacar que con tal reforma no sólo se ha mantenido la identidad formal entre las causas de los despidos *ex* arts. 51 y 52 c) ET –éste último se sigue remitiendo al primero en cuanto a tales causas–, sino que, en buena medida, se alcanza una identidad más material, unificándose también el principal cauce encargado de pergeñar y concretar el test de justificación causal de todos estos despidos. Con la desaparición de la autorización administrativa en los despidos colectivos, los tribunales de lo social asumen un mayor y directo protagonismo en el control de la justificación causal de estos despidos[51], adquiriendo, *a priori*, dicho control unos tintes menos políticos y más jurídicos[52]. A diferencia de lo que venía ocurriendo durante la vigencia de normas anteriores, la interpretación judicial sobre

---

[49] Advirtiendo de esta cuestión ante la divergencia de orientaciones judiciales, RODRÍGUEZ-PIÑERO BRAVO-FERRER, M.: "Control...", cit., pág. 9.

[50] En este sentido, señalando que, con la reforma de 2010, el control judicial se seguía proyectando no sólo sobre los efectos laborales de la modificación introducida por el empresario, sino sobre la modificación misma desde la lógica de la gestión de la empresa, RODRÍGUEZ-PIÑERO BRAVO-FERRER, M.: "La reforma...", cit., pág. 13.

[51] Cfr. MARTÍN VALVERDE, A.: "Razonabilidad...", cit., pág. 3 de la versión on-line.

[52] Cfr. DE LA VILLA GIL, L. E.: "El derecho del trabajo, ¿ha muerto o vive todavía? Reflexiones sobre la reforma laboral de 2012", *El Cronista del Estado Social y Democrático de Derecho*, nº 29, 2012, pág. 8. En este sentido, respecto al anterior diseño legal, se había afirmado que el teórico control colectivo y administrativo sobre la justificación de los despidos colectivos había venido teniendo un papel muy escaso en la práctica. Cfr. RODRÍGUEZ-PIÑERO BRAVO-FERRER, M.: "El despido por motivos objetivos atinentes a la empresa", *Relaciones Laborales*, nº 1, 1998, pág. 85.

la justificación de las causas de los despidos colectivos está resultando más habitual y las doctrinas sentadas sobre el particular son más susceptibles de tener repercusiones en todo el bloque normativo; esto es, también en la despidos individuales *ex* art. 52 c) ET; si bien en la práctica, al menos desde el punto de vista de la conflictividad judicial, parecen que siguen siendo éstos últimos los más frecuentes en cuanto a las causas relacionadas con cambios técnico-organizativos.

Pues bien, en este terreno de las causas técnicas y organizativas, la reforma de 2012 dio continuidad a la ejemplificación de las mismas ya prevista por la reforma de 2010, aludiendo tales causas como *"cambios"*, con lo que ello parece implicar, como se vio, en términos de reconocer que la causa técnica u organizativa puede tener origen en decisiones de exclusiva voluntad y pura estrategia empresarial (véase *supra* 2.2.)–. La única innovación se produjo en punto a las causas organizativas, disponiéndose que concurren *"cuando se produzcan cambios, entre otros, en el ámbito de los sistemas y métodos de trabajo del personal o* –añadió la reforma de 2012– *en el modo de organizar la producción"*. Con esta última referencia se ha querido aludir a las decisiones empresariales de descentralización productiva[53], respecto a las cuales se había podido constatar, como se apuntaba más arriba, una interpretación jurisprudencial restrictiva, considerando que los despidos derivados de una decisión de externalizar solo estaban justificados si tal decisión respondía a ciertos problemas o dificultades de gestión o eficiencia[54]. Tras la reforma de 2012, el TS se ha pronunciado claramente a favor de considerar que la externalización de actividades resulta subsumible en la noción de causa organizativa justificativa de un despido colectivo, si bien, por las particularidades del caso enjuiciado, la doctrina emanada no resultó del todo concluyente acerca de la exigencia o no de otros requisitos adicionales para considerar ajustado a derecho el despido[55]. Esto conecta

---

[53]   Cfr. GARCÍA-PERROTE ESCARTÍN, I.: "La nueva regulación sustantiva y procesal de la extinción del contrato de trabajo en el Real Decreto-Ley 3/2012", *Actualidad Laboral*, n° 9, 2012, pág. 2 de la versión de internet.

[54]   Cfr., entre otras, SSTS 21-7-2003 (Rec. 4454/2002); 11-10-2006 (Rec. 3148/2004) y 2-3-2009 (Rec. 1605/2008).

[55]   STS 20-11-2015 (Rec. 104/2015), que trae causa en un caso en el que la empresa justifica la decisión de externalizar y despedir aludiendo a una reducción de la demanda y el TS utiliza tal elemento para articular su argumentación en el sentido de que la medida organizativa adoptada resultaba idónea y razonable ante la situación acreditada. En todo caso, de los fundamentos jurídicos de la sentencia se desprende una clara orientación favorable a la aceptación del despido como consecuencia de una descentralización productiva, subrayando la legitimidad de tales decisiones desde el punto de vista de la libertad de empresa *ex* art. 38 CE, lo que contrasta con el voto

con el otro aspecto más destacable de la reforma de 2012 en este terreno; a saber: la supresión de cualquier elemento finalista como parte integrante de la justificación de estos despidos, rompiendo así con lo que había sido pauta común desde la reforma de 1994.

Con la supresión de la valoración finalista de los despidos el legislador ha perseguido, de un lado, desvincular más claramente las causas de tipo técnico y organizativo de otras razones de naturaleza más económica o, cuanto menos, relacionadas con el riesgo de una evolución negativa de la empresa; y, de otro lado, evitar que la indefinición inherente a tales elementos finalistas pudiera dar pie a controles judiciales de muy diverso significado e intensidad. Y tales objetivos de la reforma pasaban, en buena medida, por evitar en el texto legal vigente una semántica que recordase a normas precedentes, intentando así sortear una inercia aplicativa en que la ambigüedad legal sirviese de pretexto para una fiscalización judicial que alcanzase a aspectos que tras la reforma se juzgan como claramente correspondientes a la esfera de la libre decisión empresarial. Que los propósitos del legislador de 2012 se mueven en esta dirección se deduce con nitidez de algunos pasajes de las exposiciones de motivos del RD-Ley 3/2012 y de la Ley 3/2012, en los que se puede leer una crítica al modelo anterior, entre otras razones, por haber "*venido caracterizándose por una ambivalente doctrina judicial y jurisprudencia, en la que ha primado muchas veces una concepción meramente defensiva de estos despidos, como mecanismo para hacer frente a graves problemas económicos, soslayando otras funciones que está destinado a cumplir este despido como cauce para ajustar el volumen de empleo a los cambios técnico-organizativos operados en las empresas*"; y este es uno de los motivos por los cuales la "*ley se ciñe ahora a delimitar las causas económicas, técnicas, organizativas o productivas que justifican estos despidos, suprimiéndose otras referencias normativas que han venido introduciendo elementos de incertidumbre. Más allá del concreto tenor legal incorporado por diversas reformas desde la Ley 11/1994 (...) tales referencias incorporaban proyecciones de futuro, de imposible prueba, y una valoración finalista de estos despidos, que ha venido dando lugar a que los tribunales realizasen, en numerosas ocasiones, juicios de oportunidad relativos a la gestión de la empresa. Ahora queda claro que el control judicial de estos despidos debe ceñirse a una valoración sobre la concurrencia de unos hechos: las causas*".

---

particular formulado a esta sentencia, que discrepa por entender fundamentalmente que la empresa no había acreditado dificultades de funcionamiento que permitiesen deducir que la descentralización y los despidos no constituían un simple medio para lograr un incremento del beneficio empresarial.

Por consiguiente, en el actual marco normativo, cuando se trata de justificar despidos vinculados a la introducción de cambios tecnológicos en la empresa, no cabe exigir que tales cambios obedezcan a problemas o dificultades ya constatadas, ni tampoco acreditar nada acerca de la repercusión más o menos positiva de dichos cambios en la viabilidad o evolución de la empresa. Tras la reforma operada en 2012, se puede, en efecto, afirmar de un modo concluyente la autonomía e independencia de las causas técnicas y organizativas respecto a otras razones que se incardinan en mayor medida en la noción de causas económicas o productivas[56], admitiéndose el despido por la introducción de cambios tecnológicos en una empresa con beneficios económicos y sin signos de una evolución negativa o deterioro alguno[57]. Y, ciertamente, en la doctrina judicial posterior a la reforma se constata la predisposición a declarar la procedencia del despido sin necesidad de que el cambio tecnológico acreditado responda a otras circunstancias tales como pérdidas, una reducción de la cuota mercado, ni tampoco a una obsolescencia de los medios de producción renovados o cualquier otra ineficiencia productiva[58]. Esta circunstancia relativa a la obsolescencia de los medios de producción aparece reflejada en una reciente STS en que se declara ajustado a derecho un despido colectivo por causas técnicas y organizativas[59], pero no parece que el Tribunal subraye ello como un elemento estrictamente necesario para la justificación de estos despidos, sino que tal referencia aparece de manera más bien circunstancial como algo propio del supuesto de hecho concreto.

Con todo, también es cierto que puntualmente sigue detectándose alguna doctrina judicial que juzga improcedente el despido sobre la base de considerar que no se ha cumplido la exigencia de acreditar que los cambios técnico-organizativos introducidos se deban a factores ajenos a la voluntad de la empresa relacionados con problemas de eficiencia o rentabilidad, que pongan manifiesto que tales cambios y el despido no res-

---

[56]   Aunque la descripción legal de las causas productivas se asimila a la de las causas técnicas y organizativas –se alude a "cambios (...) en la demanda de los productos o servicios que la empresa pretende colocar en el mercado"– y todas estas causas pueden presentarse en la práctica interrelacionadas entre sí, la tradición interpretativa tiende a entender que en el fondo de la causa productiva laten también preocupaciones de tipo económico o financiero provocadas esencialmente por una reducción de la demanda. Cfr. GARCÍA MURCIA, J.: "Las causas…"., cit., págs. 12 y 13 de la versión on-line.

[57]   En esta línea, CRUZ VILLALÓN, J.: "Las transformaciones…", cit., pág. 35.

[58]   Cfr., entre otras, STSJ Galicia 27-1-2015 (Rec. 3505/2014); STSJ Cataluña 9-6-2016 (Rec. 2167/2016); STSJ Andalucía 22-6-2017 (Rec. 2534/2016); STSJ Comunidad Valenciana 23-10-2018 (Rec. 2587/2018).

[59]   STS 22-2-2018 (Rec. 192/2017).

ponden a una *"mera conveniencia empresarial"*[60]; es decir, un entendimiento muy apegado a la jurisprudencia anterior a la reforma y que prescinde de otorgar relevancia a los cambios introducidos en la letra de la ley. Habrá quien pueda considerar que ello es imputable a que la parquedad de la Ley tras la reforma de 2012 redunda en indefinición, mas de algunos de los razonamientos empleados por esta postura judicial también cabe deducir una suerte de uso alternativo del derecho que, aunque pueda ser muy enriquecedor desde el plano de la investigación jurídica y la política del derecho, debería ser ajeno para quienes asumen como función principal aplicar las normas vigentes. Y ello a pesar de que tal entendimiento se quiera justificar en una defensa del derecho al trabajo y el mantenimiento del empleo frente a la libertad de empresa y su potencial, merced a las posibilidades actuales de automatización y robotización de funciones, de destruir un relevante volumen empleo –en torno al 35% de la población activa, se afirma en alguna sentencia–; lo que, según esta postura judicial, exige una "reinterpretación" de la causa técnica que la circunscriba a las empresas con dificultades y no permita despidos procedentes en las empresas que simplemente buscan mejorar su competitividad[61]. Se comparta o no esta

---

[60]   STSJ La Rioja 26-9-2016 (Rec. 176/2016). En esta misma línea, STSJ Islas Canarias 27-11-2015 (Rec. 835/2015), en la que se recoge una expresa toma de posición respecto a que el control judicial, pese a los cambios legales introducidos, debe seguir pivotando sobre un elemento finalista para hacer frente a problemas de eficiencia o rentabilidad empresarial, por lo que, en el caso concreto, se admite el despido fundado en la automatización de un servicio de atención de llamadas sólo en la medida que el mismo se revela adecuado ante el fuerte descenso de ventas acreditado. Véase también, declarando la improcedencia del despido, la SJS nº 10 Las Palmas de Gran Canaria 23-9-2019 (Procedimiento 470/2019). En la doctrina, a favor de este tipo de valoración judicial, a pesar de los cambios operados por la reforma de 2012, APARICIO TOVAR, J.: "Las causas del despido basadas en necesidades de funcionamiento de la empresa", *Revista de Derecho Social*, nº 57, 2012, pág. 159 y 160.

[61]   Así en la SJS nº 10 Las Palmas de Gran Canaria 23-9-2019 (Procedimiento 470/2019), entre otras consideraciones, se señala que: *"(...) lo que resulta claro es que la automatización de procesos, como la operada en el caso presente, implicará una destrucción de empleos de al menos el 35% de la población activa, siendo así que un elemento de este carácter no tiende sino a la mera optimización de costes. La Libertad de Empresa se enfrenta así con el interés público por mantener el empleo y por ende con el Derecho al Trabajo. Siendo el despido objetivo una forma privilegiada y si se quiere excepcional, de concluir una relación laboral con una indemnización inferior a la ordinaria, no puede calificarse de excepcional, aquella causa que pueda afectar al 35% de todos los trabajos. Según datos de un informe elaborado por CCOO (Disponible en: http://docpublicos.ccoo.es/cendoc/035344CrisisEconomicaEfectos.pdf), durante la crisis económica de 2008 a 2012, se destruyó el 8,2% de los empleos. Los datos prospectivos de destrucción de empleo por la automatización son muy superiores, y por ende, hacen necesaria una reinterpretación del concepto de "causas técnicas" para el despido objetivo".* Y más adelante se concluye que: *"En definitiva, la automatización –como causa técnica del despido objetivo– implica una oposición*

visión sobre los efectos de la automatización en el mercado de trabajo y se comparta o no el escaso valor que se le otorga a que las empresas puedan mejorar su competitividad, este tipo de razonamiento judicial se inmiscuye, a mi modo de ver, en el terreno de valoraciones y decisiones propias del legislador.

3.2. El alcance del control judicial sobre la causa del despido

3.2.1. La acreditación del cambio técnico y/o organizativo y su relación causa-efecto con el despido

No parece que quepa duda de que el ordenamiento vigente reconoce que compete al empresario valorar y decidir la implantación de modificaciones técnico-organizativas en sus estructura productiva, lo que no quiere decir que la ley no intervenga fijando límites, pero no en cuanto a la oportunidad y fines de tales modificaciones en sí mismas, sino respecto a los efectos que pueden producir sobre los nexos contractuales, autorizando únicamente su extinción cuando se acredite una relación causa-efecto entre el cambio introducido y los despidos acordados. En este sentido, en contra de la opinión que se ha difundido, de forma algo grandilocuente, acerca de que tras la reforma laboral de 2012 se ha reducido prácticamente a nada o aspectos meramente formales la fiscalización judicial de estos despidos[62], lo cierto es que tras la reforma resulta plenamente vigente un control sustancial sobre la concurrencia de la causa que, centrando la atención en el despido por causas tecnológicas, giraría en torno a los siguientes elementos y circunstancias; a saber:

– En primer lugar, sobre el empresario recae la carga de probar el cambio tecnológico o, en la terminología legal, la existencia de *"cambios"*en los *"medios o instrumentos de producción"* –causas técnicas– y/o en los *"sistemas*

---

entre los Derechos Sociales alcanzados por los trabajadores que se vislumbran como obstáculo u óbice para alcanzar un rendimiento empresarial más óptimo, frente a la posibilidad de que un instrumento de producción pueda efectuar ese mismo trabajo sin límite de horas, sin salario ni cotizaciones sociales. La automatización mediante bots o robots, con la única excusa de reducir costes para aumentar la competitividad, viene a significar los mismo que reducir el Derecho al Trabajo para aumentar la Libertad de Empresa. Siendo así por tanto que no puede tenerse por procedente un despido en estos términos, en atención a la interpretación que ha de darse del despido objetivo por causas técnicas".

[62] Una muestra clara en este sentido es el trabajo del Magistrado de lo Social FALGUERA BARÓ, M. A.: *La causalidad y su prueba en los despidos económicos, técnicos, organizativos y productivos tras la reforma laboral,* Bomarzo, Albacete, 2013, en particular pág. 47 y ss.

y métodos de trabajo del o en el modo de organizar personal" –causas organizativas– (art. 51.1. ET), sin perjuicio de que, además, puedan –aunque no es necesario– concurrir otras causas de orden económico o productivo (pérdidas, disminución de ingresos, reducción de la demanda, etc.). Es obvio que la reforma laboral de 2012 ha mantenido intacto el control judicial sobre la realidad y actualidad de la causa. Por ello, ni antes ni ahora, resulta procedente el despido acometido sobre la base de meros proyectos y con anterioridad a la efectiva implantación del cambio[63]. Una vez acreditado el cambio, aunque la ley no faculta al juez para controlar las razones a las que obedece, sí que permite valorar los efectos que del mismo se derivan para las relaciones laborales. Ello constituye el segundo elemento del control judicial en estos casos.

– En segundo lugar, para que el cambio tecnológico justifique la extinción de contratos de trabajo, debe tener una repercusión directa sobre el ámbito en el que el trabajador despedido presta sus servicios. De este modo, como había subrayado cierta doctrina bastante antes de la reforma de 2012, pieza central de la apreciación de legitimidad del despido por estas causas técnico-organizativas lo constituye el hecho de que la causa haya comportado un concreto excedente de personal, permitiendo que el empresario haga frente al sobredimensionamiento de la plantilla[64]. De suerte tal que es más la crisis del contrato, que no la crisis de la empresa, lo que se pone de manifiesto en tales casos y, en consecuencia, la decisión extintiva se justificará en la medida que responda proporcionadamente al desequilibrio de prestaciones entre empleado y empleador, consideraciones al margen sobre la situación global de la empresa[65]. Es cierto que el actual tipo normativo, ceñido a describir que se entiende por tales causas, no alude expresamente a este segundo momento del control judicial, pero su pertinencia constituye una consecuencia lógica del sometimiento de los poderes empresariales a los principios generales de buena fe y de prohibición de abuso de derecho (art. 7 CC)[66]. Estos principios remiten a

---

[63]   Cfr. STSJ Extremadura 18-4-2000 (Rec. 205/2000); STSJ Madrid 7-3-2014 (Rec. 1950/2013); STSJ Andalucía 2015 (Rec. 2842/2014).

[64]   MONTOYA MEGAR, A.: "El nuevo…", cit., pág. 2612. Esta perspectiva de análisis y enjuiciamiento se observa claramente en buena parte de la doctrina judicial posterior a la reforma de 2012 relativa a despidos por causas de orden tecnológico. Cfr., por ejemplo, STSJ Galicia 27-1-2015 (Rec. 3505/2014) STSJ Andalucía 22-6-2017 (Rec. 2534/2016); STSJ Comunidad Valenciana 23-10-2018 (Rec. 2587/2018).

[65]   En este sentido, DESDENTADO BONETE, A.: "El despido…", cit. pág. 467.

[66]   En esta línea, señalando que el hecho de que la actual regulación de los despidos *ex* art. 51 y 52 c) ET se limite a exigir la acreditación de la causa no obsta para que las decisiones extintivas queden sujetas a los límites generales que imponen una compor-

un ejercicio de todo poder o derecho no contrario a su función económica-social[67], que en este caso, atendiendo a la *ratio legis* vigente, no es otra que acomodar el volumen de empleo en la empresa al concreto cambio de circunstancias acreditado. Como apunta alguna doctrina judicial, se trata de una valoración que se deriva de la propia naturaleza de las causas técnico-organizativas, las cuales, como se desprende de su descripción normativa, deben tener un ámbito de afectación concreto –unos determinados medios, instrumentos, sistemas o métodos de producción– y es en relación a tales ámbitos que pueden justificar la extinción del contrato de trabajo[68]. Se trata, por tanto, de valorar si el despido es razonable, pero no desde la perspectiva de diversas posibles ponderaciones concernientes a la evolución y gestión empresarial –no presentes ya en el tipo normativo en cuestión–, sino si resulta razonable para adecuar el volumen de empleo de la empresa a la situación resultante del cambio técnico-organizativo acreditado. Se trata, en suma, de un control sobre los límites "internos" del poder extintivo del empresario[69].

En particular, en este segundo momento la labor judicial debe ponderar si el puesto de trabajo del trabajador o trabajadores despedidos guarda una relación causa-efecto con la alteración técnico-organizativa acreditada, de modo que únicamente será legítimo el despido del trabajador de cuyas tareas y responsabilidades se pueda prescindir como consecuencia de dicha alteración. A este respecto, resultaba, a mi juicio, expresiva la dicción que había venido encabezando el art. 52 c) ET durante tiempo, aludiéndose a *"la necesidad objetivamente acreditada de amortizar puestos de trabajo"* y que fue suprimida, a partir de la reforma de 2010, probablemente con el

---

tamiento conforme a las exigencias de la buena fe y proscriben el abuso de derecho, GOERLICH PESET, J. M.: "La extinción del contrato de trabajo en el Real Decreto-Ley 3/2012", en GARCIA-PERROTE ESCARTÍN, I. y MERCADER UGUINA, J. (Dirs.): *Análisis práctico del RDL 3/2012, de medidas urgentes para la reforma del mercado laboral,* Valladolid, Lex Nova, 2012, pág. 303; BLASCO PELLICER, A.: "La extinción del contrato de trabajo en el RDL 3/2012. Aspectos sustantivos, procesales y de Seguridad Social", en (AAVV): *La reforma laboral en el Real Decreto-Ley 3/2012,* Tirant lo Blanch, 2012, pág. 166; GARCÍA-PERROTE ESCARTÍN, I.: "La nueva…", cit., pág. 2.

[67] Cfr. MARTÍN BERNAL, J. M.: *El abuso del Derecho,* Montecorvo, Madrid, 1982, pág. 258 y ss.

[68] Cfr., fundamentando el alcance del control judicial en instituciones de aplicación general como el abuso de derecho y en la propia naturaleza de estas causas de despido organizativo, STSJ Madrid 18-7-2016 (Rec. 168/2016).

[69] Sobre la distinción entre límites "externos" e "internos" a los poderes empresariales, vinculados los primeros a elementos expresa y específicamente recogidos por el derecho positivo y los segundos a un ejercicio de buena fe y no abusivo *ex* art. art. 7 CC, MONTOYA MELGAR, A.: *La buena fe en el Derecho del Trabajo,* Tecnos, Madrid, 2001, p. 79 y 80.

propósito de dejar atrás la dicotomía, antes apuntada, entre "necesidad" y "conveniencia", presente en la valoración judicial de estos despidos[70]. Una lectura más cabal de la citada dicción debería haber llevado, sin embargo, a considerar que ello no era otra cosa que una referencia a la necesaria actualización de los efectos de la causa probada sobre un concreto puesto de trabajo como requisito para justificar el despido. Como, de hecho, señaló la jurisprudencia en su día, *"la amortización de puestos de trabajo se ha de concretar en el despido o extinción de los contratos de aquel o aquellos trabajadores a los que afecte el ajuste de producción o de factores productivos que se haya decidido"*[71].

Que la citada referencia legal haya desparecido desde la reforma 2010, no significa que una valoración en tal sentido no resulte procedente y operativa en el actual control judicial[72]. De hecho, así se desprende de la doctrina judicial más reciente relativa a los despidos por causas técnicas, en la que resulta frecuente advertir la centralidad que cobran los elementos fácticos que, a criterio de los tribunales, permiten atestiguar una efectiva amortización del puesto o puestos de trabajo, en tanto que los mismos han quedado vacíos de su contenido fundamental, aunque puedan subsistir tareas residuales[73]. Y coherentes con ello resultan, por tanto, los pronunciamientos que declaran la improcedencia de los despidos por entender no acreditado que las innovaciones tecnológicas introducidas hayan tenido una incidencia directa y relevante sobre los puestos ocupados por los trabajadores despedidos[74]. Se trata, obviamente, de una cuestión de prueba y su valoración judicial, que, se quiera o no, está envuelta de una notable discrecionalidad, lo que puede llevar a una mayor o menor rigurosidad judicial a la hora de exigir datos que evidencien que el cambio tecnológico ha repercutido de modo sustancial en el puesto de trabajo que se pretende suprimir[75]. A este respecto, además de tomar en consideración las concretas

---

[70] Así interpretó la citada supresión DESDENTADO BONETE, A.: "La reforma...", cit., pág. 90.

[71] STS 14-6-1996 (Rec. 3099/1995).

[72] Cfr. DESDENTADO BONETE, A.: "La reforma...", cit., pág. 90; GOERLICH PESET, J. M.: "La reforma...", cit., pág. 280.

[73] Cfr., entre otras, STSJ Asturias 15-11-2013 (Rec. 1829/2013); SSTSJ Galicia 27-1-2015 (Rec. 3505/2014) y 19-7-2016 (Rec. 921/2016); STSJ Andalucía 17-5-2016 (Rec. 1385/2015); STSJ Cataluña 9-6-2016 (Rec. 2167/2016); STSJ Madrid 7-2-2019 (Rec. 933/2018).

[74] Cfr., entre otras, STSJ Comunidad Valenciana 15-5-2013 (Rec. 668/2013); STSJ Cataluña 7-7-2016 (Rec. 3107/2016); STSJ Cantabria 31-10-2018 (Rec. 590/2018); SSTSJ Andalucía 14-11-2018 (Rec. 3648/2017) y 14-2-2019 (Rec. 2006/2018).

[75] Así, por ejemplo, en la SJS nº 10 Las Palmas de Gran Canaria 23-9-2019 (Procedimiento 470/2019), se entendió no probada la causa técnica alegada por la empresa, entre

tareas y responsabilidades que venían ocupando al trabajador despedido[76], también puede adquirir relevancia la conexión temporal entre la implantación del cambio tecnológico y la decisión extintiva, pues el hecho de que transcurra un lapso de tiempo relevante entre ambas circunstancias puede denotar que el cambio no implicaba la necesidad de amortizar el puesto[77]. Nótese, en todo caso, que, según un reiterado criterio jurisprudencial, la noción de amortización iría referida a los puestos de trabajo afectados por la reestructuración empresarial y no a las funciones desarrolladas por los trabajadores en ellos ocupados, pues las mismas pueden seguir formando parte del conjunto de la actividad empresarial[78]. Las causas esgrimidas deben implicar un excedente en el nivel de empleo en la empresa, pero no necesariamente una desaparición de las funciones que venía realizando el trabajador despedido, que pueden seguir siendo necesarias y ejecutadas

---

otras cosas, por considerar que: *"(…) al tiempo del despido, de una media de 500 clientes, solo 7 de ellos – los que más facturaban – habían sido asignados como tareas al 'bot'. En los cuadros que se aportan en la carta, se parte de que el trabajo de la actora no se elimina al completo, sino sólo en un 70% de algunas tareas, a saber, de "Compensación de cobros" y "Reclamación de Cobros", y ello por cuanto no se habían dado al 'bot' todos los clientes, sino solo 7 de los 500. Ahora bien, no se encuentra tampoco un estudio sobre cuánto tiempo dedicaba la actora a esos 7 clientes y cuánto dedicaba a los 493 restantes; se afirma como dato "incontrastado" que se le libera del 70% pero se desconoce los parámetros empleados para tal cálculo, siendo así que podría ser un 50% o un 40% o incluso un 1,4% (porcentaje real de 7 respecto a 500). Es cierto que todos los testigos y partes afirman que esos 7 clientes son los que más facturan y por ende los que más trabajo dan, ahora bien, no hay datos numéricos contrastables, con datos subyacentes analizables que permitan un debate sobre la realidad de esos porcentajes, por lo que no cabe, igualmente sino tener por no acreditados tales hechos de la carta".*

[76]   En este sentido, no se apreció, por ejemplo, que el puesto de trabajo del trabajador despedido hubiera quedado afectado de modo sustancial cuando el cambio tecnológico acreditado se produjo en la gestión de pedidos en almacén y las tareas fundamentales del trabajador eran las de conductor-repartidor. Cfr. STSJ Comunidad Valenciana 15-5-2013 (Rec. 668/2013).

[77]   Cfr. STSJ País Vasco 12-4-2011 (Rec. 423/2011); STSJ Galicia 19-7-2016 (Rec. 921/2016); STSJ Madrid 13-7-2017 (Rec. 398/2017); STSJ Cantabria 31-10-2018 (Rec. 590/2018). Ahora bien, atendiendo a algún otro pronunciamiento, parece razonable entender que el despido no se tiene porque adoptar siempre de forma inmediatamente posterior a los cambios implantados, si concurren ciertas circunstancias que, como en el caso concreto, explican que la decisión extintiva no tuviera lugar hasta analizar como incidían en las funciones del personal una variedad de cambios técnicos u organizativos decididos a lo largo de un año, máxime cuando tales cambios habían sido decididos por la nueva Junta Directiva de la organización y, por tanto, con menos elementos de juicio sobre la organización. En este sentido, STSJ Cataluña 9-6-2016 (Rec. 2167/2016).

[78]   Así parecía entenderlo la STS 14-6-1996 (Rec. 3099/1995) y lo han afirmado de modo más concluyente otros pronunciamientos posteriores. Cfr. SSTS 29-5-2001 (Rec. 2022/2000); 15-10-2003 (Rec. 1205/2003) y 12-6-2012 (Rec. 3638/2011).

por el propio empresario, por otros trabajadores o por un tercero a través de una contrata de obras o servicios[79].

La valoración judicial en torno a si concurre la relación causa-efecto entre el cambio tecnológico y el puesto del trabajador despedido, haciéndolo suprimible, es una ponderación de datos fácticos, sin que proceda traer a colación otros argumentos relativos a las normas de calidad, seguridad, accesibilidad, etc. exigidas a los servicios prestados por la empresa. Tal es el caso particularmente de las normas aprobadas por un buen número de CCAA, que han limitado o prohibido las gasolineras completamente automatizadas sin personal[80]. Sin que quepa aquí entrar en detalles sobre los efectos negativos que tales regulaciones autonómicas parecen generar desde la perspectiva de una libre competencia en beneficio de usuarios y consumidores[81], ni entrar tampoco en las diversas cuestiones que se plantean desde el punto de vista de la distribución de competencias entre Estado y CCAA[82], desde el estricto prisma jurídico-laboral no resulta de recibo que tales normativas autonómicas interfieran en la aplicación de lo previsto en los arts. 51 y 52 c) ET. Y, en este sentido, no resulta posible declarar la improcedencia de un despido arguyendo que unos servicios la-

---

[79]　En este sentido, GOERLICH PESET, J. M.: "La reforma...", cit., pág. 280.

[80]　Según un estudio de la Comisión Nacional de los Mercados y la Competencia (CNMC), en 2016, al menos, 14 CCAA tenían aprobadas normativas en este sentido (Navarra, Andalucía, Castilla la Mancha, Murcia, Comunidad Valenciana, Islas Baleares, Aragón, Canarias, Madrid, La Rioja, Extremadura, Castilla y León, Asturias y Cantabria). Cfr. CNMC: *Análisis del efecto competitivo de la entrada de gasolineras automáticas en el mercado de distribución minorista de carburantes*, Madrid, 2019, pág. 21.

[81]　En el estudio *supra* citado de la CNMC (*Análisis del efecto competitivo...*), se concluye que España es uno de los países de la UE con menor penetración de estaciones de servicios automatizadas, existiendo fuertes barreras regulatorias y que, sin embargo, los estudios empíricos evidencian que su implantación conlleva un efecto competitivo que genera importantes ahorros para los consumidores (para la Comunidad de Madrid, una de las zonas donde más extendida parece estar su implantación, se estimó un ahorro, durante el periodo 2012-2016, de cuanto menos de 15 millones de euros). Asimismo, en dicho estudio se da cuenta de que la Comisión Europea parece considerar tales restricciones a la competencia como desproporcionadas y que, por ello, en marzo de 2017, admitió a trámite una denuncia contra España por su inacción ante la proliferación de las citadas normativas autonómicas.

[82]　La STS (Cont.-Admvo) 12-2-2019 (Rec. 1718/2018) confirmó una sentencia del TSJ de Baleares que declaró nulas las previsiones de la respectiva normativa autonómica que prohibía las estaciones de servicios desatendidas, considerando que el título competencial prevalente es el concerniente a la materia de planificación de la actividad económica y régimen energético, correspondiente a la legislación estatal en que se prevé la posibilidad de este tipo de estaciones, de modo que la competencia autonómica en materia de consumo tiene como límite tales competencias del Estado.

borales siguen siendo necesarios, a pesar de la automatización implantada, para no incumplir con una normativa autonómica, como, por ejemplo, la aprobada por la Junta de Andalucía que exige la presencia obligatoria de *"una persona para atender la solicitud de suministro de combustible (…)"* (art. 7.7 Decreto 537/2004). Este tipo de previsiones podrán desplegar, en su caso, los efectos jurídicos que correspondan desde el punto de vista de las competencias autonómicas, pero no pueden derogar de facto los poderes empresariales de extinción del contrato de trabajo, recogidos en un legislación competencia exclusiva del Estado (art. 149.1.7 CE); amén de que en el caso particular la norma autonómica no exige que el personal que debe estar presente sea un trabajador por cuenta ajena contratado directamente por la empresa, pudiendo la misma recurrir a distintas fórmulas para intentar cumplir con la exigencia autonómica[83].

Al hilo de todo lo anterior, si lo relevante es que el cambio técnico haya comportado la necesidad de amortizar el puesto de trabajo del trabajador despedido, una circunstancia adicional a valorar serán las nuevas contrataciones que haya podido efectuar la empresa de un modo más o menos coetáneo, pues ello puede poner de relieve que, en realidad, no ha tenido lugar dicha amortización[84]. Ciertamente, las eventuales contrataciones que la empresa formalice en un tiempo próximamente anterior o posterior a la decisión de despedir pueden comportar la calificación de improcedencia del despido cuando las mismas pongan de manifiesto que los cambios técnico-organizativos no han provocado una efectiva y relevante reducción de las tareas a despeñar por el trabajador despedido; esto es, nuevas contrataciones para desarrollar tareas que hubieran ocupado en circunstancias normales y de modo fundamental al trabajador despedido[85]. Como se colige de una reciente STS –relativa a un despido aduciendo causas pro-

---

[83] En esta línea, revocando las sentencias de instancia que habían declarado la improcedencia de los despidos, SSTJ Andalucía 17-9-2015 (Rec. 1535/2015) y 18-2-2016 (Rec. 2945/2015).

[84] En este sentido, con respecto a la noción de despido por "necesidad de amortización" se había señalado que el mismo para justificarse necesitaba que el despido no fuese acompañado de una nueva contratación para sustituir al despedido. Cfr. RODRÍGUEZ-PIÑERO BRAVO-FERRER, M.: "El despido…", cit., pág. 85.

[85] Este tipo de valoración judicial, que comporta la improcedencia del despido, se puede observar en pronunciamientos dictados durante la vigencia de textos legales que incluían la referencia a la necesaria "amortización" del puesto de trabajo –cfr., por ejemplo, STSJ Galicia 30-4-2001 (Rec. 797/2001)–; pero también en sentencias posteriores a pesar de haber desaparecido dicha referencia normativa. Cfr. STSJ Andalucía 20-11-2015 (Rec. 2842/2014); STSJ Madrid 18-7-2016 (Rec. 168/2016); STSJ Cantabria 31-10-2018 (Rec. 590/2018).

ductivas, pero siendo extrapolable su razonamiento a los efectos que aquí interesan–, no se puede apreciar una incidencia de la causa alegada sobre el volumen de empleo cuando paralelamente a la pretendida afectación de la causa invocada se han realizado contrataciones para el centro de trabajo y las funciones del trabajador despedido, sin que la empresa aporte una justificación sobre las necesidades coyunturales a las que podían obedecer tales contrataciones[86]. En coherencia con lo anterior, no cabe considerar, en cambio, injustificado el despido si las contrataciones han ido dirigidas a cubrir necesidades de otras áreas funcionales o unidades productivas diferentes a aquellas en que se ha introducido el cambio tecnológico[87], ni tampoco cuando las nuevas contrataciones, aunque puedan guardar relación con las funciones que venía desempeñando el despedido –que, como decíamos, pueden seguir formando parte de la actividad empresarial–, respondan a necesidades coyunturales, tales como puntas de trabajo o la cobertura de trabajadores ausentes (vacaciones, incapacidad temporal, reducciones de jornada etc.)[88].

Desaparecida toda referencia legal que pueda llevar a considerar que los despidos por motivos técnico-organizativos quedan condicionados a una situación de riesgo para la viabilidad empresarial, no procede dar relevancia a cualquier contratación laboral efectuada por la empresa con independencia de su finalidad, como en ocasiones venía haciendo la doctrina judicial otorgándole el valor de dato indicativo de la inexistencia de dificultades para la continuidad y mantenimiento de la actividad empresarial y declarando, por ello, no ajustado a derecho el despido[89]. No cabe, ciertamente, valorar las nuevas contrataciones de forma indistinta ante la invocación de causas económicas o de otras razones técnico-organizativas, pues en el primer caso las mismas pueden contradecir la noción de "*situación económica negativa*" *ex* art. 51.1 ET, que debe poner de manifiesto las dificultades para hacer frente a costes laborales, mientras que en el segundo caso las causas inciden en esferas concretas de la empresa y, por tanto,

---

[86] STS 28-2-2018 (Rec. 1731/2016).

[87] En esta línea, STSJ Madrid 17-2-2014 (Rec. 1386/2013); STSJ Andalucía 17-5-2016 (Rec. 1385/2015).

[88] En esta línea, STSJ Galicia 27-6-2011 (Rec. 1320/2011); STSJ Murcia 5-3-2012 (Rec. 951/2011); STSJ Andalucía 17-5-2016 (Rec. 1385/2015); STSJ Comunidad Valenciana 4-4-2017 (Rec. 99/2017).

[89] Cfr. STSJ Cataluña 2-3-1998 (Sentencia 1752/1998) y 23-10-1998 (Sentencia 7358/1998). En la misma línea, STSJ Madrid 16-1-1998 (Rec. 4132/1997) y STSJ Comunidad Valenciana 24-2-2000 (Rec. 1984/1999).

las contrataciones que puedan producirse en otros ámbitos y/o para otras necesidades no desvirtúan la existencia de la causa[90].

Que las nuevas contrataciones efectuadas por el empresario para cubrir otras áreas funcionales o unidades productivas distintas a las afectadas por el cambio tecnológico no impidan la procedencia del despido resulta coherente con el hecho de que, por contraste con lo expresamente prescrito por textos legales anteriores a la reforma laboral de 1994[91], el empresario no esté obligado a intentar la recolocación del trabajador cuyo puesto de trabajo ha resultado carente de sentido a raíz de la introducción del cambio técnico. Como se ha venido afirmando jurisprudencialmente, la ley *"no impone al empresario la obligación de agotar todas las posibilidades de acomodo del trabajador en la empresa"*, ni obliga, por tanto, *"antes de hacer efectivo el despido (…) a destinar el empleado a "otro puesto" vacante de la misma"*[92]. Aunque, como se verá más adelante, el TS no siempre ha sido consecuente con estas aseveraciones, no hay duda que en las mismas late una nítida orientación a no condicionar la justificación de estos despidos a una valoración sobre las alternativas de gestión laboral en manos del empresario. Y si el empresario no resulta obligado a recurrir a mecanismos de movilidad, funcional y/o espacial, otro tanto cabe pensar respecto a otras posibles medidas. Así, puede ser que el cambio tecnológico haya reducido, aunque no eliminado del todo, las tareas a desarrollar por el trabajador, de modo que cabría la posibilidad que el mismo pudiera seguir prestando servicios con una consecuente reducción del tiempo de trabajo. Como ha venido a confirmar una reciente jurisprudencia, en tales casos no resulta aplicable el art. 41 ET sobre modificaciones sustanciales de las condiciones de trabajo, dado que la conversión de jornada completa a tiempo parcial supone una novación contractual que exige la voluntariedad y consentimiento del trabajador, tal y como prevé el art. 12.4 e) ET; y, por tanto, si el empresario hace tal

---

[90]   Cfr. LLOMPART BENNASSAR, M.: "Poder legislativo versus poder judicial en los despidos por causas económicas, técnicas, organizativas o de producción", *Trabajo y Derecho*, N° 18, 2016, pág. 28.

[91]   Tanto el despido individual por necesidades de funcionamiento de la empresa contemplado por el RD-Ley de Relaciones de Trabajo de 1977, como el despido individual por amortización del puesto de trabajo regulado en el Estatuto de los trabajadores de 1980, se condicionaban –sin perjuicio de los matices existentes entre ambas normativas– a que no procediese utilizar al trabajador afectado en otras tareas. Al respecto, BRIONES GONZÁLEZ, C.: *La extinción…*, cit., pág. 195 y ss.

[92]   Entre otras, SSTS 13-2-2002 (Rec. 1496/2001), 21-7-2003 (Rec. 4454/2002); 7-6-2007 (Rec. 191/2006); 16-9-2009 (Rec. 2027/2008); 31-1-2013 (Rec. 709/2012). En la doctrina judicial reciente relativa a los despidos causas técnicas, STSJ Andalucía 17-5-2016 (Rec. 1385/2015).

oferta al trabajador y la misma es rechazada, quedará plenamente abierta la posibilidad de acometer extinciones contractuales *ex* art. 51 o 52 c) ET[93]; pero, en todo caso, no parece que el empresario quede obligado a tal ofrecimiento, pues no hay base legal para entender que la eficacia del mecanismo extintivo quede condicionado a intentar aplicar otros mecanismos previamente, máxime cuando estos no aseguran ningún resultado al empresario[94]. Cuestión diversa, como se apuntaba, es que si el cambio tecnológico no ha afectado de forma sustancial al contenido principal del puesto de trabajo que se pretende amortizar, no cabrá considerar el despido como ajustado a derecho.

Por lo demás, el hecho de que el trabajador despedido por razones tecnológicas estuviera afectado en el momento del despido por otra medida de ajuste empresarial –vgr. una reducción de jornada o suspensión contractual temporal *ex* art. 47 ET o una inaplicación de convenio *ex* art. 82.3 ET–, no afecta a la legitimidad de aquél, siempre que se acredite que la causa tecnológica acreditada es diversa y sobrevenida a la causa justificativa de la otra medida previamente adoptada. En este sentido, resulta posible, por ejemplo, que una empresa en fase de ajuste por causas económicas y productivas motivadoras de un procedimiento abierto de suspensión de las relaciones laborales decida extinguir el contrato de alguno o algunos de los trabajadores afectados por tal suspensión, si acredita que se han introducido unos nuevos instrumentos y procedimientos de trabajo –causas técnicas y organizativas– que implican la automatización de las funciones de determinados puestos de trabajo y, por ende, su carácter suprimible[95].

---

[93] STS 30-5-2018 (Rec. 2329/2016).

[94] En este sentido, con carácter general se ha afirmado que, en cada caso concreto, el empresario puede argumentar que se han intentado otras medidas para hacer frente a la situación empresarial que se pretende solventar con el despido y que tales medidas no han sido posibles o que no se han revelado adecuadas para hacer frente a dicha situación; ello puede reforzar la posición empresarial ante el juez, pero en modo la ley obliga a una justificación en tal sentido. Véase GARCÍA-PERROTE ESCARTÍN, I.: "La nueva...", cit., pág. 1. En esta misma línea, LLOMPART BENNASSAR, M.: "Poder...", cit., pág. 30 y 39.

[95] En este sentido, declarando procedente el despido, STSJ Asturias 15-11-2013 (Rec. 1829/2013). Esta doctrina judicial resulta congruente con la jurisprudencia que ha admitido la posibilidad extinguir contratos de trabajo durante el periodo de afectación de una suspensión temporal de empleo cuando concurra una causa distinta y sobrevenida a la invocada para la suspensión o bien, si la causa es la misma, cuando se haya producido un cambio trascendente y notorio de las circunstancias que determinaron la suspensión. Cfr., entre otras, SSTS 12-3-2014 (Rec. 673/2013), 18-3-2014 (Rec. 15/2013) y 17-7-2014 (Rec. 32/2014),

Adviértase, desde otra perspectiva, que con la constatación de relación causa-efecto –que se viene subrayando– entre la causa tecnológica acreditada y el puesto o puestos de trabajo amortizados, también se podrán despejar dudas sobre la posible arbitrariedad y discriminación del empresario en la selección del trabajador o trabajadores afectados por la decisión extintiva. Ciertamente, en la propia idiosincrasia de las causas de orden técnico-organizativo y de su control judicial va implícita una sindicación de que el despido de uno o varios trabajadores concretos no responde a motivos caprichosos, espurios o contrarios a los derechos fundamentales. Puede ocurrir, no obstante, que sean varios los contratos de trabajo afectados por la concurrencia del elemento causal y el despido vaya limitarse a alguno/s de ellos. A este respecto, para el caso de los despidos *ex* art. 52 c) ET, a tenor de lo que viene declarando la doctrina judicial y la jurisprudencia, hay que entender que queda dentro de los poderes empresariales "*precisar de cuál de los trabajadores que cumplen la misma función y ocupan uno de los puestos amortizables se puede prescindir*"96. En efecto, sin obviar la prioridad de permanencia en el puesto de trabajo de los representantes de los trabajadores prevista expresamente por la ley [arts. 51.5, 52 c) y 68 b) ET y 10.3 LOLS], la designación de los trabajadores afectados constituye una manifestación del poder de dirección y organización del empresario "*y su decisión sólo será revisable por los órganos judiciales cuando resulte apreciable fraude de ley o abuso de derecho o cuando la selección se realice por móviles discriminatorios*"97. Y otro tanto cabe señalar para el caso del despido colectivo, sin perjuicio de que en este supuesto, entre la información que debe comunicar el empresario a efectos del periodo de consultas, la norma aluda específicamente a los criterios tenidos en cuenta para la designación de los trabajadores afectados por los despidos (art. 51.2,5° ET)98. La falta de determinación de tales criterios podrá acarrear la nulidad del despido, si bien tal circunstancia debe ser valorada flexiblemente y atendiendo a las circunstancias concre-

---

96 STSJ Cataluña 20-1-1999 (Rec. 5325/1998). En esta misma línea, en la doctrina judicial reciente relativa a los despidos por causas tecnológicas, STSJ Galicia 18-6-2014 (Rec. 924/2014); STSJ Castilla y León 10-12-2008 (Rec. 701/2008); STSJ Madrid 7-2-2019 (Rec. 933/2018).

97 STS 19-9-1998 (Rec. 1460/1997). En el mismo sentido, STSS 15-10-2003 (Rec. 1205/2003) y 24-11-2015 (Rec. 1681/2014).

98 Se ha señalado, a este respecto, que es facultad del empresario determinar, entre otros aspectos, el número de despedidos y los criterios de selección de los afectados, sin perjuicio de su obligación de exteriorizar tales extremos y someterlos a deliberación con los representantes de los trabajadores durante el periodo de consultas, ROQUETA BUJ, R.: *La selección de los trabajadores afectados por los despidos colectivos*, Valencia, Tirant lo Blanch, 2015, pág. 25.

tas del caso, considerando todo el conjunto de información proporcionada por el empresario, de modo que una cierta generalidad o parquedad en los criterios de selección aportados no debe comportar siempre y necesariamente tal calificación de nulidad[99]. Por otra parte, el empresario a la hora de ejecutar individualmente los despidos deberá respetar los acuerdos que, en su caso, se hubieran alcanzado sobre tales criterios de selección durante el periodo de consultas, so pena de que sea declarada la improcedencia del despido, que no la nulidad, que, según la jurisprudencia, queda reservada para cuando lo quebrantado sean propiamente prioridades de permanencia legal o convencionalmente establecidas[100].

3.2.2. Sobre el pretendido y ambiguo control de razonabilidad y proporcionalidad del despido

Hasta aquí los principales elementos a considerar en la justificación y control judicial de los despidos por causas tecnológicas. Como se puede observar, una vez eliminada, con la reforma de 2012, la vinculación de los despidos a un elemento finalista, ya no cabe incluir un tercer elemento del control judicial de estos despidos, tradicionalmente aludido en la jurisprudencia y doctrina judicial mediante la llamada *"conexión de funcionalidad"* [101]. Como se vio, este elemento se mantuvo con la anterior reforma de 2010, que se refería a *"la razonabilidad de la decisión extintiva para contribuir a prevenir una evolución negativa de la empresa o a mejorar la situación de la misma a través de una más adecuada organización de los recursos, que favorezca su posición competitiva en el mercado o una mejor respuesta a las exigencias de la demanda"*. No han faltado voces críticas –sobre todo desde la judicatura– con el hecho de que la supresión de la valoración finalista de los despidos haya comportado también la eliminación de la referencia al carácter razonable de los mismos[102]. Sin embargo, una visión más completa de las

---

[99] Cfr., precisamente en un supuesto de despido colectivo por causas tecnológicas con cita de la doctrina jurisprudencial sobre la valoración del cumplimiento de este requisito de comunicar los criterios de selección, STSJ Castilla-La Mancha 18-5-2017 (Sentencia 725/2017). En la jurisprudencia, entre otras, SSTS 18-2-2014 (Rec. 74/2013) y 17-7-2014 (Rec. 32/2014).

[100] Cfr. SSTS 31-5-2017 (Rec. 3738/2015) y 14-6-2017 (Rec. 2708/2015).

[101] En esta línea, señalando que resulta clara y patente la decisión del legislador de omitir y no exigir un juicio vinculado a tal "conexión de funcionalidad", STSJ Madrid 18-7-2016 (Rec. 168/2016).

[102] Cfr. AGUSTÍ MARAGALL, J. y SERNA CALVO, M.: "Impugnación judicial de los despidos colectivos en el RDL 3/2012: ¿cuál debe ser el alcance del control judicial de la causa?", *Aranzadi Social*, nº 1, 2012, pág. 4 y ss. de la versión de internet; GONZÁ-

distintas posturas en torno al significado dado al juicio de razonabilidad en el contexto de estos despidos, permite afirmar que el legislador no ha querido evitar cualquier juicio de razonabilidad –y así se deduce, en buena medida, si, como en el esquema hermenéutico que se acaba de esbozar, la razonabilidad se pone en relación con los límites "internos" del poder extintivo; esto es, con la propia causa acreditada–, sino reaccionar frente a una concreta concepción de dicho juicio, que se resaltó particularmente con ocasión de la reforma de 2010 y que podría llegar a introducir niveles de incertidumbre y rigidez –trasladando márgenes de discrecionalidad empresarial a los órganos judiciales– incluso superiores a los que se desprendían de las interpretaciones mayoritarias anteriores a la reforma de 2012.

Como antes se apuntó, para un importante sector doctrinal el juicio de razonabilidad, subrayado de forma expresa por la reforma de 2010, debía interpretarse como un freno a la intensidad y alcance del control judicial (véase *supra* 2.2.). Sin embargo, contradictoriamente, en dicha referencia legal a la razonabilidad otras posturas doctrinales y judiciales quisieron ver la remisión a un control judicial más incisivo y reforzado, extrapolando, en buena medida, a esta materia los cánones del control de constitucionalidad. Desde esta perspectiva, el carácter razonable del despido implicaría un control de proporcionalidad como ponderación de los intereses en juego, de modo que la preservación del derecho al trabajo *ex* art. 35 CE llevaría a valorar las diferentes alternativas en manos del empresario, concibiendo el despido como *ultima ratio,* máxime teniendo en cuenta el objetivo perseguido por el legislador de potenciar las medidas de flexibilidad interna[103]. De hecho, de forma bastante coetánea a la reforma de 2010, aunque en relación con la normativa anterior a la misma, la jurisprudencia del TS –en supuestos relativos a causas productivas– formuló en alguna sentencia un juicio construido en torno a esa conexión entre el carácter razonable de la medida y la ponderación del derecho constitucional al trabajo, concluyéndose que, a pesar de no estar contemplado en la norma legal, la empresa debía dar prioridad a otras medidas –traslado del trabajador– antes de aco-

---

LEZ GONZÁLEZ, C.: "Control judicial del despido colectivo tras el Real Decreto-Ley 3/2012, de 10 de febrero", *Aranzadi Doctrinal,* n° 2, 2012, pág. 6 y ss. de la versión de internet; APARICIO TOVAR, J.: "Las causas…", cit., pág. 163 y 164; FALGUERA BARÓ, M. A.: *La causalidad…,* cit., pág. 53 y ss.

[103] Cfr. ALARCÓN CARACUEL, M. R.: "Reformas relativas a la extinción del contrato de trabajo", *Actum Social,* n° 47, 2011, pág. 7 y 8 de la versión de internet. En este mismo sentido, interpretando la reforma de 2010, SJS n° 1 Guadalajara 17-3-2011 (Rec. 1039/2010). Y tras la reforma de 2012, considerando necesario mantener un juicio de razonabilidad en tal sentido, APARICIO TOVAR, J.: "Las causas…", pág. 164.

meter la decisión extintiva[104]. Y también en la doctrina judicial anterior a la reforma de 2012, sobre la base de los sucesivos tipos normativos que recogían una justificación causas-fines de estos despidos, se pueden encontrar múltiples ejemplos en los que la razonabilidad del despido se identifica con un control judicial de amplio alcance, que conllevaba entrar en el fondo de las decisiones organizativas adoptadas por el empresario, incluyendo la posibilidad de adoptar medidas menos traumáticas que el despido –vgr. recolocaciones mediante diferentes tipos de movilidad; modificaciones sustanciales de las condiciones de trabajo, etc.–.[105].

Es obvio que estos planteamientos resultaban contradictorios con el otro criterio jurisprudencial antes reseñado, que negaba la obligación empresarial de haber agotado las posibilidades de acomodo del trabajador en la empresa para justificar el despido y con la afirmación, recogida asimismo en alguna otra STS, autolimitativa del control judicial, señalando que: *"no nos incumbe a los Tribunales de Justicia tratar de hallar otras soluciones organizativas que estimemos más adecuadas sustituyendo la misión que la ley y la realidad económica encomiendan al empresario"*[106]. Por consiguiente, a la hora de eliminar la referencia a un juicio de razonabilidad parece que el legislador de 2012 tomó en consideración que el mismo quedaba muy expuesto a diversas y divergentes lecturas[107], como lo evidencia también el hecho de que la propia jurisprudencia se hubiera referido vagamente al mismo como un *"juicio de atenimiento del empresario a una conducta razonable, con arreglo a los criterios técnicos de actuación atendidos o atendibles en la gestión económica de las empresa"*, lo que podía ser leído como una clara invitación a que el

---

[104]   STS 29-11-2010 (Rec. 3876/2010), declarando, por ello, la improcedencia del despido. En el mismo sentido se pronunció la STS 16-5-2011 (Rec. 2727/2010), si bien se declaró procedente el despido por entender que el trabajador no cumplió con su carga procesal sobre la prueba de la existencia de vacante adecuada a su categoría profesional.

[105]   Cfr., entre otras, STSJ Castilla y León 28-11-1995 (Rec. 2203/1995); STSJ País Vasco 12-12-1995 (Rec. 2619/1995); STSJ Islas Canarias 6-11-1996 (Rec. 655/1996); SSTSJ Comunidad Valenciana 24-7-1998 (Rec. 2307/1997); 18-9-2000 (Rec. 626/2000) y 11-5-2004 (Rec. 509/2004); STSJ Galicia 3-6-2005 (Rec. 1449/2005); SSTSJ Cataluña 13-2-2008 (Rec. 6869/2007) y 17-9-2010 (Rec. 2521/2010); STSJ Aragón 10-3-2010 (Rec. 94/2010).

[106]   STS 2-3-2009 (Rec. 1605/2008).

[107]   En este sentido, ya desde las primeras valoraciones de la reforma de 1994 ya se pusieron de manifiesto las preocupaciones acerca de la diversidad de criterios judiciales sobre el alcance del control de razonabilidad y finalista de estos despidos objetivos. Cfr. DESDENTADO BONETE, A.: "El despido...", cit., pág. 456. Posteriormente, con ocasión de la reforma de 2010, apuntando que la propia jurisprudencia del TS había situado el tema relativo al alcance del control de razonabilidad en una zona de cierta incertidumbre, GOERLICH PESET, J. M.: "La reforma...", cit., pág. 277.

juzgador se coloque en la posición del empresario y acabe pronunciándose sobre la base de un criterio de oportunidad acerca de cuáles son las necesidades y alternativas de la empresa[108]. Que la reforma de 2012, al focalizar la atención en la concurrencia de las causas y suprimir cualquier elemento finalista, ha querido desterrar definitivamente este tipo de control judicial parece algo evidente[109]. Y ello a pesar de que la opinión de un sector de la jurisdicción social haya acabado teniendo reflejo en la propia jurisprudencia del TS, manteniendo vivo un cierto debate, sobre la base de la presunta escasez del control judicial promovido por la reforma de 2012; debate que, al menos por lo que se refiere a las causas técnicas u organizativas, resulta, por ahora, bastante vacuo.

De hecho, la cuestión ha quedado reflejada principalmente en sentencias relativas a despidos colectivos acometidos invocando causas económicas y, en un primer momento, el TS pareció ser plenamente consciente de los planteamientos de la reforma, poniendo de relieve que *"el legislador de 2012 ha querido (…) que los órganos jurisdiccionales encargados del enjuiciamiento de los despidos colectivos no sustituyan al empresario en la elección de las medidas concretas a adoptar, limitando su control a verificar que las causas alegadas existen, que tienen seriedad suficiente para justificar una reestructuración de los objetivos y de los recursos productivos de la empresa, que no son por tanto un pretexto o excusa para despedir, y que la supresión o amortización de puestos de trabajo acordada es una medida apropiada (o una de las medidas apropiadas) para hacerles frente"*, de modo tal que no correspondería al *"valorar las causas de los despidos económicos, efectuar un juicio de proporcionalidad en el sentido técnico-jurídico de la expresión, el cual presupone una valoración del carácter indispensable de la decisión adoptada, sino un juicio de adecuación más limitado, que compruebe la existencia de la causa o causas alegadas, su pertenencia al tipo legal descrito en el artículo 51 ET, y la idoneidad de las mismas en términos de gestión empresarial en orden a justificar los ceses acordados"*[110].

Sin embargo, las alusiones a un juicio de razonabilidad y proporcionalidad han seguido estando muy presentes en la doctrina posterior del TS, lo que se ha querido conectar con la tutela judicial efectiva del trabajador,

---

[108]   En esta línea, DURÁN LÓPEZ, F.: "El despido…", cit. pág. 1105.

[109]   Cfr. BLASCO PELLICER, A.: "La extinción…", cit. pág. 165 y 166. Asimismo, señalando que la reforma de 2012 iría destinada a evitar una interpretación de la razonabilidad como proporcionalidad y, por tanto, un control judicial sobre las alternativas empresariales, DESDENTADO BONETE, A. "Los despidos económicos tras la reforma de la Ley 3/2012: reflexiones sobre algunos problemas sustantivos y procesales", *Actualidad Laboral*, nº 17, 2012, pág. 3 de la versión de internet.

[110]   STS 20-9-2013 (Rec. 11/2013).

que se entiende que podría quedar mermada como consecuencia del silencio del legislador al respecto. A este respecto, el TS ha señalado que *"la novedosa redacción legal incluso pudiera llevar a entender –equivocadamente, a nuestro juicio– la eliminación de los criterios de razonabilidad y proporcionalidad judicialmente exigibles hasta la reforma (…)"*, pero *"contrariamente a esta última posibilidad entendemos, que (…) la remisión que el precepto legal hace a las acciones judiciales y la obligada tutela que ello comporta [art. 24.1 CE], determinan que el acceso a la jurisdicción no pueda sino entenderse en el sentido de que a los órganos jurisdiccionales les compete no sólo emitir un juicio de legalidad en torno a la existencia de la causa alegada, sino también de razonable adecuación entre la causa acreditada y la modificación acordada"*[111]. Y confirmando esta orientación, en otros pronunciamientos el Alto Tribunal ha pretendido dejar más claro el fundamento y la aplicación de estos juicios de razonabilidad y proporcionalidad. Para el TS el fundamento se hallaría en la necesidad de realizar una interpretación de las causas del despido acomodada a la Constitución y a los compromisos internacionales asumidos por España, de modo tal que en virtud del derecho al trabajo consagrado en el art. 35 CE, en su vertiente a la estabilidad en el empleo, y de lo previsto en los arts. 4 y 9 del Convenio 158 OIT, en punto a la justificación causal del despido, su control judicial exigiría la aplicación de un juicio de razonabilidad, que *"tendría una triple proyección y sucesivo escalonamiento: 1).-Sobre la «existencia» de la causa tipificada legalmente como justificativa de la medida empresarial (…) 2).-Sobre la «adecuación» de la medida adoptada, aunque en su abstracta consideración de que la medida se ajusta a los fines –legales– que se pretenden conseguir, bien de corregir o hacer frente –en mayor o menor grado– a la referida causa. Y 3).-Sobre la «racionalidad» propiamente dicha de la medida, entendiendo que este tercer peldaño de enjuiciamiento hace referencia a que han de excluirse por contrarias a Derecho las medidas empresariales carentes de elemental proporcionalidad. Juicio este último –de proporcionalidad– que ha de ser entendido en el sentido de que si bien no corresponde a los Tribunales fijar la precisa «idoneidad» de la medida a adoptar por el empresario ni tampoco censurar su «oportunidad» en términos de gestión empresarial, en todo caso han de excluirse –como carentes de «razonabilidad» y por ello ilícitas– aquellas decisiones empresariales (…) que ofrezcan patente desproporción entre el objetivo legalmente fijado y los sacrificios impuestos a los trabajadores"*[112]. Es cierto que con este último inciso la propia doctrina jurisprudencial parece

---

[111] STS 18-2-2014 (Rec. 96/2013); idea reiterada en bastantes otras sentencias; por ejemplo: SSTS 26-3-2014 (Rec. 158/2013) y 21-1-2016 (Rec. 144/2015).

[112] STS 17-7-2014 (Rec. 32/2014), de la que se han hecho eco posteriormente diversas sentencias. Cfr., entre otras, SSTS 20-10-2015 (Rec. 172/2014) y 11-7-2018 (Rec. 467/2017).

haberse prevenido del riesgo de extralimitar el alcance de sus ambiguas consideraciones, de modo tal que el juicio proporcionalidad no parece que incluya una valoración judicial de si resultan posible otras medidas alternativas y menos traumáticas que los despidos[113]. Resulta, en todo caso, complejo calibrar el alcance de esta doctrina jurisprudencial, pues, aunque la misma parece haberse presentado como más exigente que la primera doctrina sentada tras la reforma de 2012, del conjunto de pronunciamientos posteriores resulta difícil llegar a una conclusión clara acerca de cuáles son tales requisitos más exigentes[114].

Pero, además de los imprecisos contornos y efectos que pudieran derivarse de estos planteamientos del TS, llama también, a mi juicio, la atención su escaso fundamento, sobre todo una vez conocida la doctrina del TC que ha avalado la constitucionalidad de la caracterización causal de los estos despidos operada por reforma de 2012. No parece, ciertamente, que la más reciente opción del legislador se oponga al contenido del derecho al trabajo en su vertiente individual que, conforme a la doctrina constitucional, comporta el derecho a no ser de despedido sin justa causa[115], para lo cual, según también la doctrina constitucional, resulta esencial que el legislador ordinario arbitre mecanismos que permitan una reacción adecuada del trabajador frente a la decisión empresarial de prescindir de sus servicios[116]. Y, en este sentido, parece difícil negar que, tras la reforma de 2012, el despido *ex* arts. 51 y 52 c) ET sigue siendo causal, disponiendo el ordenamiento de elementos sustantivos y cauces procesales para someter la decisión empresarial a un efectivo control judicial. Como señaló la STC 8/2015, ante la denuncia de que la supresión legal de la referencia a la razonabilidad de los despidos habría incidido negativamente en dicha causalidad y su efectivo control judicial (arts. 35.1 y 24.1 CE), una lectura del art. 51 ET no permite afirmar que el mismo "*haya consagrado un despido colectivo no causal o ad nutum (…) basado en un libérrimo arbitrio o discrecionalidad*

---

[113] De hecho, en la antes citada STS 17-7-2014 (Rec. 32/2014) se descarta que el control judicial deba y pueda valorar si la situación económica acreditada por la empresa justificaba un despido colectivo o una suspensión temporal de relaciones laborales, pues tal decisión viene a traducirse en juicio de "oportunidad" que corresponde en exclusiva a la gestión de la empresa. En la misma línea, considerando que la valoración de si caben otras medidas alternativas menos traumáticas es algo que compete a la gestión empresarial, STS 20-7-2016 (Rec. 303/2014).

[114] En este sentido, señalando que en la propia jurisprudencia del TS se pueden apreciar diferentes tendencias acerca del significado de este control judicial, MARTÍN VALVERDE, A.: "Razonabilidad…", cit., pág. 8-10 de la versión on-line.

[115] SSTC 22/1981 y 192/2003.

[116] STC 20/1994.

empresarial, sino que ha condicionado la decisión extintiva, como ha sucedido desde sus orígenes, a la concurrencia "fundada" de una causa "económica", "técnica", "organizativa" o "productiva", cuyo contenido y alcance delimita, con el objeto de facilitar tanto la aplicación de la norma (...), como el posterior control judicial de la decisión extintiva en función de las circunstancias concurrentes". Además, para el TC "*la supresión específica (...) de la razonabilidad de la decisión extintiva, ni desdibuja las causas extintivas, ni introduce una mayor discrecionalidad empresarial de cara a la adopción de la decisión sino, antes al contrario, suprime espacios de incertidumbre en la interpretación y aplicación de la norma generados por unas previsiones legales, tan abiertas en su contenido como abstractas en sus objetivos, que en ocasiones, podían llegar a constituir la exigencia de una prueba diabólica (...). Y la nueva redacción no otorga mayor espacio a la discrecionalidad empresarial que la anterior en la adopción de una decisión extintiva, sino que, atendiendo a las exigencias derivadas del principio de seguridad jurídica (art. 9.3 CE), dota de mayor certidumbre al contenido de la decisión (...) al evitar la realización de juicios de oportunidad y valoraciones hacia el futuro de incierta materialización".* Por tanto, si la actual caracterización causal de los despidos *ex* arts. 51 y 52 c) ET no supone menoscabo del derecho al trabajo *ex* art. 35.1 CE, no parece haber espacio para una relectura de la misma por parte de la jurisdicción ordinaria a la luz del citado precepto constitucional[117].

Asimismo, no parece que la actual regulación de las causas de estos despidos se oponga a los imperativos del citado Convenio 158 de la OIT, de los cuales se derivan también la necesidad de una causa justificativa del despido y el derecho del trabajador a recurrir la decisión empresarial ante un órgano neutral facultado para valorar la causa invocada, su prueba, así como todas las demás circunstancias relacionadas con el caso (arts. 4, 8 y 9.1 y 9.2). Como se deduce del análisis efectuado en páginas precedentes, la actual regulación española para nada excluye un control sobre la realidad de la causa esgrimida para despedir y sobre otras circunstancias que puedan denotar un ejercicio abusivo de la facultad extintiva por parte del empresario, respetando, eso sí, el margen de decisión que corresponde al mismo en la gestión de la empresa. No parece, en este sentido, que nuestra regulación vigente se oponga a las exigencias del Convenio 158 de la OIT por el hecho de incorporar una caracterización de las causas del despido que lleva a excluir que el juez tenga que valorar la razonabilidad y pro-

---

[117]   En esta línea, GOERLICH PESET, J. M.: "El problemático fundamento positivo del control de razonabilidad de las causas del despido colectivo", en (AAVV): *Comentarios al Estatuto de los Trabajadores: libro homenaje a Tomás Sala Franco*, Tiran lo Blanch, 2016, págs. 1013.

porcionalidad del despido, entendido ello como una valoración sobre su adecuación para la consecución de determinados fines o incluso, según vimos, sobre la posibilidad de adoptar medidas alternativas al despido. A tal conclusión cabe llegar de una lectura cabal de los preceptos del Convenio antes citados; conclusión que se ve, además, reforzada a la luz del art. 9.3 del propio Convenio que, referido particularmente a los despidos por "razones basadas en necesidades de funcionamiento de la empresa", como es el caso de los despidos *ex* arts. 51 y 52 c) ET, y partiendo del inexorable control sobre la realidad de la causa, parece otorgar a cada a legislación nacional un amplio margen de actuación para determinar el alcance del control judicial en lo referente a si la causa acreditada es "suficiente" para justificar la terminación de la relación laboral[118]. El propio TS se ha hecho eco en alguna ocasión de este art. 9.3 del Convenio 158 de la OIT para intentar acotar el oscuro alcance de los juicios de razonabilidad y proporcionalidad[119].

Dicho lo anterior, mayor fundamento tienen, a mi juicio, otras referencias que también recoge la doctrina jurisprudencial para fundamentar el citado de control de razonabilidad de los despidos, aludiéndose a la aplicación de *"principios generales de Derecho Común en el ejercicio de los derechos subjetivos, y muy particularmente tanto el que impone que el mismo haya de llevarse a cabo «conforme a las exigencias de la buena fe» [art. 7.1 CC], cuanto el que prohíbe el «abuso del derecho o el ejercicio antisocial del mismo» [art. 7.2]"*[120]. En este sentido, en páginas precedentes ya se apuntó que estos principios constituyen límites internos del poder extintivo del empresario, que en el caso particular de los despidos por causa técnico-organizativas llevan a que el juez exija acreditar no sólo la causa sino también la repercusión de la misma sobre el puesto de trabajador despedido. Pero al margen de esta concreta función integradora sobre el alcance de la fiscalización judicial, no parece que tales principios generales justifiquen un control judicial que, yendo más allá de valorar la razonabilidad del despido desde esta perspectiva de la relación causa-efecto entre la causa probada y el concreto o concretos trabajadores despedidos, se proyecte sobre otras valoraciones diversas relativas a la gestión de las empresas (origen del cambio técnico-organizativo decidido, fines perseguidos con el cambio y los despidos, posibilidad de adoptar otras medidas menos traumáticas, selección del trabajador despedido entre los

---

[118]   En esta línea, GOERLICH PESET, J. M.: "El problemático...", cit. págs. 1013 y 1014.
[119]   STS 24-11-2015 (Rec. 1681/2014).
[120]   Entre otras, STS 17-7-2014 (Rec. 32/2014), 20-10-2015 (Rec. 172/2014) y 11-7-2018 (Rec. 467/2017).

afectados por la causa, etc.). De hecho, cuanto menos en la reciente doctrina judicial relativa a los despidos invocando cambios tecnológicos, pese a no ser infrecuente la referencia a la doctrina jurisprudencial "preservadora" de los juicios de razonabilidad y proporcionalidad, no parece que ello esté generalmente comportando un control judicial de muy diverso signo y alcance al descrito a lo largo de este trabajo[121].

4. REFLEXIÓN FINAL

De las páginas que anteceden cabe extraer como principal conclusión que el marco normativo vigente relativo a las causas de los despidos *ex* arts. 51 y 52 c) ET puede suponer, en comparación con regímenes anteriores, un freno o desincentivo menor a la introducción de cambios tecnológicos en la empresa con repercusiones sobre el volumen de empleo en la misma. Y enlazando con las consideraciones recogidas en la introducción de este trabajo, parece que cualquier nueva intervención normativa y/u orientación jurisprudencial que pudiera evocar una suerte de *"neoludismo"* estaría abocada al fracaso, ante la generalizada expansión de la denominada digitalización de la economía y del empleo, sin perjuicio, claro está, de los efectos penalizadores que tales intervenciones legales o interpretaciones pueden tener en términos de competitividad y productividad de las empresas y de la economía nacional, máxime en el contexto de una economía globalizada[122]. En este sentido, al decir de los expertos, uno de los desequilibrios crónicos de la economía española radica en el débil crecimiento de la productividad, lo que supone un lastre para diversas variables de suma importancia para la economía de un Estado del Bienestar, tales como el crecimiento de los salarios, los ingresos públicos para financiar las políticas sociales, así como un mayor consumo y nuevas inversiones que generen más empleo y bienestar; de ahí la conveniencia de que, junto al mantenimiento e impulso de diversas reformas, la economía española sepa aprovechar las ventajas en términos de productividad de la actual llamada revolu-

---

[121]   Cfr., entre otras, STSJ Andalucía 17-5-2016 (Rec. 1385/2015); STSJ Cataluña 9-6-2016 (Rec. 2167/2016); STSJ Galicia 9-5-2017 (Rec. 1038/2017); STSJ Comunidad Valenciana 23-10-2018 (Rec. 2587/2018); STSJ Cantabria 31-10-2018 (Rec. 590/2018); STSJ Madrid 7-2-2019 (Rec. 933/2018); STSJ Andalucía 14-2-2019 (Rec. 2006/2018).

[122]   En este sentido, reflexionando sobre el papel del ordenamiento y las políticas laborales ante el nuevo escenario digital, CRUZ VILLALÓN, J.: "Las transformaciones...", cit. pág. 27 y 31.

ción digital[123]. Y entre las medidas acompañantes del cambio tecnológico en curso cobran, quizá más que nunca, especial importancia la formación, cualificación y readaptación profesional y, en general, la necesidad de diseñar y aplicar unas políticas educativas y unas políticas activas de empleo eficaces que faciliten las inserciones y transiciones laborales[124].

BIBLIOGRAFÍA

ALONSO OLEA, M.: "La revolución industrial y la emergencia del Derecho del Trabajo", Revista de Trabajo, n° 32, 1970.

AGUSTÍ MARAGALL, J. y SERNA CALVO, M.: "Impugnación judicial de los despidos colectivos en el RDL 3/2012: ¿cuál debe ser el alcance del control judicial de la causa?", Aranzadi Social, n° 1, 2012.

ALARCÓN CARACUEL, M. R.: "Reformas relativas a la extinción del contrato de trabajo", Actum Social, n° 47, 2011.

ALBIOL MONTESINOS, I.: "La extinción del contrato por causas objetivas", en (AAVV): La reforma laboral de 1997, Tirant lo Blanch, Valencia, 1997.

ÁLVAREZ DEL CUVILLO, A.: "La adaptación de los trabajadores a los cambios tecnológicos en la pequeña empresa", Revista de Contratación Electrónica, n° 93, 2008.

APARICIO TOVAR, J.: "Las causas del despido basadas en necesidades de funcionamiento de la empresa", Revista de Derecho Social, n° 57, 2012.

BLASCO PELLICER, A.: "La reforma de la extinción del contrato de trabajo", en (AAVV): La reforma laboral en el Real Decreto-Ley 10/2010, Tirant lo Blanch, 2010.

BLASCO PELLICER, A.: "La extinción del contrato de trabajo en el RDL 3/2012. Aspectos sustantivos, procesales y de Seguridad Social", en (AAVV): La reforma laboral en el Real Decreto-Ley 3/2012, Tirant lo Blanch, 2012.

BLASCO PELLICER, C.: "Incidencia de las nuevas tecnologías de la información y la comunicación (TICS) en las reestructuraciones de las empresas", Aranzadi Social, n° 15, 2009.

BRIONES GONZÁLEZ, C.: La extinción del contrato de trabajo por causas objetivas, MTAS, Madrid, 1995.

---

[123]   En esta línea, véanse las reflexiones de DOMÉNECH, R.: "El puzle de la productividad en España", BBVA Research, 2 abril de 2019 (https://www.bbvaresearch.com/wp-content/uploads/2019/04/RafaelDomenech_VP_ESP.pdf).

[124]   Cfr. GOERLICH PESET, J. M.: "¿Repensar...", cit., pág. 179; CRUZ VILLALÓN, J.: "Las transformaciones...", cit. pág. 34,

COSTA REYES, A.: "Las causas económicas, técnicas, organizativas y de producción en el despido objetivo tras la Ley 35/2010", *Temas Laborales*, nº 109, 2011.

CRUZ VILLALÓN, J.: "Las transformaciones de las relaciones laborales ante la digitalización de la economía", *Temas Laborales*, nº 138, 2017.

DE LA VILLA GIL, L. E.: "El derecho del trabajo, ¿ha muerto o vive todavía? Reflexiones sobre la reforma laboral de 2012", *El Cronista del Estado Social y Democrático de Derecho*, nº 29, 2012.

DEL REY GUANTER, S.: "El despido por causas empresariales en la Ley 35/2010: los nuevos arts. 51 y 52 c) del ET, *Relaciones Laborales*, nº 21, 2010.

DESDENTADO BONETE, A.: "El despido objetivo económico entre dos reformas: 1994 y 1997", *Relaciones Laborales*, Tomo-2, 1998.

DESDENTADO BONETE, A.: "La reforma del despido en el Real Decreto-Ley 10/2010", en AAVV: *La reforma laboral de 2010. Aspectos prácticos*, Lex Nova, Valladolid, 2010.

DESDENTADO BONETE, A. "Los despidos económicos tras la reforma de la Ley 3/2012: reflexiones sobre algunos problemas sustantivos y procesales", *Actualidad Laboral*, nº 17, 2012.

DOMÉNECH, R.: "El puzle de la productividad en España", BBVA Research, 2 abril de 2019 (https://www.bbvaresearch.com/wp-content/uploads/2019/04/RafaelDomenech_VP_ESP.pdf)

DURÁN LÓPEZ, F. "El despido objetivo: causas, forma y efectos", *Revista Española de Derecho del Trabajo*, nº 100, 2000.

FALGUERA BARÓ, M. A.: *La causalidad y su prueba en los despidos económicos, técnicos, organizativos y productivos tras la reforma laboral*, Bomarzo, Albacete, 2013.

FOLGUERA CRESPO, J. A.: "El despido objetivo individual en la reforma del mercado de trabajo", *Diario La Ley*, nº 7488, 2010.

GARCÍA FERNÁNDEZ, M.: "Razones económicas, técnicas, organizativas y de producción en las decisiones empresariales de modificación y extinción del contrato de trabajo: determinación, formalización, prueba y control judicial", *Actualidad Laboral*, nº 1, 1995.

GARCÍA MURCIA, J.: "Las causas de despido colectivo: causas técnicas, organizativas y de producción", en (GODINO REYES, M. Coord.): Tratado de despido colectivo, Tirant lo Blanch, 2016.

GARCÍA-PERROTE ESCARTÍN, I.: "La nueva regulación sustantiva y procesal de la extinción del contrato de trabajo en el Real Decreto-Ley 3/2012", *Actualidad Laboral*, nº 9, 2012.

GARCÍA TENA, J. y ALARCÓN BEIRA, F.: *Regulación de empleo. Jurisprudencia*, MTAS, 1984.

GOERLICH PESET, J. M.: "La reforma de la extinción del contrato de trabajo", *Temas Laborales*, nº 107, 2010.

GOERLICH PESET, J. M.: "La extinción del contrato de trabajo en el Real Decreto-Ley 3/2012", en GARCIA-PERROTE ESCARTÍN, I. y MERCADER UGUINA, J. (Dirs.): *Análisis práctico del RDL 3/2012, de medidas urgentes para la reforma del mercado laboral*, Valladolid, Lex Nova, 2012.

GOERLICH PESET, J. M.: "¿Repensar el derecho del trabajo? Cambios tecnológicos y empleo", Gaceta Sindical, nº 27, 2016.

GOERLICH PESET, J. M.: "El problemático fundamento positivo del control de razonabilidad de las causas del despido colectivo", en (AAVV): *Comentarios al Estatuto de los Trabajadores: libro homenaje a Tomás Sala Franco*, Tiran lo Blanch, 2016.

GONZÁLEZ GONZÁLEZ, C.: "Reforma laboral 2010: notas sobre las causas del despido por necesidades empresariales", *Aranzadi Social*, nº 10, 2011.

GONZÁLEZ GONZÁLEZ, C.: "Control judicial del despido colectivo tras el Real Decreto-Ley 3/2012, de 10 de febrero", Aranzadi Doctrinal, nº 2, 2012.

LÓPEZ GÓMEZ, J. M.: "Las causas económicas y empresariales de despido", en AAVV (Dir. CRUZ VILLALÓN, J.): *Los despidos por causas económicas y empresariales*, Universidad de Cádiz, 1996.

LLOMPART BENNASSAR, M.: "Poder legislativo versus poder judicial en los despidos por causas económicas, técnicas, organizativas o de producción", *Trabajo y Derecho*, Nº 18, 2016.

MARTÍN BERNAL, J. M.: *El abuso del Derecho*, Montecorvo, Madrid, 1982.

MARTÍN VALVERDE, A.: "Razonabilidad o proporcionalidad en el control judicial de la justificación del despido colectivo", en (GODINO REYES, M. Coord.): *Tratado de despido colectivo*, Tirant lo Blanch, 2016,

MERCADER UGUINA, J. R.: *El futuro del trabajo en la era de la digitalización y la robótica*, Tirant lo Blanch, Valencia, 2017.

MONTOYA MEDINA, D.: "Nuevas relaciones de trabajo, disrupción tecnológica y su impacto en las condiciones de trabajo y empleo", *Revista de treball, economia i societa*t, nº 92, 2019.

MONTOYA MEGAR, A.: "El nuevo artículo 52 c) del Estatuto de los trabajadores: primeras interpretaciones", *Aranzadi Social*, Tomo-I, 1996.

MONTOYA MELGAR, A.: *La buena fe en el Derecho del Trabajo*, Tecnos, Madrid, 2001.

PÉREZ DE LOS COBOS ORIHUEL, F.: *Nuevas tecnologías y relación de trabajo*, Tirant lo Blanch, Valencia, 1990.

PÉREZ DE LOS COBOS ORIHUEL, F. y ROQUETA BUJ, R.: "Las llamadas <<causas económicas, técnicas, organizativas o productivas>>", *Documentación Laboral*, nº 51, 1997.

RODRÍGUEZ-PIÑERO BRAVO-FERRER, M.: "El despido por motivos objetivos atinentes a la empresa", *Relaciones Laborales*, n° 1, 1998.

RODRÍGUEZ-PIÑERO BRAVO-FERRER, M.: "Control judicial y despido", *Relaciones Laborales*, n° 10, 2010.

RODRÍGUEZ-PIÑERO Y BRAVO FERRER, M.: "La reforma laboral y el dinamismo del contrato de trabajo", *Relaciones Laborales*, n° 21, 2010.

ROQUETA BUJ, R.: *La selección de los trabajadores afectados por los despidos colectivos*, Valencia, Tirant lo Blanch, 2015.

SALA FRANCO, T. y PEDRAJAS MORENO, A.: "La configuración de las causas justificativas de decisiones empresariales modificativas, suspensivas y extintivas", *Actualidad laboral*, n° 10, 2011.

USHAKOVA, T.: "De la maquina al trabajador y viceversa. Un ensayo sobre la implicación de las nuevas tecnologías en el mundo laboral", *Revista internacional y comparada de relaciones laborales y derecho del empleo*, n° 1, 2018.

XX. EL DESPIDO POR FALTA DE ADAPTACIÓN A LAS MODIFICACIONES TECNOLÓGICAS

Magdalena Llompart Bennàssar

Profesora Titular de Derecho del Trabajo y de la Seguridad social
Universidad Islas Baleares

1. INTRODUCCIÓN: NUEVAS TECNOLOGÍAS Y FORMACIÓN

La incorporación de nuevas tecnologías al mundo del trabajo[1] –o la digitalización del empleo[2]– ha supuesto una profunda transformación del mercado de trabajo derivada de una constante alteración de la organización del trabajo, ya sea desde la óptica del proceso productivo ya sea desde la de la gestión empresarial[3]. La persistente evolución tecnológica requiere de un Derecho del Trabajo dinámico, flexible, con capacidad de adaptación a las sucesivas innovaciones de dicha índole. Esta situación, aunque

---

[1] Vid. en términos generales, PÉREZ DE LOS COBOS ORIHUEL, F., *Nuevas tecnologías y relación de trabajo*, Ed. Tirant lo Blanch, Valencia, 1990.

[2] Cfr. CRUZ VILLALÓN, J., "Las transformaciones de las relaciones laborales ante la digitalización de la economía", T.L., núm. 138, 2017, págs. 13 a 47.

[3] BLASCO PELLICER, C., "Incidencia de las nuevas tecnologías de la información y la comunicación (TICS) en las reestructuraciones de las empresas", A.S., núm. 15, 2009, BIB 2009\1819. Por su parte, CEDROLA SPREMOLLA, G., "Economía digital e Industria 4.0: reflexiones desde el mundo del trabajo para un sociedad de futuro", Revista Internacional y Comparada de Relaciones Labores y Derecho del Empleo", Vol. 6, 2018, pág. 278, alude a que la transformación tecnológica da lugar a los siguientes tipos de impacto: 1) impactos sobre la forma de trabajar, 2) impactos sobre la organización del trabajo, 3) impactos sobre la gestión de los recursos humanos y 4) impactos sobre la cultura de las empresas.

puede aparentar ser novedosa, no lo es. La irrupción de continuos avances tecnológicos ha estado presente desde el nacimiento del ordenamiento laboral, que contempla instituciones que permiten la adaptación de las condiciones de trabajo y de las propias plantillas a los mismos, bien sea mediante las distintas decisiones empresariales de flexibilidad interna, bien de flexibilidad externa. Sin embargo, a día de hoy, la fuerte competencia internacional derivada del fenómeno de la globalización y los requerimientos de mayor celeridad acentúan este procedimiento. Los cambios tecnológicos y la globalización de la economía se retroalimentan entre sí[4]. De un lado, las nuevas tecnologías permiten a las empresas competir a nivel global y, de otro, la globalización precisa y promueve la generalización de los avances tecnológicos. Esta circunstancia provoca que la actual revolución tecnológica sea de índole universal, afectando a todas las economías, sectores productivos y trabajadores —con independencia de su formación—. En todo caso, vaya por delante que, desde la óptica empresarial, nueva tecnología es la que se incorpora por primera vez al proceso de producción con independencia de que se trate o no del último avance tecnológico[5].

La incorporación de toda tecnología en el ámbito de las relaciones laborales tiene como fundamento el derecho del empresario a la innovación tecnológica en los procesos productivos derivado del art. 38 de la CE y tiene como fin último optimizar o aumentar la productividad de las empresas[6], al tiempo que reducir costes, incrementar la calidad y ganar en competitividad. Todo ello en aras de promover mayor progreso económico. Pues bien, a mi juicio, el poder de dirección del empresario comprende tanto la decisión de introducir nueva tecnología, como la gestión de sus consecuencias en la plantilla dado que, además de decidir posibles cambios en las condiciones de trabajo o suspensiones contractuales, la introducción de nueva tecnología va a ser, en ocasiones, a costa de la desaparición de puestos de trabajo —cuando la empresa pueda alegar razones técnicas para amortizar un puesto de trabajo—, o, por lo que aquí interesa, de la sustitución de un trabajador poco adaptable por otro más polivalente —caso de la falta de adaptación del trabajador a las modificaciones técnicas operadas en el puesto de trabajo—.

---

[4]   CRUZ VILLALÓN, J., "Las transformaciones de...", cit.
[5]   BLASCO PELLICER, C., "Incidencia de las...", cit.
[6]   El art. 38 de la CE reconoce la libertad de empresa en el marco de la economía de mercado y dispone que "los poderes públicos garantizan y protegen su ejercicio y la defensa de su productividad, de acuerdo con las exigencias de la economía general y, en su caso, de la planificación.

En efecto, desde la promulgación del Estatuto de los Trabajadores de 1980, el art. 52 b) regula la extinción del contrato de trabajo por falta de adaptación a las modificaciones técnicas operadas en el puesto de trabajo del trabajador. Y es que, con independencia de las sucesivas reformas, dicha disposición contempla una causa objetiva de finalización del contrato, que no depende de la voluntad del trabajador, sino de la concurrencia de unas concretas circunstancias[7], careciendo por tanto de carácter sancionador.

El derecho del empresario a la innovación tecnológica en aras de mejorar su productividad supone como contrapartida el deber del trabajador de *"contribuir a la mejora de la productividad"* (art. 5 ET). Ahora bien, la búsqueda de rentabilidad por parte de la empresa debe ponderarse con la posible readaptación de los trabajadores. En concreto, el legislador reconoce el derecho del trabajador *"a la promoción y formación profesional en el trabajo, incluida la dirigida a su adaptación a las modificaciones operadas en el puesto de trabajo, así como al desarrollo de planes de acciones formativas tendentes a favorecer su mayor empleabilidad"* [art. 4.2 b) ET]. A mayor abundamiento, el art. 23.1 d) del ET recoge el derecho específico de los trabajadores a la formación necesaria para su adaptación a las modificaciones operadas en el puesto de trabajo, incidiendo, de un lado, en que dicha formación corre a cargo de la empresa, *"sin perjuicio de la posibilidad de obtener a tal efecto los créditos destinados a la formación"* y, de otro, en que *"el tiempo destinado a la formación se considerará en todo caso tiempo de trabajo efectivo"*. En definitiva, en un mundo global como el actual, los trabajadores precisan de la competencia de aprender a aprender o del aprendizaje permanente, entendida como el desarrollo continuo del conocimiento y las habilidades que las personas experimentan tras la educación formal a lo largo de toda su vida[8].

Por lo demás, a efectos de garantizar el derecho a la formación profesional dirigida a la adaptación de los trabajadores a las modificaciones operadas en su puesto de trabajo, se requiere de una inversión efectiva en formación y capacitación no tan solo de los poderes públicos, sino por lo que aquí interesa de las propias empresas que han implantado las correspondientes

---

[7]   SAGARDOY BENGOECHEA, I., "Ineptitud, falta de adaptación y absentismo", en AA. VV., *Estudios sobre el despido: homenaje al prof. Alfredo Montoya Melgar en sus veinticinco años de Catedrático de Derecho del Trabajo*, Ed. Universidad Complutense, Madrid, 1996, pág. 139.

[8]   CARRIZOSA PRIETO, E., "Lifelong learning e industria 4.0. Elementos y requisitos para optimizar el aprendizaje en red", Revista Internacional y Comparada de Relaciones Laborales y Derecho del Empleo, Vol., 6, 2018, págs. 41 y 42.

novedades tecnológicas[9]. Tal derecho subjetivo del empresario, por consiguiente, se traduce en la obligación empresarial a ofrecer al trabajador con carácter previo al despido objetivo un curso que le facilite su adaptación a las modificaciones instauradas. El despido, en fin, resulta ser la última opción para la empresa, quien antes de proceder al mismo debe ofrecer al trabajador la formación pertinente en cada caso y, solo en aquellos supuestos en los que se constate su inadaptación tras un determinado lapso temporal, podrá extinguir el contrato de trabajo. En caso de incumplimiento empresarial, la extinción no será declarada judicialmente como procedente.

2. EXTINCIÓN POR FALTA DE ADAPTACIÓN A MODIFICACIONES TÉCNICAS

2.1. Noción

Ya se ha avanzado que los cambios tecnológicos a los que alude el ET no son necesariamente las últimas innovaciones, sino aquellos que sean o no más novedosos se incorporan a una concreta empresa afectando a su organización de trabajo, requiriendo una fase de adaptación de los trabajadores que puede finalizar con o sin éxito. En la medida en que desde antiguo los cambios tecnológicos han afectado al ámbito de las relaciones laborales, la regulación sobre cómo influyen en la relación de trabajo es congénita a la propia naturaleza del Derecho del Trabajo. De hecho, existen instituciones que la contemplan expresamente, tales como la movilidad funcional, la modificación sustancial de condiciones de trabajo, las suspensión del contrato de trabajo y distintas formas de extinción del contrato de trabajo. La que en estos momentos interesa es la relativa al despido por falta de adaptación a las modificaciones técnicas. La finalidad de esta posibilidad extintiva es garantizar que las empresas efectúen continuos procesos de adaptación tecnológicos, sin que la falta de adaptación de sus plantillas a los mismos suponga un obstáculo. Ahora bien, a efectos de proceder al despido, la implantación de una nueva tecnología no debe alterar las funciones del trabajador, si bien puede variar la manera de llevarlas a cabo. No es posible, por consiguiente, la concurrencia de movilidad funcional alguna. La innovación tan solo puede implicar un cambio de ejecución de las mismas tareas[10].

---

[9]   SÁNCHEZ-URÁN AZAÑA, Y. y GRAU RUIZ, M.A., "El impacto de la robótica, en especial la robótica inclusiva, en el trabajo: aspectos jurídico-laborales y fiscales", Revista Aranzadi de Derecho y Nuevas Tecnologías, núm. 50, 2019.

[10]   SAGARDOY BENGOECHEA, "Ineptitud, falta de...", cit., pág. 145; y ALZAGA RUIZ, I., "El despido del trabajador por falta de adaptación a las modificaciones técnicas en su puesto de trabajo", R.D.S., núm. 55, 2011.

Ya el RDL 17/1977, de 4 de marzo, contemplaba como causa extintiva del contrato de trabajo la falta de adaptación del trabajador a las modificaciones técnicas que se implantaban en las empresas[11]. En efecto, el art. 39 de la citada disposición contemplaba diversas circunstancias objetivas, fundadas en la capacidad profesional del trabajador o en las necesidades de funcionamiento de la empresa, entre las que se mencionaba, en su apartado, b), la falta de adaptación del trabajador *"a las modificaciones tecnológicas del puesto de trabajo que viniera desempeñando, siempre que fuese adecuado a su categoría profesional"[12]*. Sin embargo, prescindía de toda referencia al plazo de adaptación que debía darse al trabajador; omisión que se suplió entendiendo que dicho término era el fijado por las normas sectoriales[13]. Con el Estatuto de los Trabajadores de 1980 se suprimió la limitación relativa a la categoría profesional, exigiendo que el cambio fuese razonable; se introdujo un plazo de 2 meses para que el trabajador se adaptara a la modificación técnica, lapso temporal durante el que el empresario no podía despedirlo; y se contempló la posibilidad de que el trabajador realizase un curso de reconversión o perfeccionamiento profesional ofrecido por el empresario[14].

Actualmente, el art. 52 b) del ET prevé la extinción del contrato de trabajo *"por falta de adaptación del trabajador a las modificaciones técnicas operadas en su puesto de trabajo, cuando dichos cambios sean razonables"*. A diferencia de lo que acontecía con la normativa originaria se prevé que *"la extinción no podrá ser acordada por el empresario hasta que hayan transcurrido, como mínimo, dos meses desde que se introdujo la modificación o desde que finalizó la formación dirigida a la adaptación"*. Y, a partir de la reforma de 2012, se exige al empresario que ofrezca al trabajador *"un curso dirigido a facilitar la adaptación a las modificaciones operadas"[15]*, precisando que *"el tiempo destinado a la forma-*

---

[11] Respecto de esta previsión, vid. ARIAS DOMÍNGUEZ, A., *El Despido Objetivo por Causas Atinentes al Trabajador. Ineptitud, Falta de Adaptación y Absentismo*, Ed. Thomson-Aranzadi, Navarra, 2005, págs. 147 a 152.

[12] Sobre la aplicación de esta disposición, vid. STS de 1 de julio de 1986.

[13] ALZAGA RUIZ, I., "El despido del..., cit.; y POQUET CATALÁ, R., "La falta de adaptación como causa de despido objetivo tras la reforma de 2012", Revista Aranzadi Doctrinal, núm. 7/2014, BIB 2014\3655. Ambas autoras aluden a que esta causa extintiva fue entendida como una obligación a cargo del trabajador de progresar en su capacidad profesional, fundada en una obligación paralela para el empresario de facilitar al trabajador la formación profesional necesaria.

[14] Cfr. ARIAS DOMÍNGUEZ, A., *El Despido Objetivo...*, cit., págs. 152 a 154.

[15] Abogando por la obligatoriedad de esta formación con anterioridad a la reforma laboral de 2012, vid., entre otros, ARIAS DOMÍNGUEZ, A. *El Despido Objeivo...*, cit., pág. 175; y LUQUE PARRA, M., "La introducción de las nuevas tecnologías como causa

ción se considerará en todo caso tiempo de trabajo efectivo y el empresario abonará al trabajador el salario medio que viniera percibiendo". Vaya por delante que la procedencia de esta extinción no se condiciona a la imposibilidad de asignar al trabajador afectado a otras tareas dentro del misma empresa. El empresario, dentro del margen de actuación correspondiente a sus facultades de organización y dirección de la actividad empresarial, tiene total discreción para determinar si resulta preferible optar por la extinción por inadaptación o proceder a una reasignación de tareas[16].

Si bien, de una parte, las empresas están legitimadas a incorporar en sus procesos productivos toda innovación tecnológica que las haga más competitivas (art. 38 CE) y los trabajadores tienen como deber básico *"contribuir a la mejora de la productividad"* [art. 5 e) ET], readaptándose a las modificaciones que los avances tecnológicos exijan de su trabajo[17], de otra, estos últimos cuentan con el derecho *"a la promoción y formación profesional en el trabajo, incluida la dirigida a su adaptación a las modificaciones operadas en el puesto de trabajo"* [art. 4.2 a) ET]. La normativa laboral persigue encontrar un punto de equilibrio entre el derecho de las empresas a incorporar mejoras técnicas y el derecho de los trabajadores a recibir la formación pertinente a efectos de adaptarse a las mismas. Sin embargo, lo cierto es que si falla la adaptación del trabajador, el legislador asume que la relación de trabajo se convierte en excesivamente onerosa para el empresario y se decanta a su favor permitiendo que dé por extinguida la relación laboral. Esta manifestación de flexibilidad cuenta, con todo, con ciertas garantías en la medida en que procura facilitar al trabajador su adaptación otorgándole un plazo de acomodo y ofreciéndole la formación pertinente. Solo si dicho acomodo no se consigue, se le reconoce una indemnización por la pérdida del empleo dado que la misma es objetiva, sin que concurra culpa alguna por parte del trabajador. La regulación de esta extinción constituye, en definitiva, un ejemplo de flexiguridad[18].

En virtud del art. 5 a) del ET, el trabajador tiene el deber de *"cumplir con las obligaciones concretas de su puesto de trabajo, de conformidad con las reglas de*

---

de extinción del contrato de trabajo", en SERNA CALVO, M.M. et al., *Derecho social y nuevas tecnologías*, Ed. Cuadernos de Derecho Judicial, Madrid, 2005, pág. 201.

[16]   Cfr. Voto particular de la STSJ del País Vasco de 20 de septiembre de 2001, rec. 1380/2001.

[17]   RAMÍREZ MARTÍNEZ, J.M., "La extinción del contrato de trabajo por causas objetivas", en SALA FRANCO, T. *et al.*, *Problemas aplicativos del Estatuto de los Trabajadores*, Ed. Universidad de Alicante, Alicante, 1982, pág. 86.

[18]   Cfr. BASTERRA HERNÁNDEZ, M., "La extinción del contrato de trabajo. Perspectiva comparada de las regulaciones italiana y española", TOL6.378.816.

la buena fe y diligencia". Si el trabajador, a pesar de cumplir con dicha obligación, no es capaz de amoldarse a las nuevas exigencias de su puesto de trabajo se materializa el supuesto de hecho previsto en el art. 52 b) del ET. Por inadaptación cabe entender la falta de acomodación de las aptitudes profesionales del trabajador a las exigencias de las innovaciones tecnológicas implantadas en su puesto de trabajo. Por el contrario, si el trabajador no realiza el esfuerzo necesario para ajustarse a las nuevas circunstancias, estimo que si el empresario acredita la culpabilidad y gravedad de la conducta del trabajador puede acudir a la causa extintiva prevista en el art. 54.2 e) del ET, relativa a *"la disminución continuada y voluntaria en el rendimiento de trabajo normal o pactado"*. Y es que tal supuesto, a diferencia de la extinción objetiva que se caracteriza por la falta de voluntariedad del trabajador en la circunstancia que la provoca, supone un incumplimiento grave y culpable por parte del trabajador[19]. Cuestión distinta, como se verá, es el supuesto en el que el trabajador se esfuerza por superar el curso y, a pesar de ello, no lo logra.

La justificación de la causa extintiva objetiva es el desajuste entre las aptitudes del trabajador y los requerimientos del puesto de trabajo que deriva de la introducción de un cambio o modificación técnica en el proceso productivo que reviste un carácter razonable[20], en los términos que se verán más abajo. Por eso se hace preciso también distinguir el supuesto de hecho del art. 52 b) del del art. 52 a) que alude a la *"ineptitud del trabajador conocida o sobrevenida con posterioridad a su colocación efectiva en la empresa"*, en la que concurre asimismo la falta de culpabilidad del trabajador[21]. Por tanto, ninguna de las dos extinciones tiene carácter sancionador. Ahora bien, a diferencia de la ineptitud, la falta de adaptación no alude a la pérdida de las habilidades profesionales que se requieren para el desarrollo de las funciones habituales, sino a la incapacidad de mantener las mismas

---

[19]　Sin embargo, LUQUE PARRA, M., "La introducción de...", cit., pág. 201, entiende que una vez que el curso de perfeccionamiento sea obligatorio –como acontece en la actualidad– debe permitirse el despido disciplinario del trabajador cuando, tras la finalización de dicho curso adecuado y razonable, este no haya conseguido adaptarse a su puesto de trabajo. Razonamiento que no comparto pues, a mi modo de ver, no superar el curso no supone automáticamente un incumplimiento grave y culpable del trabajador, como exige la regulación del despido disciplinario.

[20]　BLASCO PELLICER, A., NORES TORRES, L.E. y ALTÉS TÁRREGA, J.A., *El despido objetivo*, Ed. Tirant lo Blanch, 2010, TOL1.879.953.

[21]　Existen casos en los que la empresa alega falta de adaptación y el tribunal estima que debería haberse aducido ineptitud sobrevenida. Cfr. STSJ de Galicia de 13 de noviembre de 2018, rec. 4297/2018.

a tono con las exigencias del progreso técnico[22]. En efecto, la ineptitud supone una inhabilidad o carencia de facultades profesionales cuyo origen se halla en la persona del trabajador ya sea por falta de preparación o de actualización de sus conocimientos, ya sea por el deterioro o pérdida de sus recursos de trabajo –rapidez, percepción, destreza, capacidad de concentración, etc.–[23], pero la manera en que se desempeña el trabajo no ha variado. El trabajador es quien pierde capacidad para poder acometerlo[24]. Por el contrario, la falta de adaptación tiene un origen totalmente ajeno al trabajador, ya que la modificación técnica proviene de una decisión empresarial[25], a resultas de la cual el trabajador pese a su empeño no es capaz de adaptarse a las nuevas exigencias de su puesto de trabajo.

En fin, las innovaciones tecnológicas como causa de despido pueden desembocar o bien en la inadaptación del trabajador, o bien en la necesidad de amortizar el puesto de trabajo [art. 52 c)][26]. En el primer caso, el puesto de trabajo se mantiene si bien existe una incapacidad subjetiva del trabajador que lo ocupa para acomodar sus aptitudes profesionales al cambio técnico acontecido en la empresa. La incorporación de tecnología revela la inadecuación del trabajador a los nuevos requerimientos de su puesto de trabajo, quedando en tela de juicio su capacidad profesional. Sin embargo, en el segundo supuesto, consecuencia del progreso técnico, el puesto de trabajo del trabajador afectado por la extinción deviene prescindible, por tanto no se requiere ningún proceso de adaptación porque el puesto de trabajo desaparece. Y es que la tecnología incorporada acomoda la empresa a las exigencias del mercado, convirtiendo en superfluos ciertos puestos de trabajo. En definitiva, el art. 52 b) del ET conecta con

---

[22]   SSTS de 15 de julio de 1988 y 21 de junio de 1988. También, SSTSJ de Murcia de 23 de octubre de 1995, rec. 892/1995, y Cantabria de 19 de octubre de 1998, rec. 1243/1998.

[23]   STS de 2 de mayo de 1999.

[24]   SSTSJ del País Vasco de 20 de septiembre de 2001, rec. 1380/2001, Madrid de 24 de enero de 2005, rec. 4956/2004, País Vasco de 30 de mayo de 2006, rec. 469/2006.

[25]   Vid. SAGARDOY BENGOECHEA, I., "Ineptitud, falta de…", cit., pág. 145; ALZAGA RUIZ, I., "El despido del…", cit.; y BASTERRA HERNÁNDEZ, M., "La extinción del…", cit. También, STSJ de Madrid de 24 de enero de 2005, rec. 4956/2004.

[26]   En la práctica, en ocasiones, se alegan ambas causas conjuntamente. Tal es el caso, por ejemplo, de la STSJ de Galicia de 13 de noviembre de 2018, rec. 4297/2018. Y, en otras, se alega la inadaptación cuando lo procedente hubiese sido aducir razones económicas, técnicas, organizativas o de producción, puesto que lo que acontece es que se amortiza un puesto de trabajo en concreto. Vid., en este sentido, STSJ de Andalucía de 21 de septiembre de 2007, rec. 4521/2006, que analiza un supuesto en el que se suprime una barra de bar como consecuencia de la legislación sobre el tabaquismo que conlleva la amortización de un puesto de trabajo.

la inadaptación del trabajador a un progreso técnico operado en el puesto de trabajo, mientras que el art. 52 c) del ET con la concurrencia de nuevas técnicas de producción que alteran por completo la estructura organizativa y productiva de la empresa, acarreando como consecuencia directa la necesidad de reducción de plantilla[27]. Por consiguiente no encajan en este último motivo aquellos casos en los que el empleador alega causas técnicas que le llevan a extinguir contratos de trabajo de unos trabajadores y contratar otros nuevos que les sustituyan ya que falta la eliminación del puesto de trabajo[28], como podría suceder con la causa extintiva de la inadaptación.

2.2. *Requisitos*

2.2.1. Modificación técnica

El hecho desencadenante de la extinción objetiva es la existencia de un cambio técnico y no de otra naturaleza. No es suficiente, por tanto, con que la empresa aduzca que el trabajador carece de la preparación y la capacidad para desempeñar su prestación de servicios, cuyo supuesto encaja como se ha avanzado en el art. 52 a) del ET[29], o que no se adapta a una nueva asignación de funciones (art. 39 ET)[30]. El ET resulta claro. La modificación ha de ser técnica y no, por tanto, organizativa[31].

---

[27] STS de 21 de junio 1988. Por su parte, la STSJ de Madrid de 14 de mayo de 1996, rec. 98/1995, afirma que la causa del art. 52 c) del ET exige *"una conceptuación <<ad extra>> de la empresa, en un contexto más amplio, como es el mercado (…). Las causas económicas, técnicas, organizativas o de producción son causas desequilibradoras directas de esta interacción patrimonial y actúan reflejamente (o sea, de modo indirecto) sobre las relaciones laborales, al fundamentar una necesidad <<amortizadora>>"* y añade que *"en el supuesto del apartado b) la conceptuación de la empresa debemos efectuarla <<ad intra>>, ya que aparece como universo del objeto jurídico que es la prestación laboral".* Según esta resolución, *"el cambio técnico afecta a esa unidad de ámbito productivo que conocemos como puesto de trabajo y patentiza una necesidad modificadora de la cualificación del trabajador".* Así pues, concluye que la causa relativa a la amortización del puesto de trabajo supone una inadecuación de la empresa al mercado, mientras que la causa modificadora revela una inadecuación del trabajador y el puesto de trabajo.

[28] STSJ del País Vasco de 20 de septiembre de 2001, rec. 1380/2001.

[29] Cfr. STSJ del País Vasco de 30 de mayo de 2006, rec. 469/2006, sobre un Director de un Departamento de Informática a quien falta capacidad para desempeñar dicho puesto de trabajo.

[30] Es el caso resuelto por la STSJ del País Vasco de 21 de abril de 2009, rec. 362/2009, sobre un auxiliar de recepción y consejería, que no tiene carnet de conducir, al que esporádicamente se le asignan tareas de aparcacoches.

[31] SAGARDOY BENGOECHEA, "Ineptitud, falta de…", cit., pág. 145.

En la práctica judicial se ha entendido como tal la introducción de un nuevo ordenador con un programa especial de delineación en color[32], la adquisición de un nuevo sistema informático[33], la informatización de las tareas de asesoría a raíz de la implantación del sistema RED de la Seguridad Social[34], la implantación de nuevos métodos de enseñanza multimedia[35], la incorporación del Sistema de Ayuda a la Explotación –que permite funciones de localización e identificación en tiempo real de los autobuses y que viene exigido por una disposición normativa–[36], la sustitución de la maquinaria de la empresa para la mejora del sistema de embuche de patos[37], o la incorporación de una nueva flota aérea[38]. Más allá de esta consideración, los tribunales se han decantado por un sentido amplio de la expresión *"modificaciones técnicas"*, afectando aspectos no relacionados estrictamente con la tecnología. Un supuesto que me plantea bastantes dudas es la exigencia de un título específico o la superación de ciertas pruebas de habilitación que acredite el conocimiento del euskera o de cualquier otro idioma[39]. Y es que existen pronunciamientos que, entendiendo la técnica en un sentido amplio, como conjunto de conocimientos de procedimientos de que se sirve una ciencia o arte, analizan la procedencia de la extinción[40]. Sin embargo, a mi juicio, la no posesión del título correspondiente o la no superación de las pruebas correspondientes encajan mejor en la causa de despido

---

[32]   STS de 21 de junio de 1988.

[33]   SSTSJ de la Comunidad Valenciana de 14 de septiembre de 1993, rec. 3801/1992, Murcia de 23 de octubre de 1995, rec. 892/1995, Extremadura de 8 de agosto de 2000, rec. 454/2000, Andalucía de 12 de noviembre de 2002, rec. 2799/2000 –que analizar un supuesto en el que se implanta el sistema informático Excel y Accel–, Asturias de 30 de abril de 2004, rec. 3795/2002, Comunidad Valenciana de 24 de junio de 2004, rec. 1094/2004, Madrid de 24 de enero de 2005, rec. 4956/2004 –Windows 2000–, País Vasco de 24 de abril de 2007, rec. 342/2007, y Andalucía de 9 de junio de 2010, rec. 948/2010,

[34]   STSJ de Cantabria de 19 de octubre de 1998, rec. 1243/1998.

[35]   STSJ de Madrid de 10 de octubre de 2006, rec. 2760/2006.

[36]   STSJ de Madrid de 28 de enero de 2004, rec. 2058/2013.

[37]   STSJ de Castilla y León de 6 de abril de 2004, rec. 629/2004.

[38]   STSJ de Islas Baleares de 22 de diciembre de 2015, rec. 72/2015.

[39]   Como acontece en el supuesto analizado por la STSJ de Madrid de 14 de mayo de 1996, rec. 98/1995, que analiza el caso de una trabajadora que realiza funciones propias de oficial de 1ª administrativo, a la que se le exige el conocimiento de idiomas extranjeros y que determina que se está ante un supuesto de falta de adaptación a una modificación técnica.

[40]   Se trata de los supuestos analizados por las SSTS de 1 de julio de 1986 y 15 de julio de 1986, que declaran la procedencia de la extinción. Y la STSJ del País Vasco de 20 de septiembre de 2001, rec. 1380/2001, que declara la improcedencia de la extinción en el caso analizado.

objetivo referida a la *"ineptitud del trabajador conocida o sobrevenida con posterioridad a su colocación efectiva en la empresa"* [art. 52 a) ET][41]. Como se ha advertido, la noción de ineptitud al ser amplia supone una inhabilidad o carencia de facultades profesionales que tienen su origen en la persona del trabajador, incluida la carencia de la titulación exigida para la realización de su trabajo[42] o la falta de preparación o actualización de conocimientos. Supone, por tanto, una genérica falta de aptitud o de conocimientos para el trabajo pactado. De esta suerte, si para prestar unos determinados servicios se requiere, a partir de un momento dado, la acreditación de unos conocimientos determinados, otorgando la administración pertinente al trabajador un periodo suficiente para alcanzarlos, sin que este consiga la titulación correspondiente, entiendo que concurre la causa de ineptitud sobrevenida y, por tanto, no hace falta aplicar un concepto de modificación técnica amplio ni, por ende, dar otro plazo de adaptación de dos meses como se prevé en el art. 52 b) del ET[43].

El cambio tecnológico no tiene por qué ser imprescindible. Es suficiente con que sea aconsejable para el progreso de la empresa o, dicho en otros términos, que esta considere, en el marco de su poder de dirección y organización, que puede optimizar su proceso productivo o la organización del trabajo. La finalidad última de la regulación de la causa extintiva por inadaptación es la promoción de la competitividad de la empresa. Sin embargo, esta no tiene la obligación de probar los resultados positivos que pueden derivar de la innovación tecnológica. Nada exige expresamente el legislador. Por tanto, la empresa tan solo asume la carga de la prueba relativa a la introducción de una modificación técnica, de modo que, si no la acredita, la extinción debe ser declarada improcedente[44].

---

[41]   Por su parte, ARIAS DOMÍNGUEZ, A., *El Despido Objetivo...*, cit., pág. 164, en estos casos entiende que en puridad no se ha producido una modificación técnica y, por tanto, debería haberse aplicado el supuesto de amortización del puesto de trabajo [art. 52 c) ET], o incluso la ineptitud sobrevenida por falta de titulación habilitante para el desempeño del puesto de trabajo [art. 52 a) ET].

[42]   Vid. STS de 3 de julio de 1989, que afirma que es causa de ineptitud la falta de titulación si esa titulación es la exigida. También, STS de 31 de mayo de 2018, rec. 2785/2016, relativa a la pérdida del carnet de conducir.

[43]   Por su parte, el caso analizado por la STSJ de Galicia de 16 de noviembre de 2015, rec, 3929/2015, es diferente, dado que la causa extintiva es aplicación de una condición resolutoria [art. 49.1 b) ET]. En efecto, a la trabajadora de un centro en el que se implanta el bilingüismo se le da un plazo para que obtenga el certificado b2 de inglés, transcurrido el cual se extingue el contrato de trabajo por no haberlo obtenido.

[44]   SSTSJ de País Vasco de 23 de noviembre de 1999, rec. 2123/1999, Madrid de 29 de enero de 2003, rec. 4958/2002, Madrid de 12 de noviembre de 2003, rec. 4958/2002,

2.2.2. Incidencia en el puesto de trabajo habitual

La modificación técnica debe incidir sobre el concreto puesto de trabajo habitual del trabajador. Por tanto, no encaja en el supuesto de hecho del art. 52 b) del ET ni cuando la innovación se produce en otro puesto de trabajo que no ocupa el trabajador afectado[45], ni cuando esta afecta al puesto de trabajo que el trabajador ocupa circunstancialmente por razones de movilidad funcional[46].

Muchos son los preceptos estatutarios que aluden a la noción de puesto de trabajo[47], sin embargo, no ofrecen una definición legal. El art. 11.1 a) del ET, en referencia al contrato en prácticas, prevé que mediante convenios colectivos sectoriales se puedan determinar los puestos de trabajo o grupos profesionales objeto de este contrato. Por su parte, el art. 17.4 del ET dispone que la negociación colectiva puede establecer medidas de acción positiva en las condiciones de clasificación profesional, promoción y formación, de modo que, en igualdad de condiciones de idoneidad, tengan preferencia las personas del sexo menos representado para favorecer su acceso al grupo profesional o puesto de trabajo de que se trate. De ambos preceptos cabe deducir la contraposición entre la noción de grupo profesional y la de puesto de trabajo que resulta ser bastante más reducida. En efecto, además de un componente espacial o físico, puesto de trabajo puede referirse a la concreta actividad o actividades que se atribuyen al trabajador, ya sea en el momento de la contratación o en uno posterior. En definitiva, a mi juicio, puesto de trabajo se identifica con la asignación de funciones al trabajador[48]. Por lo demás, la norma exige que el trabajador continúe realizando similares funciones, aunque de modo distinto a efec-

---

Asturias de 30 de abril de 2004, rec. 3795/2002, País Vasco de 30 de mayo de 2006, rec. 469/2006; y Madrid de 17 de marzo de 2011, rec. 4471/2010. Y Sentencia del Juzgado de Pamplona núm. 363/2000

[45]　Vid. STSJ de Asturias de 20 de abril de 2004, rec. 3795/2002, que analiza el despido de una trabajadora por falta de adaptación al sistema informático implantado por la empresa, que siendo administrativa que pasa a desarrollar las funciones de telefonista y, con posterioridad, tareas de archivo y control de documentos, si bien en estos dos últimos puestos de trabajo no se exige el manejo de ordenadores. También STSJ del País Vasco de 30 de mayo de 2006, rec. 469/2006.

[46]　STSJ del País Vasco de 20 de septiembre de 2001, rec. 1380/2001.

[47]　Arts. 4.2 b), 6.2, 11.1 a), 12, 13, 15.1 c), 15.5, 15.7, 17.4, 23, 34, 36.3, 40, 45.1 n), 46, 48, 49.1 m), 52 c), 64.5 f) del ET.

[48]　No comparte esta conclusión ÁLVAREZ DEL CUVILLO, A., "La adaptación de los trabajadores a los cambios tecnológicos en la pequeña empresa", RCE, núm. 93, 2008, págs. 40 y 41.

tos de mejorar su eficiencia, pero no que ejecute más cantidad de actividad laboral[49].

Pues bien, como sostiene la STCT de 1 de octubre de 1982, la innovación técnica debe circunscribirse al puesto de trabajo, de modo que *"consiste en un cambio o variación de una ocupación concreta introduciendo las modificaciones técnicas acomodadas al progreso evitando el anquilosamiento en viejas y desfasadas técnicas o modos operativos (…), pero no el cambio a una ocupación nueva".* Por tanto, el régimen jurídico del art. 52 b) del ET no engloba aquella variación en el que al trabajador se le cambia de puesto, asignándole uno que tiene exigencias técnicas distintas al que venía desempeñando[50]. En efecto, la modificación técnica influye en cómo el trabajador realiza sus funciones o, dicho de otro modo, en la ejecución de las tareas propias del puesto de trabajo. La innovación no puede implicar un cambio de funciones sino que, manteniéndose inalterables, deben ser efectuadas con nuevos medios técnicos[51]. No cabe, por tanto, confundir cambio técnico con especificación de nuevas funciones (art. 39 ET)[52].

Más concretamente, los tribunales advierten que la modificación debe producirse en el puesto de trabajo habitual y no en el seno de la categoría que ostente como tampoco en el puesto de trabajo que eventualmente pueda ocupar por razones de movilidad funcional[53]. Si la modificación operada en la empresa supone un cambio de funciones del trabajador, aunque sea temporal, el legislador garantiza su continuidad en la empresa. Y ello aun cuando la movilidad funcional se hubiera producido a instancia del propio trabajador que, con posterioridad a la innovación, resulta incapaz de adaptarse a la misma[54]. En efecto, aun cuando el art. 39.1 del ET permite el cambio de funciones *"de acuerdo a las titulaciones académicas o profesionales precisas para ejercer la prestación laboral y con respeto a la dignidad del trabajador",* el art. 39.3 del ET sale al paso de que la movilidad funcional pueda ser manejada torticeramente por el empleador para deshacerse

---

[49]   ARIAS DOMÍNGUEZ, A., *El Despido Objetivo…*, cit., pág. 166.

[50]   Vid., STSJ del País Vasco de 23 de noviembre de 1999, rec. 2123/1999, relativa a un chófer de camión para el suministro de árido al que se le asignan funciones de chófer de camión Dumper minero, para cuya conducción se exigen carnet y permisos especiales.

[51]   STSJ de Castilla y León de 28 de septiembre de 2011, rec. 516/2011.

[52]   STSJ del País Vasco de 30 de mayo de 2006, rec. 469/2006.

[53]   Vid., entre otras, SSTSJ de Madrid de 10 de octubre de 2006, rec. 2760/2006 y Castilla y León de 28 de septiembre de 2011, rec. 516/2011.

[54]   STS de 22 de abril de 1990.

de un trabajador aduciendo razones objetivas[55]. Efectivamente, el art. 39.3 del ET niega la posibilidad de invocar como causa de despido objetivo la ineptitud sobrevenida o la falta de adaptación *"en los supuestos de realización de funciones distintas de las habituales como consecuencia de la movilidad funcional"*[56]. De hecho, existen diversos supuestos en los que los tribunales, considerado que la modificación no afecta al puesto de trabajo, declaran improcedente la extinción. Tal es el caso de una Responsable del Departamento de Seguridad, Higiene, Medio Ambiente e Ingeniería que pasa, en uso de las facultades organizativas del empleador, a desarrollar funciones como Responsable Logístico de Marca de la División de Productos Profesionales[57]; el de una trabajadora auxiliar de enfermería a la que se le asignan funciones de auxiliar administrativo[58]; el del chófer de un camión para el suministro de árido que pasa a desempeñar las tareas de chófer minero, conduciendo un vehículo distinto al que no se adapta[59]; y el de una oficial de primera a quien se le asignan nuevas tareas que consisten en el manejo de tablas Excel, que antes realizaban titulados superiores[60]. En los cuatro casos, los tribunales consideran que, además no concurrir modificación técnica alguna, los correspondientes puestos de trabajo de cada empleado han variado. Tiene que existir, por consiguiente, correspondencia entre el puesto de trabajo y la modificación técnica de las tareas desempeñadas por el trabajador, de tal forma que la modificación debe afectar a las funciones desempeñadas con habitualidad por el trabajador. El pretendido cambio tecnológico, por ende, no puede encubrir ni una movilidad funcional del art. 39 del ET ni un cambio de funciones del art. 41 del ET con el fin de eludir sus específicas reglas de procedimiento[61]. Tanto en la movilidad funcional como en la modificación sustancial de condiciones de trabajo, el factor técnico opera en el plano causal, pero lo que prima es el cambio de cometidos, pues los trabajadores pasan a realizar otras tareas, otras funciones, otras actividades. Por el contrario, en el supuesto del art.

---

[55] STSJ de Castilla y León de 28 de septiembre de 2011, rec. 516/2011.

[56] Sobre la relación entre el art. 52 b) y 39.3 del ET, vid. VALVERDE ASENCIO, A.J., "La limitación del despido por ineptitud sobrevenida o falta de adaptación en los supuestos de movilidad funcional", A.S., Vol. V, 1997, BIB 1997\994. Por su parte, LUQUE PARRA, M., "La introducción de…", cit., pág. 198, advierte que el ámbito de actuación del art. 52 b) del ET se reduce a una falta de adaptación técnica del trabajador que nada tenga que ver con el cambio de sus funciones.

[57] STSJ de Castilla y León de 28 de septiembre de 2011, rec. 516/2011.

[58] STSJ de Galicia de 2 de mayo de 2013, rec. 473/2013.

[59] STSJ del País Vasco de 23 de noviembre de 1999, rec. 2123/1999.

[60] STSJ de Castilla y León de 1 de octubre de 2008, rec. 1024/2008.

[61] STS de 1 de octubre de 1985.

52 b) del ET, no se realizan otros cometidos, otras funciones, sino que son las mismas solo que se ejecutan de otra manera en virtud de los cambios técnicos[62]. Cuestión distinta es que la empresa, una vez agotadas todas las posibilidades de adaptación a las modificaciones técnicas introducidas y acreditada la incapacidad, ofrezca al trabajador su recolocación en otro puesto y este lo rechace, en cuyo caso sería procedente la extinción por razones objetivas[63].

A la vista de cuanto se ha razonado, debe repararse en que el legislador ofrece un trato desigual en atención a si la innovación técnica afecta al puesto de trabajo propio del trabajador o no. En el primer supuesto, si este no se adapta en los términos previstos en el art. 52 b), el empleador podrá proceder a la extinción objetiva. En el segundo supuesto, si la innovación afecta a otro puesto de trabajo que ocupa circunstancialmente el trabajador o supone un cambio de funciones, no podrá extinguir el contrato por falta de adaptación. Este dato lleva a plantearse qué opciones tiene la empresa en esta última hipótesis. Pues bien, solo en el caso en que la empresa pueda probar que la modificación técnica implica la amortización del puesto de trabajo podrá despedir al trabajador, pero en virtud del art. 52 c) del ET. En caso contrario, deberá valorar las circunstancias concurrentes en cada caso a efectos de actuar ante la inadaptación del trabajador. Así, entre otras alternativas, cabe proceder a una nueva movilidad funcional en los términos del art. 39 del ET; a una modificación sustancial de las funciones del trabajador (art. 41); a una suspensión del contrato (art. 47 ET), con posibilidad de abundar en la formación del trabajador, aunque con la advertencia de que la formación inicialmente ofrecida por la empresa fue suficiente; o a la extinción del contrato aduciendo razones disciplinarias cuando la inadaptación obedezca a la voluntad del trabajador (art. 54 ET).

Por lo demás, cabe efectuar dos precisiones. De una parte, resulta irrelevante que la modificación técnica afecte a uno o varios puestos de trabajo al mismo tiempo[64], de modo que el empresario puede despedir al amparo de esta causa a aquellos trabajadores que no se adapten a la innovación introducida sin seguir el procedimiento de despido colectivo cuando se superen los umbrales del art. 51 del ET, que solo resulta de aplicación en el caso de concurrencia de razones económicas, técnicas, organizativas o de producción. Y, de otra, en el caso de un trabajador que se reincorpora a la empresa tras un periodo de excedencia voluntaria, asignándole un nuevo

---

[62]   SAGARDOY BENGOECHEA, "Ineptitud, falta de adaptación…", cit., pág 145.
[63]   STSJ de Andalucía de 9 de junio de 2010, rec. 948/2010.
[64]   STS de 21 de junio de 1988.

puesto de trabajo, este último es el que se considera puesto habitual y no el que ocupaba con anterioridad[65]. Razonamiento que tiene su lógica, dado que la excedencia voluntaria, salvo pacto en contrario, no supone ninguna reserva de puesto de trabajo. Cuestión distinta sería si la excedencia comportase reserva de puesto de trabajo.

2.2.3. Razonabilidad del cambio

El art. 52 b) del ET exige que el cambio sea razonable[66], aun cuando no concreta qué cabe entender por tal concepto[67]. Se trata, por consiguiente de un concepto jurídico indeterminado que deja margen a la apreciación judicial[68]. Debe avanzarse, no obstante, que la razonabilidad se predica del cambio en sí mismo considerado y no del modo en que incide en la esfera subjetiva del trabajador o en la posibilidad individual que este tenga para adaptarse al mismo[69]. Ahora bien, la razonabilidad nada tiene que ver con la necesidad del cambio tecnológico desde el punto de vista de la competitividad de la empresa[70]. Ya he avanzado que, a mi juicio, tal requerimiento no debe justificarse. El art. 52 b) del ET da por supuesta la legitimidad empresarial de modificar técnicamente el puesto de trabajo desempeñado por uno o varios empleados[71]. Se presume implícitamente que toda innovación tecnológica que la empresa decida implantar puede mejorar su capacidad de producción, siendo en último extremo una potestad organizativa de la empresa y, por tanto, esta no tiene la obligación de acreditar su

---

[65]   Cfr. STSJ de la Comunidad Valenciana de 12 de febrero de 2013, rec. 8/2013, que analiza el supuesto de un delineante que reingresa en la empresa ocupando el puesto de operador de producción en la planta de la zona de descarga.

[66]   Vid., entre otras, SSTSJ de Madrid de 10 de octubre de 2006, rec. 2760/2006 y Castilla y León de 28 de septiembre de 2011, rec. 516/2011.

[67]   Vid., STSJ de Cantabria de 19 de octubre de 1998, rec. 1243/1998, que estima razonable en la gestión empresarial la implantación del sistema RED de la Seguridad Social, lo que genera la necesidad de informatización de las tareas de asesoría.

[68]   SAGARDOY BENGOECHEA, "Ineptitud, falta de…, cit., pág. 146; y ARIAS DOMÍNGUEZ, A., El Despido Objetivo…, cit., pág. 162.

[69]   Cfr. BLASCO PELLICER, A., NORES TORRES, L.E. y ALTÉS TÁRREGA, J.A., El despido objetivo, cit. Y SSTSJ del País Vasco de 20 de septiembre de 2001, rec. 1380/2001 y Galicia de 2 de mayo de 2013, rec. 473/2013.

[70]   Sin embargo, la STSJ de Madrid de 9 de enero de 2014, rec. 1609/2013, alude a que la modificación técnica ha de ser una necesidad objetiva de la empresa. Y ARIAS DOMÍNGUEZ, A., El Despido Objetivo…, cit., pág. 163, sostiene que la razonabilidad del cambio debe suponer un incremento de la eficacia productiva del puesto de trabajo concreto.

[71]   SAGARDOY BENGOECHEA, "Ineptitud, falta de…", cit., pág. 145.

conveniencia[72]. Si, a efectos de amortizar un puesto de trabajo por razones técnicas, el control judicial no debe discurrir por el terreno de la conexión de instrumentalidad, centrada en la funcionalidad de la extinción que con anterioridad a la reforma de 2012 debía responder a los concretos fines previstos en la redacción legal vigente a la sazón, sino a comprobar si existe causa, a determinar su efectos sobre los contratos de trabajo afectados por la extinción y a valorar si la amortización total o parcial de puestos de trabajo que pretende el empresario resulta una medida razonable o proporcionada a la luz de la causa alegada[73], con mayor razón, en caso de extinción por razón de inadaptación del trabajador, no cabe cuestionar judicialmente la necesidad de la innovación tecnológica. Solamente es dable discutir su realidad en los términos ya vistos.

Sentado lo anterior, el requerimiento de razonabilidad supone un límite objetivo al poder de dirección del empresario y, en consecuencia, una interdicción a toda arbitrariedad del mismo. Entiendo que la exigencia de razonabilidad viene estrechamente vinculada al derecho del trabajador a la promoción y formación profesional en el trabajo –titulación, formación, aptitudes potenciales del trabajador[74]–, incluida la dirigida a su adaptación a las modificaciones operadas en el puesto de trabajo [art. 4.2 b) ET][75]. Por consiguiente, no puede exigirse una adaptación imposible o de muy difícil consecución para los trabajadores en atención a las propias exigencias de cada puesto de trabajo que ciertamente pueden ir variando en el tiempo

---

[72] Con todo, hay quien alude a una necesidad objetiva de la empresa que debe ser acreditada, como POQUET CATALÁ, R., "La falta de…", cit. Por su parte, ALZAGA RUIZ, I., "El despido del…·, cit., alude al equilibrio entre el alcance de las innovaciones y los objetivos de mejora de la productividad, modernización de la empresa y superación de métodos productivos obsoletos requeridos en el marco de la ordenación productiva; RODRÍGUEZ ESCANCIANO, S., "Innovación tecnológica y productividad empresarial: posibilidades y límites en un contexto económico de crisis", La Ley 2588/2012, se refiere a la facilidad de acreditar en el contexto de crisis económica la razonabilidad del cambio; y ÁLVAREZ DEL CUVILLO, A., "La adaptación de los…", cit., págs. 28 y 41, menciona la relación finalista entre la medida y la superación de una situación de relativa ineficacia de la empresa.

[73] LLOMPART BENNÀSSAR, M., "Poder legislativo *versus* poder judicial en los despidos por causas económicas, técnicas, organizativas o de producción", Trabajo y Derecho, núm. 18, 2016, pág. 28

[74] SAGARDOY BENGOECHEA, "Ineptitud, falta de…", cit., pág. 146.

[75] En términos similares, vid. ALVAREZ DEL CUVILLO, A., "La adaptación de…", cit., pág. 41, quien sin embargo alude también a que la razonabilidad alude a que la introducción de la innovación y su efecto sobre el puesto de trabajo deben estar racionalmente orientados a la mejora de la organización de la empresa. Vid., asimismo, apoyando la misma conclusión, BLASCO PELLICER, C., "Incidencia de las…", cit.

según avanza la propia tecnología. Con todo, cuanto se acaba de afirmar no supone que la razonabilidad tenga que ver con el modo en que la innovación incide en la persona del trabajador o en las posibilidades que este tenga de adaptarse a título personal, pues ya se ha indicado que prima el derecho de la empresa a la innovación tecnológica. Si se entiende que, *a priori*, los trabajadores que ocupan un mismo puesto de trabajo, tras el pertinente curso de adaptación deben ser capaces de adecuarse a la modificación técnica, esta resulta razonable, con independencia de las circunstancias de cada trabajador individualmente considerado, pues se cumple con su derecho a la formación y promoción profesional en el trabajo. Además no cabe entrar a valorar si el empresario tenía la opción de adoptar otras medidas menos contundentes[76].

Al objeto de determinar la razonabilidad del cambio, los tribunales recurren a una serie de indicios, como son la entidad del cambio[77], la comparación con otras empresas del sector[78] o la sencillez en el manejo del nuevo sistema de gestión[79]. Asimismo, barajan otros indicios que, a pesar de lo dicho, en cierto modo sí consideran la capacidad individual de adaptación del trabajador, como es el tiempo transcurrido desde la introducción del cambio[80], o la existencia de otros trabajadores afectados por el cambio que se hayan adaptado mayoritariamente a la modificación[81]. Indicios estos últimos que, por consiguiente, deben ser aplicados con cautela pues la capacidad personal de acomodo de cada trabajador no debe considerarse al objeto de valorar la razonabilidad de la modificación técnica, que garantiza exclusivamente el derecho a la formación y promoción profesional en el trabajo. Dicho en otros términos, si cabe entender que el puesto de

---

[76]   Por su parte, LUQUE PARRA, M., "La introducción de…", cit., págs. 198 y 199, alude a dos tipos de cambios técnicos no razonables. El primero es aquel que no tiene más justificación que buscar la inadaptación del trabajador para justificar su despido. El segundo, aquel que siendo justificado técnicamente es desproporcionado con relación a otras medidas adoptables. En este sentido afirma que el hecho de exigir al trabajador su rápida adaptación a esa modificación posible pero no necesariamente requerida sería del todo desproporcionado y, por tanto, debería comportar la improcedencia del despido. Dicho autor concluye que la referencia a la modificación técnica del *"puesto de trabajo habitual"* debería ser suficiente, sin precisar una alusión a que la modificación sea *"razonable"*.

[77]   STS de 21 de junio de 1988.

[78]   STSJ de Extremadura de 8 de agosto de 2000, rec. 454/2000.

[79]   STSJ de Extremadura de 8 de agosto de 2000, rec. 454/2000.

[80]   STS de 21 de junio de 1988 y STSJ de Andalucía de 12 de noviembre de 2002, rec. 2799/2002.

[81]   STS de 21 de junio de 1988 y SSTSJ de Cantabria de 19 de octubre de 1998, rec. 1243/1998, y Castilla y León de 6 de abril de 2004, rec. 629/2004.

trabajo es el mismo, a pesar del cambio tecnológico y la consiguiente alteración en la ejecución de la prestación de servicios, habrá que valorar si dicho cambio es o no razonable en atención a los requerimientos formativos de la innovación tecnológica en el puesto de trabajo. En definitiva, dicha valoración ni debe considerar si el mismo era imprescindible o no para la empresa, ni tener en cuenta las dificultades personales que los trabajadores pueden tener en la adaptación al cambio.

Debe tenerse en cuenta, además, que la exigencia de razonabilidad está conectada con la relativa a que la modificación se implante en el puesto de trabajo del empleado. Si la innovación tecnológica excede de las exigencias formativas del puesto de trabajo o lo convierte en otro distinto, el cambio no se entenderá razonable y, por tanto, el despido será declarado improcedente. Así lo entendió en su día la STCT de 1 de octubre de 1982 que sostuvo que la razonabilidad del cambio supone excluir no solo toda posible arbitrariedad empresarial, *"sino que el cambio pretendido no sea de tal naturaleza que pugne con las características fundamentales de la ocupación inicial de forma tal que encubra una variación esencial que prácticamente obligue a modificar la categoría profesional del afectado o a realizar unas tareas antagónicas de aquellas para las que fue contratado, obligándole, en la práctica, a aprender un nuevo oficio o profesión".* Y es que el puesto de trabajo se habrá transformado y, por tanto, al no considerarse la innovación razonable, la extinción se debe declarar también improcedente.

2.2.4. Ofrecimiento de un curso previo dirigido a facilitar la adaptación a la modificación operada

A partir de la reforma laboral de 2012, el art. 52 b) del ET dispone que, antes de la extinción, *"previamente el empresario deberá ofrecer al trabajador un curso dirigido a facilitar la adaptación a las modificaciones operadas"* y añade que *"el tiempo destinado a la formación se considerará en todo caso tiempo de trabajo efectivo y el empresario abonará al trabajador el salario medio que viniera percibiendo"*[82].

Con anterioridad a dicha novación legislativa el ofrecimiento del curso era potestativo para el empresario[83]. Sin embargo, a día de hoy, si bien el

---

[82] Cfr. STSJ de Galicia de 2 de mayo de 2013, rec. 473/2013.
[83] Vid., abogando por la obligatoriedad de este curso, BLASCO PELLICER, A., NORES TORRES, L.E. y ALTÉS TÁRREGA, J.A., *El despido objetivo...* Precisamente por su falta de obligatoriedad, el hecho de la empresa proporcionase un curso de adaptación suponía un indicio de la razonabilidad del cambio. En tal sentido, vid. STS de 21 de

legislador mantiene la posible la extinción del contrato de trabajo por falta de adaptación, como contrapartida y garantía del trabajador obliga al empresario a ofrecerle un curso dirigido a facilitar su adaptación a la concreta innovación tecnológica implantada[84]. La previsión del art. 52 b) del ET conecta con la del 23.1 d) del ET, que reconoce el derecho a la formación necesaria para que el trabajador se adapte a las modificaciones operadas en el puesto de trabajo. Como sostiene este último precepto, la formación *"correrá a cargo de la empresa, sin perjuicio de la posibilidad de obtener a tal efecto los créditos destinados a la formación"*[85]. Y, de nuevo, incide en que *"el tiempo destinado a la formación se considera en todo caso tiempo de trabajo efectivo"*.

La trascendencia de esta nueva regulación radica en que ahora el contenido, la calidad y la duración del curso es controlable judicialmente[86], si bien nada se dice sobre si debe tener una duración mínima[87] o máxima[88]. La duración debe ser la necesaria para que cualquier trabajador en las mismas condiciones pueda adquirir los conocimientos precisos para la adaptación, considerando el grado de modificación operada[89]. Es decir, los tribunales pueden entrar a valorar si dicho curso es adecuado a efec-

---

                   junio de 1988; y SSTSJ de Andalucía de 12 de noviembre de 2002, rec. 2799/2002, y Madrid de 24 de enero de 2005, rec. 45/2004. Por su parte, la STSJ de Galicia de 20 de septiembre de 1995 (rec. 3674/1995) declara improcedente la extinción objetiva de un jefe de taller por no haber acreditado la la empresa haberlo enviado a los cursos previstos en el art. 52 b) del ET, en su redacción anterior a la reforma de 2012. Vid., también, antes de la reforma laboral de 2012, sobre la importancia de ofrecer un curso formativo a pesar de no constituir una obligación, SSTSJ de Madrid de 10 de octubre de 2006, rec. 2760/2006.

[84]   STSJ de Galicia de 2 de mayo de 2013, rec. 473/2013.

[85]   El art. 29.2 del RD 694/2017, de 3 de julio, que desarrolla la Ley 30/2015, de 9 de noviembre, que regula el Sistema de Formación Profesional para el empleo en el ámbito laboral, prevé que las empresas puedan financiar los costes salariales de los permisos individuales de formación que concedan con el crédito anual de formación previsto en el art. 9.4 de la Ley 30/2015, que puede hacerse efectivo mediante bonificaciones en las cotizaciones empresariales a la Seguridad Social, en los términos previstos en la correspondiente Ley de Presupuestos Generales del Estado.

[86]   Cfr. GORELLI HERNÁNDEZ, J., "La reforma laboral de 2012 y su impacto en los despidos individuales y otras formas de extinción del contrato de trabajo, T.L., núm. 115, 2012, pág. 298; y RODRÍGUEZ ESCANCIANO, S., "Innovación tecnológica y…", cit.

[87]   Vid. STSJ de Cantabria de 19 de octubre de 1998, rec. 1243/1998, que valida un curso de dos días.

[88]   Con anterioridad a la reforma laboral de 2012, se indicaba que la suspensión del contrato tenía una duración máxima de 3 meses.

[89]   GARCÍA PIÑEIRO, N.P., "Nuevas perspectivas del derecho a la formación profesional", en THIBAULT ARANDA, J. et al., *La Reforma Laboral de 2012: nuevas perspectivas para el Derecho del Trabajo*, Ed. La Ley, Madrid, 2012.

tos de facilitar la adecuación del trabajador a la modificación técnica. Por ejemplo, relacionar la idoneidad del curso con el dato de que varios de los compañeros del trabajador despedido han sabido adaptar sus facultades laborales mediante el referido curso, ha supuesto una pista determinante a la hora de valorar la calidad del curso[90]. Esta relación también se ha utilizado a la hora de analizar la razonabilidad de la medida empresarial. Sin embargo, ya he indicado que como criterio de la razonabilidad de la medida este dato debe considerarse con cautela. Su manejo resulta más idóneo a la hora de valorar la calidad del curso. El no ofrecimiento por parte del empresario del curso o su insuficiencia desembocarán, en consecuencia, en la declaración de improcedencia de la extinción objetiva[91]. Cabe plantearse, no obstante, si el plazo de dos meses que se da al trabajador para su adaptación, condiciona la duración del curso de formación. En principio, no parece que así deba ser sobre todo porque, como se tendrá ocasión de ver, el *dies a quo* de este periodo se inicia desde que se introdujo la modificación o desde que finalizó la formación dirigida a la adaptación, de manera que el legislador no condiciona en modo alguno la duración de la misma. A diferencia de la anterior redacción del art. 52 b), en la que, además de dar un plazo mínimo de dos meses para la adaptación, se indicaba que el contrato quedaba en suspenso por el tiempo necesario y hasta un máximo de tres meses cuando la empresa ofreciera un curso de reconversión o perfeccionamiento profesional, la redacción actual nada dice sobre la duración del mismo. Por tanto, a mi juicio, no cabe afirmar que exista una duración máxima, si bien es cierto que un curso de formación largo en exceso puede ser un indicio de que la modificación no resulta razonable, en atención al derecho de promoción y formación profesional del trabajador y a que podría implicar un supuesto de movilidad funcional o de modificación sustancial de condiciones de trabajo[92].

Sea como fuere, el trabajador tiene la obligación de cursar la formación ofrecida por la empresa[93]. Ante la negativa del trabajador dos son las soluciones que se han ofrecido judicialmente si bien las mismas son anteriores a la reforma laboral de 2012. En primer lugar, cabe entender que la extin-

---

[90] Cfr. SSTS de 28 de mayo de 1987 y 21 de junio de 1988. También, STSJ de Cantabria de 19 de junio de 1998 (rec. 1243/1998).

[91] Por su parte, RODRÍGUEZ ESCANCIANO, S., "Innovación tecnológica y…", cit., entiende que, en estos casos, la consecuencia podría ser la nulidad del despido, sin que quepa considerar la obligación de formación como un simple requisito de forma que al no cumplirse daría lugar a la declaración de improcedencia del despido.

[92] Cfr., en términos similares, ARIAS DOMÍNGUEZ, A., *El Despido Objetivo…*, cit., pág. 181.

[93] Cfr. SSTS de 1 de julio de 1986 y 15 de julio de 1986.

ción objetiva debe declararse procedente[94]. En segundo lugar, es posible encuadrar esta negativa en un incumplimiento grave y culpable, concretamente en un supuesto de indisciplina o desobediencia en el trabajo [art. 54.2 b) ET][95]. Pues bien, a mi juicio, en la medida en que queda patente que el trabajador tiene la obligación de seguir la instrucción ofrecida por la empresa, su negativa puede ser sancionada con el despido disciplinario, que conlleva la extinción del contrato del trabajo. Entender lo contrario, supondría que quien incumple con sus obligaciones puede percibir una indemnización por la extinción de su contrato.

Cuestión distinta es que el trabajador realice el curso, sin superarlo. Tal supuesto no supone automáticamente la extinción del contrato. Al contrario, para proceder a la misma, la empresa, debe acreditar objetivamente la falta de adaptación a la modificación[96], que esta opere en su puesto de trabajo y sea razonable[97]. En consecuencia y salvo que la alteración tecnológica introducida requiera una concreta cualificación académica o profesional –en cuyo caso podría concurrir la causa de inadaptación–, la no superación del curso no debe tener mayor trascendencia[98]. Por otra parte, si el trabajador supera satisfactoriamente la formación recibida, pueden derivarse dos situaciones. La primera, que se adapte a la innovación tecnológica, en cuyo caso no habrá posibilidad de extinguir el contrato por inadaptación. La segunda, que la adaptación no se produzca, en cuyo supuesto la extinción resultará procedente[99].

La fase de formación no hay que entenderla como un supuesto de suspensión del contrato. Al contrario, el propio art. 52 b) del ET precisa que el tiempo destinado a la formación se considera como tiempo de trabajo efectivo y que el empresario tiene la obligación de pagar al trabajador el salario medio que viniera percibiendo, por lo que se mantienen vigentes todos los deberes recíprocos entre ambas partes, incluido el del trabajador de *"cumplir con las obligaciones concretas de su puesto de trabajo, de conformidad*

---

[94]   STSJ de Andalucía de 12 de noviembre de 2002, rec. 2799/2002.
[95]   STSJ de la Comunidad Valenciana de 20 de mayo de 1994, rec. 1933/1993.
[96]   STS de 28 de mayo de 1987 y STSJ, ambas de Madrid, de 1 de octubre de 2006, rec. 2760/2006, y de 9 de enero de 2014, rec. 1609/2013.
[97]   STCT de 1 de octubre de 1982, relativa a la falta de adaptación de un peón de una empresa que se dedicaba a la serrería y pasa a dedicarse a las artes gráficas. STSJ de Madrid de 9 de enero de 2015, rec. 1609/2013
[98]   ESCANCIANO RODRÍGUEZ, S., "Innovación tecnológica y…" cit.
[99]   Vid. el caso planteado en la STSJ de Madrid de 28 de enero de 2004, rec. 2058/2013, en el que el trabajador muestra total interés en el aprendizaje, pero sin conseguir adaptarse a la innovación tecnológica.

con las reglas de la buena fe y diligencia" [art. 5 a) ET]. El dato de que la formación se estime como tiempo de trabajo, según la doctrina judicial, supone que si durante la realización del curso el trabajador presta sus servicios, no cabe considerar que el empresario cumpla con el requisito de ofrecerle la formación pertinente[100]. Sin embargo, a mi juicio, lo que supone es que el tiempo de formación computa como tiempo de trabajo efectivo y, por consiguiente, a efectos de jornada del trabajador debiéndose respetar todas las limitaciones aplicables en cada caso. Por tal razón, con carácter general, no comparto la afirmación judicial vista, puesto que la casuística puede ser muy diversa. En efecto, si la formación se ofrece antes de la implantación de la nueva tecnología, entiendo que si, por ejemplo, el trabajador tiene una jornada de 8 horas y le dedica a la formación 4 horas diarias, le restarán otras 4 para prestar sus servicios. Puede ocurrir, sin embargo, que la formación se ofrezca al trabajador una vez se ha incorporado a la empresa la correspondiente innovación. En tal caso, habrá que tener en cuenta si la misma impide al trabajador prestar sus servicios, en cuyo caso antes de la reincorporación al puesto de trabajo este deberá finalizar la formación pertinente; o si, por el contrario, este puede prestarlos de forma coetánea a su formación aunque sea con un menor rendimiento o bajo tutela, circunstancia que deberá tenerse en cuenta a la hora de alegar un eventual despido disciplinario por disminución continuada y voluntaria en el rendimiento de trabajo normal o pactado [art. 54.2 e) ET]. Y es que debe aceptarse que, durante el curso, como se verá también en la fase de adaptación, el rendimiento del trabajador disminuya.

2.2.5. Transcurso de dos meses desde que se introduce la modificación o desde que finaliza la formación dirigida a la adaptación

El art. 52 b) del ET indica que *"la extinción no podrá ser acordada por el empresario hasta que hayan transcurrido, como mínimo, dos meses desde que se introdujo la modificación o desde que finalizó la formación dirigida a la adaptación"*[101]. De la redacción de esta disposición se deduce fácilmente que constituye una norma de derecho mínimo necesario que impide que se pueda pactar, ya sea individualmente, ya sea colectivamente, un periodo de adaptación inferior[102]. Ahora bien, es posible establecer un periodo de ajuste superior. En todo

---

[100]   Así lo entendió, en su día, la STSJ de Galicia de 2 de mayo de 2013, rec. 473/2013.
[101]   Sobre la mayor racionalidad que supone la redacción del art. 52 b) del ET a partir de la reforma laboral, vid. GORELLI HERNÁNDEZ, J., "La reforma laboral...", cit., pág. 298.
[102]   STSJ de Galicia de 2 de mayo de 2013, rec. 473/2013.

caso, al tratarse de una disposición legal, el trabajador no puede renunciar a dicho plazo de adaptación mediante pacto individual (art. 3.5 ET)[103].

Al producirse una novación técnica, la finalidad del citado periodo es dar la oportunidad al trabajador para que pueda habituarse a la nueva forma de ejecución de su prestación de servicios[104] así como que la empresa tenga tiempo suficiente para constatar la adaptación o no del trabajador a dicha novación. Existen resoluciones judiciales que entienden que si resulta muy difícil que el trabajador no logre su adaptación en los dos meses, no puede alegarse la causa extintiva[105]. Se deduce, en definitiva, que la modificación no resulta razonable. Sin embargo, ello no es así porque, como ya se ha visto, la exigencia de razonabilidad hay que conectarla con el derecho a la formación y promoción profesional del trabajador. La implantación de una nueva técnica plantea un conflicto de intereses entre la empresa, que tiene derecho a beneficiarse del progreso técnico que la haga más eficiente alcanzando una mayor productividad, y el trabajador que, además de su derecho a conservar su puesto de trabajo, tiene derecho a la formación profesional pertinente. Frente a esta controversia, el legislador conmina a la empresa a ofrecer al trabajador un curso de formación en los términos ya vistos y al trabajador le reconoce un plazo de acomodo, si bien finalmente se decanta a favor de la empresa permitiéndole extinguir la relación laboral si el trabajador, transcurridos los dos meses, no logra adaptarse a la nueva realidad de su puesto de trabajo[106]. En definitiva, el plazo de dos meses se instaura por parte del legislador considerando que, si la innovación es razonable –no vulnera ni el derecho de formación ni

---

[103]   ARIAS DOMÍNGUEZ, A., *El Despido Objetivo...*, cit., pág. 172.

[104]   SSTSJ del País Vasco de 20 de septiembre de 2001, rec. 1380/2001 y Castilla y León de 28 de septiembre de 2011, rec. 516/2011.

[105]   Vid. STSJ del País Vasco de 20 de septiembre de 2001, rec. 1380/2001, en relación con el aprendizaje del euskera, que indica que, si se opera un cambio en la técnica y han transcurrido dos meses desde que se introdujo la modificación, lo que parece reflejar es que el legislador ha entendido que cuando menos ese plazo de dos meses debe ser el que determine la habilidad del trabajador al nuevo puesto, y si es prácticamente imposible que el trabajador adquiera los conocimientos que se le exigen en este tiempo, y efectivamente así lo es, la empresa no puede alegar la inadaptación, pues de otra manera serviría para crear un despropósito de indefensión respecto del trabajador, si pudiese interpretarse que este plazo de dos meses es simplemente del transcurso del tiempo, sin una referencia específica a que sea plazo suficiente para adquirir la cualificación de la nueva técnica que requiere el empresario. En este sentido, vid. también ALVAREZ DEL CUVILLO, A., "La adaptación de...", cit., pág. 42.

[106]   Vid. ARIAS DOMÍNGUEZ, A., *El Despido Objetivo...*, cit., págs. 156 y 160; y ALZAGA RUIZ, I., "El despido de...", cit., que alude a la excesiva onerosidad sobrevenida del contrato de trabajo.

el de promoción profesional del trabajador– y no supone una movilidad funcional o modificación sustancial de condiciones de trabajo, debe ser suficiente para la adaptación del trabajador a la misma. Se trata de una regla objetiva. De ahí que en la práctica podrían darse casos en los que el plazo puede resultar excesivo y, a pesar de ello, la empresa no pueda despedir sin dejar de transcurrir los dos meses; y, otros en los que puede quedarse más bien corto, si bien la empresa caso de no ampliarlo puede proceder a la extinción contractual.

Durante el periodo de acomodo, se mantiene el deber del trabajador a *"cumplir con las obligaciones concretas de su puesto de trabajo, de conformidad con las reglas de la buena fe y diligencia"*. Por su parte, la empresa, de un lado, tiene que cumplir con el deber de protección garantizando al trabajador una formación teórica y práctica, suficiente y adecuada en materia preventiva cuando se *"introduzcan nuevas tecnologías"* (art. 19.1 Ley 31/1995, de Prevención de Riesgos Laborales) y, de otro, debe tener en consideración que, en esta fase, el rendimiento del trabajador puede verse en cierto modo afectado de forma negativa; circunstancia a tener en cuenta en el caso de que aquella alegue el incumplimiento grave y culpable del trabajador por *"disminución continuada y voluntaria en el rendimiento de trabajo normal o pactado"* [art. 54.2 e) ET].

Sea como fuere, el problema que plantea este requisito es determinar el *dies a quo* del plazo de dos meses, dado que es posible computarlo tanto desde la implantación de la innovación, como desde la finalización de la acción formativa. Alguna resolución judicial aboga por entender que, en la medida en que el plazo de dos meses lo fija la norma de forma disyuntiva, es dable computarlo o bien desde que se introdujo la modificación o bien desde que finalizó la formación dirigida a la adaptación, siendo válido cualquiera de los dos sistemas de cómputo[107]. No obstante, la obligatoriedad del curso de formación da pie a concluir que lo lógico es computar los dos meses a partir de la finalización del citado curso, con independencia de su duración[108]. Conclusión que se refuerza con lo indicado anteriormente acerca de la posibilidad de controlar judicialmente el contenido del curso. Se evitaría así la posibilidad de extinguir el contrato en los siguientes su-

---

[107] STSJ de Galicia de 2 de mayo de 2013, rec. 473/2013

[108] Ya desde sus orígenes, SAGARDOY BENGOECHEA, "Ineptitud, falta de…", pág. 146 habla de una *vacatio aptitudinis* de dos meses, otorgándose al trabajador un plazo de dos meses para su adaptación, debiendo el empresario soportar dicha *vacatio*; y POQUET CATALÁ, R., "La falta de…", cit.; y GORELLI HERNÁNDEZ, J., "La reforma laboral…", cit., pág. 299.

puestos: cuando la formación tiene una duración inferior a los dos meses, pero comienza después de la implantación de la modificación técnica; en el caso de que la duración sea superior a los dos meses, pero se imparte un poco antes de la innovación; y cuando se ofrece simultáneamente al establecimiento de la innovación. En los tres casos, el problema es que si el cómputo de los dos meses se inicia desde la incorporación de la modificación técnica puede suceder que se extinga el contrato antes de que finalice el reciclaje del trabajador o muy poco después de acabar, sin posibilidad de comprobar efectivamente el acomodo del trabajador. Tal posibilidad atenta contra la finalidad de la norma de ofrecer un periodo mínimo de ajuste al trabajador. Si hay formación, que tiene que haberla, la valoración acerca de la adaptación del trabajador debe efectuarse finalizado el curso y tras un lapso temporal que se considere suficiente por parte del legislador. De ningún modo la duración del curso puede condicionar el plazo mínimo a partir del cual cabe la extinción.

Por tanto, la alusión al cómputo del inicio del plazo desde la modificación técnica, según mi parecer, responde a aquellos supuestos en los que la formación se brinda al trabajador con antelación suficiente a la incorporación de la innovación[109]. Finalizado el curso, se implanta la nueva tecnología y, a partir de este momento, se reconoce al trabajador un plazo de dos meses para que, poniendo en práctica sus nuevos conocimientos, se adapte a las nuevas exigencias de su puesto de trabajo. Esta interpretación, por lo demás, permite un nuevo control judicial de la calidad del curso más exhaustivo. En todo caso, si la empresa incumple con esta obligación, en los términos vistos, la extinción objetiva será declarada improcedente (art. 53 ET).

Por lo demás, existe alguna resolución judicial que se plantea si puede ser viable el despido por falta de adaptación una vez agotado el plazo de dos meses previsto para el acomodo del trabajador[110]. Pues bien, aunque el caso analizado resulta muy particular, el tribunal entiende que si transcurre un plazo excesivamente largo entre el plazo de dos meses corres-

---

[109]   En términos parecidos, BASTERRA HERNÁNDEZ, M., "La extinción de…", cit. Por su parte, RODRÍGUEZ ESCANCIANO, S., "Innovación tecnológica y…", cit. entiende que este doble parámetro de cómputo obliga a tomar en consideración la posibilidad de que el empleador ofrezca el curso y el trabajador lo rechace, en cuyo caso el primero solo podrá despedir al segundo si han transcurrido al menos dos meses desde que introdujo la modificación y persista el rechazo del trabajador. Sin embargo, a mi juicio, este supuesto tiene encaje en el supuesto de hecho de despido disciplinario por desobediencia.

[110]   STSJ de Galicia de 13 de noviembre de 2018, rec. 4297/2018.

pondientes y el despido, la falta de adaptación puede entenderse como consentida por la empresa, quien con posterioridad no puede alegar dicha causa. En mi opinión, no cabe ser tan tajantes. El legislador otorga una referencia temporal que por decisión del empresario puede ampliarse en beneficio del trabajador, de modo que el despido puede producirse con posterioridad a los dos meses. Ahora bien, si estos se superan ampliamente, a la empresa le corresponde acreditar que su decisión extintiva no obedece a una situación de consentimiento, sino a que se han seguido efectuando sucesivos esfuerzos dirigidos a que el trabajador se adapte.

2.2.6. Inadaptación del trabajador

La causa de la extinción es la falta de adaptación a la modificación técnica operada en la empresa. Por consiguiente, debe existir un nexo de causalidad entre la innovación tecnológica y la inadaptación del trabajador[111]. En este concreto caso de extinción contractual, como ya se ha dicho con anterioridad, la falta de adaptación significa la incapacidad de mantener las habilidades profesionales a tono con las exigencias del proceso técnico operado en su puesto de trabajo.

Se trata de una extinción objetiva, ajena a la voluntad del trabajador, que no debe confundirse con la causa extintiva propia del despido disciplinario relativa a la disminución continuada y voluntaria del rendimiento de trabajo normal o pactado [art. 54.2 e) ET][112]. Ciertamente, la falta de adaptación se corresponde con una disminución del rendimiento que resulta exigible de acuerdo a las nuevas características del puesto de trabajo tras la implantación de la innovación tecnológica que puede incluso ser superior al exigido con anterioridad, pero tal disminución no obedece a la voluntad del trabajador sino a su incapacidad para alcanzarlo tras la alteración tecnológica[113]. En ocasiones, puede ocurrir que el trabajador afectado por la modificación técnica se resista a prestar sus servicios haciendo uso de la innovación tecnológica. Pues bien, en tal caso, a pesar de existir alguna re-

---

[111]   STS de 21 de junio de 1988 y STSJ de Madrid de 24 de enero de 2005, rec. 4956/2004.

[112]   SSTSJ del País Vasco de 23 de noviembre de 1999, rec. 2123/1999 y País Vasco de 20 de septiembre de 2001, rec. 1380/2001.

[113]   Vid. SSTSJ de Extremadura de 8 de agosto de 2000, rec. 454/2000, que alude a frecuentes errores u omisiones en el ejercicio de las tareas del trabajador; y Castilla y León, de 6 de abril de 2004, rec. 629/2004, que hace mención al elevado o anormal porcentaje de mortandad entre los patos que cría el trabajador por rotura de buches o lesiones en el mismo.

solución judicial que considera que la extinción objetiva es procedente[114], según las circunstancias concurrentes en cada caso, cabría la posibilidad de alegar desobediencia por parte del trabajador.

La inadaptación, que debe venir referida al concreto momento de extinción, debe ser acreditada por la empresa, quien asume la carga de la prueba. En concreto, debe definir en qué consiste la falta de adaptación[115]. Por tanto, la empresa tiene la obligación de comprobar el resultado de la prestación de servicios del trabajador, con independencia del resultado final de la formación recibida por este último[116]. Es más, en el caso de una extinción objetiva que ha sido declarada nula, si se hubiese optado por la readmisión para efectuar un nuevo despido dentro del plazo de los siete días desde la notificación de la improcedencia, en los términos del art. 110.4 de la Ley 36/2011, de 10 de octubre, Reguladora de la Jurisdicción Social (LRJS), alguna resolución judicial estima que, en la medida en que entre el primer y el segundo despido ha trascurrido un importante lapso de tiempo y que la LRJS dispone que el nuevo despido no constituye una subsanación del primero sino un nuevo despido, la empresa tiene la obligación de acreditar nuevamente la falta de adaptación del trabajador[117]. Ahora bien la empresa nada debe demostrar acerca de la conveniencia de la innovación técnica, ni sobre cómo contribuirá esta a la situación de la

---

[114]   STSJ de Murcia de 23 de octubre de 1995, rec. 892/1995.

[115]   SSSTSJ de Madrid de 29 de enero de 2003, rec. 4958/2002, Madrid de 28 de enero de 2004, rec. 2058/2013, Asturias de 30 de abril de 2004, rec. 3795/2002, Comunidad Valenciana de 24 de junio de 2004, rec. 1094/2004, Madrid de 24 de enero de 2005, rec. 4956/2004, País Vasco de 30 de mayo de 2006, rec. 469/2006, Madrid de 10 de octubre de 2006, rec. 2760/2006, País Vasco de 24 de abril de 2007, rec. 342/2007, Cataluña 11 de octubre de 2007, rec. 4712/2007, Andalucía de 17 de julio de 2008, rec. 3557/2007, Castilla y León de 28 de septiembre de 2011, rec. 516/2011 y Madrid de 9 de enero de 2014, rec. 1609/2013.

[116]   Cfr. STS de 28 de mayo de 1987, acerca de un mecánico de máquinas fotocopiadoras que, por el avance técnico de las mismas, se le facilitó un cursillo de adaptación que no superó por motivos de salud. En dicho supuesto de hecho, la empresa alegó que solo le podían destinar a un tipo de máquinas de componentes eléctricos totalmente obsoletos y prácticamente inexistentes. Pues, bien el Alto Tribunal declara improcedente la extinción precisamente porque no se acredita si el actor había hecho o no otros cursillos de capacitación distinto al que estaba asistiendo hasta que enfermó y cuál había sido el resultado final positivo o negativo de los mismos en relación con la aptitud profesional imprescindible para atender al mantenimiento en perfecto estado de las máquinas más modernas de la empresa.

[117]   Vid. STSJ del País Vasco de 24 de abril de 2997, rec. 342/2007, que plantea el problema conjugar esta carga de la prueba con el plazo de 7 días para efectuar un nuevo despido que impone el art. 110.4 de la LRJS, declarando la improcedencia del segundo despido.

misma. Por tanto, en ningún caso le corresponde probar que el cambio en el ámbito de los medios o instrumentos de producción convierten en superfluo el puesto de trabajo del trabajador despido. No cabe, ya se ha dicho, confundir la extinción objetiva por falta de adaptación con la extinción objetiva por causa técnica, a pesar de que en los dos supuestos se exija la razonabilidad de la decisión empresarial[118].

BIBLIOGRAFÍA

ÁLVAREZ DEL CUVILLO, A., "La adaptación de los trabajadores a los cambios tecnológicos en la pequeña empresa", R.C.E., núm. 93, 2008.

ALZAGA RUIZ, I., "El despido del trabajador por falta de adaptación a las modificaciones técnicas en su puesto de trabajo", R.D.S., núm. 55, 2011.

ARIAS DOMÍNGUEZ, A., *El Despido Objetivo por Causas Atinentes al Trabajador. Ineptitud, Falta de Adaptación y Absentismo*, Ed. Thomson-Aranzadi, Navarra, 2005.

BASTERRA HERNÁNDEZ, M., "La extinción del contrato de trabajo. Perspectiva comparada de las regulaciones italiana y española, TOL6.378.816.

BLASCO PELLICER, A., NORES TORRES, L.E. y ALTÉS TÁRREGA, J.A., *El despido objetivo*, Ed. Tirant lo Blanch, 2010, TOL1.879.953.

BLASCO PELLICER, C., "Incidencia de las nuevas tecnologías de la información y la comunicación (TICS) en las reestructuraciones de las empresas", A.S., núm. 15, 2009, BIB 2009\1819.

CARRIZOSA PRIETO, E., "Lifelong learning e industria 4.0. Elementos y requisitos para optimizar el aprendizaje en red", Revista Internacional y Comparada de Relaciones Laborales y Derecho del Empleo, Vol. 6, 2018

CEDROLA SPREMOLLA, G., "Economía digital e Industria 4.0: reflexiones desde el mundo del trabajo para una sociedad de futuro", Revista Internacional y Comparada de Relaciones Laborales y Derecho del Empleo, Vol. 6, 2018.

CRUZ VILLALÓN, J., "La transformaciones de las relaciones laborales ante la digitalización de la economía", T.L., núm. 138, 2017.

---

[118]   Cfr. STSJ de la Comunidad Valenciana de 24 de junio de 2004, rec. 1094/2004, que apunta que, aunque alegar una u otra causa parece lo mismo, la seguridad jurídica obliga a precisar y acreditar, en el cauce elegido por la empresa, cuales son las dificultades con la que se encuentra la misma si se mantiene al trabajador en su puesto de trabajo.

GARCÍA PIÑEIRO, N.P., "Nuevas perspectivas del derecho a la formación profesional", en THIBAULT ARANDA, J. et al., *La Reforma Laboral de 1012: nuevas perspectivas para el Derecho del Trabajo*, Ed. La Ley, Madrid, 2012.

GORELLI HERNÁNDEZ, J., "La reforma laboral de 2012 y su impacto en los despidos individuales y otras formas de extinción de contrato de trabajo", T.L., núm. 115, 2012.

LLOMPART BENNÀSSAR, M., "Poder legislativo *versus* poder judicial en los despidos por causas económicas, técnicas, organizativas o de producción", Trabajo y Derecho, núm. 18, 2016.

LUQUE PARRA, M., "La introducción de las nuevas tecnologías como causa de extinción del contrato de trabajo", en SERNA CALVO, M.M. et al., *Derecho social y nuevas tecnologías*, Cuadernos de Derecho Judicial, Madrid, 2005.

PÉREZ DE LOS COBOS ORIHUEL, F., *Nuevas tecnologías y relación de trabajo*, Ed. Tirant lo Blanch, Valencia, 1990.

POQUET CATALÁ, R., "La falta de adaptación como causa de despido objetivo tras la reforma de 2012", Revista Aranzadi Doctrinal, núm. 7/2014, BIB 2014\3655.

RAMÍREZ MARTÍNEZ, J.M., "La extinción del contrato de trabajo por causas objetivas", en SALA FRANCO, T. *et al.*, *Problemas aplicativos del Estatuto de los Trabajadores*, Ed. Universidad de Alicante, Alicante, 1982.

RODRÍGUEZ ESCANCIANO, S., "Innovación tecnológica y productividad empresarial: posibilidades y límites en un contexto económico de crisis", La Ley 2588/2012.

SAGARDOY BENGOECHEA, I., "Ineptitud, falta de adaptación y absentismo", en AA.VV., *Estudios sobre el despido: homenaje al prof. Alfredo Montoya Melgar en sus veinticinco años de Catedrático de Derecho del Trabajo*, Ed. Universidad Complutense, Madrid, 1996.

SÁNCHEZ-URÁN AZAÑA, Y. y GRAU RUIZ, M.A., "El impacto de la robótica, en especial la robótica inclusiva, en el trabajo: aspectos jurídico-laborales y fiscales", Revista Aranzadi de Derecho y Nuevas Tecnologías, núm. 50, 2019.

VALVERDE ASENCIO, A.J., "La limitación del despido por ineptitud sobrevenida o falta de adaptación en los supuestos de movilidad funcional", A.S., Vol. V, 1997, BIB 1997\994.

XXI. RÉGIMEN JURÍDICO DE LAS CREACIONES E INVENCIONES TECNOLÓGICAS DE LOS TRABAJADORES[*]

Eduardo Enrique Taléns Visconti

Profesor Ayudante Doctor. Universidad de Valencia

"Probablemente nada sea tan elocuente sobre las convicciones metodológicas de un autor como su propia obra, y probablemente también, nada indique mejor su grado de madurez que la observación de la evolución de su obra como un proceso de decantación metodológica"

Francisco Pérez de los Cobos Orihuel[1]

SUMARIO: 1. INTRODUCCIÓN. 2. EL ARTÍCULO 51 LPI: EL PRINCIPIO DE AUTONOMÍA COMO REGLA GENERAL. 3. LOS DERECHOS DE AUTOR SOBRE LOS PROGRAMAS DE ORDENADOR Y APLICACIONES DE TELEFONÍA MÓVIL: LA REGLA ESPECIAL DEL ARTÍCULO 97 LPI. 3.1. La originalidad del programa. 4. LA PROPIEDAD INTELECTUAL COMO VEHÍCULO PARA VALORAR LA PROPIA EXISTENCIA DE UNA RELACIÓN LABORAL. 5. LA SANCIÓN EMPRESARIAL POR CONDUCTAS DEL TRABAJADOR TENDENTES A NEGARSE A CEDER EL USO DEL PROGRAMA CREADO POR ESTE. BIBLIOGRAFÍA.

1. INTRODUCCIÓN

Los derechos de autor existen para proteger a la persona que ha creado algo original frente a terceros, con la finalidad de que nadie se pueda apropiar de su obra, sea esta literaria, musical, audiovisual, informática, etc. A tales efectos, disponemos en nuestro país de dos leyes específicas que regulan esta materia desde diferente ámbito. De un lado, contamos con la Ley 1/1996, de 12 de abril, de Propiedad Intelectual (en adelante LPI) y, de otro lado, la más reciente Ley 24/2015, de 24 de julio, de Patentes (en adelante LP). La primera de ellas se centra en las obras intelectuales creadas por una persona y que, por lo general, suelen tener un componente

---

[*] El presente trabajo se ha realizado en el marco del Proyecto: "Los derechos fundamentales ante el cambio del trabajo subordinado en la era digital" –DER2017–83488- C4-3-R–.

[1] "Algunas reflexiones metodológicas sobre la investigación del iuslaboralista", *Revista Española de Derecho del Trabajo*, núm. 68, 1994, p. 873.

económico en tanto que pueden tener éxito en el mercado. Por su parte, la segunda se centra en las invenciones novedosas que sean susceptibles de aplicación industrial, es decir, cuando su objeto puede ser fabricado o utilizado por cualquier clase de industria, incluida la agrícola.

De esta concreta área de conocimiento jurídico se suelen ocupar, tradicionalmente, las disciplinas mercantil y civil. Sin embargo, el Derecho del Trabajo también tiene un reducido espacio dentro de esta parcela, en tanto en cuanto es posible que en el desempeño de la relación laboral el empleado pueda desarrollar una idea que finalice con una invención o creación original susceptible de ser patentada o protegida intelectualmente. En este sentido, desde la doctrina laboralista se ha utilizado la expresión "autor asalariado" para referirse al trabajador dependiente y por cuenta ajena que crea una obra intelectual que genera derechos de autor[2].

En líneas generales, lo que se trata de determinar en los supuestos en los que la creación se lleva a cabo en un entorno laboral es la persona (o entidad) a la que pertenecen los derechos económicos que derivan de la citada creación intelectual. En este sentido, tal y como tendré ocasión de explicar a lo largo de las siguientes páginas, el resultado crematístico de la invención va a depender de una serie de factores concretos que pueden darse en un contexto de dependencia y ajenidad, propios de la relación laboral. Junto con ello, a los efectos del presente estudio, me centraré en aquellas creaciones que tengan algún componente tecnológico, principalmente, programas de ordenador o de robótica y aplicaciones de telefonía móvil. La razón de ser de este enfoque tecnológico guarda una estrecha relación con el tema vehicular de la presente obra monográfica que ha sido realizada como homenaje al Prof. Dr. Francisco Pérez de los Cobos. En los numerosísimos estudios del mencionado autor la preocupación por el régimen jurídico-laboral de las nuevas tecnologías ha sido una constante, constituyendo una de sus principales líneas de investigación. La persona homenajeada, el Prof. Dr. Francisco Pérez de los Cobos, es un extraordinario jurista, riguroso y metódico, que ocupa un lugar prevalente en el escalafón de la doctrina *iuslaboralista*, posición que lleva manteniendo desde hace varios años. Prueba de ello son sus excelentes resultados académicos y los diferentes puestos que ha ido ocupando a lo largo de su carrera profesional, todavía en activo. En cualquier caso, no es este el momento de recordar todos los méritos del homenajeado, puesto que de ello dará

---

[2]   ALTES TÁRREGA, J.A. "El contrato de trabajo del autor asalariado: supuestos de aplicación del art. 51 de la Ley de Propiedad Intelectual", *Relaciones Laborales*, núm. 1, 2011.

probada cuenta el prólogo de la presente obra. Desde estas líneas, simplemente quisiera agradecer a las personas pertinentes que hayan pensado en mí para integrar este elenco de juristas, reto que afronto con gratitud y una enorme responsabilidad.

2. EL ARTÍCULO 51 LPI: EL PRINCIPIO DE AUTONOMÍA COMO REGLA GENERAL

La solución a los problemas jurídicos que puedan ocasionar los derechos de autor en el ámbito de la relación laboral los debemos de buscar en la exégesis del artículo 51 LPI. En este sentido, el Estatuto de los Trabajadores no se ha centrado en regular esta cuestión, por lo menos de una forma directa. El señalado precepto expresa que *"la transmisión al empresario de los derechos de explotación de la obra creada en virtud de una relación laboral se regirá por lo pactado en el contrato, debiendo éste realizarse por escrito"*. La razón de ser de este aserto consiste en tratar de configurar una relación laboral de carácter especial, concretamente, la del trabajador-autor (o autor asalariado). En este sentido, dicho precepto no resultará de aplicación a cualquier trabajador que cree una obra intelectual, sino que será el objeto del contrato el que delimitará el ámbito de aplicación subjetivo del mismo[3]. De tal suerte que la relación laboral existente tiene por objeto la creación de obras intelectuales[4]. Desde esta perspectiva, el artículo 51 LPI propugna el principio de la autonomía de la voluntad, puesto que, en primer término, corresponde a las partes determinar el contenido de los derechos económicos de la obra creada por el trabajador. Estamos, entonces, ante un pacto de cesión de derechos dónde habrá que establecer el contenido y límites de los mismos. En definitiva, las partes pueden determinan con total libertad el contenido y alcance de la cesión[5]. Entiendo que este acuerdo puede hacerse de forma conjunta –o anexa– al contrato de trabajo, o bien en un momento posterior. Pero de lo que no cabe duda es que su contenido formará parte del contrato de trabajo, concretamente, de su objeto

---

[3]   RODRÍGUEZ TAPIA, J.M "Artículo 51", *Comentarios a la Ley de Propiedad Intelectual* (Bercovitz, R. Coord.), 3era edición, Ed. Tecnos, 2007, p. 839; o YAGÜE BLANCO, S. *Cláusulas de cesión de derechos de propiedad intelectual en los convenios colectivos laborales. Estudio de negociación colectiva*, Ed. Tirant lo Blanch, 2017, p. 25.

[4]   VALDÉS ALONSO, A. "Reportero gráfico, contrato de trabajo y propiedad intelectual", *Documentación Laboral*, núm. 78, 2006, p. 177.

[5]   YAGÜE BLANCO, S. "Derechos de propiedad intelectual de los trabajadores asalariados", *Quaderns de Ciències Socials*, núm. 29, 2014, p. 36.

(siendo la transmisión de derechos un elemento esencial del mismo[6]). Debido a esta configuración legal, el trabajador difícilmente podrá oponerse
a los criterios de un eventual pacto, porque ante la ausencia del mismo la
norma beneficia al empresario, predicando una "cesión tácita" –en este
caso *ex lege*– a favor del mismo. De tal manera que la posible existencia de
un acuerdo cumplirá una función más bien delimitadora, donde se podrán
pactar una serie de pormenores de una forma más concreta.

A falta de pacto, el propio artículo 51.2 LPI acoge una regla subsidiaria,
consistente en la presunción de que los derechos de explotación se ceden en exclusiva al empresario, con el alcance necesario para el ejercicio
de su actividad habitual. Por lo tanto, si no existe un acuerdo expreso, la
legislación de propiedad intelectual predica que las obras creadas por el
trabajador en el ámbito de la relación laboral pasarán a explotarse económicamente por el empresario. Sostiene esta tesis la SAP de Barcelona,
de 30 de noviembre de 2017[7], que resolvió el supuesto de un trabajador
que, en el marco de una relación laboral, ha venido prestando sus servicios
como fotógrafo para el periódico El País desde 1988 hasta noviembre del
año 2012. Según los datos de la contabilidad de la empresa demandada,
durante los últimos años de prestación, desde el 2007 hasta el 2015, se
vendieron fotografías por importe de 2880 euros, por lo que el actor cree
que le correspondería el 25% de ese importe, es decir, 720 euros. Según
el criterio mantenido por la SAP de Barcelona *"lo que la norma quiere decir
es que los derechos de explotación, no solo se ceden en exclusiva, sino además con
el alcance necesario para que dicha trasmisión garantice la actividad habitual del
empresario"*. En consecuencia, cuando el reportero gráfico entregó las fotografías que previamente le había encargado el periódico le cedió estos dos
derechos, el derecho a reproducir las fotografías y el derecho a distribuir
las mismas, ya que ambos son consustanciales a la actividad de un diario,
con edición impresa o digital. Además, tal y como ha establecido la SAP de
Barcelona, de 10 de junio de 2014[8], *"la posibilidad de la demandada de ceder los
derechos a terceros está respaldada legalmente y a medios del mismo grupo, además,
contractualmente y ello independientemente de que los autores sigan o no vinculados
a la empresa"*.

---

[6]   ARAGÓN GÓMEZ, C. "El Derecho del Trabajo y el Derecho de Propiedad Intelectual.
        Los problemas derivados de la colisión de ambas disciplinas", *Pe. i. Revista de Propiedad
        Intelectual*, núm. 26, 2007, p. 142.
[7]   SAP de Barcelona de 30 de noviembre de 2017, rec. 175/2016.
[8]   SAP de Barcelona de 10 de junio de 2014, rec.354/2013.

No en vano, no cabe perder de vista, tal y como ya asentara el Tribunal Supremo en alguna sentencia ya lejana en el tiempo, que determinadas facultades que componen el derecho de autor "*son inalienables o no susceptibles de cesión a terceros*"[9]. Se refiere esta sentencia del Tribunal Supremo a los derechos morales, que corresponden en exclusiva a su autor. De tal manera que los derechos morales no pueden ser objeto de un negocio jurídico traslativo, al contrario de lo que sucede con los derechos de explotación o puramente económicos. En este sentido, se le otorga al autor del trabajo el derecho a ser identificado como su creador y, con ello, se evita que cualquier otra persona se apodere del mismo[10].

Quizás en este punto, una de las cuestiones más conflictivas, sea la de determinar los supuestos en los que entra el juego el régimen jurídico previsto en el artículo 51 ET. A mi entender, la clave de esta respuesta está en la dicción "*ejercicio de la actividad habitual del empresario*" utilizada por el propio artículo 51.2 LPI a la hora de regular la regla subsidiaria (es decir, en defecto de pacto). Esta cuestión parece bastante clara cuando la empresa contrata al trabajador para desarrollar una concreta obra intelectual. Ahora bien, en estos casos lo más habitual será que empresario y trabajador pacten un régimen de cesión de derechos. Las dudas pueden aparecer en los supuestos en los que un trabajador que no ha sido contratado específicamente para llevar a cabo una obra intelectual logre una creación en el seno de la empresa que compadezca con la actividad habitual de la misma. Esta situación contrasta con la regulación de la Ley de Patentes, que es mucho más clara en este punto. En este sentido, el artículo 15 LP declara que "*las invenciones realizadas por el empleado o prestador de servicios durante la vigencia de su contrato o relación de empleo o de servicios con el empresario que sean fruto de una actividad de investigación explícita o implícitamente constitutiva del objeto de su contrato pertenecen al empresario*". En el supuesto contrario, los derechos corresponden al autor. Ahora bien, el artículo 17.1 LP vuelve a incidir en el tema, señalando que la invención de un empleado corresponde explotarla a la empresa cuando el autor se haya servido de los conocimientos adquiridos en la entidad en la que presta servicios o haya utilizado medios proporcionados por esta. Se trata de una regulación un tanto más desarrollada, en la que se tiene en cuenta la utilización de los medios puesto a disposición por el empresario, ya sean técnicos o de conocimiento. Además, el artículo 17.2 LP prevé una compensación al trabajador en los casos en los que el

---

[9]   STS de 31 de marzo de 1997, rec. 3555/1996.
[10]   SILBERLEIB, L. "El derecho, la propiedad intelectual y el entorno digital", *Información, Cultura y Sociedad*, núm. 5, 2001, p. 42.

empresario se adueñe de la invención por esta vía, es decir, cuando el objeto del contrato no es, específicamente, el desarrollo de la misma (sino que esta ha venido ideada *motu propio* por el trabajador en cuestión).

En fin, tal y como ha señalado la doctrina deben de concurrir dos requisitos: a) de un lado, que se produzca la creación de una obra que constituya el objeto del contrato; b) de otro lado, que la actividad de la empresa consista en la explotación patrimonial de dichas obras, pues es lo que justifica que el objeto de la contratación sea tal[11]. Si se dan estas circunstancias entiendo que se aplicará el régimen jurídico del artículo 51 LPI. En sentido contrario, cualquier creación libremente desarrollada por el trabajador le pertenecerá en exclusiva, sin que exista traslación de derechos. Ahora bien, como veremos seguidamente, esta regla reviste unos importantes matices cuando la invención es tecnológica. En definitiva, los derechos de explotación cedidos se refieren a las obras realizadas en virtud de la relación laboral, pues no se ceden –con base a la LPI– los derechos económicos de las obras realizadas por el mismo autor al margen de su relación laboral[12]. Además, el artículo 51 LPI establece una regulación específica que únicamente resulta de aplicación a los "autores asalariados"[13].

3. LOS DERECHOS DE AUTOR SOBRE LOS PROGRAMAS DE ORDENADOR Y APLICACIONES DE TELEFONÍA MÓVIL: LA REGLA ESPECIAL DEL ARTÍCULO 97 LPI

El propio artículo 51 LPI, en su apartado quinto, remite a lo previsto en el artículo 97 LPI a la hora de regular la titularidad de los derechos sobre un programa de ordenador creado por un trabajador asalariado en el ejercicio de sus funciones o siguiendo las instrucciones de su empresario. De ello se deduce que en estos supuestos no opera la regla general, aplicable a los derechos del "autor asalariado". En este sentido, su régimen jurídico es específico y su ubicación sistemática se contiene en artículo 97.4 LPI[14].

---

11 YAGÜE BLANCO, S. "Derechos de propiedad intelectual de los trabajadores asalariados", Cit. p. 36.
12 SAP de Barcelona de 30 de noviembre de 2017, rec. 175/2016.
13 ARAGÓN GÓMEZ, C. "El Derecho del Trabajo y el Derecho de Propiedad Intelectual. Los problemas derivados de la colisión de ambas disciplinas", Cit., p. 132.
14 La Ley española del año 1987 no contemplaba el supuesto de copropiedad ni el de creación del programa por el trabajador asalariado. En la Ley 16/1993 (art. 2.2) y en el texto refundido de 1996 (art. 97.3 y 4) se contemplan ambas cosas. *Vid.* DELGADO

Antes de entrar a analizar los derechos del trabajador que crea un programa de ordenador, debemos de disipar el alcance de este concepto. En este sentido, el artículo 96.1 LPI expresa que *"a los efectos de la presente Ley se entenderá por programa de ordenador toda secuencia de instrucciones o indicaciones destinadas a ser utilizadas, directa o indirectamente, en un sistema informático para realizar una función o una tarea o para obtener un resultado determinado, cualquiera que fuere su forma de expresión y fijación"*. La amplitud con la que está redactado el precepto permite albergar en su seno cualquier programa que sea desarrollado a través de un sistema informático. Por lo tanto, en principio, entra dentro de este concepto cualquier *software* cuyo soporte sea un ordenador, "tablet" o teléfono móvil. Entiendo que se encuentran incluidas las aplicaciones (*apps*) de telefonía móvil, ya que serían una secuencia de instrucciones destinadas a ser utilizadas por un sistema informático[15].

La protección de los derechos de autor también alcanzará a la documentación preparatoria, técnica y los manuales de uso de un programa de ordenador. Por el contrario, no quedarán protegidos mediante los derechos de autor las ideas y principios en los que se basan cualquiera de los elementos de un programa de ordenador, incluidos los que sirven de fundamento a sus interfaces. Por lo tanto, lo que se protege es el resultado, sin perjuicio de que se incluyan dentro del mismo todos los documentos preparatorios y necesarios para llegar al mismo. Dicho en otros términos, es objeto de protección no lo que se pretende sino el cómo se consigue: la forma de plasmar la idea, su ordenación, configuración o estructura (*Vid.* SAP de Ciudad Real de 10 de febrero de 2000)[16]. Junto con ello, como seguidamente veremos, la tendencia ha sido la de primar la inversión empresarial sobre el acto de creación por parte del autor, extremo que aparece más nítido en el caso de la regulación de la propiedad intelectual del trabajador asalariado[17].

Si nos vamos la regulación de la invención de programas de ordenador por parte de los trabajadores, el artículo 97.4 LPI expresa que cuando este cree un programa de ordenador *"en el ejercicio de las funciones que le han sido confiadas o siguiendo las instrucciones de su empresario, la titularidad de los*

PORRAS, A. "Derechos de autor: programas de ordenador", *Tratado de Derecho Industrial,* Ed. Cívitas, 2009, p. 5 (BIB 2009/2274).

[15] En el mismo sentido, TODOLÍ SIGNES, A. "Los derechos de autor de los programas de ordenador creados por asalariados", *Revista de Información Laboral,* núm. 8, 2014, p. 2 (BIB 2014/9742).

[16] SAP de Ciudad Real de 10 de febrero de 2000, rec. 505/1999.

[17] DE MIGUEL ASENSIO, P. A. "Propiedad intelectual: protección de los programas de ordenador", *Derecho Privado de Internet,* Aranzadi, 2015, p. 2 (BIB 2015/9852).

derechos de explotación correspondientes al programa de ordenador así creado, tanto el programa fuente como el programa objeto, corresponderán, exclusivamente, al empresario, salvo pacto en contrario". Varias son las notas que cabe destacar del anterior aserto.

La primera y principal es que el resultado del contenido de los derechos económicos pertenecerá en exclusiva al empresario (si se dan los dos condicionantes que seguidamente abordaré). Se altera de este modo la regla general del artículo 51 LPI, pasando en estos casos la voluntad de las partes a un segundo plano. En este sentido, *ope legis,* los derechos económicos del programa creado pertenecerán al empresario. No en vano, a través de pacto expreso por las partes se puede alterar perfectamente este esquema, pudiéndose negociar unos derechos de explotación concretos. Lo que cambia, en suma, es la perspectiva adoptada, pues rigiéndose el derecho de propiedad intelectual por acuerdo expreso, en el artículo 51 LPI adopta una posición prevalente, mientras que en el artículo 97.4 LPI esta cuestión aparece en un segundo plano.

Los derechos económicos correspondientes con el programa de ordenador alcanzan tanto al programa fuente como al objeto. Resulta necesario, entonces, definir a qué se refiere el texto legal con los términos programa fuente y objeto. En este sentido, el código fuente consiste en una serie de mensajes redactados en lenguaje de programación y que puede ser comprendido por las personas. Esta última es, según ha sostenido algún autor, la fase verdaderamente creativa por parte del programador, siendo donde más puede parecerse a una obra literaria o científica, aunque esté escrito en un lenguaje específico[18]. Por su parte, el código objeto es el resultado de la transformación del código fuente en un conjunto de señales comprensibles para los ordenadores[19]. Consiste en un lenguaje binario que resulta difícil de comprender para los humanos. Ambas partes forman parte de un todo, debiéndose de proteger por igual[20]. De tal manera que si solamente se protegiera el código fuente sería relativamente sencillo copiar el código objeto, con lo que la protección no tendría ninguna eficacia[21].

---

[18]   FERNÁNDEZ MASIÁ, E. "Artículo 96. Objeto de la Protección", *Comentarios a la Ley de Propiedad Intelectual* (Palau Ramírez, F: y Palao Moreno, G. Dirs.), Ed. Tirant lo Blanch, 2017, p. 1211.

[19]   Definición extraída del siguiente estudio: DE MIGUEL ASENSIO, P. A. "Propiedad intelectual: protección de los programas de ordenador", Cit., p. 1 (BIB 2015/9852).

[20]   DELGADO PORRAS, A. "Derechos de autor: programas de ordenador", Cit., p. 4 (BIB 2009/2274).

[21]   FERNÁNDEZ MASIÁ, E. "Artículo 96. Objeto de la Protección", Cit., p. 1212.

En segundo término, el artículo 97.4 LPI crea un régimen de cesión especial en el sentido de que no solamente alcanza a los trabajadores cuyo objeto del contrato ha sido precisamente la creación de un programa de ordenador, sino también a aquellos que, siendo contratados por otros motivos, lo creen siguiendo las instrucciones del empresario. Rompe en este sentido con la dinámica prevista en el artículo 51 LPI con carácter general. De acuerdo con lo visto anteriormente, el artículo 51 LPI no resulta de aplicación a cualquier trabajador asalariado, sino exclusivamente cuando el objeto del contrato sea la creación de una obra intelectual. En sentido contrario, no resultará de aplicación a los programas que el trabajador ya hubiera creado con antelación a la contratación laboral o con posterioridad a la ruptura de dicha relación, es decir, una vez extinguido el contrato, aunque para llevar a cabo este cometido hubiera empleado conocimientos adquiridos de su etapa anterior[22].

En tercer lugar, se han de dar dos condiciones alternativas, es decir, basta con que se cumpla una de ellas para que, en principio, el programa de ordenador creado por el trabajador pueda ser explotado por el empresario. La primera de ellas consiste en que el programa en cuestión haya sido desarrollado por el trabajador en el cometido de sus funciones. En este sentido, si el objeto del contrato es el desarrollo de un programa o aplicación informática se presume de antemano que el empresario va a poder hacer uso comercial del mismo. En principio, cuando el trabajador no tiene entre sus funciones la elaboración de ningún programa o aplicación tecnológica (y lo desarrolla voluntariamente) será dueño de los derechos de autor. El problema en este punto reside en los casos en los que se produce una errónea clasificación profesional, integrando al trabajador en un determinado grupo entre cuyas funciones no están las de desarrollar un programa de ordenador, pero, *de facto,* ha sido contratado con dicha finalidad. Podemos ver una respuesta judicial a este problema en la sentencia del Tribunal Superior de Justicia de Asturias, de 10 de diciembre de 1999[23]. En este supuesto, el trabajador fue contratado formalmente con la categoría de auxiliar administrativo, pero en el juicio quedó acreditado que el motivo real de su contratación lo fue por sus conocimientos informáticos (aunque no tenía la titulación habilitante). Pero lo cierto es que elaboró dos bases de datos para nuevos cursos y diseñó dos programas que fueron instalados en todas las academias (autoescuelas). En este sentido, se puede leer en la citada

---

[22]   YAGÜE BLANCO, S. *Cláusulas de cesión de derechos de propiedad intelectual en los convenios colectivos laborales. Estudio de negociación colectiva*, Ed. Tirant lo Blanch, 2017, p. 38.

[23]   STSJ de Asturias de 10 de diciembre de 1999, rec. 2246/1999.

sentencia (como *ratio decidendi*) que *"aun siendo cierto que en el contrato figura esta categoría también lo es que fue contratado por sus conocimientos informáticos en base a los cuales elaboró los programas sin que esta cuestión referida a la posible inadecuada clasificación profesional haya constituido el objeto de este procedimiento"*.

Evidentemente, la defensa del trabajador interesó que los derechos de autor le correspondían al mismo, dado que las funciones para las que fue contratado ocurrieron en clave de auxiliar administrativo. No estamos en este punto ante un proceso en el que se planteó la errónea clasificación profesional, sino consistente en determinar a quién le correspondían los derechos de explotación de los programas informáticos creados por el trabajador, dado que este se negó a entregar a la empresa las fuentes y la documentación de los mismos, con la finalidad de que fueran facilitados a otras entidades asociadas. Por lo tanto, lo determinante en este caso, al hilo de la exposición, consiste en que la correcta clasificación profesional del trabajador tiene una importancia relativa, siendo lo verdaderamente relevante el hecho de que las funciones encomendadas o, en este caso, el motivo de la contratación, sea la elaboración de un programa informático. En este supuesto concreto, dado que la explotación económica correspondía al empresario, la negativa del trabajador consistente en entregar las fuentes y la documentación de los programas fue correctamente sancionada por la empresa, declarándose la procedencia del despido por transgresión de la buena fe, abuso de confianza y desobediencia.

La segunda de las exigencias consiste en que el trabajador realice el programa bajo las instrucciones e indicaciones del empresario. En estos casos es indiferente el grupo profesional al que pertenezca formalmente el trabajador. En este sentido, siempre y cuando el empresario le proporcione una serie de materiales y le dé instrucciones sobre qué es lo que quiere obtener y, en algunos casos, cómo hacerlo, los derechos económicos le corresponderán. *A sensu contrario*, la explotación económica corresponderá por entero al trabajador cuando este elabore el programa informático a su riesgo y ventura, es decir, voluntariamente y por su cuenta, sin interferencia de ningún tipo por parte del empresario. En línea con lo aquí defendido, se ha dicho que las instrucciones del empresario no deben de ser excesivamente genéricas o superfluas, dando a entender que todo el proceso de creación es idea del trabajador[24]. De este modo, tal y como ha sostenido la STS de 21 de junio de 2007, no es lo mismo colaborar en la idea o hacer indicaciones sobre el resultado o aspectos del mismo que se

---

[24]   TODOLÍ SIGNES, A. "Los derechos de autor de los programas de ordenador creados por asalariados", Cit., p. 9 (BIB 2014/9742).

desean, que proporcionar *"instrucciones sobre la creación"*[25]. Parece exigible, por ende, que las instrucciones sean más o menos concretas, sin llegar tampoco a un nivel de precisión muy elevado, pues en caso contrario no existirá prácticamente margen para la creación del autor. El hecho de que las instrucciones no sean demasiado vagas puede encontrar fundamento en que la LPI no tiene en cuenta si los medios utilizados son del empresario o no, o si el programa se ha llevado a cabo en el tiempo de trabajo (tal y como se regula en la LP para las patentes). Las instrucciones deben de llevarse a cabo en la forma de expresión del programa informático y no exclusivamente en la idea. Véase como ejemplo el supuesto conocido por la SAP de Ciudad Real de 10 de febrero de 2000[26], donde fue el trabajador –autor del programa– quien efectuó la disposición técnica del mismo. En este sentido, el trabajador procedió a su invención por propia iniciativa sin que esta tarea haya sido por encargo expreso o indicaciones concretas de la empleadora. Es cierto que algunas compañeras le aportaron ideas, pero limitándose las indicadas funcionarias a exponerle las funciones que al usuario del programa le convenían. Por este motivo, el interesado, autor del programa, puede solicitar una indemnización por los daños originados por la explotación del programa realizada por parte de la Concejalía para la que prestaba servicios.

En último término, tal y como ha sostenido la SAP de Ciudad Real de 10 de febrero de 2000[27], la carga de la prueba, una vez reclamada la autoría por parte del trabajador, le corresponde al empresario, que deberá de demostrar que el programa de ordenador le pertenece, y ello con base a los siguientes argumentos: *"primero, porque esta norma especial es una excepción al principio general contenido en el artículo 1° de la Ley, que atribuye la propiedad intelectual al autor de la obra por el solo hecho de su creación, de modo que quien opone una excepción al régimen general debe probar el presupuesto de hecho de la misma, que, en caso de reconvención, se erige en hecho constitutivo de su pretensión, y segundo, porque el presupuesto de hecho de la norma contenida en el citado artículo 97, párrafo 4°; está configurado como un hecho positivo –el ámbito de la relación laboral, la emisión de específicas instrucciones– de modo que la facilidad probatoria está de lado de quien ha de acreditar la afirmación y no del trabajador, que para defenderse habría de probar el hecho negativo contrario".*

La consecuencia que se deriva de los casos en los que no se cumplen las exigencias del artículo 97.4 LPI será que el programa o aplicación del

---

[25]   STS (Sala de lo Civil) de 21 de junio de 2007, rec. 2768/2000.
[26]   SAP de Ciudad Real de 10 de febrero de 2000, rec. 505/1999.
[27]   SAP de Ciudad Real de 10 de febrero de 2000, rec. 505/1999.

programa realizado por el trabajador será titularidad del mismo con todos los derechos a ella inherentes reconocido en la Ley de Propiedad Intelectual (*Vid.* SAP Girona de 3 de marzo de 2010[28]). A modo de resumen, el régimen jurídico de la LPI solamente se aplica a la cesión de aquellos programas de ordenador en los que exista vinculación causal con el trabajo realizado[29].

3.1. La originalidad del programa

La protección del derecho de autor sobre un programa de ordenador solamente se va a producir en la medida de que el mismo sea original. Así, el artículo 96.2 LPI expresa con bastante rotundidad que *"el programa de ordenador será protegido únicamente si fuese original, en el sentido de ser una creación intelectual propia de su autor"*. Ahora bien, el precepto no define el concepto de originalidad, lo que supone que se deben de realizar algunos esfuerzos interpretativos para conceptualizar esta exigencia. Esta definición del requisito de la originalidad es la transposición al Derecho interno español del artículo 1.3 de la Directiva 1991/250/CEE, de 14 de mayo, de protección jurídica de programas de ordenador. El considerando 8 de dicha Directiva declara que *"entre los criterios que deben utilizarse para determinar si un programa de ordenador constituye o no una obra original, no deberían aplicarse los de carácter cualitativo o los relativos al valor estético del programa"*. En este sentido, parece existir cierto consenso en admitir que la originalidad del programa no se debe de medir por parámetros estéticos[30] –tampoco la creación de aplicaciones móviles–. Parece, eso sí, que la originalidad invita a pensar que el programa no puede ser copia de otro ya creado. Según la definición de la RAE, la acepción de "original", referida a una obra científica, artística, literaria o de cualquier otro género (en nuestro caso, informática) consiste textualmente en que: *"resulta de la inventiva de su autor"*. De esta suerte, que si resulta de la inventiva de su autor es porque nadie lo ha inventado previamente. En resumidas cuentas, el programa de ordenador creado ha de ser el resultado del esfuerzo intelectual del autor, aunque es cierto que el mismo no debe de ser demasiado elevado, en el bien entendido de que bastará con que no sea copia de otros programas ya existentes previamente. Habrá

---

[28]   SAP Girona de 3 de marzo de 2010, rec. 1/2010.
[29]   GARCÍA TESTAL, E. "Relación laboral y propiedad intelectual: la especial configuración de la prestación de servicios de los autores asalariados, *Revista de Justicia Laboral*, núm. 52, 2012, p. 69.
[30]   *Vid.* TODOLÍ SIGNES, A. "Los derechos de autor de los programas de ordenador creados por asalariados", Cit., 3 (BIB 2014/9742).

que estar, por tanto, en cada caso concreto, a la novedad que representa un determinado programa de ordenador respecto de las versiones existentes en el mercado. Debe de tener, en consecuencia, algún signo distintivo que lo diferencie frente a otras aplicaciones informáticas ya creadas. De tal manera, que si no se dan estas notas difícilmente podremos entrar a discutir si los derechos de explotación le corresponden al empresario o al trabajador que lo ha elaborado. Según ha expresado la SAP Girona de 3 de marzo de 2010, *"tal creación original puede producirse tanto respecto de obras "originarias" o "preexistentes" como respecto de obras "derivadas", pues la Ley de Propiedad Intelectual prevé la posibilidad de existencia de obras derivadas de otras, que también gozan de la protección de la Ley de Propiedad Intelectual"*[31]. Asimismo, de acuerdo con lo previsto por el artículo 96.3 LPI, esta protección se extiende a cualquiera de las versiones sucesivas del programa, así como a los programas derivados, salvo aquellas creadas con el fin de ocasionar efectos nocivos a un sistema informático.

Ha planteado ciertas dudas el carácter protegible, o no, de la interfaz del usuario. Se trata de aquella presentación visual que aparece en la pantalla del ordenador o del teléfono. Consideradas las interfaces de usuario como un conjunto de objetos, herramientas y representaciones visuales que sirven para gestionar la comunicación entre el usuario y la aplicación informática, vienen a constituir la parte externa o visible del programa, por lo que su importancia es indudable. Según el criterio mantenido por la SAP de Cádiz de 19 enero de 2007 *"al ser la interfaz la parte visible del programa, constituye uno de los elementos integrantes de la aplicación informática que adquiere más importancia a la hora de hacer más interesante y competitivo en el mercado un producto, por lo que la protección de la misma por la nominada Ley es innegable en cuanto que contiene elementos propios del derecho de autor"*[32]. En determinados casos concretos, el valor de mercado del programa dependerá de esta presentación (si es más o menos atractiva, intuitiva o de fácil manejo para el usuario). No en vano, se ha sostenido que el carácter limitado de la interfaz no permitiría en muchas ocasiones colmar con el requisito de la originalidad, por lo que, difícilmente, la copia de las mismas podría suponer una infracción de los derechos de autor[33]. Podría quizás explorarse la vía de la competencia desleal en el caso de que una empresa haya querido dar una apariencia similar al original para engañar a la clientela. Podemos

---

[31]   SAP Girona de 3 de marzo de 2010, rec. 1/2010. Véase, también, la SAP de Valencia de 29 de abril de 2014, rec. 742/2013.
[32]   SAP de Cádiz de 19 de enero de 2007, rec. 52/2006.
[33]   FERNÁNDEZ MASIÁ, E. "Artículo 96. Objeto de la Protección", Cit., p. 1215.

encontrar un supuesto sobre la protección de la interfaz en la STJUE de 22 de diciembre de 2010[34]. El TJUE consideró que la interfaz no permite reproducir el programa de ordenador, sino que simplemente constituye un elemento por medio del cual los usuarios utilizan su funcionalidad. Por lo tanto, niega que pueda ser una forma de expresión de un programa de ordenador en el sentido del artículo 1.2 de la Directiva del año 1991.

4. LA PROPIEDAD INTELECTUAL COMO VEHÍCULO PARA VALORAR LA PROPIA EXISTENCIA DE UNA RELACIÓN LABORAL

Cuando un contrato se realiza específicamente para llevar a cabo una actividad artística o de creación, las notas de dependencia y ajenidad pueden aparecer ciertamente difuminadas, sin que por ello deba de ponerse en tela de juicio la existencia de una relación laboral. Paradigma de la relación existente entre propiedad intelectual y contrato de trabajo es la STS de 31 de marzo de 1997[35]. El supuesto de hecho consistió en un reportero gráfico (fotógrafo) que prestaba servicios para un periódico diario. El fotógrafo realizaba una serie de imágenes que enviaba a la empresa, siendo esta la que seleccionaba aquellas que más le gustaban, pasando en ese momento bajo su propiedad. Por su parte, el fotógrafo se reservaba la propiedad de los negativos. Los reportajes adquiridos eran pagados "a pieza", es decir, solamente se le remuneraba por las fotografías efectivamente adquiridas por la empresa. En cualquier caso, en cada pie de fotografía publicada aparecía el nombre de su autor.

Para el Tribunal Supremo, en este supuesto, la prestación de servicios se calificó como actividad laboral, dado que, aunque matizadas, se dan las notas clásicas de dependencia y ajenidad. En este sentido, se tiene en consideración que el trabajador no hace las fotografías por iniciativa propia, sino con el propósito de ofrecerlas posteriormente a la empresa, quien le realiza las debidas indicaciones temáticas y tiene la facultad de escoger la que más le interesen. El hecho de que el trabajador conserve su nombre en las fotos publicadas solamente es fruto del derecho moral que asiste a los autores de obras intelectuales o artísticas. Por lo que respecta al modo de retribución, el Tribunal Supremo tampoco desconoce la posibilidad de que el salario venga retribuido por pieza y, pese a que no sea la forma de

---

34   STJUE 22 de diciembre (asunto C-393/09).
35   STS de 31 de marzo de 1997, rec. 3555/1996.

remuneración más típica, entra dentro de la amplitud con la que está redactado el artículo 26 ET.

Algo más reciente en el tiempo, también se analizó el contrato de propiedad intelectual para fundamentar la relación laboral de una serie de trabajadores en la STS de 19 de julio de 2010[36], relativa al estudio de doblaje y sonorización de producciones cinematográficas y de televisión. En este supuesto, cuando la empresa recibe un encargo de la entidad que requiere sus servicios, selecciona al director de doblaje y a los actores de forma directa, no existiendo casting o proceso de selección de estos al ser conocidos por la empresa, quedando de mutuo acuerdo en el día de trabajo, en tanto que estos prestan sus servicios indistintamente para diferentes empresas de doblaje. Al actor se le facilita el texto o canción que tiene que interpretar, llevándoselo a su propio estudio donde se prepara y realiza los ensayos que precise, para su posterior grabación en los locales de la empresa, bajo la supervisión del director de doblaje. Los actores no vienen sujetos a horarios de trabajo, sino que la prestación de servicios se realiza en función de la disponibilidad de su tiempo. Para el cobro de sus trabajos los actores emiten sus facturas, en las que reflejan los "takes" realizados, cobrando por "takes" independientemente del tiempo que se invierta en la realización del doblaje. Los argumentos manejados por la Sala de lo Social del Tribunal Supremo para sostener la relación laboral de los actores fueron, *grosso modo*, los siguientes:

a) Los actores de doblaje no aportan infraestructura alguna, siendo la empresa que les contrata la que suminista de todos los medios técnicos y humanos necesarios para el desarrollo de la prestación de servicios.

b) El sometimiento a un director de doblaje se encuentra dentro de la propia prestación de servicios del artista. Tienen, por tanto, limitadas ciertas cuestiones relativas a la hora de decidir.

c) También resulta propia de la esencia de la relación laboral especial la coincidencia del tiempo de prestación de servicios con la del desarrollo de la obra o trabajo artístico. De esta manera, si la prestación de servicios se perfila por cada obra, el contrato nacerá cada vez que exista acuerdo de voluntades entre las partes sobre el objeto y circunstancia de la prestación.

d) Los artistas percibían sus emolumentos en atención a los parámetros de medición de la prestación de servicios pautados del convenio colectivo de aplicación, donde puede apreciarse una regulación de la unidad de

---

[36]   STS de 19 de julio de 2010, rec. 2830/2009.

obra (el "take") y del canon de convocatoria general (cuantía fija en cada llamamiento).

e) Asimismo, y a los efectos de este estudio, no cabe negar la ajenidad por el hecho de que los actores de doblaje mantengan sus derechos de autor, sin cesión a la empresa. Los derechos de propiedad intelectual no se encuentran de modo necesario en el paquete de las obligaciones básicas del contrato de trabajo, pudiendo incluirse entre las respectivas contraprestaciones de las partes o bien quedar al margen de estas. En fin, interesa puntualizar, a propósito de la ajenidad en las relaciones de servicios de creación de obras de autor, que el derecho de autor es independiente, compatible y acumulable con el derecho de propiedad sobre la cosa material a la que está incorporada la creación intelectual (artículo 3 LPI).

Desde la doctrina judicial civil también se ha valorado la existencia o no de una relación laboral para aplicar el régimen jurídico del artículo 97.4 LPI, dado que si el autor no es trabajador por cuenta ajena la misma no asume la titularidad de los derechos de explotación. En concreto, podemos ver un ejemplo en el que se llegó a la conclusión de que la prestación de servicios era por cuenta propia en la SAP A Coruña de 17 de octubre de 2003[37], con base a los siguientes argumentos:

a) En primer término, que de la documental aportada en autos y de la testifical rendida en el acto del juicio consta cómo la sociedad Ergo Sunt, a través de la persona del demandante, desempeñaba servicios de asesoría de Alta Dirección en la entonces entidad Ideal Auto, SL desde junio de 1996.

b) En segundo término, que el demandante no estaba dado de alta en la Seguridad Social como trabajador de la entidad demandada, sino como autónomo.

c) Los pagos de dichos servicios se percibían mediante el abono de facturas mensuales que eran giradas por la empresa Ergo Sunt, SL a Ideal Auto, SA. Eran de dos clases, en unas se señalaba como partidas facturadas "servicios de asesoramiento y consultoría", de carácter fijo mensual. Las otras eran variables "por servicios prestados en la ejecución de tareas específicas", debidamente detalladas, facturadas por horas de trabajo, y referentes a empleados de la actora, que desempeñaban los mentados servicios para la demandada, lo que evidencia la existencia de dos personas jurídicas empleadoras diferentes.

---

[37]   SAP A Coruña de 17 de octubre de 2003, rec. 1397/2003.

d) En la declaración prestada en las diligencias previas penales, que bajo el número 755/99 se tramitaron por el Juzgado de Primera Instancia n° 2 de Ferrol, por presunto delito contra la propiedad intelectual, resulta que el demandante era asesor externo y que, Ergo Sunt tenía sus propios trabajadores, lo que difícilmente se concilia con la relación laboral que se alega. Por otra parte, se le atribuye la titularidad del programa y se habla de negociaciones para adquirir la licencia de explotación.

e) Además, resulta que obra en autos un fax dirigido por Lasa en el que se requiere al demandante para que conceda licencias a nombre de dicha entidad para la utilización en tiempo ilimitado de los programas, así como solicitando una serie de mejoras en los mismos, instándole para ello la remisión del presupuesto correspondiente, lo que supone un palpable reconocimiento de la titularidad del mismo, así como la ausencia de licencia de explotación por parte de Lasa, actualmente Arriva del Noroeste, SL.

f) Por otra parte, no consta sujeción a horario, ni exclusividad, ni que la actividad del demandante siempre se realizase en los locales de la demandada, pues Ergo Sunt tenía oficina propia, amén de que tal dato es congruente con la "asesoría externa" que desempeñaba aquel en varios sectores de la empresa.

En definitiva, el hecho de que la relación no fuera considerada dentro de los lindes del Derecho del Trabajo supone que la empresa no puede asumir los derechos de explotación del programa informático en virtud de los dispuesto por el artículo 97.4 LPI. Para ello, junto con los requisitos previstos en el propio precepto –y que he analizado anteriormente–, resulta necesario que la relación entre la empresa y el autor del programa sea de naturaleza laboral.

En resumidas cuentas, pese a que debamos de aceptar que estamos en una "zona gris" en lo que se refiere a la calificación del carácter laboral de la prestación de servicios del autor asalariado, el régimen de la cesión de derechos no significa, *per se*, ausencia de ajenidad en los frutos. Ciertamente, la ajenidad siempre aparece en la relación de trabajo, dado que el empleado participa de un proceso cuyo resultado económico le corresponde al empresario. Por regla general, esos frutos nacen "originariamente" del patrimonio del empleador, nunca del trabajador[38]. En la relación laboral común la ajenidad implica que los frutos del trabajo se transfieren *ab initio* al empresario, que a su vez asume la obligación de pagar el salario con independencia de

---

[38] VALDÉS ALONSO, A. "Reportero gráfico, contrato de trabajo y propiedad intelectual", Cit., p. 179.

la obtención de beneficios (STS de 12 de febrero de 2008[39]). No en vano, en el contexto del derecho de autor que deriva de la LPI el nacimiento "originario" de los frutos sale del patrimonio del trabajador, a la sazón el creador de una obra original, en este caso particular, de un programa de ordenador. Concretamente, dicha cesión no se produce *ab initio*, como así sucede en una relación laboral común, sino cuando el autor los cede en un momento posterior[40]. Por este motivo, el empleado puede disponer, si bien limitadamente, de los frutos de su creación, es decir, de su trabajo. Desde luego, siempre tendrá derecho al reconocimiento de sus derechos morales, apareciendo su nombre en el lugar que corresponda. Pero también pueden establecerse pactos expresos en los que los derechos patrimoniales se repartan de una forma determinada, de tal manera que el trabajador pueda ser partícipe de los mismos. Además, el trabajador tampoco es ajeno totalmente a la explotación que se realice de la obra, siendo por lo general el primer interesado de que salga adelante. Por lo tanto, el autor asalariado no ejerce su actividad bajo el condicionante de la ajenidad, típico de la relación laboral común[41]. En definitiva, el empresario no es dueño absoluto de la utilidad patrimonial de la obra, es decir, no es dueño del producto del trabajo. En cualquier caso, pese a que el trabajador no es del todo ajeno a los frutos o, si se prefiere, a la explotación del producto, la relación laboral no queda en entredicho únicamente por este motivo. En este sentido, se ha admitido (entre ellas la citada STS del año 1997) la posibilidad de que exista dentro de esta relación una "ajenidad atenuada". Además, en estos supuestos también cabe analizar las notas de dependencia, siendo en muchos casos el factor detonante de que la consideración de la relación sea o no laboral. Esto es así porque en la mayoría de supuestos las directrices y organización del tiempo de trabajo son ejercidas por el empresario.

5. LA SANCIÓN EMPRESARIAL POR CONDUCTAS DEL TRABAJADOR TENDENTES A NEGARSE A CEDER EL USO DEL PROGRAMA CREADO POR ESTE

En la práctica forense la mayoría de supuestos no tienen que ver con demandas realizadas por parte del trabajador en aras de buscar que una

---

[39]   STS de 12 de febrero de 2008, rec. 5018/2005.
[40]   YAGÜE BLANCO, S. "Derechos de propiedad intelectual de los trabajadores asalariados", Cit. p. 40.
[41]   VALDÉS ALONSO, A. "Reportero gráfico, contrato de trabajo y propiedad intelectual", Cit., p.189.

creación le pertenece. Más bien, antes, al contrario, la identificación de la persona a la que le corresponde la explotación económica de la invención del trabajador se suscita al albur de una sanción laboral. Dicho con otras palabras, a la hora de calificar la decisión empresarial de sancionar al trabajador resulta necesario despejar el problema que deriva de la legislación de propiedad intelectual. Dependiendo de a quién le corresponda la explotación del programa de ordenador la sanción estará o no justificada.

Podemos ver un claro ejemplo de este aserto en la sentencia del Tribunal Superior de Justicia de Aragón, de 20 de noviembre de 2000[42]. Los hechos en cuestión consistieron en un trabajador que en el curso de su actividad laboral desarrolló una hoja de cálculo que constituye una aplicación original actuale en los programas informáticos de la empresa, incorporando una clave de acceso. El trabajador fue despedido debido a su negativa reiterada a la hora de facilitar la citada clave de acceso. En el acto del juicio quedó suficientemente acreditado que el *software* fue creado en el curso de la actividad laboral y en el ejercicio de sus funciones habituales, sin existir ningún acuerdo expreso sobre la titularidad del programa. Por este motivo, de acuerdo con lo dispuesto por el artículo 97.4 LPI, los derechos de explotación le corresponden al empresario. Siendo esto así, la negativa del trabajador supone una desobediencia grave calificable con la procedencia del despido. No le resta efectividad a esta solución el hecho de que el trabajador haya sido contratado como "peón", ya que las funciones efectivamente desarrolladas no fueron las inherentes a dicha categoría.

También resolvió de una forma muy similar la sentencia del Tribunal Superior de Justicia de Castilla-La Mancha, de 17 de febrero de 2005[43]. Este caso versó en un ingeniero técnico que elaboró dos aplicaciones informáticas y que en un momento dado decidió bloquearlas. Consta suficientemente probado que el trabajador recibió formación informática con cargo a la empresa y que, además, los programas fueron utilizados pacíficamente por la entidad. Por este motivo, la Sala manchega llegó a la conclusión de que las aplicaciones no eran de titularidad exclusiva del trabajador, por lo que la acción consistente en bloquear su acceso era perfectamente sancionable por parte de la empresa. En definitiva, se confirmó la sanción de supresión de empleo y sueldo por tiempo de un mes como consecuencia de haber incurrido en faltas de desobediencia grave y dañosa y de abuso de confianza.

---

[42]   STSJ de Aragón de 20 de noviembre de 2000, rec. 920/1999.
[43]   STSJ de Castilla-La Mancha de 17 de febrero de 20005, rec. 1460/2003.

BIBLIOGRAFÍA

ALTÉS TÁRREGA, J.A. "El contrato de trabajo del autor asalariado: supuestos de aplicación del art. 51 de la Ley de Propiedad Intelectual", *Relaciones Laborales*, núm. 1, 2011.

ARAGÓN GÓMEZ, C. "El Derecho del Trabajo y el Derecho de Propiedad Intelectual. Los problemas derivados de la colisión de ambas disciplinas", *Pe. i. Revista de Propiedad Intelectual*, núm. 26, 2007.

DELGADO PORRAS, A. "Derechos de autor: programas de ordenador", *Tratado de Derecho Industrial*, Ed. Cívitas, 2009.

DE MIGUEL ASENSIO, P. A. "Propiedad intelectual: protección de los programas de ordenador", *Derecho Privado de Internet*, Aranzadi, 2015.

FERNÁNDEZ MASIÁ, E. "Artículo 96. Objeto de la Protección", *Comentarios a la Ley de Propiedad Intelectual* (Palau Ramírez, F: y Palao Moreno, G. Dirs.), Ed. Tirant lo Blanch, 2017.

GARCÍA TESTAL, E. "Relación laboral y propiedad intelectual: la especial configuración de la prestación de servicios de los autores asalariados, *Revista de Justicia Laboral*, núm. 52, 2012.

PÉREZ DE LOS COBOS ORIHUEL, F. "Algunas reflexiones metodológicas sobre la investigación del iuslaboralista", *Revista Española de Derecho del Trabajo*, núm. 68, 1994.

RODRÍGUEZ TAPIA, J.M "Artículo 51", *Comentarios a la Ley de Propiedad Intelectual* (Bercovitz, R. Coord.), 3era edición, Ed. Tecnos, 2007.

SILBERLEIB, L. "El derecho, la propiedad intelectual y el entorno digital", *Información, Cultura y Sociedad*, núm. 5, 2001.

TODOLÍ SIGNES, A. "Los derechos de autor de los programas de ordenador creados por asalariados", *Revista de Información Laboral*, núm. 8, 2014.

YAGÜE BLANCO, S. "Derechos de propiedad intelectual de los trabajadores asalariados", *Quaderns de Ciències Socials*, núm. 29, 2014.

— *Cláusulas de cesión de derechos de propiedad intelectual en los convenios colectivos laborales. Estudio de negociación colectiva*, Ed. Tirant lo Blanch, 2017.

VALDÉS ALONSO, A. "Reportero gráfico, contrato de trabajo y propiedad intelectual", *Documentación Laboral*, núm. 78, 2006.

XXII. EL DEBER DE SECRETO PROFESIONAL DEL TRABAJADOR EN EL CONTEXTO DE LAS NUEVAS TECNOLOGÍAS

Juan Carlos García Quiñones
Profesor Titular de Derecho del Trabajo
y de la Seguridad Social. UCM)

SUMARIO: 1. INTRODUCCIÓN. 2. NUEVAS TECNOLOGÍAS Y RELACIONES LABO-RALES. 2.1. Tecnología y Derecho del Trabajo: un binomio en permanente fase de adaptación. 2.2. La regulación de los derechos digitales laborales en la Ley Orgánica 3/2018, de 5 de diciembre, de Protección de Datos Personales y garantía de los derechos digitales. 3. LA REFERENCIA NOVEDOSA DE LA LEY 1/2019, DE 20 DE FEBRERO, DE SECRETOS EMPRESARIALES. 3.1. Significación de las motivaciones expuestas en el Preámbulo de la Ley 1/2019 desde la perspectiva del deber de secreto profesional del trabajador. 3.2. Cuestiones de interés en la Ley 1/2019 desde su vinculación con el deber de secreto profesional y las escasas alusiones a la figura del trabajador. 3.2.1. En relación con el objeto declarado de la Ley 1/2019. 3.2.2. En relación con la obtención, utilización y revelación lícitas de secretos empresariales. 4. EL DEBER DE SECRETO PROFESIONAL DEL TRABAJADOR. 4.1. El referente del derecho fundamental de libertad de expresión. 4.2. La configuración del deber de secreto profesional del trabajador como límite al derecho fundamental de libertad de expresión. 4.3. El contraste con la regulación del sigilo profesional de los representantes de los trabajadores en el ET. 4.4. Algunas claves para la adecuada configuración del deber de secreto profesional del trabajador con ocasión de su hipotética regulación legal futura. 5. VALORACIÓN CONCLUSIVA. BIBLIOGRAFÍA.

1. INTRODUCCIÓN

El estudio que nos proponemos desarrollar en los epígrafes siguientes tiene por objeto examinar las distintas cuestiones que plantea el deber de secreto profesional del trabajador, considerando la influencia decisiva que puede tener a este respecto la intervención omnipresente de las nuevas tecnologías en el ámbito de las relaciones laborales. Advertencia hecha de que semejante apelación al deber de secreto profesional del trabajador se entiende efectuada únicamente respecto del trabajador común por cuenta ajena en el marco del contrato de trabajo. Perspectiva de análisis que justifica así la inclusión en el título de esa referencia expresa al trabajador como destinatario del deber de secreto profesional.

Conscientes de que semejante materia, en ocasiones, ha sido abordada por la doctrina laboralista bajo la expresión de "obligación de secreto", para diferenciarla de la obligación de secreto profesional, reservando para esta última ese concepto que llama a la protección de la intimidad personal del cliente en el contexto del funcionamiento de determinadas profesiones, por alusión a su condición de depositarios cualificados de la confianza del cliente por razón del ejercicio de la profesión, singularmente la abogacía[1]. Aspecto éste que ha generado en tiempo relativamente reciente un debate bastante intenso, acerca de si el secreto profesional debe amparar asimismo a los abogados de empresa. Controversia con derivaciones penales y civiles, que traspasan por tanto el orden estrictamente laboral[2].

Efectuada esa aclaración inicial, nos ha parecido oportuno estructurar nuestro trabajo, en primer lugar, dedicando un apartado genérico para significar el impacto y la influencia exorbitante que han adquirido las nuevas tecnologías en el ámbito restringido de las relaciones laborales. Un binomio en continua fase de adaptación recíproca. Fenómeno que explica también las recientes modificaciones legales habidas, mediante ese reconocimiento de los denominados "derechos laborales digitales" que lleva a cabo, bien que sin una ordenación sistemática del factor laboral común a todos ellos, la Ley Orgánica 3/2018, de 5 de diciembre, *de Protección de Datos Personales y garantía de los derechos digitales*. Consideración de la vertiente tecnológica que, por probadas y poderosas razones, está llevando a la doctrina laboralista a replantearse, con todo sentido, la significación y configuración actualizada de numerosas instituciones –tradicionales o menos– que conforman el Derecho del Trabajo.

---

[1]　　A este respecto, véase ROJAS RIVERO, G. P., *La libertad de expresión del trabajador*, Editorial Trotta, Madrid, 1991, págs. 70-71.

[2]　　En este sentido, véase VÉRGEZ, C., "El alcance del secreto profesional entre el abogado de empresa y su empleador", *Actualidad Jurídica Aranzadi*, núm. 949, 2019, pág. 8; VELASCO PERDIGONES, J. C., "Nociones sobre cuestiones civiles y penales controvertidas en la responsabilidad penal de las personas jurídicas: el Compliance Officer, transparencia y prevención de la corrupción en las empresas y secreto profesional del abogado y blanqueo de capitales", *Revista Aranzadi Doctrinal*, núm. 3, 2018, págs. 187 y ss.; FERNÁNDEZ BERMEJO, D., "El abogado ante el blanqueo de capitales y el secreto profesional", *Revista Aranzadi Doctrinal*, núm. 8, 2017, págs. 199 y ss.; PÉREZ RON, J. L., "El secreto profesional de los abogados (después de la Ley 10/2010, de 28 de abril)", *Revista Quincena Fiscal*, núm. 7, 2013, págs. 81 y ss.; AZAUSTRE RUIZ, P., "Marco procesal del secreto profesional en la entrada y registro de despachos de abogados", *Revista Aranzadi de Derecho y Proceso Penal*, núm. 27, 2012, págs. 15 y ss.; SIGNES DE MESA, J. I., "La independencia de los abogados de empresa y la protección del secreto profesional en la Unión Europea", *Revista de Derecho Mercantil*, núm. 279, 2011, págs. 177 y ss.

En efecto, el amplio desarrollo adquirido por las nuevas tecnologías en todas las parcelas, con un campo específico de aplicación dentro del Derecho Laboral, ha propiciado que el fenómeno tecnológico, asociado a cualesquiera instituciones laborales, haya dejado de ser una alternativa de análisis de carácter más o menos voluntarista u optativo, para convertirse en una referencia de atención inexcusable, cuando lo que se pretenda sea, justamente, ofrecer una lectura realista del estado actual de situación de una determinada institución dentro de esa órbita de las relaciones laborales. En lo que nos concierne, el deber de secreto profesional del trabajador no constituye desde luego ninguna excepción al planteamiento expuesto. Bien al contrario, lo confirma plenamente. De manera que, por contraposición con lo acaecido en tiempos pretéritos, resulta difícil en la actualidad vincular el deber de secreto profesional con una categoría específica de trabajadores, cualificados de forma expresa por su manejo o posesión de medios informáticos, circunstancia ésta convertida ahora en una variable de presencia más o menos recurrente y aplicable de un modo u otro al común de los trabajadores de la empresa[3].

Desde esta premisa, nos ha parecido importante dedicar después los siguientes apartados al análisis de la Ley 1/2019, de 20 de febrero, *de Secretos Empresariales,* por su condición de referencia novedosa directa o tangencialmente vinculada con nuestro tema de estudio, dispensando una atención particular a las motivaciones que refieren los primeros apartados (I y II) del Preámbulo, complementado asimismo con una mención a las escasas alusiones que incluye el Texto legal citado hacia la figura del trabajador. Referencias vinculadas, como se verá, con el propio objeto de la Ley 1/2019 en relación con la protección de los secretos empresariales (artículo 1), así como respecto de la obtención, utilización y revelación lícitas de secretos empresariales (artículo 2). Por más que, según se comprobará más adelante, bastantes de las motivaciones expuestas por el legislador como trasfondo y justificación de la Ley 1/2019, citada, resultan comunes –o en cualquier caso serían plenamente asumibles– para la configuración del deber de secreto profesional del trabajador.

A continuación, examinamos el deber de secreto profesional del trabajador propiamente dicho, sustentando nuestro análisis sobre una sistemática que atiende, en primer lugar, al referente del derecho fundamental a la

---

[3] En este sentido, con la perspectiva que ofrece el tiempo transcurrido, véase HIDALGO RÚA, G. Mª y DEL VAL ARNAL, J., "El deber de guardar secreto en la relación laboral del personal con medios informáticos", *Documentación Laboral,* núm. 35, 1991, págs. 203 y ss.

libertad de expresión, para desarrollar después la configuración del deber de secreto profesional del trabajador como límite al derecho fundamental de libertad de expresión, considerando su regulación –o por mejor decir, su ausencia de regulación– en el Estatuto de los Trabajadores (ET), junto con el tratamiento en su caso a nivel de la doctrina judicial y la jurisprudencia. Silencio que contrasta con el interés manifestado por el legislador para regular el sigilo profesional de los representantes de los trabajadores, al modo y con el desarrollo que se verá, en el artículo 65 del ET, desde el referente de los comités de empresa; con ampliación igualmente y bajo los mismos términos respecto de los delegados de personal, conforme refiere el párrafo segundo del artículo 62.2 del ET. Mención al sigilo profesional que reproduce, también, el artículo 10.3.1 de la LOLS. Y finalizar luego con la enumeración de algunas claves que pueden contribuir a configurar de manera adecuada el deber de secreto profesional del trabajador, para el supuesto de su hipotética regulación legal futura.

Como epílogo, incluimos una reflexión de cierre donde confluyen las principales cuestiones analizadas en los epígrafes precedentes, bajo esa sistemática anunciada, junto con el planteamiento de algunos interrogantes que sugieren, todavía huérfanos de solución. Conscientes que el grado de penetración de las nuevas tecnologías sobre las relaciones laborales, en continua progresión ascendente, condiciona la existencia de un componente de provisionalidad inevitable respecto de cualquier regulación que pueda implementarse, a la espera de las implicaciones novedosas a futuro que puedan surgir en un devenir próximo o remoto como resultado de esa interacción mutua entre las nuevas tecnologías y el deber de secreto profesional del trabajador.

2. NUEVAS TECNOLOGÍAS Y RELACIONES LABORALES

Antes de entrar en la especificidad de las cuestiones que plantea el deber de secreto profesional del trabajador, bajo esa influencia de las nuevas tecnologías, como se avanzaba en el apartado introductorio nos ha parecido oportuno dedicar algún epígrafe a constatar, desde una perspectiva más general, la interacción recíproca existente entre las nuevas tecnologías y las instituciones que componen el Derecho del Trabajo. A estos efectos, desarrollamos algunas reflexiones, en primer lugar, sobre el significado y las consecuencias que derivan de esa necesidad permanente de adaptación entre tecnología y Derecho Laboral. Para continuar, acto seguido, con algún apunte breve sobre la Ley Orgánica 3/2018, de 5 de diciembre, *de Protección de Datos Personales y garantía de los derechos digitales*, destacando su virtualidad por el reconocimiento legal que concede a determinados "derechos digitales laborales", en alusión a materias como los dispositivos digitales en el trabajo, con especial mención a los correos electrónicos corporativos y uso de internet (artículo 87); el reconocimiento del derecho de desconexión digital (artículo 88); la videovigilancia laboral (artículo 89); la geolocalización del trabajador (artículo 90); junto con la invocación para la regulación de los derechos digitales en la negociación colectiva (artículo 91). Según qué hipótesis, unas veces dando forma legal al bagaje ofrecido por los distintos órganos jurisdiccionales (Tribunal Supremo, Tribunal Constitucional y Tribunal Europeo de Derechos Humanos); otras veces, aprovechando determinadas experiencias positivas acaecidas en el ámbito de la negociación colectiva; y, en ocasiones, imitando algunas construcciones con un recorrido ya relativamente sedimentado y exitoso en otros sistemas de Derecho Comparado, con una particular referencia a los modelos francés e italiano.

Sea como fuere, sí podemos avanzar una primera conclusión, con una vinculación directa con nuestro tema de estudio sobre el deber de secreto profesional del trabajador, cual es que, con carácter general, en el trasfondo de esa simbiosis que conforman las nuevas tecnologías y las relaciones laborales, la doctrina laboralista, seguramente con acertado criterio, ha dedicado su atención principal a examinar el nuevo juego de equilibrios que resulta ante el aumento exponencial del poder del empresario y la necesaria preservación de los derechos del trabajador. Significativamente, desde la perspectiva de sus derechos fundamentales[4]. En contraste abierto con el menor interés mostrado para verificar la nueva conformación de los deberes del trabajador, a partir de ese escenario que plantea la presencia –y la influencia– tan destacada de las nuevas tecnologías en el contexto de las relaciones laborales. Afirmación válida también, por tanto, en relación con el deber de secreto profesional del trabajador, cuya presencia ni siquiera tiene un reconocimiento directo por parte del legislador en el artículo 5 del ET, dedicado como se sabe a enumerar los deberes básicos del trabajador.

---

[4]   En este sentido, por todos, véase VALDÉS DAL-RÉ, F., "Nuevas tecnologías y derechos fundamentales de los trabajadores", *Derecho de las Relaciones Laborales*, núm. 2, 2019, págs. 129 y ss. También, con la referencia específica de los derechos fundamentales y el deber de secreto profesional del trabajador, véase CUEVA PUENTE, C., "Derechos fundamentales y obligación de secreto en las relaciones de trabajo", AA. VV.: *Trabajo y libertades públicas*, Ley-Actualidad, Las Rozas de Madrid, 1999, págs. 355 y ss.

2.1. *Tecnología y Derecho del Trabajo: un binomio en permanente fase de adaptación*

Tecnología y Derecho del Trabajo conforman un binomio en permanente fase de adaptación, cuya interrelación mutua constituye una fórmula recurrente y asentada dentro del ámbito de las relaciones laborales. Sin embargo, habitualmente, el reparto de equilibrios entre dichas variables se ha movido dentro de un concepto de empresa de configuración bastante previsible, determinada o cuando menos determinable que, desde nuestra perspectiva actual, casi podríamos denominar como "tradicional". No en vano, se corrobora cómo la doctrina surgida en tiempos pretéritos se ha construido sobre las referencias básicas del trabajo manual en la gran empresa industrial y un sistema de organización del trabajo –como es el fordismo– cuya presencia en la actualidad resulta prácticamente residual[5].

A partir de ese presupuesto, las inquietudes principales de la doctrina laboralista se han dirigido hacia cuestiones heterogéneas tales como la propuesta de un tratamiento integrado de la comunicación electrónica no profesional[6]; la importancia creciente que, previsiblemente, asumirá a futuro el teletrabajo en la empresa[7]; la nueva dimensión inherente a la propia definición tradicional de "trabajador" contextualizada en el marco de las nuevas tecnologías, por ejemplo, desde el referente particular que incorpora el derecho de propiedad industrial y de propiedad intelectual[8]; la especialidad inherente a las nuevas tecnologías vinculada con el ejercicio de la libertad de expresión de los tra-

---

[5]   En este sentido, véase FALGUERA BARÒ, M. A., "Nuevas tecnologías y trabajo (I): perspectiva contractual", *Trabajo y Derecho*, núm. 19-20, 2016, pág. 31.

[6]   En este sentido, véase RODRÍGUEZ-PIÑERO ROYO M. y LÁZARO SÁNCHEZ, J. L., "Hacia un tratamiento integrado de la comunicación electrónica no profesional", AA. VV.: *Relaciones Laborales y Nuevas Tecnologías*, Dir. Del Rey Guanter, S., Coord. Luque Parra, M., La Ley, Madrid, 2005, págs. 9 y ss.

[7]   A este respecto, véase SOLÀ I MONELLS, X., "La introducción del teletrabajo en la empresa: régimen jurídico", AA. VV.: *Relaciones Laborales y Nuevas Tecnologías*, Dir. Del Rey Guanter, S., Coord. Luque Parra, M., La Ley, Madrid, 2005, págs. 49 y ss.; GARCÍA QUIÑONES, J. C., "La organización del tiempo de trabajo y descanso y la conciliación en el teletrabajo", AA. VV.: *Trabajo a distancia y teletrabajo: estudios sobre su régimen jurídico en el derecho español y comparado*, Coord. Villalba Sánchez, A., Dir. Mella Méndez, L., Thomson Reuters-Aranzadi, Cizur Menor, 2015, págs. 129 y ss.

[8]   Para el desarrollo de este argumento, véase LUQUE PARRA, M., "La (re) definición del concepto de "trabajador" en el ámbito de las nuevas tecnologías a la luz del derecho de propiedad industrial y de propiedad intelectual", AA. VV.: *Relaciones Laborales y Nuevas Tecnologías*, Dir. Del Rey Guanter, S., Coord. Luque Parra, M., La Ley, Madrid, 2005, págs. 77 y ss.

bajadores[9]; los pactos típicos, desde su conexión con las nuevas tecnologías, siempre dentro del contexto de la relación laboral[10]; el nuevo juego de equilibrios con la introducción de las nuevas tecnologías y la extinción del contrato de trabajo por causas objetivas[11]; las repercusiones que proyectan el uso de las nuevas tecnologías de la información y la comunicación en el ámbito de la negociación colectiva[12]; su incidencia de cara a un derecho sindical virtual[13]; el controvertido uso de los medios informáticos por parte del trabajador en la empresa y su control por el empresario[14]; la utilización del whatssap en las rela-

---

[9]   En este sentido, véase SÁNCHEZ TORRES, E., "El ejercicio de la libertad de expresión de los trabajadores a través de las nuevas tecnologías", AA. VV.: *Relaciones Laborales y Nuevas Tecnologías*, Dir. Del Rey Guanter, S., Coord. Luque Parra, M., La Ley, Madrid, 2005, págs. 105 y ss.

[10]   Alrededor de este argumento, véase LUQUE PARRA, M., "Pactos típicos, nuevas tecnologías y relación laboral", AA. VV.: *Relaciones Laborales y Nuevas Tecnologías*, Dir. Del Rey Guanter, S., Coord. Luque Parra, M., La Ley, Madrid, 2005, págs. 153 y ss.

[11]   Con la referencia puesta en esta clave de estudio, véase LUQUE PARRA, M., "La introducción de las nuevas tecnologías y la extinción del contrato de trabajo por causas objetivas", AA. VV.: *Relaciones Laborales y Nuevas Tecnologías*, Dir. Del Rey Guanter, S., Coord. Luque Parra, M., La Ley, Madrid, 2005, págs. 239 y ss.

[12]   En este sentido, véase GALA DURÁN, C. y PASTOR MARTÍNEZ, A., "La incidencia de las nuevas tecnologías de la información y comunicación en la negociación colectiva", AA. VV.: *Relaciones Laborales y Nuevas Tecnologías*, Dir. Del Rey Guanter, S., Coord. Luque Parra, M., La Ley, Madrid, 2005, págs. 253 y ss.

[13]   A este respecto, véase MERCADER UGUINA, J. R., "Derechos fundamentales de los trabajadores y nuevas tecnologías: ¿hacia una empresa panóptica?", *Relaciones Laborales*, Tomo I, 2001, págs. 683 y ss.

[14]   En este sentido, véase GARCÍA NINET, I., "Sobre el uso y abuso del teléfono, del fax, del ordenador y del correo electrónico de la empresa para fines particulares en lugar y tiempo de trabajo. Datos para una reflexión en torno a las nuevas tecnologías", *Tribuna Social*, núm. 127, 2001, págs. 5 y ss.; LANZADERA ARENCIBIA, E., "El uso de los medios informáticos de la empresa por los trabajadores y su control por el empresario", *CEF Gestión*, núm. 45, 2002, págs. 61 y ss.; DESDENTADO BONETE, A., "Contrato de trabajo y nuevas tecnologías. Una nota sobre algunas cuestiones de actualidad: prueba electrónica, garantías de la intimidad y uso sindical del correo electrónico", *Revista Poder Judicial*, núm. 88, 2009, págs. 250 y ss.; BONILLA BLASCO, J. "Los efectos jurídicos del correo electrónico en el ámbito laboral: comentario a la STSJ Madrid de 13 de marzo de 2001", *Relaciones Laborales*, Vol. II, 2001, págs. 1177 y ss.; CAMAS RODA, F., "La influencia del correo electrónico y de internet en el ámbito de las relaciones laborales", *Revista de Derecho del Trabajo y Seguridad Social del Centro de Estudios Financieros*, núm.224, 2001, págs. 139 y ss.; GONZÁLEZ ORTEGA, S., "La informática en el seno de la empresa: poderes del empresario y condiciones de trabajo", AA. VV.: *Nuevas tecnologías de la información y comunicación y Derecho del Trabajo*, Bomarzo, Albacete, 2004, págs. 19 y ss.; DESDENTADO BONETE, A. y MUÑOZ RUIZ, A. B., *Control informático, videovigilancia y protección de datos en el trabajo*, Lex Nova, Valladolid, 2012, págs. 137 y ss.; CARDONA RUBERT, Mª B., "Reinterpretación de los derechos de intimidad y secreto de las comunicaciones en el modelo constitucional de relaciones laborales: un paso atrás

ciones laborales[15]; la interacción entre las nuevas tecnologías y el trabajo a partir de una triple perspectiva contractual, constitucional o procesal[16]; los efectos del cambio tecnológico sobre el derecho de huelga[17], por ejemplo, a través de las posibilidades que abre el denominado "esquirolaje tecnológico"[18]; la apertura hacia el estudio de problemáticas nuevas, listado que seguro adquirirá una dimensión creciente, como aquella que apunta a la determinación de la ley aplicable al ciberempleo transnacional[19]; el aumento exponencial del control empresarial, a partir de las posibilidades *quasi* ilimitadas que ofrece el uso de las nuevas tecnologías en la empresa[20]; la dimensión ampliada que deriva

---

(Comentario a la STC 241/2012, de 17 de septiembre de 2012)", *Revista de Derecho Social*, núm. 60, 2012, págs. 169 y ss.; LUJÁN ALCARAZ, J., "La vigilancia empresarial sobre el uso de los medios informáticos puestos a disposición de los trabajadores", AA. VV.: *Libertad de empresa y poder de dirección del empresario en las relaciones laborales (Estudios ofrecidos al profesor Alfredo Montoya Melgar)*, Aranzadi Thomson Reuters, Dirs. Sánchez Trigueros, C. y González Díaz, F. A., Cizur Menor, 2011, págs. 125 y ss.; LLAMOSAS TRAPAGA, A., *Relaciones laborales y nuevas tecnologías de la información y de la comunicación (Una relación fructífera no exenta de dificultades)*, Dykinson, Madrid, 2015, págs. 83 y ss.; SAN MARTÍN MAZZUCCONI, C. y SEMPERE NAVARRO, A. V., *Las TICs en el ámbito laboral*, Francis Lefebvre, Madrid, 2015, págs. 17 y ss.; TRUJILLO PONS, F. "Revelación de secretos empresariales a terceros por medio del correo electrónico: posición del Tribunal Constitucional ante una supuesta vulneración a los derechos a la intimidad y al secreto de las comunicaciones (Sentencia del Tribunal Constitucional 170/2013, de 7 de octubre de 2013)", *Revista general de Derecho del Trabajo y de la Seguridad Social*, núm. 36, 2014, págs. 240 y ss.

[15] CUADROS GARRIDO, Mª E., "El uso del whatsapp en las relaciones laborales", *Nueva Revista Española de Derecho del Trabajo*, núm. 171, 2014, págs. 91 y ss.

[16] A este respecto, véase FALGUERA BARÒ, M. A., "Nuevas tecnologías y trabajo (I): perspectiva contractual", cit., págs. 31 y ss.; "Nuevas tecnologías y trabajo (y II): perspectiva constitucional", *Trabajo y Derecho*, núm. 21, 2016, págs. 35 y ss.; "Nuevas tecnologías y trabajo (y III): perspectiva procesal", *Trabajo y Derecho*, núm. 22, 2016, págs. 31 y ss.

[17] En este sentido, véase SANGUINETI RAYMOND, W., "El derecho de huelga en la encrucijada del cambio tecnológico y productivo", *Trabajo y Derecho*, núm. 14, 2016, págs. 10 y ss.

[18] A este respecto, véase TODOLÍ SIGNES, A., "El esquirolaje tecnológico como método de defensa ante una huelga", *Actualidad Laboral*, núms. 7-8, 2014, págs. 830 y ss.

[19] En relación con esta problemática concreta, véase SERRANO OLIVARES, R., "Reflexiones en torno a la ley aplicable al ciberempleo transnacional", AA. VV.: *Relaciones Laborales y Nuevas Tecnologías*, Dir. Del Rey Guanter, S., Coord. Luque Parra, M., La Ley, Madrid, 2005, págs. 411 y ss.

[20] A este respecto, véase MARTÍNEZ FONS, D., "El control empresarial del uso de las nuevas tecnologías en la empresa", AA. VV.: *Relaciones Laborales y Nuevas Tecnologías*, Dir. Del Rey Guanter, S., Coord. Luque Parra, M., La Ley, Madrid, 2005, págs. 185 y ss.; "Uso y control de las tecnologías de la información y comunicación en la empresa", *Relaciones Laborales*, Tomo II, 2002, págs. 1311 y ss.

de la utilización de Facebook y las redes sociales[21]; o la dimensión reforzada que obligatoriamente debe asumir el derecho a la protección de datos en el seno de la relación laboral[22].

Precisamente, con la referencia de las nuevas tecnologías y el control empresarial, el nuevo juego de equilibrios entre ambas variables ha planteado tradicionalmente la necesidad de compatibilizar esa inercia en progresión expansiva de las nuevas tecnologías con la necesidad perenne de redimensionar el control empresarial bajo parámetros razonables, dentro de los márgenes que permiten el respeto a los derechos fundamentales del trabajador. Derechos fundamentales cuya caracterización, en el espacio acotado de la relación laboral, se enfrenta al reto de asumir una configuración propia[23], bajo esa tensión evidente entre la resistencia a su reconocimiento desde la parte empresarial y la reivindicación de su ejercicio por el trabajador[24], de forma que el anhelo de integrar dichas variables no hace sino corroborar esa coexistencia difícil[25].

En efecto, el binomio entre las nuevas tecnologías y el control empresarial de la actividad laboral del trabajador constituye una asociación repetida y consolidada, con una amplia raigambre en el ámbito de las relaciones laborales. No extraña, por tanto, que dicha temática haya sido objeto de una notable atención por la doctrina laboralista, en busca de elementos de equilibrio para asegurar una convivencia razonable entre las distintas variables citadas. Sin ir más lejos, reconociendo abiertamente la existencia de una reno-

---

[21]   En este sentido, véase CALVO GALLEGO, F. J., "TIC y poder de control empresarial: reglas internas de utilización y otras cuestiones relativas al uso de Facebook y redes sociales", *Revista Aranzadi Social Doctrinal*, núm. 9, 2012, págs. 125 y ss.

[22]   A este respecto, véase VALVERDE ASENCIO, A. J., "El derecho a la protección de datos en la relación laboral", AA. VV.: *Relaciones Laborales y Nuevas Tecnologías*, Dir. Del Rey Guanter, S., Coord. Luque Parra, M., La Ley, Madrid, 2005, págs. 345 y ss.; DESDENTADO BONETE, A. y MUÑOZ RUIZ, A. B., *Control informático, videovigilancia y protección de datos en el trabajo*, cit., págs. 79 y ss.; RODRÍGUEZ ESCANCIANO, S., *Poder de control empresarial, sistemas tecnológicos y derechos fundamentales de los trabajadores*, Tirant lo Blanch, Valencia, 2015, págs. 143 y ss.

[23]   Para el desarrollo de este argumento, véase VALDÉS DAL-RÉ, F., "Los derechos fundamentales de la persona del trabajador: un ensayo de noción lógico-formal", *Relaciones Laborales*, Vol. II, 2003, págs. 47 y ss.

[24]   En este sentido, véase VALDÉS DAL-RÉ, F., "Los derechos fundamentales de la persona del trabajador entre la resistencia a su reconocimiento y la reivindicación de su ejercicio", *Relaciones Laborales*, Vol. II, 2003, págs. 69 y ss.

[25]   A este respecto, ampliamente, véase VALDÉS DAL-RÉ, F., "Contrato de trabajo, derechos fundamentales de la persona del trabajador y poderes empresariales, una difícil convivencia", *Relaciones Laborales*, Vol. II, 2003, págs. 89 y ss.; "Poderes del empresario y derechos de la persona del trabajador", *Relaciones Laborales*, Vol. I, 1990, págs. 277 y ss.

vada dimensión del poder de supervisión empresarial, a partir de elementos claves como pueden ser el control informatizado y la cibervigilancia[26].

Reiteración en la atención doctrinal que, en cualquier caso, no desmiente el interés por revisitar de manera periódica el estado de la cuestión. Bien al contrario, el avance imparable de las nuevas tecnologías ha contribuido a potenciar muy significativamente las posibilidades reales de control por parte del empresario sobre la actividad laboral, con la consiguiente necesidad de garantizar en paralelo, de manera más intensa –al menos esa debería ser la lógica– el espacio irreductible asociado a los derechos fundamentales del trabajador. No en vano, como ha subrayado con acierto la doctrina, las nuevas tecnologías han trastocado sensiblemente el *quid pro quo* del contenido sustancial de la prestación laboral, de igual forma que el modelo de poder organizativo empresarial según su configuración tradicional encuentra dificultades para adecuarse a la nueva realidad productiva y de organización del trabajo[27]. O cuando se admite abiertamente que la tecnificación e informatización, desde su configuración como instrumentos de vigilancia, conceden al empresario por vía directa o indirecta una "fuerza de choque" superior a la que se ha venido derivando tradicionalmente bajo esa versión "clásica" de su poder de dirección, introduciendo un elemento nuevo en el sinalagma contractual, hasta el punto de provocar potencialmente la ruptura en el equilibrio de intereses a preservar en el contexto de la relación laboral entre trabajador y empresario, con el consiguiente riesgo para la vulneración de determinados derechos fundamentales del trabajador como la libertad, la dignidad, la propia imagen, el secreto de las comunicaciones y la intimidad[28].

Una tendencia reconocible asimismo en otros sistemas de Derecho Comparado, como el ordenamiento francés, que no se queda así en declaraciones más o menos retóricas, con una materialización por el contrario en ejemplos concretos con consecuencias tangibles, que han despertado el interés doctrinal, previo paso normalmente por las distintas sedes jurisdiccionales, como esa evolución que va desde la geolocalización hasta la telelocalización,

---

[26]   Para el desarrollo de esta idea desde el referente de los parámetros mencionados, ampliamente, véase RODRÍGUEZ ESCANCIANO, S., *Poder de control empresarial, sistemas tecnológicos y derechos fundamentales de los trabajadores*, cit., págs. 37 y ss.

[27]   En este sentido, véase FALGUERA BARÒ, M. A., "Nuevas tecnologías y trabajo (I): perspectiva contractual", cit., págs. 39 y ss.

[28]   En este sentido, véase RODRÍGUEZ ESCANCIANO, S., *Poder de control empresarial, sistemas tecnológicos y derechos fundamentales de los trabajadores*, cit., pág. 40. También, con la referencia de esas mismas variantes, con el juego combinado que ofrecen el poder de dirección y las nuevas tecnologías, véase SÁNCHEZ-RODAS NAVARRO, C., "Poderes directivos y nuevas tecnologías", *Temas Laborales*, núm. 138, 2017, págs. 164 y ss.

a partir de la respuesta dada en las sedes jurisdiccionales[29]; la comunicación sindical electrónica, la consideración de Facebook como espacio público o no, la cibervigilancia, o la utilización personal de útiles profesionales[30]; así como el derecho a la desconexión[31]. Por más que, paradójicamente, pueda concebirse a la persona –y por tanto al trabajador– ubicada en lo que se ha denominado gráficamente como "la era de la distracción perpetua"[32].

Lo mismo que sucede también en el ordenamiento italiano, con inquietudes y referencias precisas a problemáticas comunes como pueden ser el tratamiento de los datos personales o el impacto de la nueva regulación de los controles a distancia en el ámbito del contrato de trabajo, con la modificación correspondiente en época reciente del artículo 4 del Statuto dei Lavoratori, conscientes y sensibles en cualquier caso respecto a la exigencia de una regulación específica de la protección de los datos personales en el ámbito concreto del contrato de trabajo, de igual modo que se incide en la información transparente al trabajador como condición para la eventual utilización de los datos obtenidos por el empresario[33]. Por más que algún autor haya echado en falta una modificación asimismo del artículo 8 del propio Statuto dei Lavoratori en relación con el poder empresarial de control vinculado con la regulación de la *privacy*, precepto que sin embargo permanece formalmente inalterado[34]. Advertido que, en clave

---

[29]   A este respecto, véase RAY, J. E., "De la géo-localisation à la télé-localisation", *Droit Social*, núm. 1, 2012, págs. 61 y ss.

[30]   A este respecto, véase RAY, J. E., "Actualités des NTIC", *Droit Social*, núm. 12, 2013, págs. 978 y ss.

[31]   Para el desarrollo de este argumento, véase RAY, J. E., "Actualité des TIC. Tous connectés, partout, tout le temps?", *Droit Social*, núm. 6, 2015, págs. 516 y ss.

[32]   En este sentido, véase RAY, J. E., "Actualité des TIC", *Droit Social*, núm. 3, 2010, págs. 271-272.

[33]   A este respecto, véase PROIA, G., "Trattamento dei dati personali, rapporto di lavoro e l´impatto della nuova disciplina dei controlli a distanza", *Rivista Italiana di Diritto del Lavoro*, Vol. 35, núm. 4, 2016, págs. 547 y ss.; MARESCA, A., "Controlli tecnologici e tutele del lavoratore nel nuovo art. 4 dello Statuto dei Lavoratori", *Rivista Italiana di Diritto del Lavoro*, Vol. 35, núm. 4, 2016, págs. 513 y ss.; TEBANO, L., "La nuova disciplina dei controlli a distanza: quali ricadute sui controlli conoscitivi?", *Rivista Italiana di Diritto del Lavoro*, Vol. 35, núm. 3, 2016, págs. 345 y ss. En clave retrospectiva, con la referencia también de los controles sobre los trabajadores, a partir de lo dispuesto en los artículos 2 y 3 dello Statuto dei Lavoratori y la evolución jurisprudencial, véase CARNIELLI, C., "Statuto dei Lavoratori e controlli sui lavoratori: alcuni casi pratici e qualche riflessione", *Diritto delle Relazioni Industriali*, Vol. 12, núm. 1, 2002, págs. 27 y ss.; STENICO, E., "Diritto all´autodeterminazione informativa del prestatore: Italia e Spagna a confronto", *Lavoro e Diritto*, Vol. 16, núm. 1, 2002, págs. 67 y ss.

[34]   A este respecto, véase TEBANO, L., "La nuova disciplina dei controlli a distanza: quali ricadute sui controlli conoscitivi?", cit., págs. 367-368.

retrospectiva, la jurisprudencia italiana ha sido bastante permeable a la hora de efectuar el juicio de legitimidad, también respecto de los controles más invasivos, cuando sostiene que dicha valoración no se basa en efecto casi nunca sobre un análisis *ex ante*, si no que viene efectuado *a posteriori*, una vez los controles han demostrado ya su eficacia en la búsqueda del objetivo. Posición criticable, según alguna opinión doctrinal, sobre todo considerando aquellos controles de los cuales no emerge al final ninguna irregularidad efectuada por el trabajador[35].

De igual forma que común ha sido también en los distintos sistemas jurídicos de nuestro entorno, sin abandonar todavía esa perspectiva de Derecho Comparado, la sensibilidad evidenciada respecto a la eficacia general de los derechos fundamentales en el ámbito de las relaciones laborales, conscientes de la situación de poder que se genera a favor del empresario cuando esos derechos fundamentales del trabajador pretenden ejercerse en la empresa, admitido que la lógica empresarial actúa *per se* como freno a la expresión de semejantes derechos, con el consiguiente condicionamiento para su desarrollo efectivo[36]. Planteamiento del que participa plenamente la doctrina laboralista, hasta el punto de abogar por la implementación de una "teoría general" de los derechos sociales fundamentales a efectos de garantizar su plena efectividad[37].

2.2. *La regulación de los derechos digitales laborales en la Ley Orgánica 3/2018, de 5 de diciembre, de Protección de Datos Personales y garantía de los derechos digitales*

En este estado de cosas, merece una especial atención el nuevo régimen jurídico que incorpora la Ley 3/2018, de 5 de diciembre, *de Protección de Datos Personales y garantía de los derechos digitales,* dando lugar a la primera re-

---

[35]   En este sentido, véase CARNIELLI, C., "Statuto dei Lavoratori e controlli sui lavoratori: alcuni casi pratici e qualche riflessione", cit., págs. 33-34.

[36]   Para el desarrollo de toda esta argumentación, ampliamente, véase VALDÉS DAL-RÉ, F., "La eficacia general de los derechos fundamentales en las relaciones laborales: experiencias de derecho comparado", *Derecho de las Relaciones Laborales*, núm. 3, 2017, págs. 201 y ss.; "La vinculabilidad jurídica de los derechos fundamentales de la persona del trabajador: una aproximación de Derecho comparado", *Derecho Privado y Constitución*, núm. 17, 2003 (Ejemplar dedicado a: Número Monográfico sobre Fuentes del Derecho en Homenaje al profesor Javier Salas Hernández), págs. 499 y ss.

[37]   En este sentido, véase MONEREO PÉREZ, J. L., "Por una "teoría general" de los derechos sociales fundamentales que garantice su plena efectividad", *Derecho de las Relaciones Laborales*, núm. 8, 2017, págs. 698 y ss.

gulación legal de los derechos digitales desde el ámbito laboral en España. Un análisis dirigido, por tanto, hacia aquellos elementos con una vinculación directa con el Derecho del Trabajo, como los dispositivos digitales en el trabajo, en especial correos electrónicos corporativos y uso de internet (artículo 87); la desconexión digital (artículo 88); la videovigilancia laboral (artículo 89); la geolocalización del trabajador (artículo 90); y la invocación a los derechos digitales en la negociación colectiva (artículo 91).

Entre el conjunto de materias enumeradas, destaca por su novedad el reconocimiento legal expreso del derecho a la desconexión. Cuestión ésta inédita hasta el momento en nuestro ordenamiento jurídico dentro del panorama legislativo, objeto de controversia únicamente en alguna resolución judicial puntual sin una conciencia de materia autónoma[38], por más que cuente con una tradición bastante asentada ya en otros modelos de Derecho Comparado como el ordenamiento francés[39]. Tratamiento que reafirma la posición de vanguardia del sistema francés en el reconocimiento de los derechos laborales digitales. Sin perder la perspectiva de todas esas premisas, con la vista puesta de nuevo en nuestro ordenamiento jurídico, reviste interés examinar las distintas materias afectadas por la nueva regulación que introduce la Ley Orgánica 3/2018 desde la lógica de su significación para la consolidación –y eventual ampliación– de los derechos laborales del trabajador, consciente de las consecuencias importantes que conlleva el desarrollo y la ejecución de la prestación laboral bajo un entorno con claro predominio del factor digital.

---

[38]   A este respecto, entre otras, véase SSAN de 17 de julio de 1997 (Proc. núm. 120/1997) y 15 de junio de 2017 (Proc. núm. 137 /2017); y STS de 21 de septiembre de 2015 (Rec. Casación núm. 259/2014). Para un comentario sobre la SAN de 15 de junio de 2017, citada, véase MOLINA NAVARRETE, C., "Interés del cliente" por las video-llamadas, "cláusulas de cesión de datos" y "derecho a la imagen" de los trabajadores: ¿renacer del consentimiento libre o errado exceso de celo judicial?: comentario a la Sentencia de la Audiencia Nacional 87/2017, de 15 de junio", *Revista de Trabajo y Seguridad Social del Centro de Estudios Financieros*, núm. 419, 2018, págs. 147 y ss.

[39]   En este sentido, véase ALEMÁN PÁEZ, F., "El derecho de desconexión digital: una aproximación conceptual, crítica y contextualizadora al hilo de la "Loi Travail nº 2016-1088", Trabajo y Derecho, núm. 30, 2017, págs. 21 y ss.; CIALTI, P. H., "El derecho a la desconexión en Francia: ¿más de lo que parece?", *Temas Laborales*, núm. 137, 2017, págs. 163 y ss.; TORRE GARCÍA, C., "El derecho a la desconexión de los dispositivos móviles corporativos por parte de los empleados en Francia", *Capital Humano*, núm. 317, 2017, págs. 118 y ss.; TRICLIN, A., "La experiencia francesa del derecho a la desconexión", AA. VV.: *Anuario internacional sobre prevención de riesgos psicosociales y calidad de vida en el trabajo*, 2016, págs. 311 y ss.

Trabajador que, con el nuevo Texto legal citado, asume igualmente un estatus particular como "interesado" a efectos del tratamiento de sus datos personales en el contexto de las relaciones laborales, cuya manifestación se concreta en una gran variedad de circunstancias (ámbito individual, colectivo, prevención de riesgos laborales, como beneficiario del sistema de Seguridad Social...)[40]. Todo ello, en paralelo con una extensión de la influencia positiva de la nueva Ley Orgánica 3/2018, también desde la perspectiva empresarial, mediante un previsible –y deseable– aumento de la seguridad jurídica, de manera que las actuaciones del empresario vinculadas con estas cuestiones tendrán, o deberían tener, resultados más previsibles en su tratamiento jurídico sobre la base de las previsiones dispuestas por el Texto legal de referencia.

En paralelo, la nueva regulación que introduce la Ley Orgánica 3/2018, específicamente desde su dimensión laboral, constituye asimismo un reto nuevo susceptible de plantear la necesidad de reforzar el papel de algunos actores que interactúan de manera habitual en las relaciones laborales, por ejemplo la Inspección de Trabajo, cuya labor será fundamental para asegurar la efectividad de los derechos digitales laborales, de forma que su virtualidad acabe traduciéndose en un aumento de la protección y las garantías del trabajador. Y por extensión, por las razones señaladas también, en una ampliación tangible de las garantías y certidumbre sobre las actuaciones e iniciativas promovidas desde la parte empresarial.

De igual modo, completando el panorama normativo existente no puede obviarse tampoco lo dispuesto en el artículo 20 bis del ET, bajo esa rúbrica de "Derechos de los trabajadores a la intimidad en relación con el entorno digital y a la desconexión", añadido por la Disposición Final Decimotercera de la Ley Orgánica 3/2018, cuando refiere que *"Los trabajadores tienen derecho a la intimidad en el uso de los dispositivos digitales puestos a su disposición por el empleador, a la desconexión digital y a la intimidad frente al uso de los dispositivos de videovigilancia y geolocalización en los términos establecidos en la legislación vigente en materia de protección de datos personales y garantía de*

---

[40]   Para el desarrollo de esta idea, a partir de toda una serie de cuestiones derivadas de la licitud del tratamiento de datos, véase MERCADER UGUINA, J. R., *Protección de datos y garantía de los derechos digitales en las relaciones laborales*, 3ª edic., Claves Prácticas Francis Lefebvre, 2019, págs. 39 y ss. En la misma línea, bien que con la referencia puesta en el Reglamento (UE) 2016/679, véase GOÑI SEIN, J. L., *La nueva regulación europea y española de protección de datos y su aplicación al ámbito de la empresa (Incluido el Real Decreto-Ley 5/2018)*, Editorial Bomarzo, Albacete, 2018, págs. 112 y ss.

los derechos digitales"[41]. Precepto que encuentra su réplica correspondiente, respecto de los empleados públicos, en el artículo 14.j.bis del Estatuto Básico del Empleado Público (EBEP).

Llama la atención esa ausencia de una sistemática definida en la citada Ley Orgánica 3/2018 para asegurar una uniformidad mínima en el tratamiento de las distintas cuestiones enumeradas, considerando su vinculación común de todas ellas con la parcela laboral. Y ello, a pesar de la evidente especialidad que incorpora esta concreta perspectiva en el marco de la cuestión digital, por contraposición con los derechos digitales de las personas que no ostentan ese rasgo cualitativo como trabajador[42]. O expresado en otros términos, atendiendo a la configuración de las distintas cuestiones enumeradas, la dimensión laboral no ha merecido para el legislador una caracterización homogénea, cuando menos no en el orden sistemático, al margen del contenido específico dispuesto para cada uno de esos derechos. Circunstancia que ha condicionado, precisamente, el examen de los distintos aspectos laborales del Texto legal citado a partir de otro referente común de análisis, en alusión a la protección de datos[43]. Lo cual no obsta para que subsistan dificultades de delimitación, como ha subrayado la doctrina, en tanto que con esa referencia de los derechos digitales laborales no siempre está en juego la protección de datos personales, por lo que el derecho a la protección de datos difícilmente puede invocarse como marco único de referencia directo para todos esos denominados "derechos digitales laborales"[44].

---

[41]   Con la referencia puesta en el análisis del artículo 20 bis del ET, véase QUÍLEZ MORENO, J. Mª, "La garantía de derechos digitales en el ámbito laboral: el nuevo artículo 20 bis del Estatuto de los Trabajadores", *Nueva revista española de Derecho del Trabajo*, núm. 217, 2019, págs. 127 y ss.

[42]   A este respecto, en relación con los derechos digitales de las personas, ampliamente, véase PRECIADO DOMÉNECH, C. H., *Los derechos digitales de las personas trabajadoras: aspectos laborales de la LO 3/2018, de 5 de diciembre de protección de datos y garantía de los derechos digitales*, Aranzadi, Cizur Menor (Navarra), 2019, págs. 85 y ss.

[43]   En este sentido, ampliamente, analizando sus distintas repercusiones, véase MERCADER UGUINA, J. R., "Aspectos laborales de la Ley Orgánica 3/2018 de 5 de diciembre: una aproximación desde la protección de datos", *Trabajo y Derecho*, núm. 52, 2019, págs. 110 y ss.; GARCÍA MURCIA, J. y RODRÍGUEZ CARDO, I., "La protección de datos personales en el ámbito de trabajo: una aproximación desde el nuevo marco normativo", *Nueva revista española de Derecho del Trabajo*, núm. 216, 2019, págs. 37 y ss.; SERRANO OLIVARES, R., "Los derechos digitales en el ámbito laboral: comentario de urgencia a la Ley Orgánica 3/2018, de 5 de diciembre, de protección de datos personales y garantía de los derechos digitales", *IUSLabor*, núm. 3, 2018, págs. 216 y ss.

[44]   GARCÍA MURCIA, J. y RODRÍGUEZ CARDO, I., "La protección de datos personales en el ámbito de trabajo: una aproximación desde el nuevo marco normativo", cit.,

Sustantividad propia bajo esa órbita laboral, desde la perspectiva de la sistemática empleada en su regulación, que no aparece tampoco en el Preámbulo de la Ley Orgánica 3/2018, limitándose a afirmar que el Título X de la Ley *"acomete la tarea de reconocer y garantizar un elenco de derechos digitales de los ciudadanos conforme al mandato establecido en la Constitución"*, para incluir acto seguido una relación de los derechos regulados, en alusión a los derechos y libertades dentro del entorno de internet como la neutralidad de la Red y el acceso universal o los derechos a la seguridad y educación digital, así como el derecho al olvido, a la portabilidad y al testamento digital, o la protección de los menores de edad. Materias todas ajenas al ámbito propio del Derecho Laboral. Pero cuestiones entre las que se incluye asimismo, ahora ya sí dentro de la órbita del Derecho del Trabajo, una mención concreta al reconocimiento del derecho a la desconexión digital en el marco del derecho a la intimidad en el uso de dispositivos digitales dentro del ámbito laboral. Un tratamiento, el que reserva el Preámbulo de la Ley Orgánica 3/2018, poco relevante desde la perspectiva del Derecho Laboral, a juzgar por el papel que parece otorgarle el legislador, regulando los derechos digitales de dimensión laboral sin ninguna aparente autonomía o especialidad dentro del contexto general, entre el conjunto de cuestiones que contempla la norma.

Por contraste, algún apartado anterior del propio Preámbulo –al margen por tanto de cualquier referencia a la dimensión laboral– sí manifiesta un carácter mucho más incisivo. Por ejemplo, cuando repara en la intuición de los constituyentes de 1978 respecto al enorme impacto que los avances tecnológicos provocarían en la sociedad, con una particular dimensión en lo referido al disfrute de los derechos fundamentales. Para abogar, a continuación, por una deseable reforma futura de la Constitución entre cuyas prioridades se incluya la propia adaptación del Texto constitucional a una nueva generación de derechos digitales. Circunstancia que no empece, al contrario estimula, la responsabilidad del legislador para abordar el reconocimiento de un sistema de garantía de los derechos digitales, en tanto no llega esa anhelada reforma constitucional. Intervención legislativa, concorde con el mandato previsto en el artículo 18.4 de la CE, que pone "rostro legal" coherente con la progresiva configuración en algunos casos de los pronunciamientos de la jurisprudencia ordinaria, constitucional y europea (apartado IV del Preámbulo de la Ley Orgánica 3/2018).

---

págs. 59 y 64. También, para un análisis exhaustivo del marco normativo general del derecho a la protección de datos personales en el ámbito laboral, véase ORELLANA CANO, A. Mª, *El derecho a la protección de datos personales como garantía de la privacidad de los trabajadores*, Aranzadi, Cizur Menor (Navarra), 2019, págs. 31 y ss.

En cualquier caso, no es la falta de sistemática desde una perspectiva específicamente laboral la única insuficiencia de la norma que ha evidenciado la doctrina laboralista. En este sentido, por ejemplo, se ha conceptuado el Texto legal de referencia, gráficamente, como un marco embrionario de garantía de los derechos digitales laborales, concebido a modo de regulación minimalista, bien que con una aportación esencial, cual es la apelación a la normativa de protección de datos como referencia para delimitar la obligación positiva del Estado en la protección de la privacidad del trabajador[45].

Sin embargo, dejando a un lado las posibles carencias o contradicciones existentes en la norma, que las hay, el resultado de conjunto merece no obstante una valoración positiva. Conscientes de que las aportaciones implementadas por el legislador con ocasión de la Ley Orgánica 3/2018, citada, constituyen un punto y seguido, sobre las que habrá de continuar perseverando en el futuro, ahora ya con la ayuda que proporciona esa base legal, atendida la magnitud omnipresente adquirida por las nuevas tecnologías en las distintas facetas de la persona, con una incidencia relevante también, como no podía ser de otra manera, en el ámbito más restringido de las relaciones laborales. Casi hasta diluir, o cuando menos convertir en una delgada línea, la separación necesaria que debe existir siempre entre los ámbitos respectivos, laboral y personal. Deslinde cuya vigencia está obligado a preservar, de manera inexcusable, el Derecho del Trabajo.

En definitiva, como se verá en los epígrafes que siguen, algunas de las consideraciones enumeradas encuentran asimismo un cauce propio de expresión en la materia que constituye nuestro objeto de estudio, por alusión al deber de secreto profesional del trabajador en el contexto de las nuevas tecnologías, con el desarrollo y contenido que tendremos ocasión de examinar.

3. LA REFERENCIA NOVEDOSA DE LA LEY 1/2019, DE 20 DE FEBRERO, DE SECRETOS EMPRESARIALES

El examen de la Ley 1/2019, de 20 de febrero, *de Secretos Empresariales* puede resultar útil en relación con el deber de secreto profesional o el deber de confidencialidad del trabajador, desde su conexión con las nuevas

---

[45] En este sentido, con un análisis sistemático de la Ley Orgánica 3/2018, véase BAZ RODRÍGUEZ, J., "La Ley Orgánica 3/2018 como marco embrionario de garantía de los derechos digitales laborales: claves para un análisis sistemático", *Trabajo y Derecho*, núm. 54, 2019, págs. 49 y ss.

tecnologías, condicionado a un análisis selectivo del Texto legal citado, por su vinculación con nuestro tema de estudio[46]. Máxime cuando, como se verá a continuación, algunas de las motivaciones expuestas en su Preámbulo resultan comunes –o son plenamente asumibles– con aquellas que están en el trasfondo de la cuestión que nos ocupa. Efectuada esa justificación, nos ha parecido oportuno estructurar nuestro análisis de la Ley 1/2019 dedicando un primer epígrafe a las motivaciones que enumera el Preámbulo, significadamente, en sus apartados I y II. Para, acto seguido, con base siempre en el tenor dispuesto en el mismo, examinar aquellas cuestiones de interés por su interacción con el deber de secreto profesional del trabajador, junto con las alusiones, escasas, que dedica a la figura del trabajador, con el referente de lo preceptuado en los artículos 1 y 2.

En efecto, como se verá más adelante, la ausencia de referencias al deber de secreto profesional del trabajador, tampoco por tanto desde su contextualización específica con las nuevas tecnologías, no desmiente en cualquier caso la oportunidad de extraer de esta regulación que analizamos aquellos elementos que puedan contribuir a perfilar mejor cuestiones tales como el concepto de "secreto", considerando el tratamiento del "secreto empresarial" que contiene la Ley 1/2019. Y confrontar después su resultado con la perspectiva del trabajador a través de su deber de "secreto profesional". Conscientes de que una deseable sistemática exigiría garantizar la adecuada sincronía entre los dos conceptos citados, "secreto empresarial" de un lado y "secreto profesional" de otro lado[47]. Máxime, atendiendo a la trayectoria y el origen que ha acabado derivando en la citada Ley 1/2019, unido además a su actualidad por esa cercanía en el tiempo.

---

[46] Para el análisis de lo dispuesto en la Ley 1/2019, de 20 de febrero, *de Secretos Empresariales*, desde una lógica del Derecho Mercantil, véase PÉREZ LLUNA, A., "Los secretos empresariales en la nueva ley española", *Actualidad Jurídica Aranzadi*, núm. 950/2019, parte Comentario, 2019, BIB 2019/2492, págs. 1-2; ARROYO APARICIO, A., "Secretos empresariales en el ordenamiento español", *Revista Aranzadi Doctrinal*, num.11/2019, parte Legislación Doctrina, 2019, BIB 2019/9602, págs. 1 y ss.; MARTÍNEZ ENGUÍDANOS, J., "La nueva Ley de Secretos Empresariales: un paso adelante en la protección de los activos de la empresa", *Revista Aranzadi Doctrinal*, núm. 10/2019, Parte Legislación Doctrina, 2019, BIB 2019/8958, págs. 1 y ss.; CAMPUZANO LAGUILLO, A. B., PALOMAR OLMEDA, A., SANJUÁN Y MUÑOZ, E. y MOLINA HERNÁNDEZ, C., *La protección de secretos empresariales*, Tirant lo Blanch, Valencia, 2019, págs. 13 y ss.

[47] En relación con el concepto y el contenido del secreto de empresa, véase OLMO FERNÁNDEZ-DELGADO, L., "El secreto de empresa en el ámbito laboral", *Revista de Trabajo y Seguridad Social del Centro de Estudios Financieros*, núm. 205, 2000, págs. 61 y ss.; TODOLÍ SIGNES, A., "El deber de guardar secreto de los trabajadores", *Actualidad Laboral*, núm. 6, 2013, págs. 796 y ss.

No en vano, a modo de ejemplo, como corroboración de esta afirmación, en orden a una adecuada ponderación del deber de secreto profesional desde todas las perspectivas posibles, el artículo 9 de la LISOS, ubicado sistemáticamente dentro de la Subsección 2ª bajo rúbrica de *"Infracciones en materia de derechos de información y consulta de los trabajadores en las empresas y grupos de empresas de dimensión comunitaria"*, contempla como infracciones muy graves en su apartado 2.c) *"Las acciones u omisiones que impidan el ejercicio efectivo de los derechos de información y consulta de los representantes de los trabajadores, incluido el abuso en el establecimiento de la obligación de confidencialidad en la información proporcionada o en el recurso a la dispensa de la obligación de comunicar aquellas informaciones de carácter secreto"*. Previsión que se reitera después en los mismos términos, dentro del propio Texto legal, Subsección 4ª, con la rúbrica de *"Infracciones en materia de derechos de información, consulta y participación de los trabajadores en las sociedades anónimas y sociedades cooperativas europeas"*, en el artículo 10 bis.2.c).

3.1. *Significación de las motivaciones expuestas en el Preámbulo de la Ley 1/2019 desde la perspectiva del deber de secreto profesional del trabajador*

Con la referencia puesta en el apartado I del Preámbulo, su primer párrafo valoriza la innovación como estímulo importante para el desarrollo de nuevos conocimientos, en paralelo con su función como factor de impulso para el surgimiento de modelos empresariales basados en la utilización de conocimientos adquiridos de manera colectiva. Para, a continuación, subrayar la importancia que tienen para la empresa los secretos empresariales, elevados a la misma altura que los derechos de propiedad industrial e intelectual, cuya preservación debe tener lugar a través de la confidencialidad. Una confidencialidad que, siguiendo siempre el tenor del apartado I del Preámbulo, alcanza una triple condición. En primer lugar, como herramienta de gestión de la competitividad empresarial; en segundo lugar, como herramienta de transferencia de conocimiento público privada; y en tercer lugar, como herramienta de innovación en investigación. Dimensiones todas concebidas al servicio de un objetivo común como es la protección de la información, entendida esta última en sentido amplio, con extensión tanto a los conocimientos técnicos o científicos, al tiempo que comprensiva también de los datos empresariales alusivos a clientes y proveedores, planes comerciales y estudios o estrategias de mercado.

Subrayada en el párrafo anterior la importancia de la innovación dentro de la dinámica empresarial, en paralelo con la significación que alcanza la necesidad de garantizarla mediante una noción amplia de confidencialidad, con el contenido complejo que se ha visto, el siguiente párrafo se dedica a exponer una constatación, cual es el peligro creciente de las empresas para ser objeto de prácticas desleales, bajo ese objetivo de apropiarse indebidamente, por medios ilícitos, de los secretos empresariales, en alusión al robo, la copia no autorizada, el espionaje económico o el incumplimiento de los requisitos de confidencialidad. Fenómeno al que contribuyen asimismo factores macro, cuyo asentamiento escaparía de la propia voluntad empresarial, como son la globalización, una creciente externalización, el aumento de las cadenas de suministro, o un mayor uso de las tecnologías de la información y la comunicación. Factores todos con una incidencia cierta en el aumento del riesgo de incurrir en esas prácticas desleales.

La suma de todas las circunstancias enumeradas corre el peligro de desincentivar la innovación y la creatividad, con la consiguiente disminución de la inversión empresarial a estos efectos, susceptible de provocar consecuencias negativas en el buen funcionamiento del mercado, con su incidencia correspondiente en términos de mermar el potencial como factor de crecimiento. Una vez que la obtención, utilización o revelación ilícitas de un secreto empresarial repercute negativamente en la capacidad de su titular legítimo para aprovechar las ventajas que le pertenecen como precursor por su labor de innovación. Resultado al que contribuye también la falta de instrumentos jurídicos eficaces y comparables para la protección de los secretos empresariales, con el consiguiente menoscabo de los incentivos para emprender actividades asociadas a la innovación, en paralelo con el impedimento para que los secretos empresariales desarrollen todo su potencial como estímulos del crecimiento económico y del empleo.

Con todas estas variables negativas, el legislador se afana en reivindicar un concepto de competitividad sustentada tanto en el saber hacer como en la no divulgación de la información empresarial, cuya protección debe garantizarse de manera adecuada, junto con la mejora de las condiciones y el marco para el desarrollo y la explotación de la innovación y la transferencia de conocimientos en el mercado. Pretensiones todas que demandan un reforzamiento de la seguridad jurídica para aumentar el valor de las innovaciones que las empresas tratan de proteger como secretos empresariales, con la consiguiente disminución del riesgo de apropiación indebida. Combinación cuya realización tendría efectos positivos en el funcionamiento del mercado, con una alusión especial a las empresas pequeñas y medianas, a los centros públicos de investigación, con el correspondiente aumento también de la inversión por parte del sector privado en investigación e innovación.

La suma de todos los elementos señalados, que componen el apartado I del Preámbulo, deja entrever una conclusión, cual es la total ausencia de mención –siquiera puntual– al trabajador, como titular de ese deber de secreto profesional en el contexto de las nuevas tecnologías. Silencio que, interpretando la lógica utilizada por el legislador, podría explicarse por dos factores distintos. Bien estimar que la figura del trabajador, en el marco de la relación laboral dentro de la empresa, no incorpora ningún elemento relevante para la cuestión que se analiza. Interpretación a todas luces improbable. Bien considerar implícitamente que la participación del trabajador como titular del deber de secreto profesional, dentro del contrato de trabajo por cuenta ajena, tiene su regulación natural en otras normas del ordenamiento jurídico. Y ello, a pesar de que, como se verá en epígrafes sucesivos, el ET no incluye ninguna referencia específica sobre dicho particular, como consta su artículo 5 cuando, bajo la rúbrica de "Deberes laborales", omite cualquier alusión directa a esos efectos.

Por su parte, el apartado II del Preámbulo se dedica a repasar las claves, primero a nivel internacional y después de la Unión Europea, que están en el origen de la Ley 1/2019, evidenciando claramente la dimensión internacional de las preocupaciones enumeradas en el apartado I del propio Preámbulo. De esta forma, con la referencia de la normativa internacional, se menciona el Acuerdo sobre los Aspectos de los Derechos de Propiedad intelectual relacionados con el Comercio (Anexo 1C del Convenio por el que se crea la Organización Mundial del Comercio, Ronda Uruguay de 1994, comúnmente denominados "ADPIC"). Acuerdo que contiene, en lo que nos interesa por su vinculación con nuestro objeto de estudio, determinadas disposiciones sobre protección de los secretos empresariales contra su obtención, utilización o revelación ilícita por terceros, bajo esa configuración de normas internacionales comunes.

Para precisar, a continuación, de manera expresa, la vinculación por dicho Acuerdo de todos los Estados de la Unión Europea, así como la propia Unión, aprobado que fue ese Acuerdo mediante la Decisión 94/800/CE del Consejo, de 22 de diciembre de 1994, relativa a la celebración en nombre de la Comunidad Europea, por lo que respecta a los temas de su competencia, de los acuerdos resultantes de las negociaciones multilaterales de la Ronda Uruguay (1986-1994). Lo cual no obsta para que se haya advertido, dentro de la Unión Europea, la existencia de divergencias nacionales en materia de protección de secretos empresariales. Disparidad que está en el origen de la Directiva (UE) 2016/943 del Parlamento Europeo y del Consejo, de 8 de junio de 2016, *relativa a la protección de los conocimientos técnicos y la información empresarial no divulgados (secretos comerciales) contra su obtención, utilización y revelación ilícitas,* con el fin declarado de armonizar la legislación de los Estados miembros estableciendo un nivel suficiente y comparable de reparación en todo el mercado interior para supuestos de apropiación indebida de secretos empresariales.

Objetivo de la Directiva (UE) 2016/943 que es doble. En primer lugar, garantizar la competitividad de las empresas y organismos de investigación europeos, sustentada en el saber hacer y una adecuada protección de la información empresarial no divulgada (secretos empresariales). Y, en segundo lugar, repercutir favorablemente en una mejora de las condiciones y el marco para el desarrollo y la explotación de la innovación y la transferencia de conocimientos en el mercado interior. Llegados a este punto, se preocupa de señalar el Preámbulo de la Ley 1/2019, de manera expresa, la prohibición de invocar las normas que contiene la Directiva (UE) 2016/943 en materia de protección frente a la obtención, utilización y revelación ilícitas de secretos empresariales, cuando se pretenda restringir la libertad de establecimiento, la libre circulación de los trabajadores o la movilidad de éstos, así como tampoco la posibilidad de empresarios y trabajadores para celebrar pactos de limitación de la competencia entre ellos. Previsiones todas que parecen corroborar, en efecto, la intención del legislador de no interferir con las materias de índole laboral, blindando las cuestiones enumeradas de eventuales tentativas de restricción con base, precisamente, en la invocación de las normas que incluye la Directiva (UE) 2016/943, citada.

Siguiendo con el repaso del apartado II del Preámbulo, como se avanzaba antes, interesa particularmente esa mención a la definición del objeto de la norma, entendiendo por "información secreta" aquella que no sea, en su conjunto o en su configuración y reunión precisas de sus componentes, conocida generalmente por las personas pertenecientes a los círculos en que normalmente se utilice el tipo de información en cuestión, ni fácilmente accesible para las mismas; además de tener un valor comercial por su carácter secreto, así como haber sido objeto de medidas razonables, según las circunstancias concretas del caso, para su mantenimiento en secreto, implementadas por la persona legitimada para ejercer su control.

Una definición del objeto de la Ley 1/2019 que concreta después, con parecida precisión, el artículo 1.1, considerando como secreto empresarial cualquier información o conocimiento, incluido el tecnológico, científico, industrial, comercial, organizativo o financiero, que reúna una triple condición. En primer lugar, ser secreto, en los términos que refería el Preámbulo, esto, es, que en su conjunto o en la configuración y reunión precisas de sus componentes, no sea generalmente conocido por las personas pertenecientes a los círculos en que normalmente se utilice el tipo de información o conocimiento en cuestión, ni fácilmente accesible para ellas (artículo 1.1.a). En segundo lugar, ostentar un valor empresarial, real o potencial, atendiendo precisamente a su carácter secreto (artículo 1.1.b). Y en tercer lugar, haber sido objeto de medidas razonables por parte de su titular para mantenerlo en secreto (artículo 1.1.c).

Definición de "secreto empresarial" según se refiere en el Preámbulo, comprensiva de los distintos elementos enumerados, de la que quedan excluidos no obstante una serie de supuestos cuya concreción se encarga también de señalar el propio Preámbulo, con una referencia específica a los trabajadores. En efecto, las hipótesis excluidas hacen referencia a la información de escasa importancia, en primer lugar; la que se deriva de la experiencia y las competencias adquiridas por los trabajadores durante el transcurso normal de su carrera profesional, en segundo lugar; así como la información abierta al conocimiento general o de fácil acceso en los círculos donde se utiliza el tipo de información de que se trate, en tercer lugar.

Además, junto con los requisitos precisos para estar en presencia del "secreto empresarial", alude el Preámbulo a la necesidad de establecer las circunstancias en las que está justificada su protección jurídica, junto con aquellos comportamientos y prácticas que son constitutivos de obtención, utilización o revelación ilícita de ese "secreto empresarial". Para proseguir después, en párrafo aparte, con una mención a las vías de acción civil que puedan promoverse frente a esa obtención, utilización o revelación ilícitas de secretos empresariales, con la advertencia de no emplear las mismas para comprometer ni menoscabar los derechos y libertades fundamentales así como tampoco el interés público, abogando por el contrario por una aplicación proporcionada de las mismas, de manera que no se conviertan en obstáculos para el comercio legítimo dentro del mercado interior, sin que sean por tanto objeto de abusos.

Como se ve, vinculado con esta última cuestión, el legislador adopta un posicionamiento prudente, seguramente con la intención de evitar que mediante este mecanismo de reparación, a través de las vías de acción civil, se amplíe en exceso el concepto de "secreto empresarial", que tanto esfuerzo ha dedicado a definir en sus adecuados términos. Consciente de que una expansión exagerada del "secreto empresarial" acabaría convirtiéndolo en un factor de anquilosamiento para el mercado, por temor a eventuales acciones civiles reparadoras, en detrimento precisamente de su concepción originaria como elemento dinámico al servicio de la lícita competencia empresarial.

Por su parte, en línea con lo expuesto en el Preámbulo, el Capítulo V de la Ley 1/2019, bajo la rúbrica de "Acciones de defensa de los secretos empresariales", concreta las medidas dispuestas para la garantía del secreto empresarial en los artículos 8 a 11, bajo una sistemática que regula, por su orden, la defensa de los secretos empresariales (artículo 8); las acciones civiles (artículo 9); el cálculo de los daños y perjuicios (artículo 10); para finalizar con un precepto relevante desde la perspectiva de la seguridad jurídica dedicado a la prescripción (artículo 11). Con todos estos precedentes, como subraya el Preámbulo de la Ley 1/2019, el Texto citado responde al objetivo de mejorar la eficacia de la protección jurídica de los secretos empresariales contra la apropiación indebida en todo el mercado interior, completando la regulación de la Ley 3/1991, de 10 de enero, *de Competencia Desleal*, específicamente su artículo 13, desde la perspectiva sustantiva y especialmente procesal. Precepto, este último, que con la rúbrica de "violación de secretos", se limita a señalar cómo *"Se considera desleal la violación de secretos empresariales, que se regirá por lo dispuesto en la legislación de secretos empresariales"*.

El resultado descrito evidencia el salto cualitativo que ha dado la materia de los "secretos empresariales" en el apartado legislativo con la Ley 1/2019, respondiendo a una necesidad cierta y tangible. Aumento en la significación de las cuestiones vinculadas con el secreto empresarial que tiene, en lo que nos afecta, un reflejo directo también en la configuración del deber de secreto profesional del trabajador, sobre todo, si a ello se suma la influencia creciente y decisiva de las nuevas tecnologías, que colocan al mismo en una posición de mayor responsabilidad a estos efectos, vinculado con el cumplimiento de ese específico deber de secreto profesional. Y, por tanto, como consecuencia directa de lo anterior, ante un mayor riesgo potencial. En definitiva, existe una clara irradiación sobre el papel del trabajador y su posicionamiento a la hora de observar dentro de su justa medida el deber que tiene asignado mediante ese deber de secreto profesional. Importancia que debe subrayarse para reivindicar del legislador una iniciativa legal que responda a las expectativas creadas, colocando a los órganos jurisdiccionales en una mejor tesitura para interpretar los distintos conflictos que puedan acaecer, vinculados con el deber de secreto profesional del trabajador, según las circunstancias concurrentes.

3.2. Cuestiones de interés en la Ley 1/2019 desde su vinculación con el deber de secreto profesional y las escasas alusiones a la figura del trabajador

Una vez analizadas, con el resultado que se ha visto, las principales cuestiones que desarrolla el Preámbulo de la Ley 1/2019, corresponde entrar ahora en la parte dispositiva de la norma para, desde la perspectiva del deber de secreto profesional del trabajador, destacar aquellos elementos que puedan resultar de interés por su vinculación directa o tangencial con nuestro tema de estudio.

3.2.1. En relación con el objeto declarado de la Ley 1/2019

La primera cuestión que puede resultar de interés, a los efectos que nos ocupan, es la contribución del artículo 1.1 de la Ley 1/2019 para determinar el objeto del citado Texto legal, con una definición bastante precisa del "secreto empresarial", mediante el concurso de un triple requisito. En primer lugar, que sea secreto, reputando como tal que en su conjunto o en la configuración y reunión precisas de sus componentes, no sea generalmente conocido por las personas pertenecientes a los círculos en que normalmente se utilice el tipo de información o conocimiento en cuestión, ni fácilmente accesible para las mismas (artículo 1.1.a); que ostente un valor empresarial, real o potencial, en virtud precisamente de su carácter secreto (artículo 1.1.b); y que haya sido objeto de medidas razonables –sin mayor concreción de la norma– por parte del titular de dicho secreto empresarial para su mantenimiento en secreto (artículo 1.1.c). Significación de la aportación legal relativizada no obstante por algún representante de la doctrina, ante el seguidismo que manifiesta la norma de los precedentes jurisdiccionales[48].

Por su parte, en lo que nos interesa también por nuestro tema de estudio, el mismo artículo 1, en su apartado 3, subraya la separación o no afectación de los secretos empresariales frente a la autonomía de los interlocutores sociales o su derecho de negociación colectiva. De igual modo que no podrá emplearse tampoco para restringir la movilidad de los trabajadores, con dos alusiones concretas a este respecto. En primer lugar, cuando afirma que no podrá servir de base para justificar limitaciones del uso por parte de los trabajadores de experiencia y competencias adquiridas de forma honesta durante el transcurso normal de su carrera profesional o de información que no reúna todos los requisitos del secreto profesional. Y en segundo lugar, tampoco será posible utilizarlo para imponer en los contratos de trabajo restricciones que carecen de previsión legal. Precauciones todas expresivas de la preocupación lógica del legislador para evitar que la

---

[48]   En este sentido, véase GUILLÉN CATALÁN, R., "Formación e-learning. Curso de especialización en Know-How, propiedad intelectual e industrial en el mercado único digital", *Aranzadi*, 2019, BIB 2019/6535, pág. 2 y 3.

protección excesiva del secreto empresarial, con una afectación implícita evidente sobre la configuración del deber de secreto profesional del trabajador, acabe socavando los derechos laborales de este último. Por ejemplo, como se ha señalado –aunque no lo mencione expresamente el precepto examinado–, en relación con su derecho a la promoción profesional.

A continuación, para concluir, el artículo 1.3 de la Ley 1/2019 dedica un último párrafo separado a preservar asimismo lo previsto en el Título IV de la Ley 24/2015, de 24 de julio, de *Patentes*, bajo esa rúbrica de "Invenciones realizadas en el marco de una relación de empleo o de servicios", cuyos artículos 15 a 21 regulan, respectivamente, las invenciones que pertenecen al empresario (artículo 15); las invenciones pertenecientes al empleado o prestador de servicios (artículo 16); las invenciones asumibles por el empresario (artículo 17); el deber de información y ejercicio de los derechos por el empresario y el trabajador (artículo 18); la carga de la prueba y renuncia de derechos (artículo 19); el ámbito de aplicación (artículo 20); así como las invenciones realizadas por el personal investigador de las Universidades Públicas y de los Entes Públicos de Investigación (artículo 21). En definitiva, otra referencia normativa a considerar cuyas previsiones no pueden venir desmentidas por una extensión excesiva de la protección legal dispuesta por la Ley 1/2019, según los términos vistos, hacia el secreto empresarial.

3.2.2. En relación con la obtención, utilización y revelación lícitas de secretos empresariales

Por su parte, el artículo 2 de la Ley 1/2019 regula lo relativo a la obtención, utilización y revelación lícitas de secretos empresariales, entre cuyas previsiones incluye alguna mención vinculada directamente con los trabajadores o sus representantes. A estos efectos, el apartado primero del precepto enumera aquellos medios mediante los cuales la obtención de la información constitutiva del secreto empresarial se considera lícita, entre los cuales invoca expresamente *"El ejercicio del derecho de los trabajadores y los representantes de los trabajadores a ser informados y consultados, de conformidad con el Derecho europeo o español y las prácticas vigentes"* (artículo 2.1.c). De este modo, como es pauta repetida en el Texto legal analizado, una vez más el legislador manifiesta su cautela para que lo establecido en la Ley 1/2019 no derive en ninguna clase de contradicción o incompatibilidad con los derechos reconocidos en el ámbito laboral.

De igual modo que después, todavía dentro del mismo precepto, en su apartado 3, se precisa cómo en todo caso, no procederán las acciones y medidas previstas en la Ley 1/2019 cuando las mismas se dirijan contra actos de obtención, utilización o revelación de un secreto empresarial que hayan tenido lugar en una serie de circunstancias, que enumera, entre las que aparece una nueva mención al trabajador, en concreto su letra c), *"cuando los trabajadores lo hayan puesto en conocimiento de sus representantes, en el marco del ejercicio legítimo por parte de estos de las funciones que tienen legalmente atribuidas por el Derecho europeo o español, siempre que tal revelación fuera necesaria para ese ejercicio".*

4. EL DEBER DE SECRETO PROFESIONAL DEL TRABAJADOR

Examinadas en epígrafes anteriores las distintas cuestiones relevantes que plantea, con carácter general, esa interrelación entre nuevas tecnologías y relaciones laborales, junto con el examen puntual de la referencia novedosa que supone la Ley 1/2019, de 20 de febrero, *de Secretos Empresariales*, con implicaciones importantes asimismo para nuestro tema de estudio como se ha tenido ocasión de significar, corresponde ahora analizar el deber de secreto profesional del trabajador en el contexto de las nuevas tecnologías. Y ello, a partir de una sistemática que atiende, en primer lugar, al referente del derecho fundamental de libertad de expresión; para continuar, en segundo lugar, con una alusión a la configuración del deber de secreto profesional del trabajador como límite al derecho fundamental de libertad de expresión; seguido después, en tercer lugar, de un repaso sobre la regulación del sigilo profesional de los representantes de los trabajadores en el ET, como pauta de comparación importante desde la perspectiva de su tratamiento en este último Texto legal, por contraste con la ausencia de referencia alguna sobre esta misma materia respecto del trabajador común que no ostenta esa condición de representante; y finalizar, en cuarto lugar, con la enumeración de algunas claves que pueden contribuir a configurar de manera adecuada el deber de secreto profesional del trabajador, para el supuesto de su hipotética regulación legal futura a cargo del legislador.

4.1. *El referente del derecho fundamental de libertad de expresión*

Como es conocido, con carácter general, ausente cualquier referencia específica al ámbito laboral, con una proyección sobre el ciudadano y sin ninguna especialidad respecto del ciudadano-trabajador, el artículo 20.1.a) de la CE reconoce y protege el derecho *"A expresar y difundir libremente los pensamientos, ideas y opiniones mediante la palabra, el escrito o cualquier otro medio de reproducción".* Derecho de libertad de expresión que, con base en su condición de derecho fundamental, deviene inmediatamente aplicable, sin necesidad por tanto de ningún reconocimiento legal adicional[49]. Un silencio que, vinculado ya el citado derecho fundamental de libertad de expresión con su aplicación en el ámbito laboral, constata a esos efectos el propio ET respecto del trabajador común, frente a lo dispuesto en este mismo Texto legal para con los representantes de los trabajadores. Diferencia de regímenes según la condición del trabajador, común o representante, vinculada con la materia que nos ocupa, sobre la que tendremos ocasión de abundar con mayor profusión en epígrafes sucesivos.

En cualquier caso, la innecesariedad de desarrollo legal para su inmediata aplicación como derecho fundamental de libertad de expresión, que proyecta con carácter general el tenor del artículo 20.1.a) de la CE sobre el ciudadano, no obsta para que semejante derecho fundamental adquiera una dimensión particular cuando su proyección se dirige sobre el trabajador, dentro de la dinámica propia inherente a la relación laboral, considerando factores como el poder de dirección del empresario, con todo lo que ello significa de cara a una nueva recomposición de equilibrios. Y, como derivación de lo anterior, el aumento exponencial de la dificultad para garantizar su libre ejercicio por parte del trabajador, atendidas las sinergias particulares que concurren alrededor del contrato de trabajo[50]. Especialidad que ha llevado sin ir más lejos, en el plano internacional, a incluir un reconocimiento expreso de la libertad de expresión e información en la Carta de Niza, con el contenido y desarrollo que ha examinado la doctrina laboralista[51]. De igual modo que, sin abandonar el plano internacional, se ha fijado también la atención sobre el derecho a la libertad de opinión y de expresión (incluido el derecho a comunicar o recibir informaciones), según lo dispuesto en el artículo 19 de la Declaración Univer-

---

[49]   En este sentido, con la referencia del derecho fundamental a la libertad de expresión, analizando lo relativo a su naturaleza, contenido y límites, véase ROJAS RIVERO, G. P., *La libertad de expresión del trabajador,* cit., págs. 21 y ss.

[50]   A este respecto, ampliamente, sobre la dimensión laboral de la libertad de expresión, véase VALDÉS DAL-RÉ, F., "La dimensión laboral de la libertad de expresión", *Relaciones Laborales,* Vol. I, 2004, págs. 81 y ss.

[51]   En relación con la libertad de expresión e información, con la referencia de su tratamiento en la Carta de Niza, véase VALDÉS DAL-RÉ, F., "La libertad de expresión e información en la Carta de Niza", *Relaciones Laborales,* Vol. I, 2014, págs. 1 y ss.

sal de los Derechos Humanos y el artículo 19 del Pacto Internacional de derechos civiles y políticos[52].

No en vano, puede hablarse abiertamente sobre la existencia de limitaciones a la libertad de expresión derivadas del contrato de trabajo[53]. Una lógica en la que se inserta, claramente, el deber de secreto profesional del trabajador, a pesar de que semejante deber no tenga una mención expresa dentro del listado que, bajo la rúbrica de "Deberes laborales", enumera el artículo 5 del ET. Ausencia de previsión legal específica que, como tendrá ocasión de argumentarse, incorpora problemas adicionales para una adecuada delimitación de la figura, con su derivación consiguiente en términos de conflictividad judicial. Sobre todo, cuando se corrobora que el deber de secreto profesional del trabajador no es una cuestión menor, máxime si se vincula con la potencialidad creciente del mismo por su vinculación con las nuevas tecnologías, atendidas por ejemplo las mayores facilidades de acceso por parte del trabajador a la información reservada de la empresa.

Mención al derecho de libertad de expresión del trabajador que, cuando se cohonesta con las nuevas tecnologías en su grado de evolución actual, incorpora asimismo otra variante novedosa en alusión al derecho a la reputación de la empresa[54]. Es por ello que semejante progresión debería ir acompañada, guardando una justa proporción, con un aumento del rigor en la interpretación que merece semejante deber, según las circunstancias específicas concurrentes. En paralelo, idealmente, con una intervención del legislador más decidida para otorgar específicamente, dentro del ordenamiento laboral, un contenido cierto a semejante deber de secreto profesional del trabajador, en lugar de reconducir el mismo a lo dispuesto en la letra a) del artículo 5 del ET, por alusión al cumplimiento por el trabajador

---

[52]   A este respecto, sin abandonar el plano internacional, con la referencia de lo dispuesto en el artículo 19 de la Declaración Universal de los Derechos Humanos así como en el artículo 19 del Pacto Internacional de derechos civiles y políticos, véase VALDÉS DAL-RÉ, F., "Derecho a la libertad de opinión y de expresión (incluye derecho a comunicar o recibir informaciones): (art. 19 DUDH; art. 19 PIDCP)", AA. VV.: *El sistema universal de los derechos humanos: Estudio sistemático de la declaración universal de los derechos humanos, el pacto internacional de derechos civiles y políticos, el pacto internacional de derechos económicos, sociales y culturales y textos internacionales concordantes*, Coord. Monereo Atienza, C., Monereo Pérez, J. L. y Aguilar Calahorro, A., 2014, págs. 225 y ss.

[53]   En este sentido, ampliamente, véase ROJAS RIVERO, G. P., *La libertad de expresión del trabajador*, cit., págs. 55 y ss.

[54]   Para el desarrollo de este argumento, ampliamente, véase SERRANO GARCÍA, J. Mª, "El derecho a la libertad de expresión del trabajador a través de las nuevas tecnologías y el derecho a la reputación de la empresa", *REDT*, núm. 217, 2019, págs. 102 y ss.

de las obligaciones concretas de su puesto de trabajo, de conformidad con las reglas de la buena fe y diligencia[55].

4.2. La configuración del deber de secreto profesional del trabajador como límite al derecho fundamental de libertad de expresión

Como se ha avanzado ya, al contrario de lo que sucede con los representantes de los trabajadores, el ET no recoge respecto de los trabajadores comunes, que no ostentan esa condición de representante, ninguna alusión específica a su deber de secreto profesional. Previsión que se inserta así de manera implícita dentro del artículo 5 del ET cuando, bajo la rúbrica de "deberes laborales", enumera una serie de deberes básicos en alusión, respectivamente, al cumplimiento con las obligaciones concretas de su puesto de trabajo, de conformidad con las reglas de la buena fe y diligencia (artículo 5.a); la observancia de las medidas de prevención de riesgos laborales que puedan adoptarse (artículo 5.b); el cumplimiento de las órdenes e instrucciones del empresario en el ejercicio regular de sus facultades de dirección (artículo 5.c); la prohibición de concurrencia con la actividad de la empresa, en los términos fijados en el ET (artículo 5.d); la contribución a la mejora de la productividad (artículo 5.e); así como, a modo de cláusula de cierre, cualesquiera que se deriven, en su caso, de los respectivos contratos de trabajo (artículo 5.f).

La falta de una referencia expresa al deber de secreto profesional del trabajador, entre la relación de deberes básicos que señala el artículo 5 del ET, plantea un primer interrogante cual es, precisamente, determinar dónde encuentra mejor encaje de entre los distintos deberes listados esa eventual inobservancia del deber de secreto profesional por parte del trabajador. Parece que la cuestión planteada debería dirigirse hacia la primera de las manifestaciones enumeradas, esto es, desde su vinculación con el cumplimiento de las obligaciones concretas inherentes al puesto de trabajo, atendidas las reglas de la buena fe y la diligencia debida, en los términos que regula el artículo 5.a) del ET.

De manera que el deber de secreto profesional sería exigible, como manifestación del deber de buena fe de todo trabajador, para mantener el secreto respecto de todas aquellas noticias que afecten a las técnicas de

---

[55]   Sobre la protección del secreto de empresa en el Derecho del Trabajo, bajo esa referencia de la buena fe contractual, véase OLMO FERNÁNDEZ-DELGADO, L., "El secreto de empresa en el ámbito laboral", cit., págs. 65 y ss.

organización empresarial o de producción, como ha puntualizado la doctrina[56]. Lo cual no obsta para que la ausencia de un tratamiento específico en el ET tenga efectos nocivos de cara a su aplicación sobre los distintos supuestos que puedan concurrir, con su correspondiente reflejo a nivel jurisdiccional. Consecuencias negativas inevitables derivadas de esa ausencia en la norma de una definición que acote el significado concreto del "deber de secreto profesional" en el contexto restringido de las relaciones laborales para el trabajador tipo por cuenta ajena. Por ejemplo, dependiendo de las circunstancias que concurran, como ha señalado con acierto la doctrina, la exigencia de buena fe como deber laboral no puede ponerse al servicio del silencio sin matices del trabajador respecto de cualesquiera supuestos que concurran; del mismo modo que tampoco debe condicionar necesariamente, en todas las hipótesis, un deber inexcusable de preaviso al empresario[57].

Paradójicamente, el Decreto de 26 de enero de 1944, *por el que se aprueba el texto refundido del Libro I de la Ley de Contrato de Trabajo* (LCT), sí incluía en su artículo 72 una previsión específica en relación con la obligación del trabajador de mantener los secretos relativos a la explotación y negocios de su empresario, obligación extensiva tanto durante la vigencia del contrato como después de su extinción. De manera que, para este último supuesto, se facultaba por la norma su utilización por el trabajador en beneficio propio solo cuando ostentara la condición de exigencia justificada de su profesión habitual. Previsión contenida en el precepto citado, en los términos que se han visto, cuya virtualidad ha sido reconocida por algún representante de la doctrina laboralista, con el argumento de que la ausencia de regulación en el ET determinaba la aplicabilidad como norma en vigor del precepto citado, apelando a su condición de norma reglamentaria, de conformidad con lo preceptuado entonces por la Disposición Final Cuarta de la Ley 8/1980, *del Estatuto de los Trabajadores*[58].

Sea como fuere, uno de los problemas interpretativos vinculados con la figura del deber de secreto profesional del trabajador ha sido, tradicionalmente, la propia delimitación del concepto de "secreto", cuyo resultado

---

[56]   En este sentido, véase ROJAS RIVERO, G. P., *La libertad de expresión del trabajador*, cit., pág. 70.

[57]   A este respecto, véase ROJAS RIVERO, G. P., *La libertad de expresión del trabajador*, cit., 75.

[58]   A este respecto, véase ROJAS RIVERO, G. P., *La libertad de expresión del trabajador*, cit., pág. 70. También alrededor de las cuestiones que plantea el artículo 72 del Decreto de 26 de enero de 1944, *por el que se aprueba el texto refundido del Libro I de la Ley de Contrato de Trabajo* (LCT), véase CUEVA PUENTE, C., "Derechos fundamentales y obligación de secreto en las relaciones de trabajo", cit., págs. 358 y ss.

debe amparar en cualquier caso una obligación de contenido amplio. Indefinición que la doctrina ha tratado de contrarrestar acudiendo al auxilio de
otros órdenes jurisdiccionales diferentes del laboral, con una predilección
singular a estos efectos por el orden penal y sus distintas fórmulas de tipificación desde una vinculación más o menos cercana con el deber del secreto
profesional, sobre la base común de proteger el interés económico de la
empresa manteniendo su situación de mercado, pero sin obviar en cualquier
caso la independencia existente entre los órdenes penal y laboral[59].

Dificultades para acotar *a priori* la dimensión exacta que debe asumir
el concepto de "secreto" que aumentan más todavía con las previsiones
asumidas dentro del ámbito laboral, favorables a la extensión de ese deber
de secreto profesional del trabajador más allá de la extinción del contrato de trabajo. De manera que las consecuencias derivadas de un eventual
incumplimiento en ese sentido por parte del trabajador no podrían materializarse entonces, por razones obvias, en un despido disciplinario a cargo
del empresario, una vez que el contrato de trabajo ha devenido extinto
previamente. Por lo que los efectos de esa hipotética infracción por parte
del trabajador habrían de materializarse, necesariamente, dentro del ámbito extracontractual en una indemnización de daños y perjuicios, de conformidad con lo dispuesto en el artículo 1902 del Código Civil. Mientras que,
si el incumplimiento del deber de secreto profesional por el trabajador
tiene lugar durante la vigencia del contrato de trabajo, podría entrar en
juego eventualmente lo dispuesto en el artículo 54.2.d) del ET, como causa
de despido disciplinario a través de la vulneración de la buena fe contractual, y en su caso, potencialmente también, la indemnización de daños y
perjuicios que previene el artículo 1101 del Código Civil[60].

En definitiva, un esquema legal básico, desde el referente del ordenamiento laboral, sin una previsión específica vinculada con el deber de secreto profesional del trabajador, a confrontar con una realidad susceptible
de acoger en la práctica una variedad muy amplia de supuestos, con las
repercusiones que ello puede tener en términos de conflictividad judicial

---

[59] En este sentido, véase ROJAS RIVERO, G. P., *La libertad de expresión del trabajador*, cit.,
      págs. 70 y ss. Específicamente, vinculado con el orden penal, véase BOIX REIG, J., "El
      secreto profesional", AA. VV.: *La protección jurídica de la intimidad*, Dir. Boix Reig, J.,
      Coord. Jareño Leal, A., Iustel, Madrid, 2010, págs. 93 y ss.

[60] En general, ampliamente, para un estudio completo y sistemático de las indemnizacio-
      nes a favor de las empresas y de los trabajadores dentro de la dinámica del contrato de
      trabajo, véase SALA FRANCO, T. y LAHERA FORTEZA, J., *Las indemnizaciones a favor
      de las empresas y de los trabajadores en el contrato de trabajo*, Colección Laboral Práctico,
      Tirant lo Blanch, Valencia, 2013, págs. 13 y ss.

y de derivación de un protagonismo excesivo hacia la jurisdicción, obligada a solventar cualesquiera controversias que puedan producirse sobre la materia que analizamos, mediante la interpretación de las referencias normativas existentes. Panorama en el que puede tener alguna incidencia positiva, por las razones que se han explicado, la Ley 1/2019, de 20 de febrero, *de Secretos Empresariales*, sobre todo, por su contribución a la delimitación de lo que haya de interpretarse por "secreto", como se ha tenido ocasión de argumentar en epígrafes precedentes.

Ausencia de sensibilidad o falta de reacción por parte del legislador laboral, ajeno aparentemente a cualquier iniciativa para implementar una regulación específica del deber de secreto profesional del trabajador, al margen de su interpretación integradora dentro del deber de buena fe que contiene el artículo 5.1.a) del ET, que no se ha alterado hasta el momento aprovechando el cambio de escenario y el aumento consiguiente del peligro potencial a contrarrestar por mediación del deber de secreto profesional del trabajador, con base en el aumento exponencial de las nuevas tecnologías.

Inacción que contrasta, sin embargo, con la iniciativa mostrada a este respecto por parte del legislador penal para implementar, junto con el artículo 197 del Código Penal (precepto que encabeza el Capítulo I "Del descubrimiento y revelación de secretos", dentro del Título X "Delitos contra la intimidad, el derecho a la propia imagen y la inviolabilidad del domicilio" –dedicado a regular el tipo sobre descubrimiento y revelación de secretos–), otros preceptos como los artículos 197 bis y 197 ter. Normas éstas que, con las menciones respectivas a los sistemas de información y las transmisiones no públicas de datos informáticos (artículo 197 bis), junto con otras alusiones a programas informáticos, contraseñas de ordenador o códigos de acceso (artículo 197 ter), en definitiva manifestaciones todas derivadas de las nuevas tecnologías, evidencian –en lo que nos interesa señalar– una concienciación legal sobre la necesidad de completar la regulación existente, en este caso dentro del orden penal, coincidiendo con los elementos novedosos que incorpora la utilización masiva de las nuevas tecnologías. Lógica que confirma, implícitamente también, la propia configuración sistemática adoptada en la disposición de los artículos enumerados, muestra clara de que las modificaciones operadas no pueden llevarse a cabo a través de cambios menores en esos preceptos citados, obligando por el contrario a incluir otros nuevos bajo formulaciones de técnica jurídica con la inclusión de normas bis, ter, etc.

4.3. El contraste con la regulación del sigilo profesional de los representantes de los trabajadores en el ET

En relación con la inclusión de este apartado, nuestro objetivo no es tanto profundizar en el estudio específico sobre la regulación del sigilo profesional de los representantes de los trabajadores, cuanto subrayar la diferencia de régimen jurídico que incorpora el legislador laboral en el ET a los efectos que nos ocupan, por contraposición con el trabajador común, ausente dentro del Texto legal citado –como se ha señalado ya en ocasiones anteriores– cualquier referencia específica al deber de secreto profesional del trabajador[61]. En efecto, por contraste con lo que sucede respecto de los trabajadores comunes que no tienen la condición de representantes, el artículo 65 del ET, bajo la rúbrica de "Capacidad y sigilo profesional", incorpora distintas previsiones vinculadas con ese sigilo profesional, cuya importancia confirma la propia denominación dada al título del precepto.

Obligación extensible igualmente respecto de los delegados de personal, en los mismos términos, con base en la previsión que contiene el artículo 62.2 del ET, párrafo segundo. En correspondencia con lo establecido asimismo en el artículo 10.3.1 de la LOLS, cuando refiere respecto de los delegados sindicales que no formen parte del comité de empresa, las mismas garantías que las establecidas legalmente para los miembros de los comités de empresa o de los órganos de representación establecidas en las Administraciones públicas, junto con los derechos que enumera a salvo lo que pudiera establecerse por convenio colectivo, con una mención particular al acceso a la misma información y documentación que la empresa ponga a disposición del comité de empresa, con extensión de la misma obligación para los delegados sindicales a guardar sigilo profesional en aquellas materias donde proceda legalmente.

Referencia al sigilo profesional que, con la referencia todavía del mismo Texto legal, aparece también en el último párrafo del artículo 8.4 del ET, con un mandato para los representantes de la Administración, de las organizaciones sindicales y de las asociaciones empresariales, con acceso a la copia básica de los contratos por su pertenencia a los órganos de participación institucional, de observar asimismo sigilo profesional, con prohibición de utilizar dicha documentación para fines distintos de aquellos que

---

[61]   Específicamente, en relación con las obligaciones de secreto de los representantes legales de los trabajadores, a través del sigilo profesional, véase CUEVA PUENTE, C., "Derechos fundamentales y obligación de secreto en las relaciones de trabajo", cit., págs. 363 y ss.

motivaron su conocimiento. Sigilo profesional que, en coherencia con lo expresado en epígrafes anteriores y presente en todas esas hipótesis enumeradas, actúa también como un límite especial a la libertad de expresión, en este caso, de los representantes de los trabajadores[62].

Por su parte, vinculado específicamente con los comités de empresa, el artículo 65.2 del ET incorpora una previsión que afecta tanto a los miembros del comité de empresa como a éste en su conjunto, así como a los expertos que les pudieran asistir en su caso, en relación con un deber de observar sigilo respecto de aquella información que, en legítimo y objetivo interés de la empresa o del centro de trabajo, les haya podido ser expresamente comunicada con carácter reservado. Precaución que tiene después continuidad en el apartado siguiente, con inclusión bajo términos taxativos de una prohibición para que, en todo caso, ningún tipo de documento entregado por la empresa al comité de empresa pueda ser utilizado fuera del estricto ámbito de aquella ni para fines distintos de aquellos que motivaron su entrega. Previsión que se completa con una mención adicional, dentro del mismo apartado pero en párrafo aparte, vinculada con la subsistencia del deber de sigilo incluso tras la expiración de su mandato y con independencia del lugar en que se encuentren (artículo 65.3 del ET).

Disposiciones todas que reflejan, por tanto, un régimen estricto en relación con la regulación del deber de sigilo desde esa proyección sobre el comité de empresa. Lo cual no obsta para que la norma, en su apartado siguiente (artículo 65.4 del ET), incluya la posibilidad, bien que bajo una pauta de excepcionalidad, para eximir a la empresa de su obligación de comunicar aquellas informaciones de carácter específico vinculadas con secretos profesionales, financieros o comerciales cuya divulgación podría, atendiendo a criterios objetivos, obstaculizar el funcionamiento de la empresa o del centro de trabajo, así como también ocasionar en su caso graves perjuicios de cara a su estabilidad económica. Excepción que sin embargo no abarca, como se encarga de puntualizar expresamente el último párrafo del apartado 4 del artículo 65 del ET, la información relativa al volumen de empleo en la empresa.

Cuando además, como regula expresamente el siguiente apartado del precepto, en cualquier caso queda siempre abierta la posibilidad de impugnar las decisiones empresariales que atribuyan carácter reservado a una determinada información, lo mismo que su decisión para no comuni-

---

[62]   En este sentido, ampliamente, véase ROJAS RIVERO, G. P., *La libertad de expresión del trabajador*, cit., págs. 176 y ss.

car determinadas informaciones a los representantes de los trabajadores, cuya tramitación en ambos casos tendrá lugar a través del proceso de conflictos colectivos que regulan los artículos 153 a 162 de la Ley 36/2011, de 10 de octubre, *reguladora de la Jurisdicción Social* (LRJS), dando contenido al Capítulo VIII del Título II (párrafo primero del artículo 65.5 del ET). Proceso de conflictos colectivos que será también la modalidad procesal oportuna para tramitar aquellos litigios relativos al cumplimiento por los representantes de los trabajadores y por los expertos que les pudieran asistir eventualmente respecto de su obligación de sigilo, según se encarga de precisar el párrafo segundo del propio artículo 65.5 del ET. Lo cual no obsta, como señala con acierto el último de los párrafos del mismo apartado 5 del precepto, para la aplicación en su caso de las previsiones contenidas en la LISOS, respecto de aquellos supuestos de negativa injustificada de la información a que tienen derecho los representantes de los trabajadores. Previsiones todas que se completan además, como se anticipaba en el apartado introductorio, con una mención al sigilo profesional en el artículo 10.3.1 de la LOLS.

En definitiva, el conjunto de cuestiones aludidas confirma la diferencia de tratamiento que confiere el legislador laboral, conscientemente, a través de la regulación contenida en el ET, entre la regulación minimalista –o directamente la ausencia de regulación– existente en torno al deber de secreto profesional del trabajador común, reconducida por vía de la buena fe entre los deberes del trabajador que enumera el artículo 5 del ET, y la regulación precisa sobre el sigilo profesional que contienen los artículos 62 y 65 del ET, respectivamente, en relación con los delegados de personal y los miembros del comité de empresa, junto con el artículo 10.3.1 de la LOLS. Regulación del sigilo profesional para los representantes de los trabajadores que ha merecido, no obstante, opiniones abiertamente críticas entre la doctrina laboralista, subrayando el recelo excesivo que manifiesta el legislador con semejante regulación, con una irradiación evidente sobre el propio ejercicio de la actividad sindical[63].

Sea como fuere, desde otra perspectiva distinta, semejante diferencia de régimen puede haber perdido al menos parte de su sentido en la coyuntura actual, considerando la implantación generalizada de las nuevas tecnologías dentro del ámbito de las relaciones laborales, con una materialización evidente en el aumento de las posibilidades de acceso por parte del trabajador común a la información de la empresa. Nuevo contexto que

---

[63]   En este sentido, véase ROJAS RIVERO, G. P., *La libertad de expresión del trabajador*, cit., págs. 176 y ss.

podría justificar entonces el replanteamiento del legislador, ofreciendo una respuesta legal acorde a esa nueva realidad creada, con las consecuencias positivas que ello acarrearía en términos de seguridad jurídica y certidumbre tanto para el trabajador como para el empresario, a partir de una configuración precisa en la norma acerca del deber de secreto profesional. Advertido, claro está, que la iniciativa que se demanda del legislador para regular específicamente el deber de secreto profesional del trabajador común por cuenta ajena, no va en la línea de ofrecer al empresario un instrumento adicional para coartar indebidamente, mediante esa cobertura legal expresa, la posición del trabajador.

4.4. Algunas claves para la adecuada configuración del deber de secreto profesional del trabajador con ocasión de su hipotética regulación legal futura

Expuestos en epígrafes anteriores distintos argumentos en torno a la conveniencia de que el legislador asuma la tarea de regular específicamente el deber de secreto profesional del trabajador dentro del ámbito laboral, con la influencia decisiva que ha tenido a este respecto la implantación masiva de las nuevas tecnologías en las relaciones laborales, resulta oportuno completar nuestro estudio señalando algunas claves que podrían contribuir a una mejor configuración del mismo a futuro, para el caso de que se decida asumir semejante reto. Referentes que han sido sistematizados ya, con acierto, por la doctrina laboralista, a partir de la experiencia habida hasta el momento actual, ausente ese tratamiento legal expreso y con las aportaciones de la jurisprudencia[64].

Problemáticas que comienzan, en efecto, por la ausencia de un concepto legal de "secreto de empresa", con la obligación consiguiente de buscar su delimitación mediante aquellos elementos que ha venido señalando tradicionalmente la jurisprudencia. En alusión, primero, a que se trate de una información de naturaleza secreta, conocida únicamente por un grupo reducido de personas; información que habrá de ser, en segundo lugar, valiosa para el empresario, ya sea actual o potencialmente, por suponer una

---

[64] En este sentido, véase SALA FRANCO, T., "El deber de secreto de los trabajadores", AA. VV.: *Las relaciones laborales en la reestructuración y el saneamiento de empresas (XVI Congreso Nacional de Derecho del Trabajo y de la Seguridad Social)*, Colección Informes y Estudios, Serie Relaciones Laborales, núm. 77, MTAS, Madrid, 2006, págs. 1253 y ss.; SALA FRANCO, T. y TODOLÍ SIGNES, A., *El deber de los trabajadores de no violar los secretos de la empresa*, Colección Laboral Práctico, Tirant lo Blanch, Valencia, 2016, págs. 13 y ss.

ventaja que entronca directamente con la propia competitividad de la empresa; sumado, en tercer lugar, a la existencia de una voluntad del empresario para mantener en secreto dicha información[65]. De igual modo que resulta controvertida asimismo la delimitación de aquellas materias que merecen esa cualificación como materias reservadas para una empresa[66].

Por su parte, no pueden obviarse tampoco las contribuciones provenientes de las normas mercantiles, administrativas y penales, seguidas después de las correspondientes aportaciones a cargo de los tribunales, con una virtualidad importante para tipificar las conductas laborales que constituyen una infracción del deber de secreto[67]. Advertido además que, en el orden laboral, resulta irrelevante a los efectos que analizamos, en relación con la vulneración del deber de secreto profesional, la constatación acerca de la existencia de daño para la empresa, bastando la posibilidad de un daño potencial como derivación de la conducta del trabajador[68]. Junto con ello, la materia se complicaría sobremanera de extender el análisis a otros tipos de trabajadores existentes, más allá del trabajador común, con inclusión por ejemplo de los altos directivos[69], con lo que eso significa en términos de variación de las referencias a considerar para la valoración de sus actuaciones respectivas, vinculadas con ese deber de secreto profesional. Obligación de secreto que se extiende igualmente respecto de los trabajadores de las empresas contratistas y subcontratistas y de las Empresas de Trabajo Temporal[70].

---

[65]   A este respecto, ampliamente, véase SALA FRANCO, T., "El deber de secreto de los trabajadores", cit., pág. 1255; SALA FRANCO, T. y TODOLÍ SIGNES, A., *El deber de los trabajadores de no violar los secretos de la empresa*, cit., págs. 19-20.

[66]   En este sentido, con las aportaciones de la jurisprudencia y la doctrina judicial, véase SALA FRANCO, T., "El deber de secreto de los trabajadores", cit., págs. 1255-1258; SALA FRANCO, T. y TODOLÍ SIGNES, A., *El deber de los trabajadores de no violar los secretos de la empresa*, cit., págs. 20 y ss.

[67]   A este respecto, véase SALA FRANCO, T., "El deber de secreto de los trabajadores", cit., págs. 1258-1259; SALA FRANCO, T. y TODOLÍ SIGNES, A., *El deber de los trabajadores de no violar los secretos de la empresa*, cit., págs. 28 y ss.

[68]   En este sentido, véase SALA FRANCO, T., "El deber de secreto de los trabajadores", cit., pág. 1259; SALA FRANCO, T. y TODOLÍ SIGNES, A., *El deber de los trabajadores de no violar los secretos de la empresa*, cit., pág. 35.

[69]   En relación específicamente con los altos directivos, ampliamente, véase SALA FRANCO, T., "El deber de secreto de los trabajadores", cit., pág. 1262; SALA FRANCO, T. y TODOLÍ SIGNES, A., *El deber de los trabajadores de no violar los secretos de la empresa*, cit., págs. 69 y ss.

[70]   En este sentido, véase SALA FRANCO, T. y TODOLÍ SIGNES, A., *El deber de los trabajadores de no violar los secretos de la empresa*, cit., págs. 82 y ss.

Con independencia de esta concreta circunstancia, la doctrina laboralista ha sistematizado asimismo las distintas responsabilidades que pueden resultar exigibles a los trabajadores comunes como consecuencia del incumplimiento de su deber de secreto profesional, en referencia a la responsabilidad penal, laboral, patrimonial o administrativa[71]. De igual modo que cabría reproducir parecida o idéntica sistemática de análisis para examinar la configuración del deber de secreto profesional después de la extinción del contrato de trabajo, considerando la vigencia de ese deber de secreto postcontractual, bien que con regímenes diferenciados, con afectación tanto a los trabajadores comunes como a los altos directivos[72]. Obligación extensible igualmente respecto de los trabajadores de las empresas contratistas y subcontratistas y de las Empresas de Trabajo Temporal[73].

La situación que resulta del conjunto de variables enumeradas ha dado lugar, justificadamente, a una valoración crítica por parte de la doctrina, abundando en esa idea de indeterminación, ausente una regulación legal expresa del deber de secreto profesional del trabajador, al tiempo que se subrayan las dos deficiencias básicas que debería solventar esa futura actuación legal, en el caso de que así lo decidiera el legislador, de aplicación a cualesquiera hipótesis posibles, bien que considerando su especificidad respectiva. Primero, en relación con la delimitación del secreto de empresa; y, en segundo lugar, mediante una adecuada configuración del régimen sancionatorio por incumplimiento de semejante obligación a cargo del trabajador[74]. Una regulación a futuro donde puede asumir un papel importante la negociación colectiva, junto con otros instrumentos, tal vez de menor virtualidad potencial, como la contratación individual o la elaboración de un código ético, a salvo siempre, claro está, el respeto

---

[71] A este respecto, véase SALA FRANCO, T., "El deber de secreto de los trabajadores", cit., pág. 1261; SALA FRANCO, T. y TODOLÍ SIGNES, A., *El deber de los trabajadores de no violar los secretos de la empresa*, cit., págs. 43 y ss. Específicamente, sobre las consecuencias jurídico-laborales de la violación del secreto de empresa, véase OLMO FERNÁNDEZ-DELGADO, L., "El secreto de empresa en el ámbito laboral", cit., págs. 73 y ss. También, sobre los efectos de la revelación del secreto de empresa en la jurisdicción social, véase TODOLÍ SIGNES, A., "El deber de guardar secreto de los trabajadores", cit., págs. 805 y ss.

[72] En este sentido, véase SALA FRANCO, T., "El deber de secreto de los trabajadores", cit., págs. 1263 y ss.; SALA FRANCO, T. y TODOLÍ SIGNES, A., *El deber de los trabajadores de no violar los secretos de la empresa*, cit., págs. 95 y ss.

[73] A este respecto, véase SALA FRANCO, T. y TODOLÍ SIGNES, A., *El deber de los trabajadores de no violar los secretos de la empresa*, cit., pág. 112.

[74] En este sentido, ampliamente, véase SALA FRANCO, T. y TODOLÍ SIGNES, A., *El deber de los trabajadores de no violar los secretos de la empresa*, cit., págs. 113 y ss.

de las normas de orden público que sean de aplicación[75]. Diagnóstico y propuestas de solución que pueden compartirse también en el estado actual de evolución de la materia, por más que las distintas alternativas enumeradas no deben servir en ningún caso para minimizar la responsabilidad que corresponde asumir al legislador, dando visibilidad legal a la cuestión controvertida.

Sea como fuere, el panorama descrito de manera sucinta, a partir de las claves enumeradas que han sido objeto de estudio sistemático por la doctrina laboralista, se enriquece en la coyuntura actual con determinadas sinergias que hemos examinado en los primeros epígrafes de nuestro estudio, como son, en primer lugar, un aumento en la presión que ejerce la irrupción de las nuevas tecnologías para avalar con más fuerza si cabe esa asunción por el legislador laboral de su responsabilidad de cara a la regulación expresa del deber de secreto profesional del trabajador, sobre todo, en alusión al trabajador común. Intensificación de la presencia tecnológica que ha tenido alguna materialización legal importante, como se ha visto, significativamente, en la Ley 3/2018, de 5 de diciembre, *de Protección de Datos Personales y garantía de los derechos digitales.* De igual modo que nos ha parecido importante también incidir en la novedad que puede representar de cara al concepto de secreto empresarial, la Ley 1/2019, de 20 de febrero, *de Secretos Empresariales,* por más que su resultado desde la perspectiva de nuestro objeto de análisis no parezca demasiado halagüeño, como hemos tenido ocasión de argumentar. Novedades que, sin embargo, no alcanzan virtualidad bastante para desmentir esa afirmación categórica que ha señalado la doctrina con la referencia de la situación actual y pretérita, según la cual el deber de secreto profesional del trabajador constituye una de las materias peor reguladas en el ordenamiento laboral[76].

---

[75]   A este respecto, véase SALA FRANCO, T. y TODOLÍ SIGNES, A., *El deber de los trabajadores de no violar los secretos de la empresa,* cit., págs. 120 y ss. También, desde un perspectiva más genérica, en relación con la libertad de expresión y su restricción por la negociación colectiva o los protocolos de empresa, véase SERRANO GARCÍA, J. Mª, "El derecho a la libertad de expresión del trabajador a través de las nuevas tecnologías y el derecho a la reputación de la empresa", cit., págs. 104 y ss.

[76]   En este sentido, sobre la base de la situación pretérita y el estado actual de regulación del deber de secreto profesional del trabajador, véase SALA FRANCO, T. y TODOLÍ SIGNES, A., *El deber de los trabajadores de no violar los secretos de la empresa,* cit., pág. 14.

5. VALORACIÓN CONCLUSIVA

La irrupción de las nuevas tecnologías en el ámbito de las relaciones laborales ha adquirido una dimensión tan significativa que, prácticamente cualesquiera derechos y deberes del trabajador, se ven en la necesidad de someterse a revisión bajo esa clave de interrelación mutua entre ambas variables, con independencia del concreto instituto afectado, dentro de los que componen el Derecho del Trabajo. Por más que las consecuencias o la complejidad de dicha interacción recíproca puedan ser distintas según la institución concreta de que se trate. En ese sentido, el deber de secreto profesional, denominado también como deber de confidencialidad del trabajador, no constituye ninguna excepción.

Efectivamente, en una primera aproximación pudiera pensarse que el análisis del deber de secreto profesional del trabajador, desde su conexión con las nuevas tecnologías, podría requerir un ejercicio de voluntarismo para aunar ambas categorías. Esto es, la configuración jurídica del deber de secreto profesional, por un lado, y su imbricación con las especialidades derivadas de la contextualización con las nuevas tecnologías, por otro lado. Sin embargo, a poco que se profundiza en la materia considerando su estado de desarrollo actual, se constata que dichas variables, configuradas *a priori* bajo un régimen de aparente autonomía, confluyen no obstante de manera absolutamente natural entre sí, y por tanto no forzada. Más aún, llegados a este punto de evolución, se puede afirmar que el deber de confidencialidad del trabajador dentro de la dinámica propia del contrato de trabajo, lo mismo que su catalogación como deber de secreto profesional, requiere examinarse considerando la influencia decisiva que ejercen sobre su conformación actual las nuevas tecnologías.

Aunque cualquier aseveración resulta opinable, hasta la irrupción masiva de la tecnología en el ámbito de las relaciones laborales, pudiera disculparse que el legislador no haya reparado expresamente en la significación del deber profesional del trabajador, como corrobora su materialización actual en el ET, por contraste con lo que sucede respecto de los representantes de los trabajadores –delegados de personal y miembros del comité de empresa– y el tratamiento del deber de sigilo que contienen los artículos 62 y 65 del ET, además del artículo 10.3.1 de la LOLS, como ha tenido ocasión de examinarse. Sin embargo, el aumento exponencial con la presencia generalizada –cuasi universal– de la tecnología, bajo cualesquiera de sus manifestaciones posibles, ha "democratizado" también en paralelo el acceso a la información de la empresa para muchos más actores, incluidos los propios trabajadores comunes por cuenta ajena. Extensión acaecida por la propia dinámica de las cosas y sin necesidad de apelar a su condición cualificada de representantes de los trabajadores, como ha venido suce-diendo tradicionalmente. De modo que la inclusión de la variante tecnoló-gica, con su grado actual de evolución, constituye una buena oportunidad para revisitar la institución del deber de secreto profesional del trabajador, aunque sea para confirmar sus carencias, subrayar los interrogantes que permanecen abiertos, o reivindicar la necesidad de una adecuada respues-ta legal acorde con los retos que tiene planteados.

Por su parte, cuando se examina la Ley 1/2019, de 20 de febrero, *de Secretos Empresariales*, llama la atención la aplicabilidad aparente de buena parte de su Preámbulo y sus disposiciones a la materia que nos concierne, en alusión al deber de confidencialidad o deber de secreto profesional del trabajador. Por más que, como se ha visto, el origen y la virtualidad del Texto legal citado no tenga entre sus motivaciones, ni principales ni secun-darias, la observancia por el trabajador de su deber de secreto profesional. Lo cual no debe servir, en cualquier caso, para desdeñar las implicaciones derivadas del referente normativo aludido. En verdad, la Ley 1/2019 pare-ce concebida para dar respuesta al mismo fenómeno que se trata de pre-servar, vinculado con el incremento de la vulnerabilidad empresarial, bien que en esta ocasión desde la propia lógica empresarial. Perspectiva que, por otro lado, vendría a confirmar la conexión de primer orden existente entre el deber de secreto profesional –o si se prefiere, el deber de con-fidencialidad del trabajador– y las nuevas tecnologías, que condicionará inevitablemente a futuro una nueva configuración de la materia, con su correspondiente reflejo a nivel legal.

La pregunta que sugiere la aparición de la Ley 1/2019, con el contenido que se ha expuesto, es si resulta correcto y oportuno –posible, sí– imple-mentar un Texto legal como el citado, por mucho que esté configurado desde la lógica empresarial, sin otorgar al trabajador el protagonismo que merece, aunque solo fuera por un criterio elemental de practicidad, con-siderando las motivaciones que están en el origen para la implementación de la norma. Una reflexión, alusiva a esa minusvaloración del elemento laboral, que resulta constatable asimismo en otros ejemplos de práctica legislativa recientes, como la Ley Orgánica 3/2018, de 5 de diciembre, *de Protección de Datos Personales y garantía de los derechos digitales*, incluyendo por primera vez en su regulación los denominados "derechos laborales digita-les", a pesar de obviar sistemáticamente en su configuración respectiva esa referencia al factor laboral como eje vertebrador de todas ellas.

En definitiva, como se ha podido comprobar a lo largo de nuestro estudio, el deber de secreto profesional del trabajador, a pesar de no contar con una regulación específica en el ET, incluido como está bajo la lógica de la buena fe dentro de la relación laboral, constituye una materia cada vez más importante ante la evolución seguida por las relaciones laborales, al tiempo que "influenciable" potencialmente también por otras normas jurídicas de implementación reciente en nuestro ordenamiento jurídico (Ley Orgánica 3/2018, Ley 1/2019, …). Seguramente, un motivo adicional para reivindicar ese posicionamiento pro activo del legislador hacia la regulación futura del deber de secreto profesional en el ET, con su reconocimiento específico como deber laboral del trabajador y la dimensión que le corresponde, en paralelo con la garantía de una adecuada sintonía entre todas esas normas citadas. Todo ello, sumado al beneficio que reportaría asimismo en términos de seguridad jurídica, considerando la progresión de la institución con el impulso imparable de las nuevas tecnologías.

BIBLIOGRAFÍA

ALEMÁN PÁEZ, F., "El derecho de desconexión digital: una aproximación conceptual, crítica y contextualizadora al hilo de la "Loi Travail nº 2016-1088", *Trabajo y Derecho*, núm. 30, 2017, págs. 12-33.

ARROYO APARICIO, A., "Secretos empresariales en el ordenamiento español", Revista Aranzadi Doctrinal, num.11/2019, parte Legislación Doctrina, 2019, BIB 2019/9602, págs. 1-16.

AZAUSTRE RUIZ, P., "Marco procesal del secreto profesional en la entrada y registro de despachos de abogados", *Revista Aranzadi de Derecho y Proceso Penal*, núm. 27, 2012, págs. 15-36.

BAZ RODRÍGUEZ, J., "La Ley Orgánica 3/2018 como marco embrionario de garantía de los derechos digitales laborales: claves para un análisis sistemático", *Trabajo y Derecho*, núm. 54, 2019, págs. 48-78.

BOIX REIG, J., "El secreto profesional", AA. VV.: *La protección jurídica de la intimidad*, Dir. Boix Reig, J., Coord. Jareño Leal, A., Iustel, Madrid, 2010, págs. 93-108.

BONILLA BLASCO, J. "Los efectos jurídicos del correo electrónico en el ámbito laboral: comentario a la STSJ Madrid de 13 de marzo de 2001", *Relaciones Laborales*, Vol. II, 2001, págs. 1177-1187.

CALVO GALLEGO, F. J., "TIC y poder de control empresarial: reglas internas de utilización y otras cuestiones relativas al uso de Facebook y redes sociales", *Revista Aranzadi Social Doctrinal*, núm. 9, 2012, págs. 125-151.

CAMAS RODA, F., "La influencia del correo electrónico y de internet en el ámbito de las relaciones laborales", *Revista de Derecho del Trabajo y Seguridad Social del Centro de Estudios Financieros*, núm.224, 2001, págs. 139-162.

CAMPUZANO LAGUILLO, A. B., PALOMAR OLMEDA, A., SANJUÁN Y MUÑOZ, E. y MOLINA HERNÁNDEZ, C., *La protección de secretos empresariales*, Tirant lo Blanch, Valencia, 2019.

CARDONA RUBERT, Mª B., "Reinterpretación de los derechos de intimidad y secreto de las comunicaciones en el modelo constitucional de relaciones laborales: un paso atrás (Comentario a la STC 241/2012, de 17 de septiembre de 2012)", *Revista de Derecho Social*, núm. 60, 2012, págs. 169-180.

CARNIELLI, C., "Statuto dei Lavoratori e controlli sui lavoratori: alcuni casi pratici e qualche riflessione", *Diritto delle Relazioni Industriali*, Vol. 12, núm. 1, 2002, págs. 27-39.

CIALTI, P. H., "El derecho a la desconexión en Francia: ¿más de lo que parece?", *Temas Laborales*, núm. 137, 2017, págs. 163-181.

CUADROS GARRIDO, Mª E., "El uso del whatsapp en las relaciones laborales", *Nueva revista española de Derecho del Trabajo*, núm. 171, 2014, págs. 91-112.

CUEVA PUENTE, C., "Derechos fundamentales y obligación de secreto en las relaciones de trabajo", AA. VV.: *Trabajo y libertades públicas*, Ley-Actualidad, Las Rozas de Madrid, 1999, págs. 353-369.

DESDENTADO BONETE, A., "Contrato de trabajo y nuevas tecnologías. Una nota sobre algunas cuestiones de actualidad: prueba electrónica, garantías de la intimidad y uso sindical del correo electrónico", *Revista Poder Judicial*, núm. 88, 2009, págs. 241-265.

DESDENTADO BONETE, A. y MUÑOZ RUIZ, A. B., *Control informático, videovigilancia y protección de datos en el trabajo*, Lex Nova, Valladolid, 2012.

FALGUERA BARÒ, M. A., "Nuevas tecnologías y trabajo (I): perspectiva contractual", *Trabajo y Derecho*, núm. 19-20, 2016, págs. 31-45.

— "Nuevas tecnologías y trabajo (II): perspectiva constitucional", *Trabajo y Derecho*, núm. 21, 2016, págs. 34-51.

— "Nuevas tecnologías y trabajo (III): perspectiva procesal", *Trabajo y Derecho*, núm. 22, 2016, págs. 31-44.

FERNÁNDEZ BERMEJO, D., "El abogado ante el blanqueo de capitales y el secreto profesional", *Revista Aranzadi Doctrinal*, núm. 8, 2017, págs. 199-229.

GALA DURÁN, C. y PASTOR MARTÍNEZ, A., "La incidencia de las nuevas tecnologías de la información y comunicación en la negociación colectiva", AA. VV.: *Relaciones Laborales y Nuevas Tecnologías*, Dir. Del Rey Guanter, S., Coord. Luque Parra, M., La Ley, Madrid, 2005, págs. 253-343.

GARCÍA MURCIA, J. y RODRÍGUEZ CARDO, I., "La protección de datos personales en el ámbito de trabajo: una aproximación desde el nuevo marco normativo", *Nueva revista española de Derecho del Trabajo*, núm. 216, 2019, págs. 19-64.

GARCÍA NINET, J. I., "Sobre el uso y abuso del teléfono, del fax, del ordenador y del correo electrónico de la empresa para fines particulares en lugar y tiempo de trabajo: datos para una reflexión en torno a las nuevas tecnologías", *Tribuna Social*, núm. 127, 2001, págs. 5-14.

GARCÍA QUIÑONES, J. C., "La organización del tiempo de trabajo y descanso y la conciliación en el teletrabajo", AA. VV.: *Trabajo a distancia y teletrabajo: estudios sobre su régimen jurídico en el derecho español y comparado*, Coord. Villalba Sánchez, A., Dir. Mella Méndez, L., Thomson Reuters-Aranzadi, Cizur Menor, 2015, págs. 129-170.

GONZÁLEZ ORTEGA, S., "La informática en el seno de la empresa: poderes del empresario y condiciones de trabajo", AA. VV.: *Nuevas tecnologías de la información y comunicación y Derecho del Trabajo*, Bomarzo, Albacete, 2004, págs. 19-48.

GOÑI SEIN, J. L., *La nueva regulación europea y española de protección de datos y su aplicación al ámbito de la empresa (Incluido el Real Decreto-Ley 5/2018)*, Editorial Bomarzo, Albacete, 2018.

GUILLÉN CATALÁN, R., "Formación e-learning. Curso de especialización en Know-How, propiedad intelectual e industrial en el mercado único digital", *Aranzadi*, 2019, BIB 2019/6535, págs. 1-9.

HIDALGO RÚA, G. Mª y DEL VAL ARNAL, J., "El deber de guardar secreto en la relación laboral del personal con medios informáticos", *Documentación Laboral*, núm. 35, 1991, págs. 203-217.

LANZADERA ARENCIBIA, E., "El uso de los medios informáticos de la empresa por los trabajadores y su control por el empresario", *CEF Gestión*, núm. 45, 2002, págs. 61-74.

LUJÁN ALCARAZ, J., "La vigilancia empresarial sobre el uso de los medios informáticos puestos a disposición de los trabajadores", AA. VV.: *Libertad de empresa y poder de dirección del empresario en las relaciones laborales (Estudios ofrecidos al profesor Alfredo Montoya Melgar)*, Aranzadi Thomson Reuters, Dirs. Sánchez Trigueros, C. y González Díaz, F. A., Cizur Menor, 2011, págs. 125-137.

LUQUE PARRA, M., "La (re) definición del concepto de "trabajador" en el ámbito de las nuevas tecnologías a la luz del derecho de propiedad industrial y de propiedad intelectual", AA. VV.: *Relaciones Laborales y Nuevas Tecnologías*, Dir., Del Rey Guanter, S., Coord. Luque Parra, M., La Ley, Madrid, 2005, págs. 77-103.

— "Pactos típicos, nuevas tecnologías y relación laboral", AA. VV.: *Relaciones Laborales y Nuevas Tecnologías*, Dir. Del Rey Guanter, S., Coord. Luque Parra, M., La Ley, Madrid, 2005, págs. 153-183.

— "La introducción de las nuevas tecnologías y la extinción del contrato de trabajo por causas objetivas", AA. VV.: *Relaciones Laborales y Nuevas Tecnologías*, Dir. Del Rey Guanter, S., Coord. Luque Parra, M., La Ley, Madrid, 2005, págs. 239-251.

LLAMOSAS TRAPAGA, A., *Relaciones laborales y nuevas tecnologías de la información y de la comunicación (Una relación fructífera no exenta de dificultades)*, Dykinson, Madrid, 2015.

MARESCA, A., "Controlli tecnologici e tutele del lavoratore nel nuovo art. 4 dello Statuto dei Lavoratori", *Rivista Italiana di Diritto del Lavoro*, Vol. 35, núm. 4, 2016, págs. 513-546.

MARTÍNEZ ENGUÍDANOS, J., "La nueva Ley de Secretos Empresariales: un paso adelante en la protección de los activos de la empresa", *Revista Aranzadi Doctrinal*, núm. 10/2019, Parte Legislación Doctrina, 2019, BIB 2019/8958, págs. 1-9.

MARTÍNEZ FONS, D., "El control empresarial del uso de las nuevas tecnologías en la empresa", AA. VV.: *Relaciones Laborales y Nuevas Tecnologías*, Dir. Del Rey Guanter, S., Coord. Luque Parra, M., La Ley, Madrid, 2005, págs. 185-237.

— "Uso y control de las tecnologías de la información y comunicación en la empresa", *Relaciones Laborales*, Tomo II, 2002, págs. 1311-1342.

MERCADER UGUINA, J. R., "Derechos fundamentales de los trabajadores y nuevas tecnologías: ¿hacia una empresa panóptica?", *Relaciones Laborales*, Tomo I, 2001, págs. 665-685.

— *Protección de datos y garantía de los derechos digitales en las relaciones laborales*, 3ª edic., Claves Prácticas Francis Lefebvre, 2019.

— "Aspectos laborales de la Ley Orgánica 3/2018 de 5 de diciembre: una aproximación desde la protección de datos", *Trabajo y Derecho*, núm. 52, 2019, págs. 110-122.

MOLINA NAVARRETE, C., "Interés del cliente" por las videollamadas, "cláusulas de cesión de datos" y "derecho a la imagen" de los trabajadores: ¿renacer del consentimiento libre o errado exceso de celo judicial?: comentario a la Sentencia de la Audiencia Nacional 87/2017, de 15 de junio", *Revista de Trabajo y Seguridad Social del Centro de Estudios Financieros*, núm. 419, 2018, págs. 147-157.

MONEREO PÉREZ, J. L., "Por una "teoría general" de los derechos sociales fundamentales que garantice su plena efectividad", *Derecho de las Relaciones Laborales*, núm. 8, 2017, págs. 698-762.

OLMO FERNÁNDEZ-DELGADO, L., "El secreto de empresa en el ámbito laboral", *Revista de Trabajo y Seguridad Social del Centro de Estudios Financieros*, núm. 205, 2000, págs. 57-90.

ORELLANA CANO, A. Mª, *El derecho a la protección de datos personales como garantía de la privacidad de los trabajadores*, Aranzadi, Cizur Menor (Navarra), 2019.

PÉREZ LLUNA, A., "Los secretos empresariales en la nueva ley española", *Actualidad Jurídica Aranzadi*, núm. 950/2019, parte Comentario, 2019, BIB 2019/2492, págs. 1-2.

PÉREZ RON, J. L., "El secreto profesional de los abogados (después de la Ley 10/2010, de 28 de abril)", *Revista Quincena Fiscal*, núm. 7, 2013, págs. 81-113.

PRECIADO DOMÉNECH, C. H., *Los derechos digitales de las personas trabajadoras: aspectos laborales de la LO 3/2018, de 5 de diciembre de protección de datos y garantía de los derechos digitales*, Aranzadi, Cizur Menor (Navarra), 2019.

PROIA, G., "Trattamento dei dati personali, rapporto di lavoro e l'impatto della nuova disciplina dei controlli a distanza", *Rivista Italiana di Diritto del Lavoro*, Vol. 35, núm. 4, 2016, págs. 547-578.

QUÍLEZ MORENO, J. Mª, "La garantía de derechos digitales en el ámbito laboral: el nuevo artículo 20 bis del Estatuto de los Trabajadores", *Nueva revista española de Derecho del Trabajo*, núm. 217, 2019, págs. 127-152.

RAY, J. E., "Actualité des TIC", *Droit Social*, núm. 3, 2010, págs. 267-279.

— "De la géo-localisation à la télé-localisation", *Droit Social*, núm. 1, 2012, págs. 61-69.

— "Actualités des NTIC", *Droit Social*, núm. 12, 2013, págs. 978-994.

— "Actualité des TIC. Tous connectés, partout, tout le temps?", *Droit Social*, núm. 6, 2015, págs. 516-527.

RODRÍGUEZ ESCANCIANO, S., *Poder de control empresarial, sistemas tecnológicos y derechos fundamentales de los trabajadores*, Tirant lo Blanch, Valencia, 2015.

RODRÍGUEZ-PIÑERO ROYO M. y LÁZARO SÁNCHEZ, J. L., "Hacia un tratamiento integrado de la comunicación electrónica no profesional", AA. VV.: *Relaciones Laborales y Nuevas Tecnologías*, Dir. Del Rey Guanter, S., Coord. Luque Parra, M., La Ley, Madrid, 2005, págs. 9-47.

ROJAS RIVERO, G. P., *La libertad de expresión del trabajador*, Editorial Trotta, Madrid, 1991.

SALA FRANCO, T., "El deber de secreto de los trabajadores", AA. VV.: *Las relaciones laborales en la reestructuración y el saneamiento de empresas (XVI Congreso Nacional de Derecho del Trabajo y de la Seguridad Social)*, Colección Informes y Estudios, Serie Relaciones Laborales, núm. 77, MTAS, Madrid, 2006, págs. 1253-1272.

SALA FRANCO, T. y LAHERA FORTEZA, J., *Las indemnizaciones a favor de las empresas y de los trabajadores en el contrato de trabajo*, Colección Laboral Práctico, Tirant lo Blanch, Valencia, 2013.

SALA FRANCO, T. y TODOLÍ SIGNES, A., *El deber de los trabajadores de no violar los secretos de la empresa*, Colección Laboral Práctico, Tirant lo Blanch, Valencia, 2016.

SANGUINETI RAYMOND, W., "El derecho de huelga en la encrucijada del cambio tecnológico y productivo", *Trabajo y Derecho*, núm. 14, 2016, págs. 10-15.

SAN MARTÍN MAZZUCCONI, C. y SEMPERE NAVARRO, A. V., *Las TICs en el ámbito laboral*, Francis Lefebvre, Madrid, 2015.

SÁNCHEZ-RODAS NAVARRO, C., "Poderes directivos y nuevas tecnologías", *Temas Laborales*, núm. 138, 2017, págs. 163-184.

SÁNCHEZ TORRES, E., "El ejercicio de la libertad de expresión de los trabajadores a través de las nuevas tecnologías", AA. VV.: *Relaciones Laborales y Nuevas Tecnologías*, Dir. Del Rey Guanter, S., Coord. Luque Parra, M., La Ley, Madrid, 2005, págs. 105-151.

SERRANO GARCÍA, J. Mª, "El derecho a la libertad de expresión del trabajador a través de las nuevas tecnologías y el derecho a la reputación de la empresa", *REDT*, núm. 217, 2019, págs. 101-126.

SERRANO OLIVARES, R., "Reflexiones en torno a la ley aplicable al ciberempleo transnacional", AA. VV.: *Relaciones Laborales y Nuevas Tecnologías*, Dir. Del Rey Guanter, S., Coord. Luque Parra, M., La Ley, Madrid, 2005, págs. 411-459.

— "Los derechos digitales en el ámbito laboral: comentario de urgencia a la Ley Orgánica 3/2018, de 5 de diciembre, de protección de datos personales y garantía de los derechos digitales", *IUSLabor*, núm. 3, 2018, págs. 216-229.

SIGNES DE MESA, J. I., "La independencia de los abogados de empresa y la protección del secreto profesional en la Unión Europea", *Revista de Derecho Mercantil*, núm. 279, 2011, págs. 177-202.

SOLÀ I MONELLS, X., "La introducción del teletrabajo en la empresa: régimen jurídico", AA. VV.: *Relaciones Laborales y Nuevas Tecnologías*, Dir. Del Rey Guanter, S., Coord. Luque Parra, M., La Ley, Madrid, 2005, págs. 49-75.

STENICO, E., "Diritto all'autodeterminazione informativa del prestatore: Italia e Spagna a confronto", *Lavoro e Diritto*, Vol. 16, núm. 1, 2002, págs. 67-97.

TEBANO, L., "La nuova disciplina dei controlli a distanza: quali ricadute sui controlli conoscitivi?", *Rivista Italiana di Diritto del Lavoro*, Vol. 35, núm. 3, 2016, págs. 345-368.

TODOLÍ SIGNES, A., "El deber de guardar secreto de los trabajadores", *Actualidad Laboral*, núm. 6, 2013, págs. 793-811.

— "El esquirolaje tecnológico como método de defensa ante una huelga", *Actualidad Laboral*, núms. 7-8, 2014, págs. 830-837.

TORRE GARCÍA, C., "El derecho a la desconexión de los dispositivos móviles corporativos por parte de los empleados en Francia", *Capital Humano*, núm. 317, 2017, págs. 118-120.

TRICLIN, A., "La experiencia francesa del derecho a la desconexión", AA. VV.: *Anuario internacional sobre prevención de riesgos psicosociales y calidad de vida en el trabajo*, 2016, págs. 311-339.

TRUJILLO PONS, F. "Revelación de secretos empresariales a terceros por medio del correo electrónico: posición del Tribunal Constitucional ante una supuesta vulneración a los derechos a la intimidad y al secreto de las comunicaciones (Sentencia del Tribunal Constitucional 170/2013, de 7 de octubre de 2013)", *Revista general de Derecho del Trabajo y de la Seguridad Social*, núm. 36, 2014, págs. 240-267.

VALDÉS DAL-RÉ, F., "Contrato de trabajo, derechos fundamentales de la persona del trabajador y poderes empresariales, una difícil convivencia", *Relaciones Laborales*, Vol. II, 2003, págs. 89-102.

— "La eficacia general de los derechos fundamentales en las relaciones laborales: experiencias de derecho comparado", *Derecho de las Relaciones Laborales*, núm. 3, 2017, págs. 201-209.

— "Poderes del empresario y derechos de la persona del trabajador", *Relaciones Laborales*, Vol. I, 1990, págs. 277-294.

— "La vinculabilidad jurídica de los derechos fundamentales de la persona del trabajador: una aproximación de Derecho comparado", *Derecho Privado y Constitución*, núm. 17, 2003 (Ejemplar dedicado a: Número Monográfico sobre Fuentes del Derecho en Homenaje al profesor Javier Salas Hernández), págs. 499-525.

— "Los derechos fundamentales de la persona del trabajador: un ensayo de noción lógico-formal", *Relaciones Laborales*, Vol. II, 2003, págs. 47-54.

— "Los derechos fundamentales de la persona del trabajador entre la resistencia a su reconocimiento y la reivindicación de su ejercicio", *Relaciones Laborales*, Vol. II, 2003, págs. 69-76.

— "La libertad de expresión e información en la Carta de Niza", *Relaciones Laborales*, Vol. I, 2014, págs. 1-17.

— "La dimensión laboral de la libertad de expresión", *Relaciones Laborales*, Vol. I, 2004, págs. 81-93.

— "Derecho a la libertad de opinión y de expresión (incluye derecho a comunicar o recibir informaciones): (art. 19 DUDH; art. 19 PIDCP)", AA. VV.: *El sistema universal de los derechos humanos: Estudio sistemático de la declaración universal de los derechos humanos, el pacto internacional de derechos civiles y políticos, el pacto internacional de derechos económicos, sociales y culturales y textos internacionales concordantes*, Coord. Monereo Atienza, C., Monereo Pérez, J. L. y Aguilar Calahorro, A., 2014, págs. 225-237.

— "Nuevas tecnologías y derechos fundamentales de los trabajadores", *Derecho de las Relaciones Laborales*, núm. 2, 2019, págs. 129-136.

VALVERDE ASENCIO, A. J., "El derecho a la protección de datos en la relación laboral", AA. VV.: *Relaciones Laborales y Nuevas Tecnologías*, Dir. Del Rey Guanter, S., Coord. Luque Parra, M., La Ley, Madrid, 2005, págs. 345-410.

VELASCO PERDIGONES, J. C., "Nociones sobre cuestiones civiles y penales controvertidas en la responsabilidad penal de las personas jurídicas: el Compliance Officer, transparencia y prevención de la corrupción en las empresas y secreto profesional del abogado y blanqueo de capitales", *Revista Aranzadi Doctrinal*, núm. 3, 2018, págs. 187-210.

VÉRGEZ, C., "El alcance del secreto profesional entre el abogado de empresa y su empleador", *Actualidad Jurídica Aranzadi*, núm. 949, 2019, pág. 8.

XXIII. LA FALTA DE ADAPTACIÓN DE LOS REPRESENTANTES DE LOS TRABAJADORES A LA REALIDAD EMPRESARIAL Y DIGITAL DEL SIGLO XXI: PROPUESTA DE REFORMA

Jesús Lahera Forteza

Catedrático acreditado (por Recurso) Derecho del Trabajo
Universidad Complutense y consultor AbdónPedrajas

1. EL MODELO ESPAÑOL DE REPRESENTANTES DE LOS TRABAJADORES

1.1. *Modelo dual sustentado en la unidad electoral del centro de trabajo*

En España existe un modelo dual de representación de los trabajadores en la empresa: una representación electiva unitaria y una representación afiliativa sindical[1].

---

[1] Por todos, la descripción del modelo que aquí reproduzco en SALA FRANCO,T;LAHERA FORTEZA,J, "La representación de los trabajadores en la empresa" en dir SALA,T, *Propuestas para un debate sobre la reforma laboral*, Lefebvre, Madrid, 2018, pp.37-41.

Por un lado, el Título II del ET diseña y regula los órganos unitarios de representación de los trabajadores, esto es, los denominados delegados de personal y el comité de empresa. Estos representantes son elegidos democráticamente por toda la plantilla del centro de trabajo o empresa con la siguiente configuración:

a) En los centros de trabajo de seis a diez trabajadores, si así lo decidiera la mayoría de la plantilla, se podrá elegir un delegado de personal; en los centros de once a treinta, un delegado de personal; y en los centros de treinta y uno a cuarenta y nueve, tres delegados de personal (Art. 62.1 del ET).

b) En los centros de trabajo de cincuenta o más trabajadores, se podrá elegir un comité de empresa con la composición dictada por el Art 66 del ET, que, dependiendo del número de la plantilla, va de cinco a veintiún miembros, con un máximo de sesenta y cinco (Art. 63.1 del ET).

c) En los centros de trabajo de una misma provincia o limítrofe, con menos de cincuenta trabajadores pero que en su conjunto sumen más de cincuenta, se podrá elegir un comité de empresa conjunto con el número de miembros que indica la escala establecida en el Art. 66 del ET (Art. 63.2 del ET).

d) A través del convenio colectivo se podrá diseñar un comité intercentros con respeto de la proporcionalidad de los sindicatos según los resultados electorales en todos los centros de la empresa (Art. 63.3 del ET).

El fundamento de la legitimación de los delegados de personal y comités de empresa es democrático por electivo. Así, los delegados de personal y los miembros de los comités de empresa son elegidos para un mandato representativo de cuatro años. La clave de esta representación es la promoción de las elecciones en la unidad electoral correspondiente, estando legitimados para convocarlas los sindicatos más representativos, los sindicatos representativos que cuenten un diez por ciento de audiencia electoral en la empresa y los propios trabajadores de la misma por acuerdo mayoritario (Art. 67 del ET y 2 del RD 1884/1994).

Los delegados de personal son elegidos por mayoría y los comités de empresa con criterios de proporcionalidad según la representatividad de las candidaturas. A partir de ese momento, la función de estos órganos es la de defender los intereses de todos los trabajadores del centro de trabajo o de la empresa frente al empresario, actuando por acuerdo mayoritario de sus miembros respecto de las amplias facultades establecidas en el Art. 64 del ET y en otras normas complementarias, con las garantías (prohibición de despidos y sanciones discriminatorias; exigencia de expediente disciplinario para la imposición de sanciones por faltas graves y muy graves; derecho de opción de los representantes en los despidos improcedentes; no discriminación en la promoción económica y profesional; y prioridad de permanencia en los supuestos de extinción o suspensión de contratos por causas económicas, técnicas, organizativas o productivas y por fuerza mayor) y facilidades (libertad de expresión de opiniones; publicación y distribución de informaciones; derecho a un tablón de anuncios; derecho a un local adecuado; y derecho a un crédito de horas laborales retribuidas) establecidas en el Art 68 del ET.

Por otro lado, la LOLS reconoce la acción del sindicato en la empresa a través de las secciones sindicales, representadas en su caso por los delegados sindicales. Así, todo sindicato tiene derecho a regular en sus estatutos la constitución de secciones sindicales en los lugares de trabajo y todo afiliado tiene derecho a constituirlas conforme a dicha regulación (Art. 8.1 de la LOLS).

El fundamento de la legitimación de las secciones y delegados sindicales es afiliativo. Estos órganos de representación se constituyen por los afiliados al sindicato correspondiente en la empresa. Es por tanto expresión de la propia libertad sindical y se canaliza mediante la autoorganización interna de cada sección sindical. La sección sindical es una instancia organizativa interna del sindicato y, a la vez, una representación sindical externa con derecho a la actividad sindical *"ex Art 2.2.d) de la LOLS"*.

A las secciones sindicales no se le reconocen derechos específicos distintos de los de los miembros que la integran (Art. 8.1.b) y c) de la LOLS), si bien la LOLS concede una serie de derechos adicionales a las secciones sindicales de los sindicatos más representativos y a las de aquellos que cuenten con representación en los órganos de representación unitaria de trabajadores (Art. 8.2): derecho a un tablón de anuncios, derecho a la negociación colectiva en los términos establecidos en su legislación específica y derecho a un local adecuado.

A su vez, en las empresas o centros de trabajo de más de doscientos cincuenta trabajadores las secciones sindicales de los sindicatos con presencia electoral tienen derecho a elegir uno o varios delegados sindicales conforme a la escala establecida en el Art. 10.2 de la LOLS o en el convenio colectivo aplicable.

El delegado sindical tiene reconocidos una serie de derechos: derecho de asistencia a todas las reuniones del comité de empresa y de los órganos correspondientes en materia de seguridad e higiene, con voz pero sin voto; derecho a ser oído por la empresa previamente a la adopción de medidas de carácter colectivo que afecten a los trabajadores en general y a los afiliados a su sindicato en particular; acceso a la misma información y documentación que la empresa ponga a disposición del comité de empresa (Art. 10.3 de la LOLS), disfrutando de las garantías que el Art 68 del ET establece para los representantes unitarios.

Así pues, en nuestro modelo de representación de los trabajadores en la empresa conviven un canal electivo, con fundamento democrático, y un canal sindical, con fundamento afiliativo. El origen de la implantación de este modelo dual fue un equilibrio salomónico entre las tesis de CC.OO, favorable a dar protagonismo a la representación electiva, y las de UGT, defensora de la sindicalización de la empresa mediante las secciones y delegados sindicales. El resultado de esta controversia fue el reconocimiento de los representantes sindicales en la empresa, desarrollado en la LOLS de 1985, a cambio de la potenciación y protagonismo de las funciones sindicales de los representantes electivos o unitarios desde el ET de 1980, convertidos, además, en el eje del sistema, al adoptar el legislador un modelo de representatividad sindical sobre la base de la audiencia electoral y no de la afiliación.

Efectivamente, en este modelo de doble canal, la representación electiva es la clave de nuestro sistema de relaciones laborales porque, además de asumir la defensa de los intereses de los trabajadores en los centros de trabajo de las empresas, determina, en el marco de los Arts. 6 y 7 de la LOLS, la representatividad sindical y, en consecuencia, la titularidad del derecho de negociación colectiva de eficacia general desarrollada en los Arts 87 a 89 del ET, siendo imprescindible, para ejercer el poder sindical y negocial, la infiltración del sindicato en estos órganos de representación. Una consecuencia clara de esta opción es la sindicalización de los delegados de personal y comités de empresa. El sindicato actúa, así, por regla general, indirectamente, a través de representantes no sindicales en los centros de trabajo y en las empresas.

Son muchas e intensas las relaciones que, además de la anterior, unen a ambas representaciones. Así, en la promoción de las elecciones a los órganos de representación unitaria, en la presentación de candidaturas, en la proporcionalidad sindical legalmente exigida en la composición de los comités intercentros, en la necesaria preexistencia de representantes unitarios para poder designar delegados sindicales en las secciones sindicales, en el derecho de los delegados sindicales para asistir a las reuniones de los representantes unitarios o en la posibilidad de que un mismo trabajador pueda ser miembro del comité de empresa y delegado sindical.

Estas vinculaciones, generadas por el propio ordenamiento laboral, no afectan, sin embargo, al modelo dual porque las diferencias entre el representante electivo y el sindical son, formal y jurídicamente, muy claras. El predominio de una u otra dependerá de cada empresa, donde, a partir de la inevitable sindicalización de los delegados de personal y comités, los sindicatos pueden optar por dar más protagonismo a las secciones sindicales, sustituyendo realmente en sus funciones a la representación unitaria, o, como resulta bastante frecuente, apostar por los órganos electivos para desarrollar las funciones sindicales.

1.2. Competencias de representación en el modelo dual

Los representantes electivos y sindicales de los trabajadores en la empresa tienen en nuestro modelo de representación la doble función de participación y reivindicación, por lo que el modelo de doble canal de representación de los trabajadores en la empresa se confunde así con un modelo de doble participación y reivindicación.

Por una parte, los delegados de personal y comités de empresa, originariamente configurados como órganos de participación en el Art. 61 del ET, asumen, dentro del elenco de competencias del Art. 64 del ET, competencias de información trimestral sobre las materias del Art. 64.2 del ET, de información anual en las materias del Art. 64.3 del ET, de información periódica en las cuestiones del Art. 64.4 del ET, y de información y consulta-negociación en las decisiones de la empresa que pudieran provocar cambios relevantes en cuanto a la organización del trabajo, los contratos de trabajo y el empleo, así como en las más específicamente establecidas en el Art. 64.5 del ET. Son representantes, por tanto, con un alto grado de participación en la empresa, como también queda demostrado a lo largo del ET, cuando se mencionan distintos procedimientos de información y consulta, como sucede, por ejemplo, con las contratas del Art. 42.4 y 5 del ET, con las transmisiones empresariales del Art. 44.6 a 9 del ET, con los traslados del Art. 40.2 del ET o con los despidos colectivos del Art. 51 del ET.

Pero, además de estas funciones participativas, que giran sobre la información y la consulta de la empresa, bajo el espíritu de cooperación que menciona el Art. 64.1 del ET, los delegados de personal y miembros del comité de empresa tienen también atribuidas funciones reivindicativas, como la vigilancia en el cumplimiento de las normas laborales y de los contratos colectivos utilizando las acciones legales oportunas y la vigilancia más específica de la normativa de prevención de riesgos laborales e igualdad de trato por razón de género (Art. 64.7 del ET). De igual manera, como órganos reivindicativos, estos representantes tienen derecho a la negociación colectiva de eficacia general *"ex Art. 87.1 del ET"*, a la convocatoria de huelgas *"ex Art. 3. 2 del RDLRT"* y a plantear acciones extraprocesales y procesales de conflicto colectivo *"ex Art. 153 de la LJS"*.

De esta manera, la representación electiva o unitaria canaliza la participación en la empresa, con un espíritu de cooperación, pero, a la vez, es expresión de la autonomía colectiva, negocial y de autotutela, y del control reivindicativo del cumplimiento de las normas laborales y contratos colectivos, estableciéndose una doble acción concentrada en el mismo órgano de representación.

Por otra parte, las secciones y delegados sindicales son, desde su creación por el Art. 8.1 y 10 de la LOLS, órganos de reivindicación de intereses frente a la empresa. Así, las secciones sindicales ejercen el derecho a la negociación colectiva, en el marco de los Arts. 87.1 del ET y 8.2 b) de la LOLS, y tienen la capacidad de convocar huelgas (en la adecuada interpretación del Art. 3.2 del RDLRT realizada por la STC 11/1981) así como la de plantear acciones extrajudiciales y judiciales de conflicto colectivo del Art. 153 de la LJS.

Pero los delegados sindicales, en virtud del Art. 10.3 de la LOLS, llevan a cabo también funciones participativas, al tener los mismos derechos de información que los delegados de personal y comités, así como la presencia en sus reuniones aún sin voto, debiendo ser escuchados en las decisiones que adopte la empresa que afecten a los trabajadores y, especialmente, a sus afiliados. De esta manera, las secciones y los delegados sindicales tienen funciones esencialmente reivindicativas, pero también con un margen de posible participación en la empresa.

2. PERSPECTIVA ORGANIZATIVA: FALTA DE ADAPTACIÓN DE LA UNIDAD ELECTORAL

2.1. *El problema estructural de la rigidez e inadecuación del centro de trabajo*

Este modelo legal de representantes de los trabajadores, anteriormente descrito, plantea una serie de problemas estructurales, suficientemente identificados ya por estudios académicos, en esta materia, desde una perspectiva organizativa[2].

En primer lugar, la exclusión de la representación unitaria de los trabajadores en un amplio tejido productivo empresarial y la paradójica saturación de esta misma representación en las grandes empresas, por ser un modelo electoral excesivamente rígido.

Las reglas de configuración de los delegados de personal y comités de empresa, antes expuestas, son normas rígidamente imperativas y no disponibles ni por la autonomía negocial colectiva ni por los promotores electorales, según viene manteniendo la jurisprudencia, dado que estas elecciones sirven de base para delimitar la representatividad de los sindicatos (audiencia electoral y no afiliación) (por todas, SS.TS de 31 de Enero de 2001, Rec.1959/2000, de 19 de Marzo de 2001, Rec. 2012/2000 o de 20 de Febrero de 2008, Rec.77/2007).

Quedan, por tanto, fuera de la representación legal las empresas unicelulares y los centros de trabajo de menos de seis a diez trabajadores, sin que, por analogía con el Art. 63.2 del ET, sea posible designar delegados de personal para varios centros cuando no alcanza ninguno de ellos el mínimo de once trabajadores ni se puedan agrupar centros en una misma provincia, para constituir comité conjunto, cuando no sumen en total más cincuenta trabajadores. El número total de trabajadores de la empresa re-

---

[2]   Ver CASAS BAAMONDE,M.E, "La necesaria reforma del Título II del Estatuto de los Trabajadores" y CRUZ VILLALÓN,J, "Una propuesta de revisión de las reglas sobre representación de los trabajadores en la empresa" en AA.VV, *Representación y representatividad colectiva en las relaciones laborales. Homenaje a Ricardo Escudero*, Bomarzo, Albacete, 2017, pp. 89 y ss y 147 y ss; LANDA ZAPIRAIN,J.P, "Agotamiento del modelo español de doble canal de representación para una eficiente gestión del cambio en la empresa: la co-determinación como solución", *Documentación Laboral* n°109, 2017, pp.19-53; VIVERO SERRANO,J, "La obsolescencia y los inconvenientes del modelo de representación unitaria de los trabajadores por centro de trabajo: por un nuevo modelo basado en la empresa, en la negociación colectiva y no encorsetado a nivel provincial", *Nueva Revista Española Derecho Trabajo*, n°194, 2017, pp. 230-238; SORIANO CORTES,D, "Canales estables de representación de los trabajadores y órganos adaptados a los nuevos modelos de gestión empresarial" en dir LÓPEZ AHUMADA,E;MENENDEZ,R, *Poder de dirección y estructuras empresariales complejas*, Cinca, Madrid,2018, pp.337 y ss; LAHERA FORTEZA,J, "El modelo español de representantes de los trabajadores en la empresa: funciones y disfunciones" en dir VALDES,F;MOLERO,M.L, *La representación de los trabajadores en las nuevas formas de organización de la empresa*, Ministerio de Trabajo, Madrid, 2007, p.17 y ss y "Crisis de la representatividad sindical: propuesta de reforma", *Derecho Relaciones Laborales*, 2016, n° 1, pp. 57-65; SALA FRANCO,T; LAHERA FORTEZA,J, "La representación de los trabajadores en la empresa", cit, pp.41-45 .

sulta así indiferente en la configuración de la representación legal electiva, que se mueve entre estos rígidos umbrales en los centros de trabajo. La rigidez del modelo electoral por centros de trabajo provoca un déficit de representación en una buena parte del tejido productivo de pequeñas empresas y de empresas de mayor tamaño organizadas en centros de trabajo pequeños.

Por el contrario, en las grandes empresas con centros de trabajo muy densos existe una saturación de representantes de los trabajadores. Los cerca de 300.000 representantes de trabajadores en nuestro país están concentrados en el sector público y en las grandes empresas, sin proyección en el resto de buena parte del tejido productivo, con una abrumadora presencia de pequeña y mediana empresa. Hay, por tanto, muchos representantes de trabajadores pero repartidos de manera muy desigual.

En segundo lugar, la falta de adaptación a la realidad social vigente de la unidad electoral del centro de trabajo en las elecciones a delegados de personal y comités de empresa.

Si el legislador quiso con esta opción aproximar los representantes a los representados, la realidad ha desbordado el propósito, porque, a través de distintas fórmulas organizativas, precisamente lo que ocurre es que muchos trabajadores desempeñan su actividad fuera del centro de trabajo donde se eligen a los representantes. El modelo sindical descentralizado por centros puede ser útil en un ámbito típicamente industrial pero no lo es en las nuevas formas de organización de la empresa, que tienden a alejar a los trabajadores de sus centros de trabajo y no digamos ya en la cada vez más importante tipología de empresas sin centros físicos de trabajo.

En efecto, la unidad electoral del centro de trabajo definido en el Art.1.5 del ET, bien diferente al lugar real de trabajo, aleja, en ocasiones, a los representantes de los representados, como sucede en las contratas, donde las elecciones se celebran en el centro de trabajo del contratista donde están adscritos los trabajadores y no en el lugar de la empresa principal donde desempeñan su actividad, si bien el legislador estableció algunos mecanismos de relación entre las representaciones de los trabajadores de la empresa principal y contratista (Art. 42.6 y 7 del ET). Lo mismo cabe deducir de las relaciones laborales en las ETT.

Por otra parte, la definición de centro de trabajo del Art.1.5 del ET (*"a efectos de esta ley, se considera centro de trabajo la unidad productiva con organización específica, que sea dada de alta, como tal, ante la autoridad laboral"*) permite dejar prácticamente en manos de una utilización sesgada de la empresa la determinación de la unidad electoral del sistema, con los consiguientes riesgos de exclusión de representación de los trabajadores a resultas de una estrategia empresarial. Sólo cabe observar cuantas empresas se organizan en multitud de centros pequeños sin representación alguna[3]. Además, esta cuestión origina una abundante litigiosidad, con un papel importante de los árbitros electorales, pero con una enorme inseguridad jurídica y dispersión de criterios.

En definitiva, por exceso de rigidez del modelo electoral y por falta de adecuación de la unidad electoral, el modelo de representantes de los trabajadores, sustentado en las elecciones sindicales, tiene serios problemas estructurales de adaptación a nuestra realidad empresarial y social. El modelo electoral sustentado en el centro de trabajo es insuficiente para atender una auténtica, extendida y efectiva representación real de los trabajadores en las empresas.

2.2. *El problema específico del trabajo a distancia*

El trabajo a distancia es, conforme al art.13 ET, "*aquél en que la prestación de la actividad laboral se realiza de manera preponderante en el domicilio del trabajador o en el lugar libremente elegido por éste, de modo alternativo a su desarrollo presencial en el centro de trabajo de la empresa*". El trabajo a distancia va asociado legalmente al *domicilio del trabajador o al lugar elegido* por el mismo, cuando es la empresa quien también puede organizar con centros tecnológicos esta forma de trabajar. Esta restricción puede expulsar formas de teletrabajar dentro del art.13 ET, aquéllas que se desarrollan en centros tecnológicos de la propia empresa. La razón de esta opción española, tras la reforma 2012, es otorgar más flexibilidad a las empresas. Si se trabaja en casa o en lugar elegido por el trabajador se aplica el art.13 ET que exige acuerdo entre las partes. Si se trabaja en centro tecnológico de la empresa no se aplica el art.13 ET, al no ser ni domicilio ni lugar elegido por el trabajador, lo que facilita ejercer el poder de dirección, organizar los recursos humanos y cambiar el centro de trabajo al trabajador unilateralmente por el empresario conforme a los procedimientos previstos en los arts.40 y 41 ET.

En relación con la representación de los trabajadores también tiene fundamento esta distinción. Si es la empresa la que configura el trabajo a distancia con sus centros de trabajo, no habría problema en aplicar el sistema electoral de delegados y comités en este tipo de centro tecnoló-

---

[3]   VIVERO SERRANO J, "La obsolescencia y los inconvenientes del modelo de representación unitaria de los trabajadores por centros de trabajo", cit, pp.219-223.

gico. El problema de adaptación puede ser estructural y coincidente con los trabajadores presenciales, en los términos antes descritos, pero no específico. Pero si el trabajo a distancia es en domicilio del trabajador o en lugar elegido por éste, ya sí existe una problemática específica de falta de adaptación del modelo.

Por ello, el art.13.5 ET expresa que *"los trabajadores a distancia podrán ejercer los derechos de representación colectiva conforme a lo previsto en esta ley (Estatuto de los Trabajadores). A estos efectos estos trabajadores deberán estar adscritos a un centro de trabajo concreto de la empresa"*. A través de esta vía se soluciona formalmente esta falta de adaptación del modelo de representación de los trabajadores. Los trabajadores a distancia se adscriben a un centro de trabajo de la empresa desde donde desarrollar su actividad sindical o de representación colectiva. La participación en elecciones sindicales de los trabajadores a distancia queda así asegurada.

Pero esta solución formal no debería impedir ver la dificultad material de ser representante o sentirse representado desde la distancia. Formalmente se ofrece esta salida; materialmente se rompe la noción de interés colectivo que atañe directamente al teletrabajador aislado en su domicilio o lugar donde trabaja en su elección. La integración legal de los trabajadores a distancia en el sistema de representación de los trabajadores es, en fin, positiva pero el problema se plantea a la hora de hacer efectivo el principio de representación. Los trabajadores a distancia del art.13 ET están aislados y carecen del fundamento presencial de la defensa de un interés colectivo. Es difícil que la acción colectiva sea eficaz en trabajadores aislados y con relaciones laborales individualizadas. Además, la libre asignación empresarial al centro tiene riesgo de, precisamente, adscribir al colectivo de trabajadores a distancia en espacios que no tienen representantes, ni hay elecciones sindicales, sin riesgo alguno de sean promocionadas por este grupo individualizado.

Más allá de la incorporación al censo electoral, puede ser interesante, en este sentido, aprovechar la posibilidad del art.71.1 ET de que el convenio colectivo cree un colegio electoral singular para trabajadores a distancia[4]. Esta vía aseguraría una representación específica de los trabajadores a distancia, con sus intereses y singularidades, dentro de la representación legal. Pero es también difícil conjugar intereses colectivos en un grupo de trabajadores individualizado en sus domicilios como lugares de trabajo. El problema de adaptación es de fondo. Los mecanismos de representación

---

[4]   THIBAULT ARANDA,J, *El teletrabajo*, CES, Madrid, 2000, p.244.

de los trabajadores se han construido sobre el espacio físico y el trabajo presencial, en nuestro modelo sobre el centro de trabajo, y los trabajadores a distancia se encuentran desubicados al estar aislados y muy individualizados.

2.3. El problema específico de actividades sin centro de trabajo, en especial las plataformas digitales

Este tipo de problemas específicos se agrava en actividades sin centro de trabajo, sin espacios físicos, en especial en el trabajo desarrollado por plataformas digitales si asumimos su laboralización. La construcción legal de todo el sistema sindical sobre las elecciones desarrolladas en centros de trabajo se desmonta si la empresa carece de unidades electorales. Resulta imposible tener delegados y comités en empresas sin centros de trabajo, quedando sacrificada la representación de los trabajadores. Predominará entonces la individualización de los trabajadores sin ningún cauce de defensa y reivindicación del interés colectivo de la plantilla.

Es lo que sucede en las plataformas digitales donde el trabajador se conecta a la misma para desarrollar sus servicios a demanda de los clientes, especialmente en las of-line, donde se trabaja en lugares continuamente variables. No me corresponde en este análisis valorar si estas formas de trabajar encajan en la categoría clásica laboral o de autónomos o en vías intermedias de autónomo económicamente dependiente[5]. Pero sí me interesa subrayar que, si se encaja a los conectados de una plataforma digital en la laboralidad, uno de los muchos problemas específicos de ausencia de encaje en el régimen general jurídico laboral es el de la falta de adaptación de los representantes de los trabajadores. Aún asumiendo que la plataforma digital es la empresa que presta un servicio, a través de la misma, con trabajadores por cuenta ajena y dependientes, se plantea una inexistencia de centros de trabajo del art.1.5 ET, a no ser que se asuma el absurdo de identificar cada conexión con un centro. Es una organización empresarial sin espacio físico real, pues la estructura es virtual y digital, a través de una plataforma tecnológica a la que se van sumando conectados como trabajadores. Resulta imposible elegir delegados y comités que representen a los conectados en plataformas digitales. Podría pensarse que queda la vía sindical abierta pero ésta necesita, como he expuesto, del sustento elec-

---

[5] Sobre la cuestión, ver, por todos, el estudio colectivo Dir. PEREZ DE LOS COBOS,F, *El trabajo en plataformas digitales*, Wolter Kluver, Madrid, 2019.

toral para tener representatividad. Quedaría tan sólo la acción general y abstracta de los sindicatos más representativos[6], pero con una absoluta e irónica desconexión con la representación real de los conectados. Por otra parte, los mecanismos de garantía ante la reivindicación laboral son frágiles, pues el trabajador reivindicativo puede ser, hoy por hoy, desactivado de la plataforma sin apenas consecuencia. No es extraño que en este ámbito, salvo los loables intentos de respuesta de los sindicatos tradicionales, estén surgiendo asociaciones singulares, como Riders por Derechos, al margen de las estructuras clásicas de reivindicación de intereses laborales.

Si en los trabajadores a distancia del art.13 ET la adscripción electoral a un centro de trabajo solventa formalmente el problema, pero no lo elimina materialmente, como también puede suceder en ciertas plataformas on-line, en los conectados a plataformas digitales, sobre todo of-line, el problema es formal y, a la vez, material, porque no existe centro al que adscribirse ni representación unitaria a la que sumarse. Son, en estos casos, trabajadores a distancia en empresas sin centros de trabajo ni, por tanto, representación unitaria.

3. PERSPECTIVA FUNCIONAL: DÉFICIT DE PARTICIPACIÓN EN LA EMPRESA Y DE HERRAMIENTAS DIGITALES

3.1. *El problema estructural del sacrificio de la participación en la empresa*

Desde la perspectiva funcional, las críticas estructurales al sistema de representación, también detectadas por los análisis doctrinales en este debate político-sindical[7], van dirigidas en una doble dirección:

En primer lugar, la inadecuación de las competencias de los delegados de personal y comités de empresa con la unidad electoral de centro de trabajo. Formalmente, los representantes legales de los trabajadores son de centro de trabajo pero las competencias atribuidas por el Art.64 del ET se articulan en torno a la empresa, de tal manera que la información, consulta y toma de decisiones se concentra en un ámbito empresarial mientras que los sujetos que ejercen los derechos de participación están implantados en los centros de trabajo. Hay así un desfase entre la toma de decisiones, por empresa o incluso por grupo de empresas, y la acción de la representación, por centro.

---

[6]   Fundación 1º Mayo CC.OO, "*La intervención de los sindicatos de clase en economía de plata-formas*", 2019. De interés la web abierta por UGT a estos trabajadores de plataformas

[7]   Ver los estudios citados en la nota 2.

La descentralización puede ser útil para cuestiones puntuales pero debilita las posibilidades de participación en la empresa, sólo realmente posibles, por la vía de la negociación colectiva, a través de los comités intercentros (el auténtico comité de empresa) o de comités de grupo de empresas.

En segundo lugar, la detectada confusión y colisión de competencias de los representantes electivos y sindicales. El expuesto modelo de doble canal de representación corre el riesgo de provocar una colisión de competencias entre la representación unitaria y sindical en los centros de trabajo y empresas. La confusión entre la función participativa y reivindicativa de los órganos de representación de los trabajadores en la empresa alcanza, en nuestro ordenamiento, un grado máximo. Por un lado, los representantes unitarios, naturales canales de participación, asumen importantes funciones reivindicativas. Por otro lado, las secciones y delegados sindicales, teóricos canales de reivindicación, llevan a cabo también funciones participativas. No existe en nuestro modelo un reparto de tareas, siendo, como en términos teóricos pudiera ser más coherente, la representación electiva participativa y la representación sindical reivindicativa. El problema se agrava cuando no existe siquiera reparto de estas funciones entre los delegados de prevención y los delegados de personal y los comités de seguridad y salud.

Como hemos apuntado en el diagnóstico inicial, la sindicalización del órgano electivo facilita que los sindicatos opten por desarrollar su acción bien a través de los delegados de personal y comités o bien directamente con sus secciones y delegados sindicales. De igual manera, la ausencia de reparto de funciones para los representantes electivos y sindicales facilita que, dependiendo de los casos, exista preponderancia de uno de los dos canales de representación. En unos casos, la representación unitaria será la instancia protagonista, siendo la sindical un mero soporte organizativo del sindicato; y, en otros, existirá prioridad de esta última, quedando aquélla como lugar de encuentro entre las opciones sindicales. Y en los supuestos de falta de preferencia, donde cohabiten los dos canales con las dos acciones, la sindicalización de los órganos de representación unitaria en las empresas tenderá a evitar la posible conflictividad entre instancias.

El modelo dual se va autorregulando de esta manera, pero ello no debe esconder un gran problema estructural: el sacrificio generalizado de la participación en la empresa. La negociación colectiva y el conflicto lo invade todo, al ser la representación unitaria el eje en muchas realidades de las funciones sindicales o ésta mero encuentro de posiciones sindicales en su acción directa, sin que se desarrolle realmente un modelo de participación en las decisiones en la empresa desde una lógica distinta cooperativa, como sí existe en otras experiencias de nuestro entorno.

El desfase entre competencias y centro de imputación, y este sacrificio de la participación en la empresa, predominando la lógica conflictiva sindical frente a la participativa cooperativa de órganos electorales, agravan, desde esta perspectiva funcional, la falta de adaptación del modelo de representantes de los trabajadores a nuestra realidad social y empresarial. Si algo exige la sociedad del siglo XXI en sus problemáticas es intensificar la participación en la empresa, desde una lógica cooperativa, en aras de un interés común, sin por ello desactivar, por supuesto, la legítima conflictividad sindical. Parte de los problemas derivados de la sociedad digital, como ahora expondré, sólo pueden ser canalizados desde mecanismos eficientes de participación en la empresa, desde una lógica cooperativa, completamente desincentivados en el modelo español de representación de los trabajadores.

3.2. *El avance de la Ley de Protección de Datos Personales y Garantías Digitales 3/2018*

En este marco hay que saludar de manera positiva la reciente Ley Orgánica Protección de Datos Personales y Garantías digitales 3/2018 (LOPD) que, en su regulación, incorpora derechos de *"participación"* de los representantes de los trabajadores en los derechos digitales. En particular, la LOPD reconoce las siguientes facultades de la representación de los trabajadores en estas cuestiones esenciales en la sociedad digital.

El art.87 LOPD reconoce e integra el derecho a la intimidad y la protección de datos personales en el control de dispositivos digitales del ámbito laboral, imponiendo el establecimiento de *"criterios de utilización"* y control con estas garantías. En la elaboración de estos *"criterios de utilización"* deberán *"participar"* los representantes de los trabajadores.

El art.89 LOPD regula la videovigilancia laboral, exigiendo *"información"* de la instalación de la cámara, su finalidad y uso, no sólo a cada trabajador afectado, sino también a los representantes de los trabajadores.

El art.90 LOPD modula la geolocalización del trabajador con respeto a su intimidad y protección de datos personales, obligando también a la empresa a una *"información"* de los sistemas implantados y su uso, no sólo individual, sino dirigida también a los representantes de los trabajadores.

Estas facultades de participación de los representantes de los trabajadores en el uso y control de dispositivos digitales laborales, en la videovigilancia en el lugar de trabajo, y en la geolocalización del trabajador, debe ser conectada con el art.64.5.f ET que reconoce el derecho de *"información y consulta"* en la *"implantación y revisión de sistemas de organización y control del trabajo"*, con carácter general[8]. Los arts.87, 89 y 90 LOPD enuncian los términos de *"participación"* e *"información"*, sin mencionar la *"consulta"*, pero una interpretación sistemática obliga a concluir que en la elaboración de los criterios de utilización y uso de estas herramientas digitales por parte de la empresa, la representación de los trabajadores tiene derecho a emitir un informe, bien que no vinculante, en el plazo máximo de quince días desde la información de las medidas, como señala el art.64.6 ET. Lo contrario supondría interpretar que la LOPD es una degradación de los derechos anteriores de participación en la empresa en derechos digitales, limitando el papel de la representación de los trabajadores a una información o a una etérea participación en la elaboración de los criterios de uso o control. No se corresponde esta interpretación con la finalidad garantista de la LOPD.

Por tanto, en la elaboración de códigos de conducta digitales o protocolos de uso y control digital, en todas estas variantes, es necesario abrir período de consultas, atender el informe, bien que no vinculante, de la representación laboral y en lo posible alcanzar un acuerdo colectivo con la misma, que puede ser ventajoso para todas las partes. Lo que no exige, en ningún caso, la LOPD, ni el art.64 ET, es un acuerdo colectivo entre empresa y representantes de los trabajadores que regule estos criterios de uso y control digital, pudiendo ser, una vez respetados los derechos de participación colectiva, unilaterales de la empresa. Una cuestión es que sea útil el acuerdo colectivo y otra que sea una obligación legal.

Sí parece darse una mayor presencia de los representantes de los trabajadores, por la vía de la negociación colectiva, en la regulación de la desconexión digital del art. 88 LOPD, al declarar que *"las modalidades de ejercicio de este derecho atenderán a la naturaleza y objeto de la relación laboral, potenciarán la conciliación familiar, y se sujetarán a lo establecido en la negociación colectiva o, en su defecto, lo acordado entre empresa y representantes de los trabajadores"*. Pero el propio art.88 LOPD sólo da derecho a *"previa audiencia"* a los representantes de los trabajadores, pudiendo elaborar una *"política interna"* unilateral de desconexión digital. De nuevo, parece no exigirse el acuerdo colectivo. En cuanto a la previa audiencia, sólo cabe interpretarla también en conexión con el art.64.5.f ET, que obliga a información y consulta con

---

8   PEREZ DE LOS COBOS,F, "Poderes del empresario y derechos digitales del trabajador", *Trabajo y Derecho,* 2019, n°59, p.20, 24 y 25, con algún matiz en los criterios de utilización de dispositivos digitales.

la representación legal de los trabajadores, antes de elaborar, en su caso, esta política interna unilateral.

El art.91 LOPD declara, finalmente, que los convenios colectivos podrán establecer *"garantías adicionales"* a las legales en relación con *"la protección de datos personales y salvaguarda de derechos digitales en el ámbito laboral"*. Por esta vía convencional se pueden fortalecer estos derechos de participación, incluso exigiendo acuerdos colectivos en determinadas cuestiones.

La interpretación sistemática de estos preceptos de la LOPD con el art.64.5.f ET crea un escenario de información y consulta de los representantes de los trabajadores en derechos digitales que merecen una valoración positiva. Pero la implementación de estas facultades de participación en la empresa en derechos digitales se efectúa en el diagnosticado modelo, poco adaptado a la realidad social, lo que minimiza su propio impacto. Basta con subrayar la multitud de empresas sin representación legal de los trabajadores donde será posible elaborar criterios de uso y control digital, en todas estas vertientes, de manera unilateral. No se ha aprovechado siquiera la fórmula del art.41.4 ET, de comisiones *ad hoc* elegidas por los propios trabajadores para dar cauce, en estos contextos y realidades, a una mínima participación en la empresa en el establecimiento de criterios de uso y control digital. Las remisiones a la fórmula supletoria del art.41.4 ET están tasadas legalmente y la LOPD no menciona, en ningún derecho digital, su posible utilización. De manera forzada, se podría interpretar que, ante un vacío de representación legal, cabe acudir a estas fórmulas supletorias. Pero la tasación legal impide creo este tipo de interpretaciones. El resultado es que las deficiencias estructurales del modelo de representación de los trabajadores pueden dejar sin efecto estos derechos de participación en derechos digitales. De igual modo, los problemas apuntados, de preponderancia de la lógica conflictiva frente a la cooperativa y de sacrificio de una participación real en la empresa, minusvaloran la puesta en práctica de estos procedimientos de información y consulta. Si la elaboración de códigos de conducta digitales en las empresas, donde hay representantes de los trabajadores, se abandona a la confrontación, sin ninguna cooperación en intereses comunes, el resultado será que la mayoría de estos protocolos terminarán siendo unilaterales, como admite, de manera pragmática, la propia legislación.

3.3. Carencias de herramientas digitales

La dotación normativa de herramientas digitales a los representantes de los trabajadores es otra dimensión que muestra la falta de adaptación del modelo a la realidad social. El examen de los medios y garantías de la representación legal de trabajadores, tanto en el art. 68 y 81 ET como el art.8.2 LOLS, que mencionan los tablones de anuncios y locales, detecta un anclaje no renovado con un modelo industrial superado. El tablón sindical de anuncios como herramienta de los representantes de los trabajadores es ajeno a las posibilidades digitales de comunicación de la actualidad. La mención a locales sindicales persiste en subrayar la importancia de un espacio físico en los tiempos de la comunicación virtual. No ha existido ningún tipo de acomodación de estas herramientas de acción y comunicación sindical a la realidad social vigente. La propia construcción del crédito horario sindical apela a un modelo empresarial de espacios físicos donde ausentarse para ejercer funciones de representación.

La jurisprudencia ha intentado, en ocasiones, adaptar estas herramientas a la época digital interpretando, a la luz de la realidad social, los arts.68 y 81 ET y 8.2 LOLS. Es de destacar la STC 281/2005 que abre el uso del correo electrónico corporativo a las secciones sindicales, como medio de comunicación con los trabajadores de la empresa, siempre que no se perturbe la actividad normal empresarial ni se haga prevalecer este uso sindical frente al profesional; se establece además la cautela de no ocasionar con ello gravámenes adicionales en el sistema informático[9]. La sentencia es meritoria, y es seguida por la jurisprudencia ordinaria (SSTS 23 Julio 2008, Rec.97/2007, 16 Febrero 2010, Rec.57/2009, 3 Mayo 2011, Rec.114/2010) pero no deja de confirmar esta carencia normativa, lo que otorga un gran margen de decisión de uso y ordenación, del correo electrónico corporativo con esta finalidad sindical, por parte de las empresas. La carencia normativa plantea un interesante problema desde la perspectiva de protección de datos personales. Si existiera una ley que ofreciera cobertura a esta herramienta sindical digital, el art. 6 del reglamento europeo de protección de datos personales, que excepciona el consentimiento ante previsión legal expresa, facilitaría el acceso de las secciones sindicales a las direcciones de los mails de la plantilla. El anclaje con el art.8.2 LOLS y esta jurisprudencia resulta insuficiente, y sólo cabe entonces apoyarse en un interés legítimo –el ejercicio de información sindical y esta finalidad exclusiva del tratamiento del dato personal– también previsto en esta norma de protección de datos personales, como excepción al consentimiento. Se

---

[9]   MARTINEZ MORENO,C, "Libertad sindical y uso del correo electrónico, STC 281/2005" en dir GARCIA MURCIA,J, *Libertad sindical y otros derechos de acción colectiva de trabajadores y empresarios. 20 casos de jurisprudencia constitucional*, Aranzadi, Pamplona, 2014, pp.307-332

puede defender así el acceso sindical a los mails corporativos de la plantilla sin consentimiento del empleado, con la cooperación de la empresa, todo ello sin perjuicio, por supuesto, de respeto de la libertad del trabajador en abrir o no estos corrientes correos sindicales.

Donde más destaca esta falta de adaptación digital de las herramientas en la acción sindical es en los colectivos que sufren los analizados problemas específicos de adaptación organizativa, los trabajadores a distancia y las plataformas digitales. En estos casos, el aislamiento e individualización no se contrapesan con herramientas digitales que posibiliten un interés colectivo y su defensa. El tablón de anuncios y el local, propios de un modelo industrial presencial de centro de trabajo, quedan completamente desfasados en estas formas de trabajar a distancia y de manera digital. La propia construcción de crédito horario sindical queda sin sentido ante estas nuevas realidades laborales. Son colectivos, por tanto, que ni tienen estructura organizativa para ejercer la representación de intereses, ni herramientas para este tipo de acción.

A través de acuerdos o por decisión unilateral de la empresa algunas experiencias prácticas, afortunadamente, están avanzando más, en este sentido, que la inacción normativa. El uso de correo electrónico corporativo por los representantes de los trabajadores, como he analizado, con condiciones y límites, está bastante aceptado. Los tablones clásicos de anuncios sindicales se van sustituyendo por tablones on-line en espacios virtuales cedidos por parte de la empresa. La utilización de Intranet, facilitada por la empresa, para un uso sindical también se da en la práctica, pese a que no se mencione esta posibilidad en la norma. La creación de grupos de WhatsApp entre la plantilla es otra posibilidad abierta y que debe estar creciendo en la realidad social de las empresas[10]. El papel sindical de las redes sociales coopera en esta dirección, sin una articulación clara en el ámbito de la empresa.

Los retos son enormes en esta dirección, si se confía en renovar los mecanismos clásicos de la autonomía colectiva. Por ahora, sin que exista ninguna obligación legal para ello, la evolución tecnológica va, en definitiva, por delante de la norma, pero confiando en la buena voluntad de las empresas y en la autorregulación sindical o de la propia plantilla.

---

[10] "De los compañeros del metal a los compañeros de WhatsApp", análisis de Raquel Pascual en El País-Negocios, 15 Noviembre 2019

4. PERSPECTIVA CULTURAL: EL MODELO SINDICAL INDUSTRIALIZADO Y LA POCA ADAPTACIÓN DEL RELATO A LA SOCIEDAD DIGITAL

Los elementos estructurales del modelo han originado, desde su fundación en los años ochenta, una gran desincentivación de la afiliación sindical y una importante competencia electoral entre los sindicatos, con el consiguiente coste económico que ello conlleva.

Desde un punto de vista social, la triada de *"representantes electivos/representatividad sindical por audiencia electoral/negociación colectiva de eficacia general"*, que sostiene nuestro singular sistema de relaciones colectivas, conduce siempre a una desincentivación de la afiliación sindical, porque el trabajador votante ve más cercano al órgano elegido que al sindicato que realmente actúa en su interior y porque el poder sindical y negociador se obtiene por la vía electoral, siendo intrascendente el dato afiliativo. La paradoja del modelo, donde el sindicato es el eje utilizando las máscaras de sujetos no sindicales, se multiplica cuando el sistema asume, si no incentiva, la desafiliación sindical.

Desde una perspectiva sistemática, en términos socio-políticos, la conexión entre los resultados electorales de la representación unitaria y la representatividad sindical, puede tener el efecto perverso de la instrumentalización de las elecciones como cauce de obtención de la representatividad del sindicato, siendo indiferente la representación real en un ámbito concreto. La elección sindicalizada de representantes unitarios puede servir exclusivamente a la obtención de representatividad sindical y quebrar, después de producida, convirtiéndose en un instrumento artificial de aumento de poder sindical, dado el protagonismo material del sindicato en el sistema. Y, en sentido contrario, esta conexión genera un electoralismo sindical, con competencia entre las organizaciones sindicales, que tienen que asumir un gran coste económico y de medios para obtener la necesaria representatividad sindical. La dinámica electoral puede desenfocar la funcionalidad de estos representantes, teniendo en cuenta que el sindicato compite para, dentro de los mismos, ejercer su poder sindical/negocial conforme a los resultados electorales obtenidos.

Ambas variables, desafección sindical y competencia electoral de organizaciones, han generado una particular cultura laboral, también transformada por el impacto ahora de las nuevas formas organizativas de empresas y la economía digital. Cabría indagar sobre el papel de los representantes de los trabajadores de nuestro modelo dual en las empresas tecnológicas con personal joven de alta cualificación. Sería trabajo de sociólogo concluir con bases empíricas, pero la percepción inicial es que en estos ámbitos empresariales el papel de los comités y sindicatos es muy relativo. ¿En cuántas empresas de esta tipología digital no se promueven elecciones sindicales ni existe acción sindical alguna en los lugares de trabajo?. Seguramente, en muchas, y no por los expuestos problemas estructurales, sino, sencillamente, porque los trabajadores no ven utilidad alguna en estas formas de representación colectiva de intereses.

La falta de adaptación digital está, con carácter más general, distanciando a los trabajadores, especialmente los jóvenes, de sus representantes, instalados, en su mayoría, en la época analógica y en reivindicaciones del pasado. También es trabajo de la sociología profundizar en estos distanciamientos, pero la percepción de alejamiento de los representantes de los trabajadores parece clara en sectores de la economía digital y especialmente entre los jóvenes con mayor cualificación. La mentalidad clásica y tradicional de las elites sindicales, instaladas en un relato prácticamente exclusivo de destrucción sin matices de la reforma laboral, sin presentar construcciones positivas renovadas de adaptación a lo nuevo, de atracción a los jóvenes, y de atención a todos estos retos de la autonomía colectiva, coopera a este distanciamiento social. Todo ello sin perjuicio de algunos loables intentos sindicales de adaptación, que he puesto de manifiesto, también, este análisis, sobre todo en relación con las plataformas digitales.

5. PROPUESTA DE REFORMA DEL MODELO DE REPRESENTACIÓN DE LOS TRABAJADORES: UNA MAYOR ADAPTACIÓN SOCIAL Y DIGITAL

5.1. *Una reforma necesaria*

Todos los problemas enunciados anteriormente podrían resumirse en las tres grandes disfunciones que presenta nuestro sistema de representación de los trabajadores en la empresa:

a) Un modelo electoral desfasado de los representantes unitarios.

b) Un reparto inadecuado de las competencias entre los dos tipos de representantes existentes, que sacrifica la participación en la empresa

c) Una escasa adaptación normativa y cultural sindical a los retos de la sociedad digital.

Las posibles medidas de reformas del modelo español de representación de los trabajadores en la empresa deberían ir dirigidas a solucionar estas tres disfunciones señaladas, como también apuntan sugerentes propuestas doctrinales[11]. Estas medidas de reforma se podrían resumir en tres grandes apartados[12]:

a) Un nuevo modelo electoral.

b) Un nuevo reparto de competencias entre los representantes unitarios y sindicales de los trabajadores que potencie la participación en la empresa.

c) Una mayor adaptación normativa tecnológica y digital del modelo sindical.

Estos cambios normativos facilitarían un cambio cultural laboral y sindical, al quedar fortalecida la autonomía colectiva y la participación en la empresa en nuestra realidad social y digital del siglo XXI. Es una reforma necesaria.

5.2. *Reforma organizativa*

Así, en cuanto al modelo electoral de los representantes unitarios, constatados los problemas que origina la descentralización por centros de trabajo, podrían plantearse a debate dos cambios sustanciales:

---

[11] De nuevo, ver CASAS BAAMONDE,M.E, "La necesaria reforma del Título II del Estatuto de los Trabajadores" y CRUZ VILLALÓN,J, "Una propuesta de revisión de las reglas sobre representación de los trabajadores en la empresa", cit, pp. 113-119 y 155-164; LANDA ZAPIRAIN,J.P, "Agotamiento del modelo español de doble canal de representación para una eficiente gestión del cambio en la empresa: la co-determinación como solución", cit, pp.19-53; VIVERO SERRANO,J, "La obsolescencia y los inconvenientes del modelo de representación unitaria de los trabajadores por centro de trabajo: por un nuevo modelo basado en la empresa, en la negociación colectiva y no encorsetado a nivel provincial", cit, pp. 230-238; SORIANO CORTES,D, "Canales estables de representación de los trabajadores y órganos adaptados a los nuevos modelos de gestión empresarial" en dir LÓPEZ AHUMADA,E;MENENDEZ,R, *Poder de dirección y estructuras empresariales complejas*, Cinca, Madrid,2018, pp.337 y ss; LAHERA FORTEZA,J, "El modelo español de representantes de los trabajadores en la empresa: funciones y disfunciones" en dir VALDES,F;MOLERO,M.L, *La representación de los trabajadores en las nuevas formas de organización de la empresa*, Ministerio de Trabajo, Madrid, 2007, p.17 y ss; LAHERA FORTEZA,J, "Crisis de la representatividad sindical: propuesta de reforma", cit, pp. 57-65. También ver las propuestas de reforma de la representación de los trabajadores en la empresa del grupo FIDE dirigido por CASAS BAAMONDE,M.E, nº 50-53, *Derecho Relaciones Laborales*, 2016, nº11.

[12] Reproduzco esencialmente en este apartado las reformas del modelo que hemos defendido Tomás Sala y yo en "La representación de los trabajadores en la empresa", cit, pp. 45-50.

1º) En primer lugar, un cambio generalizado en los umbrales de la representación unitaria y de las elecciones sindicales sobre la base de una nueva unidad electoral –la empresa– con al menos tres efectos positivos:

a) El primero, el aumento de empresas con capacidad para tener representantes unitarios, al medirse los umbrales por empresas y no por centros de trabajo, eliminando así el riesgo de su diversificación en centros pequeños.

b) El segundo, la racionalización de los representantes en las grandes empresas, sin perjuicio de que existan representantes especializados por centro, con un interlocutor único entre la empresa y los trabajadores.

c) El tercero, la eliminación de la multiplicidad de la información y consulta, centralizada en su mayor parte en un ámbito empresarial, dejando tan sólo las cuestiones puntuales a cada centro.

Con este fin se propone la reforma de los Arts. 62 y 63 del ET sustituyendo el ámbito electoral del centro de trabajo por el de empresa, de tal modo que los delegados de personal y comités sean elegidos en este ámbito centralizado. Los umbrales de trabajadores podrían partir de empresas de más de diez trabajadores con la escala vigente de elección de un delegado de personal en empresas de hasta treinta, tres delegados de personal de treinta y uno a cuarenta y nueve y comité de empresa de cincuenta trabajadores en adelante manteniendo la escala del Art. 66 del ET, que podría ser adaptada en su número de miembros en atención al nuevo modelo centralizado.

Propongo también que esta unidad electoral de empresa sea disponible para la negociación colectiva sectorial y de empresa, que podría constituir unidades electorales de centros de trabajo con los umbrales pactados de trabajadores y número de representantes elegidos, abriendo, también, la posibilidad a delegados y comités conjuntos en los ámbitos acordados; el concepto de unidad electoral podría ser determinado también por la negociación colectiva abarcando contratas, franquicias, centros conjuntos en provincias o Comunidades Autónomas. Partiendo en la ley de la empresa como unidad electoral, el modelo ofrecería la flexibilidad suficiente de adaptación a cada realidad sectorial y empresarial heterogénea, y en muchos casos descentralizada, mediante la negociación colectiva. Este modelo dispositivo y de autorregulación colectiva es, al fin y al cabo, el que rige en la normativa europea sobre los comités de empresa europeos y sociedades anónimas europeas, al igual que en nuestro ordenamiento respecto de los delegados de prevención en los Arts. 33 a 40 de la LPRL.

Esta combinación de ley (unidad electoral de empresa) y negociación colectiva (otras unidades electorales distintas a la empresa) podría respetar un periodo transitorio, que podrían ser dos años, en el que se continuaría aplicando el sistema actualmente vigente hasta completar la transición de sistemas. A los dos años, en todas las empresas y sectores que no hubieran alcanzado acuerdo en la negociación colectiva, se aplicaría la unidad electoral de empresa. En los supuestos de delegados de personal y comités de empresa centralizados se debería prever que el reglamento interno de funcionamiento (Art. 66.2 del ET) contemplara posibles delegaciones en concretos miembros para ejercer competencias en el ámbito de concretos centros de trabajo. Y en los supuestos convencionales de otras unidades electorales descentralizadas se debería prever que el convenio colectivo pactara un *"comité intercentros"*, como contempla el vigente Art. 63.3 del ET.

Donde no alcance la reforma, tras el cambio de unidad electoral de empresa de más de diez trabajadores, que ya extendería el sistema a un numeroso tejido productivo, y tras la negociación colectiva de adaptación electoral a la realidad sectorial/empresarial, que podría ampliar también el sistema a más realidades productivas que las actuales, la solución sería la de mantener los actuales *"comités ad hoc"* del Art. 41.4 del ET, elegidos por asamblea de la plantilla de la empresa, con un máximo de tres miembros, para tramitar asuntos puntuales de participación (Arts. 40, 41, 47 y 51 del ET).

2º) En segundo lugar, en esta misma línea de reforma, propongo que un nuevo Art. 63.3 del ET, además de mantener la posibilidad de negociar la constitución de *"comités intercentros"*, permita que la negociación colectiva pueda acordar también *"comités de grupo de empresas"*, con la proporcionalidad electoral sindical de todas sus empresas y con las facultades atribuidas por el convenio colectivo.

5.3. Reforma funcional

Por lo que se refiere a un nuevo reparto de competencias entre los representantes unitarios y sindicales de los trabajadores y al fortalecimiento del sindicato en el ámbito de la empresa, proponemos a debate las siguientes medidas:

1º) En primer lugar, dado que el sindicato es en la realidad el actor principal de la representación en la empresa, constitutiva sin duda de la mayor distorsión del sistema de representación español, planteo un protagonismo exclusivo de la sección sindical y de los sindicatos de empresa –de los representantes sindicales– en las funciones reivindicativas, junto con un desvío exclusivo de las tareas participativas hacia los representantes unitarios. Esta opción, que es la presente en la función pública, es complicada de introducir en el mundo empresarial porque los representantes electivos están muy arraigados y porque la afiliación sindical es muy escasa, aunque sin duda sería la más acorde con un modelo donde el sindicato es el actor principal del sistema de relaciones colectivas en la empresa. La sindicalización de la empresa debería ser, por tanto, un objetivo razonable y motivaría el rearme sindical en los lugares de trabajo, incentivando a su vez la afiliación sindical.

Propongo, en este sentido, reformar el Art. 87.1 del ET, atribuyendo en exclusiva la legitimación para la negociación colectiva estatutaria en los ámbitos de empresa y de centro de trabajo a las representaciones sindicales, excluyendo así la actual legitimación negocial de los comités de empresa y delegados de personal. En coherencia, propongo también reformar el Art. 82.3 del ET y atribuir en exclusiva la negociación de las inaplicaciones convencionales en empresas y centros de trabajo a las representaciones sindicales. Las reglas de legitimación negocial en ambos casos –de un convenio propio y de la inaplicación convencional– serían las previstas en el actual Art. 87.1 del ET, con la mayoría del 50 por 100 de representantes unitarios y un reparto proporcional al número de representantes de cada sección sindical legitimada. En el caso de inexistencia de representantes unitarios, no se podría firmar un convenio colectivo propio de empresa aunque sí las inaplicaciones convencionales del Art. 82.3 del ET a través de la *"comisión ad hoc"* del actual Art. 41.4 del ET pero, a diferencia de la negociación/consulta en los asuntos de participación, se trataría de una comisión exclusivamente sindicalizada.

Propongo igualmente reformar el Art. 3 del RDLRT y atribuir en exclusiva el derecho de huelga en ámbitos de empresa y de centro de trabajo exclusivamente a las representaciones sindicales, excluyendo las actuales convocatorias por parte de comités de empresa y delegados de personal, así como de las asambleas.

Propongo también reformar el Art. 64.7 del ET y el Art. 154.c) de la LJS y atribuir en exclusiva la vigilancia del cumplimiento de la normativa laboral y la legitimación activa en los procesos de conflicto colectivo de ámbito empresarial o inferior a las representaciones sindicales, excluyendo la actual competencia y legitimación de los delegados de personal y comités de empresa. Todo ello tendría consecuencias en el acceso a los

sistemas convencionales de solución extrajudicial de bloqueos de negociación colectiva, huelgas y conflictos colectivos, de exclusiva activación por
los representantes sindicales.

2°) En segundo lugar, paralelamente al reconocimiento en exclusividad
de las funciones reivindicativas a los representantes sindicales de las empresas, las competencias de participación de los trabajadores en la empresa
deberían quedar en manos de la representación unitaria (los delegados
de personal y los comités), recuperando así su configuración inicial como
órganos participativos (Art. 61 del ET) con espíritu de cooperación (Art.
64.1 del ET).

Las amplias competencias de información y consulta del Art. 64 del ET
serían así ejercidas exclusivamente por los delegados de personal y comités, guiados por este espíritu de cooperación, puesto que la confrontación
de intereses pertenece a las representaciones sindicales, como sucede en
los países donde la dualidad de representaciones viene también acompañada de una dualidad de funciones o competencias. Este monopolio de
participación de la representación electiva sería ejercido también en los
traslados (Art. 40 del ET), en la modificación sustancial de condiciones
contractuales (Art. 41 del ET), en las reducciones y suspensiones de jornada (Art. 47 del ET), y en los despidos colectivos (Art. 51 del ET), así como
en la participación exigida en las contratas (Art. 42.4 a 7 del ET) y en las
transmisiones de empresa (Art. 44.6 a 10 del ET). Cualquier referencia en
otras normas distintas de las anteriores a la participación (información,
consulta o cogestión) debería ser gestionada también en exclusiva por la
representación unitaria, incluyendo las funciones participativas previstas
en la negociación colectiva en virtud del Art. 64.9 del ET.

Propongo paralelamente, en coherencia con lo anterior, modificar el
Art.10 de la LOLS y suprimir las actuales funciones de participación de los
delegados sindicales.

Como complemento de esta reforma, resultaría oportuno establecer
un régimen unitario del desarrollo del período de consultas y de toda la
tramitación del procedimiento cuando una reestructuración comporte
simultáneamente medidas de diversa naturaleza: movilidad geográfica,
modificaciones sustanciales, transmisiones de empresa, suspensiones contractuales y despidos colectivos. Se debería contemplar en estos casos un
procedimiento unitario, con una presentación global de las medidas que
se pretenden acometer, así como un único procedimiento de consultas,
que hagan innecesario un período de consultas diferenciado para cada

una de las medidas. Esta innovación se podría incorporar en el Art. 51 del ET.

Con esta reforma el modelo dual de representación quedaría ordenado en representantes sindicales con funciones reivindicativas (de negociación colectiva, vigilancia del cumplimiento laboral, huelga y conflicto colectivo) y representantes unitarios con funciones participativas (de información, consulta y cogestión). Esta reforma probablemente potenciaría a los sindicatos en su papel esencial de defensa reivindicativa de los trabajadores en las empresas y centros de trabajo. Y, a la vez, fortalecería los mecanismos de participación (información, consulta y cogestión) de los delegados de personal y comités desde un renovado espíritu colaborativo y cooperativo de estos órganos.

3°) En tercer lugar, con este preciso fin, propongo también que los delegados de personal y miembros de los comités, aunque provengan de candidaturas sindicales, no tengan responsabilidades ni capacidades ejecutivas en las secciones sindicales o sindicatos de empresa ni puedan ser delegados sindicales.

4°) En cuarto lugar, finalmente, se deberían modificar los Arts. 34.2 y 36 de la LPRL, atribuyendo en exclusiva las funciones representativas en prevención de riesgos laborales a los delegados de prevención, sin ninguna competencia al respecto de los delegados de personal y comités de empresa.

La lógica de este sistema especializado sería la misma. Correspondería a los representantes sindicales la vigilancia del cumplimiento normativa y las acciones procesales mientras que los delegados de prevención cumplirían exclusivamente funciones participativas con un espíritu de cooperación y colaboración con la empresa, como ya inspira una parte de esta regulación.

5.4. Reforma digital

Habría que añadir a esta reforma un conjunto de medidas dirigidas de manera específica a superar la actual falta de adaptación digital del modelo.

Se deberían de valorar formas específicas de representación de los trabajadores a distancia, distintas de las articuladas con carácter general. Son un colectivo, alejado de espacios físicos de la empresa, con singularidades, que podría tener, a través de plataformas tecnológicas, medios propios de expresión de sus intereses canalizados con representantes específicos, elegidos entre su propio electorado. Con elecciones telemáticas se podría elegir una especie de delegado de trabajadores a distancia que coordinara esta plataforma tecnológica y ejerciera de interlocutor con la empresa de las problemáticas singulares de este colectivo.

Si ve van laboralizando las plataformas digitales, va a resultar necesario acomodarlas al régimen jurídico laboral en muchos aspectos, entre los cuales está la representación de sus intereses frente a la empresa. Se debería prever en el nuevo sistema electoral como unidad específica la plataforma digital y articular sistemas telemáticos de votación. Habría que construir un espacio telemático sindical entre los conectados y los propietarios de la plataforma, donde llevar a cabo las funciones de representación colectiva.

Con carácter general, como ha sido apuntado en el análisis, hace falta adaptar a la época digital las herramientas sindicales y garantías de los representantes de los arts.8 LOLS y 68 ET. Los locales y tablones sindicales clásicos tienen que ser sustituidos o deberán ir acompañados de espacios on-line, tablones virtuales, Intranet, grupos de WhatsApp y demás herramientas digitales de comunicación entre representantes y representados, facilitadas por la empresa. Se deberá regular, claramente, el uso del correo electrónico corporativo por los representantes de los trabajadores, para reforzar también la seguridad jurídica desde la óptica de protección de datos personales. Hay que reconsiderar el papel de los créditos horarios sindicales en la actual realidad social y digital.

En línea de la LOPD, y conforme a lo expuesto en el análisis, hay que profundizar un poco más en la participación en la empresa en materia digital. Para ello será fundamental afrontar la expuesta reforma estructural en favor de la participación en la empresa, esencial en este objetivo, con competencias innovadoras.

En definitiva, todas estas reformas vendrían a cumplir el triple objetivo marcado de inicio: un nuevo modelo electoral adaptado a la realidad social, un reparto ordenado de competencias entre representantes de los trabajadores, que potencia una auténtica participación en la empresa, y una mayor adaptación digital de las funciones de representación. Una reforma necesaria que tendrá que ir acompañada de nuevos y más innovadores relatos sindicales ante las enormes transformaciones laborales, económicas y sociales del siglo XXI.

BIBLIOGRAFÍA

CASAS BAAMONDE,M.E, "La necesaria reforma del Título II del Estatuto de los Trabajadores" en AA.VV, *Representación y representatividad colectiva en las relaciones laborales. Homenaje a Ricardo Escudero*, Bomarzo, Albacete, 2017.

CRUZ VILLALÓN,J, "Una propuesta de revisión de las reglas sobre representación de los trabajadores en la empresa" en AA.VV, *Representación y representatividad colectiva en las relaciones laborales. Homenaje a Ricardo Escudero*, Bomarzo, Albacete, 2017.

LAHERA FORTEZA,J, "El modelo español de representantes de los trabajadores en la empresa: funciones y disfunciones" en dir VALDES, F., MOLERO, ML.

MOLERO,M.L, *La representación de los trabajadores en las nuevas formas de organización de la empresa*, Ministerio de Trabajo, Madrid, 2007.

LAHERA FORTEZA,J "Crisis de la representatividad sindical: propuesta de reforma", *Derecho Relaciones Laborales*, 2016, nº1.

LANDA ZAPIRAIN,J.P, "Agotamiento del modelo español de doble canal de representación para una eficiente gestión del cambio en la empresa: la co-determinación como solución", *Documentación Laboral* nº 109, 2017.

MARTINEZ MORENO,C, "Libertad sindical y uso del correo electrónico, STC 281/2005" en dir GARCIA MURCIA,J, *Libertad sindical y otros derechos de acción colectiva de trabajadores y empresarios. 20 casos de jurisprudencia constitucional*, Aranzadi, Pamplona, 2014.

PEREZ DE LOS COBOS,F (Director), *El trabajo en plataformas digitales*, Wolters Kluver, Madrid, 2019.

PEREZ DE LOS COBOS,F, "Poderes del empresario y derechos digitales del trabajador", *Trabajo y Derecho*, 2019, nº 59.

SALA FRANCO,T;LAHERA FORTEZA,J, "La representación de los trabajadores en la empresa" en dir SALA,T, *Propuestas para un debate sobre la reforma laboral*, Lefebvre, Madrid, 2018.

SORIANO CORTES,D, "Canales estables de representación de los trabajadores y órganos adaptados a los nuevos modelos de gestión empresarial" en dir LÓPEZ AHUMADA,E;MENENDEZ,R, *Poder de dirección y estructuras empresariales complejas*, Cinca, Madrid, 2018.

THIBAULT ARANDA,J, *El teletrabajo*, CES, Madrid, 2000.

VIVERO SERRANO,J, "La obsolescencia y los inconvenientes del modelo de representación unitaria de los trabajadores por centro de trabajo: por un nuevo modelo basado en la empresa, en la negociación colectiva y no encorsetado a nivel provincial", *Nueva Revista Española Derecho Trabajo*, nº194, 2017.

XXIV. NUEVAS TECNOLOGÍAS Y RELACIONES COLECTIVAS DE TRABAJO: LAS PLATAFORMAS DIGITALES

JUAN GIL PLANA
Profesor Contratado Doctor
Universidad Complutense de Madrid

SUMARIO: 1. NUEVAS TECNOLOGÍAS, ACTIVIDAD PRODUCTIVA Y DERECHO DEL TRABAJO. 2. INNOVACIÓN TECNOLÓGICA Y RELACIONES COLECTIVAS. 2.1. Negociación colectiva y nuevas tecnologías. 2.1.1. El rol de la negociación colectiva ante el fenómeno tecnológico. 2.1.2. Contenidos de la negociación colectiva. 2.2. La dimensión colectiva en las plataformas digitales. 2.2.1. La importancia y la diversidad en la configuración colectiva del trabajo en plataforma digitales. 2.2.2. Los derechos colectivos de los trabajadores autónomos en las plataformas digitales. a) La representación en el ámbito de la plataforma-empresa. b) La representación sindical en la plataforma digital. 2.2.3. Los derechos colectivos de los trabajadores por cuenta ajena en las plataformas digitales. a) La viabilidad de la representación unitaria. b) La representación sindical en las plataformas digitales.

1. NUEVAS TECNOLOGÍAS, ACTIVIDAD PRODUCTIVA Y DERECHO DEL TRABAJO

Vivimos un tiempo donde las denominadas «nueva tecnologías» parecen inundar todos los ámbitos de nuestras vidas, y desde luego, todos los ámbitos de la reflexión intelectual y de la investigación. Realmente, la aplicación de la técnica en los distintos ámbitos de nuestra vida ha sido una constante a lo largo del progreso de la humanidad, como nos recuerda Spengler al afirmar que «el cambio decisivo en la historia de la vida superior acontece cuando la percepción de la naturaleza, para regirse según ella, se convierte en acción, para *transformarla intencionalmente.* Así la técnica se hace en cierta manera, soberana y la instintiva experiencia personal se convierte en un saber primordial, del que se tiene clara "conciencia"».[1]

---

[1] SPENGLER, O.: *La decadencia de Occidente,* Vol. II. Ed. Planeta-De Agostini, 1993, pp. 578-579.

Esta evidencia no nos impide afirmar que desde mediados del siglo XVIII hasta las primera décadas del siglo XIX, lo que se conoce como la primera revolución industrial, se produjo un salto cualitativo en la transformación técnica al producirse una masiva y generalizada aplicación de los conocimientos técnicos, en aquel momento asociado al maquinismo y su ulterior desarrollo. Intensidad del proceso de aceleración técnica aplicada que se ha vuelto a dar en la actualidad, de suerte que, aunque se habla de efecto disruptivo de las nuevas tecnologías, estamos realmente asistiendo a un proceso más o menos prolongado en el tiempo de implementación de nuevas tecnologías ligadas, primero, al microchip y la informática y ahora, también, a la inteligencia artificial y a la robótica. Desde la década de los años 70 del siglo XX asistimos a una oleada de innovaciones técnicas que han revolucionado la vida del hombre en todas las dimensiones posibles. Dicha oleada va asociada al microchip y al ordenador hasta tal punto que se suele utilizar el vocablo «tecnología» o «nuevas tecnologías» para designar todas las innovaciones técnicas derivadas de ellos. Como se ha señalado, acertadamente, «el auge de la tecnología informática, la robotización y, sobre todo, de la inteligencia artificial, son los fenómenos genuinamente nuevos de nuestro tiempo»[2]. Si la máquina de vapor fue la innovación técnica que propició y facilitó la primera revolución industrial,[3] el microchip y el ordenador han sido las innovaciones técnicas que han actuado como catapulta de esta revolución, singularizada como revolución informática, y denominada ya en los inicios de la primera década del presente siglo como «tercera revolución industrial»[4], y cuyo desarrollo actual y presente nos hace hablar de la revolución 4.0; proceso de desarrollo tecnológico que ha abierto posibilidades insospechadas de realización del ser humano y que entraña innumerables posibilidades de conductas sociales a regular e interpretar.

Ahora bien cuando hablamos del impacto de las nuevas tecnologías en los distintos ámbitos de la vida debe descartarse la engañosa apreciación de que dichas innovaciones condicionan inexorablemente el comportamiento del ser humano de manera que éste carece de capacidad para influir en el desarrollo y efectos de los avances tecnológicos –lo que se ha denomina-

---

[2]   GINER, S.: "Avatares de la sociedad civil", *Ensayos Civiles*, ed. Ediciones Península, Barcelona, 1987, p. 67.

[3]   ALONSO OLEA, M.: *Introducción al Derecho del Trabajo*, 6ª edición, ed. Civitas, 2002, pp. 371-372.

[4]   MONTOYA MELGAR, A.: *Derecho del trabajador e informática*, conferencia pronunciada en el II Congreso Complutense de Derecho del Trabajo y de la Seguridad Social, celebrado en la Facultad de Derecho de la Universidad Complutense de Madrid, marzo 2002.

do determinismo tecnológico–;[5] puesto que ello supone partir de la premisa de que la técnica es causa de todo, negando que la condición intelectiva del ser humano pueda ser causa y la técnica su efectos, cuando hoy parece demostrado[6] cómo el factor educativo[7] y el racionalismo instrumental son determinantes del fomento de los avances tecnológicos –el denominado constructivo tecnológico–,de suerte que éstos se deben y se configuran gracias a la acción reflexiva de la inteligencia humana.[8]

Es indudable que las tecnologías actuales condicionan nuestra vida en sus múltiples facetas, pero también es innegable que el ser humano condiciona el desarrollo de aquéllas. Si la acción intelectiva del ser humano prefigura y condiciona la técnica, los pensadores sociales, entre los que se deben incluir los juristas, no son meros espectadores del devenir del avance tecnológico, sino que deben hacerse presentes para desde cada campo abordar el fenómeno que supone la aplicación técnica no sólo en los efectos que produce sino en el propio desarrollo de la tecnología. El jurista debe afrontar la tarea de comprender los avances tecnológicos en sí mismos considerados, observar los efectos que produce y tratar de dar una articulación jurídica tanto a los efectos como al propio desarrollo de las

---

[5]   Para esta corriente de pensamiento social, la técnica viene a determinar la conducta de los hombres en tal grado que a éste le queda poco espacio para su iniciativa. En este sentido, LAHERA SÁNCHEZ, A.: "El diseño de artefactos tecnológicos", *Sociología del Trabajo*, n° 38, año 1999-2000, p. 58, expone que «la tecnología impondría una determinada pauta de nuevas relaciones sociales: la innovación tecnológica modela la sociedad autónomamente» concepción que se basa en «la consideración de los fenómenos tecnológicos como procesos inevitables a los que la sociedad y los sujetos deben amoldarse».

[6]   En la actualidad esta corriente de pensamiento cuenta con más adeptos dentro de los pensadores sociales y ello en base a sólidos argumentos, como los esbozados ya en la década de los 80 del siglo pasado, entre nosotros, por Salvador Giner en su obra *Ensayos Civiles*, cit.

[7]   En este sentido GINER, S.: "Tecnocultura", en *Ensayos Civiles*, cit., p. 146, afirma como la educación de cada hombre influye en el proceso de toma de decisiones pues «sabemos cómo las actitudes religiosas predisponen a conductas económicas diferentes; que el nacionalismo es irreductible a la economía; que el estado genera desigualdad social de acuerdo con ideologías predominantes», para concluir que «si algo nos ha enseñado la última revolución económica [...] es que el factor educativo y cierto racionalismo instrumental son decisivos en la potenciación de las transformaciones llamadas infraestructurales (tecnologías), sin que ellas sean las que determinen todo lo demás».

[8]   Como gráficamente señala NOBLE, D.: "Social choice in machine design: automatically controlled machine tools, and a challenge for labor", *Politics and Society*, n° 8, 1978, p. 319, , la génesis y aplicación de las innovaciones técnicas han de ser analizadas y estudiadas teniendo presente el entorno socioeconómico, cultural e histórico en el cual son ideadas, concibiéndose «el desarrollo tecnológico como un fenómeno social, cultural y de movilización de recursos, enmarcado y mediado por la configuración de unas relaciones sociales que se reflejan en el propio diseño tecnológico».

tecnologías. Y no cabe duda que, en el ámbito del Derecho del Trabajo y de las relaciones laborales, el profesor PÉREZ DE LOS COBOS ha sido y es uno de los pioneros en afrontar esta tarea desde su ya clásica obra "Nuevas tecnologías y relación de trabajo",[9] donde ya supo adelantarse y pronosticar elementos que hoy caracterizan el ámbito de las relaciones de trabajo –como la descentralización productiva derivada de las innovaciones tecnológicas– hasta su más actual contribución en la coordinación de la obra colectiva "El trabajo en plataforma digitales", donde nos advierte, aun referido a este concreto fenómeno, pero predicable como axioma general, que la novaciones tecnológicas de calado suelen generar un escenario de incertidumbre normativa que requiere de una intervención legislativa,[10] que a su vez necesita de la previa reflexión de los juristas para alumbrar posibles soluciones nacidas de la acción intelectiva del iuslaboralista y de su puesta en discusión con la comunidad científica.

Ante esta transformación de los sistemas productivos, de los modelos de organización del trabajo y de las relaciones laborales,[11] tanto en su vertiente individual como colectiva, el ordenamiento jurídico laboral se ve doblemente afectado. Desde un punto de vista pasivo, estas transformaciones están incidiendo en la esencia misma del Derecho del Trabajo. Desde un punto de vista activo, el ordenamiento jurídico laboral ha de dar una respuesta a los cada vez más numerosos retos y conflictos que se plantean en el seno de las relaciones laborales a consecuencia de la introducción y utilización de nuevas tecnologías.

No cabe duda de que la generalización de las innovaciones técnicas ha tenido en el mundo productivo uno de sus principales ámbitos de implementación, incidiendo en todas las aristas que confluyen en aquél, desde la organización empresarial hasta el empleo, pasando por la configuración individual y colectiva de las relaciones laborales, sin olvidarnos de la seguridad y salud de los trabajadores o de la protección social.

Poniendo nuestra mirada en el aspecto estructural de las empresas y su organización, la introducción de los conocimientos técnicos en el ámbito de las empresas ha incidido no solo en su morfología sino también en su organización, incidencia que se puede apreciar como una constante en su evolución, y no como algo episódico, identificable con ciertos períodos históricos.

---

9   Editada en Tiran lo Blanch en 1990.
10   PÉREZ DE LOS COBOS ORIHUEL, F. (dir.): *El trabajo en plataformas digitales. Análisis sobre su situación jurídica y regulación futura*, ed. CISS-Wolters Kluwers, 2018, pp. 7 y 9
11   Ver PÉREZ DE LOS COBOS ORIHUEL, F.: "Sobre la «globalización» y el futuro del derecho del trabajo", en *Documentación Laboral*, nº 60, 1999, pp. 21-37.

Muchas de las innovaciones técnicas han sido fruto de la propia demanda del sistema productivo, y con independencia de que, hayan sido ideadas o no por el sistema productivo, no podemos desconocer que han modificado y siguen transformando el sistema productivo y la organización del trabajo. Esta transformación del modelo organizativo ya fue apuntada entre nosotros por el profesor Pérez de los Cobos cuando afirmó, hace ya tiempo, que «la irrupción y difusión de las nuevas tecnologías ha representado un incentivo a la descentralización»[12], con lo que estaba anticipándose a lo que hoy es una realidad pujante en el tejido empresarial español, como es la externalización por parte de las empresas de ciertas áreas de su actividad y que lógicamente ha de repercutir en la regulación jurídica del trabajo. Actualmente las tecnologías han posibilitado nuevas formas de organización empresarial como lo corrobora el fenómeno de las plataformas digitales –en tanto que posibles empleadores por cuenta ajena– o el del smartworking, por no hablar del teletrabajo.

Si nos fijamos en el empleo, se ha proclamado que la irrupción de las nuevas tecnologías ha abierto el debate acerca de si la innovación tecnológica conlleva una pérdida de puestos de trabajo, al sustituirse el trabajo humano por nuevas tecnologías, con el consiguiente aumento de los niveles de desempleo o, si por el contrario, lo que se produce es una transformación de la oferta de puestos de trabajo mediante la sustitución de antiguos perfiles por unos nuevos, de suerte que la tecnología no produce tanto una aumento del nivel de desempleo como un aumento de las necesidades formativas para que los trabajadores puedan adaptarse a las nuevas ocupaciones. En efecto, mientras que, por un lado, se ha defendido que «las influencias que la implantación de las nuevas tecnologías [...] se han cifrado hasta el momento presente en problemas de empleo»;[13] por otro lado, se ha postulado que, junto a la desaparición de ciertos tipos de trabajo, se produce la irrupción de nuevos yacimientos de empleo asociados o conectados con estas nuevas tecnologías, afirmándose que existe un efecto «compensatorio» que permitiría «rechazar, de partida, cualquier argumento que achaque los altos niveles de paro todavía existentes a la tecnología».[14] Sin perjuicio de dejar planteada la polémica existente al respecto,

---

12   PÉREZ DE LOS COBOS ORIHUEL, F.: «Nuevas tecnologías y relación de trabajo», cit., p. 17.

13   PÉREZ PÉREZ, M.: "Derecho del trabajo y nuevos sistemas tecnológicos", *Relaciones Laborales*, tomo I, año 1988.

14   LÓPEZ ANIORTE, Mª.C.: "Nuevo contexto económico mundial y resquebrajamiento de los pilares tradicionales del derecho del trabajo", *Aranzadi Social*, nº 19, 2001. En idéntico sentido se manifiesta SÁNCHEZ-MORA MOLINA, Mª.I.: "Bienestar y malestar social. De la sociedad del trabajo a sociedad postlaboral", *Aranzadi Social*, nº 22, 2001.

lo que interesa resaltar es que las innovaciones tecnológicas asociadas a los microprocesadores y a la robótica han dejado obsoletos determinados empleos o determinados contenidos funcionales de los mismos, pero han hecho surgir nuevas necesidades de empleo que requerirán, en todo caso, una adaptación por parte de las empresas y de los trabajadores.

En relación con las relaciones individuales de trabajo se ha estudiado los efectos en la relación prototípica que regula el Derecho del Trabajo (el trabajador asalariado por cuenta ajena). Hace tiempo ya se advirtió cómo las nuevas tecnologías de la comunicación e información estaban produciendo una importante matización en algunos de los indicios de laboralidad, señaladamente, la subordinación[15], debate que actualmente se sitúa en la discusión doctrinal acerca de la posible novedosa morfología de dichos indicios ante el auge de las plataformas digitales como posible empleadores, o cómo han aparecido nuevas formas de desarrollar la prestación laboral como el teletrabajo o el smartworking y se han incrementado otras ya existentes, como el trabajo autónomo. Otro aspecto que se ha visto notablemente influenciado con las nuevas tecnologías de la comunicación se concreta en torno al incremento de la capacidad del poder de dirección y de control del empresario que conlleva un evidente aumento de la posibilidad de afectación de los derechos fundamentales de los trabajadores.[16]

La intensificación de la aplicación en el mundo productivo de las innovaciones tecnológicas ha incidido en la concepción de la seguridad y salud en el trabajo dado que, junto a una posible disminución de ciertos riesgos laborales debido a la implementación de nuevos protocolos y modelos de seguridad en las máquinas, se ha de prestar atención no sólo a la intensificación de patologías y riesgos ya conocidos sino a la aparición de otras nuevas –como el estrés tecnológico o el acoso cibernético–, así como a la necesidad de abordar la cada vez más frecuente convivencia e interacción entre los trabajadores y los robots.[17] Es innegable que las transformaciones que

---

[15]   PÉREZ DE LOS COBOS ORIHUEL, F.: «Nuevas tecnologías y relación de trabajo», cit., p. 35-36.

[16]   Sobre el impacto de las nuevas tecnologías en el poder de dirección del empresario son obras ya consolidadas de necesaria consulta, entre otras, MERCADER UGUINA, JR.: *Derecho del trabajo. Nuevas tecnologías y sociedad de la información*, ed. Lex Nova, Valladolid, 2002, pp. 95-125; MARTÍNEZ FONS, D.: *El poder de control del empresario en la relación laboral*, ed. CES, Madrid, 2002; SEMPERE NAVARRO, A.V. y SAN MARTÍN MAZZUCCONI, C.: *Nuevas tecnologías y Relaciones Laborales*, ed. Aranzadi, Pamplona, 2002.

[17]   Al respecto puede consultarse la obra de GARCÍA JIMÉNEZ, M.: "Revolución Industrial 4.0, sociedad cognitiva y relaciones laborales: retos para la negociación colectiva en clave de bienestar de los trabajadores", *Revista Trabajo y Seguridad Social. CEF*, nú-

las nuevas tecnologías están produciendo en las organizaciones productivas han supuesto y van a suponer en el futuro inmediato una necesaria reformulación de la prevención de riesgos laborales si queremos dotarnos de una eficaz y eficiente regulación que garantice a los trabajadores el desarrollo de su prestación laboral sin merma de su seguridad y de su salud.

El modelo de protección social también se ha visto afectado en la era del microchip, la digitalización y la robotización.[18] La incidencia de las nuevas tecnologías en la caracterización de las relaciones laborales inevitablemente va a afectar a la configuración del modelo de protección social que deberá adaptarse a la nueva morfología del mercado de trabajo si no quiere convertirse en un mecanismo ineficiente, puesto que mantener los esquemas de protección social erigidos para un sistema productivo superado y transformado por las nuevas tecnologías nos llevaría inexorablemente a una desprotección social de los trabajadores. Si como se vaticina por algunos el impacto tecnológico se traduce, entre otros aspectos, en un aumento del desempleo, una reducción de salarios y una precarización del trabajo mediante su transformación en prestaciones profesionales, disminuyendo el trabajo por cuenta ajena, es indudable que se producirá una mayor demanda de prestaciones por desempleo, al tiempo que se reducen las bases y los periodos de cotización, lo que tendrá indudable trascendencia en la configuración de la acción protectora a dispensar por el sistema público para garantizar la pervivencia del Estado Social consagrado en nuestra constitución.

Hace tiempo que ante la transformación que estaba sufriendo y que persiste actualmente, del Derecho del Trabajo se llegó a plantear, si no estaríamos ante un proceso irreversible de desaparición de dicha rama jurídica, retornando a los confines del Derecho Civil. Si algo ha demostrado el trascurrir de las últimas décadas desde la aparición de esta nueva revolución tecnológica, es que no se ha evidenciado un proceso de fagocitación

---

mero extraordinario, 2019, pp. 147-182. Impacto de las nuevas tecnologías sobre la seguridad y salud que ya había sido advertido, entre otros, por PÉREZ DE LOS COBOS ORIHUEL, F.: «Nuevas tecnologías y relación de trabajo», cit., págs. 51-72; PÉREZ PÉREZ, M.: «Derecho del trabajo y nuevos sistemas tecnológicos», cit., pp. 248-249.

[18] SIERRA BENÍTEZ, E.M.: "Seguridad social sostenible y sistemas de protección social en la era digital europea", Revista de Direito do Trabalho, nº. 45, 2019; GOERLICH PESET, J. Mª. "Digitalización, robotización y protección social", Revista Teoría y derecho, nº 23, 2018; PÉREZ DEL PRADO, D.: "El impacto de la digitalización sobre la protección social", Revista Temas para el debate, nº 287, 2018; ISPIZUA DORNA, E.: "Industria 4.0: ¿cómo afecta la digitalización al sistema de protección social?", Lan harremanak: Revista de relaciones laborales, nº 40, 2018; SUÁREZ CORUJO, B.: "The Gig Economy and its Impact on Social Security", European Journal of Social Security, 2017.

o desaparición del Derecho del Trabajo, sino la eclosión de la necesidad de adaptación de esta rama del ordenamiento jurídico a los nuevos retos que la evolución de los distintos sectores productivos está demandando a consecuencia, entre otros factores, del impacto de las nuevas tecnologías.[19]. En definitiva, y teniendo en cuenta la finalidad protectora de una de las partes de la relación laboral, debemos afirmar que hoy más que nunca es necesario preservar dicha finalidad en el mundo de las relaciones laborales ante los posibles efectos negativos que la aplicación de las nuevas tecnologías puedan producir sobre la parte más débil de la relación laboral.

En ese reto de adaptación de las normas laborales a la nueva realidad productiva 4.0 debemos tener presente que el legislador laboral tiene un doble reto que debe conjugar simultáneamente. Debe posibilitar la introducción de las nuevas tecnologías en el ámbito productivo al tiempo que debe velar por la protección eficaz y eficiente de los derechos de los trabajadores, tanto en su vertiente individual como su vertiente colectiva. Una visión restrictiva de la aplicación de las nuevas tecnologías podría suponer una pérdida de competitividad de las empresas, que a medio o largo plazo podría llegar a suponer una pérdida de empleos, e incluso el cierre de empresas; mientras que una visión permisiva podría conllevar intromisiones intolerables en los derechos de los trabajadores y de sus representantes –unitarios o sindicales–, así como atribuir a las empresas unos poderes que podrían configurar unas relaciones laborales de «vasallaje tecnológico».[20] Y ante este reto no podemos decir que nuestro legislador laboral se haya

---

[19]   Pioneros han sido, entre otros, los estudios de MONTOYA MELGAR, A..: *Derecho y Trabajo*, ed. Civitas, Madrid, 1997; ALEMÁN PAZ, F.: "Cambios en la legislación y efectos en la relación laboral ¿hacia una pérdida de la intensidad o del carácter protector del derecho del trabajo?", *Revista Derecho Social*, n°17, 2002, pp. 47-72; GONZÁLEZ ORTEGA, S.: "Cuestiones actuales (y no tanto) del derecho del trabajo", *Temas Laborales*, n° 64, 2002, pp. 9-34; ALARCÓN CARACUEL, M.R (coord.).: *El trabajo ante el cambio de siglo: un tratamiento multidisciplinar*, ed. Marcial Pons, Madrid, 2000; IGLESIAS CABERO, M.: "El derecho del trabajo para el siglo XXI", *Documentación Laboral*, n° 53, 1997, pp. 49-67; ORTIZ LALLANA, C.: *La transformación del Derecho del Trabajo ante los nuevos retos sociales*, ed. Universidad de La Rioja, Logroño, 1999.

[20]   Hace tiempo que MERCADER UGUINA, J.: *Derecho del trabajo. Nuevas tecnologías y sociedad de la información*, cit., pp. 99-119, constató la evolución de las empresas hacia una configuración panóptica que se traduce en un feudalismo virtual, lo que le lleva a sostener que «la introducción de nuevas tecnologías en el mundo laboral han ayudado a reforzar la visión panóptica de la relación de trabajo, así como la idea de un remozado feudalismo virtual [...] A través de las nuevas tecnologías y de los modernos instrumentos que la técnica pone a disposición del empleador para el control de la actividad productiva, se ha ido extendiendo toda una serie de prácticas que hacen al trabajador, y no solo de su trabajo, objeto de vigilancia por parte de aquél».

caracterizado por tener una mínima implicación e iniciativa legislativa ante el mal envejecimiento que se ha apreciado en el devenir de la normativa laboral en lo atinente a la utilización de las nuevas tecnologías de la información y comunicación, por cuanto nuestra legislación laboral ha vivido a espaldas de esta importante realidad social;[21] salvo en los últimos años, y consecuencia principalmente de la obligación de adaptar nuestra legislación en materia de protección de datos a la normativa comunitaria, en los que se ha producido la primera regulación relacionada con el impacto de las tecnologías de comunicación e información en la esfera de derechos de los trabajadores. Primer hito legislativo que no debe hacernos olvidar que son muchos los aspectos individuales, colectivos, de protección social y de prevención de riesgos que esperan una atención del legislador.

2. INNOVACIÓN TECNOLÓGICA Y RELACIONES COLECTIVAS

Las relaciones colectivas de trabajo no se han visto sustraídas al impacto trasformador de las nuevas tecnologías en sus grandes aristas –la representación de los trabajadores, la negociación colectiva y las medidas de conflicto colectivo–. Tiene el iuslaboralista un importante reto ante sí, consistente en buscar una articulación jurídica que permita mantener en la centralidad del sistema de relaciones laborales el aspecto colectivo, pues cualquier intento de utilizar las tecnologías actuales para frenar o eliminar su importancia supondrá una pérdida de estabilidad social y una desfiguración del Estado Social.

Es evidente que la irrupción de las nuevas tecnologías ha supuesto y va a suponer una necesaria adaptación y transformación del sindicato, no únicamente como organización sino como institución dedicada a la defensa de los intereses de los trabajadores, pasando por una redefinición de la acción sindical, incluidos los derechos a la negociación colectiva y el de huelga. En efecto, la implementación de las nuevas tecnologías, al facilitar de forma extraordinaria una globalización de la economía, la terciarización del sistema productivo y las formas de contratación mucho más precarias, reducen la base social de la que se nutre los sindicatos, fraccionando la homogeneidad de dicha base, poniendo en entredicho tanto su afiliación y representatividad social como su legitimación para actuar en la

---

[21]   PÉREZ DE LOS COBOS ORIHUEL, F. y THIBAULT ARANDA, J.: "El uso laboral del ordenador y la buena fe (A propósito de la STS de 26 de septiembre de 2007, rec. 966/2006)", *Relaciones Laborales*, vol. I, 2008, p. 550.

defensa de los intereses de unos trabajadores. Incluso, dentro de la doctrina científica, se ha postulado una pérdida de poder sindical a consecuencia de la introducción de las nuevas tecnologías, ya que éstas últimas «han venido a debilitar de manera importante a los sindicatos y, por ende, a la negociación colectiva».[22] No obstante, a pesar de esos negros augurios la dimensión colectiva sigue siendo reconocible y sigue estando presente en el desarrollo del sistema de relaciones laborales.

Además, este proceso de implementación tecnológica también abre nuevas e interesantes posibilidades de actuación sindical, ofreciendo nuevas herramientas para obtener una mayor presencia en la defensa de los derechos de los trabajadores. Por poner dos ejemplos, la sustitución del tradicional tablón sindical físico por un tablón virtual supone una amplificación de la acción sindical y una mejora de la comunicación sindical hacia los trabajadores, pues es indudable que el tablón instalado en un punto físico requiere que el trabajador se desplace a él para ser conocedor de la actividad sindical mientras que el tablón virtual posibilita que desde el propio puesto de trabajo se acceda fácilmente a la información sindical. Por otro lado, respecto al desarrollo de la huelga, si bien puede verse interferido por la utilización de medios tecnológicos para minorar su eficacia –esquirolaje tecnológico–, también pueden ser aprovechados estos últimos para potenciar la eficacia de esta medida de conflicto colectivo, de hecho, se observa como la utilización de las tecnologías de la comunicación e información actuales –redes sociales, por ejemplo– contribuyen a aumentar la eficacia de la huelga, trasladando eso sí, la acción de huelga desde el terreno de la acción física y presencial al de la acción comunicativa y no presencial.[23]

2.1. Negociación colectiva y nuevas tecnologías

Las transformaciones tecnológicas que sufre nuestro marco de relaciones laborales alcanza a la negociación colectiva en una doble dimensión. Por un lado, el sistema de negociación colectiva y la propia configuración jurídica interna del mismo se encuentran ante el reto de adaptarse a realidades organizativas surgidas al calor de las nuevas tecnologías. Por otro lado, los agentes sociales deben asumir que el proceso tecnológico lleva

---

[22]   LÓPEZ ANIORTE, Mª.C., en «Nuevo contexto económico mundial y resquebrajamiento de los pilares tradicionales del derecho del trabajo», cit., pág. 8.

[23]   BAYLOS GRAU, A.: "Las relaciones colectivas de trabajo en el cambio de época", *Revista Derecho Social*, nº 86, 2019, pp. 33-34.

aparejada la necesidad de abordarlo a la hora de negociar, lo que se va a traducir en la renegociación de contenidos tradicionalmente considerados claves a la luz de las nuevas tecnologías, la eclosión de materias que aunque ya se venían tratando se deben erigir en centro de atención prioritaria, así como la regulación de nuevos aspectos específicamente vinculados a las nuevas tecnologías.

2.1.1. El rol de la negociación colectiva ante el fenómeno tecnológico

La centralidad de la negociación colectiva en la regulación de las relaciones laborales es algo indiscutible que debe mantenerse ante los cambios morfológicos que la implementación de nuevas tecnologías está produciendo en el ámbito productivo.[24] Centralidad que per se no se tiene porque ver afectada por las innovaciones tecnológicas sino todo lo contrario, puede salir reforzada, dado que la negociación colectiva se constituye como el instrumento normativo idóneo para responder a la necesidad de configurar jurídicamente la utilización de las nuevas tecnologías en los entornos laborales.[25]

La autonomía colectiva, desde el plano dogmático, emerge frente a la norma legal como fuente normativa más propicia y ágil para regular el impacto tecnológico, al tiempo que permite ofrecer una solución jurídica singular para cada ámbito de actividad productiva. Pero también desde la propia realidad de nuestro ordenamiento, tenemos ejemplos muy variados de como la autonomía colectiva ha sido pionera a la hora de regular el impacto tecnológico abriendo el camino para la ulterior acción legislativa, siendo uno de las más recientes y de actualidad, el de la desconexión digital, por no hablar del teletrabajo. Sin embargo esa importancia cualitativa, no tiene su reflejo en el aspecto cuantitativo, dado que la atención de los negociadores, plasmada en previsiones sobre la implantación de nuevas tecnologías o sobre el teletrabajo, es poco significativa comparadas con la atención prestada a otras materias. De acuerdo a los datos obtenidos para el año 2018, últimos disponibles hasta el momento, sólo el 3,41% de

---

[24]   Véase DEL REY GUANTER, S.: "Incidencia de las nuevas tecnologías de la información y la comunicación en la negociación colectiva", en AA.VV.: *El futuro del trabajo: retos para la negociación colectiva (XXX Jornada de Estudio sobre Negociación Colectiva)*, ed. Comisión Consultiva Nacional Convenios Colectivos, ed. Ministerio Trabajo, Migraciones y Seguridad Social, 2018, pp. 147-157.

[25]   CORREA CARRASCO, M.: "Negociación colectiva y reformas legales: el futuro del convenio colectivo (de eficacia general) como fuente del derecho del trabajo", *Revista Derecho Social*, nº 14, 2001, pp. 77-79.

los convenios incluyen cláusulas sobre implantación de nuevas tecnologías, mientras que al teletrabajo se refieren el 3,84% del total de convenios. Si los datos se segregan diferenciando entre convenios de empresa y de ámbito superior, el número de convenios de empresa que contienen cláusulas sobre implantación de nuevas tecnologías asciende al 3,79% frente a un 2,17 de los convenios supraempresariales, y en relación al teletrabajo sólo el 4.24% de los convenios de empresa contienen una mención frente al 1,69% de los convenios supraempresariales.[26]

Aunque estos datos deben ser analizados con precaución, puesto que las estadísticas pudieran no reflejar todas las referencias a las nuevas tecnologías, al poder encontrarnos referencias en otros preceptos de los convenios relativos a otras materias y condiciones de trabajo,[27] no puede dejar de reconocerse que los agentes sociales tienen ante sí un amplio campo de actuación en los próximos años, que no pueden o no deberían desatender.

El impacto tecnológico en la negociación colectiva también va a requerir de ésta nuevas pautas estructurales que convivan con la existentes hasta el momento. Por un lado, si aceptamos la premisa de que las mismas innovaciones tecnológicas aplicadas a cada entorno organizativo generan efectos distintos, debe llegarse a la conclusión que la negociación colectiva a nivel empresarial es la más adecuada para dar una respuesta jurídica a dichas innovaciones tecnológicas, reservándose al convenio sectorial un papel de configurador de reglas o líneas generales. No obstante, más allá de que se pueda producir efectos singulares y diferenciados en cada empresa, no es descartable que la misma innovación tecnológica produzca efectos generales independientes del entorno organizativo en el que se aplique, en cuyo caso no es descartable que la negociación colectiva sectorial pueda entrar a regular no solo pautas generales sino también aspectos concretos con vocación de aplicación general para todo su ámbito sectorial. Por otro lado, el dinamismo del proceso tecnológico, con constantes avances, va a exigir que junto al convenio colectivo estatutario haya de darse cabida a otros productos de la autonomía colectiva, como los acuerdos sobre materias concretas.

La transformación de las organizaciones empresariales, y más concretamente la aparición de nuevas formas de empresa posibilitadas por las nue-

---

[26]   Datos obtenidos del Anuario de Estadística Laboral del 2018 que se puede consultar enhttp://www.mitramiss.gob.es/es/estadisticas/anuarios/2018/CCT/CCT.pdf

[27]   Advertencia formulada acertadamente por GARCIA JIMÉMEZ, M.: "Revolución Industrial 4.0, sociedad cognitiva y relaciones laborales: retos para la negociación colectiva en clave de bienestar de los trabajadores", cit., p. 169.

vas tecnologías –cómo las plataformas digitales– van a requerir reformas legislativas del marco jurídico actual de la negociación colectiva. El ejercicio del derecho a la negociación colectiva en las plataformas digitales se ve dificultado con el actual marco normativo. Sin descartar la vía supranacional –tanto a través de la negociación colectiva trasnacional como de las acuerdos marco internacionales–[28] para la regulación de las condiciones de trabajo de los prestadores de servicios o trabajadores de las plataformas digitales, en los próximos años deberá afrontarse una reforma legislativa de la negociación colectiva que permita hacerla efectiva en dichos modelos organizativos, puesto que es evidente que las singularidades de estos, como la indeterminación de la unidad de negociación, la identificación de los sujetos negociadores o la ausencia de un centro de trabajo físico, dificultan la aplicación de las actuales reglas de negociación colectiva.

2.1.2. Contenidos de la negociación colectiva

Desde hace tiempo se viene advirtiendo que uno de los efectos de las nuevas tecnologías se focaliza en el contenido de la negociación colectiva, produciéndose un «renovado tratamiento de sus contenidos tradicionales».[29]

Ese proceso renovador supone, por un lado, abordar las tradicionales materias objeto de negociación –como por ejemplo, la formación– teniendo presente el fenómeno tecnológico. Una simple muestra de ello es el XIX Convenio Colectivo Estatal de la Industria Química que prevé la creación de un órgano paritario de formación para la elaboración de planes de formación profesional dirigidos a proporcionar a los trabajadores los conocimientos profesionales requeridos por las nuevas tecnologías (art. 90), así como la elaboración de una plan definidor de necesidades formativas con especial atención a las pequeñas y medianas empresas para que éstas al diseñar sus respectivos planes formativos tengan presente la necesidad de afrontar los retos derivados de la digitalización y desarrollo de las nuevas tecnologías (DA 6ª).

---

[28]   Véase CORREA CARRASCO M.: "La negociación colectiva transnacional como instrumento de gobernanza mundial del trabajo futuro", ", *Revista de Trabajo y Seguridad Social. CEF*, nº 437-438, 2019, pp. 65-92.

[29]   MERCADER UGUINA, J.: Derecho del trabajo. Nuevas tecnologías y sociedad de la información, cit., p. 220-221. En términos similares se expresa PÉREZ PÉREZ, M.: «Derecho del trabajo y nuevos sistemas tecnológicos», cit., p. 250.

Por otro lado, materias que hasta ahora habían tenido una importancia secundaria en el plano de la negociación colectiva van a tener o deberían tener un mayor protagonismo como sucede con la salud y seguridad laboral, no solo por la generación de riesgos específicamente asociados a la implantación de nuevas tecnologías sino también por la incidencia que éstas últimas pueden tener en la concepción de la seguridad y salud en el trabajo.[30]

En tercer lugar, la negociación colectiva debe afrontar la regulación de aspectos novedosos surgidos en el fragor de la informatización, digitalización y robotización de los procesos productivos.[31] Hasta ahora la negociación colectiva se ha centrado predominantemente en aspectos muy concretos bien en relación al uso de los medios tecnológicos por los trabajadores desde la óptica de la potestad disciplinaria, al establecer como falta el uso particular de las herramientas tecnológicas puestas a disposición del trabajador, bien respecto al uso de dichas herramientas por los representantes de los trabajadores.

Es momento de que la negociación colectiva aborde de forma firme aspectos más globales como el control empresarial a través de medios tecnológicos tanto de la actividad laboral como del uso de los instrumentos tecnológicos empresariales puestos a disposición de los trabajadores –aspecto este último que se encuentra actualmente desarrollado unilateralmente por el empresario a través de códigos de conductas.

El protagonismo de la negociación colectiva en esta materia que conocía algunas manifestaciones en el plano de la autonomía colectiva ha recibido un respaldo legal con la nueva legislación en materia de protección de datos.[32] Partiendo de la habilitación contenida en el artículo 88 del

---

[30]   GARCIA JIMÉNEZ, M: "Revolución Industrial 4.0, sociedad cognitiva y relaciones laborales: retos para la negociación colectiva en clave de bienestar de los trabajadores", cit., pp. 174-181

[31]   Véase RODRÍGUEZ-PIÑERO ROYO, M.: "El papel de la negociación colectiva. Contenidos a afrontar, aparición de nuevas actividades y nuevas formas de trabajo", en AA. VV.: *El futuro del trabajo: retos para la negociación colectiva* (XXX Jornada de Estudio sobre Negociación Colectiva), ed. Comisión Consultiva Nacional Convenios Colectivos, ed. Ministerio Trabajo, Migraciones y Seguridad Social, 2018, pp. 114-141.

[32]   En relación a la nueva normativa sobre protección de datos y el ámbito laboral, AGUILERA IZQUIERDO, R.: "El derecho a la protección de datos en el ámbito laboral. Los sistemas de videovigilancia y geolocalización", *Revista de Trabajo y Seguridad Social. CEF*, nº 442, 2020, pp. 93-134; GARCIA MURCIA, J. y RODRÍGUEZ CARDO, I.: "La protección de datos personales en el ámbito de trabajo: una aproximación desde el nuevo marco normativo", *Revista Española Derecho del Trabajo*, nº 216, 2019; FERNÁNDEZ

Reglamento General de Protección de Datos,[33] que permitía a los Estados miembros que los convenios colectivos pudieran establecer «normas más específicas para garantizar la protección de los derechos y libertades en relación con el tratamiento de datos personales de los trabajadores en el ámbito laboral», ha llevado a nuestro legislador a reconocer el papel de la autonomía colectiva en materia de protección de datos, al establecer en el artículo 91 de la Ley Orgánica 3/2018, de 5 de diciembre, de Protección de Datos Personales y garantía de los derechos digitales, que los convenios colectivos –referencia genérica que admite cualquier convenio ya sea empresarial o sectorial– puedan establecer garantías adicionales de los derechos y libertades digitales.

Junto a esta referencia general se reconoce a la negociación colectiva el papel de regular las modalidades de ejercicio del derecho a la desconexión digital (art. 88.2 LOPD), así como la participación de los representantes de los trabajadores en el establecimiento de los criterios de utilización por los trabajadores de los dispositivos digitales (art. 87.3 LOPD),[34] referencia a la participación que permite utilizar la negociación colectiva como instrumento a través del cual puede plasmarse aquélla.

Un ejemplo de atención a las nuevas tecnologías en el plano de la autonomía colectiva lo tenemos en el III Convenio colectivo estatal de la industria, la tecnología y los servicios del sector del metal,[35] que ha introducido un nuevo capítulo relativo a la protección de datos de carácter personal y garantías digitales. Aunque parte del contenido de este artículo es la trasposición casi literal de los preceptos de la LOPD relativos al derecho a la intimidad y tratamiento de datos en el ámbito laboral (art. 115 CCEMetal), al derecho a la intimidad y uso de dispositivos digitales (art. 116 CCEMetal) y Derecho a la intimidad ante la utilización de sistemas de geolocalización en el ámbito laboral (117 CCEMetal), contiene algunas previsiones interesantes como la

---

ORRICO, J.: "Protección de la intimidad del trabajador frente a dispositivos digitales: análisis de la Ley Orgánica 3/2018, de 5 de diciembre", ", *Revista Española Derecho del Trabajo*, nº 222, 2019. Analizando la dimensión colectiva, MERCADER UGUINA, J.R. y DE LA PUEBLA PINILLA, A.: "Protección de datos y relaciones colectivas", *Revista de Trabajo y Seguridad Social. CEF*, nº 423, 2018, pp. 63-102.

[33] Reglamento UE 679/2016 de Parlamento Europeo y del Consejo, de 27 de abril de 2016, relativo a la protección de las personas físicas en lo que respecta al tratamiento de sus datos personales y a la libre circulación de datos.

[34] MIÑARRO YANINI, M.: "La desconexión digital en la práctica negocial: más forma que fondo en la configuración del derecho", ", *Revista de Trabajo y Seguridad Social. CEF*, nº 440, 2019, pp. 5-18, señala que hasta el momento el papel de la negociación colectiva ha sido bastante pobre.

[35] BOE nº 304 de 19 de abril de 2019.

obligación de que asumen las empresas del sector del metal de articular los «medios necesarios para el adecuado ejercicio y respecto» de los derechos establecidos en la normativa sobre protección de datos (art. 113 CCEMetal).

En segundo lugar se establecen varias obligaciones empresariales, la primera, la de informar a los representantes de los trabajadores, con carácter previo, de propuestas de transformación digital o tecnológica que no suponiendo modificación sustancial en las condiciones de trabajo pudieran tener cualquier efecto sobre el empleo y los métodos o formas de trabajo en relación al uso por el empleador de estos dispositivos y el tratamiento de datos obtenidos de su uso (art. 114 CCEMetal), así como de la adopción de cualquier medida (art. 119 CCEMetal); la segunda la de consultar a los servicios de prevención con antelación a la introducción de una nueva tecnología sobre las posibles consecuencias que se pudieran derivar para la seguridad y salud de los trabajadores (art. 119 CCEMetal), la tercera es la de informar a los trabajadores de ser informados de los derechos que les asisten relativos a la protección de sus datos de carácter personal, así como del contenido de los criterios de utilización del uso de dispositivos digitales en el ámbito laboral y del tratamiento, información y datos obtenidos a través de dichos sistemas (art. 119 CCEMetal).

En tercer lugar se establece la recomendación de crear una Comisión para la Protección de los Derechos Digitales en las Empresas que ejercerá específicamente las competencias sobre las materias relacionadas con la salvaguarda de derechos digitales en el ámbito laboral, de negociar los criterios de utilización de los dispositivos digitales durante la vigencia del convenio, el establecimiento de las garantías relativas a los derechos y libertades relacionados con el tratamiento de datos personales de las personas trabajadoras, y la regulación de las modalidades de ejercicio del derecho a la desconexión (art. 120 CCEMetal).

El uso de las tecnologías de la información y comunicación ha permitido conformar una nueva forma de desarrollar la prestación laboral, distinta del teletrabajo, conocida como smartworking o lavoro agile –en la terminología italiana–, que viene caracterizada por una movilidad permanente, pluralidad de lugares de trabajo, combinando momentos de presencia en los centro de trabajo de la empresa con otros fuera de los mismos, con autogestión del tiempo de trabajo, horarios y jornadas.[36] Y que es una materia

---

[36]   Véase RODRÍGUEZ-PIÑERO ROYO, M.: "El papel de la negociación colectiva. Contenidos a afrontar, aparición de nuevas actividades y nuevas formas de trabajo", cit., pp. 122-130.

llamada a ser articulada primigeniamente por la negociación colectiva lo tenemos en el ordenamiento italiano que antes de su regulación legal por la Ley nº 81/2017, de 22 de mayo, sobre *misure per la tutela del lavoro autonomo non imprenditoriale e misure volte a favorire l'articolazione flessibile nei tempi e nei luoghi del lavoro subordinato,* ya se había previsto en varios convenios esta modalidad de prestación de trabajo.[37] La escueta regulación contenida en el artículo 13 del ET relativa al trabajo a distancia, deja un amplio margen de actuación a los sujetos negociadores.

2.2. La dimensión colectiva en las plataformas digitales

2.2.1. La importancia y la diversidad en la configuración colectiva del trabajo en plataforma digitales

La articulación de lo colectivo en el entorno del trabajo a través de plataformas digitales es otro de los grandes retos a los que se enfrenta nuestro ordenamiento jurídico. Se trata de un aspecto al que se ha prestado poca o muy escasa atención y, sin embargo, estamos ante un aspecto crucial en la futura configuración de la protección de los sujetos que prestan servicios a través de plataformas digitales.[38]

De esa importancia da cuenta, por ejemplo, el Dictamen del Comité Económico y Social Europeo relativo a "La economía colaborativa y la autorregulación",[39] cuando afirma que «desde el momento en que las prácticas puramente espontáneas entre particulares adquieren la importancia de una actividad económica y los derechos y obligaciones recíprocos de las partes revisten carácter contractual, deben estar sujetos a un marco normativo, nacional o europeo, que encuadre legalmente los derechos y obligaciones de unos y otros.» (apartado 8.2.1), y entre estos últimos se precisa que deben incluirse «la protección de los derechos e instrumentos sociales de los trabajadores, como el derecho de asociación, el derecho de huelga y el derecho a la negociación colectiva y al diálogo social (apartado 8.2.4.k).

---

[37] Ver CAIROLI, S.: "¿Trabajo a distancia a la italiana? La definición del trabajo ágil en la ley en los convenios colectivos: superposiciones, posibles distinciones y una primera comparación", *Revista Española Derecho Trabajo*, nº 218, 2019, pp. 153-176.

[38] Véase RODRÍGUEZ RODRÍGUEZ, E.: "El desmantelamiento de los derechos colectivos de representación de los empleados a través de plataformas digitales", comunicación publicada en AA.VV.: *Descentralización productiva: nuevas formas de trabajo y organización empresarial* (XXVIII Congreso nacional Asociación Española Derecho del Trabajo y de la Seguridad Social), ed. Cinca, 2018.

[39] Dictamen de 25 de mayo de 2016 (2016/C 303/05). Ponente: Jorge Pegado Liz.

Por otro lado, desde el Parlamento Europeo se evidencia la necesidad e importancia del papel que están llamados a realizar los agentes sociales ante el necesario e imprescindible dialogo social que va a requerir las emergentes formas organizativas que se han diseñado en las plataformas digitales, en aras a una protección eficiente e integral de los derechos de quienes prestan sus servicios a través de estas últimas.[40]

Esta importancia de lo colectivo para garantizar una eficaz protección jurídica contrasta con la incertidumbre sobre el rol que está jugando la figura del sindicato tradicional como elemento de garantía que posibilite una evolución controlada de la actividad a través de plataformas digitales. La operatividad de la función, sin duda importante y necesaria, a la que están llamados los sindicatos encuentra una doble barrera. Por un lado, una visión negativa del sindicato que se aprecia en la implementación de políticas antisindicales, al verse aquél como un obstáculo para el desarrollo de las organizaciones empresariales, y, concretamente, de las plataformas digitales. Por otro lado, las plataformas digitales producen una disolución de lo colectivo, dificultando la creación de una idea acerca de la existencia de intereses comunes entre los prestadores del servicio, debido fundamentalmente a la separación –locativa y temporal– y diferenciación de estos últimos.

Tienen ante sí los sindicados[41] un gran reto que, sin perjuicio de su libertad autoorganizativa y libertad para concretar su acción sindical, debe abrirse a considerar la posible extensión de su campo de actuación a este nuevo tipo de trabajadores que parece configurarse con las plataformas colaborativas, así como proceder a un seguimiento de los efectos de la introducción de las nuevas tecnologías en el mundo de las relaciones entre los dueños de las plataformas digitales y quienes prestan sus servicios a través de ellas.

Puede apuntarse, como ejemplo de la labor sindical, dos iniciativas de distinto alcance puestas en marcha por las dos grandes centrales sindicales españolas. La Federación de Servicios de CCOO puso en marcha en el año 2017 la campaña "Precarity war", con el objetivo de evidenciar las precarias

---

[40]   Resolución del Parlamento Europeo de 14 de marzo de 2018, sobre el Semestre Europeo para la coordinación de las políticas económicas: aspectos sociales y relativos al empleo del estudio prospectivo anual sobre el crecimiento para el año 2018 [2017/2260 (INI)].

[41]   Sobre los retos del sindicalismo GOERLICH PESET, J.Mª.: "Economía digital y acción sindical", en Todolí Signes A. y Hernández Bejarano, M. (dirs.): *Trabajo en plataformas digitales: innovación, derecho y mercado*, ed. Thomson-Reuters-Aranzadi, 2018, pp. 597-600.

condiciones de una serie de colectivos, entre los que podría incluirse a los prestadores de servicios en plataformas digitales de baja cualificación. Más específica es la iniciativa de UGT que, también en el año 2017, implantó una plataforma digital denominada "Turespuestasindical.es" dirigida a los trabajadores de las plataformas digitales a través de la cual se pretende articular una vía de información sobre las condiciones de trabajo y de denuncia de las posibles irregularidades que se pudieran estar produciendo en el ámbito de la economía colaborativa a través de plataformas digitales.

Al igual que sucede cuando abordamos la dimensión individual de la ordenación jurídica de las prestaciones a través de plataformas digitales, la dimensión colectiva no puede encontrar una respuesta uniforme, en el momento actual de desarrollo en el que nos encontramos, por varias razones.

En primer lugar no todas las plataformas digitales responden al mismo patrón funcional puesto que las hay que se limitan a ser un mera intermediaria y otras que al ejercer un efectivo y real control sobre la forma de desarrollar la actividad se convierten o, cuando menos, pueden ser susceptibles de ser consideradas verdaderos empresarios. Es en relación con esta segunda modalidad de plataformas sobre las que surge la necesidad de articular una ordenación jurídica del interés colectivo.

En segundo lugar, la determinación de cuál sea la relación que une al prestador de servicios con la plataforma puede tener –y tiene– una clara incidencia en la concreción de sus posibles derechos colectivos. No cabe duda de que su consideración como trabajador por cuenta ajena o como trabajador por cuenta propia abre un abanico diferenciado de posibilidades a la hora de concretar el reconocimiento de sus derechos colectivos; siendo mayores las posibilidades si la prestación es calificada como laboral y mucho más restringidas si son conceptuados como autónomos o Trades.

Debe advertirse que, atendiendo a los primeros pronunciamientos dictados en instancia, no hay una solución univoca en torno a la calificación jurídica de la prestación de servicios a través de plataformas digitales, lo que resulta lógico si tenemos en cuenta que aquella dependerá de las circunstancias de cada supuesto. Una segunda advertencia, relacionada con el dinamismo que caracteriza al fenómeno de las plataformas digitales, se debe a que se apunta a una evolución en la configuración de la prestación de servicios como por cuenta propia debido a la reorientación de los dueños de las plataformas digitales tras las actuaciones de la Inspección de Trabajo y el primer pronunciamiento sosteniendo la laboralidad del vínculo.

Disparidad que obliga a reflexionar desde las dos posibles opciones interpretativas actualmente posibles. Reflexión que supone afirmar que si nos movemos ante una calificación de laboralidad siendo las posibilidades de concreción de los derechos colectivos mayor, no será tan urgente la intervención legislativa, sin que esto último deba ser entendido como innecesariedad de la misma. Si por el contrario la calificación jurídica se inclina por la condición de autónomo, siendo menores las posibilidades que ofrece el ordenamiento jurídico para implementar los posibles derechos colectivos se hace más urgente la intervención normativa. Si como se ha postulado desde la doctrina, al abordar la posible configuración de la relación de los prestadores de servicio, la solución idónea pasaría por establecer una relación laboral especial, debería entonces tenerse en cuenta el aspecto colectivo a la hora de proceder a su concreción jurídica por parte del legislador.

En tercer lugar, se tiene que tener muy presente que hay aspectos de la actual regulación de los derechos colectivos que encuentran un difícil encaje no tanto por la posible calificación de la prestación de servicios sino por la propia configuración resultante de la organización de las plataformas digitales, como son la ausencia de centros de trabajo físicos o la escasa o nula interacción entre los prestadores del servicio. Al afrontar los derechos colectivos de los trabajadores de las plataformas digitales no estamos, por tanto, solo ante un problema derivado de cuál vaya a ser la calificación de la relación jurídica sino también debido a la propia fisonomía organizativa que se desprende de las plataformas digitales.

2.2.2. Los derechos colectivos de los trabajadores autónomos en las plataformas digitales

Si al prestador de servicios a través de plataformas digitales se le configura como un trabajador por cuenta propia o autónomo la posible concreción de sus derechos colectivos resulta mínima y de difícil articulación.

a) La representación en el ámbito de la plataforma-empresa

Es evidente que al ser considerados autónomos no van a poder desarrollar activa o pasivamente una labor de representación, que a semejanza de la prevista en el Estatuto de los Trabajadores, pueda desplegarse sobre el conjunto de trabajadores que prestan sus servicios para una plataforma digital. La Ley 20/2007, de 11 de julio, del Estatuto del Trabajador Autónomo (LETA) si bien contempla una serie de derechos eminentemente colectivos, guarda silencio sobre la posibilidad de estructuras de representación de la totalidad de quienes prestan sus servicios para la plataforma digital.

Puede afirmarse que este silencio tiene su razón de ser en la configuración general del trabajador autónomo, pero resulta inexplicable cuando estamos en presencia del trabajador autónomo económicamente dependiente, cuya vinculación al mismo cliente permite sostener el establecimiento de órganos de representación, sobre todo si dicho cliente se caracteriza por mantener una relación de servicios con una pluralidad de Trades; posibilidad que es la que se da con frecuencia en las plataformas digitales.

La inexistencia de estructuras representativas a nivel de plataforma es una de las dificultades que nos encontramos a la hora de la defensa del interés colectivo de los prestadores de servicio; de ahí que debería tenerse en cuenta la posibilidad de implementar a futuro, a través de la ley o mediante la habilitación a la negociación colectiva, fórmulas representativas adaptadas a las singularidades que presentan las plataformas digitales como empleadoras. Estamos, pues, ante un ámbito a explorar por el legislador que sobre el modelo de representación unitaria prevista para los trabajadores por cuenta ajena debería proceder a su reconfiguración adaptativa a la organización empresarial que caracteriza a las plataformas digitales.

Puede pensarse que una solución alternativa, ante el silencio legal vigente, podría ser la de atribuir a los órganos de representación unitaria previstos en el ET –fundamentalmente por el volumen de personas que prestan su servicio a una plataforma, comités de empresa– el despliegue de su acción sindical en relación a los trabajadores de plataformas digitales,[42] tanto de representación como de defensa de los intereses, pues no en vano se establece reglamentariamente la obligación de informar a la representación unitaria sobre la contratación de un trade, con explicitación de varios aspectos, entre ellos, el lugar de ejecución del contrato (art. 7.1 RD 197/2009).

---

[42] En este sentido PASTOR MARTÍNEZ, A.: "La descentralización y su incidencia en la conformación de los órganos de representación de los trabajadores. La representación de los trabajadores a distancia y en entornos virtuales", comunicación publicada en AA.VV.: *Descentralización productiva: nuevas formas de trabajo y organización empresarial* (XXVIII Congreso nacional Asociación Española Derecho del Trabajo y de la Seguridad Social), ed. Cinca, 2018, p. 3/16.

Sin embargo, esta posibilidad, factible sin duda en cualquier estructura empresarial tradicional no parece que sea verificable en una plataforma digital donde al no haber trabajadores por cuenta ajena, será imposible la preexistencia de una representación unitaria que pudiera asumir la representación de los autónomos o Trades que prestan servicios para la plataforma digital. No debemos olvidar que muchas de estas plataformas digitales su principal y, a veces único activo patrimonial, es la aplicación que conecta al prestador de servicios con el ciudadano que demanda sus servicios.

b) La representación sindical en la plataforma digital

La otra vía de defensa del interés colectivo, la vía sindical, ofrece un escenario más propicio para la articulación de dicho interés en las plataformas digitales si el prestador de servicios es considerado autónomo.

Dos son las referencias normativas que se deben tener en cuenta al trazar el marco jurídico de la posible defensa de lo colectivo en las prestaciones de servicios por medio de plataformas digitales.

En un plano más concreto, el artículo 19.1 de la LETA reconoce como derechos colectivos básicos el derecho de afiliación al sindicato o asociación empresarial[43] de su elección, de acuerdo a la legislación vigente, a afiliarse y fundar asociaciones profesionales específicas de trabajadores autónomos sin autorización previa y a ejercer la actividad colectiva de defensa de sus intereses profesionales.

Desde una vertiente general, debe tenerse presente que la Ley Orgánica de Libertad Sindical ya hacía un reconocimiento de la facultad de los autónomos de afiliarse a los sindicatos, negándoles la capacidad para fundarlos, siempre que aquellos no tuvieran trabajadores a su cargo (art. 3.1 LOLS). La negativa a fundar sindicatos no impide, sin embargo, que las asociaciones profesionales que pudieran constituir los autónomos establezcan vínculos con organizaciones empresariales u organizaciones profesionales.

La realidad emergente en estos momentos en torno a las plataformas digitales evidencia la preferencia por la constitución de asociaciones profesionales frente, por un lado, su integración en sindicatos tradicionales ya

---

[43]   FERRADANS CARAMÉS, C.: "La representación de los trabajadores de la economía colaborativa", comunicación en AA.VV.: *Descentralización productiva: nuevas formas de trabajo y organización empresarial* (XXVIII Congreso nacional Asociación Española Derecho del Trabajo y de la Seguridad Social), ed. Cinca, 2018, p. 4/13, señala que no parece viable su integración en una asociación empresarial.

constituidos, y, por otro lado, a la afiliación a organizaciones empresariales, signo evidente de que el prestador de servicios en una plataforma está más cerca de ser un trabajador –por cuenta ajena o por cuenta propia– que de sentirse como un emprendedor. Además, en relación al alejamiento de los sindicatos tradicionales, debe mencionarse que la norma permite o anuncia una posible colaboración entre las asociaciones profesionales y las organizaciones sindicales al contemplarse que las asociaciones profesionales puedan establecer los vínculos que estimen pertinentes con los sindicatos [art. 19.2 a) LETA].

La integración de los prestadores de servicio calificados como autónomos en una organización sindical permite a esta la defensa del interés colectivo de estos, en el desarrollo de las previsiones contenidas en la LOLS, pero, además, se le reconoce aquélla la titularidad de las prerrogativas de actuación previstas para las asociaciones profesionales de autónomos (art. 19.4 LETA), que no son otras que las de constituir federaciones, confederaciones o uniones, previo el cumplimiento de los requisitos exigidos para la constitución de asociaciones, concertar acuerdos de interés profesional para los trabajadores autónomos económicamente dependientes afiliados, ejercer la defensa y tutela colectiva de los intereses profesionales de los trabajadores autónomos y participar en los sistemas no jurisdiccionales de solución de las controversias colectivas de los trabajadores autónomos cuando esté previsto en los acuerdos de interés profesional (art. 19.2 LETA)

Si desde el prisma de la libertad sindical parece que encontramos instrumentos para encauzar la acción colectiva en defensa de los derechos de los prestadores de servicio en plataformas digitales debe afirmarse que se rebela una clara necesidad de adaptar las previsiones legales al fenómeno de las plataformas colaborativas e, incluso, introducir previsiones novedosas que permitan una configuración eficaz de la tutela de lo colectivo.

En primer lugar, al reconocerse el derecho a la actividad colectiva no se concreta el contenido de dicho derecho. No se especifica qué posibles facultades y derechos pueden quedar integrados. Puede afirmarse que, ante el carácter genérico de la previsión legal, no puede el operador ni el intérprete establecer restricciones o limitaciones, sobre todo, si nos movemos en el ámbito de un derecho fundamental como el de libertad sindical. Partiendo de la aceptación de esta premisa debe afirmarse que en el ejercicio de la actividad colectiva por parte del autónomo en el ámbito de las plataformas sindicales comprenderá todas las facultades integradas en el contenido de la acción sindical, salvo aquellas cuya titularidad viene atribuida a los trabajadores por cuenta ajena, señaladamente el derecho de huelga y el derecho a la negociación colectiva.

La negación del derecho a la negociación colectiva vendría suplida por el reconocimiento de la posibilidad de suscribir acuerdos de interés profesional [art. 19.2 b) LETA], a través de los cuales podrían establecerse las condiciones y derechos en los que se va a prestar el servicio para las plataformas digitales. Se ha apuntado la posible eficacia en estos supuestos de la negociación colectiva no sujeta a las previsiones del Estatuto de los Trabajadores, de eficacia limitada a las partes firmantes y sus representados;[44] sin embargo, si la finalidad es alcanzar una regulación pactada de las condiciones de trabajo de los prestadores de servicio entre sus representantes y las plataformas, ésta se pueda alcanzar mediante los acuerdo profesionales sin necesidad de forzar el ámbito subjetivo de la negociación colectiva identificado con el trabajador por cuenta ajena.

De estas dos exclusiones resulta especialmente relevante y debe ser objeto de reflexión, la negación del derecho de huelga. El derecho de huelga previsto para los trabajadores por cuenta ajena como instrumento de la acción sindical podría ser ejercitado si el prestador de servicios se encuentra afiliado a un sindicato, en caso contrario, debe plantearse la posibilidad de establecer una paralización de la actividad de la plataforma digital de carácter colectivo y de ejercicio individual con sujeción a un procedimiento y unas garantías encaminadas a que el prestador del servicio no pueda ser objeto de represalias por parte de la plataforma.

En segundo lugar, el artículo 8.1 de la LOLS enumera una serie de prerrogativas que se atribuyen a los afiliados al sindicato en el ámbito de la empresa o centro de trabajo, a saber: a) constituir secciones sindicales de conformidad con lo establecido en los estatutos del sindicato; b) celebrar reuniones, previa notificación al empresario, recaudar cuotas y distribuir información sindical, fuera de las horas de trabajo y sin perturbar la actividad normal en la empresa; c) recibir la información que le remita su sindicato.

No parece que haya inconveniente jurídico alguno en admitir la posibilidad de constituir secciones sindicales en torno a las plataformas digitales

---

[44]   ESTEBAN LEGARRETA, R.: "Cuestiones sobre la articulación de la representación del personal al servicio de las plataformas colaborativas", comunicación en AA.VV.: *Descentralización productiva: nuevas formas de trabajo y organización empresarial* (XXVIII Congreso nacional Asociación Española Derecho del Trabajo y de la Seguridad Social), ed. Cinca, 2018, pp. 11-12/12.

o que los prestadores de servicios puedan integrarse en secciones ya constituidas.[45] A diferencia del modelo de empresa tradicional que mantiene relaciones con uno varios autónomos o Trades, en las plataformas digitales al no tener una plantilla de trabajadores por cuenta ajena, más allá de los destinados al funcionamiento y mantenimiento de la aplicación informática, no se dará el presupuesto para la existencia de secciones sindicales previamente constituidas, de suerte que el escenario en el que, primariamente, nos movemos es de la posible creación de secciones sindicales ex novo que aglutinen a los prestadores de servicio. Es verdad que el artículo 19 de la LETA no lo prevé expresamente, más allá de la aludida referencia a la actividad colectiva, pero si tenemos en cuenta que la propia LETA reconoce al sindicato la defensa y tutela colectiva de los intereses de los autónomos afiliados, la singular relación del prestador de servicios con la plataforma así como la consagración de la libertad sindical en su vertiente autoorganizativa a través del reconocimiento de la figura de la sección sindical, debe sostenerse la posibilidad de que se constituyan secciones sindicales en el ámbito de las plataformas digitales.

La constitución de secciones sindicales tiene la ventaja de articular de modo real y efectivo la representación y defensa de los prestadores del servicio, no requieren apenas aspectos procedimentales y no requieren la colaboración de la plataforma –a diferencia de la articulación de una representación unitaria–, de ahí que emergen como instrumentos más eficientes en la tutela de los intereses colectivos. Sin embargo, no podemos obviar que la admisión de la constitución de secciones sindicales plantea varios interrogantes.

Dos de esos interrogantes están vinculados a la previsión del artículo 8.1 de la LOLS que circunscribe su constitución al ámbito de la empresa o centro de trabajo. El primero de ellos hace referencia a la identificación de la empresa o el centro de trabajo como unidad de referencia para articular la sección sindical, pues estamos ante un fenómeno como el de las plataformas digitales que se caracteriza por la ausencia de espacios físicos donde se desarrolla la actividad de la plataforma, no hay centros de trabajo tal y como los hemos concebido hasta ahora, lo que, sin duda, debe llevarnos a una adaptación del concepto de trabajo en el entorno de las plataformas digitales. Sobre el volveremos más adelante. El segundo, emerge de la posibilidad de que el trabajador preste sus servicios para varias plataformas digitales dedicadas a la misma actividad, planteándose que una eficaz acción

---

45   En este sentido GARRIDO PÉREZ, E.: "La representación de los trabajadores al servicio de plataformas colaborativas", *Revista Derecho Social*, nº 80, 2017, p. 225.

sindical llevaría a admitir la constitución de secciones sindicales sectoriales o de supraempresariales;[46] siendo interesante esta posibilidad a efectos de dotar de mayor eficacia la acción colectiva lo cierto es que la norma es clara al delimitar el posible ámbito de actuación de la sección sindical, de manera que no parece que haya cobertura legal para su implementación, lo que nos llevaría a plantear una novación de la regulación de las secciones sindicales –que requerirá el apoyo de una mayoría parlamentaria cualificada por tratarse de una ley orgánica– encaminada a la aceptación de este tipo de secciones sindicales; siempre y cuando se pueda objetivar que responde a una necesidad derivada de la constatación de que los trabajadores prestan sus servicios para varias plataformas.

Otro interrogante que se plantea es el posible reconocimiento de las prerrogativas que se concede a los delegados sindicales en el artículo 10 de la LOLS, pues si bien se puede cumplir el presupuesto de que la sección sindical esté constituida en una empresa o centro de trabajo que ocupe más de 250 trabajadores, no es fácil, por no decir imposible, cumplir el otro presupuesto que es de tener presencia en los órganos de representación unitaria, puesto que, como ya hemos señalado, la calificación jurídica de los prestadores del servicio como autónomos imposibilita la existencia de estructuras de representación unitaria. Consecuencia de lo anterior es la imposibilidad de que se puedan reconocer dichas prerrogativas en el ámbito de las plataformas digitales, lo que debe llevarnos a postular una adaptación de la normativa para que la acción de tutela de los derechos colectivos sea realmente eficaz mediante su reconocimiento; adaptación que debería ir en la línea de establecer un parámetro de representatividad ligado al número de autónomos afiliados al sindicato en el ámbito de la plataforma digital.[47]

La acción colectiva de la sección sindical, cuando es ejercida por sindicatos más representativos, se ve concretada en el artículo 8.2 de la LOLS en una serie de derechos –también reconocidos para las secciones con implantación en la representación unitaria, supuesto que por las razones expuestas anteriormente no es verificable en las plataformas digitales– como son los de la puesta a disposición de un tablón de anuncio, la utilización de

---

[46]   En este sentido Esteban Legarreta, R.: "Cuestiones sobre la articulación de la representación del personal al servicio de las plataformas colaborativas", cit., p. 8/12.

[47]   ESTEBAN LEGARRETA, R.: "Cuestiones sobre la articulación de la representación del personal al servicio de las plataformas colaborativas", cit. p. 9/10, advirtiendo dicha dificultad propugna el papel de la autonomía colectiva a la hora de fijar las garantías de los delegados sindicales.

un local sindical –siempre, en este último derecho, la empresa o centro de trabajo cuente con más de 250 trabajadores– y el derecho a la negociación colectiva.

El reconocimiento de un tablón de anuncios y la utilización un local en su sentido tradicional requiere de la existencia de un espacio físico, de modo que parece, a primera vista, que su operatividad en el entorno de las plataformas digitales se presenta difícil. Sin embargo, el avance y el estado actual de las tecnologías de la información y comunicación hacen viable la implementación tanto de un tablón de anuncios como de un local virtual –este último podría ser mediante un chat o conferencia web– que permitirían y facilitarían la acción colectiva. En cuanto al reconocimiento del derecho a la negociación colectiva a la sección sindical, debemos reiterar la imposibilidad de la misma en entornos virtuales respecto a trabajadores autónomos, puesto que dicho derecho se sujeta expresamente a los «términos establecidos en su legislación específica», que no es otra que la contenida en el Título III del Estatuto de los Trabajadores.

Si la opción de los prestadores del servicio en las plataformas no es la afiliación a un sindicato sino la constitución o afiliación a una asociación profesional,[48] no se contempla una estructura a nivel de empresa o centro de trabajo que pueda encauzar la acción colectiva. Vistas las ventajas que presenta la constitución de las secciones sindicales, debería indagarse la posibilidad de establecer secciones profesionales de ámbito empresarial o de centro de trabajo a las que se les reconociese, a nivel legal, una serie de prerrogativas similares a la reconocidas a las secciones sindicales adaptadas a las singularidades que presentan las plataformas digitales.

Además, los trabajadores autónomos afiliados a un sindicato gozan de los derechos de reunión y distribución de información fuera de la jornada de trabajo y sin perturbar el normal desarrollo de la actividad de la empresa [art. 8.1 b) LOLS], así como el derecho a recibir información de su sindicato [art. 8.1 c) LOLS]. Sin duda alguna el reconocimiento de estos derechos es posible y es necesario que se produzca en el ámbito de las plataformas digitales, dado que estamos ante derechos de claro carácter instrumental, necesarios para una eficaz tutela de los derechos, en este caso,

---

[48]   Se apunta en la doctrina, por todos, PASTOR MARTÍNEZ, A.: "La descentralización y su incidencia en la conformación de los órganos de representación de los trabajadores. La representación de los trabajadores a distancia y en entornos virtuales", cit., p. 12/16 que la formula asociativa profesional y no la sindical es la elegida por los prestadores de servicio.

de los prestadores del servicio. Como ya se ha apuntado anteriormente, el estado evolutivo de las tecnologías de la información y comunicación permiten sustituir su configuración física por una virtual.

Señaladamente el derecho de información presenta una clara operatividad en el ámbito de las plataformas digitales a través de la propia aplicación informática que sirve para comunicar al prestador tanto con los dueños de la plataforma como con los usuarios clientes; sin que la plataforma pueda poner objeciones a la utilización de dicha aplicación para el ejercicio del derecho de información sindical, tanto en su manifestación de distribución como en la de recepción.

Deber recordarse que la doctrina constitucional[49] –al hilo de la utilización del correo electrónico de la empresa para la distribución de información sindical, perfectamente trasladable a la utilización de la aplicación informática utilizada por las plataformas digitales– supone que, si bien dicho derecho a utilizar una tecnología de la comunicación –en este caso la aplicación informática– no nacería de una interpretación actualizada del artículo 8.2 LOLS, el derecho fundamental a la libertad sindical engloba el derecho de un sindicato a utilizar un sistema preexistente en la empresa que persigue una finalidad productiva, de suerte que « sobre el empresario pesa el deber de mantener al sindicato en el goce pacífico de los instrumentos aptos para su acción sindical siempre que tales medios existan, su utilización no perjudique la finalidad para que fueron creados por la empresa y se respeten los límites y reglas de uso [...], no puede negarse la puesta a disposición, ni puede unilateralmente privarse a los sindicatos de su empleo, debiendo acudirse al auxilio judicial si con ocasión de su utilización el sindicato llega a incurrir en excesos u ocasionar perjuicios, a fin de que aquéllos sean atajados y éstos, en su caso, compensados». Preexistiendo la aplicación informática que actúa como soporte tecnológico en el que se basan las plataformas digitales, los derechos de información deben poder ser ejercidos a través de la aplicación informática como expresión del contenido del derecho fundamental de libertad sindical.[50]

Es verdad que la doctrina constitucional sujeta el reconocimiento de las tecnologías de la información y comunicación propiedad de la empresa al cumplimiento de tres presupuestos cuya inobservancia habilitarían

---

49   Ver STC 281/2005, de 7 de noviembre.
50   PASTOR MARTÍNEZ, A.: "La descentralización y su incidencia en la conformación de los órganos de representación de los trabajadores. La representación de los trabajadores a distancia y en entornos virtuales", cit., pág. 16/16.

para negar su utilización para desarrollar la acción sindical. Trasladando estas limitaciones al ámbito de las plataformas digitales, en primer lugar, la utilización con fines sindicales de la aplicación informática no podrá alterar la normal actividad de la empresa, sin que se pueda apreciar dicha perturbación por el hecho de que la comunicación se produzca en horario de trabajo. En segundo término, no podrá perjudicarse el uso empresarial de la aplicación, que no es otro que la comunicación entre el prestador del servicio y el usuario cliente. Y finalmente, no podrá ocasionar gravámenes adicionales para el empleador, especialmente mayores costes.

Ahora bien esto límites constitucionales a la posible utilización sindical de las tecnologías de la información y comunicación se establecieron para un modelo de organización empresarial que al estar basado en una configuración física, permitía ofrecer a los sindicatos una alternativa a la posible negación o restricción de la utilización de las nuevas tecnologías al verificarse alguno o varios de los condicionantes expuestos, que era la utilización de los mecanismos tradicionales de comunicación e información. Sin embargo en las organizaciones empresariales de plataforma, basadas en la ausencia de espacios físicos, la comunicación virtual a través de la aplicación informática no presenta alternativa posible, lo que debe hacernos reflexionar sobre la pervivencia de las limitaciones constitucionales y su aplicación en el ámbito de las plataformas digitales o cuando menos proceder a una lectura todavía más restrictiva en la apreciación de los mismos. Una futura regulación debería tener en cuenta este aspecto y aclarar si se debe mantener la exigencia de estas limitaciones para entornos empresariales que no ofrecen otra alternativa real, de ahí que se haya afirmado que «debería garantizarse con mayor contundencia el derecho de las representaciones sindicales a la utilización de los medios telemáticos dirigidos habitualmente a la conexión entre trabajadores y plataformas».[51]

2.2.3. Los derechos colectivos de los trabajadores por cuenta ajena en las plataformas digitales

La consideración del prestador de servicios como un trabajador por cuenta ajena de la plataforma digital conllevará, en principio, un mayor número de posibilidades e instrumentos para tutelar el interés colectivo de estos trabajadores. Lo anterior no debe interpretarse en el sentido de que

---

[51]   ESTEBAN LEGARRETA, R.: "Cuestiones sobre la articulación de la representación del personal al servicio de las plataformas colaborativas", cit., p. 10/12, quien además sostiene una revisión de los límites impuestos por la doctrina constitucional.

no existan dificultades aplicativas de nuestro derecho colectivo a las plataformas digitales, puesto que lo que significa es que se abre la puerta de entrada a su aplicación en el ámbito de las plataformas digitales. Algunas de esas dificultades ya se han señalado al abordar la posible acción sindical cuando el prestador de servicios es calificado como autónomo; otras dificultades aplicativas surgirán al trasladar a las plataformas digitales nuestra legislación contenida en el ET.

a) La viabilidad de la representación unitaria

Al considerarse a los prestadores de servicio como trabajadores por cuenta ajena se abre la posibilidad de articular la tutela colectiva a través de la constitución de órganos de representación unitaria en el ámbito de las plataformas digitales, con el consiguiente reconocimiento de los derechos y garantías que se prevén en el ET para el desarrollo de su función representativa.

Al construir la figura de la representación unitaria nuestro ET, a pesar de referirse indistintamente –mediante la utilización de la partícula disyuntiva– a la empresa o centro de trabajo como posible unidad electoral de referencia para proceder a la elección de dicha figura representativa, de manera que pareciera que se consagra un ámbito de libertad de elección a la hora de constituir dicha unidad electoral, realmente establece una preferencia hacia el centro de trabajo como unidad electoral básica –si tenemos en cuenta que en determinados preceptos la única referencia se hace al centro de trabajo, como al configurar la figura del comité de empresa en el artículo 63.1 ET–, quedando la empresa como unidad electoral cuando ésta solo cuenta con un único centro de trabajo.

Surge entonces un primer problema en el entorno de las plataformas digitales en relación a la determinación o identificación del centro de trabajo. Partiendo de que al definir el artículo 1.5 del ET el centro de trabajo como la unidad productiva autónoma con organización específica se está procediendo a una configuración flexible[52] del mismo que no se limita a un centro de trabajo físico, no habría inconveniente en poder encajar este concepto en el ámbito de las plataformas digitales. El problema surge cuando se trata de efectuar su concreción.

---

[52]   GARRIDO PÉREZ, E.: "La representación de los trabajadores al servicio de plataformas colaborativas", cit., 2017, p. 220; Pastor Martínez, A.: "La descentralización y su incidencia en la conformación de los órganos de representación de los trabajadores. La representación de los trabajadores a distancia y en entornos virtuales", cit., p. 9/16.

Una primera posibilidad se basaría en el hecho de que las plataformas digitales se articulan a través de una aplicación informática, de suerte que ésta se constituiría en el presupuesto sobre el cual se construye la actividad empresarial, lo que podría llevarnos a establecer que el centro de trabajo debe identificarse con el centro de trabajo desde el cual se dirige la operatividad de la aplicación.[53] Sin embargo, esta concepción del centro de trabajo presenta dos inconvenientes: por un lado, supone, seguramente, establecer un único centro de trabajo para todo el territorio nacional, si la operatividad de la aplicación se gestiona desde un único espacio físico, lo que dificultaría la implementación de la estructura representativa, tanto desde el punto de vista de su posible constitución como de la efectividad de la acción de tutela de los intereses colectivos; por otro lado, no tendríamos unidad electoral si el centro operativo se encuentra ubicado físicamente en otro país, salvo que recurriéramos subsidiariamente a otro parámetro delimitador de la unidad electoral.

Una segunda posibilidad interpretativa abandonaría la importancia de la aplicación informática como elemento estructurador del centro de trabajo al constatarse que la organización de las plataformas responde a parámetros geográficos,[54] por cuanto que la actividad es organizada sobre la delimitación de determinado espacio físico en el que operan los prestadores de servicio, al que previamente se han adscrito éstos. De ahí que el centro de trabajo vendría determinado por la estructuración geográfica de acceso configurada por la aplicación informática.[55] Esta solución salva las trabas u objeciones que para la acción representativa presenta la anterior opción interpretativa. Sin embargo, es posible que la aplicación informática no estructure el acceso a la misma con criterios geográficos, en cuyo caso no tendríamos parámetro delimitador de la unidad electoral.

---

[53]   Véase Pastor Martínez, A.: "La descentralización y su incidencia en la conformación de los órganos de representación de los trabajadores. La representación de los trabajadores a distancia y en entornos virtuales", cit., pp. 9-10/16.

[54]   FERRADANS CARAMÉS, C.: "La representación de los trabajadores de la economía colaborativa", cit., p. 7/13. Autora que también señala una tercera posibilidad, ante las dificultades de su cuantificación, que se basaría en la constitución de un tercer colegio electoral en el centro de trabajo al que está adscrito. Realmente esta propuesta sería aceptable despejada la duda sobre qué entendemos por centro de trabajo en el ámbito de las plataformas digitales, pero no la resuelve. Además, como la propia autora reconoce es infrecuente que la negociación colectiva, que es la habilitada por el artículo 71.1 ET, suela establecer este tercer colegio electoral.

[55]   GARRIDO PÉREZ, E.: "La representación de los trabajadores al servicio de plataformas colaborativas", cit. p. 221.

La insatisfactoria respuesta que ofrecen ambas pautas configuradoras del centro de trabajo en el ámbito de las plataformas digitales debe llevar al legislador a una configuración singular del centro de trabajo, por lo menos a efectos de determinación de la unidad electoral, en la que expresamente se identificase el centro de trabajo mediante un criterio geográfico –como pudiera ser la provincia–.

Al tratarse de centros de trabajo digitales, no físicos, delimitados por una determinada área geográfica, bien sea la derivada de la aplicación informática o bien sea la derivada de la diferenciación de varias posibles áreas de acceso, conlleva la necesidad de proceder a la adscripción del trabajador a un único centro. Si el prestador del servicio solo opera en una de esas áreas es fácil establecer su adscripción al centro de trabajo virtual. Mayor dificultad encontramos cuando el servicio se presta en más de un área geográfica, habiéndose propuesto, por un lado, tomar como parámetros la opinión del trabajador y la proximidad geográfica del centro de trabajo con su domicilio;[56] y, por otro lado, apostar por una valoración en conjunto del contenido del servicio prestado, la manera de acceder a la estructura organizativa de la plataforma digital y el lugar desde el que se imparten las órdenes e instrucciones a cumplir.[57] Una futura acción legislativa debería aclarar el mecanismo de adscripción de los prestadores del servicio al centro de trabajo digital partiendo de una valoración conjunta, fundamentalmente, de la estructura organizativa del servicio configurada por la plataforma y las posibilidades de integración del trabajador en ella y del ámbito geográfico predominante en la prestación del servicio, entendido dicho predominio en términos de tiempo, de suerte que el trabajador se adscribirá al centro de trabajo en el que más tiempo desarrolla su actividad.

Otro problema, de no menor importancia, que debería ser resuelto en una futura reforma legislativa se encuentra en la cuantificación del personal adscrito al centro de trabajo digital para poder determinar si se cumplen los mínimos exigidos para la constitución de la representación unitaria, y, en caso afirmativo, la dimensión de la misma. El problema se suscita porque en el entorno de las plataformas digitales lo decisivo en la prestación del servicio no es tanto el carácter indefinido o temporal de la prestación sino el marco de disponibilidad del trabajador, de ahí que la

---

[56]   PASTOR MARTÍNEZ, A.: "La descentralización y su incidencia en la conformación de los órganos de representación de los trabajadores. La representación de los trabajadores a distancia y en entornos virtuales", cit., p. 11/16.
[57]   FERRADANS CARAMÉS, C.: "La representación de los trabajadores de la economía colaborativa", cit., p. 7/13.

cuantificación del personal a efectos de determinar la existencia y dimensión de la unidad electoral debería ser, no el vínculo indefinido o temporal de la prestación, sino el número de horas de disponibilidad del trabajador. Sin embargo, las previsiones estatutarias toman como elemento principal la duración del vínculo y, subsidiariamente, el número de horas (art. 69 y 72 ET). Estamos ante una cuestión necesitada también de adaptación legislativa orientada a construir un parámetro de cuantificación basado en la disponibilidad horaria del prestador de servicios, desechando la naturaleza indefinida o temporal así como la antigüedad del vínculo que lo une con la plataforma digital.

Un tercer aspecto necesitado de adaptación lo encontramos en la configuración del proceso electoral pensando también para su desarrollo en un centro de trabajo físico que revela su inadecuación para ser trasladado automáticamente al entorno de las plataformas digitales. Podemos pensar como la ausencia de un espacio físico impide llevar a cabo, por ejemplo, la obligación de publicar el censo electoral, presentar candidaturas, constituir la mesa electoral, celebrar la votación o publicar los resultados electorales. Sin embargo, y sin perjuicio de la necesaria adaptación por parte del legislador de las reglas del proceso electoral al entorno de las plataformas digitales, podría o puede acudirse a la tecnología para configurar un proceso electoral virtual y digitalizado.[58] Se trataría de utilizar la propia aplicación informática de la plataforma como instrumento a través del cual poder desarrollar el proceso electoral.

La posible articulación de órganos de representación unitaria plantea la aplicabilidad en el entorno de las plataformas digitales de los derechos de información (art. 64 ET), de reunión (arts. 67 a 80 ET), el derecho a un local y a un tablón de anuncios (art. 81 ET), así como el reconocimiento de las garantías del ejercicio de la función sindical (art. 68 ET).

El ejercicio de los derechos de información, en cuanto supone la trasmisión de datos por parte del empresario a la representación unitaria, así como el de consulta concebido como intercambio de opiniones y apertura de un dialogo (art. 64.1 ET), pueden adaptarse en la plataformas digitales mediante la sustitución de los mecanismos documentales físicos por los mecanismos digitales, pudiendo utilizarse la propia aplicación informática en la que se sustenta la plataforma o mediante la creación de aplicaciones ad hoc. Igual solución adaptativa podría operarse en relación con el ta-

---

[58] Opción defendida por GARRIDO PÉREZ, E.: "La representación de los trabajadores al servicio de plataformas colaborativas", cit., pág. 221.

blón de anuncios y el local, entendido ese último como espacio digital en el que puedan interactuar los representantes y sus representados. Incluso el derecho de reunión es susceptible de ser implementado por medio de aplicaciones informáticas que permitan la comunicación simultanea de audio y/o imagen de una pluralidad de sujetos; aunque deberá adoptarse la medida técnica necesaria para hacer efectivo el derecho a convocar la reunión que se reconoce a los trabajadores, mediante el establecimiento de un canal de contacto entre ellos, de lo contrario no sería posible en la práctica que aquéllos pudieran convocar la reunión.

Tampoco se pone en cuestión en el modelo organizativo implícito en las plataformas digitales la observancia de las garantías otorgadas a los representantes de los trabajadores, como la apertura de expediente contradictorio ante posibles sanciones por faltas graves o muy graves, la prioridad de permanencia en la empresa en supuestos de suspensión o extinción por causas económicas o tecnológicas, no ser despedido o sancionado en el ejercicio de la función representativa, expresar opiniones relativa a su función representativa o publicar y distribuir contenidos de interés laboral o social. Mas problemática se torna la aplicación del crédito horario para el desarrollo de funciones representativas, cuya finalidad es dispensar de forma retribuida el cumplimiento de la obligación de trabajar que viene predeterminada en el marco de una concreta jornada y un horario también determinado, cuando muchos de estos trabajadores no se ajustan ni a una jornada ni a un horario preestablecido.[59] Además, la forma en que son retribuidos, en función del servicio prestado, impide tener un módulo retributivo por hora trabajada, salvo que se acuda a utilizar un valor hora obtenido de un periodo de trabajo equivalente realizado en días anteriores.

b) La representación sindical en las plataformas digitales

La acción sindical en las plataformas sindicales cuando el prestador de servicios es considerado como trabajador por cuenta ajena permite desplegar el conjunto de derechos y prerrogativas que contempla la LOLS; sin perjuicio de las necesidades adaptativas derivadas no de la calificación del prestador de servicio como autónomo sino de la singularidad organizativa que suponen las plataformas digitales y ya señaladas al tratar aquélla en relación con los trabajadores autónomos.

---

[59]   FERRADANS CARAMÉS, C.: "La representación de los trabajadores de la economía colaborativa", cit., p. 11/12.

Debe indicarse, no obstante, que el ámbito de la acción sindical resultaría ampliado por cuanto al tratarse de trabajadores por cuenta ajena se podría desplegar en el ámbito de la plataforma digital tanto el derecho a la negociación colectiva como el ejercicio del derecho de huelga.

En relación a la negociación colectiva debe destacarse que se viene asociando la plataforma digital a la negociación a nivel empresarial en detrimento del nivel sectorial sobre la idea que cada plataforma digital presenta características tan singularizadas que individualiza a unas de otras. Particularidades derivadas de la tecnología utilizada por cada una de ellas y que impactan en la configuración organizativa de la plataforma; de suerte que parece que la negociación sectorial se encuentra en desventaja frente a la negociación empresarial para ofrecer una respuesta eficiente en la regulación de las condiciones de trabajo, lo que ha llevado a un sector doctrinal a sostener que subsistiendo la negociación sectorial se producirá una reconversión funcional de la misma, lo que ha llevado a afirmar que se puede producir un deterioro del rol de la misma en la regulación de las condiciones de trabajo.[60]

Junto a esta tendencia evolutiva de la negociación colectiva debe exponerse que la configuración actual de la misma presenta limitaciones estructurales a la hora de afrontar la regulación del trabajo en plataformas digitales, señaladamente la confrontación entre el ámbito nacional de la negociación colectiva y la dimensión supranacional y global de la prestación a través de plataformas digitales.

El ejercicio de derecho de huelga va a necesitar también un proceso de adaptación a la realidad conformada por los entornos digitales, pues si bien algunos de los aspectos de la huelga pueden resultar favorecidos por las tecnologías asociadas a las plataformas digitales, otros pueden resultar erosionados. Es verdad que las tecnologías de la comunicación pueden favorecer la movilización de los trabajadores, pero también es cierto que la eficacia de la huelga puede verse constreñida por la posible disminución de la capacidad de presión de los piquetes sindicales o por la capacidad empresarial de recurrir a medios tecnológicos para sustituir la prestación de quienes ejercen su derecho de huelga.[61]

Además, al poder articularse estructuras de representación unitaria es posible que los delegados sindicales puedan tener reconocidas las garantías prevista en el artículo 10 de la LOLS, a diferencia de lo que acontece

---

[60]   GOERLICH PESET, J.Mª.: "Economía digital y acción sindical", cit., p. 603.
[61]   GOERLICH PESET, J.Mª.: "Economía digital y acción sindical", cit., p. 604.

con los prestadores de servicio calificados como autónomos, puesto que
debe tenerse presente que dichas garantías se anudan a un umbral mínimo
de trabajadores y a la efectiva implantación de la sección sindical en los
órganos de representación unitaria, parámetro este último que como ya se
ha expuesto no es verificable si nos movemos en el ámbito del trabajador
autónomo.

XXV. EL ESQUIROLAJE TECNOLÓGICO

Tomás Sala Franco
Catedrático emérito de Derecho del Trabajo
y de la Seguridad Social de la Facultad de Derecho
de la Universidad de Valencia
Estudio General

SUMARIO: 1. PLANTEAMIENTO DEL TRABAJO. 2. EL CONFLICTO DE DERECHOS Y EL DÉFICIT LEGISLATIVO. 3. LAS SOLUCIONES JURISPRUDENCIALES AL CONFLICTO DE DERECHOS: LOS SUPUESTOS DE *"ESQUIROLAJE EXTERNO"* NO CONTEMPLADOS EN EL RDLRT. 4. LAS SOLUCIONES JURISPRUDENCIALES AL CONFLICTO DE DERECHOS: LOS SUPUESTOS DE "ESQUIROLAJE INTERNO". 5. LAS SOLUCIONES JURISPRUDENCIALES AL CONFLICTO DE DERECHOS: LOS SUPUESTOS DE "ESQUIROLAJE TECNOLÓGICO". 6. LAS PAUTAS OPERATIVAS PARA UN DEBATE MESURADO.

1. PLANTEAMIENTO DEL TRABAJO

Este artículo no pretende analizar exhaustivamente la institución del *"esquirolaje tecnológico"*, dando cuenta exacta y puntual de todo lo dicho sobre él –pocas veces una institución tan concreta como ésta ha dado lugar en tan poco tiempo a tanta literatura jurídica[1], amén de abundantes sentencias de todos los Tribunales al uso (Constitucional, Supremo y Superiores de Justicia),– tan sólo quiero plantear el debate cara a una eventual pretensión del legislador de regularlo o a la necesidad de los Tribunales de calificarlo en defecto de una específica regulación.

---

[1]   Han sido muchos los trabajos aparecidos sobre la institución del esquirolaje tecnológico en nuestra literatura jurídica, de entre la que destaca sin duda el magnífico libro publicado en el año 2018 sobre el tema por el Profesor Tascón (*El esquirolaje tecnológico.* Ed. Thomson Reuters Aranzadi. 2018), libro espléndidamente armado y que trasciende la cuestión que da pie a su elaboración, planteando no solamente una información completa necesaria acerca de su tratamiento jurisprudencial, sino enmarcándola en el genérico derecho de huelga como derecho fundamental y en la incidencia de las nuevas tecnologías sobre el mismo y, sobre todo, aportando argumentos interpretativos jurídicos de interés para, o bien regularlo en su día legislativamente o bien interpretar lo más ajustadamente posible el Art. 6 del vigente RDLRT.

Las razones de la importancia de esta institución para los intérpretes parecen claras. De una parte, el tradicional enfrentamiento entre dos derechos constitucionales (el derecho de huelga de los trabajadores y la libertad empresarial entendida como libertad de producción y de organización del trabajo) que se manifiesta en este caso; de otra parte, la ausencia de una legislación expresa y rotunda sobre la misma; pero, sobre todo, el entendimiento de que en la solución que se dé a esta cuestión está en juego el alcance aplicativo de los derechos fundamentales colectivos en la Constitución, esto es, su mantenimiento y avance o su retroceso, siendo el esquirolaje tecnológico sin duda una *"punta de lanza"* de los efectos que la nueva revolución tecnológica puede provocar en el Derecho del Trabajo, con problemas cada vez más numerosos en todos los sectores de actividad. Si a todo lo anterior se le suma la evolución habida en la reciente jurisprudencia, tanto del Tribunal Constitucional como del Tribunal Supremo sobre la cuestión, pero sobre todo del primero de ellos, resulta suficientemente explicado el notable interés que una cuestión aparentemente puntual tiene para todos.

Pero comencemos por el principio.

2. EL CONFLICTO DE DERECHOS Y EL DÉFICIT LEGISLATIVO

El derecho de huelga, reconocido constitucionalmente en el Art. 28.2 de la CE y no desarrollado posteriormente por la legislación orgánica, habiéndose mantenido la vigencia de un viejo Real Decreto-Ley de 1977 sobre el tema, está en el origen del problema de la calificación jurídica del *"esquirolaje tecnológico"*.

Evidentemente, nadie a la altura de 1977 podía imaginar que las nuevas tecnologías aplicadas por la empresa en el caso de una huelga de sus trabajadores podía dar al traste con la eficacia de la misma, por lo que el RDLRT guarda un natural y absoluto silencio sobre el denominado *"esquirolaje tecnológico"*.

Pero el problema que plantea esta legislación residual es aún mayor por cuanto en su articulado solo se contempla el denominado *"esquirolaje externo"* –entendiendo por tal la sustitución de los trabajadores huelguistas en sus funciones por otros trabajadores no vinculados a la empresa al tiempo de ser comunicada la misma,– y en términos ciertamente restrictivos (no alude a la utilización por parte de la empresa principal en huelga de los trabajadores autónomos o de empresas contratistas y empresas de trabajo temporal o de trabajadores excluidos de la legislación laboral tales como los trabajadores benévolos o los familiares del empresario), no refiriéndose tampoco al *"esquirolaje interno"* –entendiendo por tal la sustitución de los trabajadores huelguistas en sus funciones por los trabajadores no huelguistas,– ni, por supuesto, al *"esquirolaje tecnológico"* – entendiendo por tal la utilización de instrumentos tecnológicos empresariales, sean éstos mecánicos o automáticos, para suplir las funciones dejadas de realizar por los trabajadores en huelga,– las más de las veces imbricado con el *"esquirolaje interno"* y, en alguna ocasión excepcional, con el *"esquirolaje externo"*.

En efecto, el Art. 6.7 del RDLRT establece tan solo que *"en tanto dure la huelga, el empresario no podrá sustituir a los huelguistas por trabajadores que no estuviesen vinculados a la empresa al tiempo de ser comunicada la misma, salvo caso de incumplimiento de las obligaciones contenidas en el apartado número siete de este artículo"*, referido al incumplimiento de *"la prestación de los servicios necesarios para la seguridad de las personas y de las cosas, mantenimiento de los locales, maquinaria, instalaciones, materias primas y cualquier otra atención que fuese precisa para la ulterior reanudación de las tareas de la empresa"*, supuesto al que habrá que añadir el incumplimiento de los servicios mínimos en las huelgas en servicios esenciales para la comunidad a que se refiere el Art. 10 del RDLRT.

En consecuencia, ha tenido que ser la jurisprudencia de los Tribunales la que, con un enorme esfuerzo y no pocas dosis de ambigüedad, ha tenido que dar solución a la calificación jurídica (licitud/ilicitud) de los supuestos de *"esquirolaje externo"* no contemplados expresamente en la norma, de todos los supuestos de *"esquirolaje interno"* y de los supuestos de *"esquirolaje tecnológico"*.

3. LAS SOLUCIONES JURISPRUDENCIALES AL CONFLICTO DE DERECHOS: LOS SUPUESTOS DE *"ESQUIROLAJE EXTERNO"* NO CONTEMPLADOS EN EL RDLRT

El supuesto típico de *"esquirolaje externo"* previsto literalmente en el Art. 6.5 del RDLRT se refiere a la contratación directa durante una huelga por parte de la empresa de trabajadores por cuenta ajena, ya sean éstos indefinidos o temporales, quedando fuera de la expresa previsión legal los supuestos de contratación indirecta a través de empresas de trabajo temporal, los contratos de arrendamiento de servicios o de ejecución de obra de trabajadores autónomos, las contratas con empresas contratistas de obras o servicios o la utilización durante la huelga de trabajadores excluidos de la legislación laboral, como pudieran ser los denominados *"trabajadores benévolos"* o los familiares del empresario.

La legislación posterior al RDLRT ha venido a prohibir también expresamente la utilización durante una huelga de trabajadores provenientes de empresas de trabajo temporal (Art. 8 a) de la Ley 14/1994, de 1 de Junio, por la que se regulan las empresas de trabajo temporal: *"las empresas no podrán celebrar contratos de puesta a disposición en los siguientes casos: a) Para sustituir a trabajadores en huelga en la empresa usuaria"*), dejando sin embargo en el aire la eventual utilización por parte de la empresa durante la huelga de los restantes trabajadores señalados.

Ha sido la jurisprudencia de los Tribunales la que se ha tenido que plantear estos supuestos de *"paraesquirolaje"*, decantándose finalmente, no sin titubeos iniciales (así, las SS.TS de 18 de Septiembre de 1997, Rec. 12087/1991, de 4 de Julio de 2000, Ar/6189 o de 15 de Abril de 2005), por una interpretación amplia y finalista del Art. 6.5 del RDLRT(que no es otra que la de garantizar la eficacia de la huelga, impidiendo que se vacíe su contenido esencial), considerando ilícita la sustitución de los trabajadores huelguistas de una empresa contratista original por los trabajadores de una nueva empresa contratista (por todas, SS.TC 75, 76, 107 y 110/2010, de 19 de Octubre y de 16 de Noviembre; STS de 11 de febrero de 2015, Rec.1011/2015; en contra, STS de 16 de Noviembre de 2016, Rec. 6285/2016) o de otras empresas del grupo (por todas, STS de 20 de Abril de 2015, Rec. 1249/2015).

En todo caso, el Art. 6.5 del RDLRT, tanto en su versión literal como en su versión jurisprudencialmente ampliada, se aplica únicamente a los supuestos de huelga legal y cuando se han respetado tanto los servicios de seguridad y mantenimiento y los servicios mínimos en huelgas en servicios esenciales para la comunidad y no en caso contrario. Sólo que la calificación de la legalidad de una huelga y de la existencia de un incumplimiento de los servicios de mantenimiento o de los servicios mínimos es algo que se determinará siempre *a posteriori* de la realización de la huelga tras el fallo judicial correspondiente, creándose así un *"espacio temporal"* de inseguridad jurídica para ambas partes.

4. LAS SOLUCIONES JURISPRUDENCIALES AL CONFLICTO DE DERECHOS: LOS SUPUESTOS DE "ESQUIROLAJE INTERNO"

Por lo que se refiere al *"esquirolaje interno"*, en los supuestos de cambio en las condiciones de trabajo de los trabajadores no huelguistas en sustitución de los trabajadores en huelga, adscribiéndoles a distintas funciones de las que hasta ese momento desempeñaban (las realizadas por los trabajadores en huelga), exigiéndoles un mayor rendimiento, aumentándoles la jornada, modificándoles el horario de trabajo o cambiándoles de centro de trabajo con o sin desplazamiento de localidad de residencia, la jurisprudencia de los Tribunales ha matizado según los casos, manifestándose de forma contradictoria hasta las SS.TC 123/1992, de 28 de Septiembre, y 33/2011, de 28 de Marzo, que sentaron una doctrina precisa acerca de la admisibilidad o no del *"esquirolaje interno"*.

Así, algunas Sentencias de los Tribunales Superiores de Justicia (por todas, STSJ de 20 de Julio de 1991, Rec. 19/1991), partiendo de una interpretación literal del Art. 6.5 del RDLRT y ante la ausencia de una expresa declaración de inconstitucionalidad del precepto por su corto alcance por parte del Tribunal Constitucional, entendieron que el *"esquirolaje interno"* por parte de la empresa era lícito en cualquiera de sus modalidades, siempre que se utilizaran las vías establecidas en la normativa vigente: los cambios de funciones, según el Art. 39 del ET; los superiores rendimientos o cambios de horarios, según el Art. 41 del ET; los aumentos de jornada, según el Art. 35 del ET; o la movilidad geográfica, según el Art. 40 del ET.

De esta manera, se consideraba que, durante la huelga, el empresario podía mantener su poder de organización y dirección en relación con los trabajadores no huelguistas, no atentando ello contra el contenido esencial del derecho de huelga, entendiendo que lo que no estaba prohibido estaba permitido y que si el legislador hubiera querido prohibir el *"esquirolaje interno"* lo habría hecho, como sucede con el *"esquirolaje externo"*. En alguna ocasión se argumentaba también con base en la libertad de trabajo de los trabajadores no huelguistas, ya que en nuestro ordenamiento, según el Tribunal Constitucional, la huelga no es un deber sino un derecho (*"existe abuso en aquellas huelgas que consiguen la ineludible participación en el plan huelguista de los trabajadores no huelguistas"*: STC de 8 de Abril de 1981). Así, podía pensarse que esta libertad de trabajo resultaría atacada si, por la imposibilidad empresarial de modificar las condiciones de trabajo de los trabajadores no huelguistas como solución menor, hubiera que llegar al cierre patronal de la empresa o centro afectado, con la consiguiente suspensión de los contratos de trabajo *"ex Art. 12.2 del RDLRT"*.

En sentido contrario, otro sector jurisprudencial (por todas, SS.TS de 23 y 24 de Octubre de 1989, Ar/7533 y 7422; o SS.TSJ de Madrid, de 5 de Junio de 1990, Ar/1844 o de Galicia, de 14 de Julio de 1992, Ar/3863), partiendo de una interpretación extensiva y analógica del Art. 6.5 del RDLRT, se manifestó contrario a la licitud del *"esquirolaje interno"*, considerando que cuando el legislador ha querido admitir un concreto mecanismo defensivo empresarial frente a la huelga lo ha hecho expresamente, como sucede con la garantía de los servicios mínimos del Art. 6.7 del RDLRT, debiendo entenderse entonces que lo no reconocido expresamente en la ley atenta contra el contenido esencial de derecho de huelga. Todo ello, naturalmente, solamente en el supuesto de que la huelga sea legal y se haya cumplido con los servicios de mantenimiento y seguridad o con los servicios mínimos en huelgas en servicios esenciales para la comunidad, ya que, en caso contrario, al no tener que respetar el legítimo ejercicio de derecho alguno, se mantendría por el empresario sin ningún lugar a dudas la totalidad de su poder de dirección y organización empresarial (SS.TC 123/1992, de 28 de Septiembre, y 33/2011, de 28 de Marzo).

Las SS.TC 123/1992 y 33/2011, en relación a dos supuestos de movilidad funcional extraordinaria durante la huelga, utilizando trabajadores de clasificación profesional superior a la de los trabajadores huelguistas, incidieron en este debate interpretando que *"el derecho de huelga…goza de una singular preeminencia por su más intensa protección…lo que produce, durante su ejercicio, el efecto de reducir y en cierto modo anestesiar, paralizar o mantener en vida vegetativa, latente, otros derechos que en situación de normalidad pueden y deben desplegar toda su capacidad potencial"* y que ésto sucede *"con la potestad directiva del empresario, regulada en el Art. 20 ET, de la cual son emanación las facultades que le permiten la movilidad del personal"*. En definitiva, viene a afirmarse que el *"esquirolaje interno"* constituye un *"ejercicio abusivo de un derecho (el ius variandi)"* que corresponde al empresario como medida objetivamente necesaria para la buena marcha de la empresa, pero no para desactivar la lógica presión producida por una huelga en el trabajo.

Esta doctrina constitucional no significa que el empresario no pueda en ningún caso hacer uso de su poder directivo respecto de los trabajadores no huelguistas. Lo único que prohíbe es su ejercicio como *"instrumento para privar de efectividad la huelga"*.

Naturalmente, las medidas de *"sustitución interna"* de los trabajadores son contrarias al derecho de huelga con independencia de su voluntaria aceptación por parte de los trabajadores no huelguistas, siendo responsable de la misma el empresario que es quien tiene la titularidad de la organización productiva y el poder de dirección (STC 33/2011).

La jurisprudencia ordinaria posterior a estas SS.TC ha discurrido por este camino, entendiendo, en unos casos, que el *"esquirolaje interno"* referido a supuestos de movilidad funcional de trabajadores no huelguistas atentaba al derecho de huelga (por todas, SS.TSJ de Cataluña, de 5 de Marzo de 2015, Ar/1865; de Madrid, de 29 de Junio de 2015, Ar/569; de Cataluña, de 3 de Febrero de 2016, Ar/608; de Aragón, de 27 de Abril de 2016, Ar/1198; de Cataluña, de 29 de Diciembre de 2016, Ar/241) y en otros no (por todas, SAN de 23 de Septiembre de 2016, Ar/1522; o SS.TSJ de Andalucía/Málaga, de 10 de Octubre de 2013, Ar/441; de Canarias/Santa Cruz de Tenerife, de 5 de Mayo de 2014, Ar/2551; de Murcia, de 10 de Septiembre de 2014, Ar/ 1291; de Navarra, de 23 de Junio de 2015, Ar/2198; de Cataluña, de 30 de Marzo de 2016, Ar/1447; de navarra, de 5 de Mayo de 2016, Ar/1160; de Madrid, de 1 de Diciembre de 2016, Ar/1344). Esta doctrina se ha utilizado igualmente por los Tribunales para supuestos de movilidad geográfica (por todas, STS de 18 de Marzo de 2016, Rec. 1828/2016; o STSJ de Castilla-León/Burgos, de 17 de Febrero de 2011, Ar/102), de modificaciones de los horarios (turnos) de trabajo (por todas, STS de 30 de Abril de 2014, Rec. 3289/2014; o STSJ del País Vasco, de 23 de Abril de 2013, Ar/1255/2014) o de oferta de horas extraordinarias a los trabajadores no huelguistas durante los días de huelga (por todas, STSJ de la Comunidad Valenciana, de 15 de Diciembre de 2009, Ar/200/2010).

El incumplimiento empresarial de esta prohibición podrá ser perseguido judicialmente a través del procedimiento especial de tutela de los derechos fundamentales (Arts. 177 a 184 de la LJS), con derecho a una indemnización de daños y perjuicios a favor de los trabajadores huelguistas (por todas, STSJ de Madrid, de 16 de Noviembre de 1992, Ar/5709, en contra, STSJ de Andalucía/Sevilla, de 16 de Diciembre de 1992, Ar/6605) y, más dudosamente, sancionado administrativamente, a la vista de la redacción literal del Art. 9.10 de la LISOS limitativa de la infracción a los supuestos de *"esquirolaje externo"* en relación con el *"principio de tipicidad"* de las infracciones administrativas(*"los actos del empresario lesivos del derecho de huelga de los trabajadores consistentes en la sustitución de los trabajadores en huelga por otros no vinculados al centro de trabajo al tiempo de su ejercicio, salvo en los casos justificados por el ordenamiento"*).

5. LAS SOLUCIONES JURISPRUDENCIALES AL CONFLICTO DE DERECHOS: LOS SUPUESTOS DE "ESQUIROLAJE TECNOLÓGICO"

El Tribunal Supremo, en una primera etapa, reconoció a la empresa el derecho a practicar el *"esquirolaje tecnológico"* durante la huelga (por todas, SS.TS de 27 de Septiembre de 1999, Rec. 7304/1999; de 4 de Julio de 2000, Rec. 6289/2000; de 9 de Diciembre de 2003, Rec. 9371/2003; o de 15 de Abril de 2005, Rec. 4513/2005).

Los argumentos utilizados fueron básicamente los siguientes:

1º) No existe un precepto legal que lo prohíba expresamente, como sucede con el *"esquirolaje externo"* en el Art. 6.5 del RDLRT.

2º) Debe respetarse la libertad de trabajar de aquellos trabajadores que no quisieran sumarse a la huelga.

3º) El derecho de huelga no exige de la empresa la *"colaboración con los huelguistas en el logro de sus propósitos"*.

Solamente la STS de 16 de Marzo de 1998 (Rec. 2993/1998) consideró ilícito el *"esquirolaje tecnológico"* llevado a cabo por la empresa, por entender que atentaba contra el *"principio de proporcionalidad"* entre los derechos de la empresa y de los huelguistas al haberse superado los servicios mínimos impuestos a estos últimos (emitiendo programas pregrabados con anterioridad a la huelga que operan automáticamente más allá de los servicios informativos), vaciando de este modo el derecho fundamental de huelga.

En el año 2012 se publicaron dos Sentencias (SS.TS de 11 de Junio de 2012, Rec. 6841/2012 y de 5 de Diciembre de 2012, Rec. 1751/2012), ambas con votos particulares, sobre la base de dos supuestos prácticamente idénticos (una huelga general en la televisión pública con fijación de los servicios mínimos referidos a los programas informativos diarios habituales y no a otro tipo de programas, habiéndose emitido posteriormente otros programas pregrabados referidos a tertulias, publicidad o reportajes) y con fallos dispares:

1ª) La STS de 11 de Junio de 2012, Rec. 6841/2012, consideró que tal comportamiento empresarial no atentaba contra el derecho de huelga, argumentando que los servicios mínimos no son servicios máximos, por lo que la empresa podrá realizar otro tipo de servicios por encima de los servicios mínimos siempre que utilice para ello a trabajadores no huelguistas y no a los trabajadores asignados a la prestación de los servicios mínimos o sus propios medios técnicos o automáticos (la pregrabación en este caso), admitiendo que la empresa pueda defenderse frente a la huelga a través de estos últimos.

2ª) La STS de 5 de Diciembre de 2012, Rec. 1751/2012, por el contrario, argumentando con base en las doctrinas del Tribunal Constitucional sobre el *"esquirolaje interno"* (ver supra) y sobre la imposibilidad de considerar los espacios pregrabados como servicios mínimos (ver infra), considera que tal comportamiento empresarial atenta frontalmente contra el derecho de huelga por entender que la realización de otro tipo de servicios por encima de los servicios mínimos solamente podrá realizarse por trabajadores no huelguistas y no por los trabajadores asignados a la prestación de los servicios mínimos o por los medios técnicos o automáticos de la empresa (la pregrabación en este caso), lo que vaciaría de contenido el derecho de huelga.

Por su parte, la única Sentencia del Tribunal Constitucional dictada hasta la fecha sobre el *"esquirolaje tecnológico"* es la STC 17/2017, de 2 de Febrero, relativa a la emisión de un partido de la *Champions League* por Tele-Madrid, en la que el Tribunal parece dar *"marcha atrás"* a la última de las posiciones del Tribunal Supremo, condenatoria de este tipo de *"esquirolaje"*.

En efecto, la Sentencia del Tribunal Constitucional comienza por aceptar acríticamente como *"hecho probado de la Sentencia de instancia"* que *"los trabajadores que no secundaron la huelga y que colaboraron en la emisión del partido no llevaron a cabo funciones distintas de las que vienen desarrollando anteriormente"* –cosa harto discutible dado que en el presente caso fue un coordinador el que realizó el trabajo de sus subordinados– y que, en aplicación de la propia doctrina del Tribunal acerca de la ilicitud del *"esquirolaje interno"*, ello podría haber sido la base de un fallo condenatorio de la actuación empresarial por inconstitucional, como establece con buen criterio el Voto Particular de la Sentencia, tesis que comparto.

A continuación, la Sentencia parece referirse a un supuesto de *"esquirolaje tecnológico interno"*, por referirse al uso empresarial de una tecnología de uso habitual existente con anterioridad a la declaración de la huelga y no adquirida para luchar contra ella, si bien no utilizada hasta entonces con caracteres de normalidad, sino modificando el procedimiento de actuación, lo que se asemeja bastante al supuesto del *"esquirolaje personal interno"* en el que se modifican las condiciones de trabajo de los trabajadores no huelguistas (en este caso se modifican las condiciones técnicas de actuación), existiendo por ello una segunda base para un fallo condenatorio.

No obstante las argumentaciones anteriores, la Sentencia declaró finalmente que *"la efectividad del ejercicio del derecho de huelga no demanda del empresario una conducta dirigida a no utilizar los medios técnicos con los que cuenta la empresa o abstenerse de realizar una actividad productiva que pueda comprometer el logro de los objetivos perseguidos por la huelga, al igual que no obliga a los restantes trabajadores a contribuir al éxito de la protesta, y ello porque lo que garantiza la Constitución es el derecho a realizar la huelga , no el resultado o éxito de la misma"* y en base a ello, la Sentencia desestima el recurso de amparo declarando que no existe lesión del derecho de huelga.

6. LAS PAUTAS OPERATIVAS PARA UN DEBATE MESURADO

A mi juicio, en cuanto al *"esquirolaje tecnológico"*, convendría matizar algunas ideas antes de proceder a su calificación jurídica. Así:

a)   En primer lugar, que los supuestos hasta ahora planteados a los Tribunales se han referido todos ellos al sector audiovisual, si bien previsiblemente en un futuro muy próximo, con el desarrollo y aplicación de la robótica y de la inteligencia artificial, muy probablemente se plantearán en cualquiera de los sectores productivos (industrial o de servicios).

b)   En segundo lugar, que, parangonando al *"esquirolaje"* tradicional de personas, existen dos tipos de *"esquirolaje tecnológico"* imaginables (TASCON LÓPEZ, op, cit. Pags. 64 y ss.): de un lado, el *"esquirolaje tecnológico externo"* –cuando se utilizan tecnologías inexistentes en la empresa antes de declararse la huelga y que se adquieren con la finalidad de defenderse y hacer frente a la misma–, y, de otro, el *"esquirolaje tecnológico interno"* –cuando se utilizan tecnologías existentes en la empresa con anterioridad a la declaración de huelga, no habiendo sido utilizadas con anterioridad a ella o, en el caso de haber sido utilizadas, haberlo hecho con un cambio en el procedimiento de utilización, intensificando su uso o ampliando sus potencialidades para hacer frente a la huelga–.

c)   Y, en tercer lugar, que por todo ello no existe probablemente la posibilidad de calificar jurídicamente todos los supuestos de la misma forma, debiendo atenderse a las circunstancias del caso concreto que se plantee.

Teniendo en cuenta lo anterior, procedamos ahora a sintetizar cuales podrían ser los elementos a considerar en orden a la calificación jurídica de un *"esquirolaje tecnológico"*:

1°) Un *"esquirolaje tecnológico externo"* sería en todos los casos en sí mismo contrario al derecho fundamental de huelga, como lo es, sin duda alguna, el parangonable *"esquirolaje personal externo"* a que se refiere el Art. 6.7 del RDLRT.

En estos casos podría tratarse, además, de un *"esquirolaje personal externo"* (en el caso de utilizar en su aplicación a personal de nueva contratación) o de un *"esquirolaje personal interno"*, (en el caso de utilizar en su aplicación a trabajadores no huelguistas modificándoles sus condiciones de trabajo y no en caso contrario), siendo por ello doblemente ilícito.

2º) Un *"esquirolaje tecnológico interno"* sería contrario al derecho fundamental de huelga solamente en el caso de tratarse de una aplicación tecnológica distinta de la utilizada habitualmente antes de la huelga, esto es, cuando no hubiera sido utilizada con anterioridad a ella o, en el caso de haber sido utilizada, se hubiera hecho con un cambio en el procedimiento de utilización, intensificando su uso o ampliando sus potencialidades para hacer frente a la huelga.

Existe, en este sentido, a mi juicio, un *"paralelismo"* evidente entre el *"esquirolaje personal interno"* y el *"esquirolaje tecnológico interno"*, consistente en que en ambos casos la empresa está utilizando durante la huelga, bien a los *"trabajadores no huelguistas"* más allá de sus condiciones de trabajo habituales, bien a los medios técnicos más allá de su producción habitual. Es por ello por lo que se le debe dar una calificación jurídica paralela a ambos *"esquirolajes"*, reduciéndose todo a una cuestión de *"prueba"* de la *"habitualidad"* de las condiciones de trabajo o de las condiciones técnicas.

Así pues, es en la *"habitualidad"* de las condiciones (personales o técnicas) donde deberá residir la *"proporcionalidad"* necesaria para valorar la licitud o ilicitud de la actuación empresarial durante una huelga.

En estos casos podría tratarse, además, de un *"esquirolaje personal externo"* (de utilizar en su aplicación a personal de nueva contratación) o de un *"esquirolaje personal interno"* (de utilizar en su aplicación a trabajadores no huelguistas modificándoles sus condiciones de trabajo y no en caso contrario), ambos calificables de atentatorios del derecho de huelga.

XXVI. DIGITALIZACIÓN Y ROBÓTICA: CUESTIONES A DEBATE EN MATERIA DE SEGURIDAD SOCIAL

Raquel Aguilera Izquierdo
Profesora Titular de Derecho del Trabajo
y de la Seguridad Social
Universidad Complutense de Madrid)

SUMARIO: 1. INTRODUCCIÓN. 2. MODIFICACIONES EN EL RÉGIMEN ESPECIAL DE AUTÓNOMOS. 3. LA PROPUESTA DE ESTABLECER UNA RENTA BÁSICA UNIVERSAL. 4. LOS PROBLEMAS DE SOSTENIBILIDAD DEL SISTEMA DE SEGURIDAD SOCIAL: A COTIZACIÓN DE LOS ROBOTS. BIBLIOGRAFÍA.

1. INTRODUCCIÓN

El progreso técnico siempre ha influido en el trabajo y el empleo, de manera que el contexto tecnológico en el que nos encontramos actualmente no podía ser menos. La digitalización[1] de la economía ha tenido importantes efectos en el mercado de trabajo, que se van a ver ampliados por la inteligencia artificial y la robótica[2].

La digitalización ha traído consigo nuevas formas de organización del trabajo. Un claro ejemplo de ello es el trabajo en las denominadas plataformas digitales que constituyen un componente esencial de la revolución digital. Como ha señalado la OIT[3], las plataformas digitales de trabajo "son los servicios digitales (sitios web o aplicaciones informáticas) que facilitan

---

[1] Se utiliza el término digitalización en el sentido de transformación digital de las empresas o negocios, entendida esta transformación como mejora o evolución de las funciones empresariales, operaciones comerciales, modelos de gestión de clientes, procesos de comunicación, etc., aprovechando las tecnologías digitales.

[2] La inteligencia artificial se puede definir como "la capacidad de los programas informáticos de producir unos resultados de razonamiento equivalentes a los obtenidos por la inteligencia natural humana a través de sistemas de aprendizaje artificiales similares a los naturales", AGOTE EGUIZÁBAL, R.: "Inteligencia artificial, ser humano y derecho", *Revista Claves de Razón Práctica*, núm. 237, 2018, pág. 41.

[3] OIT: *Las plataformas digitales y el futuro del trabajo. Cómo fomentar el trabajo decente en el mundo digital*, Ginebra, 2019.

la externalización de tareas. Estas plataformas brindan la infraestructura técnica para que los solicitantes del servicio den a conocer tareas por medio de anuncios entre un gran número de trabajadores potenciales en distintos enclaves geográficos y circunstancias económicas, para obtener y evaluar los resultados de las tareas terminadas y para pagar a los trabajadores individuales por los servicios prestados. Por otras parte, estas plataformas también brindan servicios e infraestructura a los trabajadores desde una posición centralizada en la que ellos encuentran tareas de muchos solicitantes, un método para entregar el producto del trabajo y la infraestructura técnica y financiera para cobrar por la tarea terminada".

Las plataforma digitales son el soporte de una gran variedad de tareas, desde plataformas de trabajo en línea que asignan tareas a un grupo de personas a plataformas basadas en la ubicación y en aplicaciones informáticas, donde las tareas se asignan a personas concretas. De este modo, el trabajo en plataformas digitales "representa volver a la mano de obra ocasional del pasado en las economías industrializadas"[4], de manera que los trabajadores tienen poco control sobre cuándo tendrán trabajo o sobre las condiciones de este. Como afirma la Directiva (UE) 2019/1152 del Parlamento Europeo y del Consejo, de 20 de junio de 2019, relativa a unas condiciones laborales transparentes y previsibles en la Unión Europea, en los últimos años el mercado laboral ha sufrido una profunda transformación inducida, entre otras razones, por la digitalización. "Algunas formas nuevas de empleo pueden divergir significativamente, por lo que respecta a su previsibilidad, de las relaciones laborales tradicionales, lo que genera incertidumbre respecto de los derechos y la protección social aplicables para los trabajadores afectados". Asimismo, el trabajo en plataformas digitales plantea problemas desde el punto de vista del concepto de trabajador y altera las fronteras de la laboralidad.

La robotización, por su parte, no afecta, en principio, al concepto de trabajador, es decir, no implica la necesidad de replantearse el concepto de trabajador asalariado. Sin embargo, los problemas que plantea la robotización en el ámbito laboral derivan de la sustitución de trabajadores por robots y sus efectos sobre el desempleo.

Evidentemente esta situación tiene importantes repercusiones desde el punto de vista de la protección social. Las cuestiones que el nuevo contex-

---

[4] OIT: *Las plataformas digitales y el futuro del trabajo. Cómo fomentar el trabajo decente en el mundo digital*, op.cit., pág. 5.

to tecnológico en el que nos encontramos plantea desde dicha perspectiva pueden agruparse de la siguiente manera:

– En primer lugar, los problemas derivados de la naturaleza jurídica de la relación que une al trabajador con la plataforma digital, lo que exige prestar especial atención a la protección social de los trabajadores autónomos. Las denominadas "tecnologías de plataforma" cuestionan la vigencia de categorías tradicionales como la dependencia. En este sentido, es necesario determinar si el concepto de trabajador se adecúa a esta nueva realidad social y, por tanto, cuál es el encuadre de estos trabajadores dentro de los Regímenes existentes de Seguridad Social. Asimismo, hay que tener en cuenta que la digitalización y las nuevas tecnologías van a aumentar la tendencia al autoempleo en el futuro.

– En segundo lugar, la generalización de las formas de trabajo atípicas provoca un aumento de la inestabilidad y de la previsibilidad de los ingresos, lo que genera incertidumbre en los trabajadores a la hora de poder afrontar sus obligaciones con la Seguridad Social, así como desde el punto de vista de la prestación por desempleo.

– En tercer lugar, el avance de formas de empleo que se apartan del modelo de trabajo estable asalariado y a tiempo completo, que sustenta el sistema de seguridad social, afecta a la financiación del sistema.

El posible impacto que la digitalización y las nuevas formas de trabajo tienen en los sistemas de seguridad social ha sido puesto de manifiesto en diversos documentos internacionales, de la Unión Europea y estatales.

La OIT en su informe "El empleo atípico en el mundo. Retos y perspectivas"[5] muestra como los avances tecnológicos han provocado importantes cambios en las estrategias organizativas de las empresas y resalta los riesgos que para los sistemas de seguridad social tienen las formas atípicas de trabajo.

La Asociación Internacional de Seguridad Social en su documento "Diez desafíos mundiales para la Seguridad Social. Evolución e Innovación" del año 2019, señala que "los regímenes de seguridad social han de adaptarse para poder extender y garantizar una cobertura eficaz a las personas más vulnerables del mercado de trabajo, entre ellas los trabajadores atípicos, los de plataformas en línea y los del sector informal de la economía. Para ello, han de hacer frente a los desafíos que suponen los historiales de vida laboral incompletos y fragmentados".

---

[5]   OIT, Ginebra, 2016.

El Parlamento Europeo en su Resolución de 16 de febrero de 2017, en la que se contienen recomendaciones destinadas a la Comisión sobre normas de Derecho civil sobre robótica (2015/2013 (INL)), pide a la Comisión que analice los posibles escenarios y sus consecuencias para la viabilidad de los sistemas de seguridad social en los Estados miembros que podrían tener el desarrollo y la implantación de la robótica y la inteligencia artificial.

El Comité Económico y Social Europeo en numerosos dictámenes ha expresado su preocupación por los efectos de la digitalización de la economía en los mercados de trabajo y, en concreto, sus efectos en materia de protección social. Así, por ejemplo, en el Dictamen sobre "Seguridad Social sostenible y sistemas de protección social en la era digital" (DOUE de 11 de abril de 2018), el Comité considera que "se podría dar una solución global a los problemas vinculados al reconocimiento de sus derechos en materia de Seguridad Social procediendo a una reforma general del modo de financiación del sistema. En consecuencia, solicita a los Estados miembros que busquen soluciones que permitan financiar los sistemas de seguridad social recurriendo a instrumentos que garanticen su sostenibilidad y respondan a la necesidad de ofrecer acceso a las personas que desempeñan su actividad según las nuevas formas de trabajo". Y, en su Dictamen sobre "Conceptos de la UE para gestionar la transición en un mundo laboral digitalizado: aportación clave para un Libro Blanco de la UE sobre el futuro del trabajo" (DOUE de 10 de octubre de 2018), el Comité afirma que "para cubrir todas las formas flexibles de empleo que la digitalización crea y que ningún trabajador se quede en la cuneta, el Comité considera prioritario preservar la calidad y la viabilidad financiera de los sistemas de protección social, en línea con el pilar europeo de derechos sociales. El Comité insta a la Comisión Europea y a los Estados miembros a que organicen la concertación con los interlocutores sociales para adaptar los regímenes de protección social a las nuevas formas de trabajo".

El Consejo Económico y Social de España en su Informe sobre "El futuro del trabajo"[6], pone de manifiesto los problemas que desde el punto de vista de la sostenibilidad de los sistemas de protección social tiene el avance de formas de empleo que se apartan del modelo de trabajo asalariado y a tiempo completo, que sustenta los sistemas de Seguridad Social de base fundamentalmente contributiva, y la especial consideración que merece la protección social de los trabajadores autónomos, dado que la tradicional dicotomía entre trabajo dependiente y no dependiente puede no resultar

---

[6]   Informe núm. 3 de 2018.

suficiente para clasificar la diversidad de situaciones que pueden surgir en una realidad de trabajo cambiante.

En este estudio vamos a centrarnos en tres cuestiones que las nuevas tecnologías plantean desde el punto de vista de la seguridad social: la necesidad de modificar el régimen especial de autónomos, el debate sobre la necesidad de establecer una renta básica universal y la cotización de los robots como posible solución a los problemas de financiación del sistema de seguridad social.

2. MODIFICACIONES EN EL RÉGIMEN ESPECIAL DE AUTÓNOMOS

En la actualidad existen numerosas dificultades para discernir los criterios de laboralidad o no en el supuesto de la prestación de servicios en plataformas digitales, por ello, como ha señalado la doctrina, "se debe ser especialmente cauto al intentar trasladar soluciones legales/jurisprudenciales de otros países (..) así como en la propuesta de solución futura en torno a mecanismos externos que permitan la extensión selectiva del ámbito de aplicación de las normas laborales a través de las fórmulas que mejor convengan en cada momento"[7].

La Resolución del Parlamento Europeo, de 15 de junio de 2017, sobre una Agenda Europea para la economía colaborativa afirma que todos los trabajadores de la economía colaborativa son, o bien trabajadores por cuenta ajena o bien trabajadores por cuenta propia, según los casos, e insta a los Estados miembros y a la Comisión a que garanticen una adecuada protección social para todos ellos[8].

No es el objeto de este estudio analizar si las nuevas formas de prestación de servicios que han surgido como consecuencia de las nuevas tecnologías digitales encajan o no en el concepto tradicional de trabajador por cuenta ajena, sino determinar qué modificaciones podrían introducirse en el régimen especial de autónomos para darles una mayor protección, "dado que la tradicional dicotomía entre trabajo dependiente y no dependiente

---

[7]   SÁNCHEZ-URÁN AZAÑA, Y.: "Sobre la calificación jurídica de la prestación de servicios de reparto a plataformas digitales", *Revista de Jurisprudencia Laboral*, núm. 1, 2019.

[8]   Sobre esta resolución y la protección social del trabajador de plataformas en la Unión Europea, ver, . VILA TIERNO, F.: "Elementos normativos e instrumentales en materia de (des)protección social del prestador de servicios en la economía colaborativa", *Revista de Derecho de la Seguridad Social*, núm. 18, 2019, págs. 111-117.

puede no resultar suficiente para clasificar la diversidad de situaciones que pueden surgir en una realidad de trabajo cambiante". Además, si como sostienen los expertos en la materia la digitalización puede aumentar la tendencia al autoempleo en el futuro, resulta necesario "profundizar en mejoras de la legislación"[9] para tratar de adecuar las normas protectoras a esta nueva realidad.

En efecto, muchas de las nuevas formas de organización del trabajo surgidas de las tecnologías digitales parecen quedar fuera del ámbito de aplicación del contrato de trabajo y, por tanto, del régimen general de la seguridad social. Sin perjuicio de lo discutible que pueda ser la calificación jurídica de la prestación de servicios de los trabajadores de plataformas digitales, la realidad es que resulta necesario introducir modificaciones en el régimen especial de autónomos con el fin de garantizar una cobertura adecuada.

A pesar de que en los últimos años se ha llevado a cabo una intensa actividad normativa en relación con el trabajo autónomo, "nuestro ordenamiento continúa en gran medida anclado en una concepción tradicional del mismo. Y ello implica que los prestadores de servicios por cuenta propia que no responden a este molde encuentran rigideces en el acceso al sistema y en relación con las cargas que soportan"[10]. Un buen ejemplo de esta afirmación es el auge de las denominadas cooperativas de facturación, que son cooperativas que agrupan a trabajadores por cuenta propia para emitir facturas sin darse de alta en el Régimen Especial de Autónomos. Su ámbito subjetivo "queda limitado a determinados profesionales autónomos o freelance que, o bien se inicien en una actividad por cuenta propia o bien realicen actividades esporádicas o intermitentes"[11]. Generalmente el trabajador se registra como socio de la cooperativa pagando una cuota y realiza el trabajo a su cliente. Antes de facturar informa a la cooperativa que le da de alta como trabajador asimilado por cuenta ajena por las horas o días que ha dedicado a ese trabajo y es la cooperativa la que factura en nombre del trabajador. El profesional cobra una nómina de la cooperativa

9   Informe número 3 del CES sobre *El futuro del Derecho del Trabajo*, 2018.

10   GOERLICH PESET, J.M.: "Digitalización, robotización y protección social", *Teoría y Derecho*, núm. 23, 2018, pág. 117.

11   HERNÁNDEZ BEJARANO, M.: "Nuevos modelos de cooperativas de trabajadores autónomos: un análisis de las cooperativas de impulso empresarial y las cooperativas de facturación", en *Economía colaborativa y trabajo en plataforma: realidades y desafíos*, Directores M. C. Rodríguez-Piñero Royo y M. Hernández Bejarano, Ed. Bomarzo, Albacete, 2017.

por los días que ha trabajado para ese cliente y a cambio la cooperativa se queda con un porcentaje de la facturación.

Pues bien, la Inspección de Trabajo ha entendido que tras esta actividad se esconden falsos autónomos y ha abierto expedientes sancionadores. Considera que estas cooperativas actúan como empresas instrumentales, cuya actividad ilícita –desde el punto de vista de la relación jurídica de seguridad social– se concreta en la simulación de situaciones de trabajo dependiente (bajo la forma de socios trabajadores) con la finalidad de tramitar periodos de alta en el Régimen General de la Seguridad Social de trabajadores que, en realidad, son trabajadores por cuenta propia, posibilitando así el incumplimiento por parte de estos "socios trabajadores" de las obligaciones de alta y cotización al Régimen Especial de Trabajadores Autónomos. Para la Inspección de Trabajo estas cooperativas no proporcionan a los profesionales puestos de trabajo porque no los tienen ya que no producen ningún bien ni prestan ningún servicio a terceros, aunque los facturen en sustitución de quien sí los presta, tampoco organizan en común la producción de bienes o servicios para terceros, sino que cada profesional organiza individualmente la prestación de servicios a su cliente. No proporcionan puestos de trabajo a sus socios (razón última de las cooperativas de trabajo asociado). Por ello, concluye la Inspección que nos encontramos ante un fenómeno simulatorio, la simulación de las relaciones societarias que determinan la inclusión en el Régimen General de los ficticios socios trabajadores y la indebida tramitación del alta en el Régimen General de la Seguridad Social de unos profesionales para facilitar el incumplimiento por parte de éstos de su obligaciones fiscales y de seguridad social.

Los órganos judiciales han confirmado los distintos informes de la Inspección y vienen desestimando los recursos planteados contra las resoluciones de la Tesorería General de la Seguridad Social por las que se procede de oficio a dar de alta a los trabajadores en el RETA[12]. Ahora bien, en algún caso el recurso se ha desestimado por entender que el trabajador tiene unos ingresos inferiores al salario mínimo interprofesional, de lo que se deriva que no realiza su actividad de forma habitual y, por tanto, no es obligatoria su inclusión en el señalado Régimen Especial[13].

---

[12] STSJ Madrid, sala de lo contencioso-administrativo, de 30 de mayo de 2019, núm. 361/2019; STSJ Asturias, sala de lo contencioso-administrativo, de 25 de febrero de 2019, núm.144/2019.

[13] STSJ Madrid, sala de lo contencioso administrativo, de 11 de julio de 2019, núm. 463/2019.

La existencia de estas cooperativas pone de manifiesto como los trabajadores autónomos con escasos ingresos o que prestan servicios de forma intermitente o esporádica, tratan de huir del RETA para no tener que pagar una cuota fija mensual que en muchos casos puede ser superior a sus ingresos, y prefieren optar por este sistema que, hasta que la Inspección de Trabajo ha actuado, pensaban que les permitía cotizar solo por los días trabajados en el Régimen General como asimilados a trabajadores por cuenta ajena (art. 10.4 RD 84/1996, de 26 de enero).

Esta realidad conecta con uno de los principales problemas que plantea el Régimen Especial de Autónomos que es el relativo a su ámbito de aplicación en conexión con el requisito de la habitualidad exigido por la norma.

A los efectos del Régimen Especial de Autónomos, se entenderá como trabajador por cuenta propia o autónomo, aquel que realiza de forma habitual, personal y directa una actividad económica a título lucrativo, sin sujeción por ella a contrato de trabajo y aunque utilice el servicio remunerado de otras personas, sea o no titular de empresa individual o familiar (art. 305 LGSS). Dentro del Régimen Especial de Autónomos quedan incluidos también los trabajadores autónomos económicamente dependientes, es decir, aquéllos que realizan una actividad económica o profesional a título lucrativo y de forma habitual, personal, directa y predominante para una persona física o jurídica, denominada cliente, del que dependen económicamente por percibir de él, al menos, el 75 por ciento de sus ingresos por rendimientos de trabajo y de actividades económicas o profesionales (art. 11.1 Ley 20/2007, de 11 de julio, del Estatuto del Trabajo Autónomo).

Es cierto que en los últimos años se han articulado una serie de medidas que tienen por objetivo flexibilizar los requisitos de acceso y cotización a dicho Régimen Especial y acercar la acción protectora del RETA al Régimen General, pero estas medidas resultan insuficientes.

Así, por lo que se refiere en primer lugar, a la obligación de encuadramiento en el RETA, el principal problema que la norma plantea es el relativo al requisito de la habitualidad (exigido por el art. 305.1 LGSS, siguiendo lo previsto en los arts. 2.1 del Decreto 2530/1970, de 20 de agosto, y 1.1 de la Orden de 24 de septiembre de 1970). Como hemos señalado, se entiende por trabajador por cuenta propia o autónomo aquél que realiza una actividad a título lucrativo y de forma habitual. Es necesario, por tanto, concretar si una prestación autónoma de servicios debe ser incluida o no en el RETA en función de su carácter habitual o no. Al no existir un concepto legal de habitualidad en la práctica se plantean numerosas problemas a la hora de determinar si una prestación autónoma de servicios ha de ser o no incluida en el RETA. Con la intención de acabar con esta situación, la disposición adicional 4ª de la Ley 6/2017, de 24 de octubre, de reformas urgentes del trabajo autónomo, preveía que: "En el ámbito de la Subcomisión para el estudio de la reforma del Régimen Especial de Trabajadores por Cuenta Propia o Autónomos constituida en el Congreso de los Diputados, y oídos los representantes de los trabajadores autónomos, se procederá a la determinación de los diferentes elementos que condicionan el concepto de habitualidad a efectos de la incorporación a dicho régimen. En particular, se prestará especial atención a los trabajadores por cuenta propia cuyos ingresos íntegros no superen la cuantía del salario mínimo interprofesional, en cómputo anual". Ahora bien, una vez disuelta la legislatura, esta iniciativa quedó caducada[14].

Como acabamos de transcribir, la disposición adicional 4ª de la Ley 6/2017 solicitaba que la Subcomisión creada al efecto debía prestar especial atención a los trabajadores por cuenta propia cuyos ingresos no superen la cuantía del salario mínimo interprofesional. Y eso es precisamente lo que viene haciendo la jurisprudencia, pues aunque la norma no concreta ningún umbral económico para la obligación de darse de alta en el RETA, los órganos judiciales viene estimando la superación del umbral del salario mínimo interprofesional, percibido en el año natural, como indicador del requisito de habitualidad[15].

---

[14] BOCG 27 de marzo de 2019.

[15] La STS de 29/10/1997 (R. 406/1997), sentó este umbral para el caso concreto de los subagentes de seguros: "[...] El criterio del montante de la retribución es apto para apreciar el requisito de la habitualidad. Como ha señalado la jurisprudencia contencioso-administrativa (STS 21-12-1987 y 2-12-1988) tal requisito hace referencia a una práctica de la actividad profesional desarrollada no esporádicamente sino con una cierta frecuencia o continuidad. A la hora de precisar este factor de frecuencia o continuidad puede parecer más exacto en principio recurrir a módulos temporales que a módulos retributivos, pero las dificultades virtualmente insuperables de concreción y de prueba de las unidades temporales determinantes de la habitualidad han inclinado a los órganos jurisdiccionales a aceptar también como indicio de habitualidad al montante de la retribución. Este recurso al criterio de la cuantía de la remuneración, que por razones obvias resulta de más fácil cómputo y verificación que el del tiempo de dedicación, es utilizable además, teniendo en cuenta el dato de experiencia de que en las actividades de los trabajadores autónomos o por cuenta propia el montante de la retribución guarda normalmente una correlación estrecha con el tiempo de trabajo invertido. Así ocurre en concreto, respecto de los subagentes de seguros, cuya retribución depende estrechamente del tiempo de trabajo dedicado a la formación, gestión y mantenimiento de la cartera de clientes. A la afirmación anterior debe añadirse que la superación del umbral del salario mínimo percibido en un año natural puede ser un indicador adecuado de habitualidad. Aunque se trate de una cifra prevista para la remuneración del trabajo asalariado, el legislador recurre a ella con gran frecuencia

Sin embargo, aunque el montante de la retribución viene siendo un indicativo de la habitualidad no necesariamente es el único ni excluyente de otros criterios, y los órganos judiciales no parecen mantener una postura clara sobre este requisito. Así, mientras que la STS de 20 de marzo de 2007[16] afirmó que procede la baja en el régimen cuando los ingresos por la actividad no alcanzan el umbral del salario mínimo interprofesional, otras sentencias entienden que el montante de los ingresos no determina nunca la inclusión o exclusión en el RETA, no cabiendo la baja en este Régimen por pérdidas o por tener ingresos inferiores al salario mínimo[17]. En suma, "tal criterio retributivo tiene sentido y utilidad cuando se dispone el alta de oficio respecto de quien no está dado de alta en el sistema en régimen alguno y donde la carga de la prueba la tiene la administración actuante que podrá considerar indicador relevante el nivel de ingresos. En cambio, tal criterio retributivo no es preciso cuando el propio sujeto afectado de forma expresa cuenta con alta voluntaria y conforme en otro régimen distinto, como es el Régimen General de la Seguridad Social, lo que encierra su admisión de que su labor es estable y habitual, y merecedora de protección social (ello sin perjuicio de que tal alta en el Régimen General no sea la procedente, sino como es el caso, en el RETA)"[18].

El hecho de que la Ley 6/2017 previera el estudio del requisito de la habitualidad por parte de la subcomisión creada al efecto y de que sean numerosos los conflictos que se plantean en el ámbito contencioso-admi-

---

como umbral de renta o de actividad en diversos campos de la política social, y específicamente en materia de Seguridad Social, de suerte que en la actual situación legal resulta probablemente el criterio operativo más usual a efectos de medir rentas o actividades. La superación de esta cifra, que está fijada precisamente para la remuneración de una entera jornada ordinaria de trabajo, puede revelar también en su aplicación al trabajo por cuenta propia –y, en concreto, al trabajo de los subagentes de seguros–, la existencia de una actividad realizada con cierta permanencia y continuidad, teniendo además la ventaja, como indicador de habitualidad del trabajo por cuenta propia, de su carácter revisable. La conclusión del razonamiento es que la sentencia impugnada ha dado una respuesta correcta a la cuestión controvertida. La sentencia de contraste, que ha incluido en el requisito de habitualidad la exigencia de que la actividad del subagente de seguros constituya también su medio de vida, no se ajusta en cambio a derecho. La valoración de lo que la actividad realizada pueda significar económicamente para el asegurado es un dato subjetivo que, aparte razones de interpretación gramatical, no debe ser tenido en cuenta a efectos de encuadramiento en Seguridad Social, donde es preciso operar con criterios aplicables indistintamente a todos los miembros de un grupo o colectividad de personas".

[16]   Núm. de recurso 2006/2005.
[17]   STSJ de Madrid de 30 de mayo de 2019, núm. 361/2019.
[18]   STSJ de Madrid de 30 de mayo de 2018 (rec.322/2017).

nistrativo derivados de resoluciones de la TGSS que obligan a darse de alta sin excepciones, pone de manifiesto la existencia de discrepancias entre los órganos judiciales y la administración, lo que ha convertido esta cuestión en un tema clave en esta materia.

Desde el punto de vista de las nuevas formas de organización del trabajo, y dado que estas formas de organización fomentan la existencia de trabajos a demanda, esporádicos en muchos casos, la exigencia del requisito de habitualidad hace quedar fuera del RETA a muchos de estos trabajadores que, por tanto, no quedarían cubiertos por ningún sistema de protección social. Al mismo tiempo, si quedan incluidos y tienen escasos ingresos, el pago de una cuota mínima al sistema les hace intentar buscar fórmulas para no cotizar a dicho Régimen Especial. En este sentido, la OIT ha realizado una serie de recomendaciones dirigidas a reducir o eliminar "los límites mínimos de horas, ingresos o duración del empleo para que estos trabajos atípicos no queden excluidos, flexibilizar los sistemas con respecto a las cotizaciones exigidas para poder percibir las prestaciones, permitiendo la interrupción de cotizaciones; y facilitar la transferibilidad de los derechos entre distintos sistemas de seguridad social y situaciones en el empleo"[19].

Por otro lado, y en íntima conexión con el requisito de la habitualidad y los problemas que plantea, debemos hacer mención al trabajo autónomo a tiempo parcial. En efecto, "la exigencia de la habitualidad – medida en términos temporales o económicos – resulta poco coherente, o acaso directamente contradictoria, con la aspiración al reconocimiento de prestaciones de servicios autónomos a tiempo parcial. Existen, en efecto, grandes posibilidades de que la dedicación a tiempo parcial se concrete en rendimientos inferiores al salario mínimo interprofesional"[20].

La figura del trabajador autónomo a tiempo parcial fue introducida en nuestro ordenamiento jurídico por la disposición final 10ª de la Ley 27/2011, de 1 de agosto, sobre actualización, adecuación y modernización del sistema de seguridad social. Esta disposición modificó determinados preceptos de la Ley 20/2007, de 11 de julio, del Estatuto del trabajo autónomo, para señalar que la actividad autónoma o por cuenta propia podrá realizarse a tiempo completo o a tiempo parcial. Asimismo, y por lo que se refiere a la protección social de los trabajadores autónomos a tiempo

---

[19] OIT: *El empleo atípico en el mundo. Retos y perspectivas,* Ginebra, 2016.
[20] GOERLICH PESET, J.M.: "La reforma del Régimen de Autónomos en la Ley 6/2017", *Revista de Información Laboral,* núm. 12, 2017.

parcial, se adicionó un nuevo párrafo al artículo 24, según el cual: "Los trabajadores por cuenta propia que ejerzan su actividad a tiempo parcial estarán incluidos, en los supuestos y conforme a las condiciones reglamentariamente establecidas, en el Régimen de la Seguridad Social de Trabajadores Autónomos". En el mismo sentido se adicionó un nuevo apartado 4 al artículo 25 con la siguiente redacción: "Considerando los principios de contributividad, solidaridad y sostenibilidad financiera, la Ley podrá establecer un sistema de cotización a tiempo parcial para los trabajadores autónomos, para determinadas actividades o colectivos y durante determinados periodos de su vida laboral. En su defecto, se aplicarán la disposición adicional séptima del Texto Refundido de la Ley General de la Seguridad Social sobre normas aplicables a los trabajadores contratados a tiempo parcial". Por último, se añadió una nueva letra e) a la disposición adicional 2ª de la Ley del Estatuto del Trabajo Autónomo, que regulaba las bonificaciones y reducciones en la cotización de los autónomos. Según esta nueva letra, la cotización resultará reducida "en unas condiciones análogas a las de un trabajador por cuenta ajena contratado a tiempo parcial".

Todas estas previsiones debían entrar en vigor el 1 de enero de 2017, de conformidad con lo establecido en la disposición final 12ª de la Ley 27/2011, sin embargo, la disposición final 17 de la Ley 3/2017, de 27 de junio, de presupuestos generales del Estado para 2017, prorrogó de nuevo su entrada en vigor al 1 de enero de 2019 y eliminó del art. 25.4 de la Ley 20/2007, del Estatuto del Trabajo Autónomo, la remisión a la disposición adicional séptima de la LGSS sobre normas aplicables a los trabajadores contratados a tiempo parcial. Finalmente, la disposición final 126 de la Ley 6/2018, de 3 de julio, de Presupuestos Generales del Estado para el año 2018, ha aplazado, sin fijar ninguna fecha, la entrada en vigor de los preceptos de la Ley de Estatuto del Trabajo Autónomo relativos a los trabajadores por cuenta propia que ejerzan su actividad a tiempo parcial.

El reconocimiento de la figura del trabajador a tiempo parcial hace cuestionarse el requisito de la habitualidad exigido a los trabajadores para formar parte del RETA y parece abonar la posición favorable a la inclusión de todos los trabajadores que presten servicios por cuenta propia en este Régimen de la Seguridad Social independientemente de sus ingresos.

Esta es, por otra parte, una de las reivindicaciones de la Federación Nacional de Asociaciones de Trabajadores Autónomos (ATA). Entre las 40 propuestas 2019-2020 presentadas por esta Federación figura la de "establecer la obligatoriedad de darse de alta en el RETA a todos los trabajadores por cuenta propia a efectos registrales, sea su actividad habitual o no".

Desde luego, esa parece ser la solución a la que tiende nuestro sistema tras el reconocimiento del trabajador autónomo a tiempo parcial. Ahora bien, si todos los trabajadores que realicen de forma personal y directa una actividad económica a título lucrativo, sin sujeción por ella a contrato de trabajo, deben darse de alta en el RETA aunque presten esa actividad de modo esporádico y sin ningún tipo de continuidad, se incrementa el problema de la cotización a este Régimen Especial. ¿Debe cualquier persona que presta una actividad esporádica darse de alta y cotizar aunque esa actividad la haya realizado durante un corto período de tiempo, por ejemplo, durante uno o varios días o incluso durante un solo mes?

La Federación Nacional de Asociaciones de Trabajadores Autónomos (ATA), tras establecer la necesidad de darse de alta en el RETA a todos los trabajadores por cuenta propia habituales o no, propone la fijación de una tarifa que denomina 0 para los no habituales. De este modo, proponen que estén exentos de cotización "aquellos trabajadores por cuenta propia cuyos ingresos no superen la mitad del SMI anual y puedan demostrar no haber realizado la actividad de forma continuada durante 2 meses en un período de 12 meses o periódica y discontinua durante 4 meses en un período de 12 meses". Independientemente del criterio anterior, consideran que "serán habituales aquellos trabajadores por cuenta propia titulares o arrendatarios de locales y despachos abiertos al público o de vehículos afectos a la actividad, inclusive los que estén en cesión de uso; de la misma forma se considerarán habituales aquellos trabajadores por cuenta propia que estén adscritos a un colegio profesional que no disponga de sistema alternativo de previsión; y, también se considerarán habituales todos aquellos trabajadores que ejerzan su actividad bajo autorización o licencia administrativa".

Como puede comprobarse, quizás sea más preciso clasificar a los trabajadores autónomos en habituales y no habituales, en lugar de distinguir entre trabajadores autónomos a tiempo completo y a tiempo parcial, ya que la parcialidad es muy difícil de medir en los trabajadores autónomos y probablemente habría que acudir a los ingresos percibidos para determinar ese carácter.

La solución propuesta por la Federación Nacional de Asociaciones de Trabajadores Autónomos, a mi juicio, resulta muy adecuada. De este modo, todos los trabajadores por cuenta propia, independientemente de si prestan su actividad de forma habitual o no, deberán darse de alta en el RETA pero sólo cuando prevean que sus ingresos anuales por esta actividad van a superar la cantidad que legalmente se fije, o que van a prestar su actividad durante un período de 2 meses consecutivos o 4 meses discontinuos a lo largo del año, tendrán que cotizar al sistema. En ese caso, deberán cotizar durante el mes o los meses correspondientes a la realización de la actividad. Los trabajadores que estén dados de alta en el RETA pero que no coticen porque sus ingresos no superen los límites fijados legalmente, lo estarán a los solos efectos de registro pero sin derecho a prestaciones.

En todo caso, el siguiente problema que se plantea, como hemos señalado, es el relativo al sistema de cotización al RETA.

La Ley 6/2017 ha introducido una serie de modificaciones "que buscan adecuar las exigencias a las que quedan sujetos los trabajadores autónomos al efectivo volumen de actividad que despliegan; y a los consecuentes ingresos que derivan. Se trata de ajustar sus obligaciones a las variaciones que puedan producirse en la actividad"[21]. Sin duda, estas medidas pueden resultar positivas para los nuevos modelos de prestación de servicios, pero no son suficientes. Las modificaciones introducidas son dos:

– En primer lugar, se posibilita que hasta un máximo de tres altas al año tengan efectos desde el momento de inicio de la actividad y no desde el primer día del mes en que se inicia dicha actividad, como ocurría hasta entonces, y lo mismo sucede para tres bajas dentro de cada año natural que tendrán efectos desde el día en que el trabajador hubiera cesado en la actividad determinante de su inclusión en el RETA (disposición final primera). Hasta el 1 de enero de 2018, fecha de entrada en vigor de la Ley 6/2017, tanto los efectos de la afiliación, altas y bajas, como el período de liquidación de cotizaciones en el RETA tenían como referencia la mensualidad completa. A partir de esa fecha, de conformidad con la nueva redacción del art. 45.1del Reglamento General sobre inscripción de empresas y afiliación, altas, bajas y variaciones de datos de trabajadores en la Seguridad Social, la cotización correspondiente al mes puede no referirse al mes completo. Esta medida puede dar cabida a prestaciones esporádicas, sin embargo, no parece que el límite de tres altas y tres bajas al año sea suficiente y tampoco se encuentran razones claras para justificar el por qué de dicho límite. No podemos olvidar que el trabajo en plataformas digitales representa, en gran medida, volver a la mano de obra ocasional, por lo que si queremos dar cobertura a estos trabajadores sería más adecuado que en todo caso y sin limitación, la obligación de cotizar a este régimen especial nazca desde el día en que concurran las condiciones determinantes para la inclusión en su campo de aplicación del sujeto obligado a cotizar, y se

---

[21]   GOERLICH PESET, J.M.: "La reforma del Régimen de Autónomos en la Ley 6/2017", op.cit. pág. 8.

extinga desde el día en que las condiciones de inclusión en su campo de aplicación dejen de concurrir en el sujeto de la obligación de cotizar, sin que tenga que referirse, por tanto, a la mensualidad completa.

– Y, en segundo lugar, la Ley 6/2017 ha permitido elevar de dos a cuatro el número de veces al año en que puede cambiarse de base de cotización, con lo que, como señala la Exposición de Motivos, se adecúa la norma a las fluctuaciones que son susceptibles de producirse en los ingresos de la actividad autónoma a lo largo de cada ejercicio (disposición final segunda). Este incremento de las facultades de elección de la base dentro del año natural tiene "un efecto mucho más aparente que real en la medida en que persiste la existencia de una base mínima que puede adaptarse poco a la realidad de los primeros tiempos de prestación de servicios"[22].

En efecto, una de las cuestiones a debate desde hace años en relación con el RETA es la relativa al sistema de cotización de los trabajadores autónomos. La base de cotización en este régimen especial, en línea con las notables notas de flexibilidad con las que se ha articulado la protección social de los trabajadores autónomos en nuestro ordenamiento jurídico[23], será la elegida por el trabajador entre las bases mínima y máxima que cada año se apruebe. Así, por ejemplo, desde el 1 de enero de 2019 hasta el 31 de diciembre de 2019, ambos días inclusive, la base elegida se situará entre una base mínima de cotización de 944,40 euros mensuales y una base máxima de cotización de 4.070,10 euros mensuales. A partir de esa fecha el tipo de cotización se ha incrementado al 30%, pasando progresivamente al 30,3% en 2020, 30,6% en 2021 y 31% en 2022. En todo caso, los trabajadores autónomos a partir de los 47 años tienen una serie de limitaciones a la hora de elegir la base máxima de cotización. Pues bien, la cuestión que está a debate en esta materia es la relativa a si los trabajadores autónomos deberían cotizar en función de sus ingresos reales, es decir, si hay que aproximar las bases de cotización de los trabajadores autónomos a los ingresos percibidos por los mismos[24].

---

[22] GOERLICH PESET, J.M.: "La reforma del Régimen de Autónomos en la Ley 6/2017", op.cit. pág. 9.

[23] Ver, SIERRA BENÍTEZ, E.M.: "La protección social de los trabajadores antes el desafío del nuevo trabajo a distancia, del trabajo digital y la robótica", *Revista de Derecho de la Seguridad Social*, núm. 11, 2017, págs. 133 a 159.

[24] Ver, MOHAMED VÁZQUEZ, R.: "La modernización del régimen jurídico del RETA, la revisión de los beneficios a la cotización y otros aspectos pendientes en materia de Seguridad Social", *Revista Aranzadi Doctrinal*, núm. 4, 2019, que la "rigidez del ordenamiento de seguridad social que no asocia las bases de cotización con los rendimientos reales de actividades económicas sino con la propia voluntad del obligado al pago para

El art. 19.2 LGSS establece que "las bases de cotización a la Seguridad Social, en cada uno de sus regímenes, tendrán como tope máximo las cuantías fijadas para cada año por la correspondiente Ley de Presupuestos Generales del Estado y como tope mínimo las cuantías del salario mínimo interprofesional vigente en cada momento, incrementadas en un sexto, salvo disposición expresa en contrario". Permitir a los trabajadores autónomos cotizar en función de sus ingresos reales supondría establecer una excepción a la regla general que acabamos de trascribir y supondría, que, en teoría, los autónomos con menor facturación tendrían acceso a una cuota reducida o, incluso, estarían exentos del pago de la misma. Esta medida podría favorecer el autoempleo y el incremento de cotizantes en el RETA, como ya han hecho otras acciones como la implantación y ampliación de bonificaciones en la cuota (la famosa Tarifa Plana de 50 euros, por ejemplo), y favorecería a todos los trabajadores por cuenta propia, no únicamente a los de nueva alta en el RETA. Ahora bien, la medida supondría un incremento de la economía sumergida[25].

Las asociaciones de trabajadores autónomos vienen señalando que al tener los trabajadores la posibilidad de elegir entre una base mínima y una base máxima, el 85% de los trabajadores por cuenta propia cotizan por la base mínima, lo que se traduce, a su vez, en unas pensiones bajas. Con el cambio hacia un sistema de cotización según ingresos reales, los autónomos, según las propuestas planteadas por las asociaciones de trabajadores

---

elegir su base, si bien ha venido simplificando la gestión por parte de la seguridad social, genera en cambio consecuencias indeseables ya que no solo genera una gran fuga de recursos para el sistema – que históricamente ha sido compensada con los ingresos por cotizaciones del régimen general – sino que además también dificulta el acceso a la protección del régimen especial a personas que se encuentran en el extremo contrario y que bien por estar empezando su actividad profesional o bien por otras razones de muy diverso tipo no tienen unos ingresos que les permiten asumir el coste que supone cotizar por la base mínima que, en muchos casos, será superior a sus propios rendimientos".

[25]   No está de acuerdo con esta opinión la asociación de trabajadores autónomos UATAE. Para UATAE, según afirma en el documento "Un nuevo sistema de cotizaciones para el trabajo autónomo", es posible construir un sistema de cotización basado en los ingresos declarados en el IRPF procedentes de actividades económicas y empresariales. "La existencia de un sistema de tributación basado en módulos (el sistema de estimación objetiva singular en el IRPF) no debería ser un impedimento, aunque se mantuviera, para que la cotización a la Seguridad Social se realizara en función del ingreso real declarado a la Administración Tributaria. De esta forma, sería posible realizar las cotizaciones sociales con base en los ingresos reales declarados sin que el resultado en términos de recaudación sufriera merma alguna con respecto a la recaudación actualmente obtenida en el RETA".

autónomos, estarían divididos en diferentes tramos y pagarían su cuota en función de lo que ingresan.

El diseño del nuevo sistema de cotización se ha encontrado con diferentes problemas y retos a solucionar, entre los que podemos señalar los siguientes:

– Es necesario definir cuántos tramos de cotización según ingresos reales se establecerán en el nuevo sistema de cotización, para lo cual parece que deberán tenerse en cuenta los datos de que dispone la Seguridad Social y la Agencia Tributaria[26]. Asimismo debe aclararse si esos ingresos que se tomen como referencia para definir los tramos deben ser netos o brutos, aunque parece que lo normal es que sean netos si lo que se pretende es favorecer la cotización al sistema y no la huida del mismo.

– Debe determinarse a partir de qué cuantía de ingresos los trabajadores autónomos tendrían que cotizar al sistema. A nuestro juicio, y como ya hemos señalado anteriormente, una posible solución sería la de incluir a todos los trabajadores autónomos, habituales o no, en el sistema, teniendo en cuenta que los no habituales que no coticen estarían incluidos solo a efectos de registro pero sin derecho a prestaciones. Para tener derecho al cobro de prestaciones es necesario cotizar al sistema. Pero, ¿cuándo debe ser obligatorio cotizar y por qué cuantía? Si el límite se pone en el salario mínimo interprofesional probablemente muchos trabajadores que prestan servicios conforme a los nuevos modos de prestación que han surgido como consecuencia de la digitalización seguirían quedando excluidos del sistema de Seguridad Social. Por ello, se podría fijar el límite, durante un determinado período de tiempo desde que el trabajador se da de alta (por

---

[26] La propuesta de ATA y UPTA pasa por fijar cinco tramos de cotización. En el primer tramo se situarían aquellos autónomos que declaran ingresos inferiores al salario mínimo interprofesional, que pagarán solo 50 euros, tal y como ocurre en la actualidad con la tarifa plana. El segundo tramo comprende a los autónomos con ingresos superiores al salario mínimo interprofesional y hasta 30.000 euros anuales, que no tendrían que pagar más de cotización al finalizar el año fiscal, con independencia de la base de cotización escogida. El siguiente tramo comprende las declaraciones anuales de entre 30.000 y 40.000 euros anuales que, aunque podrán escoger libremente su base de cotización, cotizarían sobre 14.000 euros anuales, el equivalente a la base del Grupo 1 del Régimen General. El cuarto tramo engloba a los autónomos con rentas comprendidas entre 40.000 y 60.000 euros, donde ATA y UPTA plantean una cotización de 18.000 euros. El último tramo comprende a los autónomos con rentas superiores a los 60.000 euros, para los cuales se plantea una cotización de 24.000 euros. En los tres últimos tramos, el autónomo podrá cotizar a lo largo del año por la base que elija de forma libre, y regularizaría su situación a final de año.

ejemplo, uno o dos años), en la mitad del salario mínimo interprofesional y establecer en estos casos una aportación a la Seguridad Social similar a la actual tarifa plana, de unos 60 euros aproximadamente. En la actualidad, la tarifa plana está pensada para los autónomos que inician su actividad profesional tal y como dispone el art. 31 de la Ley 20/2007, de 11 de julio, del Estatuto del Trabajo Autónomo. Se trataría de modificar la naturaleza de esta tarifa, de manera que la disfruten no todos aquellos que inician su actividad con independencia de sus ingresos, sino solo aquellos que inician su actividad y tienen unos ingresos inferiores a la mitad del salario mínimo interprofesional. Si el límite de ingresos para que surja la obligación de cotizar al RETA se fija sin límite temporal en la mitad del salario mínimo interprofesional podrían incrementarse los problemas de financiación del sistema de Seguridad Social, por ello ésta medida sólo podría aplicarse a los trabajadores autónomos durante un determinado período de tiempo.

En todo caso, buena prueba de las dudas que plantea el sistema de cotización de los trabajadores autónomos es que las propias asociaciones de autónomos no se ponen de acuerdo sobre si la cotización por ingresos reales es el sistema adecuado. Así, por ejemplo, la Asociación de Trabajadores Autónomos (ATA), en su documento, 35 propuestas en 2019 para seguir avanzando por el trabajo autónomo, recuerda que "la dificultad técnica de establecer de forma fehaciente los ingresos de los autónomos, por la incertidumbre de los mismos, podría derivar en graves consecuencias y en un incremento de las cotizaciones para el 70% del colectivo". Por ello, apuestan por la pedagogía y los incentivos, con el objetivo de que sea el propio autónomo el que configure su contribución al sistema. Por el otro lado se encuentra la Unión de Autónomos UATAE y la Unión de Profesionales y Trabajadores Autónomos (UPTA) que vienen reiterando la necesidad de implantar este sistema de cotización.

La clave de todo el problema que plantea el sistema de cotización en el RETA estriba en la existencia de una base mínima de cotización por debajo de la cual no se puede cotizar. Como ya hemos señalado, el art. 19.2 LGSS prevé que las bases de cotización a la Seguridad Social, en cada uno de sus regímenes, tendrán como tope mínimo las cuantías del salario mínimo interprofesional vigente en cada momento, incrementadas en un sexto, salvo disposición expresa en contrario. La base mínima se corresponde, por tanto, con la del Régimen General. Sin embargo, no hay que olvidar que el salario mínimo interprofesional es la percepción económica que como mínimo ha de percibir el trabajador por la prestación de sus servicios por cuenta ajena, mientras que el trabajador autónomo no sabe cuál va a ser la cuantía anual de sus ingresos. Este es el motivo por el que se propone la cotización por ingresos reales, de manera que el autónomo pague en función de lo que ingresa, igual que la cotización del trabajador por cuenta ajena trata de ajustarse a lo realmente percibido. Ahora bien, la cuestión es que el trabajador autónomo no tiene unos ingresos mínimos garantizados.

Como ha señalado la STC 70/1991, de 8 de abril, "no puede olvidarse que el edificio de la Seguridad Social se asienta, por las estrechas conexiones entre su financiación y la política económica general, sobre difíciles equilibrios", y la existencia de una base mínima de cotización responde a la necesidad de ajustar las aportaciones al Sistema a las prestaciones que se pueden percibir. Si no existe un mínimo de cotización no se puede garantizar el cobro de prestaciones. Las cuotas se configuran "como un recurso necesario para que el Estado cumpla satisfactoriamente su función protectora; la naturaleza pública y obligatoria del Sistema de Seguridad Social se traslada al ámbito de la cotización"[27].

Por ello, cotizar por los ingresos reales sin que exista una base mínima de cotización al sistema parece algo realmente complicado. En qué cuantía fijar el límite mínimo de cotización es algo que corresponde establecer a los expertos económicos en la materia para garantizar un equilibrio entre cotizaciones y prestaciones. Sin embargo, partiendo de esta idea y, por tanto, de la necesidad de fijar un tope mínimo de cotización a la Seguridad Social, no creo que la cotización por ingresos reales frente al sistema actual suponga un cambio de trascendencia para los trabajadores autónomos que en la actualidad pueden elegir la base de cotización a partir de la cual se calcula su contribución al sistema. Cosa distinta es que la fijación de la cotización por ingresos reales evite la práctica habitual de cotizar por la base mínima. Evidentemente, la cotización por ingresos reales es la solución más acorde con el principio contributivo, pero el cambio verdadero, desde el punto de vista de los nuevos modelos de prestación de servicios derivados de la digitalización, radica en determinar si económicamente, teniendo en cuenta el necesario equilibrio que debe existir entre cotizaciones y prestaciones, la base mínima de cotización puede reducirse, lo que permitiría a muchos autónomos con ingresos bajos, y sin necesidad de hacer más modificaciones en el sistema actual, hacer frente a sus obligaciones con la Seguridad Social.

---

[27]   MONTOYA MELGAR, A. (dir.): *Curso de Seguridad Social*, Ed. Thomson Civitas, Madrid, 3ª edición, 2005, pág. 445.

3. LA PROPUESTA DE ESTABLECER UNA RENTA BÁSICA UNIVERSAL

El impacto de la digitalización y la robótica en el mercado de trabajo "ha reabierto un viejo debate: el de la conveniencia de poner en marcha un nuevo modelo de protección social que garantice a todos los ciudadanos un ingreso mínimo con independencia de su situación en relación con el empleo o de los recursos de que disponga"[28]. En efecto, en los último años se ha reavivado el debate sobre "la posibilidad de establecer sistemas de renta básica universal, como instrumento para garantizar la seguridad de ingresos en el contexto de las incertidumbres sobre el futuro de la ocupación (..), especialmente vinculadas a las consecuencias de la automatización de muchos puestos de trabajo"[29]. A nivel internacional, este debate conecta con la iniciativa de la OIT sobre niveles básicos de protección social[30]. A nivel europeo el dictamen del Comité Económico y Social Europeo sobre "Seguridad Social sostenible y sistemas de protección social en la era digital" (DOUE de 11 de abril de 2018), señala que "debería examinarse la posibilidad de incluir normas mínimas europeas en los regímenes de desempleo nacionales a fin de garantizar que cualquier solicitante de empleo pueda disfrutar de una ayuda financiera, incluidos aquellos que hayan ejercido su actividad en nuevas formas de empleo".

La justificación que se ha buscado a la necesidad de implantar este tipo de ingresos básicos "se sitúa en la obligación de toda sociedad de asegurar a todos la satisfacción de las necesidades esenciales en nombre de la dignidad y de la condición de ciudadanos de los beneficiarios. Sin embargo,

---

[28] GOERLICH PESET, J.M.: "Digitalización, robotización y protección social", *Teoría y Derecho*, núm. 23, 2018 (págs. 108-129).

[29] CES: *El futuro del trabajo*, Informe núm. 3, 2018.

[30] OIT, *Recomendación relativa a los pisos nacionales de protección social*, núm. 202, 2012. Sobre esta cuestión ver, FERNÁNDEZ AVILÉS, J.A.: "Globalización y seguridad social: a propósito de la iniciativa de la OIT sobre pisos nacionales de protección social", *El futuro del trabajo. Análisis jurídico y socioeconómico*, coord.M. Monsalve Cuéllar, Ed. Adebarán, Cuenca, 2017, págs. 279-295. El piso de protección social es un concepto cuyo objetivo es garantizar el acceso universal, como mínimo, a las garantías siguientes: el acceso a la atención de salud esencial, incluida la atención de la maternidad; la seguridad básica del ingreso para los niños; la seguridad básica del ingreso para las personas en edad activa que no puedan trabajar (por ejemplo, las personas con discapacidad o desempleadas); la seguridad básica del ingreso para las personas mayores.

los programas de rentas mínimas han sido duramente criticados, pues se consideran instrumentos que pueden subvencionar la ociosidad"[31].

La idea se ha abierto paso también en nuestro país, donde en los últimos años han surgido propuestas sobre distintas formas de garantizar ingresos mínimos de subsistencia en todos los supuestos de necesidad. Las iniciativas han partido de la propuesta inicial del Círculo Podemos para crear la denominada "Renta Básica Ciudadana Incondicional", "propuesta que fue modificada por la formación política a efectos de elaborar su programa electoral para las elecciones generales de diciembre de 2015, pero que, indudablemente, ha provocado que la generalidad de los partidos políticos se planteen la necesidad o conveniencia de actuar en este ámbito"[32]. Así, el PSOE propone la creación de un ingreso mínimo vital[33]. Esta propuesta consiste en la creación de una prestación nueva dirigida a los hogares sin ingresos y en situación de necesidad, sea cual sea la causa, como prestación no contributiva de la Seguridad Social. Según proponen estaría articulado en coordinación con el subsidio por desempleo, con iguales cuantías, de forma que, una vez agotada la protección por desempleo, permita el paso entre ambos sistemas manteniendo siempre la cobertura de la prestación. Esta medida se diseña como la última red de protección, cuando persista la necesidad, una vez agotadas las medidas existentes. Por su parte, los sindicatos CCOO y UGT han presentado una proposición de ley de iniciativa legislativa popular para el establecimiento de una prestación de ingresos mínimos en el ámbito de protección de la Seguridad Social que se configura también como una prestación no contributiva. Proponen la creación de una prestación para las personas que tengan unos ingresos inferiores al 75% del salario mínimo interprofesional.

No podemos detenernos en señalar las ventajas e inconvenientes de la implantación de una prestación de ingresos mínimos garantizados que han sido puestos de manifiesto por la doctrina. En nuestro ordenamiento jurídico no existe una renta básica garantizada universal no condicionada al nivel de ingresos sino a la mera ciudadanía. Su implantación parece complicada e implica tener en cuenta la relación que tendría con otras

---

[31]   MERCADER UGUINA, J.: "La robotización y el futuro del trabajo", *Trabajo y Derecho*, núm. 27, 2017, pág. 8.

[32]   CARRIZOSA PRIETO, E.: "Hacia la configuración de una renta básica ciudadana en el ordenamiento jurídico español", *Revista Española de Derecho del Trabajo*, núm. 192, 2016, pág. 227.

[33]   https://www.psoe.es/propuestas/politica-social/ingreso-minimo-vital/

prestaciones existentes así como los problemas de coordinación con las competencias autonómicas en materia de asistencia social.

En todo caso, la regulación actual del subsidio por desempleo para mayores de 52 años supone una aproximación a lo que podría ser esa prestación de ingresos mínimos si bien condicionada al cumplimiento por parte del solicitante de los requisitos exigidos para acceder a la pensión de jubilación excepto la edad. En efecto, como señala la Exposición de Motivos del Real Decreto-ley 8/2019, de 8 de marzo, de medidas urgentes de protección social y de lucha contra la precariedad laboral en la jornada de trabajo, el art. 1 de dicha norma contempla la modificación de la regulación del subsidio por desempleo para mayores de 55 años (art. 274.4 LGSS) en seis aspectos: reducción de la edad de acceso de 55 a 52 años; supresión del requisito de tener cumplida la edad de 52 años en el momento del hecho causante del subsidio, permitiendo el acceso cuando se cumpla esa edad y recogiendo en la regulación la jurisprudencia del Tribunal Supremo sobre esta cuestión; incremento de su duración máxima, de modo que, si antes se percibía hasta que la persona beneficiaria pudiera acceder a cualquiera de las modalidades de pensión contributiva de jubilación, se percibirá hasta el cumplimiento de la edad ordinaria de jubilación; eliminación de la consideración de las rentas de la unidad familiar para el acceso al subsidio; incremento de la cuantía de la cotización por la contingencia de jubilación durante la percepción del subsidio del 100 al 125 por ciento del tope mínimo de cotización vigente en cada momento; y la eliminación de los porcentajes aplicables a la cuantía del subsidio cuando proviene de un trabajo desarrollado a tiempo parcial.

De las modificaciones introducidas en el subsidio para mayores de 52 años debemos destacar la eliminación de la consideración de las rentas de la unidad familiar pues esto supone desvincular el subsidio de la existencia de una situación real de necesidad[34]. En efecto, si no se computan los ingresos de la unidad familiar puede darse el caso de personas que conviven en una unidad familiar con ingresos elevados pero que al carecer de ingresos propios se van a poder beneficiar del cobro de un subsidio que en realidad no necesitan y que está previsto para atender situaciones de necesidad.

---

[34]   El cómputo de los ingresos de la unidad familiar en el subsidio por desempleo para mayores, en ese momento, de 55 años, fue introducido por la disposición final primera del Real Decreto-ley 5/2013, de 15 de marzo, de medidas para favorecer la continuidad de la vida laboral de los trabajadores de mayor edad. Su finalidad, según la exposición de motivos de la norma, era "homogeneizar la regulación del subsidio para mayores de 55 años con el resto de prestaciones del sistema".

De las propuestas presentadas en nuestro país sobre la creación de una renta básica ninguna de ellas desvincula esta prestación de los ingresos de la unidad económica en la que conviva el solicitante. Por tanto, lo que se plantea no es la creación de una renta básica universal incondicional, es decir, independiente de la situación económica en la que se encuentre el beneficiario, sino una renta básica vinculada a la existencia de una situación de necesidad. Así, por ejemplo, la propuesta del Círculo Podemos no especifica el umbral de pobreza ni la configuración de la unidad de convivencia pero señala que sólo se abonará la diferencia entre los ingresos que obtenga la unidad de convivencia y el umbral de pobreza que corresponda en función de las circunstancias. Por su parte, la propuesta de CCCOO y UGT para la creación de una prestación de ingresos mínimos propone conceder la misma a quienes carezcan de recursos económicos. El límite de ingresos lo fija en el 75% del salario mínimo interprofesional. Ahora bien, aunque la persona carezca de rentas o ingresos propios, si convive con otras personas en una misma unidad económica familiar, únicamente se entenderá cumplido el requisito de carencia de rentas o ingresos cuando la suma de los de todos los integrantes de aquella (cónyuge, pareja de hecho, ascendientes y descendientes en primer grado, sean o no igualmente beneficiarios), dividida por el número de miembros que la componen, no supere el 75% del salario mínimo interprofesional excluida la parte proporcional de dos pagas extraordinarias.

Es cierto que la creación de una renta mínima garantizada "puede permitir completar las redes de protección social pública atendiendo de modo más eficiente y equitativo a la tutela de las situaciones de necesidad vinculadas al desempleo prolongado y a la exclusión social"[35]. A mi juicio, en el momento actual, es difícil pensar que pueda ser posible la implantación en nuestro país de una renta básica universal incondicional[36]. Pero sí podría crearse un subsidio condicionado a la situación real de necesidad, a la ca-

---

[35]   MONEREO PÉREZ, J.L.: *La renta mínima garantizada. De la renta mínima a la renta básica*, Ed. Bomarzo, Albacete, 2018, pág. 112.

[36]   Señalan SÁNCHEZ-URÁN AZAÑA, Y. y GRAU RUIZ, A.: "El impacto de la robótica, en especial la robótica inclusiva, en el trabajo: aspectos jurídico-laborales y fiscales", ponencia presentada al Congreso Internacional sobre Innovación tecnológica y futuro del trabajo, Santiago de Compostela, 5 y 6 de abril de 2018, Facultad de Derecho, http://inbots.eu/wpcontent/uploads/2018/08/publications/robotica-derecho-del-trabajo-derecho-fiscal-final-mayo2018.pdf, que "A pesar de la universalidad propugnada inicialmente, la realidad impone que se opte por rentas condicionadas. En Francia, Benoît Hammon propuso una carga social empresarial por el valor añadido aportado por los robots como fuente de ingresos para financiar una renta básica universal; sin embargo, tuvo que rectificar su alcance en reiteradas ocasiones (limitan-

rencia de recursos del sujeto protegido y compatible con la realización de actuaciones dirigidas a su inserción laboral o la mejora de su ocupabilidad. No se trata, por tanto, de implantar una renta básica de ciudadanía en cuánto prestación que se reconoce a todas aquellas personas que ostentan la condición de ciudadano o de residente permanente en un determinado territorio, sino de mejorar los mecanismos actualmente existentes en la lucha contra la pobreza. En este sentido, resulta necesario modificar el modelo actualmente existente analizando todos los supuestos que dan derecho al cobro del subsidio por desempleo en su conjunto, pues ante la existencia de recursos económicos limitados por parte del Estado el subsidio por desempleo debe dirigirse a cubrir verdaderas situaciones de necesidad. Además, sería positivo unificar los distintos supuestos que pueden dar lugar al cobro del subsidio pues en la actualidad el sistema resulta verdaderamente confuso al establecer distintas modalidades de subsidio, con diferentes condiciones de acceso y diferente duración.

En efecto, al margen del subsidio para los emigrantes retornados y por revisión del grado de incapacidad por mejoría, serán beneficiarios del subsidio por desempleo los desempleados que, figurando inscritos como demandantes de empleo durante el plazo de un mes, sin haber rechazado oferta de empleo adecuada ni haberse negado a participar, salvo causa justificada, en acciones de promoción, formación o reconversión profesionales, carezcan de rentas en los términos establecidos en el art. 275.2 LGSS. Según este precepto se entenderá cumplido el requisito de carencia de rentas cuando el solicitante o beneficiario carezca de rentas de cualquier naturaleza superiores, en cómputo mensual, al 75 por ciento del salario mínimo interprofesional, excluida la parte proporcional de dos pagas extraordinarias.

Además de los requisitos señalados el beneficiario debe encontrarse en alguna de las siguientes situaciones:

a) Haber agotado la prestación por desempleo y tener responsabilidades familiares. Se entenderá por responsabilidades familiares, art. 275.3 LGSS, tener a cargo al cónyuge, hijos menores de veintiséis años o mayores incapacitados, o menores acogidos, cuando la renta del conjunto de la unidad familiar así constituida, incluido el solicitante, dividida por el número de miembros que la componen, no supere el 75 por ciento del salario mínimo interprofesional, excluida la parte proporcional de dos pa-

do a una franja de edad el tipo de posibles beneficiarios y reduciendo su cuantía por razones presupuestarias)".

gas extraordinarias. No se considerará a cargo el cónyuge, hijos o menores acogidos, con rentas de cualquier naturaleza superiores al 75 por ciento del salario mínimo interprofesional, excluida la parte proporcional de dos pagas extraordinarias.

La duración del subsidio será de 6 meses prorrogables por periodos semestrales, en función de la duración de la prestación por desempleo que haya agotado y de su edad, siempre que lo solicite en plazo y mantenga los requisitos, de acuerdo a lo siguiente:

- Si es menor de 45 años y ha agotado una prestación contributiva de al menos 4 meses, tendrá derecho a totalizar 18 meses.

- Si es menor de 45 años y ha agotado una prestación contributiva de al menos 6 meses, tendrá derecho a totalizar 24 meses.

- Si es mayor de 45 años y ha agotado una prestación contributiva de 4 meses, tendrá derecho a totalizar 24 meses.

- Si es mayor de 45 años y ha agotado una prestación contributiva de al menos 6 meses, tendrá derecho a totalizar 30 meses.

b) Haber agotado la prestación por desempleo, carecer de responsabilidades familiares y ser mayor de cuarenta y cinco años de edad en la fecha del agotamiento. En este caso la duración del subsidio será de 6 meses.

c) Los desempleados que carezcan de rentas superiores al salario mínimo interprofesional pero no reúnan el requisito relativo al período de espera de un mes, se hallen en situación legal de desempleo y no tengan derecho a la prestación contributiva, por no haber cubierto el período mínimo de cotización, podrán obtener el subsidio siempre que:

- Hayan cotizado al menos tres meses y tengan responsabilidades familiares.

- Hayan cotizado al menos seis meses, aunque carezcan de responsabilidades familiares.

d) Podrán acceder al subsidio los trabajadores mayores de cincuenta y dos años, aun cuando no tengan responsabilidades familiares, siempre que se encuentren en alguno de los supuestos contemplados en los apartados anteriores, hayan cotizado por desempleo al menos durante seis años a lo largo de su vida laboral y acrediten que, en el momento de la solicitud, reúnen todos los requisitos, salvo la edad, para acceder a cualquier tipo de pensión contributiva de jubilación en el sistema de la Seguridad Social. La duración será hasta que se alcance la edad ordinaria de jubilación.

e) Al subsidio extraordinario por desempleo, regulado en el LGSS, podrán acceder las personas en desempleo total que se encuentren en alguna de las siguientes situaciones:

- Hayan extinguido en último lugar por agotamiento cualquiera de los subsidios por desempleo previstos en el artículo 274 de TRLGSS a partir del 05/07/2018 y quienes lo hayan agotado entre el 01/03/2018 y el 04/07/2018.

- Sean personas paradas de larga duración que hayan agotado prestaciones por desempleo, PREPARA, o RAI y estuvieran inscritas como demandantes de empleo el 01/05/2018. (Se considera persona parada de larga duración aquella que haya permanecido inscrita como demandante de empleo durante al menos 360 días en los dieciocho meses inmediatamente anteriores a la fecha de la solicitud del subsidio extraordinario).

Se exige carecer de rentas, de cualquier naturaleza, superiores en cómputo mensual al 75 por ciento del salario mínimo interprofesional, excluida la parte proporcional de dos pagas extraordinarias y acreditar responsabilidades familiares. La duración máxima del subsidio será de 180 días y no podrá percibirse en más de una ocasión.

Los parados de larga duración, mayores de 45 años, que carezca de rentas, de cualquier naturaleza, superiores en cómputo mensual al 75 por ciento del salario mínimo interprofesional, excluida la parte proporcional de dos pagas extraordinarias, una vez agotado el subsidio por desempleo podrán solicitar el cobro de la renta activa de inserción (Real Decreto 1369/2006, de 24 de noviembre, por el que se regula el programa de renta activa de inserción para desempleados con especiales necesidades económicas y dificultad para encontrar empleo). A estos efectos, aunque el solicitante carezca de rentas, en los términos señalados, si tiene cónyuge y/o hijos menores de 26 años, o mayores incapacitados o menores acogidos, únicamente se entenderá cumplido el requisito de carencia de rentas cuando la suma de las rentas de todos los integrantes de la unidad familiar así constituida, incluido el solicitante, dividida por el número de miembros que la componen, no supere el 75 por ciento del salario mínimo interprofesional, excluida la parte proporcional de dos pagas extraordinarias. La duración máxima de la percepción de la renta será de 11 meses.

La duración, por tanto, del subsidio por desempleo puede ir desde 6 meses incluso hasta 30 meses en algunos casos, o en el supuesto del subsidio para mayores de 52 años hasta la edad ordinaria de jubilación. Al finalizar el subsidio podrá cobrarse la renta activa de inserción.

Una vez agotado el subsidio por desempleo, o cuando no se haya tenido acceso a él, y la renta activa de inserción, las personas desempleadas podrán tener acceso a los distintos programas que tienen las comunidades autónomas dirigidos a las personas y familias que carecen de recursos económicos suficientes para cubrir sus necesidades básicas, acompañados además de un proceso de intervención social. En algunos casos estos programas se vinculan además con procesos de inserción laboral. Esta prestación económica recibe diferentes denominaciones en función de la comunidad autónoma, tales como salario social básico, ingreso mínimo de inserción, renta garantizada, etc, y cada una de ellas establece diferentes formas de acceso, requisitos, medidas complementarias, duración o cuantía, entre otros.

De este modo, como puede comprobarse no existe en nuestro ordenamiento jurídico un sistema de protección que otorgue en todo caso una prestación de carácter indefinido ante situaciones de necesidad, de manera que parece que los desempleados podrán ir enlazando unas prestaciones con otras hasta un tope máximo. Ahora bien, son muchas las Comunidades Autónomas que reconocen prestaciones para cubrir estas situaciones de necesidad sin límite temporal, por lo que su percepción se asemeja a lo que podría ser una renta básica universal.

Así, las Comunidades Autónomas que reconocen con carácter indefinido el derecho al cobro de una prestación económica, de percepción periódica, destinada a garantizar la cobertura de las necesidades básicas de las personas en situación o riesgo de exclusión social son las siguientes:

– el Decreto Legislativo 1/2019, de 10 de enero, por el que se aprueba el texto refundido de las normas legales vigentes en materia de condiciones de acceso y disfrute de la prestación de renta garantizada de ciudadanía de Castilla y León, regula una prestación dirigida a personas en situación de necesidad que podrá percibir en tanto persista la concurrencia de los requisitos y condiciones exigidos, permanezcan las circunstancias que dieron lugar a su reconocimiento y se cumplan las obligaciones y compromisos genéricos y los específicos que, en su caso, se determinen en el proyecto individualizado de inserción;

– la Ley del Parlamento de Cataluña 14/2017, de 20 de julio, de la renta garantizada de ciudadanía, regula una prestación social de naturaleza económica y percepción periódica que se configura como un derecho subjetivo y que pueden percibir las personas y unidades familiares que no disponen de los ingresos que les garanticen los mínimos para una vida digna. Las personas tienen derecho a percibir esta prestación durante todo el tiempo en el que se acredite la situación de necesidad;

– la Ley Foral 15/2016, de 11 de noviembre, por la que se regulan los derechos a la Inclusión Social y a la Renta Garantizada, reconoce el derecho subjetivo a una Renta Garantizada, como prestación económica destinada a cubrir las necesidades básicas de las personas que, reuniendo determinadas circunstancias, carezcan de capacidad económica para ello. La concesión de la Renta Garantizada se realizará por el servicio competente en materia de garantía de ingresos, y tendrá con carácter general una duración de doce meses, renovables por períodos de igual duración, mientras continúe la situación de necesidad;

– la Ley 19/2017, de 20 de diciembre, de renta valenciana de inclusión, reconoce el derecho una prestación económica dirigida a cubrir las necesidades básicas que garanticen la calidad de vida. Se configura como una prestación periódica y de duración indefinida, siempre que se mantengan en el tiempo los requisitos y condiciones que originaron el derecho a su percepción y que permitan su renovación;

– la Ley 4/2005, del Principado de Asturias de 28 de octubre de salario social básico, establece que esta prestación se prolongará mientras la unidad económica de convivencia independiente reúna los requisitos establecidos en la Ley;

– la Ley 5/2016, de la Islas Baleares, de 13 de abril, de la renta social garantizada, prevé que la prestación se tiene que mantener mientras se mantengan las causas que motivaron la concesión;

– la Ley 2/2007, de 27 de marzo, de derechos y servicios sociales de Cantabria, regula la Renta Social Básica que se concederá por un período máximo acumulado de veinticuatro meses de percepción efectiva, y que podrá volverse a solicitar una vez transcurrido dicho plazo;

– la Ley 5/2019, de 20 de febrero, de renta extremeña garantizada, señala que dicha renta tendrá una duración de doce meses, renovables por períodos de igual duración mientras continúe la situación que motiva su concesión y se cumplan las obligaciones previstas en la ley;

– la Ley 10/2013, de 27 de noviembre, de inclusión social de Galicia, reconoce el derecho a una prestación pública destinada a garantizar recursos económicos de subsistencia a quien carezca de ellos, que se percibirá durante el período de doce meses prorrogable si subsisten las circunstancias que justificaron su concesión;

- la Ley 5/2001, de 27 de diciembre, de renta mínima de inserción en la Comunidad de Madrid, establece que el derecho a su percepción se prolongará en tanto el titular reúna los requisitos establecidos en esta ley;

- la Ley 18/2018, del País Vasco, de 23 de diciembre, para la garantía de ingresos y la inclusión social, reconoce el derecho a la renta de garantía de ingresos mientras subsistan las causas que motivaron su concesión y se cumplan las obligaciones previstas en la ley. Se concederá por un período de 2 años, renovable con carácter bienal mientras se mantengan dichas causas y se sigan cumpliendo las condiciones, económicas o de otra naturaleza, para el acceso a la prestación;

- la Ley 4/2017, de 28 de abril, por la que se regula la Renta de Ciudadanía de La Rioja, reconoce el derecho a una prestación económica destinada a garantizar la cobertura de las necesidades básicas de las personas en situación o riesgo de exclusión social. Su percepción se mantendrá ininterrumpidamente en tanto persista la concurrencia de los requisitos y condiciones exigidos, permanezcan las circunstancias que dieron lugar a su reconocimiento y se cumplan las obligaciones y compromisos genéricos y los específicos que se determinen en el proyecto individualizado de inserción.

De este modo, podemos decir que en nuestro país las Comunidades Autónomas han puesto en marcha la implantación de la renta básica vinculada a una situación real de necesidad. Si a nivel estatal se decide establecer una prestación de ingresos mínimos garantizados sería necesario fijar con claridad las relaciones que podrían existir entre las diferentes prestaciones, lo que probablemente llevaría a la desaparición de muchas de ellas. En todo caso, parece necesario que el Estado y las Comunidades Autónomas actúen coordinadamente con la finalidad de implantar un sistema de protección que cubra las lagunas de desatención que, en su caso, puedan existir. Como señala el Fondo Monetario Internacional en su Informe Ejecutivo de octubre de 2017, "Desigualdad, crecimiento y redistribución fiscal", "es preferible centrar los esfuerzos en reforzar más los sistemas en marcha eliminando directamente todas las lagunas en la cobertura de las redes de protección social que pueden atribuirse a las reglas de participación o a una adhesión incompleta, así como a través de subsidios salariales bien concebidos para ofrecer incentivos laborales a los trabajadores de bajo ingreso".

En efecto, a mi juicio, no se trata tanto de crear un nuevo subsidio o renta básica sino de clarificar el sistema de protección actual pues, como puede comprobarse, los trabajadores que demuestran encontrarse en situación de necesidad pueden ir solapando los subsidios que se reconocen a nivel estatal con los que se reconocen a nivel autonómico y, al garantizarse dichas rentas o subsidios con carácter indefinido en la mayoría de las Comunidades Autónomas, podemos decir que son muchos los trabajadores –dependiendo de la Comunidad Autónoma en la que residan– que en la actualidad cuentan con una cobertura en todo momento ante situaciones de necesidad. Habría, por tanto, que unificar el sistema de protección estatal y autonómico para que todos los trabajadores que se encuentren en situación real de necesidad tengan acceso a unos ingresos mínimos. Como ha señalado la doctrina[37], debería reordenarse y reconfigurarse el nivel básico de protección del sistema, y para ello podría resultar oportuno encontrar nuevos mecanismos de gestión en los que, de algún modo, pudieran intervenir o participar las distintas administraciones, con la finalidad de garantizar un reconocimiento con criterios equivalentes en todo el Estado de las correspondientes prestaciones previstas para cubrir situaciones de necesidad.

4. LOS PROBLEMAS DE SOSTENIBILIDAD DEL SISTEMA DE SEGURIDAD SOCIAL: LA COTIZACIÓN DE LOS ROBOTS

Como ya hemos señalado, la digitalización y la robotización "parecen implicar la evolución hacia un mercado de trabajo con menos empleo y con un importante número de trabajos de baja calidad", lo que resulta especialmente preocupante en un sistema de Seguridad Social como el nuestro, basado en la solidaridad intergeneracional[38].

Una de las soluciones que se viene proponiendo para tratar de garantizar la viabilidad de nuestro sistema actual de Seguridad Social es establecer un deber de cotizar por los robots y crear una renta básica universal con

---

[37] LLORENTE ÁLVAREZ, A.: "¿Una nueva Seguridad Social para un nuevo siglo? Algunas reflexiones para un debate abierto", *REDT,* núm. 213, 2018.

[38] GOERLICH PESET, J.M.: "Digitalización, robotización y protección social", op.cit, pág. 125.

los beneficios extra generados por la robotización. Aunque el debate se ha abierto a raíz de la entrada de robots en las empresas, esta misma cuestión se podría plantear en relación con la irrupción de las nuevas tecnologías o el proceso de digitalización de las empresas, pues también en estos casos se puede producir una sustitución de puestos de trabajo.

La iniciativa en esta cuestión partió del Parlamento Europeo que en su Propuesta de resolución con recomendaciones destinadas a la Comisión sobre normas de Derecho civil sobre robótica, de 27 de enero de 2017, señalaba lo siguiente:

> "Considerando que, al mismo tiempo, el desarrollo de la robótica y la inteligencia artificial puede dar lugar a que los robots asuman gran parte del trabajo que ahora realizan los seres humanos sin que puedan reemplazarse por completo los empleos perdidos, cuestión esta que genera interrogantes sobre el futuro del empleo y la viabilidad de los sistemas de seguridad y bienestar sociales y sobre la insuficiencia continuada de las cotizaciones para los regímenes de jubilación, en caso de que se mantenga la actual base imponible, lo que podría acarrear una mayor desigualdad en la distribución de la riqueza y el poder, mientras que, en el marco de la financiación del apoyo y reciclaje profesional para desempleados cuyos puestos de trabajo se hayan reducido o eliminado, deberá estudiarse la posibilidad de someter a impuesto el trabajo ejecutado por robots o exigir un gravamen por el uso y mantenimiento de cada robot, a fin de mantener la cohesión social y la prosperidad". Asimismo, la propuesta "destaca la importancia que reviste la previsión de los cambios sociales, habida cuenta de los efectos que podrían tener el desarrollo y la implantación de la robótica y la inteligencia artificial; pide a la Comisión que analice los diferentes posibles escenarios y sus consecuencias para la viabilidad de los sistemas de seguridad social en los Estados miembros; considera que debería emprenderse un debate integrador sobre los nuevos modelos de empleo y sobre la sostenibilidad de nuestros sistemas tributarios y sociales tomando como base unos ingresos suficientes, incluida la posible introducción de una renta básica mínima".

En el texto final de la resolución estas recomendaciones fueron eliminadas, pero el debate sobre esta cuestión quedó abierto.

En España, la comisión del Pacto de Toledo redactó un borrador antes de la disolución de las Cortes el 5 de marzo de 2019 en el que, entre otras medidas, recomendaba buscar vías alternativas de financiación de la Seguridad Social como consecuencia de la robotización. "Si la revolución tecnológica implica un incremento de la productividad, pero no necesariamente un aumento del empleo, el reto pasa por encontrar mecanismos innovadores que complementen la financiación de la Seguridad Social", señalaba.

En definitiva, abría la puerta a la cotización de los robots. Sin embargo, no hubo consenso y el acuerdo con las recomendaciones finalmente no salió adelante.

Existe una opinión bastante generalizada acerca de que puede ser necesario, a corto plazo, detraer una parte de la renta generada por los robots para compensar la caída de las cotizaciones. Esta detracción podría realizarse vía cotización de los robots a la Seguridad Social o vía impuestos.

Desde UGT, su secretario general aboga por tasar la actividad de los robots. Así, en un artículo de opinión en el diario El Confidencial en febrero de 2019 señala que "no nos oponemos a la introducción de nuevas tecnologías. Se trata de que la robotización de la industria y los servicios no solo sirva para que las empresas obtengan más beneficios sobre el precio final de los productos o las cuentas de resultados, sino que también proporcione a la sociedad, mediante aportaciones a los sistemas fiscal, de protección social y las pensiones, recursos que de otra manera desaparecerán junto al empleo que sustituirán. Por eso sería lógico que los robots cotizaran y pagaran impuestos" [39].

Por su parte, el sindicato CCOO se muestra contrario a que los robots tengan que cotizar y pagar impuestos. Para su secretario general, "gravar fiscalmente lo que no deja de ser una inversión en tecnología, productiva, no parece ser el mejor camino para que la productividad de las empresas mejore"[40]. Para muchos economistas esa medida equivaldría a desincentivar la innovación y el desarrollo tecnológico, lo que repercutiría negativamente en el crecimiento de la productividad y en la rentabilidad de las organizaciones.

Sin duda la propuesta puede parecer en un principio atractiva, pero son muchos los problemas técnicos que plantea[41]. Algunos autores consideran

---

[39]　http://www.ugt.es/los-robots-deben-cotizar-la-seguridad-social

[40]　XXXIV Cercle d'Economia, https://www.lavanguardia.com/economia/20180601/443985
061743/ccoo-rechaza-robots-impuestos-cercle-economia.html

[41]　Como señala, LLORENTE ÁLVAREZ, A.: "Una Seguridad Social para el futuro, con un apunte sobre automatización, robots y Seguridad Social", en *Nuevas Tecnologías y Derecho. Retos y oportunidades planteados por la inteligência artificial y la robótica*, Dir. Sánhez-Urán Azaña, Y. y Grau Ruiz, A., Ed. Juruá, Paraná, 2019, pág. 146, además de las dificultades de carácter conceptual (qué se entiende por robot) y de identificación del sujeto al que hay que obligar a cotizar, en un plano más técnico la cotización sobre los robots exige determinar, entre otros aspectos, "qué parámetros deberían tenerse en cuenta para determinar la concreta cotización o tributación a establecer sobre cada 'robot', lo que, casi con toda seguridad, sería una importante fuente de dificultades y conflictos. A modo de ejemplo; ¿debería valorarse cuántos puestos de trabajo sustituye

que debería crearse una personalidad jurídica específica para los robots, "de modo que al menos los robots autónomos más complejos puedan ser considerados 'personas robóticas' o 'personas electrónicas' con sus propias características y repercusiones en lo que se refiere a la atribución de derechos y obligaciones (entre las obligaciones se incluiría la posibilidad de pagar cotizaciones a la Seguridad Social)"[42].

En mi opinión, los robots como tales no deben tener obligación de cotizar, como tampoco han de generar ninguno de los derechos propios de los cotizantes ni ser acreedores de prestaciones de Seguridad Social. La Seguridad Social es un sistema público destinado a cubrir las situaciones de necesidad de la población en el que las cotizaciones tienen como finalidad principal generar derechos prestacionales. Si se implantara una cotización obligatoria de los robots habría que cambiar la naturaleza del sistema de Seguridad Social.

La financiación de la Seguridad Social se reparte entre las cuotas y las subvenciones del Estado. Sobre la naturaleza jurídica de las cuotas de la Seguridad Social ya afirmó el Tribunal Constitucional en su Sentencia 39/1992, de 30 de marzo, FJ 6, que "aunque en el estado actual de la doctrina la naturaleza jurídica de la cuota de la Seguridad Social es objeto de polémica, es innegable que el sistema de protección social, se ha ido separando progresivamente del esquema contributivo y acercándose, de forma cada vez más próxima al concepto de tributación en el que la existencia de la cuota no autoriza a exigir un determinado nivel de prestaciones, ni su cuantía a repercutir en el nivel o contenido de las mismas y, en tal sentido, es abundante la jurisprudencia constitucional que niega a la cuota de cotización la cualidad de 'prima de seguro' de la que se derive necesariamente el derecho a la prestación o pueda dejar de pagarse caso de inexistencia de ésta (SSTC 103/1983, 65/1987, 127(1987 y 189/1987)". Por su parte, la jurisprudencia considera a las cuotas de la Seguridad Social como prestaciones patrimoniales de carácter público "caracterizadas por el establecimiento unilateral de la obligación de pago por parte del poder público y su imposición coactiva. Se trata de obligaciones de pago de carácter general que se imponen a quienes se encuentran en las situaciones legales de las

---

el robot en el momento en que se comienza a utilizar o debería ir ajustándose en función de la evolución de los sistemas productivos? ¿Deberían tenerse en cuenta el número de horas que funcione, las operaciones que realice o los resultados que consiga?".

[42]   GÓMEZ SALADO, M.A.: "Robótica, empleo y seguridad social. La cotización de los robots para salvar el actual estado de bienestar", *Relaciones Laborales y Derecho del Empleo*, volumen 6, número 3, 2018, pág. 165.

que deriva el deber de cotizar, contribuyendo de este modo a la satisfacción del interés público que existe en el funcionamiento del sistema de Seguridad Social con las prestaciones que comporta"[43].

La cotización a la Seguridad Social es obligatoria, de manera que para el reconocimiento de las correspondientes prestaciones económicas de la Seguridad Social será necesario estar al corriente en el pago de las cotizaciones. Es decir, se cotiza al Sistema para obtener de él determinadas prestaciones. Los empresarios están obligados a cotizar a la Seguridad Social por los trabajadores que estén a su cargo y los beneficiarios de dicha cotización serán, por tanto, dichos trabajadores que podrán acceder al cobro de las prestaciones correspondientes si reúnen los requisitos para ello. Ahora bien, si el empresario se ve obligado a cotizar por sus robots – debiendo determinarse previamente qué se entiende por robots a estos efectos – no lo hará con la finalidad de proteger a los mismos ante situaciones de necesidad, sino que parece que en este caso al empresario se le estaría imponiendo un impuesto que debería destinarse a la financiación de prestaciones de seguridad social si es que lo que pretendemos con el mismo es hacer frente a los problemas de financiación del sistema.

Si consideramos necesario articular mecanismos para que quienes emplean robots contribuyan a la financiación de nuestro sistema de Seguridad Social, a mi juicio, ello debería hacerse vía impuestos. En todo caso, como ya hemos señalado, existe un primer problema y es determinar qué se entiende por robot a estos efectos. ¿Un cajero automático es un robot? ¿Las líneas de caja de muchos supermercados donde el cliente puede pagar acercando el código de barras del producto a la máquina e introduciendo a continuación la tarjeta bancaria son un robot?

En el Informe del Consejo Económico y Social sobre "La digitalización de la economía"[44], el robot se entiende como "una máquina o ingenio electrónico, programable, capaz de manipular objetos y realizar operaciones antes reservadas sólo a las personas". Por su parte, la Resolución del Parlamento Europeo, de 16 de febrero de 2017, con recomendaciones destinadas a la Comisión sobre normas de Derecho civil sobre robótica, pide a la Comisión que proponga definiciones europeas comunes de sistema ciberfísico, sistema autónomo, robot autónomo inteligente y sus distintas

---

[43]   STS, sala de lo contencioso administrativo, de 3 de diciembre de 1999, recurso de casación núm. 1216/1994.
[44]   Informe número 3 de 25 de octubre de 2017.

subcategorías, tomando en consideración las siguientes características de un robot inteligente:

– capacidad de adquirir autonomía mediante sensores y/o mediante el intercambio de datos con su entorno (interconectividad) y el intercambio y análisis de dichos datos;

– capacidad de autoaprendizaje a partir de la experiencia y la interacción (criterio facultativo);

– un soporte físico mínimo;

– capacidad de adaptar su comportamiento y acciones al entorno;

– inexistencia de vida en sentido biológico.

Una vez definidos, el Parlamento Europeo propone crear un Registro de Robots Inteligentes, a modo de Registro de Tráfico o de Registro Civil de *"personas electrónicas"*, para tener a los Robots inteligentes inscritos e identificados.

Parece, por tanto, que la Unión Europea está pensando en un concepto de robot más sofisticado. En la actualidad los robots incorporan cada vez más funciones cognitivas derivadas de la inteligencia artificial. Por ejemplo, vehículos autónomos, drones, robots asistenciales, robots médicos. En cualquier caso, esa sería la primera cuestión a determinar: el concepto de robot a efectos de cotización o tributación, pues en la actualidad el concepto de robot no está todavía suficientemente delimitado para poder ser definido legalmente.

Una vez que esa cuestión quedara resuelta, el robot, a mi juicio, no debería cotizar a la Seguridad Social sino que podría ser el hecho imponible del impuesto que pudiera crearse a estos efectos. El concepto de "hecho imponible" viene definido en la Ley General Tributaria (art. 20.1): "El hecho imponible es el presupuesto fijado por la ley para configurar cada tributo y cuya realización origina el nacimiento de la obligación tributaria principal". El hecho imponible del impuesto sobre los robots podría ser la adquisición del robot o el derecho de propiedad sobre el robot que sustituye el trabajo de una persona[45]. En el supuesto de empresas de nueva creación que optan por la robotización en lugar de la contratación de trabajadores, el impuesto podría ser igualmente aplicado pues lo que se

---

[45] En este sentido, ver FERNÁNDEZ AMOR, J.A.: "Derecho tributario y cuarta revolución industrial: análisis jurídico sobre aspectos fiscales de la robótica", *Nueva Fiscalidad*, núm. 1, 2018, págs. 47-96.

gravaría es la adquisición del robot en lugar de la contratación de una o varias personas que pudieran realizar ese trabajo.

El debate en el ámbito financiero y tributario que se viene planteando radica en determinar si se debe tributar a raíz del otorgamiento de personalidad jurídica electrónica, o por la capacidad contributiva de los robots o de sus propietarios. "Crear un impuesto sobre los robots o sobre su uso podría ser la consecuencia de reconocerles una personalidad tributaria específica, o de referirse a su caracterización como personas jurídicas por parte del Derecho Civil". Sin embargo, por ahora, los robots no tienen capacidad financiera, "es su empleador (la empresa) o el propietario quien, en última instancia, tiene capacidad contributiva" [46].

En los supuestos señalados, de sustitución del empleo humano por un robot, sería posible la creación de un impuesto, sin embargo esta solución no sería viable cuando la robotización o la digitalización no producen ese cambio de una manera tan evidente y clara. Las nuevas tecnologías han ido disminuyendo la demanda de trabajadores cuyas tareas pueden ser mecanizadas fácilmente, pero este proceso de digitalización de las empresas difícilmente puede ser objeto de un impuesto.

En todo caso, hay que tener en cuenta que son también muchos las voces críticas a la imposición de un impuesto a los robots y en este sentido se afirma que si se quieren subir los impuestos no hay necesidad de utilizar la coartada de cobrarlos indirectamente a través de una máquina. Así podría modificarse el impuesto de sociedades de manera que las inversiones tecnológicas no sólo dejaran de considerarse como activo deducible vía amortización, sino generar tributación adicional. "La idea de gravar con impuestos a los robots no es sino una doble imposición de capital que no deberíamos aceptar de forma impasible"[47]. En este sentido la Federación Internacional de Robótica argumenta que "gravar las herramientas de pro-

---

[46] GRAU RUÍZ, A.: "La adaptación de la fiscalidad ante los retos jurídicos, económicos, éticos y sociales planteados por la robótica", *Nueva Fiscalidad*, núm. 4, 2017, págs. 51-53.

[47] SEGURA ALASTRUÉ, M.: "Los robots en el derecho financiero y tributario" (Capítulo VII), en M. Barrio Andrés (dir.): *Derecho de los robots*, Ed. La Ley Wolters Kluwer, Madrid, 2018, pág. 184. Como señala ISPIZUA DORNA, E.: "Industria 4.0: ¿Cómo afecta la digitalización al sistema de protección social?", *Revista de Relaciones Laborales, Lan Harremanak*, núm. 40, 2018, pág. 23, "la idea un impuesto específico al trabajo robótico que sería pagado por las empresas que utilicen no ha sido aprobado en ninguna etapa histórica. En la revolución industrial se desarrollaron todo tipo de máquinas y apareció la automatización de la producción y, en consecuencia, desaparecieron muchos puestos de trabajo que desempeñaban los obreros. Y hasta la actualidad, han pasado décadas donde se han ido adoptando nuevas tecnologías productivas, aumentando la

ducción en lugar de los beneficios tendría un impacto negativo en el empleo y la competitividad. Por ello, aboga por el gravamen de los beneficios. Un impuesto sobre los robots encarecería la inversión en tecnología". Y, en la misma línea, el Instituto Cuatrecasas de Estrategia Legal en Recursos Humanos, a través del Proyecto Technos, que pretende identificar los cambios que las nuevas tecnologías están produciendo en la organización de la empresa, señala que "el legislador ha de ser muy cauteloso respecto a medidas de 'penalización' contributiva – impuestos específicos, cotización especial a la Seguridad Social – respecto a los robots, que además de contribuir a consolidar una imagen negativa social y laboral de aquéllos, puede retrasar o impedir su debida implantación, con la consiguiente pérdida de productividad y competitividad para el sistema económico y empresarial"[48].

La cotización a la seguridad social o la tributación de los robots no es, por tanto, una cuestión pacífica y son muchos los argumentos a favor y en contra de estas medidas. A ello debemos añadir que también es una cuestión controvertida la repercusión que tendrá la introducción de la inteligencia artificial y la robótica en los procesos de producción. Son numerosos los estudios al respecto pero sin que exista consenso. "Es imposible predecir un balance neto de puestos de trabajo automatizables en cada sector sin tener en cuenta la transformación de las profesiones y el ritmo de creación de nuevos puestos. El desarrollo de los sistema de inteligencia artificial requerirá, en efecto, nuevos puestos de trabajo en ingeniería, informática y telecomunicaciones (ingenieros, técnicos y operadores), así como profesiones asociadas a los macrodatos (big data): delegados de datos, analistas de datos, exploradores de datos, etc"[49]. Entre los estudiosos de la cuestión podemos distinguir dos tipos de visiones denominadas tecnopesimistas y tecnooptimistas. Así, "muchos estudios se proyectan desde la perspectiva del riesgo que supone la robótica para el empleo y la ocupación (con orientación tecnopesimista). Y se analiza entonces el efecto sustitución, reemplazo de trabajos realizados por los humanos por trabajos realizados por los robots. En sentido opuesto, se hacen proyecciones sobre el impacto positivo neto de la robótica sobre los trabajos y la calidad del

---

productividad y los beneficios. Estos podría haber generado la creación de una tasación específica, pero no se ha planteado hasta ahora".

[48]   Cuatrecasas Instituto de Estrategia Legal en RRHH: *Proyecto Technos. Robótica y su impacto en los recursos humanos y en el marco regulatorio de las relaciones laborales*, Ed. Wolters Kluwer-Cuatrecasas, Madrid, 2018, pág. 333.

[49]   Dictamen del Comité Económico y Social Europeo sobre "Inteligencia artificial: anticipar su impacto en el trabajo para garantizar una transición justa", DOUE 6 de diciembre de 2018.

empleo (visión tecnooptimista). Se advierte – frente al temor de algunos sobre la eliminación completa de trabajos como resultado de la automatización – que sólo entre el 5% y el 10% de los empleos serán totalmente automatizables (según los estudios), o se dice que el efecto sustitución no será tanto de empleos o trabajos sino de tareas concretas, en particular las que se consideran rutinarias o repetitivas, ya sean físicas o de procesamiento de datos"[50].

El primer objetivo debe ser, por tanto, determinar qué puestos de trabajo van a ser necesarios en este nuevo contexto tecnológico, de modo que seamos capaces de anticiparnos, formarnos y adaptarnos al nuevo sistema productivo. La educación técnica, la formación permanente y la recapacitación deben ser el primer objetivo que debe perseguir el Estado ante un nuevo contexto económico altamente automatizado. A partir de ahí, cualquiera de las dos alternativas señaladas, cotización o impuesto, puede ayudar a la financiación de nuestro Sistema de Seguridad Social, pero no podemos pensar que esta sea la solución a los problemas de viabilidad financiera que el Sistema tiene.

BIBLIOGRAFÍA

AGOTE EGUIZÁBAL, R.: "Inteligencia artificial, ser humano y derecho", *Revista Claves de Razón Práctica*, núm. 237, 2018.

AYA SANHUEZA, A.G. "Incentivos fiscales a la innovación en robótica: una necesaria reformulación", en *RGLJ*, núm. 2, 2019.

CARRIZOSA PRIETO, E.: "Hacia la configuración de una renta básica ciudadana en el ordenamiento jurídico español", *Revista Española de Derecho del Trabajo*, núm. 192, 2016.

---

[50] SÁNCHEZ-URÁN AZAÑA, Y. y GRAU RUIZ, A.: "El impacto de la robótica, en especial la robótica inclusiva, en el trabajo: aspectos jurídico-laborales y fiscales", ponencia presentada al Congreso Internacional sobre Innovación tecnológica y futuro del trabajo, Santiago de Compostela, 5 y 6 de abril de 2018, Facultad de Derecho, http://inbots. eu/wpcontent/uploads/2018/08/publications/robotica-derecho-del-trabajo-derecho-fiscal-final-mayo2018.pdf.
Señala AYA SANHUEZA, A.G. "Incentivos fiscales a la innovación en robótica: una necesaria reformulación", en RGLJ, núm. 2, 2019, que "los países con mayor inversión en robótica tienen las tasas de desempleo más bajas en comparación con los países que invierten menos en relación con el PIB. Como es el caso de Corea del Sur que invierte 4,232 puntos porcentuales del PIB en robótica y mantiene una tasa de desempleo del 3,2%".

CES: *El futuro del Derecho del Trabajo*, 2018.

CUATRECASAS INSTITUTO DE ESTRATEGIA LEGAL EN RRHH: *Proyecto Technos. Robótica y su impacto en los recursos humanos y en el marco regulatorio de las relaciones laborales*, Ed. Wolters Kluwer-Cuatrecasas, Madrid, 2018.

FERNÁNDEZ AMOR, J.A.: "Derecho tributario y cuarta revolución industrial: análisis jurídico sobre aspectos fiscales de la robótica", *Nueva Fiscalidad*, núm. 1, 2018.

FERNÁNDEZ AVILÉS, J.A.: "Globalización y seguridad social: a propósito de la iniciativa de la OIT sobre pisos nacionales de protección social", *El futuro del trabajo. Análisis jurídico y socioeconómico*, coord.M. Monsalve Cuéllar, Ed. Adebarán, Cuenca, 2017.

GOERLICH PESET, J.M.: "Digitalización, robotización y protección social", *Teoría y Derecho*, núm. 23, 2018, pág. 117.

GOERLICH PESET, J.M.: "La reforma del Régimen de Autónomos en la Ley 6/2017", *Revista de Información Laboral*, núm. 12, 2017.

GÓMEZ SALADO, M.A.: "Robótica, empleo y seguridad social. La cotización de los robots para salvar el actual estado de bienestar", *Relaciones Laborales y Derecho del Empleo*, volumen 6, número 3, 2018.

GRAU RUÍZ, A.: "La adaptación de la fiscalidad ante los retos jurídicos, económicos, éticos y sociales planteados por la robótica", *Nueva Fiscalidad*, núm. 4, 2017, págs. 51-53.

HERNÁNDEZ BEJARANO, M.: "Nuevos modelos de cooperativas de trabajadores autónomos: un análisis de las cooperativas de impulso empresarial y las cooperativas de facturación", en *Economía colaborativa y trabajo en plataforma: realidades y desafíos*, Directores M. C. Rodríguez-Piñero Royo y M. Hernández Bejarano, Ed. Bomarzo, Albacete, 2017.

ISPIZUA DORNA, E.: "Industria 4.0: ¿Cómo afecta la digitalización al sistema de protección social?", *Revista de Relaciones Laborales, Lan Harremanak*, núm. 40, 2018.

LLORENTE ÁLVAREZ, A.: "¿Una nueva Seguridad Social para un nuevo siglo? Algunas reflexiones para un debate abierto", *REDT*, núm. 213, 2018.

LLORENTE ÁLVAREZ, A.: "Una Seguridad Social para el futuro, con un apunte sobre automatización, robots y Seguridad Social", en *Nuevas Tecnologías y Derecho. Retos y oportunidades planteados por la inteligência artificial y la robótica*, Dir. Sánhez-Urán Azaña, Y. y Grau Ruiz, A., Ed. Juruá, Paraná, 2019.

MERCADER UGUINA, J.: "La robotización y el futuro del trabajo", *Trabajo y Derecho*, núm. 27, 2017.

MOHAMED VÁZQUEZ, R.: "La modernización del régimen jurídico del RETA, la revisión de los beneficios a la cotización y otros aspectos pendientes en materia de Seguridad Social", *Revista Aranzadi Doctrinal*, núm. 4, 2019.

MONEREO PÉREZ, J.L.: *La renta mínima garantizada. De la renta mínima a la renta básica*, Ed. Bomarzo, Albacete, 2018.

MONTOYA MELGAR, A. (dir.): *Curso de Seguridad Social*, Ed. Thomson Civitas, Madrid, 3ª edición, 2005, pág. 445.

OIT: *Las plataformas digitales y el futuro del trabajo. Cómo fomentar el trabajo decente en el mundo digital*, Ginebra, 2019.

OIT: *El empleo atípico en el mundo. Retos y perspectivas*, Ginebra, 2016.

OIT, *Recomendación relativa a los pisos nacionales de protección social*, núm. 202, 2012.

SÁNCHEZ-URÁN AZAÑA, Y.: "Sobre la calificación jurídica de la prestación de servicios de reparto a plataformas digitales", *Revista de Jurisprudencia Laboral*, núm. 1, 2019.

SÁNCHEZ-URÁN AZAÑA, Y. y GRAU RUIZ, A.: "El impacto de la robótica, en especial la robótica inclusiva, en el trabajo: aspectos jurídico-laborales y fiscales", ponencia presentada al Congreso Internacional sobre Innovación tecnológica y futuro del trabajo, Santiago de Compostela, 5 y 6 de abril de 2018, Facultad de Derecho.

SEGURA ALASTRUÉ, M : "Los robots en el derecho financiero y tributario" (Capítulo VII), en M. Barrio Andrés (dir.): *Derecho de los robots*, Ed. La Ley Wolters Kluwers, Madrid, 2018.

SIERRA BENÍTEZ, E.M.: "La protección social de los trabajadores antes el desafío del nuevo trabajo a distancia, del trabajo digital y la robótica", *Revista de Derecho de la Seguridad Social*, núm. 11, 2017.

VILA TIERNO, F.: "Elementos normativos e instrumentales en materia de (des) protección social del prestador de servicios en la economía colaborativa", *Revista de Derecho de la Seguridad Social*, núm. 18, 2019.

XXVII. NUEVAS TECNOLOGÍAS Y CONTROL PÚBLICO DEL FRAUDE EN LA INCAPACIDAD TEMPORAL

María del Mar Crespí Ferriol
Profesora Ayudante
Universidad de las Islas Baleares

SUMARIO: 1. CONSIDERACIONES GENERALES. 2. LA INFORMATIZACIÓN DE LA GESTIÓN DE LA INCAPACIDAD TEMPORAL. 2.1. La gestión de los partes médicos a partir de la reforma del 2014. 2.1.1. La remisión de los datos de cotización por parte de los empresarios. 2.2.2. La remisión de los datos médicos por parte de los servicios de salud. 2.2. El acceso del personal médico a la historia clínica digital de los interesados. 3. EL USO DE TECNOLOGÍAS DE ANÁLISIS AVANZADO DE DATOS PARA FACILITAR LA DETECCIÓN DE INCAPACIDADES FRAUDULENTAS. 3.1. El análisis de datos orientado a la detección de fraudes. 3.2. Su traslación al ámbito del control de la incapacidad temporal. 3.3. Implicaciones jurídicas. BIBLIOGRAFÍA.

1. CONSIDERACIONES GENERALES

La Seguridad Social gestiona hoy en día un repositorio informacional del orden de 170.000 millones de registros y una ocupación que supera los 25 Terabytes, incluyendo datos de afiliación de millones de trabajadores y empresas activas, datos de recaudación de cuotas o de la gestión de las prestaciones públicas[1]. El almacenamiento de tales volúmenes de datos ha sido posible gracias a la digitalización de la mayoría de los procesos de gestión de la Seguridad Social, que ha corrido en paralelo a la progresiva informatización de las Administraciones Públicas y ha reportado importantes beneficios, como la agilización de los trámites o la mayor comodidad de los usuarios. Pero más allá de lo anterior, y hasta hace poco, el almacenamiento de las grandes cantidades de datos que generaba dicha gestión informatizada podía comportar más gravámenes que beneficios. De un lado, era necesario dedicar cuantiosos medios humanos y técnicos al complejo mantenimiento de un sistema informático suficientemente potente como para soportar se-

---

[1]   PARDO GARCÍA, J.: 'La analítica avanzada de datos en la Seguridad Social', *Boletic*, 2018, núm. 82, p. 24.

mejante volumen de tráfico. De otro lado, los mecanismos tradicionales no permitían dar un tratamiento integrado y homogéneo a tanta información procedente de diversas fuentes y registrada en distintos formatos.

El panorama ha cambiado recientemente por la confluencia de dos factores principales: (i) la propia acumulación y disponibilidad de los millones de datos, aun desordenados, a la que se ha hecho referencia y (ii) el desarrollo de equipos computacionalmente capaces de recomponerlos, conectarlos y tratarlos de forma que resulten útiles[2]. Así, con el empleo de un conjunto de técnicas que podrían encuadrarse dentro de lo que se ha venido a llamar la analítica avanzada de datos, se consigue convertir lo que antes era una vaporosa nube de variadísimos registros de escaso valor en una materia prima que podrá ser dotada de cierto significado y de la que podrá extraerse un conocimiento fiable y valioso para las organizaciones. Ello permite afirmar, desde la necesaria prudencia, que la utilización de dicha tecnología puede servir para el mejor cumplimiento de los fines de los que participan instituciones como la Seguridad Social y, por lo que aquí más interesa, el control de fraude, que representa una de sus principales líneas estratégicas.

Ante la aparición de tecnologías que permiten optimizar el control de las conductas fraudulentas, no es de extrañar que uno de los primeros programas desarrollados para su explotación en el seno de la Seguridad Social se haya aplicado a la incapacidad temporal. En efecto, se trata de una prestación que se ha caracterizado siempre por considerarse especialmente susceptible de ser usada indebidamente y por permanecer, en consecuencia, en el punto de mira político y de gestión. Dan buena muestra de ello las sucesivas versiones del Pacto de Toledo, en las que no han faltado nunca las referencias a la necesidad de evitar que la incapacidad temporal sea utilizada *"más allá de las finalidades previstas en la Ley"*[3] o de que dé lugar a *"prácticas abusivas"*[4]. Téngase en cuenta que, bajo las anteriores manifestaciones subyace una entendible preocupación por el descontrol del gasto público en un subsidio cuyo coste ha llegado a ascender en el año 2018 a los 8.469,37 millones de euros, cifra que representa un incremento del 11,64% respecto del año anterior[5].

---

[2]   Vid., Comunicación de la Comisión al Parlamento Europeo, al Consejo, al Comité Económico y Social Europeo y al Comité de las Regiones: 'Hacia una economía de los datos próspera', emitido en Bruselas el 2/07/2014, p. 6.

[3]   Boletín Oficial de las Cortes Generales núm. 134 de 12/04/1995, p. 12.

[4]   Boletín Oficial de las Cortes Generales núm. 596 de 2/10/2003, p. 43.

[5]   'La Seguridad Social cerró 2018 con ingresos por cotizaciones sociales de 114.999,12 millones de euros' publicado el 29/03/2019 en *La Revista de la Seguridad Social*, disponible on line vía: https://revista.seg-social.es/2019/03/29/la-seguridad-social-ce-

Pues bien, este Capítulo se centra precisamente en el estudio de las mejoras que las nuevas tecnologías pueden aportar al control público de la incapacidad temporal. Así, su primera parte se dedica a analizar el proceso de informatización de la gestión de la prestación, que ha hecho posible el acopio de millones de datos relativos a la cobertura sanitaria y económica de esta contingencia. Sobre esta base se erige la segunda parte, en la que se explica la forma en la que el Instituto Nacional de la Seguridad Social (INSS) explota, a través de la analítica avanzada de datos, la información recogida para mejorar la eficiencia de los controles de la incapacidad temporal y las implicaciones jurídicas que de ello se derivan.

2. LA INFORMATIZACIÓN DE LA GESTIÓN DE LA INCAPACIDAD TEMPORAL

Hoy en día, el Instituto Nacional de la Seguridad Social centraliza la recepción electrónica de más de 17 millones de partes médicos procedentes de las empresas y casi 10 millones transmitidos por los servicios públicos de salud[6]. Pero el proceso de informatización de los mecanismos de gestión y control de la incapacidad temporal ha sido un camino lento y progresivo, cuyo tramo final está todavía por recorrer. De hecho, en el artículo 1.7 del Real Decreto 575/1997, de 18 de abril, por el que se regulaban determinados aspectos de la gestión y control de la prestación económica de la Seguridad Social por incapacidad temporal ya se establecía la obligación de confeccionar los partes médicos de incapacidad temporal con arreglo a un modelo estandarizado que permitiera su gestión informatizada y coordinada por los Servicios Públicos de Salud, las Entidades Gestoras de la Seguridad Social, las Mutuas y las empresas. Con todo, esta multiplicidad de sujetos con distintas competencias en la tramitación de la prestación sería precisamente lo que más dificultaría la consecución de dicho objetivo.

Por lo que se refiere a las obligaciones de los empresarios en materia de Seguridad Social, su digitalización se inicia con la modificación operada por el artículo 27 de la Ley 14/2000, de 29 de diciembre, de Medidas fiscales, administrativas y del orden social, sobre el artículo 30 de su homónima Ley 50/1998, de 30 de diciembre, mediante la que se permitía al Ministerio

---

rro-2018-con-ingresos-por-cotizaciones-sociales-de-114-99912-millones-de-euros/ (Fecha de consulta: 26/06/2019).

6   Datos extraídos del 'Informe Estadístico de la memoria de actividades del INSS' publicado en 2017, p. 32.

de Trabajo determinar los supuestos y condiciones en los que las empresas deberían presentar en soporte informático los partes de baja y alta correspondientes a procesos de incapacidad temporal de los trabajadores a su servicio. Esta facultad fue ejercida a través de la Orden TAS/399/2004[7], en la que se reguló el envío de los partes médicos de baja, confirmación y alta a través del sistema RED[8].

En cambio, la informatización de las comunicaciones que tienen lugar entre los servicios públicos de salud y las entidades gestoras o colaboradoras de la Seguridad Social fue algo más compleja, porque se entrecruzó con la última fase de la descentralización autonómica de la sanidad pública. Por ello, su modernización se impulsó a través del Fondo Programa de ahorro en Incapacidad Temporal[9] destinado a la mejora de la gestión de los procesos derivados de contingencias comunes. Este fondo sirvió para financiar convenios de colaboración del INSS con todas las Comunidades Autónomas entre cuyos objetivos se preveía la "*Informatización y transmisión por vía telemática al INSS de los partes de IT en plazo y con código de diagnóstico*"[10]. Dicho propósito se cumplió en términos generales, pero el Tribunal de Cuentas[11] detectó algunas irregularidades destacables, como la falta de transmisión de los partes de confirmación por parte de diversas Comunidades o la omisión de la fecha del proceso inicial al que respondían las recaídas. Estas carencias provocaban lagunas de información que dificultaban el normal desarrollo de las funciones de inspección del INSS.

---

[7]   de 12 de febrero, sobre presentación en soporte informático de los partes médicos de baja, confirmación de la baja y alta correspondientes a procesos de incapacidad temporal.

[8]   En la actualidad, la obligación de que las empresas remitan al INSS los partes médicos de baja, confirmación y alta a través del sistema de Remisión Electrónica de Datos (RED) se prevé en el artículo 7.2 del Real Decreto 625/2014, de 18 de julio, por el que se regulan determinados aspectos de la gestión y control de los procesos por incapacidad temporal en los primeros trescientos sesenta y cinco días de su duración (en adelante, Real Decreto 625/2014).

[9]   La creación de tal fondo se previó en la Ley 21/2001, de 27 de diciembre, por la que se regulan las medidas fiscales y administrativas del nuevo sistema de financiación de las Comunidades Autónomas de régimen común y Ciudades con Estatuto de Autonomía.

[10]   Vid., a título ejemplificativo, la Resolución de 8 de septiembre de 2006, de la Secretaría General Técnica, por la que se publica el Convenio de colaboración entre el Instituto Nacional de la Seguridad Social y la Comunidad Autónoma de Canarias para el control de la incapacidad temporal.

[11]   Informe núm. 1027 de fiscalización sobre la gestión y control de la incapacidad temporal por las entidades del Sistema de la Seguridad Social aprobado el día 27 de marzo de 2014, p. 104.

En este contexto, el Real Decreto 625/2014 se propone adaptar definitivamente la normativa a las nuevas herramientas de las administraciones públicas "*en la era de las comunicaciones por vía electrónica*". Pese a ello, la digitalización de las transmisiones de datos entre las administraciones públicas y las mutuas no pasa de objetivo político a imperativo legal hasta la entrada en vigor, en diciembre de 2015, de la Orden ESS/1187/2015[12] por la que se aprobaron los nuevos modelos de partes médicos de incapacidad temporal. E incluso entonces, la implantación del nuevo sistema tuvo que esperar varios meses más, puesto que distintas Comunidades Autónomas no habían podido adaptar a tiempo el *software* de sus servicios sanitarios[13].

2.1. La gestión de los partes médicos a partir de la reforma del 2014

Los partes médicos de baja, confirmación y alta son los documentos en los que se contiene toda la información necesaria para la gestión de la incapacidad temporal, en sus dos dimensiones prestacionales, la económica y la sanitaria. Por ello, su tramitación se diseña con el propósito de que dicha información llegue a todos los sujetos que intervienen en su gestión y control, en función de las competencias y obligaciones que ostenta cada uno. A continuación se expone, de forma esquemática cómo se lleva a cabo dicha tramitación, para destacar los beneficios que ha comportado su digitalización y las carencias que aún padece.

Una consideración inicial que debe hacerse sobre los partes médicos de incapacidad temporal es que todos ellos se emiten a través de aplicativos informáticos diseñados al efecto[14] y, por tanto, quedan registrados en los sistemas de los organismos correspondientes. Este hecho, además de permitir su gestión digital, tiene un primer efecto directo sobre la persecución del fraude, pues facilita que la detección de falsificaciones sea cuasi inmediata. Es por ello que, si se atiende a la jurisprudencia más reciente, puede observarse con facilidad que, aunque se siguen dando casos de trabajadores que intentan simular su enfermedad mediante la entrega de partes de baja

---

12   de 15 de junio, por la que se desarrolla el Real Decreto 625/2014, de 18 de julio, por el que se regulan determinados aspectos de la gestión y control de los procesos por incapacidad temporal en los primeros trescientos sesenta y cinco días de su duración.

13   Entre ellas se encontraban las Comunidades Autónomas de las Islas Baleares, Andalucía y País Vasco.

14   Como se indica en el art. 2.5 Real Decreto 625/2014, "*los partes médicos de incapacidad temporal se confeccionarán con arreglo a un modelo que permita su gestión informatizada, en el que figurará un código identificativo del centro de salud emisor de aquellos*".

o alta manipulados[15], es mucho más frecuente la falsificación de justificantes médicos de asistencia sanitaria o de reposo[16], que generalmente no se tramitan por vía informática (aunque ello depende del concreto sistema implantado por cada Comunidad Autónoma).

Asimismo, otro beneficio notable que ha tenido la informatización de la gestión de los partes médicos ha sido la reducción del tiempo en el que puede iniciarse el control de la prestación, puesto que la entidad gestora los recibe más rápidamente. Así, por ejemplo, mientras que los empresarios disponían anteriormente de cinco días para enviar los partes al INSS, hoy deben hacerlo *"con carácter inmediato y, en todo caso, en el plazo máximo de tres días hábiles"*[17]. E, igualmente, mientras que los servicios públicos de salud tenían antes cinco días para remitir al INSS los partes médicos en formato físico, hoy hacen lo propio con los partes electrónicos *"de manera inmediata y, en todo caso, en el primer día hábil siguiente al de su expedición"*[18].

2.1.1. La remisión de los datos de cotización por parte de los empresarios

Como regla general[19], durante el primer año de incapacidad, los partes médicos de baja, confirmación y alta se expiden por facultativos médicos que pertenecen o a los Servicios Públicos de Salud, en el caso de los procesos derivados de contingencias comunes, o a las mutuas, en el caso de los procesos derivados de contingencias profesionales. En el mismo acto de su emisión, al trabajador se le entregan dos copias del parte en papel,

---

[15]   Como muestra, Vid., la SAP de Madrid de 26 de septiembre de 2016, Rec. 1231/2016 en la que se condena a un trabajador por modificar el día en que había sido dado de alta o la SAP de Madrid de 17 de septiembre de 2012, Rec. 365/2011 en la que se condena a otro trabajador que pretendía aparentar una situación de baja médica con un documento falso.

[16]   Pueden verse, entre otras, la STSJ de Cataluña de 22 de septiembre de 2017, Rec. 3739/2017, la STSJ de Cataluña de 12 de enero de 2017, Rec. 6910/2016, la STSJ Islas Canarias (Santa Cruz de Tenerife) de 30 de enero de 2015, Rec. 585/2014 o la STSJ de País Vasco de 1 de julio de 2014, Rec. 1237/2014, todas relativas a despidos de trabajadoras que tras haber sido requeridas para justificar su ausencia aportaron justificantes médicos falsos.

[17]   Respectivamente, arts. 2.2 Real Decreto 575/1997 y 7.2 Real Decreto 625/2014.

[18]   Respectivamente, arts. 2.3 Real Decreto 575/1997 y 7.1 Real Decreto 6525/2014.

[19]   Téngase en cuenta que esta afirmación constituye una simplificación que se utiliza para lograr una mayor claridad expositiva y que no tiene en cuenta ni el supuesto de las empresas que hayan optado por que sea el INSS el gestor de sus prestaciones (art. 83 LGSS) ni las empresas que hayan optado por gestionar, por sí mismas, las prestaciones por incapacidad temporal derivadas de contingencias profesionales (art. 102.1.a LGSS).

una para sí mismo, y otra que debe entregar a la empresa. A su vez, como ya se había introducido, la empresa debe enviarlo al INSS a través del sistema RED[20]. Este proceso viene a cumplir dos funciones de control de la incapacidad temporal: (i) que el empresario tenga constancia documental de que la ausencia del trabajador ha sido formalmente justificada por el órgano competente, y (ii) que el INSS disponga de los datos económicos necesarios para supervisar, junto con la TGSS, que el pago de la prestación y la cotización por el trabajador incapacitado se lleva a cabo de forma adecuada[21].

Como se ve, parte de este proceso se desarrolla todavía por vía analógica porque el empresario recibe los partes médicos en papel de la mano del trabajador, aunque después los digitalice para su remisión al INSS. Es por ello que, a diferencia de otros plazos, el tiempo del que dispone el trabajador para entregar el parte (tres días para los partes de baja o confirmación y un día para el parte de alta[22]) no se ha visto reducido. Así, el empresario puede tener que esperar hasta el cuarto día de baja para poder comprobar formalmente que las ausencias del trabajador están efectivamente justificadas. Y, además, los retrasos en la entrega de dichos documentos vienen generando una intensa problemática jurisprudencial porque, en función de las circunstancias concurrentes en cada caso concreto, pueden dar lugar o no a sanciones disciplinarias[23].

---

[20]　No en el caso de los partes de confirmación y alta, pero sí en el caso de los partes de baja, la empresa está obligada a cumplimentar los datos de cotización relativos al trabajador antes de realizar el envío. Además, de acuerdo con el art. 11.1 de la Orden ESS/1187/2015, la empresa debe consignar también a través del sistema RED, la clave del código nacional de ocupación, el código de la provincia y los datos identificativos del proceso y la empresa.

[21]　Téngase en cuenta que, conforme al art. 102.2 LGSS es la empresa quien paga directamente a sus trabajadores, a cargo de la entidad gestora o colaboradora, la prestación por incapacidad temporal, compensándose su importe en la liquidación de las cotizaciones sociales que aquella debe ingresar. El control de dicho pago es posible gracias a que, en virtud del art. 7.3 del Real Decreto 625/2014 el INSS facilitará a la TGSS *"los datos de los trabajadores que se encuentran en situación de incapacidad temporal con o sin derecho a prestación económica durante cada período de liquidación de cuotas, con el fin de que dicho servicio común lleve a cabo las actuaciones necesarias para que en la liquidación de cuotas de la Seguridad Social se compensen, en su caso, las cantidades satisfechas a los trabajadores en el pago por delegación de dicha prestación"*.

[22]　Art. 7.1 Real Decreto 625/2014.

[23]　Vid., en profundidad, GALA DURÁN, C.: "Articulación formal, control empresarial y consecuencias disciplinarias de la ausencia del trabajador por enfermedad, accidente o maternidad", *Aranzadi Social*, 1999, núm. 5, pp. 12 y ss. de la versión digital.

Por otra parte, en el caso de los partes de alta, la mutua debe comunicar a la empresa la extinción del derecho a la prestación, su causa y su fecha de efectos[24]. De este modo se asegura que, en el caso de que el trabajador incumpla su obligación de entregar el parte de alta, la empresa tenga conocimiento de que debería haberse reincorporado. Con todo, las empresas que no estén asociadas a una mutua o no hayan optado por otorgarle la gestión de los procesos derivados de contingencias comunes no dispondrán de esta garantía. De ahí se derivaría otra fuente de incerteza para dichas empresas, que pueden desconocer a partir de qué determinado momento las faltas de asistencia del trabajador que no regresa a su actividad han perdido su carácter justificado.

Pues bien, tanto la incertidumbre a la que pueden verse sometidos los empresarios, como las controversias mencionadas acerca de la entrega intempestiva de los partes se podrían evitar si se digitalizara también este tramo de la gestión de los partes médicos. Así ocurre, por ejemplo, en Italia donde el empresario puede acceder de inmediato a la información relativa a las incapacidades de sus empleados a través del portal web del *Istituto Nazionale della Previdenza Sociale*. Es más, puede optar por recibir diariamente, por correo electrónico, una lista de los trabajadores que han sido dados de baja o que permanecen incapacitados para el trabajo. El mismo sistema se pone a disposición de los trabajadores que, si lo desean, también pueden descargar a través de la misma web los certificados médicos relativos a su enfermedad[25].

Parece que la adopción de un sistema similar en España no sería excesivamente compleja puesto que, como a continuación se verá, al igual que *l'Instituto*, el INSS tiene noticia casi inmediata de las incapacidades temporales que se van declarando y extinguiendo[26]. Por ello, las dos funciones de control a las que se ha hecho referencia al principio de este apartado se cumplirían satisfactoriamente si, a través del propio sistema RED, el empresario recibiera una notificación indicando que un trabajador ha sido

---

[24]   Art. 5.1 Real Decreto 625/2014.

[25]   La reforma fue introducida por la *Comma 149 dell'art. 1 della legge n. 311/2004 (legge finanziaria per il 2005)* y desarrollada a través de múltiples disposiciones reglamentarias. Asimismo, el funcionamiento del sistema está expuesto con mucha claridad en la página web del INPS, que se enlaza a continuación: https://www.inps.it/nuovoportaleinps/default.aspx?itemdir=45479 (Fecha de consulta: 17/06/2019).

[26]   Por esta razón, se ha venido criticando desde la doctrina la exigencia de que el trabajador deba cumplir con los trámites formales de entrega de los partes médicos de forma innecesaria y únicamente en aras a la celeridad burocrática. Vid., al respecto, ROQUETA BUJ, R. y FERNÁNDEZ PRATS, C.: *La incapacidad para trabajar*, Madrid, 2014, La Ley, p. 172 o JOVER RAMÍREZ, C.: *La incapacidad laboral para el trabajo. Aspectos laborales y de Seguridad Social*, Valencia, 2005, Tirant lo Blanch, p. 364.

dado de baja o alta, requiriéndole, en el primer supuesto, para que cumplimentara los datos de cotización. Además, las transmisiones telemáticas de datos personales relativos a los trabajadores entre empresarios y entidades gestoras de la Seguridad Social que puedan garantizar *"un procedimiento de comunicación ágil en el reconocimiento y control de las prestaciones"* ya están expresamente autorizadas por el artículo 72.1.c LGSS.

2.2.2. La remisión de los datos médicos por parte de los servicios de salud

Paralelamente al proceso anterior, el mismo órgano que emite los partes médicos de incapacidad temporal los envía por vía telemática al INSS. De este modo se articula una segunda vía, adicional a la empresarial, a través de la cual se hace llegar la información a la entidad gestora. Asimismo, en el caso de los partes por contingencias comunes emitidos por los Servicios Públicos de Salud, una vez que el INSS recibe el envío lo remite, si procede, a la mutua a la que corresponda la gestión económica del proceso. Este mecanismo puede parecer poco eficiente en términos económicos, pero es necesario para salvaguardar los derechos del trabajador a la intimidad y a la confidencialidad de los datos médicos.

Los modelos de partes médicos que se dirigen por esta vía a la entidad gestora contienen, entre otros datos identificativos del proceso, el número de la tarjeta sanitaria del trabajador, una descripción de la limitación de la capacidad funcional que le afecta y su diagnóstico médico. A diferencia del empresario, tanto el INSS como las mutuas necesitan conocer la información sanitaria que se introduce en los partes médicos para ejercer sus funciones de control de la incapacidad temporal. Ello es debido a que, como entidades que gestionan la prestación económica por incapacidad temporal, les corresponde comprobar que se mantienen los hechos sobre los que se sostiene el derecho a la percepción del subsidio. Por esta razón, se dispone en el artículo 8.1 del Real Decreto 625/2014 que los actos de comprobación que lleven a cabo los médicos *"deberán basarse en los datos que fundamenten los partes médicos de baja y de confirmación de la baja..."*.

Una vez recibidos por el INSS todos los datos económicos y médicos relativos a los procesos por incapacidad temporal, estos quedan consolidados en una base de datos creada al efecto, que recibe el nombre de *"INCA"*[27]. En esta

---

[27]   Anexo III de la Orden de 26 de marzo de 1999 por la que se crean y modifican ficheros automatizados de datos de carácter personal gestionados por el Ministerio de Trabajo y Asuntos Sociales.

aplicación queda reflejada toda la información existente sobre cada proceso: los datos identificativos y de contacto del trabajador, el puesto que ocupa, su tipo de contrato, la empresa en la que trabaja, su sector de actividad, la dolencia que sufre, su duración estimada, el tipo de contingencia de la que se deriva, los reconocimientos a los que ha sido sometido, la entidad encargada de la gestión del proceso, etc. Además, por lo que respecta a los procesos derivados de contingencias profesionales, a dicha información se le suma la registrada a través de las aplicaciones informáticas 'Delt@'[28] y '*CEPROS*'[29] donde se recogen, respectivamente, todos los datos que contienen los partes de accidente de trabajo y de enfermedad profesional, que las empresas están obligadas a remitir también por vía electrónica. Este sistema facilita el estudio longitudinal de los procesos por incapacidad temporal y permite la realización de un seguimiento exhaustivo de la evolución del trabajador a lo largo del tiempo[30].

Por su parte, con la digitalización de los partes médicos también ha desparecido la necesidad de prever la circulación de los mismos dentro del propio sistema público de salud de cada Comunidad Autónoma. Así, aunque antes el original del parte médico de baja se debía remitir en papel a la Inspección de Servicios Sanitarios[31], ahora, al insertarse los datos relativos a las incapacidades en los sistemas informáticos de la institución, los inspectores pueden acceder directamente a los mismos y ejercer con mucha mayor agilidad las funciones de control de la incapacidad temporal que también ostentan[32].

2.2. *El acceso del personal médico a la historia clínica digital de los interesados*

Teniendo en cuenta que la salud de los trabajadores y su evaluación médica no puede concebirse si no es desde una perspectiva holística, se hace

---

[28]   Art. 3 de la Orden TAS/2926/2002, de 19 de noviembre, por la que se establecen nuevos modelos para la notificación de los accidentes de trabajo y se posibilita su transmisión por procedimiento electrónico.

[29]   Arts. 4 y 5 de la Orden TAS/1/2007, de 2 de enero, por la que se establece el modelo de parte de enfermedad profesional, se dictan normas para su elaboración y transmisión y se crea el correspondiente fichero de datos personales.

[30]   QUÍLEZ FÉLEZ, M. T.: "Análisis de situación de la incapacidad temporal. La epidemiología en la gestión de la incapacidad", *Medicina y Seguridad del Trabajo*, 2016, núm. Extraordinario 0, p. 18.

[31]   Art. 2.1 del Real Decreto 575/1997.

[32]   Vid., VÁZQUEZ MOURELLE, R. y PIÑEIRO ABELEDOS, M.: "La gestión electrónica de los procesos de incapacidad temporal de corta duración por la inspección de servicios sanitarios en la Comunidad Autónoma de Galicia", *Medicina y Seguridad del Trabajo*, 2014, núm. 1, p. 29.

evidente que para llevar a cabo un adecuado control médico de la incapacidad temporal los datos sanitarios recogidos en los partes médicos son necesarios, pero no suficientes. Por esta razón, se permite que los médicos con funciones de control puedan tener acceso a información adicional sobre la salud de los trabajadores que les permita evaluar más detalladamente su incapacidad para llevar a cabo su trabajo habitual. En este ámbito, la tecnología también ha marcado un punto de inflexión importante a la hora de facilitar a los profesionales una consulta mucho más ágil de los datos médicos de los trabajadores, aunque tampoco se ha llegado a su completa informatización.

Legalmente, todos los facultativos con competencias en materia de control de la incapacidad temporal, incluidos los médicos de las mutuas en ejercicio de funciones de gestión del subsidio por contingencias comunes, pueden conocer todos los datos médicos incorporados al proceso, lo cual engloba "*los informes médicos, pruebas y diagnósticos relativos a las situaciones de incapacidad temporal*"[33]. Sin embargo, no existe un sistema que permita a las mutuas acceder directamente a tal información. Por lo tanto, estas entidades siguen viéndose obligadas a solicitar tales documentos a los trabajadores, que acuden presencialmente a sus instalaciones para proporcionarlos en formato papel, con lo que se retrasan los trabajos de la aquella y se causan molestias innecesarias a estos últimos. Este es otro aspecto que podría ser objeto de mejora a través de remisión electrónica de la documentación médica[34]. Ello requeriría la formalización de los correspondientes convenios de colaboración entre las mutuas y las Comunidades Autónomas por ser esta la forma en la que, según el artículo 10.1 del Real Decreto 625/2014 deben articularse las relaciones de cooperación y coordinación entre los distintos órganos que intervienen en la gestión de la incapacidad temporal. Así se contribuiría también al cumplimiento del mandato contenido en el artículo 82.4.c LGSS[35].

Además de la información anterior, los inspectores médicos adscritos al INSS (no los médicos de las mutuas) también pueden consultar la do-

---

[33] Art. 8.1 Real Decreto 625/2014.

[34] En contra de que la consulta de dicha documentación por parte de las mutuas pueda realizarse vía *on line* se muestra ESTEBAN LEGARRETA, R.: *Controles y límites de la incapacidad temporal*, Albacete, 2019, Bormazo, p. 58, por considerar que no lo permiten "*los silencios del Real Decreto 625/2014*".

[35] "*Las comunicaciones que se realicen entre los médicos de las mutuas, los pertenecientes al servicio público de salud y las entidades gestoras se realizarán preferentemente por medios electrónicos, siendo válidas y eficaces desde el momento en que se reciban en el centro donde aquellos desarrollen sus funciones*".

cumentación clínica de atención primaria y especializada[36]. Es decir, los inspectores médicos del INSS tienen autorizada la cesión de la historia clínica completa de los trabajadores o, lo que es lo mismo, del conjunto de documentos que contienen los datos, valoraciones e informaciones de cualquier índole sobre la situación y la evolución clínica de un paciente[37]. El acceso a tales datos por vía telemática no quiso imponerse a través del Real Decreto 625/2014, sino que, de forma más prudente, se dispuso en su artículo 4.3 que ello tendría lugar "*preferentemente*".

De todos modos, el que era un desiderátum del ejecutivo ya se ha visto eminentemente cumplido[38] gracias a la implantación generalizada de la historia clínica digital[39] y a los ya referidos convenios de colaboración entre las Comunidades Autónomas y el INSS. Por ello, hoy en día es posible que los inspectores médicos puedan consultar las historias clínicas de los trabajadores a través de los equipos situados en sus propios puestos de trabajo, sin que se produzca ningún perjuicio para la seguridad y confidencialidad de los datos médicos[40]. Aunque ha sido objeto de crítica[41], a mi modo de ver, esta facultad, que debe considerarse muy positiva, cumple con el criterio de proporcionalidad constitucional puesto que únicamente se permite el acceso a los datos de aquellos trabajadores que estén en situación de incapacidad temporal o tengan incoado un expediente de incapacidad

---

[36]   Art. 8.1 *in fine* Real Decreto 625/2014.

[37]   Art. 3 Ley 41/2002, de 14 de noviembre, básica reguladora de la autonomía del paciente y de derechos y obligaciones en materia de información y documentación clínica (en adelante, LAP).

[38]   Según se indica en el 'Informe Estadístico de la memoria de actividades del INSS' publicado en 2017, p. 51, durante el año 2016 la mayoría de Comunidades Autónomas cumplieron este objetivo en un grado superior al 80%.

[39]   La principal característica de la historia clínica digital respecto de su predecesora, la historia clínica electrónica, es que permite que la información que contiene sea compartida y consultada por profesionales distintos que aquellos que la generan. Vid., al respecto, GIL MEMBRADO, C.: *La historia clínica. Deberes del responsable del tratamiento y derechos del paciente*, Granada, 2010, Comares, pp. 80 y ss.

[40]   Como dispone el art. 8.3 *in fine* del Real Decreto 625/2014 la seguridad de los datos queda garantizada por el cifrado de los datos mediante su codificado, y su confidencialidad, por la aplicación del deber de secreto y de la normativa deontológica.

[41]   TORTUERO PLAZA, J. L.: "Nuevamente la Incapacidad Temporal a Debate", *Revista de Derecho de la Seguridad Social. Laborum*, 2014, núm. 1, p. 31, censura esta posibilidad por abusiva y por insuficiencia de rango legal. Con todo, esta segunda crítica ha perdido vigencia desde el momento en que el art. 8.1 de la nueva Ley Orgánica 3/2018, de 5 de diciembre, de Protección de Datos Personales y garantía de los derechos digitales limita la exigencia de rango de ley a las autorizaciones de operaciones de tratamiento de datos personales que se basen en la normativa de prevención de riesgos laborales y en razones de interés público en el ámbito de la salud pública.

permanente. Además, es acorde con la legislación sanitaria[42] que prevé el ejercicio de funciones de inspección como uno de los supuestos lícitos de acceso a la historia clínica.

Por último, es de señalar que, más recientemente, el INSS y las mutuas han venido formalizando también convenios de colaboración[43] con la finalidad de que los inspectores puedan acceder a los datos médicos de los trabajadores protegidos por estas entidades. La herramienta informática habilitada al efecto recibe el nombre de 'Zona Privada INSS'. Esta aplicación funciona como un espacio telemático colaborativo que, en su primera fase de implantación, ya ha permitido reducir significativamente el tiempo de resolución de los expedientes de determinación de contingencias y realizar una mejor selección de los trabajadores que van a ser sometidos al control del INSS[44]. Asimismo, también es de prever que dicho sistema mejore la tramitación de la revisión de las altas médicas expedidas por las mutuas[45] al facilitar sus comunicaciones con el INSS, algo que me parece especialmente positivo en el marco de un procedimiento pensado "*con el fin de que se dicte la resolución correspondiente en el menor tiempo posible*", regido por plazos muy ajustados y frecuentemente incumplidos.

3. EL USO DE TECNOLOGÍAS DE ANÁLISIS AVANZADO DE DATOS PARA FACILITAR LA DETECCIÓN DE INCAPACIDADES FRAUDULENTAS

Como se ha visto, la gestión de los partes médicos es, por sí misma, un mecanismo de control de la incapacidad temporal en la medida en que permite detectar, por ejemplo, irregularidades en las deducciones que las empresas efectúen a la hora de compensar el pago delegado de la presta-

---

[42] Art. 16.5 LAP.

[43] El primero de ellos fue el Convenio entre el Instituto Nacional de la Seguridad Social y Mutua Universal Mugenat, Mutua Colaboradora con la Seguridad Social n.º 10, para el acceso telemático a la historia clínica de sus asegurados en los supuestos de prestaciones de la Seguridad Social que requieran un control y seguimiento por parte del INSS, publicado por Resolución de 17 de octubre de 2017, de la Secretaría General Técnica.

[44] Vid., 'Innovar tiene premio', publicado el 9/05/2019 en *La Revista de la Seguridad Social*, disponible on line vía: https://revista.seg-social.es/2019/05/09/innovar-tiene-premio/ (Fecha de consulta 24/06/2019).

[45] Art. 4 del Real Decreto 1430/2009, de 11 de septiembre, por el que se desarrolla reglamentariamente la Ley 40/2007, de 4 de diciembre, de medidas en materia de Seguridad Social, en relación con la prestación de incapacidad temporal.

ción económica[46]. También hace posible revelar supuestos de fraude por parte de los trabajadores que, habiendo sido declarados temporalmente incapaces de trabajar en un determinado puesto, son dados de alta en otra empresa para la realización de actividades de contenido similar, evidenciando lo ficticio de su enfermedad[47]. Aun así, puede decirse que la mayor utilidad de la gestión de los partes médicos es que permite llevar a cabo reconocimientos médicos de los trabajadores en situación de incapacidad temporal, el mecanismo de control por excelencia de esta prestación.

Los reconocimientos médicos de control de la incapacidad temporal se regulan en el artículo 9 del Real Decreto 625/2014 y pueden llevarlos a cabo tanto los inspectores médicos del INSS, como los médicos dependientes de las mutuas respecto de aquellos trabajadores en incapacidad temporal por contingencias comunes incluidos en su ámbito de gestión. El principal problema de la efectividad de dichos controles a la hora de detectar supuestos de fraude no es tanto jurídico como económico. Es decir, los medios humanos y técnicos que pueden dedicarse a la realización de reconocimientos son limitados, lo cual comporta que, habiéndose iniciado en el año 2017 más de un millón de nuevos procesos, únicamente 155.820 pudieron ser objeto de control por la entidad gestora[48].

Para intentar optimizar los recursos dedicados a los reconocimientos de control, tanto el INSS como las mutuas, no llaman a los trabajadores que van a ser reconocidos de forma aleatoria, sino que vienen utilizando tradicionalmente ciertos criterios que les permiten centrarse en aquellos procesos que pueden resultar, *a priori*, más sospechosos. En palabras del propio INSS, *"no se pretende realizar un seguimiento indiscriminado de todos los beneficiarios en situación de IT"* porque ello sería imposible, de forma que se

---

[46]   Vid., como muestra, la STSJ de Cataluña de 17 de julio de 2006, Rec. 1585/2006, sobre el supuesto de una empresa que pagó indebidamente durante diez meses la prestación por incapacidad temporal de un trabajador que había sido dado de alta, reclamándosele por parte del INSS el reintegro de las cantidades indebidamente deducidas.

[47]   Vid., por ejemplo, la STSJ Cataluña de 3 de octubre de 2001, Rec. 7972/2000, o STSJ Madrid de 15 de diciembre de 2014, Rec. 745/2014, correspondientes a supuestos en los que el INSS sanciona a sendas trabajadoras a la pérdida del subsidio y al reintegro de las cantidades indebidamente percibidas por haber prestado servicios por cuenta ajena estando en situación de incapacidad temporal. Si bien, ello debe entenderse sin perjuicio de que la entidad gestora deba realizar comprobaciones ulteriores antes de concluir que se está produciendo un fraude, puesto que el alta en la Seguridad Social no siempre equivaldrá a la realización efectiva de otros trabajos como se pone de manifiesto en la STSJ Islas Canarias de 24 de mayo de 2006, Rec. 270/2006.

[48]   Datos extraídos del 'Informe Estadístico de la memoria de actividades del INSS' publicado en 2017, pp. 32 y 51, respectivamente.

hace necesario *"seleccionar para el control aquellos procesos que presenten alguna anormalidad"*[49]. En esto se separa España de otros estados de nuestro entorno en los que los controles de los procesos por incapacidad temporal se llevan a cabo por azar, porque no se dispone de bases de datos con información individualizada y continuamente actualizada equiparables a las del INSS[50], ya descritas en el apartado anterior.

Con dicho fin se recurre al 'Manual de tiempos óptimos de incapacidad temporal', una herramienta técnica que contiene parámetros médicos que ayudan a estimar el tiempo de duración de una incapacidad en función de la patología de la que deriva, junto con otros factores correctores como son la edad, el sexo, la ocupación o el diagnóstico secundario. Mediante la aplicación de estos criterios (operación que se lleva a cabo a través de una aplicación informática desarrollada por el propio INSS[51]) pueden detectarse procesos que superan el tiempo óptimo de curación del trabajador, entendiéndose como una anomalía estadística que puede ser merecedora de supervisión por parte de un inspector médico. De este modo se alcanza un porcentaje de altas médicas que ronda el 27% del total de citaciones realizadas[52], una cifra que resulta ciertamente significativa. Pero, de nuevo, el avance de la tecnología se presenta aquí como una vía para mejorar dicha ratio y, por consiguiente, la eficiencia de la organización.

Se mantiene, por tanto, la tendencia por la que los cambios más vistosos que las tecnologías introducidas en el mundo del trabajo han venido provocando es el aumento del control sobre el trabajador, un control centralizado y objetivo, verificado en tiempo real y que requiere cada vez un grado menor de intervención humana[53]. Así se ha llegado a un contexto empresarial como el actual, en el que los algoritmos ya deciden sobre la selección de los trabajadores que van a ser contratados por una empresa[54], la planificación de las tares y su asignación a los profesionales que están en

---

[49] SAN de 18 de diciembre de 2013, Rec. 118/2013.

[50] OCDE: *Sickness, disability and work: Breaking the barriers,* París, 2010, p. 141.

[51] Vid., el Manual de Tiempos Óptimos en su Cuarta Edición del año 2017, p. 31.

[52] El dato que se proporciona es el resultado de sumar todas las altas médicas que se producen como resultado de las citaciones a reconocimientos médicos, incluidas tanto las previas como las posteriores, habiéndose extraído ambos datos del 'Informe Estadístico de la memoria de actividades del INSS' publicado en 2017, p. 52.

[53] Vid., PÉREZ DE LOS COBOS, F.: *Nuevas tecnologías y relación de trabajo,* Valencia, 1991, Tirant lo Blanch, p. 72.

[54] Vid., sobre esta interesante cuestión, RODRÍGUEZ ESCANCIANO, S.: "Los riesgos del denominado "data oursourcing" en el proceso de colocación: límites a la cesión de información entre los posibles sujetos intervinientes", *Relaciones Laborales y Derecho del Empleo,* 2019, núm. 2, p. 133.

mejores condiciones de llevarla a cabo[55] o, en fin, los más variados aspectos de la ordenación de la actividad laboral en sentido amplio[56]. El hecho diferencial en este caso es que es la Administración Pública[57] la que controla al trabajador interesado, porque es quien dispone en exclusiva de los datos personales necesarios.

3.1. El análisis de datos orientado a la detección de fraudes

Para intentar exponer de la forma más entendible posible el funcionamiento de las tecnologías de análisis de datos aplicadas a la detección del fraude o *fraud analytics* interesa tomar como muestra el sector asegurador, tanto por ser –junto con el sector financiero– uno de los pioneros en su utilización, como por la similitud de los seguros con las prestaciones de la Seguridad Social desde el punto de vista de su dinámica económica.

Igual que ocurre con la incapacidad temporal, una herramienta importante a la hora de controlar las solicitudes de los asegurados es auditar o verificar la información que estos hayan proporcionado, pero su coste es elevado. Por ello, en un primer momento se consideró que podía resultar rentable realizar controles aleatorios o de determinados casos seleccionados en función de ciertos indicios predeterminados. Así, por ejemplo, a las compañías aseguradoras de automóviles les podía resultar rentable llevar a cabo inspecciones detenidas de algunos siniestros, aunque fueran de escasa cuantía, porque en la mayoría de los casos era posible rebajarla y porque la conciencia de que estas inspecciones se producían podía ejercer un efecto disuasorio sobre potenciales defraudadores. La desventaja de este sistema era que requería un grado importante de trabajo humano en la detección de anomalías y la selección de los casos que iban a ser comprobados.

---

[55]   Vid., MERCADER UGUINA, J. R.: "El Mercado de trabajo y el empleo en un mundo digital", *Revista de Información Laboral*, 2018, núm. 11, p. 2 de la versión digital.

[56]   Vid., SÁNCHEZ-RODAS NAVARRO, C.: "Poderes directivos y nuevas tecnologías", *Temas laborales: Revista andaluza de trabajo y bienestar social*, 2017, núm. 138, p. 175 quien, sin embargo, se muestra reacia a aceptar que el poder empresarial de dirección de la actividad laboral del artículo 20 ET pueda ejercerse a través de decisiones generadas por inteligencia artificial.

[57]   Como se indica en la 'Estrategia Española de I+D+I en inteligencia artificial' publicada en 2019 por el Ministerio de Ciencia, Innovación y Universidades, p. 29, el sector público es el mayor productor y gestor de datos de los individuos, de las empresas y de los servicios que presta, de modo que resulta natural que el análisis de datos mediante aprendizaje automático sea clave en la gestión de las Administraciones Públicas.

Hoy en día, la digitalización de todos sus procesos permite a las compañías aseguradoras disponer de bases de datos en las que se ingresan continuamente millones de *inputs* a los que, además, se añaden datos procedentes de vías externas como aplicaciones móviles o fuentes de acceso público, entre otros[58]. La conjunción tan variada información conforma lo que se conoce como macrodatos o *big data*. Este concepto, tal y como lo define la Comisión Europea[59], hace referencia a una gran masa de datos de diferentes tipos producidos a alta velocidad a partir de diversas fuentes, que requieren para su procesamiento de *software*, algoritmos y procesadores de gran potencia.

El tratamiento informatizado de tales cantidades ingentes de información permite sistematizarla y utilizarla para fines predefinidos, cosa que sería cognitivamente imposible para las personas. Sin entrar en consideraciones excesivamente técnicas que no encajarían aquí[60], cabe señalar que ello se hace a través de técnicas de minería de datos, análisis descriptivo, análisis predictivo y inteligencia artificial o *machine learning*[61]. Todo ello permite establecer conexiones desconocidas, detectar patrones de fraude basados en datos históricos –que van actualizándose en la medida en que este va evolucionando– y sacar conclusiones fiables sobre reclamaciones ilegítimas en el mismo acto en que se producen o, incluso, que vayan a producirse en un futuro[62]. De este modo, si se detecta una reclamación similar a supuestos anteriores que se sepan fraudulentos, el sistema puede emitir una alerta en ese mismo instante[63].

---

[58]   Por ejemplo, según se indica en el Informe de AXA España de febrero de 2019 'VI Mapa AXA del fraude en España', p. 8, la compañía está trabajando en proyectos para detectar, con ayuda de imágenes por satélite, incongruencias entre siniestros, afectando a daños en partes exteriores.

[59]   Comunicación de la Comisión al Parlamento Europeo, al Consejo, al Comité Económico y Social Europeo y al Comité de las Regiones: 'Hacia una economía de los datos próspera', emitido en Bruselas el 2/07/2014, p. 5.

[60]   Para ello, Vid., BAESENS, B.; VAN VLASSEALAER, V. y VERBEKE, W.: *Fraud analytics. Using descriptive, predictive and social network techniques. A guide to data science for fraud detection*, Cary, 2015, Wiley, p. 19 y ss.

[61]   La Comisión Europea, en su Comunicación al Parlamento Europeo, al Consejo Europeo, al Consejo, al Comité Económico y Social Europeo y al Comité de las Regiones 'Inteligencia artificial para Europa', p. 1, engloba en este concepto *"los sistemas que manifiestan un comportamiento inteligente, pues son capaces de analizar su entorno y pasar a la acción –con cierto grado de autonomía– con el fin de alcanzar objetivos específicos"*.

[62]   Vid., el Informed de IBM Software: 'Predictive threat and Fraud Analytics: Meeting the Challenges of a Smarter Planet', Somers, 2013, p. 8.

[63]   Vid., MARR, B.: *Big data in practice*, Hoboken, 2016, Wiley, p. 218, en referencia al uso que hace de la tecnología antifraude la empresa Experian, una consultora inter-

En la práctica, la utilización de este tipo de técnicas se traduce en que los equipos de investigación de fraudes disponen de herramientas para conocer, en tiempo real, la probabilidad que tiene un siniestro que se acaba de comunicar de ser fraudulento y cuál es la forma más eficiente de proceder ante el mismo[64]. La utilización de este tipo de tecnología ya ha revertido en una clara mejora de las tasas de detección del fraude[65] y, consecuentemente, en importantes ahorros para las compañías aseguradoras[66], así como en una agilización de los procesos de gestión que beneficia a los consumidores.

3.2. *Su traslación al ámbito del control de la incapacidad temporal*

Como se había adelantado, la transformación operada por el análisis de datos no se ha quedado solo en el ámbito del sector privado, sino que, en los últimos años, los poderes públicos[67] están empezando también a beneficiarse de sus destacadas ventajas en la lucha contra el fraude. Así, la Agencia Tributaria ha adoptado una estrategia integral *"que permite avanzar en la explotación de la información mediante el uso intensivo de tecnologías de análisis de datos que faciliten la detección de incumplimientos tributarios graves"*[68], al tiempo que la Inspección de Trabajo y de la Seguridad Social ha decidido apostar por el *big data* y la inteligencia artificial *"para ser más eficaz en la detec-*

---

nacional que asesora a bancos y compañías aseguradoras sobre la fiabilidad de sus operaciones.

[64] PALLISA GABRIEL, O.: *Big data y el sector asegurador*, Barcelona, 2017, Universitat de Barcelona, p. 25.

[65] Vid., el referido Informe de AXA España de febrero de 2019 'VI Mapa AXA del fraude en España', p. 8, en el que se indica que el uso de herramientas tecnológicas está ayudando a detectar más de un 21% de los siniestros fraudulentos, mientras que con anterioridad estos apenas suponían un 5% del total.

[66] Vid., el Informe de IBM Analytics: 'Harnessing the power of data and analytics for insurance', Somers, 2015, p. 6, en referencia a la empresa 'Santam Insurance' de la que se dice que la contratación de servicios de análisis de datos le ha supuestso un ahorro de 2'5 millones de dólares en pagos indebidos.

[67] Como indicara COTINO HUESO, L.: "Big data e inteligencia artificial. Una aproximación a su tratamiento jurídico desde los derechos fundamentales", *Dilemata*, 2017, núm. 24, p. 136, este dato es jurídicamente relevante en la medida en que cuando la actividad de big data se realiza por poderes públicos el marco jurídico se rige por los principios de responsabilidad del Estado, el principio de legalidad y de interés público y no la libertad de empresa.

[68] Resolución de 11 de enero de 2019, de la Dirección General de la Agencia Estatal de Administración Tributaria, por la que se aprueban las directrices generales del Plan Anual de Control Tributario y Aduanero de 2019.

ción y planificación de la actividad inspectora"[69]. En la misma línea, la Gerencia Informática de la Seguridad Social ya anunció en el año 2015 la decisión de crear una plataforma analítica destinada a proveer a servicios de análisis de datos, en sus distintas vertientes, a los servicios propios de la Secretaria de Estado de la Seguridad Social que sirvió, en un primer momento, para detectar redes de empresas ficticias y cotizaciones fraudulentas[70].

En este contexto se han empezado a aplicar los modelos predictivos de análisis de datos al control de la incapacidad temporal, con la finalidad de aumentar la eficiencia y productividad de las Inspecciones Médicas del INSS[71]. De este modo se compensa la alta carga de trabajo de las unidades de Inspección de las Direcciones Provinciales del INSS centrando su labor en la citación y reconocimiento médico de aquellos procesos que el sistema identifique automáticamente como más dudosos. El principal objetivo es, sin duda, conseguir evitar el dispendio de recursos públicos en el pago de subsidios que, o bien no obedecen a una incapacidad real, o bien alcanzan una duración superior a la necesaria. A este respecto, existe algún estudio[72] que proporciona estimaciones realmente optimistas acerca del ahorro que puede conseguirse. Pero, además, este sistema también tiene consecuencias positivas para otros sujetos, como los trabajadores que se encuentran realmente incapacitados y que tienen menos probabilidades de ser llamados a los reconocimientos de control, o los empresarios, a los que beneficiará enormemente la más mínima mejora que se consiga en la contención del absentismo laboral.

Según se ha publicado, en estos momentos están utilizándose únicamente datos propios de la Seguridad Social, lo cual no permite hablar todavía

---

[69]   Resolución de 27 de julio de 2018, de la Subsecretaría, por la que se publica el Acuerdo del Consejo de Ministros de 27 de julio de 2018, por el que se aprueba el Plan Director por un Trabajo Digno 2018-2019-2020, Medida 61, cuarto punto.

[70]   Agencia EFE: 'La Seguridad Social combatirá mejor el fraude con la analítica inteligente de datos', publicado el 23/11/2015, disponible on line vía https://www.efe.com/efe/espana/politica/la-seguridad-social-combatira-mejor-el-fraude-con-analitica-inteligente-de-datos/10002-2771159 (Fecha de consulta: 24/06/2019).

[71]   PARDO GARCÍA, J.: "La analítica avanzada…", cit., p. 26.

[72]   En el realizado por ROMAY LÓPEZ, R. y SANTÍN GONZÁLEZ, D.: *Nuevas herramientas para gestionar el gasto público por incapacidad temporal*, Madrid, 2003, Instituto de Estudios Fiscales, p. 135, se estima que la utilización de un sistema informático de redes neuronales artificiales como herramienta para el control del fraude en la incapacidad temporal –un sistema menos avanzado de los que se están utilizando en la actualidad– hubiera permitido ahorrar para el período comprendido entre los años 1995 y 2001 y solamente en la provincia de Guadalajara en torno a los 3 millones de euros en prestaciones públicas.

del aprovechamiento de las posibilidades del *big data*, de conformidad con la conceptualización adoptada en el apartado anterior. Si bien, la plataforma de análisis de datos está ampliándose de forma que permita incorporar datos no estructurados como, por ejemplo, "*documentos de sentencias judiciales, convenios colectivos o logs de portales de internet*"[73]. En mi opinión, sin pretender despreciar la gran complejidad técnica que ello representaría, la posibilidad de analizar los datos obrantes en las redes sociales podría representar un verdadero salto cualitativo a este respecto. Ello se evidencia si se contempla que son cada vez más los casos de absentismo fraudulento que los empresarios descubren a través de internet[74]. En este punto el sector asegurador podría servir, de nuevo, como referencia, puesto que en su seno ya se han ensayado modelos de investigación del fraude a partir de la monitorización de la información extraída de las redes sociales[75].

Por su parte, las mutuas también están empezando a beneficiarse del análisis de datos para obtener un conocimiento más profundo de la incapacidad temporal aunque, al parecer, desde una perspectiva más descriptiva que prospectiva. Con este fin, la Asociación de Mutuas de Accidentes de Trabajo ha desarrollado una herramienta informática dirigida a medir detalladamente de todos los parámetros de esta prestación[76]. Asimismo, dicho conocimiento se transmite a las empresas asociadas en forma de datos anónimos de modo que estas puedan adoptar estrategias de prevención del absentismo laboral adaptadas a las características específicas de sus plantillas[77].

---

[73] PARDO GARCÍA, J.: "La analítica avanzada…", cit., p. 25.

[74] Por citar únicamente algunos de los supuestos más recientes que se han llevado ante los tribunales, pueden traerse a colación la STSJ de Canarias (Santa Cruz de Tenerife) de 9 de septiembre de 2018, Rec. 186/2018, sobre un trabajador cuya incapacidad temporal se descubrió fraudulenta a través de la publicitación en Facebook y Whatsapp de una actividad económica incompatible con su supuesta enfermedad o la STSJ de Galicia de 14 de febrero de 2018, Rec. 4282/2017, sobre una trabajadora que durante una baja por una fractura de tobillo se casó y se fue de viaje de novios por distintitos países presumiendo por redes sociales de sus paseos por las montañas, a la vez que subía "*fotos de su maltrecho pie*" durante "*el recorrido de todo un magnífico circuito*".

[75] Vid., DÍAZ-GRANADOS, M.; DÍAZ-MONTES, J. y PARASHAR, M.: "Investigating insurance fraud using social media", *IEEE Big Data,* 2015.

[76] Vid., 'AMAT muestra el potencial de su herramienta de Big Data para el seguimiento y análisis de la Incapacidad Temporal', publicado el 30/05/2018 en el portal de noticias de la entidad, disponible on line vía https://www.amat.es/noticias/amat_muestra_el_potencial_de_su_herramienta_de_big_data_para_el_seguimiento_y_analisis_de_la_incapacidad_temporal.3php (Fecha de consulta: 25/06/2019).

[77] Informe de ESADE Business & Law School: 'Adopción e impacto del Big Data y Advanced Analytics en España', publicado en Barcelona el 2018, p. 43.

3.3. Implicaciones jurídicas

Es cierto, y así se ha señalado[78], que el uso de las tecnologías de análisis avanzado de datos ostenta potencialidades lesivas respecto de una pluralidad de derechos fundamentales. Con todo, el que puede verse afectado en mayor medida, al menos *a priori*, es el derecho a la privacidad del artículo 18.4 de la Constitución. Por ello, es la regulación destinada a garantizar la protección de dicho derecho la única en la que se contemplan, de forma expresa, limitaciones al uso de estas técnicas[79].

Antes que nada, es preciso aclarar que, aunque los datos que se utilizan con finalidades de control de la incapacidad temporal son de distinta naturaleza y se recogen de diferentes fuentes, su tratamiento deberá regirse por las normas que se aplican a los datos relativos a la salud, que son considerados datos especialmente sensibles (art. 9.1 RGPD) y se someten a un régimen jurídico diferenciado. Esto se hace evidente desde el momento en que, mediante el uso de la analítica avanzada y a partir del tratamiento exclusivo de datos personales totalmente ajenos al ámbito sanitario pueden generarse informaciones muy precisas sobre la salud de las personas[80]. Lo relevante aquí es que la finalidad del tratamiento es verificar que el estado de salud del trabajador es efectivamente incompatible con su trabajo y, por tanto, el proceso completo de tratamiento de todos los datos personales queda impregnado por dicho propósito.

La legislación de la Seguridad Social autoriza que las entidades gestoras puedan tratar los datos personales relativos a los solicitantes de prestaciones económicas en el marco de las funciones que tienen atribuidas, incluyendo tanto los datos que les hayan sido remitidos por vía telemática, como aquellos que se consoliden en las bases de datos corporativas del sistema a

---

78 COTINO HUESO, L.: "Big data…", cit., pp. 136 y ss.
79 El propio Reglamento 2016/679 de 27 de abril de 2016 relativo a la protección de las personas físicas en lo que respecta al tratamiento de datos personales y a la libre circulación de estos datos y por el que se deroga la Directiva 95/46/CE (RGPD), Considerando 6, justifica la adopción de esta regulación indicando que la magnitud de la recogida y del intercambio de datos personales ha aumentado de manera significativa a raíz del desarrollo de tecnologías que permiten que tanto las empresas privadas como las autoridades públicas utilicen datos personales en una escala sin precedentes a la hora de realizar sus actividades.
80 Como se ejemplifica en el Informe del Grupo de Trabajo del artículo 29 'Guidelines on Automated individual decisión-making and profiling for the purposes of Regulation 2016/679' de 3 de octubre de 2017 y revisado el 6 de febrero del 2018, p. 15, es posible tener un conocimiento aproximado del estado de salud de una persona en base al registro de las compras de productos alimentarios que realiza en un supermercado.

consecuencia del acceso electrónico a las bases de datos de otras entidades (art. 71.2 LGSS). Se acepta, por tanto, el tratamiento con fines de control de la incapacidad temporal de toda la información contenida en los partes médicos que recibe el INSS, tanto de las empresas, como de los servicios públicos de salud. Asimismo, se contempla la licitud de que puedan tratarse los datos contenidos en la historia clínica de los interesados que resulten necesarios para controlar su proceso, "*salvo que conste oposición expresa y por escrito de aquellos*" (art. 71.3 LGSS).

Dicha regulación encaja perfectamente con lo dispuesto en el artículo 9.2.b RGPD, que permite a los Estados miembros autorizar el tratamiento de datos sensibles cuando sea necesario para el cumplimiento de derechos o deberes en el ámbito de la Seguridad Social[81]. Además, también se cumple la exigencia europea de que, en tal caso, el Derecho nacional deba contemplar "*garantías adecuadas del respeto de los derechos fundamentales y de los intereses del interesado*". Dichas garantías las encontramos en el artículo 8.3 del Real Decreto 625/2014 en el que (i) se limita el uso de los datos al control de los procesos de incapacidad, (ii) se establece su carácter confidencial, limitándose el acceso del personal no sanitario a aquellos datos que sean estrictamente necesarios para el cumplimiento de sus fines, y (iii) se reitera la necesidad de tomar las medidas de seguridad que sean necesarias para garantizar su integridad. Como se ve, ninguna de ellas se opone al uso de la analítica antifraude sobre los datos relativos a la salud de los trabajadores.

Más allá de lo anterior, debe tenerse en cuenta que el uso de la analítica antifraude aplicado a la incapacidad temporal puede calificarse como un supuesto de "*elaboración de perfiles*"[82], una forma de tratamiento automatizado de datos que está sujeta a restricciones específicas. Este concepto de nuevo cuño hace referencia a supuestos de tratamiento automatizado de datos en que se utiliza un conjunto de datos personales para inferir alguna cosa sobre un individuo partiendo de cualidades de otros que presentan características estadísticamente similares. En nuestro caso concreto, lo que

---

[81]   Tan es así, que aunque mediante la nueva Ley Orgánica 3/2018, de 5 de diciembre, de Protección de Datos Personales y garantía de los derechos digitales se introducen algunas novedades relevantes en materia de tratamiento de los datos relativos a la salud, no se ha considerado necesario modificar ningún aspecto de la normativa en materia de Seguridad Social para adaptarla al RGPD.

[82]   Según el art. 4.4 RGPD, se entiende por tal "*toda forma de tratamiento automatizado de datos personales consistente en utilizar datos personales para evaluar determinados aspectos personales de una persona física, en particular para analizar o predecir aspectos relativos al rendimiento profesional, situación económica, salud, preferencias personales, intereses, fiabilidad, comportamiento, ubicación o movimientos de dicha persona física*".

trata de deducir el sistema informático es si un individuo que se encuentra en incapacidad temporal está realmente impedido para trabajar o no.

Pues bien, el artículo 22.1 RGPD, establece que todos los interesados tienen derecho a no ser objeto de "*decisiones individuales automatizadas*" que se basen, entre otras técnicas, en la elaboración de perfiles. Las decisiones automatizadas son las tomadas exclusivamente a través de medios tecnológicos, sin ningún tipo de intervención humana y que "*produzcan efectos jurídicos*" sobre los interesados o les afecten "*significativamente de modo similar*". Es decir, está prohibido que un sistema informático pueda determinar, por sí mismo, el llamamiento de un trabajador a un reconocimiento médico de control de la incapacidad temporal. Téngase en cuenta que tal requerimiento puede tener consecuencias jurídicas tan importantes como la suspensión cautelar de la prestación económica, en caso de ser desatendido por el trabajador[83]. Y aunque en el artículo 22.2 RGPD se prevén una serie de excepciones que levantarían la prohibición, conforme al número 4 del mismo precepto tales excepciones no operan en el caso de los datos personales de carácter sensible, como son los datos relativos a la salud.

En vista de lo anterior, puede concluirse que el uso de la analítica antifraude por parte del INSS, aunque afecte a datos personales sensibles, es conforme a la Ley mientras se garantice la pervivencia de un grado mínimo de intervención humana en su aplicación. Es decir, este tipo de tecnología debe ponerse al servicio de los inspectores médicos para facilitarles un mejor y más eficiente desarrollo de su trabajo, pero no se les puede imponer que asuman sus conclusiones de forma vinculante[84]. El sistema informático no puede sustituir completamente el criterio técnico de los inspectores, ni para seleccionar aquellos trabajadores que van a ser controlados, ni mucho menos para emitir el alta médica. En este último caso, además, el hecho de que el artículo 5 del Real Decreto 625/2014 exija que el alta médica se produzca siempre tras el reconocimiento médico del trabajador, que necesariamente deberá efectuar personalmente un facultativo, representa una valiosa salvaguarda frente a las hipotéticas tentaciones que pudieran existir en un futuro de extender el uso de la inteligencia artificial a un

---

[83]   Art. 9.3 Real Decreto 625/2014.

[84]   Vid., el Informe del Grupo de Trabajo del artículo 29 'Guidelines on Automated individual decisión-making and profiling for the purposes of Regulation 2016/679' de 3 de octubre de 2017 y revisado el 6 de febrero del 2018, p. 21, indicando que para excluir la aplicación de la prohibición del art. 22.1 la intervención humana debe ser significativa y no meramente simbólica, debiéndose reservar a una persona con autoridad y competencia necesaria para modificar la decisión tomada por el sistema informático.

acto tan trascendente como la extinción de la incapacidad temporal. La intervención humana se plantea así en el RGPD como una garantía frente a la aplicación irreflexiva de una tecnología que no por funcionar con base a parámetros matemáticos deja de ser imperfecta, pues ya ha podido constatarse que *"las decisiones adoptadas mediante algoritmos pueden dar datos incompletos y, por tanto, no fiables, que pueden ser manipulados por ciberataques, pueden ser sesgados o simplemente estar equivocados"*[85].

BIBLIOGRAFÍA

BAESENS, B.; VAN VLASSEALAER, V. y VERBEKE, W.: *Fraud analytics. Using descriptive, predictive and social network techniques. A guide to data science for fraud detection*, Cary, 2015, Wiley.

COTINO HUESO, L.: "Big data e inteligencia artificial. Una aproximación a su tratamiento jurídico desde los derechos fundamentales", *Dilemata*, 2017, núm. 24.

DÍAZ-GRANADOS, M.; DÍAZ-MONTES, J.; PARASHAR, M.: "Investigating insurance fraud using social media", *IEEE Big Data*, 2015.

ESTEBAN LEGARRETA, R.: *Controles y límites de la incapacidad temporal*, Albacete, 2019, Bormazo.

GALA DURÁN, C.: "Articulación formal, control empresarial y consecuencias disciplinarias de la ausencia del trabajador por enfermedad, accidente o maternidad", *Aranzadi Social*, 1999, núm. 5.

GIL MEMBRADO, C.: *La historia clínica. Deberes del responsable del tratamiento y derechos del paciente*, Granada, 2010, Comares.

JOVER RAMÍREZ, C.: *La incapacidad laboral para el trabajo. Aspectos laborales y de Seguridad Social*, Valencia, 2005, Tirant lo Blanch.

MARR, B.: *Big data in practice*, Hoboken, 2016, Wiley.

MERCADER UGUINA, J. R.: "El Mercado de trabajo y el empleo en un mundo digital", *Revista de Información Laboral*, 2018, núm. 11.

OCDE: *Sickness, disability and work: Breaking the barriers*, París, 2010.

QUÍLEZ FÉLEZ, M. T.: "Análisis de situación de la incapacidad temporal. La epidemiología en la gestión de la incapacidad", *Medicina y Seguridad del Trabajo*, 2016, núm. Extraordinario 0.

---

[85]   Comunicación de la Comisión al Parlamento Europeo, al Consejo, al Comité Económico y Social Europeo y al Comité de las Regiones: 'Generar confianza en la inteligencia artificial centrada en el ser humano', emitida en Bruselas el 8/04/2019, p. 2.

PALLISA GABRIEL, O.: *Big data y el sector asegurador*, Barcelona, 2017, Universitat de Barcelona.

PARDO GARCÍA, J.: "La analítica avanzada de datos en la Seguridad Social", *Boletic*, 2018, núm. 82.

RODRÍGUEZ ESCANCIANO, S.: "Los riesgos del denominado "data outsourcing" en el proceso de colocación: límites a la cesión de información entre los posibles sujetos intervinientes", *Relaciones Laborales y Derecho del Empleo*, 2019, núm. 2.

ROMAY LÓPEZ, R. y SANTÍN GONZÁLEZ, D.: *Nuevas herramientas para gestionar el gasto público por incapacidad temporal*, Madrid, 2003, Instituto de Estudios Fiscales.

ROQUETA BUJ, R. y FERNÁNDEZ PRATS, C.: *La incapacidad para trabajar*, Madrid, 2014, La Ley.

SÁNCHEZ-RODAS NAVARRO, C.: "Poderes directivos y nuevas tecnologías", *Temas laborales: Revista andaluza de trabajo y bienestar social*, 2017, núm. 138.

TORTUERO PLAZA, J. L.: "Nuevamente la Incapacidad Temporal a Debate", *Revista de Derecho de la Seguridad Social. Laborum*, 2014, núm. 1.

VÁZQUEZ MOURELLE, R. y PIÑEIRO ABELEDOS, M.: 'La gestión electrónica de los procesos de incapacidad temporal de corta duración por la inspección de servicios sanitarios en la Comunidad Autónoma de Galicia', *Medicina y Seguridad del Trabajo*, 2014, núm. 1.